O LE TUSI A MAMONA

O LE TALA NA TUSIA I LE LIMA O MAMONA I PAPATUSI

UA SIITIA MAI AI PAPATUSI A NIFAE

O lea o le tala ‘oto‘oto o le tala i le nuu o Nifae, atoa ma sa Lamanā; ua tusia i sa Lamanā, o toe tagata i latou o le aiga o Isaraelu; a e maise foi i tagata Iutaia ma Nuu Ese; ua tusia ona o le poloaiga, i le ma le Agaga o valoaga ma faaaliga. Ua tusia, ma faamaufaailogaina, ma natia mo le Atua, ina ia le faaumatia, a e oo mai i le mea foaifuaina a le Atua ma lona mana, ina ia faamatalaina ai; ua faamaufaailogaina i le lima o Moronae, ma natia mo le Atua, e oo mai ai i aso e tatau ai i le ala o Nuu Ese; e faamatalaina foi i le mea foaifuaina a le Atua.

O le tala faa‘oto‘oto foi na maua mai le tusi a Eteru; o le tala lea i le nuu o Iareto, o e na faasalalauina i ona po na faaeseeseina ai e le Atua le gagana a le nuu, ina o latou fai le ‘olo ina ia oo ae i le lagi; o le mea foi lenei e faailoa atu ai i e totoe o le aiga o Isaraelu o mea tetele na faia e le Atua mo latou tamā, ina ia latou iloa foi feagaiga a le Atua, ua le tuulafoaiina i latou e faavavau; ma le tasi foi, ina ia mautinoa ai tagata Iutaia ma Nuu Ese, o IESU o le KERISO lava ia, o LE ATUA FAAVAVAU, o loo faaali mai o ia i atunuu uma lava. O lenei foi, afai o i ai pona, o mea sese ia a tagata, o le mea lea aua tou te ta‘uleagaina ai mea a le Atua, ina ia maua outou ma le le pona i le nofoa faamasino o Keriso.

UA FAALILIUINA E IOSEFA SAMITA

Ua FaaSamoaina e Alisa, ma Molisa, ma Samati, ma Toka i aso na Pule ai Alisa

O mea sese i le lomiga muamua ua faasaoina i lenei lomiga lona lua e Misi Emelē

Lomia i le 'A'ai o Sate Leki, Iutā, USA 7/2004

Tranlation of the Book of Mormon
Samoan

ISBN 1-59297-554-2 Hardcover (33571 890)
ISBN 1-59297-555-0 Softcover (33572 890)

O LE MAU A MOLIMAU E TOATOLU

Ia iloa e atunuu uma, ma ituaiga, ma gagana eseese, ma nuu e oo atu i ai lenei tusi, ona o le alofa tunoa o le Atua le Tamā, ma lo tatou Alii o Iesu Keriso, ua matou vaaia papatusi ua i ai lenei tala; o le tala lea i le nuu o Nifae atoa ma sa Lamanā o latou uso, a e maise foi le nuu o Iareto o e na o mai mai le ‘olo e pei ona faamatalaina; ma ua matou iloa ua faamatalaina i le mea foaifuaina mai ma le mana o le Atua, auā ua fetalai mai ai lona siufofoga ia te i matou; o le mea lea ua mautinoa ai i matou ua moni lenei tusi. Matou te molimau atu foi ua matou vaaia togitogiga ua i ai i papatusi, ma ua faaalia ia mea ia te i matou i le mana o le Atua, a e le o tagata. Matou te ta‘utino atu ma le upu faamaoni, na afio ifo mai le lagi le agelu a le Atua, ma ua ia aumai ma tuu mai i luma o matou mata, ina ia matou vaavaai i ai ma iloa o papatusi ma togitogiga ua i ai; ma ua matou iloa ona o le alofa o le Atua le Tama ma lo tatou Alii o Iesu Keriso na matou iloa ai ma molimau ai i nei mea ua faamaoni; o le mea ofoofogia foi i la matou vaai, e ui i lea, ua poloai mai le siufofoga o le Atua ia te i matou ia matou molimau atu ai. O le mea lea matou te molimau atu ai i nei mea, ina ia tausia poloaiga a le Atua. Ua matou iloa foi, afai e faamaoni i matou ia Keriso, e mamā o matou ofu i le toto o tagata uma lava, a e maua i matou ma le le ponā i luma o le nofoa faamasino o Keriso, a e nofo faatasi ma ia e faavavau i le lagi. Ia i ai le mamalu i le Tamā, ma le Alo, ma le Agaga Paia, o le Atua e tasi. Amene.

Oliver Cowdery,
David Whitmer,
Martin Harris.

O LE MAU A MOLIMAU E TOAVALU

Ia iloa e atunuu uma, ma ituaiga, ma gagana eseese, ma nuu e oo atu i ai lenei tusi, ua faaalia mai ia te i matou e Iosefa Samita, o le na faamatalaina lenei tusi, o papatusi ua faamatalaina, ma ua pei o le auro. Na fetagofi foi o matou lima i itulau sa faamatalaina e Samita. Na iloa foi e i matou o togitogiga o i ai, ua peiseai o le mea mai anamua ma le uiga ese. O le mea lenei matou te molimau atu ai ma le upu faamaoni, ua faaalia mai e Samita ia te i matou. auā ua matou iloa, ua sii i luga foi e i matou, ma ua matou mautinoa lava o loo i ai ia Samita o papatusi ua matou fai atu ai. Matou te tuuina atu o matou igoa i le lalolagi uma, ina ia molimau atu i le lalolagi i mea ua matou vaaia. Matou te le pepelo lava, o loo molimau ai le Atua.

Christian Whitmer,
Jacob Whitmer,
Peter Whitmer, Jr.,
John Whitmer,

Hiram Page,
Joseph Smith, Sr.
Hyrum Smith,
Samuel H. Smith.

O LE TUSI A MAMONA.

O LE TUSI MUAMUA A NIFAE.

O LANA NOFOAIGA MA LONA AUAUNA ATU I LE ATUA.

O le tala ia Liae ma lona toalua, o Sarai, atoa ma ona atalii e toafa, ua igoa (e afua i le ulumatua) ia Lamana, ma Lemuelu, ma Sama, ma Nifae. Ua fetalai mai le Atua ia Liae, ia sola mai le nuu o Ierusalema, aua na ia vavalo i le nuu e uiga i a latou amioletonu, ua latou saili foi e ave ese lona ola. Ua latou o malaga ma lona auaiga i aso e tolu i le vao. Ua ave e Nifae ona uso ma ua latou foi atu i le nuu o Ierusalema e maua ai le tusi a tagata Iutaia. O le tala i a latou puapuaga. Ua latou faiava i afafine o Isamaeli. Ua latou ave a latou auaiga ma tete'a atu i le vao. O latou tiga ma puapuaga i le vao. O le ala o la latou malaga. Ua latou taunuu i le moana tele. Ua fouvale uso o Nifae ia te ia. Ua ia faafememeai i latou ma ua fau le vaa. Ua latou faaigoaina le nuu o Nuumau. Ua latou malaga atu i le moana tele, ua oo i le nuu na folafolaina. E faapenei le tala a Nifae. O lenei, o a'u o Nifae, na ou tusia lenei tusi.

MATAUPU 1.

O le faaaliga a Liae i le afi faaniutu ma le tusi o valoaga—Ua ia vavalo i le malaia o le a oo ia Ierusalema, ma ua vavalo i le afio mai o le Mesia—Ua lamalama tagata Iutaia i lona soifua.

1. O a'u o Nifae, na fanaua e mātua lelei, o lea sa ou a'oa'oina ai teisi i le poto uma o lo'u tamā. Ina ua ou iloa foi puapuaga e tele i o'u aso, a e ui i lea, sa alofagia tele e le Atua i o'u aso uma; ioe, ina ua maua mai le poto sili o le agalelei ma mea lilo a le Atua, o le mea lea ua ou faia ai le tala i a'u mea sa fai i o'u aso.

2. Ioe, ou te faia le tusi i le gagana a lo'u tamā, e i ai le poto o tagata Iutaia ma le gagana a tagata Aikupito.

3. Ma ua ou iloa ua moni le tusi ou te faia, ua ou faia foi i lo'u lava lima, ua ou faia foi e tusa ma lo'u poto.

4. Auā ua oo i le amataga o le muai tausaga o le nofoaiga a Setekaia, le tupu o Iuta, (na nofo lo'u tamā o Liae i Ierusalema i ona aso uma,) o lea lava tausaga na o mai ai perofeta e toatele, ua vavalo atu i le nuu ia latou salamo, ne'i faaumatia le aai tele o Ierusalema.

5. O lea, ina o alu atu lo'u tamā o Liae, ua oo ina tatalo ai o ia i le Atua, ioe, ma lona loto atoa ona o lona nuu.

6. Ua oo ina o tatalo o ia i le Atua, ua oo mai le afi faaniutū, ma ua nofo ai i luga o le papa i ona luma. Na ia vaaia ma faalogoina mea e tele, ma na gatete, ma ua tetemu tele lava ona o mea na ia vaaia ma faalogoina.

7. Ua oo ina foi mai o ia i lona lava fale i Ierusalema, ma ua ia faapaū o ia i lona moega ina ua vaivai o ia i le Agaga ma mea na ia vaaia.

8. Ina ua faapea foi ona vaivai i le Agaga, sa aveeseina o ia i le faaaliga, ua oo ina ia iloa le lagi,

ua avanoa. Sa ia manatu ua iloa e ia le Atua, o afio i lona afioaga, ua siosiomia i au agelu e le masino, o pepese ma vivii atu i lo latou Atua.

9. Ua oo ina ia iloa atu le toatasi o afio ifo mai le totonugalemu o le lagi, ma ua na iloa foi ua sili lona pupula ai lo le la i le aoauli.

10. Ua na iloa foi nisi a toasefulu ma le toalua o mulimuli atu ia te ia, ua sili lo latou pupula i lo fetu i le lagi.

11. Ua maliu ifo i latou ma o atu i le fogaeleele. Na afio mai lē muamua ma tu i luma o lo'u tamā, ma ua ia avane ia te ia se tusi ma ua fetelai ane ia te ia, na te faitauina.

12. Ma ua oo ina o faitau o ia, ua faatumuina o ia i le Agaga o le Atua.

13. Ma ua faitau o ia, ua faapea mai: Oi talofa, oi talofa i Ierusalema, auā ua ou iloa au mea inosia. Ioe, e tele mea sa faitau e lo'u tamā e uiga i Ierusalema, o le a faaumatia ma ona tagata, e fano nisi e toatele i le pelu, e toatele foi e avea faatagataotaua i Papelonia.

14. Ua oo ina ua faitauina ma iloa e lo'u tamā mea tetele lava ma le ofoofogia, e tele mea sa ia valaau atu i le Atua, e i ai lea: Le Alii e, le Atua e ona le malosi uma, e sili ma ua ofoofogia au galuega! E maualuga i le lagi lou afioaga, o lou mana ma lou agalelei ma lou alofa ua i luga o tagata uma o le lalolagi. Ona ua e alofa tele foi e te le tuuina atu ai ia fano i latou o e o atu ia te oe.

15. Sa faapea upu a lo'u tamā i le vivii atu i lona Atua, auā sa olioli lava lona agaga. Ua tumu lona loto atoa ona o mea ua na vaaia, ioe, na faaalia mai ia te ia e le Atua.

16. O lenei, o a'u o Nifae, ou te le fai le tala atoa i mea ua tusia e lo'u tamā, auā ua ia tusia mea e tele na ia vaaia i faaaliga ma miti, ua ia tusia foi mea e tele na na valoia ma fai mai ai i ana fanau, ou te le fai ai le tala atoa.

17. A ou te fai le tala i a'u mea sa fai i o'u aso. Faauta, ua ou tusia faa'oto'oto le tusi a lo'u tamā i papatusi ua ou gaosia i o'u lava lima. O lenei, a uma ona ou faaotootoina le tusi a lo'u tamā, ona ou faia lea le tala i lo'u lava ola.

18. O lea ou te manao ai ina ia outou iloa, ina ua uma ona faaalia e le Atua mea ofoofogia i lo'u tamā, o Liae, ioe, e uiga i le faafanoga o Ierusalema, faauta, ua alu atu o ia i le nuu, ma ua amata ona vavalo ma tala'i atu ia te i latou o mea ua uma ona ia vaaia ma faalogoina.

19. Ua oo ina faatauemu tagata Iutaia ia te ia ona o mea na ia molimau atu ia te i latou, auā na ia molimau faamaoni i la latou amioleaga mā latou mea inosia. Na ia molimau foi i mea na ia vaaia ma faalogoina, ma mea foi ua na faitauina i le tusi, ua ta'utino mai ai le afio mai o le Mesia, atoa ma le togiolaina o le lalolagi.

20. Ina ua faalogo foi tagata Iutaia i ia mea, ua latou ita ia te ia, ioe, e tusa ma le au perofeta anamua o e sa latou tulieseina, ma fetogia i maa, ma fasiotia, sa latou saili foi lona ola, ina ia aveese ai. A e peitai, faauta, o a'u o Nifae, e faailoa atu ia te outou le alofa mutimutivale o le Atua e i ai ia i latou uma o e ua ia filifilia ona o lo latou faatuatua, e faamalolosi a'i i latou e oo lava i le mana o le faaolaina.

MATAUPU 2.

Ua te'a eseese Liae ma lona aiga e aga'i atu i le vao e tuaoi ma le Sami Ulaula—Ua muimui ona atalii matutua, o Lamana ma lemuelu, ia te ia—Ua talitonu Nifae ma Sama i ana upu—O folafolaga a le Alii ia Nifae.

1. Auā faauta, ua oo ina fetalai mai le Atua i lo'u tamā, ioe, i le miti lava, ua faapea mai ia te ia: Amuia oe, Liae, ona o mea ua e faia, ina ua e faamaoni ma ua ta'utino atu i lenei nuu mea na ou poloaiina ai oe, faauta, ua latou saili e aveese lou ola.

2. Ua oo ina poloaiina lo'u tamā e le Atua i le miti lava, na te ave lona auaiga ma o ese i le vao.

3. Ua oo ina usiusitai o ia i le afioga a le Atua, o lea na ia faia ai e pei ona poloaiina ai o ia e le Atua.

4. Ua oo ina te'a atu o ia i le vao. Ua na tuua lona fale ma le fanua o lona tofi, ma lana auro ma lana ario ma ana mea tāua, ma ua le ave se mea e tasi ma ia, ua na o lona auaiga, ma mea e ai, ma fale ie, ma ua te'a atu i le vao.

5. Ma ua alu ifo o ia i tuaoi e lata ane i le matafaga o le sami Ulaula. Sa latou malaga atu i le vao ma lona auaiga, sa i ai lo'u tinā, o Sarai, ma o'u uso matutua, o Lamana, ma Lemuelu, ma Sama.

6. Ma ua oo ina ua malaga o ia i aso e tolu i le vao, na ia faatu lona fale ie i le vanu i tafatafa o le vaitafe.

7. Ma ua oo ina faia e ia le fata faitaulaga i maa, ma ua fai ai le taulaga i le Atua, ma ua ava'e le faafetai i le Alii lo tatou Atua.

8. Ma ua oo ina faaigoaina e ia le vaitafe o Lamana, ua tafe ifo ai i le sami Ulaula, a o le vanu sa i tuaoi e latalata i le mulivai.

9. Ina ua iloa atu e lo'u tamā ua tafe atu le vai o le vaitafe i le puna o le sami Ulaula, ua ia fai atu ia Lamana, ua faapea atu: E! ana mafai ona e tusa ma lenei vaitafe, o loo tafe pea i le puna o le amiotonu uma!

10. Ua na fai atu foi ia Lemuelu: E! ana mafai ona e tusa ma lenei vanu, e mau ma ua mausali ma le le mafaagaeetia i le tausiga o poloaiga a le Atua!

11. O lenei, sa faapea o ia ona o le ūa maaa o Lamana ma Lemuelu, auā faauta, ua la muimui i mea e tele i lo laua tamā, auā o ia o le tagata ua maua faaaliga, ma ua na ta'ita'iina i latou ai le nuu o Ierusalema e tuu le fanua o lo latou tofi, ma la latou auro, ma la latou ario, mā latou mea tāua e fano i le vao, ma ua la fai mai ua na faia lenei mea ona o masalosaloga faavalea o lona loto.

12. Sa faapea Lamana ma Lemuelu, ona ua matutua i laua ua la muimiu atu ai i lo laua tamā. Sa muimui i laua auā ua la le iloa galuega a le Atua, o Le na faia i laua.

13. Sa le talitonu i laua e mafai ona faaumatia lea aai tele o Ierusalema e tusa ma upu a le au perofeta. Ua tutusa i latou ma tagata Iutaia o e na i Ierusalema, o e na saili e aveese le ola o lo'u tamā.

14. Ma ua oo ina tautala atu lo'u tamā i le mana ia te i laua i le vanu o Lemuelu, ina ua tumu o ia i le Agaga, ina seia gatete o laua tino i ona luma. Ua ia faafememeaiina i laua, ma ua matata'u ai i laua e faifai ia te ia, o lea foi ua la faia ai e pei ona ia poloaiina i laua.

15. Sa nofo foi lo'u tamā i le fale ie.

16. O a'u o Nifae, ina ua ou taulealea lava, a e ui i lea ua ou tino ese ma ua ia te au foi manao e tele e iloa mea lilo a le Atua, o lea ua oo ai ina ou tagi atu i le Atua. Faauta foi, ua na asiasi mai ia te au, ma na faamālulu lo'u loto, ma ua ou talitonu ai i upu uma na fai mai e lo'u tamā, o lea na ou le fouvale ai ia te ia e pei o o'u uso.

17. Na ou tautala atu foi ia Sama, o faailoa atu ia te ia mea ua uma ona faaalia mai ia te au e le Atua i lona Agaga Paia, ma ua oo ina talitonu o ia i a'u upu.

18. A e peitai, faauta, ua le faalogo mai Lamana ma Lemuelu i a'u upu. Ona ua ou tigaina foi ona o le maaa ō laua loto, na ou tagi atu i le Atua mo i laua.

19. Ua oo ina fetalai mai le Atua ia te au, ua faapea mai: Amuia oe, Nifae, ona o lou faatuatua, auā ua e saili mai ia te au ma le filigā ma le maulalo o le loto.

20. Afai foi e te tausia a'u poloaiga, e te manuia, e ta'ita'iina foi oe i le nuu ua folafolaina, ioe, o le nuu ua ou saunia mo outou, ioe, o le nuu ua sili ona lelei i nuu ese uma lava.

21. Afai foi e fouvale ou uso ia te oe, e vavaeeseina i latou ai luma o le Atua.

22. Afai foi e te tausi i a'u poloaiga, e avea oe ma pule ma a'oa'o i ou uso.

23. Auā faauta, o le aso latou te fouvale mai ai ia te au, ou te fetuuina i latou i le fetuu tiga, latou te le pule i au fanau, sei iloga latou te fouvale mai foi ia te au.

24. Afai e iu ina fouvale mai i latou ia te au, e avea i latou ma sasa i au fanau, e faaoso ai i latou i ala o le faamanatua.

MATAUPU 3.

Ua toe auina atu atalii o Liae i Ierusalema, ina ia maua papatusia apamemea—Ua teena e Lapana le tuuina atu o papatusi—Ua a'oa'ia Lamana ma Lemuelu e le agelu.

1. U oo ina foi mai a'u, o Nifae, ai le talatalaga ma le Atua, i le fale ie o lo'u tamā.

2. Ma ua oo ina tautala mai o ia ia te au, ua faapea mai: Faauta, ua ou faia le miti. Ua poloaiina ai a'u e le Atua, e foi atu outou ma ou uso i Ierusalema.

3. Auā faauta, o i ai le tusi a tagata Iutaia ia Lapana, atoa ma le gafa foi a ou tamā anamua, ma ua togitogia ai i papatusi apamemea.

4. O lenei, ua poloaiina ai a'u e le Atua, tou te o ma ou uso i le fale o Lapana, ma sailiili mai tusi, ma aumai ai iinei i le vao.

5. A o lenei, faauta, ua muimui ai ou uso, ua faapea mai, ua faigata lenei mea ua ou poloaiina ai i latou, a e peitai, faauta, ou te lei poloaiina i latou, a o le poloaiga lea a le Atua.

6. O lea, lo'u atalii e, ia e alu atu ai, e faamanuiaina mai oe e le Atua, auā ua e le muimui.

7. Ma ua oo ina fai atu a'u o Nifae i lo'u tamā: Ou te alu atu ma fai ia mea ua poloaiina e le Atua, auā ua ou iloa, e le aumai e le Atua ni poloaiga i le fanauga a tagata, sei iloga na te saunia le ala mo i latou ia mafai ai i latou ona fai le mea ua ia poloaiina ai i latou.

8. Ma ua oo ina ua faalogo lo'u tamā i ia upu, ua fiafia lava o ia, auā ua na iloa ua faamanuiaina a'u e le Atua.

9. Na alu atu a'u, o Nifae, ma o'u uso i la matou malaga ma o matou fale ie i le vao, e alu ae i le nuu o Ierusalema.

10. Ma ua oo, ina ua matou oo atu i le nuu o Ierusalema, ua matou filifili ma o'u uso.

11. Ma ua matou fai le vili, po o ai so matou e alu atu i le fale o Lapana. Ua oo foi ina faasaga le vili ia Lamana, ma ua alu atu Lamana i le fale o Lapana, ua la talatala ma ia a o nofonofo o ia i lona fale.

12. Sa ia manao mai ia Lapana o tusi ua togitogia i papatusi apamemea, o i ai le gafa o lo'u tamā.

13. A e faauta, ua oo ina ita Lapana, ua tūlei ia te ia ai ona luma, ua le loto o ia ina ia ave tusi e ia. O lenei, na ia fai mai ia te ia: Faauta, o oe o le fao mea, ou te fasioti ia te oe.

14. A ua sola Lamana ai ona luma, ma ua ta'u mai ia te i matou mea na faia e Lapana. Sa amata ona faanoanoa tele i matou, sa fai a foi atu o'u uso i lo'u tamā i le vao.

15. A e peitai, faauta, sa ou fai atu ia te i latou: O soifua le Atua, o ola foi i tatou, tatou te le o atu i lo tatou tamā i le vao, seia uma ona faia e i tatou le mea ua poloaiina ai i tatou e le Atua.

16. O le mea lea ia tatou faamaoni ai i le tausiga o poloaiga a le Atua; o lea foi ia tatou o atu ai i le laueleele o le tofi o lo tatou tamā, auā faauta, na ia tuua le auro, ma le ario, ma oloa eseese uma. O mea uma nei ua ia faia ona o poloaiga a le Atua.

17. Auā ua na iloa e faaumatia Ierusalema ona o le amioleaga a le nuu.

18. Auā, faauta, ua latou teena upu a le au perofeta. O lenei, afai e nofo lo'u tamā i le nuu ina ua uma ona poloaiina o ia ia sola ese ai le nuu, faauta, e malaia foi o ia. O lenei foi, e ao ina sola ese o ia ai le nuu.

19. Faauta foi, o le poto o le Atua lenei, ia tatou maua ia tusi ia mafai ai i tatou ona tuu atu i a tatou fanau le gagana a o tatou tamā.

20. Ma lenei foi, ina ia tatou tuu atu ia te i latou upu na fetalaia mai i fofoga o perofeta paia uma, ua aumaia ia te i latou i le Agaga ma le mana o le Atua talu le amataga o le lalolagi ia oo mai lava i ona po nei.

21. Ma ua oo ina faapea upu na ou faaoleole atu ai i o'u uso, ina ia latou faamaoni i le tausiga o poloaiga a le Atua.

22. Ma ua oo ina o atu i matou i le laueleele o lo matou tofi, ma ua matou faaputuputuina faatasi la matou auro, ma la matou ario, mā matou mea tāua.

23. Ua uma ona matou faaputuputuina faatasi ia mea, ona matou toe o ae ai lea i le fale o Lapana.

24. Ma ua oo ina o atu i matou ia Lapana, ma ua manao na te aumai ia te i matou tusi ua togitogia i papatusi apamemea, a e matou te avatu ai ia te ia la matou auro, ma la matou ario, mā matou mea tāua uma.

25. Ma ua oo ina ua iloa e Lapana a matou mea, ma ua tele naua, na ia naunau mai i ai, ua iu ina ia tūleia i matou i fafo, ma ua aauina mai ana auauna ia fasiotia i matou, ina ia maua ai e e ia a matou oloa.

26. Ma ua oo ina sosola i matou i luma o auauna a Lapana, ua le mafai i matou ona ave o matou oloa ma ua maua ai e Lapana.

27. Ma ua oo ina matou sosola i le vao, ma ua le maua mai i matou e auauna a Lapana, na lalafi foi i matou i le lua i le papa.

28. Ma ua oo ina ita mai Lamana ia te i maua uma ma lo'u

tamā, ma ua faapea foi Lemuelu, auā ua ia gauai atu i upu a Lamana. O lenei, sa fai mai e Lamana ma Lemuelu upu faigata e tele ia te i maua, ō la uso iti, sa la taia i maua i le tootoo lava.

29. Ma ua oo ina o la taia i maua i le tootoo, faauta, ua afio mai le agelu a le Atua, ma ua tu i o laua luma ma fetalai ane ia te i laua, ua faapea: Se a ea le mea ua oulua ta ai lo oulua uso itiiti i le tootoo? Lua te le iloa ea ua filifilia o ia e le Atua e fai ma pule ia te oulua, o lenei foi ona o la oulua amioletonu? Faauta, tou te toe o ae i Ierusalema, a e tuuina mai Lapana e le Atua i o outou lima.

30. Ina ua uma ona fetalai mai le agelu ia te i matou, ua maliu ese o ia.

31. Ina ua uma ona maliu ese le agelu, ua toe amata ona muimui Lamana ma Lemuelu, ua faapea mai: E mafai faapefea ea le Atua ona tuuina mai Lapana i o tatou lima? Faauta, o ia o le tagata malosi, ua mafai o ia ona pule i le toalimasefulu, ioe, na te mafaia ona fasioti le toalimasefulu, na te le mafai i se a ona fasioti ia te i tatou?

MATAUPU 4.

Ua fa'asao e Nifae papatusi i se togafiti—Ua fasiotia Lapana i lana lava pelu—O Sorama ua o atu faatasi ma Nifae ma ona uso i le vao.

1 Ua oo ina ou tautala atu i o'u uso, ua faapea atu: Ina tatou toe o ae ia i Ierusalema, ma ia tatou faamaoni i le tausiga o poloaiga a le Atua, auā faauta, e silisili lona malosi i le malosi o le lalolagi uma, ona le silisili ai lea i se a i le malosi o Lapana ma lona toalimasefulu, ioe, po o ona mano?

2. O lea ia tatou o ae ai, ia tatou faamalolosi e pei o Mose, auā, e moni, na ia fai atu i le suasami o le sami Ulaula, ona vaeluaina ai lea, o lea itu ai lea itu, ona sao ai lea o tatou tamā nai le nofo pologa i le ilititai matutu, a ua mulimuli atu le itutaua a Farao, ma ua malelemo i latou i le suasami o le sami Ulaula.

3. O lenei, faauta, ua oulua iloa ua moni lenei mea, ua oulua iloa foi ua fetalai ane le agelu ia te oulua, o lenei, e mafai ea ona masalosalo oulua? Ia tatou o ae, e mafai le Atua ona faasaoina i tatou, e pei ō tatou tamā, a e faaumatia Lapana e pei o tagata Aikupito.

4. O lenei, ina ua uma ona ou fai atu ia upu, ua ita pea i laua ma ua muimui pea foi, a e ui i lea ua la mulimuli mai ia te au, ua oo ina matou taunuu i tuapa o Ierusalema.

5. Ma ua po, ma ua ou faalafi i latou i tuapa, ina ua uma ona latou lalafi, o a'u o Nifae, ua ou tolotolo atu i le aai ma alu e aga'i atu i le fale o Lapana.

6. Sa ta'ita'iina a'u e le Agaga, ma ua le muai iloa mea ou te faia.

7. A e ui i lea, na ou alu atu. Ina o faalatalata atu foi i le fale o Lapana, na ou iloa le tagata, ua paū o ia i le eleele i o'u luma, auā ua onā o ia i le uaina.

8. Ina ua ou taunuu atu ia te ia, ua ou iloa o ia o Lapana.

9. Sa ou iloa atu lana pelu, ma ua ou seia mai ai nai lona faamoega. O lona au, o le auro moni, sa matua lelei lava lona gaosiga; ua ou iloa lona lau o le sila ua sili ona tāua.

10. Ma ua oo ina uunaia a'u e le Agaga ia ou fasioti ia Lapana, a ua ou fai ifo i lo'u loto: Ou te lei faamasaaina le toto o se ta-

gata i o'u aso uma. Ua ou me'ime'i ma manao ina ia ou le fasioti ia te ia.

11. A ua toe fetalai mai le Agaga ia te au: Faauta, ua tuuina atu o ia e le Atua i ou lima. Ioe, na ou iloa foi ua uma ona saili mai e ia e aveese lo'u nei ola, ioe, ua le mafai o ia ona faalogo i poloaiga a le Atua, ma ua ia aveeseina o matou oa.

12. Ma ua oo ina toe fetalai mai le Agaga ia te au: Ina fasiotia o ia, auā ua tuuina atu o ia e le Atua i ou lima.

13. Faauta, e fasiotia e le Atua tagata agasala ina ia faataunuuina ana mataupu tonu. E lelei ona ia fano le tagata e toatasi, a e leaga ona tauau ina toaitiiti ma fano le nuu i le le faatuatua.

14. A o lenei, o a'u o Nifae, ina ua ou faalogoina nei upu ua ou manatua fetalaiga a le Atua na ia fetalai mai ia te au i le vao, ua faapea mai: Afai e tausi e au fanau a'u poloaiga, latou te manuia i le nuu ua folafolaina.

15. Ioe, sa ou manatu foi latou te le mafai ona tausi i poloaiga a le Atua e tusa ma le tulafono a Mose, sei iloga ua ia te i latou le tulafono.

16. Na ou iloa foi ua tusia le tulafono i papatusi apamemea.

17. Ma lenei foi, sa ou iloa ua tuuina mai Lapana i o'u lima e le Atua ona o lenei mea, ina ia ou maua papatusi e tusa ma ana poloaiga.

18. O lea sa ou usiusitai ai i le siufofoga o le Agaga, ma ua ou tago ia Lapana i le lauulu o lona ulu, ma ua ou vavaeeseina lona ulu i lana lava pelu.

19. Ina ua uma ona ou vavaeeseina lona ulu i lana lava pelu, ua ou tago i ofu o Lapana ma faaofu a'i lo'u lava tino, ioe, i ofu uma, ua ou fusi foi lona ofutau i o'u sulugatiti.

20. Ina ua uma ona ou faia lenei mea, ua ou alu atu i le mea e teu ai oa a Lapana. Ina o alu atu a'u i le mea e teu ai oa a Lapana, faauta, ua ou iloa atu le auauna a Lapana ua i ai ki o le mea e teu ai oa. Ua ou poloai atu ia te ia i le leo o Lapana, ma te o ma a'u i le mea e teu ai oa.

21. Fa te ia o a'u o lona alii, o Lapana, auā na ia vaai mai i ofu ma le pelu foi ua fusia i o'u sulugatiti.

22. Ua na tautala mai ia te au e uiga i le au toeaina o tagata Iutaia, ona ua ia iloa na i ai lona alii o Lapana ia te i latou i le po.

23. Sa ou tautala atu ia te ia e peiseai o a'u o Lapana.

24. Sa ou fai atu foi ia te ia, ia ou ave togitogiga ua i ai i papatusi apamemea i o'u uso matutua o e o i tuapa.

25. Sa ou fai atu foi ia te ia, na te mulimuli mai ia te au.

26. A o ia, ina ua manatu ua ou tautala atu i le au uso i le lotu, a e moni o a'u o Lapana o le na ou fasia, o lea na ia mulimuli mai ai ia te au.

27. Na ia tautala mai soo ia te au e uiga i toeaina o tagata Iutaia ina o o'u alu atu i o'u uso o e na i tuapa.

28. Ma ua oo ina ua iloa mai a'u e Lamana, ua matautuia lava o ia, ua faapea foi Lemuelu ma Sama. Na sosola i latou ai o'u luma. Fa te i latou o a'u o Lapana, ma ua na fasiotia a'u, ma ua saili foi e aveeseina o latou ola.

29. Ma ua oo ina ou valaau atu ia te i latou, ma ua latou faalogo mai ia te au, o lea na latou le toe sosola ai i o'u luma.

30. Ma ua oo ina ua iloa o'u uso e le auauna a Lapana, ua amata ona gatete o ia. Sa fai a sola o ia ai o'u luma ma foi atu i le aai o Ierusalema.

31. A o lenei, o a'u o Nifae, ona ua ou tino ese ma ua tele foi le malosi ua ou maua mai le Atua, o lea na ou tago atu ai i le auauna a Lapana, ma ua ou taofi ai o ia ina ia le sola o ia.

32. Ma ua oo ina ou fai atu ia te ia, afai na te gauai i a'u upu, o soifua le Atua, o ola foi a'u, e faapea foi, a gauai mai o ia i a matou upu, matou te faasaoina lona ola.

33. Sa ou fai atu ia te ia ma le augani, e le aoga ona fefe o ia, e saoloto o ia e pei o i matou, afai e alu ifo o ia i le vao faatasi ma i matou.

34. Sa ou fai atu foi ia te ia, ua faapea atu: E moni, ua poloai mai le Atua ia matou faia lenei mea, a e a tatou le filigā ea i le tausiga o poloaiga a le Atua. O lea, afai e te alu ifo ai i le vao i lo'u tamā, tatou te nonofo ai ma i matou.

35. Ma ua oo ina lototele Sorama i upu na ou fai atu. O lenei, o Sorama, o le igoa lea o le auauna, na fai mai o ia na te alu ifo i le vao i lo'u tamā. Na ia tauto foi ia te i matou, e nofo o ia faatasi ma i matou e afua i lea lava aso.

36. O lenei, o le mea na matou manao ai ia nofo o ia ma i matou, ina ia le iloa e tagata Iutaia ua sosola mai i matou i le vao, ne'i latou tuliloa ia i matou ma faaumatia i matou.

37. Ma ua oo ina ua uma ona faia e Sorama le tautoga ia i matou, ua le toe popole i matou ia te ia.

38. Ma ua oo ina matou ave papatusi apamemea, ma le auauna a Lapana, ma te'a atu i le vao, ma ua malaga atu i le fale ie o lo matou tamā.

MATAUPU 5.

O le tagi a Sarai ia Liae—Ua olioli i laua i le toe foi mai o laua atalii—O mea uma ua aofia ai i papatusi apamemea—O Liae ua tupuga mai i le aiga o Iosefa —O Lapana o se tasi o lea lava ituaiga—O valoaga a Liae.

1. Ua oo ina ua matou o ifo i le vao i lo'u tamā, faauta, ua tumu o ia i le olioli. Sa matua fiafia foi lo'u tina, o Sarai, auā sa matua faanoanoa o ia ona o i matou.

2. Auā fa te ia ua fano i matou i le vao. Na ia muimui foi i lo'u tamā, ma ua ta'ua o ia o le tagata ua maua faaaliga, ua faapea atu: Faauta, ua e ta'ita'i ese i matou nai le fanua o lo tatou tofi, ma ua fano uma a'u tama tane, e fano foi i tatou i le vao.

3. Sa faapea upu na muimui ai lo'u tina i lo'u tamā.

4. Ua oo ina fai atu lo'u tamā ia te ia, ua faapea atu: Ua ou iloa o a'u o le tagata ua maua faaaliga, auā ana ou le iloa mea a le Atua i le faaaliga, po ua ou le iloa le agalelei o le Atua, ma ua faatali i Ierusalema ma fano faatasi ma o'u uso.

5. A e peitai, faauta, ua ou maua le nuu na folafolaina, i le ua ou fiafia ai i nei mea. Ioe, ma ua ou iloa e laveaiina o'u atalii e le Atua ai lima o Lapana, ma toe aumai i latou ia te i taua i le vao.

6. Ma ua faapea upu sa faamafanafana ai e lo'u tamā, o Liae, i lo'u tina, o Sarai, e uiga ia te i matou ina o matou malaga ae i le vao i le nuu o Ierusalema e maua ai le tusi a tagata Iutaia.

7. Ina ua uma ona matou foi mai i le fale ie o lo'u tamā, faau-

ta, ua atoatoa lo laua olioli, ma ua faamafanfanaina lo'u tina.

8. Na ia tautala mai, ua faapea: O lenei, ua ou mautinoa na poloaiina la'u tane e le Atua ia sola i le vao, ioe, ua ou mautinoa foi ua faamamaluina a'u tama tane e le Atua, ma ua laveaiina i latou ai lima o Lapana, ma ua foaiina le mana ia te i latou ua mafai ai i latou ona fai le mea ua poloaiina ai i latou e le Atua. Ma ua faapea upu na ia fai mai.

9. Ma ua oo ina matuai olioli lava i latou, ma ua ava'e taulaga ma taulaga mu i le Atua, ma ua latou avae le faafetai i le Atua o Isaraelu.

10. Ina ua uma ona latou faafetai atu i le Atua o Isaraelu, ua ave e lo'u tamā, o Liae, o tusi ua togitogia i papatusi apamemea, ma ua ia suesue ai e afua mai le amataga.

11. Ua na iloa sa i ai tusi e lima a Mose, ua i ai le tala i le foafoaga o le lalolagi, atoa foi ma Atamu ma Eva o tatou muai mātua ia.

12. Atoa foi ma e talaaga i tagata Iutaia mai le amataga e oo mai lava i le amataga o le nofoaiga a Setekaia, le tupu o Iuta.

13. I le ma valoaga a le au perofeta paia mai le amataga ua oo i le amataga o le nofoaiga a Setekaia, ma valoaga foi e tele na valoia i le fofoga o Ieremia.

14. Ua oo ina maua e lo'u tamā, o Liae, i papatusi apamemea, le gafa o ona tamā, o lea na ia iloa ai o ia o lo sa Iosefā, o lena Iosefa o le atalii o Iakopo, o le na faatauina i Aikupito, ma ua faasaoina e le aao o le Atua, ina ia faaolaina e ia lona tamā, o Iakopo, ma lona aiga uma ina ia le fano i le oge.

15. Sa ta'ita'iina foi i latou ai le nofopologa, nai le nuu foi o Aikupito e le Atua lava, o Lē na faasaoina i latou.

16. Sa faapea ona faatoa iloa e lo'u tamā, o Liae, le gafa o ona tamā. O Lapana foi o lo sa Iosefā, o lea sa tausi ai tusi e ia ma ona tamā.

17. O lenei foi, ina ua iloa e lo'u tamā o ia mea uma, ua tumu o ia i le Agaga, ma ua amata ona vavalo atu e uiga i ana fanau.

18. E oo atu ia papatusi apamemea i atunuu uma, ma ituaiga, ma gagana eseese, ma nuu uma ua fanau mai i lona gafa.

19. O lea na ia fai atu ai, e le mafai lava ona faaumatia ia papatusi apamemea, pe soloia i tausaga. Na ia vavalo i mea e tele e uiga i ana fanau.

20. Ua oo mai i nei aso, ua tausia e i maua ma lo'u tamā o poloaiga ua poloaiina ai i maua e le Atua.

21. Ma ua maua mai tusi na poloaiina ai i maua e le Atua, ma ua suesueina ai ma ua iloa ua manaomia; ioe, e aoga tele lava ia te i matou, ina ia mafai ona matou faatumauina poloaiga a le Atua, ia oo atu ai i a matou fanau.

22. O lenei o le poto o le Atua, ia matou feaveai ai ma i matou ina o matou malaga atu i le vao e aga'i atu i le nuu ua folafolaina.

MATAUPU 6.

O le manatu o Niifae—Na te tusia mea e finagalo i ai le Atua.

1. A o lenei, o a'u o Nifae, ou te le ta'u atu nei le gafa o o'u tamā i lenei vaega o la'u tusi, pe ou te faia i nei papatusi o loo ou tusia, auā ua tusia ai i le tusi ua tausia e lo'u tamā, o lea foi ou te le tusi ai i lenei tusi.

2. Auā ua lava ia te a'u e fai atu, o lo sa Iosefā i matou.

3. Ua tusa lava foi ia te a'u, pe ou te le fai le tala atoa i mea uma sa faia e lo'u tamā, auā ua le mafai ona ofi uma i nei papatusi ona ua ou manao ia ofi mea a le Atua o loo ou tusi nei.

4. Auā o lo'u manao atoatoa, ia ou faamanao mai tagata ia o mai i le Atua o Aperaamo, o le Atua foi o Isaako, o le Atua foi o Iakopo, ma ia faaolaina ai.

5. O lea ou te le tusia ai mea e fa'afiafia ai le lalolagi, a o mea e finagalo malie ai le Atua, atoa ma i latou e le ni o le lalolagi.

6. O lea ou te avatu ai le poloaiga i a'u fanau, latou te le faatumu nei papatusi i mea e le aoga i le fanauga a tagata.

MATAUPU 7.

Ua toe faafoi atu atalii o Liae i Ierusalema—O Isamaeli ma lona aiga ua latou malilie e faatasi ma le vaega a Liae—Fevaevaeaiga—O Nifae ua noatia i maea, ae ua tatalaina o ia ona o le malosi o le faatuatua—Ua salamo ona uso fouvale.

1. O lenei foi, o lo'u manao ia iloa e outou, ina ua faaiuina e lo'u tamā, o Liae, o valoaga e uiga i ana fanau, ua oo ina toe fetalai mai le Atua ia te ia, ua faapea mai: Ua le tatau ia Liae ona ia ave na o lona auaiga i le vao, a e ao ina fai avā ona atalii, ia mafai ai i latou ona fanafanau mo le Atua i le nuu ua folafolaina.

2. Ma ua oo ina poloaiina o ia e le Atua ia toe foi atu a'u, o Nifae, ma o'u uso i le nuu o Ierusalema, ma aami atu Isamaeli ma lona auaiga i le vao.

3. Ua oo ina toe o atu a'u, o Nifae, ma o'u uso i le vao e o ae ai i Ierusalema.

4. Ua oo ina matou o ae i le fale o Isamaeli, na matou maua le alofa i luma o Isamaeli, ua iu ina matou tautala atu ia te ia i le afioga a le Atua.

5. Ua oo ina faamāluluina e le Atua le loto o Isamaeli, atoa foi ma lona auaiga, ua iu ina matou malaga ifo ma i latou i le vao, i le fale ie o lo matou tamā.

6. Ua oo ina o malaga i matou i le vao, faauta, ua fouvale Lamana, ma Lemuelu, ma afafine e toalua o Isamaeli, ma atalii foi o Isamaeli e toalua ma o laua aiga, ua fou ia te i matou; ioe, ua fouvale ia te au nei, o Nifae, ma Sama, ma lo latou tamā o Isamaeli, ma lana avā, ma isi ona afafine e toatolu.

7. Ma ua oo i lenei fouvale ua latou mananao e toe foi atu i le nuu o Ierusalema.

8. A o lenei, o a'u o Nifae, ina ua tigaina ona o le maaa ō latou loto, o lea sa ou tautala atu ai ia te i latou, ioe, ia Lamana ma Lemuelu, ua faapea atu: Faauta o o'u uso matutua oulua, pe faapefea ea ona oulua maaa faapea i o oulua loto, ma tauaso i o oulua manatu, e tatau ai ia te oulua ona ia tautala atu a'u, o lo oulua uso itiiti, ia te oulua, ioe, e fai ma faaa'oa'o ia te oulua?

9. Pe faapefea ea ona oulua le faalogo i le afioga a le Atua?

10. Pe faapefea ona galo ia te oulua o le agelu a le Atua na oulua iloa?

11. Ioe, pe faapefea ea ona galo ia te oulua o mea tetele ua faia e le Atua mo i tatou, i le laveaiina o i tatou ai lima o Lapana, ma lea foi ina ia tatou maua ai le tusi?

12. Ioe, pe faapefea ea ona galo ia te oulua e mafai le Atua ona faia mea uma e tusa ma lona finagalo, mo le fanauga a tagata,

pe afai latou te faatuatua ia te ia, o lea ia tatou faamaoni ai ia te ia.

13. Afai e faapea ua tatou faamaoni ia te ia, tatou te maua le nuu ua folafolaina, a e tou te iloa i ni aso o lumanai e faataunuuina le afioga a le Atua e uiga i le faaumatia o Ierusalema, auā e faataunuuina lava mea uma ua fetalai mai ai le Atua e uiga i le faaumatia o Ierusalema.

14. Aua faauta, toeitiiti, ona le toe finau ai lea le Agaga o le Atua ia te i latou, auā faauta, ua latou teena le au perofeta, ma ua latou lafoina Ieremia i le fale puipui. Ua latou saili foi a aveese le ola o lo'u tamā, ua iu ina latou tulieseina o ia ai le nuu.

15. O lenei, faauta, ou te fai atu ia te oulua, afai lua te foi atu i Ierusalema, e fano foi oulua faatasi ma i latou. A o lenei, afai ō oulua loto, inā o ae ia i le nuu, a ia manatua upu ua ou fai atu ia te oulua, afai lua te o, e fano foi oulua, auā e faapea ona uunai mai ia te au le Agaga o le Atua ou te tautala atu ai.

16. Ua oo ina ua uma ona fai atu e a'u, o Nifae, ia upu i o'u uso, ua ita i laua ia te au. Ua iu ina la fetagofi mai o laua lima ia te au, auā faauta, sa ita tele lava i laua, ua la noatia a'u i maea, auā ua la saili e aveese lo'u ola, ina ia la tuu ai a'u i le vao ia 'aina e manu feai.

17. A ua oo ina ou tatalo i le Atua, ua faapea atu: Le Atua e, e tusa ma lo'u faatuatua ua ia te oe, ia e laveaiina a'u mai lima o o'u uso; ioe, ia e foai mai le malosi ina ia ou mafai ona motusia o ia noanoaga ua noatia ai a'u.

18. Ua oo ina ua uma ona ou fai atu ia upu, faauta, ua matala ese nei noanoaga ai o'u lima ma o'u vae, ma ua ou tu i luma o o'u uso ma ua ou toe tautala atu ia te i laua.

19. Ua oo ina toe ita i laua ia te au, ma ua toe fetagofi mai o laua lima ia te au, a e peitai, faauta, ua fautua i o'u uso le tasi afafine o Isamaeli, ioe, ma lona tina foi, ma le tasi atalii o Isamaeli, ua iu ina latou faamālūlūina o laua loto, ona la tuua lea le taumafai ona aveese lo'u ola.

20. Ua oo ina faanoanoa i laua ona o la laua amioleaga, ua iu ina la ifo mai i o'u luma, ma ua aioi mai ia te au ia ou faamagalo atu ia te i laua i le mea ua la faia ia te au.

21. Ua oo ina ou matua faamagalo atu ia te i laua i mea uma na la faia, ma ua ou apoapoai atu ia te i laua, la te tatalo i le Alii lo laua Atua ina ia faamagaloina. Ua oo ina faia faapea e i laua. Ua uma ona la faaiuina le tatalo i le Atua, ona matou toe malaga ai lea e aga'i atu i le fale ie o lo matou tamā.

22. Ua oo ina matou o ifo i le fale ie o lo matou tamā. Ina ua oo mai i le fale ie o lo'u tamā, o a'u o Nifae ma o'u uso, ma le aiga atoa o Isamaeli, ua latou avae le faafetai i le Alii lo latou Atua, ma ua latou osia taulaga ma taulaga mu ia te ia.

MATAUPU 8.

O le faalepo a Liae i le laau, le vaitafe, ma le āi uamea—E le aai Lamana ma Lemuelu i fua o le laau.

1. Ua oo ina ua uma ona matou faaputuputuina o ituaiga eseese uma lava o fatu o saito eseese, atoa foi ma fatu o fua laau uma lava.

2. Ua oo ina o faatali lo'u tamā i le vao, ua na tautala ia te i

matou, ua faapea mai: Faauta, ua ou faia le miti, o lona uiga, ua ou iloa le faaaliga.

3. Faauta foi, ona o le mea ua ou iloa, ua ia te au le mea e olioli ai ona o Nifae ma Sama, auā e tatau ona ou masalo e faaolaina i laua ma le toatele o a la fanau.

4. A e faauta, Lamana ma Lemuelu e, ua ou fefe tele lava ona o oulua, auā faauta, sa ou faapea, ua ou iloa i la'u miti le vao pouliuli ma le pogisa.

5. Ua oo ina ou iloa le tagata, sa ofu o ia i le ofu sinasina, ua maliu mai o ia ma ua tu i o'u luma.

6. Ua oo ina ia tautala mai ia te au ma fetalai mai, ia ou mulimuli atu ia te ia.

7. Ua oo ina ua ou mulimuli atu ia te ia, ua ou iloa lava ua ou i le mea gaogao, ua pouliuli ma le pogisa.

8. Ina ua uma ona ou malaga i itula e tele i le pogisa, ua ou amata ona tatalo i le Atua na te alofa mai ia te au e tusa ma le tele o lona alofa mutimutivale.

9. Ma ua oo ina ua uma ona ou tatalo i le Atua, ua ou vaai atu i le fanua tele lava ma le lautele.

10. Ua oo ina ou vaai atu i le laau ua manaomia ona fua e faafiafia ai le tagata.

11. Ua oo ina ou alu atu ma ua ou 'ai ona fua, ma ua ou iloa ua suamalie tele, e sili i mea uma sa ou muai tofotofo ai. Ioe, sa ou vaaia ua pa'epa'e ona fua, e sili lona sinasina ai mea sinasina ua uma ona ou vaaia.

12. Ina ua ou 'ai lona fua, ua faatumuina ai lo'u agaga i le olioli tele lava, o lea na ou amata ai ona manao ia fetagofi i ai foi lo'u aiga, auā na ou iloa ua sili ona manaomia ai isi fua laau uma.

13. Ina ua tepa solo o'u mata, pe mafai a'u ona iloa foi lo'u aiga, ua ou vaaia le vaitafe ua tafe ane, ma ua latalata i le laau e ona le fua o loo ou 'ai i ai.

14. Sa ou vaai atu ina ia iloa po o fea na sau ai, ona ou iloa lea o lona mata ua mamao teisi, sa ou vaavaai atu i le mata o le vai o i ai lo oulua tina, o Sarai, ma Sama ma Nifae, Sa tutū i latou, e peiseaī ua latou le iloa le mea latou te o i ai.

15. Ua oo ina ou tālō atu ia te i latou, na ou fai atu foi ma le leo tele ia te i latou, ia latou o mai ia te au, ma aai i le fua ua manaomia, ua sili i fua laau ese uma.

16. Ua oo ina latou o mai ia te au ma ua aai foi i le fua.

17. Ua oo ina ou manao ia o mai Lamana ma Lemuelu foi ma aai i le fua, o lea sa ou vaavaai atu ai i le mata o le vai, pe mafai ona ou iloa atu i laua.

18. Ua oo ina ou iloa atu i laua, a ua le mafafai i laua ona o mai ia te au.

19. Sa ou iloa le āi uamea na oo ane i le auvai o le vaitafe ma tau mai i le laau sa ou tu ai.

20. Ma ua ou iloa foi o le ala sa'o ma le lauitiiti, ua alu ane i le āi uamea, ua oo mai lava i le laau sa ou tu ai, ma ua tau ane foi i le mata o le vaipuna i le fanua tele ma le lautele, ua le pea se lalolagi.

21. Na ou iloa foi motu o tagata e le masino, e toatele o i latou ua fetaomi mai i luma, ina ia mafai i latou ona maua le ala e tau mai i le laau sa ou tu ai.

22. Ua oo ina o mai i latou ma ua amata mai i le ala e tau mai i le laau.

23. Ma ua oo ina alu ae le puao o le pogisa, ioe, o le puao tele lava o le pogisa, ua iu ina le iloa ai o latou ala e i latou na

amata i le ala, ma ua feseseai i latou, ma ua le toe iloa.
24. Ua oo ina ou iloa nisi o i latou ua fetaomi mai i luma, ua o mai foi i latou ma ua fetagofi i le pito o le āi uamea, ua latou fetaomi mai i luma i le puao o le pogisa, o piimau i le āi uamea, ina seia oo mai i latou ma aai i le fua o le laau.
25. Ina ua uma ona latou aai i le fua o le laau, ua vaavaai solo i latou e peiseaī ua māsiasi i latou.
26. Sa ou vaai solo foi ma ua ou iloa i le isi itu o le vaitafe, o le fale tele ma le vateatea, e peiseaī ua tu i le vanimonimo, ua maualuga ai le lalolagi.
27. Ua tumu foi i tagata, o ē matutua ma ē iti, o tane atoa ma fafine, sa matua lelei le uiga ō latou ofu. Ua faasaga i latou i le tauemu, ua tusi mai o latou tamatamai lima i e na o mai ma ua aai i le fua.
28. Ina ua uma ona latou aai i le fua, ua masiasi i latou, ona o e ua tauemu ia te i latou, ma ua latou pāūū ese i ala leaga ma ua le iloa.
29. O lenei foi, o a'u o Nifae, ou te le ta'uina atu upu uma a lo'u tamā.
30. A e peitai, e faapuupuuina le tusitusiga, faauta, ua na iloa atu nisi motu o tagata ua fetaomi mai i luma. Ua latou o mai ma ua fetagofi i le pito o le āi uamea, ma ua latou fetaomi mai i luma i le ala, o piimau pea i le āi uamea, ua oo ina taunuu mai ma faapāūū, ma ua latou aai i le fua o le laau.
31. Ua na iloa atu foi nisi motu o tagata ua tautagotago lo latou ala i le fale tele ma le vateatea.
32. Ua oo ina malelemo nisi e toatele i mea loloto o le vaipuna, na ia le iloa nisi e toatele ina o feoai i ala ese.
33. Ma ua toatele le motu o tagata ua ulufale i lena fale uiga ese. Ua uma ona latou ulufale i lea fale, ona latou tusi lea le tamatamai lima o le tauemuga ia te au ma ē o aai i le fua o le laau, a ua matou le amanaia i latou.
34. O upu nei a lo'u tamā, auā o i latou uma na amanaia i latou na pāūū.
35. A ua fai mai lo'u tamā, ua le aai Lamana ma Lemuelu i le fua o le laau.
36. Ua oo ina ua uma ona ta'u mai e lo'u tamā upu uma o lana miti po o lana faaaliga, auā sa tele, ona fai mai lea o ia ia te i matou, ona o mea nei na ia vaaia i le faaaliga, ua ātu tele lava o ia ona o Lamana ma Lemuelu, ioe, na ia atutuvale, ne'i lafoaiina i laua ai luma o le Atua.
37. Ona apoapoai atu ai lea o ia ia te i laua ma le alofa mutimutivale o ia le matua agamalu, la te usiusitai i ana upu, a e atonu e alofagia i laua e le Atua, e le lafoaiina ai i laua. Ioe, na lauga atu lo'u tamā ia te i laua.
38. Ina ua uma ona ia lauga atu ia te i laua, ma valoia foi mea e tele ia te i laua, ua fai ane o ia ia te i laua, ia tausi i poloaiga a le Atua. Ona pau ai lea o upu sa ia fai atu ia te i laua.

MATAUPU 9.

E uiga i papatusi a Nifae—E lua vaega o papatusi, o le tasi o le tala faalelotu a o le tasi o le tala o faipule ma taua etc.

1. O mea uma nei ua vaai ma faalogo i ai ma tautala mai ai lo'u tamā ina o nofo o ia i le fale ie i le vanu o Lemuelu, i le ma nisi mea e tele lava, ua le mafai ona tusia i nei papatusi.

2. O lenei foi, ona ua ou tautala atu e uiga i nei papatusi, faauta, e le o papatusi ia ou te fai ai le tala atoa o le talaaga i lo'u nuu, auā o papatusi ou te fai ai le tala atoa i lo'u nuu, ua ou faaigoaina o Nifae, o lea ua ta'ua ai, o papatusi a Nifae, i lo'u lava igoa, a o ia papatusi foi, ua ta'ua o papatusi a Nifae.

3. A e ui i lea, ua ou maua mai le poloaiga a le Atua, ou te gaosia ia papatusi ona o le mea e tasi, e tatau ona togitogia ai le tala i le galuega a auauna a le Atua i lo'u nuu.

4. A e togitogia i isi papatusi le tala i le nofoaiga a tupu, ma taua, ma finauga a lo'u nuu. O lea e aoga ai nei papatusi mo le tala i le galuega a auauna a le Atua, a e aoga isi papatusi mo le tala i le nofoaiga a tupu, atoa foi ma taua ma finauga a lo'u nuu.

5. O lea ua poloaiina ai a'u e le Atua, ia ou gaosia ia papatusi ona o le finagalo poto ia te ia, a o lea finagalo ou te le iloa.

6. A ua silafia e le Atua mea uma mai le amataga, o lea e sauni ai e ia le ala e fai ai ana galuega uma i le fanauga a tagata, auā faauta, e ia te ia le mana uma i le fataunuuina o ana afioga uma. Ma ua faapea lava. Amene.

MATAUPU 10.

Ua vavalo Liae i le tafeaga i Papelonia, ma le afio mai o le Tama'i Mamoe a le Atua—Ua faatusaina le aiga o Isarelu i le olive—O le faasalalauina ma le toe faapotopotoina ua faatusatusaina ai.

1. O lenei foi, o a'u o Nifae, o le a faia le tala i ia papatusi i a'u mea na fai ma la'u nofoaiga, ma a'u galuega faale-ekalesia. O lenei, o le a faia la'u lava tala, a ou te muai tautala atu i ni nai upu i mea a lo'u tamā atoa ma o'u uso.

2. Auā faauta, ua oo ina ua faaiuina e lo'u tamā le ta'u mai o upu i lana miti, i le ma le apoapoaiina atu o i latou ina ia filigā uma, ua tautala atu o ia ia te i latou e uiga i tagata Iutaia.

3. Pe a uma ona faaumatia i latou, o lea lava aai o Ierusalema, e toatele foi e avea faatagataotaua i Papelonia, e tusa ma aso e finagalo i ai le Atua, latou te toe foi mai ai. Ioe, e toe aumaia nai le faapologaina. A uma ona toe aumaia nai le faapologaina, ona latou toe maua ai lea le nuu o lo latou tofi.

4. Ioe, a mavae le ono selau o tausaga i le aso na te'a ai lo'u tama i Ierusalema, e faatuina e le Alii le Atua le perofeta ai tagata Iutaia, o le Mesia lava. O lona uiga, o le Faaola o le lalolagi.

5. Ua na fai atu foi i la le au perofeta, ona o le toatele na molimau i nei mea i la lenei Mesia, o Lē na ia tautala atu ai, o lenei Togiola o le lalolagi.

6. O lenei, ua sē ma pāūū tagata uma, e faapea pea lava foi, sei iloga latou te faalagolago i lenei Togiola.

7. Ua na tautala atu foi i la le perofeta, o lē sau e teuteu le ala o le Alii a o lei afio mai le Mesia.

8. Ioe, na te alu atu ma alaga i le vao: Ina teuteu ia outou le ala o le Alii, ma ia faalaulelei ona ala, auā o tu mai le tasi ia te outou, o lē tou te lei iloa; e silisili o ia ia te au, ou te le aoga a'u e tatala le nonoa o lona seevae. Sa tautala mai soo lo'u tamā i lenei mea.

9. Na fai mai foi lo'u tamā, na te papatiso i Petapara i tala atu

o Ioritana. Ua na fai mai foi, na te papatiso i le vai, na te papatiso lava le Mesia i le vai.

10. Pe a uma ona paptisoina e ia le Mesia i le vai, e iloa ma molimau atu ai o ia, ua uma ona ia papatisoina le Tamai Mamoe a le Atua, o Lē aveese agasala a le lalolagi.

11. Ua oo ina ua uma ona fai mai ia upu e lo'u tamā, ua na tautala atu i o'u uso e uiga i le tala lelei e talaiina i tagata Iutaia, a e maise le le talitonu o tagata Iutaia. Pe a uma foi ona latou fasiotia le Mesia, o Lē afio mai, pe a uma foi ona fasiotia o ia, na te toe tu mai nai ē ua oti, ma faaali mai o ia lava i le Agaga Paia i nuu ese.

12. Ioe, ua fai mai e lo'u tamā mea e tele e uiga i nuu ese, e uiga foi i le aiga o Isaraelu. E faatusaina i latou i le olive, e mafa'i ona la, ma faasalalauina i le fogaeleele uma.

13. O lenei, na ia fai mai, e ao ina ta'ita'iina i matou ma le lotogatasi i le nuu ua folafolaina, i le faataunuuina o le afioga a le Atua e faasalalauina ai i matou i le fogaeleele uma.

14. Pe a uma ona faasalalauina le aiga o Isaraelu, e toe faapotopotoina i latou, po o lenei, pe a maua e nuu ese le atoatoa o le tala lelei, ona faapipiiina ai lea o la moni o le olive, o toe tagata ia o le aiga o Isaraelu, po o lea e oo i le iloa lelei o le tala lelei o le Mesia moni, lo latou Alii, ma lo latou Togiola.

15. Sa faapena le uiga o upu na vavalo ma tautala atu ai lo'u tamā i o'u uso, atoa ma nisi mea e tele ou te le tusitusi ai i lenei tusi, auā ua ou tusia nisi tala e tusa ma tatau ia te au i la'u isi tusi.

16. O mea uma nei foi ua ou tautala atu ai na faia ina o nofo lo'u tamā i le fale ie i le vanu o Lemuelu.

17. Ua oo ina ua faalogoina e a'u, o Nifae, upu uma a lo'u tamā i mea na ia vaaia i le faaaliga, atoa ma mea na ia tautala mai ai i le mana o le Agaga Paia, o le mana lea na ia maua i le faatuatua i le Alo o le Atua, o le Alo o le Atua foi o le Mesia lea, o Lē afio mai. O a'u foi o Nifae, ua manao foi ina ia ou vaai ma faalogo ma iloa nei mea, i le mana o le Agaga Paia, o le mea foaifuaina lea a le Atua ia i latou uma o e sailiili ia te ia ma le filigā, e tusa i aso anamua ma aso na te faaalia mai ai o ia lava i le fanauga a tagata.

18. Auā e le liu lava o ia o ananafi, ma le asō, e oo foi i le faavavau, ma ua saunia le ala mo tagata uma talu le faavaeina o le lalolagi, pe a faapea e salamo i latou ma o mai ia te ia.

19. Auā o lē saili ma le filigā e iloa e ia, e faamatalaina mea lilo a le Atua ia te i latou, i le mana o le Agaga Paia, e tusa i ona aso nei ma aso anamua, e tusa foi i aso anamua ma aso o lumanai, o lea e leai ai sina liliu itiiti e faavavau i le ala o le Atua.

20. O lea, le tagata e, ia e manatua ai e aumaia oe i le faamasinoga ona o au mea uma.

21. O lenei, afai tou te saili e fai le amioleaga i aso o outou olaga faata'ita'i, ona maua lea outou ua eleelea i luma o le nofoa faamasino o le Atua, a e le mafai ona nofo se mea eleelea faatasi ma le Atua, o lea e lafoaiina ai outou e faavavau.

22. O le pule lenei ua tuuina mai e le Agaga Paia ou te tautala atu ai i ia mea, a ou te le faafitia ai.

MATAUPU 11.

O Nifae ma le Agaga o le Alii —Ua faamatalaina le miti faavaloaga a Liae—O le faaaliga ia Nifae i le Taupou ma le Alo o le Atua—Ua valoia le galuega faafaifeau a Keriso.

1. Auā ua oo ina ua uma ona ou fia iloa mea na vaaia e lo'u tamā, ma ua ou talitonu e mafai le Atua ona faailoa mai ai ia te au, ina o nofonofo foi a'u ma ua mafaufau i lo'u loto, sa aveeseina a'u i le Agaga o le Atua, ioe, i le mauga maualuga lava, ua ou faatoa vaai i ai, e lei tu ai lo'u vae.

2. Ma ua fetalai mai le Agaga ia te au: Faauta, se a le mea ua e manao i ai?

3. Ma ua ou fai atu: Ua ou fia iloa mea na vaaia e lo'u tamā.

4. A ua fetalai mai le Agaga ia te au: Pe e te talitonu ea sa vaai lou tamā i le laau na ia tautala atu ai?

5. Ma ua ou fai atu: Ioe, ua e silafia ua ou talitonu i upu uma a lo'u tamā.

6. Ina ua ou fai atu ia upu, ua alaga atu le Agaga ma le leo tele, ua faapea atu: Osana i le Alii, le Atua silisili ese, auā o ia o le Atua i le lalolagi uma, ioe, e silisili ese o ia. Amuia foi oe, Nifae e, auā ua e talitonu i le Alo o le Atua silisili ese, o lea e te iloa ai mea ua e manao i ai.

7. A e faauta, e fai lenei mea ma faailoga ia te oe, pe a uma ona e vaavai i le laau na fua mai le fua na tofotofoina e lou tamā, ona e iloa foi lea le tagata ua afio ifo ai le lagi, e te iloa pe a uma foi ona e iloa o ia, e te molimau atu o ia o le Alo o le Atua.

8. Ma ua oo ina fetalai mai le Agaga ia te au: Vaai ia! Ona ou vaai ai lea, ma ua ou iloa le laau, ua tusa foi ma le laau sa vaaia e lo'u tamā, a o lona matagofie ua sili naua, ioe, ua silisili i mea matagofie uma lava, a o lona pa'epa'e ua sili i le pa'epa'e o le kiona ua lelea.

9. Ma ua oo ina ua uma ona ou iloa le laau, ua ou fai atu i le Agaga: Ou te iloa ua e faaalia mai le laau ua sili lona aogā i mea uma.

10. A ua na fetalai mai ia te au: Se a le mea ua e manao i ai?

11. Ua ou fai atu foi ia te ia: Ia ou iloa lona uiga. Auā sa ou tautala atu ia te ia e pei ona tautala se tagata, auā ua ou vaaia ua foliga o ia i le tagata, a e ui lava i lea, sa ou iloa o le Agaga ia o le Atua, ma ua na tautala mai ia te au, e pei ona tautala se tagata i se tasi.

12. Ua oo ina fetalai mai o ia ia te au: Vaai ia! Ona ou vaai ai lea e peiseaī ou te vaai atu ia te ia, a ua ou le iloa o ia, auā ua maliu ese o ia i o'u luma.

13. Ma ua oo ina ou vaai ma iloa le aai tele o Ierusalema, atoa foi ma nisi aai. Na ou iloa foi le aai o Nasareta, o le aai foi o Nasareta ua ou iloa ai le taupou, sa matua lalelei ma pa'epa'e o ia.

14. Ua oo ina ou iloa le lagi, ua avanoa, na afio ifo foi le agelu ma ua tu i o'u luma, ua na fetalai mai foi ia te au: Nifae e, o le a le mea e te vaai i ai?

15. Ma ua ou fai atu ia te ia: O le taupou ua sili ona aulelei ma lalelei i nisi taupou uma.

16. Ma ua ia fetalai mai ia te au: Pe e te iloa ea le faamaulalo o le Atua?

17. Ma ua ou fai atu ia te ia: Ua ou iloa e alofa o ia i ana fanau, a e ui i lea, ou te le iloa le uiga o mea uma.

18. Na ia fetalai mai foi ia te au: Faauta, o le taupou lea ua e iloa, o ia o le tina o le Alo o le Atua i la le tino.

19. Ua oo ina ou iloa ua aveeseina o ia i le Agaga. Ina ua uma

ona aveeseina o ia i le Agaga i se itula, ua fetalai mai le agelu ia te au: Vaai ia!

20. Ona ou vaai ai lea, ma ua toe iloa le taupou o sapasapai le tamameamea i ona lima.

21. Ua fetalai mai foi le agelu ia te au: Faauta, o le Tamai Mamoe a le Atua, ioe, o le Alo o le Tamā faavavau! Pe e te iloa le uiga o le laau na vaaia e lou tamā?

22. Ua ou tali atu ia te ia, ua faapea atu: Ioe, o le alofa lea o le Atua, ua salalau i loto o le fanauga a tagata, o lea e sili ona manaomia ai i mea uma.

23. Ua fetalai mai o ia ia te au, ua faapea mai: Ioe, ma le fiafia silisili i le Agaga.

24. Ua uma ona ia fetalai mai nei upu, ona faapea mai ai lea o ia ia te au: Vaai ia! Ona ou vaai lea, ma ua iloa le Alo o le Atua, o feafioai i le fanauga a tagata, ua ou iloa foi nisi e toatele ua faapāūū ifo i ona aao ma tapuai atu ia te ia.

25. Ma ua oo ina ou iloa le āi uamea na iloa e lo'u tamā, o le afioga lea a le Atua ua taunuu i le puna o le vai ola, po o le laau o le ola. O vai ia, o le faatusa o le alofa o le Atua. Na ou iloa foi, o le laau o le ola, o le faatusa foi lea o le alofa o le Atua.

26. Ma ua toe fetalai mai le agelu ia te au: Vaai ia, ma iloa le faamaulalo o le Atua.

27. Sa ou vaai foi ma iloa le Togiola o le lalolagi, o Lē sa tautala i ai lo'u tamā. Sa ou iloa le perofeta, o lē teuteu le ala i ona luma. Na afio atu le Tamai Mamoe a le Atua, ma ua papatisoina e ia; ma ina ua papatisoina o ia, ua ou iloa le lagi ua avanoa, ma ua afio ifo le Agaga Paia nai le lagi, ma ua nofo i ona luga e peiseaī o se lupe.

28. Sa ou iloa ua afio atu o ia ma ua auauna atu i le nuu, i le mana ma le mamalu tele. Ua faapotopotoina motu o tagata e faalogologo ia te ia, ua ou iloa foi ua latou tulieseina o ia ai ia te i latou.

29. Sa ou iloa foi nisi e toasefulu ma le toalua o mulimuli atu ia te ia. Ua oo foi ina aveeseina i latou i le agaga i luma o o'u mata, ma ua ou le toe iloa i latou.

30. Ma ua oo ina toe fetalai mai le agelu ia te au, ua faapea mai: Vaai ia! Ona ou vaai ai lea ma ua ou iloa le lagi ua toe avanoa, ma ua ou iloa agelu o afio ifo i le fanauga a tagata ma ua latou auauna ia te i latou.

31. Ma ua toe fetalai mai o ia ia te au, ua faapea mai: Vaai ia! Ona ou vaai ai lea, ma ua iloa le Tamai Mamoe a le Atua, o feafioai i le fanauga a tagata. Ma ua ou iloa foi motu o tagata o e ua mamai, ma e ua tigaina i mai eseese, ma temoni ma agaga leaga. Ma ua fetalai mai le agelu ma faailoa mai ia mea uma ia te au. Ma ua faamaloloina i latou i le mana o le Tamai Mamoe a le Atua, ma ua tulia temoni ma agaga leaga.

32. Ua oo foi ina toe fetalai mai le agelu ia te au, ua faapea mai; Vaai ia! Ona ou vaai ai lea ma ua toe iloa le Tamai Mamoe a le Atua, ua aveina o ia e le nuu; ioe, sa faamasinoina le Alo o le Atua faavavau e le lalolagi, ua ou iloa foi ma molimau i ai.

33. O a'u foi o Nifae, ua ou iloa na siita o ia i luga i le satauro, ma ua fasiotia mo agasala a le lalolagi.

34. Ina ua fasiotia o ia, na ou iloa motu o tagata o le lalolagi, ua faapotopotoina faatasi e tau ma le au aposetolo a le Tamai Mamoe, auā sa faapea ona ta'ua

le toasefulu ma le toalua e le agelu a le Atua.

35. Sa faapotopotoina le motu o tagata o le lalolagi, sa ou iloa foi o i ai i latou i le fale tele ma le vateatea, e tusa ma le fale na iloa e lo‘u tamā. Ua toe fetalai mai foi le agelu a le Atua ia te au, ua faapea mai: Faauta, o le lalolagi ma lona poto; ioe, faauta, ua faapotopotoina faatasi le aiga o Isaraelu e tau ma le au aposetolo e toasefulu ma le toalua a le Tamai Mamoe.

36. Ua oo foi ina ua ou iloa ma molimau, o le fale tele ma le vateatea, o le faamaualuga o le lalolagi, ma ua paū ma ua nutipalaina lava, ua toe fetalai mai foi le agelu a le Atua ia te au, ua faapea mai: E faapena ona faaumatia atunuu uma, ma ituaiga, ma gagana eseese, ma nuu, o ē tau ma le au aposetolo e toasefulu ma le toalua a le Tamai Mamoe.

MATAUPU 12.

O le faaaliga ia Nifae o le nuu o le folafolaga—Ua faaalia e afio mai le Faaola i tagata o sa Nifae —Ua valoia la latou amiotonu, ma la latou amioleaga, ma lo latou malaia.

1. Ma ua oo ina fetalai mai le agelu ia te au: Vaai ia, ma iloa au fanau atoa ma le fanau a ou uso! Ona ou vaai atu ai lea ma iloa le nuu ua folafolaina; ma ua ou iloa foi motu o tagata, ioe, e peiseaī e tusa ona toatele ma le oneone o le sami.

2. Ma ua oo ina ou iloa ua faapotopotoina motu o tagata i le taua o le tasi i le tasi; sa ou iloa taua ma tala i taua, a e maise foi fasiga tetele i le pelu, i lo‘u nuu.

3. Ma ua oo ina ou iloa tupulaga e tele ua mavae atu i le uiga o taua ma finauga i le nuu, ma ua ou iloa aai e tele, ioe, na ou le faitau ai lava.

4. Ma ua oo ina ou iloa le puao o le pogisā i luga o le fogaeleele o le nuu ua folafolaina, ma ua ou iloa uila, ma ua ou faalogoina faititili ma mafuie, atoa foi ma gogolo tetele uiga eseese uma, ma ua ou iloa le lalolagi, ma papa ua mavaevae, ma ua ou iloa mauga o sosolo ma nutipalaina. Na ou iloa foi mea laugatasi i le lalolagi ua nutininiiina, ma ua ou iloa aai e tele ua magoto, ua ou iloa foi nisi e toatele ua mu i le afi, ma ua ou iloa foi nisi e toatele ua pāūū i le eleele ona o lona luluina.

5. Ma ua oo ina ua ou iloa ia mea, ua ou iloa le ausa le pogisa ua alu ae nai le fogaeleele, faauta foi, na ou iloa motu o tagata ē na pāūū ona o faamasinoga tetele ma le mata‘utia a le Atua.

6. Ua ou iloa foi le lagi ua avanoa, o le Tamai Mamoe foi a le Atua o loo afio ifo nai le lagi, ua na afio ifo ma ua faailoa o ia lava ia te i latou.

7. Ua ou iloa foi ma molimau, na afio ifo le Agaga Paia i nisi e toasefulu ma le toalua, na tofia i latou e le Atua, ma ua filifilia.

8. Ma ua fetalai mai le agelu ia te au ua faapea mai: Faauta, o le au soo e toasefulu ma le toalua a le Tamai Mamoe, o e ua filifilia e auauna i au fanau.

9. Ua na fetalai mai foi ia te au: Pe e te manatua ea le au aposetolo e toasefulu ma le toalua a le Tamai Mamoe? Faauta, o i latou ia o e faamasino atu i ituaiga o Isaraelu e sefulu ma le lua, o lea e faamasinoina e i latou auauna e toasefulu ma le toalua a au fanau, auā o i le aiga o Isaraelu outou.

10. O auauna nei foi e toasefulu ma le toalua na e iloa, latou

te faamasino i au fanau. Faauta foi, e amiotonu e faavavau i latou, auā o lo latou faatuatua i le Tamai Mamoe a le Atua ua faasinasinaina ai o latou ofu i lona toto.

11. Ma ua fetalai mai le agelu ia te au: Vaai ia; ona ou vaai ai lea ma iloa o tupulaga e tolu ua mavae i le amiotonu ma ua sinasina o latou ofu, e pei lava o le Tamai Mamoe a le Atua. Ua fetalai mai foi le agelu ia te au: Ua faasinasinaina i latou nei i le toto o le Tamai Mamoe, ona o lo latou faatuatua ia te ia.

12. O a'u foi o Nifae, ua ou iloa foi nisi e toatele o lona fa o tupulaga o ē ua mavae atu i le amiotonu.

13. Ua oo foi ina ou iloa motu o tagata o le lalolagi ua faapotopotoina faatasi.

14. Ua fetalai mai foi le agelu ia te au: Faauta, o au fanau atoa ma le fanau a ou uso.

15. Ma ua oo ina ou vaai ma iloa le nuu o a'u fanau, ua faapotopotoina faatasi i motu o tagata, ua faafesagai ma le fanau a o'u uso, ma ua faapotopotoina faatasi i latou i le taua.

16. Ma ua fetalai mai le agelu ia te au, ua faapea mai: Faauta, o le puna o le vai eleelea sa iloa e lou tamā, ioe, o le vaitafe na ia fai atu ai, o ana mea loloto o mea loloto ia i Kena.

17. O puao foi o le pogisā, o tofotofoga ia a le tiapolo ua faatauasoina ai mata, ma faamaaaina ai foi loto o le fanauga a tagata, ma ua ta'ita'ieseina ai i latou i ala lautele ina ia latou fano ma ia le iloa.

18. A o le fale tele ma le vateatea sa iloa e lou tamā, o masalosaloga le aoga ia ma le faamaualuga o le fanauga a tagata. Ua vavaeeseina foi i latou i le vanu tele ma le faigatā, ioe, o le afioga a le amiotonu a le Atua faavavau, ma le Mesia, o ia foi o le Tamai Mamoe a le Atua, o Lē molimau ai le Agaga Paia, e afua i le amataga o le lalolagi e oo lava i ona po nei, a e amata i ona po nei, e oo lava i le faavavau.

19. Ina o tautala mai foi le agelu i nei upu, ua ou vaai ma iloa na finau le fanau a o'u uso ma a'u fanau e tusa ma le fetalaiga a le agelu, ona o le faamaualuga foi o a'u fanau, ma tofotofoga foi a le tiapolo, ua ou iloa ua manumalo ai le fanau a o'u uso i tagata o a'u fanau.

20. Ua oo foi ina ou vaai atu ma iloa tagata o le fanauga a o'u uso, ua latou manumalo i a'u fanau, ona latou o atu ai lea i motu o tagata i luga o le fogaeleele.

21. Ua ou iloa foi ia i latou, ua faapotopotoina faatasi i motu o tagata, ma ua ou iloa taua ma tala i taua ia te i latou, na ou iloa foi ua mavae atu tupulaga e tele i taua ma tala i taua.

22. Ma ua fetalai mai le agelu ia te au: Faauta, e tauau ina le talitonu i latou nei.

23. Ua oo foi ina ua ou iloa ua le talitonu i latou, ua avea ma tagata faauliuli ma le inosia ma le eleelea, ua tumu foi i le paie ma mea inosia uiga eseese uma.

MATAUPU 13.

O atunu o nuu ese—O le lotu tele ma le inosia—Ua valoia isi mea mai le tala faasolopito o Amerika—O le Tusi Paia ma le Tusi a Mamona.

1. Ma ua oo ina fetalai mai le agelu ia te au, ua faapea mai: Vaai ia! Ona ou vaai ai lea ma iloa atunuu ma malo e tele.

2. Ma ua fetalai mai le agelu ia te au: Ni a mea e te iloa atu ai? Ona ou fai atu ai lea, ou te iloa atu i nuu ma malo e tele.

3. Ua fetalai mai foi o ia ia te au: O atunuu ia ma malo o nuu ese.

4. Ua oo foi ina ou iloa atu le faavae o le lotu tele i atunuu o nuu ese.

5. Ua fetalai mai foi le agelu ia te au: Faauta, o le faavae o le lotu ua sili ona inosia i lotu eseese uma lava, e fasia e ia le au paia a le Atua, ioe, e faataugaina i latou ma noatia i latou, e noatia i lalo i latou i le amo uamea ma faatoilaloina i latou faatagataotaua.

6. Ua oo foi ina ou iloa lenei lotu tele ma le inosia, ua ou iloa foi ua faavaeina ai i le tiapolo.

7. Ma ua ou iloa foi le auro, ma le ario, ma le silika, ma ie mumu, ma le lino miloa lelei, ma ofu tāua uiga eseese uma, na ou iloa foi fafine talitane e toatele.

8. Ua fetalai mai foi le agelu ia te au, ua faapea mai: Faauta, o le auro, ma le ario, ma le silika, ma ie mumu, ma le lino miloa lelei, ma ofu tāua, atoa foi ma fafine talitane—o manao ia o lenei lotu tele ma le inosia.

9. Ona o le viiga foi o le lalolagi, ua latou faaumatia ai le au paia a le Atua ma faatoilaloina i latou.

10. Ua oo foi ina ou vaai ma iloa vai tetele ua vaevaeina ai nuu ese nai le fanauga o o'u uso.

11. Ua oo foi ina fetalai mai le agelu ia te au: Faauta, ua i luga o le fanau a ou uso le toasa o le Atua.

12. Ma ua ou vaai foi ma iloa le tagata i nuu ese, ua vavaeeseina ai le fanau a o'u uso i vai tetele, na ou iloa foi le Agaga o le Atua na afio ifo ma taugalue i le tagata, ma ua na malaga atu i le vai tele e oo lava i le fanau a o'u uso, o e sa i le nuu ua folafolaina.

13. Ua oo foi ina ou iloa le Agaga o le Atua, ma ua na taugalue i nisi o nuu ese, ma ua latou o atu ai le nofopologa i le vai tele.

14. Ua oo foi ina ou iloa atu motu e tele o nuu ese i le nuu ua folafolaina. Na ou iloa atu le toasa o le Atua sa i luga lea o le fanau a o'u uso; sa faasalalauina foi i latou i luma o nuu ese, ma ua taia.

15. Na ou iloa atu foi le Agaga o le Atua sa i luga o nuu ese. Na manuia i latou ma ua maua le fanua mō latou tofi. Na ou iloa atu ua pa'epa'e i latou ma ua lalelei lava ma le manaia e tusa ma lo'u nuu a o lei fasiotia i latou.

16. Ua oo foi ina iloa e a'u, o Nifae, o ē ua o atu ai le nofopologa, sa faamaulalo i latou lava i luma o le Atua, ma ua i ai ia te i latou le mana o le Atua.

17. Na ou iloa foi sa faapotopotoina faatasi o latou tina o nuu ese i le vai ma le fanua foi e tau ma i latou.

18. Sa ou iloa foi na ia te i latou le mana o le Atua, a o le toasa o le Atua sa i luga o i latou o e ua faapotopotina faatasi e tau ma i latou.

19. O a'u foi o Nifae, na ou iloa atu i nuu ese, o ē na o atu ai le nofo pologa, na laveaiina i latou i le mana o le Atua ai lima o atunuu ese uma lava.

20. Ua oo foi ina iloa e a'u, o Nifae, na manuia i latou i le nuu, na ou iloa atu foi le tusi ua aveina atu ia te i latou.

21. Ua fetalai mai foi le agelu ia te au: Pe e te iloa ea le uiga o le Tusi?

22. Ma ua ou fai atu ia te ia: Ou te le iloa.

23. Ua fetalai mai foi o ia: Faauta, ua alu atu ai i le fofoga o le tagata Iutaia. O a'u foi o Nifae, na ou iloa ai. Ma ua fetalai mai foi o ia ia te au: O le Tusi ua e vaaia, o le Tusi a tagata Iutaia, e i ai le feagaiga a le Atua ua ia faia ma le aiga o Isaraelu, o i ai foi valoaga e tele a le au perofeta paia. O le tusi foi e tali tusa ma togitogiga o i ai i papatusi apamemea, a e ui i lea, e i ai feagaiga a le Atua na ia faia ma le aiga o Isaraelu, o lea e aoga tele ai i nuu ese.

24. Ma ua fetalai mai foi le agelu ia te au: Ua e iloa atu na alu atu le tusi i le fofoga o le tagata Iutaia; ina ua alu atu foi i le fofoga o le tagata Iutaia, sa i ai le malamalama o le tala lelei a le Atua na molimau i ai le au aposetolo e toasefulu ma le toalua, ma ua latou molimau atu e tusa ma le faamaoni e i ai i le Tamai Mamoe a le Atua.

25. O lea e alu atu ai ia mea ma le mamā nai tagata Iutaia i nuu ese, e tusa ma le upu moni e i ai i le Atua.

26. Ina ua uma ona alu atu ai i lima o le au aposetolo e toasefulu ma le toalua a le Tamai Mamoe, nai tagata Iutaia i nuu ese, ona e iloa atu ai lea le faavae o le lotu tele ma le inosia, e sili ona inosia i lotu ese uma lava, auā faauta, ua latou aveeseina vaega e tele ua malamalama mai le tala lelei a le Tamai Mamoe, ma ua latou aveeseina foi feagaiga e tele a le Atua.

27. Ua faia e i latou mea nei uma ina ia latou faapiopio ai ala tonu o le Atua, ina ia latou faatauasoina mata ma faamaaaina loto o le fanauga a tagata.

28. O lea ua e iloa ai, ina ua uma ona alu atu le tusi i lima o le lotu tele ma le inosia, ua aveeseina mea malamalama ma le tāua e tele ai le tusi, o le tusi lava lea a le Tamai Mamoe a le Atua.

29. Ina ua aveeseina foi mea malamalama ma le tāua e tele, ua alu atu ai atunuu uma o nuu ese. Ina ua uma foi ona alu atu ai i atunuu uma o nuu ese, i ona tala atu o le vai tele sa e iloa i nuu ese na o atu nai le nofopologa, ua e iloa, ona o mea e tele ua malamalama ma le tāua ua aveeseina nai le tusi na malamalama ai i le mafaufau o le fanauga a tagata, e tusa ma le malamalama e i ai i le Tamai Mamoe a le Atua; ona o mea nei ua aveeseina i le tala lelei a le Tamai Mamoe, e tausuai ai nisi e matuā toatele, ioe, e iu ina i ai ia Satani le pule tele ia te i latou.

30. A e ui lava i lea, ua e iloa nuu ese o e ua o atu ai le nofopologa, ma ua faaeaina i le mana o le Atua e sili i nisi atunuu uma ua i ai i luga o le fogaeleele uma, ua sili i nisi nuu uma, o le nuu lava lea ua fai ai le feagaiga e le Alii le Atua ma lou tamā e maua e ana fanau e fai ma nuu o lo latou tofi, o lea e te iloa ai e le mafai ona tuuina atu e le Alii le Atua e matuā faaumatia e nuu ese au fanau ua faatasi ma ou uso.

31. Na te le tuuina atu foi ia faaumatia e nuu ese le fanau a ou uso.

32. E le tuuina atu foi e le Alii le Atua ia nonofo e faavavau nuu ese i le pouliuli tele lava ua e iloa o i ai i latou, ona o vaega malamalama ma le tāua tele o le tala lelei a le Tamai Mamoe ua taofia i tua e lea lotu inosia na e iloa lona faavaeina.

33. O lea, ua fetalai mai ai le Tamai Mamoe a le Atua, ou te loto alofa ai i nuu ese e oo i le asiasi i e ua totoe o le aiga o Isaraelu i le faamasinoga tele.

34. Ua oo foi ina tautala mai le agelu a le Atua ia te au, ua faapea mai: Faauta, ua fetalai mai le Tamai Mamoe a le Atua, pe a uma ona ou asiasia ē ua totoe o le aiga o Isarelu ma ē totoe ua ou tautala atu ai, o le fanau lava lea a lou tamā, pe a uma ona ou asiasi ia te i latou i le faamasinoga, ma ua taia i latou i le lima o nuu ese, pe a matuā tausuai foi nuu ese ona o vaega ua sili ona malamalama ma le tāua o le tala lelei a le Tamai Mamoe ua taofia i tua e lea lotu inosia, o le tinā lea o fafine talitane, ua fetalai mai ai le Tamai Mamoe, ou te loto alofa i nuu ese i lea aso, e iu ina ou aumaia ia te i latou, i lo'u lava mana, mea e tele i la'u tala lelei ua malamalama ma le tāua, ua fetalai mai ai le Tamai Mamoe.

35. Auā faauta, ua fetalai mai le Tamai Mamoe, ou te faaali a'u lava i au fanau, ina ia latou tusitusi mea malamalama ma le tāua e tele ou te tuuina atu ia te i latou. Pe a uma ona faaumatia ma ua le talitonu au fanau atoa foi ma le fanau a ou uso, faauta, e natia ia mea e toe oo mai ai i nuu ese i le mea foaifuaina ma le mana o le Tamai Mamoe.

36. E tusia i ai la'u tala lelei, ua fetalai mai ai le Tama'i Mamoe, i le ma la'u Papa ma lo'u olataga.

37. Amuia lava i latou o e saili e aumai la'u Siona i lea aso, auā e ia te i latou le mea foaifuaina ma le mana o le Agaga Paia, a e afai latou te tumau e oo i le iuga, e faaeaina i latou i le aso gataaga, e faaolaina foi i latou i le malo faavavau o le Tamai Mamoe, ai se tala'i atu foi le filemu, ioe, o le tala e olioli tele ai, e matagofie naua i latou i luga o mauga.

38. Ua oo foi ina ou iloa e ua totoe o le fanau a o'u uso, atoa foi ma le tusi a le Tamai Mamoe a le Atua na alu atu i le fofoga o le tagata Iutaia, ua alu atu ai nai nuu ese i e ua totoe o le fanau a o'u uso.

39. Ina ua uma ona alu atu ai ia te i latou, ua ou iloa nisi tusi ua oo atu i le mana o le Tamai Mamoe, nai nuu ese ia te i latou, e oo i le faamautinoa o nuu ese, atoa ma e ua totoe o le fanauga a o'u uso, atoa ma tagata Iutaia, o e ua faasalalauina i luga o le fogaeleele uma, ua moni tusi a le au perofeta ma le au aposetolo e toasefulu ma le toalua a le Tamai Mamoe.

40. Ua fetalai mai foi le agelu ia te au, ua faapea mai: O tusi mulimuli ia ua e iloa i nuu ese e faamautu ai le faamaoni o le tusi muamua a le au aposetolo e toasefulu ma le toalua a le Tamai Mamoe, a e faailoa mea malamalama ma le tāua ua aveeseina ia te i latou, a e faailoa atu i ituaiga, ma gagana eseese, ma nuu, o le Tamai Mamoe a le Atua, o le Alo ia o le Tamā faavavau, ma le Faaola o le lalolagi, a e ao ina o mai ia te ia tagata uma, a leai e le mafai ona faaolaina i latou.

41. A e ao ina o mai i latou e tusa ma upu e mautu i le fofoga o le Tamai Mamoe, a e faailoa atu fetalaiga a le Tamai Mamoe i tusi a au fanau atoa foi ma tusi a le au aposetolo e toasefulu ma le toalua a le Tamai Mamoe, o lea e mautu ai faatasi tusi uma e lua, auā e i ai le Atua e toatasi i le lalolagi uma.

42. E oo mai aso na te faaalia atu ai o ia lava i atunuu uma, i tagata Iutaia atoa ma nuu ese. Pe a uma foi ona faaalia atu o ia lava i tagata Iutaia atoa foi ma nuu ese, ona faaalia lea e ia o ia lava i nuu ese atoa foi

ma tagata Iutaia, a o ē ua mulimuli e avea ma muamua, ma ē ua muamua e avea ma mulimuli.

MATAUPU 14.

E avanoa le manuia po o le faafonaga mo nuu ese—Ua na'o le lua lava lotu—O le faasalaga o le tinā o fafine talitane—O le galuega faapitoa a Ioane le faaali faaaliga—O le i'uga o le faaaliga ia Nifae.

1. E oo mai foi, pe afai e faalogo nuu ese i le Tamai Mamoe a le Atua i lea aso, na te faaali atu ai o ia lava ia te i latou i le upu atoa ma le mana ma le faamaoni, i le aveeseina o a latou maa e tausuai ai.

2. Afai foi latou te le faamaaa o latou loto i le Tamai Mamoe a le Atua, e faitauina i latou faatasi ma le fanau a lou tamā; ioe, e faitauina i latou faatasi ma le aiga o Isaraelu, a e avea i latou ma nuu manuia e faavavau i le nuu ua folafolaina, e le toe faatoilaloina i latou, e le toe faafememeaiina foi le aiga o Isaraelu.

3. O le lua foi na elia mo i latou e le lotu tele ma le inosia sa faavaeina e le tiapolo ma ana fanau ina ia ta'ita'i ese e ia o agaga o tagata i Kena; ioe, e faatumuina lenā lua tele sa elia mo le malaia o tagata i e na eli ai, i lo latou matuā malaia, ua fetalai mai ai le Tamai Mamoe a le Atua, a e le o le malaia o le agaga, sei iloga o le lafoina ai ī lena seoli e leai sona iuga.

4. Auā faauta, e tusa lenei mea ma le faatagataotauaina o le tiapolo, e tusa foi ma le amiotonu a le Atua ia te i latou o e fai amioleaga ma mea inosia i ona luma.

5. Ua oo ina fetalai mai le agelu ia te au, o Nifae, ua faapea mai: Ua e iloa pe afai e salamo nuu ese ona lelei ai lea ia te i latou, ma ua e iloa foi e uiga i feagaiga a le Atua ma le aiga o Isaraelu, ua e faalogoina foi, ai se le salamo, e malaia lea.

6. O lea oi talofa ai i nuu ese pe afai latou te faamaaa o latou loto i le Tamai Mamoe a le Atua.

7. Auā e oo mai aso, ua fetalai mai ai le Tamai Mamoe a le Atua, ou te faia ai le galuega tele ma le ofoofogia i le fanauga a tagata, o le galuega e faavavau lava, i le tasi itu po o le isi itu; i le faamautinoa ia te i latou o le filemu ma le ola faavavau, po o le tuuina atu o i latou i le maaa ō latou loto ma le tauaso ō latou manatu e oo i le faatoilaloina o i latou faatagataotaua, o le tino atoa foi ma le agaga, e tusa ma le faatagataotauaina o le tiapolo na ou fai atu ai.

8. Ua oo foi, ina ua uma ona fetalai mai le agelu ia upu, ua fetalai mai o ia ia te au: Po ua e manatua ea feagaiga a le Tamā ma le aiga o Isaraelu? Ua ou fai atu ia te ia: Ioe.

9. Ua oo foi ina fetalai mai o ia ia te au: Vaai ia ma iloa lena lotu tele ma le inosia, o le tinā lea o mea inosia, o lona faavae o le tiapolo lea.

10. Ma ua fetalai mai foi o ia ia te au: Faauta, ua na o le lua o lotu, o le tasi, o le ekalesia a le Tamai Mamoe a le Atua, ma le isi o le lotu a le tiapolo, o le mea lea o le ua le lotu i le ekalesia a le Tamai Mamoe a le Atua, e i ai o ia i lena lotu tele, o le tinā lea o mea inosia, o ia foi o le fafine talitane o le lalolagi uma.

11. Ua oo foi ina ou vaai ma iloa le fafine talitane o le lalolagi uma, ma ua ti'eti'e o ia i vai e tele, ua ia te ia le pule i le lalolagi uma, i atunuu uma, ma ituaiga, ma gagana eseese, ma nuu.

12. Ua oo foi ina ou iloa le ekalesia a le Tamai Mamoe a le Atua, ma ua toaitiiti ona tagata, ona o le amioleaga ma mea inosia a le fafine talitane, o lē ti'eti'e i vai e tele, a e ui i lea, na ou iloa atu ua i le lalolagi uma le ekalesia a le Tamai Mamoe a le Atua, o e o le au paia a le Atua, a ua itiiti la latou pule i le lalolagi ona o le amioleaga a le fafine talitane tele na ou iloa.

13. Ua oo foi ina ou iloa sa faapotopotoina faatasi le tinā tele o mea inosia i motu o tagata i le fogaeleele uma, i atunuu uma o nuu ese, e tau ma le Tamai Mamoe a le Atua.

14. Ua oo foi ina iloa e a'u o Nifae le mana o le Tamai Mamoe a le Atua, na alu ifo i le au paia a le ekalesia a le Tamai Mamoe, ma luga o tagata o le feagaiga a le Atua, o e na faasalalauina i le fogaeleele uma, ma ua fai auupega i latou i le amiotonu atoa ma le mana o le Atua i le mamalu tele.

15. Ma ua oo ina ou iloa ua liligi ifo le toasa o le Atua i le lotu tele ma le inosia, ua iu ina i ai taua ma tala i taua i atunuu ma ituaiga uma o le lalolagi.

16. Ma ua amata foi ona i ai taua ma tala i taua i atunuu uma ua i ai le tinā o mea inosia, ua fetalai mai le agelu ia te au, ua faapea mai: Faauta, e i ai le toasa o le Atua i le tinā o fafine talitane, faauta foi, ua e iloa nei mea uma.

17. Pe a oo mai foi le aso e liligi ifo ai le toasa o le Atua i le tinā o fafine talitane, o le lotu tele lena ma le inosia i le lalolagi uma, o lona faavae o le tiapolo lea, ona amata ai lea i lea aso le galuega a le Tamā e sauniuni le ala i le faataunuuina o ana feagaiga ua na faia ma lona nuu, o e o i le aiga o Isaraelu.

18. Ma ua oo ina fetalai mai le agelu ia te au, ua faapea mai: Vaai ia!

19. Ona ou vaai ai lea ma iloa le tagata, ma ua ofu o ia i le ofu sinasina.

20. Ua fetalai mai foi le agelu ia te au: Faauta, o le tasi o le au aposetolo e toasefulu ma le toalua a le Tamai Mamoe.

21. Faauta, na te iloa atu ma tusitusi le mea ua toe o mea nei; ioe, atoa foi ma mea e tele ua mavae.

22. Na te tusitusi foi e uiga i le gataaga o le lalolagi.

23. O lenei, e tonu ma faamaoni mea na te tusitusi, faauta foi, ua tusia i le tusi na e iloa ua alu atu nai le fofoga o le tagata Iutaia, a o aso na alu atu ai nai le fofoga o le tagata Iutaia, po o le aso na alu atu ai le tusi nai le fofoga o le tagata Iutaia, na malamalama ma ua mamā mea na tusia i ai, ma ua tāua tele, ma ua faigofie i le mafaufau o tagata uma.

24. Faauta foi, o mea e tusitusi e lenei aposetolo a le Tamai Mamoe, o mea ia e tele na e vaaia, faauta foi, e te iloa mea ua totoe.

25. A o mea e te iloa nei e te le tusia, auā ua tofia e le Alii le Atua le aposetolo a le Tamai Mamoe a le Atua, ina ia tusia ai e ia.

26. Ma nisi tagata foi na ola anamua na ia faailoa atu ia mea uma ia te i latou, ma ua latou tusia ai, ma ua faamaufaailogaina e toe alu ae i lo latou mamā, i le aiga o Isaraelu, e tusa ma le upu moni e i ai i le Tamai Mamoe, i aso e tatau ai i le Atua.

27. O a'u foi o Nifae, na ou faalogoina ma molimau atu, o le igoa o le aposetolo a le Tamai Mamoe, o Ioane lea, e tusa ma le fetalaiga a le agelu.

28. Faauta, foi, o a'u o Nifae, ua vaosia a'u, ou te le tusitusi mea ua totoe na ou iloa ma faalogoina, o lea ua lava ai ia te au o mea ua ou tusia, a ua ou tusia na o le vaega itiiti o mea na ou vaaia.

29. Ou te molimau atu foi, na ou iloa mea na vaaia e lo'u tamā, na faailoa mai ia te au e le agelu a le Atua.

30. A o lenei, ou te faaiu le tautala atu e uiga i mea na ou iloa manū o aveeseina a'u i le Agaga; a e afai ua le tusia mea uma na ou iloa, ua moni lava mea ua ou tusia. E faapena lava. Amene.

MATAUPU 15.

O a'oa'oga a Liae ua faamatalaina e Nifae—O le olive—O le laau o le ola—O le afioga a le Atua.

1. Ua oo foi, ina ua uma ona aveeseseina a'u, o Nifae, i le Agaga, ma ua ou iloa ia mea uma, ua ou foi mai i le fale ie o lo'u tamā.

2. Ma ua oo ina ou iloa o'u uso, o fefinauai foi i latou e uiga i mea na fai atu ai lo'u tamā ia te i latou.

3. Auā, e moni, na ia fai atu mea sili e tele ia te i latou ua faigata ona lagona, sei iloga e aioi le tagata i le Atua, a o i latou ua maaa o latou loto, o lea na latou le faasaga atu ai i le Atua e pei ona tatau ai ia te i latou.

4. O lenei foi, o a'u o Nifae, sa tigaina a'u ona o le maaa ō latou loto, ma lenei foi, ona o mea na ou vaaia ma iloa e ao lava ina oo mai ona o le amioleaga tele a le fanauga a tagata.

5. Ua oo foi ina vaivai a'u ona o o'u puapuaga, auā ua ou manatu ua sili o'u puapuaga i mea uma, ona o le faafanoga a lo'u nuu, aua ua uma ona ou iloa lo latou paū.

6. Ma ua oo ina ua uma ona ou maua lo'u malosi, ua ou fai atu i o'u uso, ua ou fia iloa mai ia te i latou le ala o a latou finauga.

7. Ma ua latou fai mai: Faauta, ua le mafai ona malamalama ia te i matou o upu ua fai mai e lo tatou tamā e uiga i la moni o le olive, ma lenei foi e uiga i nuu ese.

8. Ua ou fai atu foi ia te i latou: Po ua outou fesili atu ea i le Atua?

9. Ua latou fai mai ia te au: Ua matou le faia, auā e le faailoa mai e le Atua se mea faapena ia te i matou.

10. Faauta, sa ou fai atu ia te i latou: Pe faapefea ona outou le tausi poloaiga a le Atua? Pe faapefea ea ona outou malaia ona o le maaa ō outou loto?

11. Tou te le manatua ea mea ua fetalai mai ai le Atua? Pe afai tou te le faamaaa o outou loto, a e aioi mai ia te au, ma le filigā i le tausiga o a'u poloaiga, o talitonu tou te maua lava, e moni, e faailoaina ia mea ia te outou.

12. Faauta, ou te fai atu ia te outou, sa faatusaina le aiga o Isaraelu i le olive e le Agaga o le Atua na i o tatou tamā; faauta foi, ua le mafa'i ea i tatou nai le aiga o Isaraelu? E le o le lala ea i tatou o le aiga o Isaraelu?

13. O lenei foi, o le mea e faauiga i ai lo tatou tamā i le faapipiiina o la moni talu le atoatoa o nuu ese, o lenei, o aso e gata ai, pe a le talitonu a tatou fanau, ioe, pe a uma ona mavae tausaga e tele ma tupulaga e tele, pe a uma ona faaalia mai le Mesia i le tino, i le fanauga a tagata, ona oo atu lea le atoatoa o le tala lelei a le Mesia i nuu ese, mai

nuu ese foi i e ua totoe o a tatou fanau.

14. O lea aso foi e iloa ai lava e i latou ua totoe o a tatou fanau, o i le aiga o Isaraelu i latou, o i latou foi o le nuu o le feagaiga a le Atua, ona latou iloa ai lea ma oo i le iloa lelei ō latou tamā anamua, ma le iloa lelei foi o le tala lelei a lo latou Togiola, sa foaiina mai ai e ia i o latou tamā, o lea e oo mai ai i latou i le iloa lelei o lo latou Togiola, atoa foi ma sauniga lava a lana mataupu, ina ia latou iloa le ala e o atu ai ia te ia ma ia faaolaina ai.

15. O lea lava aso foi latou te le fiafia ea ma avae le viiga i lo latou Atua faavavau, o lo latou Papa ma lo latou Olataga? Ioe, o lea aso latou te le maua ea le malosi ma mea fafaga mai le vine moni? Ioe, latou te le o mai ea i le lotoā moni a le Atua.

16. Faauta, ou te fai atu ia te outou, ioe, e toe manatua i latou i le aiga o Isaraelu e faapipiina i latou i le olive moni, auā o le la i latou o le olive moni.

17. O le mea lenei ua manatu ai lo tatou tamā, ma ua manatu o ia e le oo mai lava seia uma ona faasalalauina i latou e nuu ese, ma ua manatu o ia e oo mai ai talu nuu ese, ina ia faali e le Atua lona mana i nuu ese, ona o lenei lava mea e tasi, ona ua teena o ia e tagata Iutaia, po o le aiga o Isaraelu.

18. Ua le na o a tatou fanau ua tautala mai ai lo tatou tamā, a o le aiga atoa o Isaraelu; ua faasino atu i le feagaiga e faataunuuina i aso e gata ai. O lea feagaiga na faia e le Atua ma lo tatou tamā o Aperaamo, ua faapea: O lau fanau e manuia ai ituaiga uma o le lalolagi.

19. Ua oo foi ina tautala atu a'u, o Nifae, i upu e tele e uiga i nei mea; ioe, na ou tautala atu ia te i latou e uiga i le toe faatuina o tagata Iutaia i aso e gata ai.

20. Na ou toe fai atu foi ia te i latou i upu a Isaia, o le na tautala mai i le toe faatuina o tagata Iutaia, po o le aiga o Isaraelu, pe a uma ona toe faatuina i latou e le toe faamaina i latou, pe toe faasalalauina i latou. Ma ua oo ina ou fai atu upu e tele i o'u uso, ona faamalilieina ai lea i latou, ma ua faamaulalo i latou lava i luma o le Atua.

21. Ua oo foi ina toe tautala mai i latou ia te au, ua faapea mai: O le a le uiga o lenei mea sa iloa e lo tatou tamā i le miti? O le a le uiga o le laau na ia iloa?

22. Ona ou fai atu foi lea ia te i latou, o le faatusa lea o le laau o le ola.

23. Ma ua latou fai mai ia te au: O le a le uiga o le āi uamea na iloa e lo tatou tamā, ua tau atu i le laau?

24. Ua ou fai atu foi ia te i latou, o le afioga lea a le Atua. O i latou uma o ē faalogo foi i le afioga a le Atua, ma taofi mau i ai, e le fano i latou e faavavau, e le mafai foi tofotofoga ma u fanafana mu a lē ita mai ona manumalo ia te i latou e oo i le tauaso e ta'ita'iese ai i latou i le malaia.

25. O lenei, o a'u o Nifae, na ou apoapoai atu ia te i latou, ia usiusitai i le afioga a le Atua. Ioe, na ou apoapoai atu ma le maelega uma o lo'u agaga ma le mafaufau uma ua ia te au, ia latou usiusitai i le afioga a le Atua, ma manatua e tausi pea i ana poloaiga i mea uma.

26. Ua latou fai mai foi ia te au: O le a le uiga o le vaitafe na iloa e lo tatou tamā?

27. Ona ou fai atu foi lea ia te i latou, o le vai na iloa e lo'u

tamā, o le mea eleelea lena, a ua faapea ona faaumatia lona mafaufau i nisi mea, ua na le iloa le eleelea o le vai.

28. Ua ou fai atu foi ia te i latou, o le vanu faigata lea ua vavaeese ai tagata agasala nai le laau o le ola, mai le au paia foi a le Atua.

29. Ma ua ou fai atu ia te i latou, o le faatusa lena o lea Kena faigata sa fetalai mai ai le agelu ia te au ua saunia mo ē amioleaga.

30. Ua ou fai atu foi ia te i latou, na iloa e lo tatou tamā ua vavaeeseina foi i le amiotonu a le Atua o ē amioleaga ai ē amiotonu, a o lona pupula foi ua pei o le pupula o le afi mumū, o alu ae pea i le Atua e faavavau, faavavau lava, e leai se iuga.

31. Ua latou fai mai ia te au: Pe uiga lenei mea i le tiga o le tino i aso o le olaga nei, pe uiga i le iuga o le agaga pe a oti le tino augavale, pe faapea, o mea faaletino?

32. Ua oo foi ina ou fai atu ia te i latou, o le faatusa lea i mea i la le tino atoa ma mea i la le agaga, auā e ao ina oo mai le aso e faamasinoina ai i latou i a latou galuega, ioe, o galuega na faia e le tino augavale i aso ō latou olaga.

33. O lenei, afai latou te oti i a latou amioleaga, e matuā lafoaiina i latou, e tusa ma mea i la le agaga, i la le amiotonu lea, o lea foi e ao ai lava ina aumaia i latou e tutu i luma o le Atua ia faamasinoina ai i a latou galuega, afai foi ua eleelea a latou galuega ua eleelea lava i latou, afai ua eleelea i latou e le mafai ona nonofo i le malo o le Atua; ana mafai, po ua eleelea foi le malo o le Atua.

34. A e peitai, faauta, ou te fai atu ia te outou, e le eleelea le malo o le Atua, e le mafai foi ona sao le mea eleelea i le malo o le Atua, o lea e tatau ai ona ia saunia le mea eleelea mo le mea ua eleelea.

35. E i ai foi le mea ua saunia, ioe, o lea Kena faigata ua ou tautala atu ai, o lona faavae o le tiapolo lea. O lenei, o le iuga o agaga o tagata uma e nonofo ai i le malo o le Atua, pe lafoaiina ona o lea amiotonu ua ou tautala atu ai.

36. O lenei foi, e tulia ese tagata agasala ai tagata amiotonu, nai le laau foi o le ola ua sili ona aogā ma manaomia ona fua i fua ese uma lava, ioe, o le mea sili i mea uma e foaiina mai e le Atua. Ma ua faapea ona ou tautala atu i o'u uso. Amene.

MATAUPU 16.

Ua fefaiavāa'i atalii o Liae ma afafine o Isamaeli—Ua faaauau le mlaga—Ua maua le polo po o le faasino ala—O le maliu o Isamaeli.

1. O lenei foi, ua oo ina ua uma ona faaiu e a'u, o Nifae, ona tautala atu i o'u uso, faauta, ua latou fai mai ia te au: Ua e fai mai ia te i matou mea faigata, e sili i mea e mafai ona matou onosai ai.

2. Ua oo foi ina ou fai atu ia te i latou, ou te iloa ua ou fai atu mea faigata, e tusa ma le upu moni, i ē ua agasala, a ua ou ta'uamiotonuina ē amiotonu, ma Molimau atu e faaeaina i latou i le aso gataaga. O lenei, ua avea le upu moni ma upu faigata e tagata agasala, auā ua atia ai i latou i le totonugalemu lava.

3. O lenei foi, o'u uso e, ana amiotonu outou ma le fia faalogo i le upu moni ma usiusitai i ai, ina ia outou savavail ma le amio sao i luma o le Atua, po ua le

muimui outou i le upu moni ma
fai mai: Ua e fai mai mea fai-
gata ia te i matou.
4. Ua oo ina apoapoai atu a'u,
o Nifae, i o'u uso ma le filigā
uma, ia tausi i poloaiga a le Atua.
5. Ma ua oo ina latou faamau-
lalo i latou lava i luma o le Atua,
ua iu ina ou maua le olioli ma
faamoemoe tele ia te i latou, la-
tou te savavali i ala o le amio-
tonu.
6. O lenei, ua talatalaina ia
mea uma ma ua faia foi ina o nofo
lo'u tamā i le fale ie i le vanu
na ia ta'ua o Lemuelu.
7. Ua oo foi ina fai avā o a'u
o Nifae i le tasi afafine o Isa-
maeli. Ua fai avā foi o'u uso i fa-
fine o Isamaeli a ua fai avā So-
rama i le afafine matua o Isa-
maeli.
8. Sa faapea ona faataunuuina
e lo'u tamā o poloaiga uma a le
Atua na tuuina mai ia te ia. O
a'u o Nifae, ua faamanuiaina
matua tele e le Atua.
9. Ma ua oo ina fetalai mai le
siufofoga o le Atua i lo'u tamā i
le po, ma ua poloaiina o ia na te
malaga i le vao i le aso a taeao.
10. Ma ua oo ina ala mai lo'u
tamā i le taeao, ma ua alu atu i
le faitotoa o le fale ie, ua ofo
tele o ia auā na ia iloa i le eleele
le polo lapotopoto, ua ese lava
lona gaosiga, o le apamemea lelei
ia. Ua i ai foi i totonu o le polo
o vae e lua, o le tasi foi na faa-
sino mai le ala matou te o ai i le
vao.
11. Ua oo foi ina matou faa-
putuputu faatasi mea uma matou
te ave i le vao, ma mea ua totoe
o a matou mea e ai na foaiina
mai ia te i matou e le Atua, ua
matou ave foi fatu eseese uma
lava ina ia matou ave ai i le vao.
12. Ma ua oo ina matou ave o
matou fale ie, ma ua o atu i le
vao i ona tala atu o le vaitafe o
Lamana.
13. Ua oo foi ina malaga i ma-
tou i aso e fa i ona gagae o le
itu i toga, ma ua matou toe faatu
o matou fale ie, ma ua matou
faaigoa le mea o Sasera.
14. Ma ua oo ina matou ave a
matou aufana ma a matou u
fanafana ma o atu i le vao, e
maua ai mea e ai mō matou aiga,
ina ua uma ona matou fasia mea
e ai mō matou aiga, ua matou
foi mai i o matou aiga i le vao,
i le nuu o Sasera. Ua matou toe
o i le vao e aga'i atu i lea lava
itu, ma ua malaga atu i itu au-
pito lafulemu o le vao ua i ai i
tuaoi e lata ane i le sami Ulaula.
15. Ua oo ina matou malaga i
aso e tele, ua fasi mea e ai i le
auala i a matou aufana ma a ma-
tou u fanafana, ma a matou maa
ma a matou maatā.
16. Ua matou usiusitai i faa-
tonuga o le polo, ua ta'ita'iina ai
i matou i itu o le vao ua sili ona
lafulemu.
17. Ina ua uma ona matou ma-
laga i aso e tele, ua matou faatu
o matou fale ie i ni nai aso, ina
ia matou toe malolo ma maua ai
mea e ai mō matou aiga.
18. Ma ua oo ina o alu atu a'u,
o Nifae, e fasi mea e ai, faauta,
ua ou gauia la'u aufana, sa gao-
sia ai i le sila lelei. Ina ua ou
gauia foi la'u aufana, faauta, ua
ita tele o'u uso ia te au ona o le
le aoga o la'u aufana, auā na
matou le maua ni mea e ai.
19. Ua oo ina matou foi mai
i o matou aiga, a ua leai se mea
e ai. Ona ua lailoa foi i latou
ona o la latou malaga, ua tigaina
tele ona o le fia aai.
20. Ua oo foi ina amata ona
muimui tele lava o Lamana ma
Lemuelu, atoa ma atalii o Isa-
maeli, ona ō latou tiga ma pua-
puaga i le vao, na amata ona

muimui foi lo'u tamā i le Alii lona Atua, ioe, sa faanoanoa tele i latou uma ma ua latou muimui lava i le Atua.

21. Ua oo foi ina ua puapuagatia a'u, o Nifae, faatasi ma o'u uso ona o le le aoga o la'u aufana, ina ua le toe malosi foi a latou aufana, ua amata ona faigata tele, ioe, ua iu ina le mafai ona matou maua ni mea e ai.

22. Ma ua oo ina fai atu e a'u, o Nifae, mea e tele i o'u uso, auā ua latou toe faamaaaina o latou loto, e oo lava i le muimui i le Alii lo latou Atua.

23. Ua oo foi ina faia e a'u, o Nifae, le aufana laau, ma le u i le laau sagatonu. O lenei foi, ua ou fai auupega a'u i le aufana ma le u, atoa ma le maatā ma maa. Ua ou fai atu foi i lo'u tamā: Po o fea ea le mea ou te alu i ai e maua ai mea e ai?

24. Ua oo foi ina aioi atu o ia i le Atua, auā ua latou faamaulaloina i latou lava ona o a'u upu, auā foi na ou fai atu mea e tele ia te i latou i le maelega o lo'u agaga.

25. Ua oo foi ina tūlei mai le siufofoga o le Atua i lo'u tamā, e moni lava, ua aoaiina o ia ona o lona muimui i le Atua, ua iu ina faamaulalo lava o ia i le faanoanoa.

26. Ma ua oo ina fetalai mai le siufofoga o le Atua ia te ia: Ina vaai ia i le polo ma iloa mea ua tusia.

27. Ua oo foi ina ua iloa e lo'u tamā mea ua tusia i le polo, ua fefe o ia ma ua matautuia, ua faapea foi ma o'u uso ma atalii o Isamaeli, ma o matou taitoalua.

28. Ua oo foi ina iloa e a'u, o Nifae, o vae na i le polo ua galue e tusa ma le faatuatua, ma le filigā, ma le usiusitai na matou avatu i ai.

29. Na tusia foi i ai le tusi fou, ua faigofie ona faitauina, ma ua aumai ai le malamalama ia te i matou e uiga i ala o le Atua, na tusia ma faaliliuina i lea aso ma lea aso, e tusa ma le faatuatua ma filigā na matou avatu i ai. Ma ua faapea ona tatou iloa e mafai le Atua ona faataunuuina mea tetele i mea faatauvaa.

30. Ma ua oo ina alu ae a'u, o Nifae, i le tumutumu o le mauga e tusa ma faatonuga na faia i le polo.

31. Ma ua oo ina ou fasia manu feai, ua iu ina ou maua ai ni mea e ai mō matou aiga.

32. Ua oo foi ina ou foi mai i o matou fale, o faafuata mai manu na ou fasia. O lenei foi, ina ua latou vaai mai ua ou maua ni mea e ai, ua tele nauā lo latou olioli. Ma ua oo ina latou faamaulalo i latou lava i luma o le Atua ma ava'e le faafetai ia te ia.

33. Ua oo foi ina matou toe malaga, ua alu atu e tali tusa ma le itu muamua. Ina ua uma foi ona matou malaga i aso e tele, ua matou toe faatu o matou fale ie, ina ia matou malolo i ni nai aso.

34. Ma ua oo ina maliu Isamaeli, ma ua tanumia o ia i le mea ua ta'ua o Naoma.

35. Ua oo foi ina faanoanoa tele lava afafine o Isamaeli ona o le maliu o lo latou tamā, ona ō latou puapuaga foi i le vao. Na latou muimui foi i lo'u tamā, auā ua ia ta'ita'iina i latou nai le nuu o Ierusalema, ua faapea mai: ua maliu lo matou tamā, ioe, ma ua matou feoai lava i le vao, ma ua tigaina i matou i puapuaga e tele, o le fia 'ai, ma le fia inu, ma le lailoa. Pe a mavae foi ia tiga uma, e fano lava i matou i le fia ai i le vao.

36. Ma ua faapena ona latou

muimui i lo'u tamā atoa ma a'u, ma ua latou fia foi atu i Ierusalema.

37. Na fai ane Lamana ia Lemuelu ma atalii o Isamaeli: Faauta, ia tatou fasioti lo tatou tamā atoa foi ma lo tatou uso, o Nifae, o lē ua ave ia te ia e fai mā tatou pule, ma a'oa'o ia te i tatou, o ona uso matutua.

38. O lenei, ua fai mai o ia na tautala i laua ma le Atua, ma ua auauna agelu ia te ia. Faauta foi, ua tatou iloa ua pepelo mai o ia ia te i tatou, na ia fai mai foi ia mea ia te i tatou, ma ua faia mea e tele i ana togafiti poto, ina ia faasese o tatou mata, ua manatu, atonu e mafai o ia ona ta'ita'iese ia te i tatou i se vao ese, pe a uma foi ona ia ta'ita'iese ia te i tatou, ua manatu o ia e fai o ia lava ma tupu ma pule ia te i tatou, ina ia faia e ia ia te i tatou e tusa ma lona loto ma lana faitalia. Na faapea ona faaosoina o latou loto i le ita e lo'u uso o Lamana.

39. Ma ua oo ina ia te i matou le Atua, ioe, na tūlei mai le siufofoga lava o le Atua, ma ua fetalai mai upu e tele ia te i latou, ma ua aoai tele lava ia te i latou. Ina ua uma foi ona aoaiina i latou e le siufofoga o le Atua, ua latou faaliliuese lo latou ita, ma ua salamo i a latou agasala, ua iu ina toe faamanuiaina i matou e le Atua i mea e 'ai, o lea ua le fano ai i matou.

MATAUPU 17.

O Ireanetuma po o vai e tele—Ua faatonuina Nifae e le Alii ia fau se vaa—Ua teena o ia e ona uso ma ua fememeai i latou.

1. Ua oo foi ina matou toe malaga atu i le vao, ua toetoe ina matou malaga i le itu tonu i sasae, e afua i lea aso. Ma ua matou malaga ma onosai i puapuaga e tele i le vao, ma ua fananau o matou fafine i le vao.

2. Ma ua faapea ona tele o manuia o le Atua ia te i matou, a o matou ola i aano o mea mata i le vao, ua lava le suasusu ō matou fafine mo a latou fanau, ma ua malolosi, ioe, e tusa lava ma tane, na amata foi ona latou onosai i a latou malaga ma le le muimui.

3. Ma ua faapea ona tatou iloa, e ao ina faataunuuina poloaiga a le Atua. Afai foi e tausi e le fanauga a tagata poloaiga a le Atua, na te fafaga ia te i latou, ma faamalosi ia te i latou, ma sauni ala e mafai ai ona fai le mea na te poloaiina ai i latou, o lea na ia sauni ai le ala mo i matou ina o matou aumau i le vao.

4. Na matou aumau i tausaga e tele, ioe, e valu tausaga lava i le vao.

5. Ua matou taunuu i le laueleele ua matou faaigoaina o Nuumau, auā o ona fua laau ua tele, ma le meli vao foi. Ua saunia ia mea uma e le Atua ina ia le fano i matou. Ua matou vaaia le vasa, ua matou faaigoaina ai o Ireanetuma, o lona uiga pe a faamatalaina, o vai e tele.

6. Ua oo foi ina matou faatu o matou fale ie i le matafaga, e ui ina uma ona tigaina i matou i puapuaga ma mea faigata e tele, ioe, ua faapea ona tele ua le mafai ona matou tusia uma, ua matua fiafia tele lava i matou ina ua matou taunuu i le matafaga, ma ua matou faaigoaina le nuu o Nuumau, auā o ona fua ua tele.

7. Ua oo foi ina ua i ai a'u, o Nifae, i le nuu o Nuumau i aso e tele, ua tūlei mai le siufofoga o le Atua ia te au, ua faapea mai: Tulai ia ma ia e alu i le mauga. Ma ua oo ina ou tulai ma alu

ae i le mauga ma alaga atu i le Atua.
8. Ua oo foi ina fetalai mai le Atua ia te au, ua faapea mai: Ia e fau se vaa e tusa ma le gaosiga ou te faailoa atu ia te oe, ina ia ou momoli atu lou nuu i tala atu o vai nei.
9. Ma ua ou fai atu: Le Atua e, po o fea le mea ou te alu i ai ou te maua ai uamea e faaliusuavai, ina ia ou gaosi ai mea e fai a'i galuega e fau ai le vaa e tusa ma le gaosiga ua e faailoaina mai ia te au?
10. Ua oo foi ina fetalai mai le Atua ia te au i le mea ou te alu i ai e maua ai le uamea, ina ia ou gaosi mea e fai a'i galuega.
11. Ua oo foi ina fai e a'u, o Nifae, le tapili i pa'u o manu e tapili a'i le afi. Ina ua uma foi ona ou faia le tapili e maua ai le mea e tapili a'i le afi, ua ou faafetoai maa e lua, ina ia faia e a'u le afi.
12. Auā o aso ua te'a atu ua le tuuina mai e le Atua matou te faia afi e tele ina o malaga i matou i le vao, auā na ia fetalai mai: Ou te faasuamalie a outou mea e ai, a e tou te le faavelaina.
13. E fai foi a'u mā outou malamalama i le vao, ou te teuteu foi le ala i o outou luma, afai tou te tausi i a'u poloaiga, o lea e pei ona outou tausi i a'u poloaiga e faapea ona ta'ita'iina outou e aga'i atu i le nuu ua folafolaina, a e tou te iloa o a'u lava e ta'ita'iina ai outou.
14. Ioe, ua fetalai mai le Atua: A uma ona outou papa'i atu i le nuu ua folafolaina, tou te iloa o a'u, o le Alii le Atua lava a'u; o a'u foi o le Atua na laveai ia te outou ai le faafanoga, ioe, sa ou aumaia outou nai le nuu o Ierusalema.
15. O lea na taumafai ai a'u, o Nifae, ona tausi i poloaiga a le Atua, na ou apoapoai atu foi i o'u uso ia faamaoni ma filigā.
16. Ua oo foi ina ou faia mea e fai a'i galuega i le uamea na ou faaliusuavai nai le maa.
17. Ina ua iloa foi e o'u uso o le a ou faia le vaa, ua amata ona latou muimui mai ia te au, ua faapea mai: O lo tatou uso o le vale ia, ua manatu o ia na te mafaia ona fau se vaa, ioe, ua manatu foi o ia na te mafaia ona alu i tala atu o ia vai e tele.
18. Ma ua faapea ona muimui mai o'u uso ia te au, ma ua mananao ia latou le galulue, auā sa latou le talitonu na mafaia a'u ona fau se vaa, ua latou le talitonu foi ua a'oa'oina a'u e le Atua.
19. O lenei foi, ua oo ina matua faanoanoa a'u, o Nifae, ona o le maaa ō latou loto, o lenei foi, ina ua latou iloa ua amata ona ou faanoanoa, ua fiafia i latou i o latou loto, ua iu ina olioli i latou ia te au, ua faapea mai: Sa matou iloa e te le mafaia ona fau se vaa, auā ua matou iloa ua le lava le mafaufau ua ia te oe, o lea foi e te le mafaia ai ona fai le galuega e faapea ona tele.
20. Ma ua tusa oulua ma lo tatou tamā, ua ta'ita'ieseina i masalosaloga faavalea o lona loto. Ioe, ua na ta'ita'iina mai i tatou nai le nuu o Ierusalema, ma ua tatou feoai i le vao i ia tausaga e tele, ua galulue foi o tatou fafine, o mamafa ina a fanau, ma ua latou fananau tama i le vao, ma ua tigaina i mea uma, toe lava o le oti; ua sili foi ana oti i latou a o lei te'a ma Ierusalema ai le onosai i nei puapuaga.
21. Faauta, ua tigaina i tatou i ia tausaga e tele i le vao, ana leai, po ua mafai ona fiafia i tatou i le nuu o lo tatou tofi, ioe, po ua mafai ona fiafia i tatou.

22. Ua matou iloa foi, o tagata c i Ierusalema, o tagata amiotonu i latou, na latou tausia tulafono ma faamasinoga a le Atua, atoa ma ana poloaiga uma, e tusa ma le tulafono a Mose, o le mea lea ua tatou iloa ai o le nuu amiotonu i latou, a ua faamasino lo tatou tamā ia te i latou, ma ua ta'ita'ieseina i tatou, ona ua tatou faalogo i ana upu, ioe, ua tutusa foi i laua ma lo tatou uso. Sa faapea upu na muga ma muimui ai o'u uso ia te i maua.

23. Ma ua oo ina tautala atu a'u, o Nifae, ia te i latou, ua faapea atu: Pe tou te taofi ea e ta'ita'iina o tatou tamā, o e o le fanauga a Isaraelu, ai lima o tagata Aikupito ana le faalogo i latou i fetalaiga a le Atua?

24. Ioe, pe tou te taofi ea e ta'ita'iina i latou ai le nofopologa, ana le poloai mai le Atua ia Mose na te ta'ita'iina i latou nai le nofopologa?

25. O lenei, ua outou iloa sa faapologaina le fanauga a Isaraelu, ma ua outou iloa foi na mafatia i latou i avega, sa faigata lava ona onosai ai, o lea ua outou iloa ai, o le mea lelei lava ia i latou ia aumaia i latou ai le nofopologa.

26. O lenei foi, ua outou iloa na poloaiina Mose e le Atua e fai lena galuega tele, ua outou iloa foi, na vaeluaina i lea itu ma lea itu le Suasami o le sami Ulaula, e tusa ma lana fetalaiga, ma ua sao ai i latou i le ilititai matutu.

27. A e peitai, ua outou iloa na malelemo i le sami Ulaula o tagata Aikupito, o 'au i latou a Farao.

28. Ua outou iloa foi na fafagaina i latou i le manai i le vao.

29. Ioe, ua outou iloa foi na taia le papa e Mose i lana fetalaiga, e tusa ma le mana o le Atua sa ia te ia, ma ua tafe ai le suavai, ina ia malie ai le fanauga a Isaraelu i lo latou fia inu.

30. A e ui ina ta'ita'iina i latou, ua muamua atu le Alii, lo latou Atua, lo latou Togiola, i o latou luma, ua ta'ita'i ia te i latou i le ao, ma ua foai mai le malamalama ia te i latou i le po, ma ua faia mo i latou mea uma ua tatau ona maua e tagata, ua latou faamaaa o latou loto, ma ua faatauaso foi o latou manatu, ma ua faifai ia Mose, i le ma le Atua moni, o Lē soifua.

31. Ua oo foi ina faaumatia i latou e ia e tusa ma lana afioga, ua na ta'ita'iina i latou e tusa ma lana afioga, ua na faia mea uma mo i latou e tusa ma lana afioga.

32. Ina ua uma foi ona latou sopoia le vaitafe o Ioritana, ua ia faamalosia i latou e oo lava i le tulieseina o le fanauga a le nuu, ioe, i le faasalalauina o i latou i le faafanoga.

33. O lenei foi, tou te masalo ea sa amiotonu le fanauga a lea nuu, o e sa i le nuu na folafolaina, na tulieseina foi i latou e o tatou tamā? Faauta, ou te fai atu ia te outou: E leai.

34. Pe tou te masalo ea ana amiotonu i latou, po ua sili o tatou tamā ia te i latou? Ou te fai atu ia te outou: E leai.

35. Faauta, ua tutusa i le Atua tagata uma lava, a o le ua amiotonu ua alofagia e le Atua. A e peitai, faauta, ua uma ona teena e lenei nuu o afioga uma a le Atua, ma ua matua i latou i le amioletonu. Sa i luga foi o i latou le atoatoa o le toasa o le Atua, ua fetuuina foi e le Atua le fanua ia i latou ma ua faamanuiaina ai mō tatou tamā, ioe, na ia fetuuina ai ia i latou, e oo i lo latou malaia, ma ua na faama-

nuiaina ai mō tatou tamā, ua oo
ina latou maua le pule i ai.
36. Faauta, ua faia e le Atua
le lalolagi ina ia aigā ai, ua ia
faia foi lana fanau ina ia latou
mau ai.
37. E faatuina foi e ia le nuu
amiotonu, a e faaumatia malo o
tagata amioleaga.
38. Ma ua ia ta'ita'iina tagata
amiotonu i nuu tāua, a e faau-
matia e ia o ē amioleaga, ma ua
fetuuina le fanua ia i latou ona
o i latou.
39. E pule maualuga i le lagi
o ia, auā o lona afioaga lea, a o
lenei lalolagi o le mea e tu ai ona
aao.
40. E alofa foi o ia ia te i la-
tou o ē fai o ia mō latou Atua.
Faauta, na alofa o ia i o tatou
tamā, ma ua na faia le feagaiga
ma i latou, ioe, o Aperaamo, ma
Isaako ma Iakopo; na ia manatua
foi feagaiga na ia faia, o lea na
ia aumai ai i latou ai le nuu o
Aikupito.
41. Ua na faasa'oina i latou i
lona tootoo i le vao, auā na latou
faamaaaina o latou loto e tusa
lava ma outou, a ua faasa'oina i
latou e le Atua ona o la latou
amioletonu. Ua na auina mai ia te
i latou gata feai ua felelei, ua
utia ai i latou, ona saunia ai lea
e ia le ala ia mafai ona faama-
loloina, a o le galuega e ao ina la-
tou faia, na o le vaai lea; ona o
le faatauvaa o le ala po o lona
faigofie, ua toatele ai ē na fano.
42. Sa latou faamaaaina foi o
latou loto i lea aso ma lea aso, ma
ua latou upuleaga foi ia Mose, i
le ma le Atua foi, a e ui i lea,
ua outou iloa na ta'ita'iina i latou
i lona mana e le mafaatusalia, i
le nuu na folafolaina.
43. O lenei foi, ina ua uma
nei mea uma, ua oo mai aso ua
avea ai i latou ma tagata amio-
leaga, ioe, ua tali saunia, ou te
lei iloa foi po o le aso nei a faau-
matia ai i latou, auā ua ou iloa
e oo mai lava lea aso, e ao ina
faaumatia i latou, vaganā o le
toaitiiti e ta''ita'ieseina i le ta-
feaga.
44. O le mea lea ua poloai mai
ai le Atua i lo'u tamā na te te'a
mai i le vao, na saili foi tagata
Iutaia e aveese lona ola, ioe, na
saili foi outou e aveese lona ola,
o lenei foi, o fasioti tagata outou
i o outou loto, ma ua tutusa outou
ma i latou.
45. Ua taalise outou e fai le
amioletonu, a ua telegese e mana-
tua le Alii lo outou Atua. Ua
outou vaaia le agelu, ua na feta-
lai atu foi ia te outou, ioe, ua
faalogo outou i lona siufofoga i
lea aso ma lea aso, ma ua tautala
mai o ia ia te outou i le leo itiiti
ma le filemu, a ua le toe lagona
e outou, ua le mafafai outou ona
lagona ana fetalaiga, o lea, ua na
fetalai atu ai ia te outou e pei
o le leo o le faititili, ua luluina
ai le lalolagi e peiseaī a vavaee-
seina.
46. Ua outou iloa foi na te ma-
faia i le mana o lana afioga ma-
losi silisili ona faamavae atu le
lalolagi, ioe, ua outou iloa foi na
te mafaia i lana afioga ona faa-
laugatasi mea gaoā, ma faagaoā
mea laugatasi. E! e mafai faa-
pefea ona faapea ona maaa o
outou loto?
47. Faauta, ua saeia lo'u agaga
i le atuatuvale ona o outou, ma
ua tigaina lo'u loto, ou te fefe
ne'i lafoaiina outou e faavavau.
Faauta, ua tumu a'u i le Agaga
o le Atua, ua iu ina leai se ma-
losi i lo'u tino.
48. O lenei foi, ua oo ina ua
uma ona ou tautala atu i ia upu,
ua ita i latou ia te au, ma ua
fia lafo a'u i le moana. Ua latou
o mai e fetagofi mai o latou lima
ia te au, ona ou fai atu ai lea ia

te i latou, ua faapea atu: I le suafa o le Atua e ona le malosi uma, ou te poloai atu ai ia te outou, aua tou te pa'i mai ia te au, auā ua tumu a'u i le mana o le Atua e oo i le faaumatia o lo'u tino, o ē fetagofi foi o latou lima ia te au, e mamae i latou e pei o le u mago, e tusa foi o ia ma le leai i luma o le mana o le Atua, auā e taia o ia e le Atua.

49. Ua oo foi ina fai atu a'u o Nifae ia te i latou, ia latou le toe muimui i lo latou tamā, ia latou le taofi foi la latou galuega mai ia te au, auā ua poloai mai le Atua ia te au ou te fau le vaa.

50. Na ou fai atu ia te i latou: Ana poloai mai le Atua ia te au ia faia mea uma, ua ou mafaia lava. Afai ana poloai mai o ia ia te au, ia ou fai atu i lenei vai, ia avea oe ma laueleele, ona avea lea ma laueleele, afai foi ou te fai atu ai, e faia lava.

51. A o lenei, afai o i ai i le Atua le mana e faapea ona tele, ma ua faia vavega e faapea ona tele i le fanauga a tagata, e le mafai ea i se a ona ia a'oa'o mai ia te au, ia ou fau le vaa?

52. Ua oo foi ina fai atu e a'u, o Nifae, o mea e tele i o'u uso, ua iu ina fememeai i latou, ua le mafai foi ona finau mai ia te au, ua fefefe i latou ona fetagofi mai o latou lima ia te au, pe papa'i mai ia te au i o latou tamatamai lima, e oo lava i aso e tele. Ua fefefe i latou ona fai lenei mea, ne'i mamae i latou i o'u luma, sa faapea ona mamana le Agaga o le Atua, ma ua faapea ona ia faia ia te i latou.

53. Ma ua oo ina fetalai mai le Atua ia te au: Ina toe faaloaloa atu lou lima i ou uso, e le mamae foi i latou i ou luma, a e peitai, ou te faate'i i latou, ua fetalai mai ai le Atua, ou te faia foi lenei mea, ina ia latou iloa lava o a'u o le Alii lo latou Atua.

54. Ua oo foi ina ou faaloaloa atu lo'u lima i o'u uso, ma ua le mamae i latou i o'u luma, a ua luluina i latou e le Atua, e tusa ma le upu na ia fetalai mai.

55. O lenei foi, ua latou fai mai: Ua matou mautinoa o ia te oe le Atua, auā ua matou iloa ua luluina i matou i le mana o le Atua. Ua latou faapāūū i o'u luma, na fai a ifo mai ia te au, a ua ou le tuuina atu ia te i latou, ua faapea atu: O a'u o lo oulua uso, ioe, o lo oulua uso itiiti, o lea ia oulua ifo ai i le Alii lo oulua Atua, ma ia ava i lo oulua tamā ma lo oulua tina, ina ia faalevaleva ai o oulua aso i le nuu e foaiina mai e le Alii lo oulua Atua ia te oulua.

MATAUPU 18.

Ua uma le vaa—O Iakopo ma Iosefa—Ua amata le folauga—O le ulavale ma le fouvale—O le afa i le sami—Taunuuga i le nuu ua folafolaina.

1. Ua oo foi ina latou ifo i le Atua, ma ua matou o ae ma a'u. Na matou fai laau i gaosiga eseese. Ma ua faaalia mai ia te au e le Atua i lea aso ma lea aso le ala ou te fai ai laau o le vaa.

2. O lenei, o a'u o Nifae, na ou le fai laau i le ala ua a'oa'oina e tagata, pe fau le vaa i le ala o tagata, a ua ou fau ai i le ala na faaalia mai ia te au e le Atua, o lea sa le tusa ai ma galuega a tagata.

3. O a'u o Nifae, na ou alu soo i le mauga, ma ua ou tatalo soo i le Atua, o lea sa faaalia mai ai ia te au e le Atua o mea tetele.

4. Ma ua oo ina ua uma ona ou fai le vaa e tusa ma le afioga a le Atua, ua iloa e o'u uso ua lelei, ma lona gaosiga sa matua

lelei lava, o lea sa latou toe faamaulaloina ai i latou lava i luma o le Atua.

5. Ua oo foi ina tūlei mai le siufofoga o le Atua i lo'u tamā, ia matou tutulai ma o ifo i le vaa.

6. Ua oo foi i le taeao, ina ua matou saunia mea uma, o fualaau e tele ma mea aano mai le vao, ma le mau meli, atoa ma mea e ai, e pei ona poloaiina i matou e le Atua, ua matou o ifo i le vaa ma a matou mea uma atoa ma o matou uta, ma mea uma ua matou aumaia ma i matou, e taitoatasi e tusa ma ona lava tausaga. O lea sa matou o ifo ai, o i matou uma, i le vaa, faatasi ma o matou taitoalua ma a matou fanau.

7. O lenei foi, na fanaua e lo'u tamā o atalii e toalua i le vao. Sa faaigoaina le ua matua ia Iakopo, a o lē itiiti ia Iosefa.

8. Ua oo foi ina ua uma ona o ifo i matou uma i le vaa, ma ua avea e i matou a matou mea e ai ma mea ua poloaiina ai i matou, ua matou tuuvaa i le moana, ma ua lelea i luma o le matagi e aga'i atu i le nuu ua folafolaina.

9. Ina ua lelea foi i matou i luma i le matagi i aso e tele, faauta, ua amata ona ula o'u uso ma atalii o Isamaeli, atoa foi ma o latou taitoalua, ua iu ina latou amata ona sisiva ma pepese ma tautalatala foi ma le faalevao lava, ioe, ua faagalogalo ia te i latou lea mana sa aumaia ai i latou i lea mea, ioe, ua faamaualuluga i le faalevao lava.

10. O a'u, o Nifae, na amata ona ou mata'u tele, ne'i toatamai le Atua ia te i matou ona o la matou amioletonu, ne'i tofatumoanaina i matou i le moana tele, o le mea lea na amata ai a'u, o Nifae, ona tautala atu ia te i latou ma le faamaoni lava, a e peitai, faauta, sa latou ita mai ia te au, ua faapea mai: Matou te le mafafai ona ia pule lo matou uso itiiti ia te i matou.

11. Ua oo foi ina avea a'u e Lamana ma Lemuelu, ma ua noanoa a'u i maea, ua latou agaleaga tele mai ia te au, a e ui i lea, ua tuuina atu ai e le Atua, ia mafai ai o ia ona faaali mai ai lona mana, e oo i le faataunuuina mai ai o lana afioga na ia fetalai mai e uiga i ē amioleaga.

12. Ma ua oo ina ua uma ona latou noatia a'u, ua iu ina le mafai ona ou gaoioi, ua le toe galue le tapasā na saunia e le Atua.

13. O lea na latou le iloa ai le mea e uli ai le vaa, ua i'u ina tupu le afa lava, ioe, o le afā tele ma le faigata, ma ua lelea i tua i matou i le vasa i aso e tolu, ma ua amata ona matata'u tele lava i latou, ne'i malelemo i latou i le vasa, e ui lava i lea, ua latou le tatalaina a'u.

14. O lona fa o aso na lelea ai i tua i matou, na amata ona matua faigata tele le afā.

15. Ua oo foi ina a tofatumoanaina i matou i le moana tele. Ina ua uma foi ona lelea i tua i matou i le vasa i aso e fa, ua amata ona iloa e o'u uso ua i luga o i latou faamasinoga a le Atua, a e fano lava i latou sei iloga e salamo i latou i a latou amioletonu, o lea ua o mai ai i latou ia te au, ma ua tatalaina noanoaga na i o'u tapulima, faauta foi, ua fufula tele lava, ua fufula tele foi o'u tapuvae, ma ua tiga tele.

16. A e ui i lea, na ou tepa ae i lo'u Atua, ma ua ou vivii atu ia te ia i le aso atoa, ou te le muimui i le Atua ona o o'u puapuaga.

17. O lenei foi, ua uma ona fai atu e lo'u tamā, o Liae, o mea e tele ia te i latou, atoa foi

ma atalii o Isamaeli, faauta foi, na mapugatamai i latou i faamata'u e tele i sē fautua mo a'u. O o'u mātua foi, ina ua vaivai i le tele ō la tausaga, ina ua tigaina tele i le faanoanoa ona o a la fanau, ua aveina ifo ai i laua, ioe, ua oo ina mama'i lava i laua.

18. Ona o lo la faanoanoa ma le puapuaga tele, i le ma le amioletonu a o'u uso, ua oo lava ina a avea i laua nai lenei olaga e fetaiai ma lo laua Atua. Ioe, sa fai a ave ifo o la lauulu sinasinā e taatia i lalo i le eleele, ioe, sa fai a lafo i laua i le tuugamau o le vasa.

19. O Iakopo foi ma Iosefa, ina ua itiiti o la tausaga, ina ua ao foi ina tausia lelei i laua, ua faanoanoa ona o puapuaga o lo la tina. E ui foi i loimata ma tatalo a la'u avā atoa foi ma a'u fanau, ua le faamaluluina ai loto o o'u uso, ia latou tatalaina mai a'u.

20. Ua leai se mea, sei iloga o le mana o le Atua sa faamatauina ai i latou i le malaia, ua mafai ona faamāluluina ai o latou loto. O lea, ina ua latou iloa o le a tofatumoanaina i latou i le moana tele, ua salamo ai i latou i le mea ua latou faia, ua iu ina latou tatalaina a'u.

21. Ma ua oo ina ua latou tatalaina a'u, faauta, ua ou tago i le tapasā ma ua galue i le mea ua ou loto i ai. Ua oo foi ina ou tatalo atu i le Atua. Ina ua uma foi ona ou tatalo, ua le toe agi mai le matagi, ua iu foi le afā ma ua i ai le mălū tele.

22. Ua oo foi ina tautai a'u o Nifae i le vaa. Ua matou toe folau e aga'i atu i le nuu ua folafolaina.

23. Ma ua oo ina ua uma ona matou folau i aso e tele, ua taunuu i matou i le nuu ua folafolaina, ma ua matou o ae i le laueleele, ua faatu o matou fale ie, ma ua matou ta'ua ai, o le nuu ua folafolaina.

24. Ua oo foi ina amata ona matou galulue i le laueleele, ua amata ona matou totō fatu, ioe, ua matou tuuina i le laueleele a matou fatu uma na matou aumai nai le nuu o Ierusalema. Ma ua oo ina tutupu lelei lava, o lea na faamanuiaina ai i matou i le mau.

25. Ina o matou malaga foi i le vao i le nuu ua folafolaina, ua oo ina matou maua manu o ituaiga uma i le vao—o le povi fafine ma le povi poa, o le asini ma le solofanua, o le 'oti ma le 'oti aivao, atoa ma manu feai uiga eseese uma lava e aogā i tagata. Ua matou maua foi maa uiga eseese, o le auro, atoa ma le ario, ma le apamemea.

MATAUPU 19.

O le tala tusia faamauina a Nifae i ona tagata—E tele perofeta ua ta'ua—O Senosa ma ana valoaga.

1. Ua oo foi ina poloaiina a'u e le Atua, o lea na ou fai ai papatusi i maa, ina ia ou togitogi i ai le tala i lo'u nuu. O papatusi foi na ou faia, ua ou togitogia i ai le tala i lo'u tamā, atoa ma a matou malaga i le vao, a e maise foi ma valoaga a lo'u tamā, i le ma nisi o a'u valoaga e tele ua ou togitogia i ai.

2. Na ou le iloa i aso na ou faia ai, e poloaiina a'u e le Atua e fai papatusi nei, o le mea lea ua togitogia ai le tala i lo'u tamā, ma le gafa o ona mātua, atoa foi ma le vaega tele o a matou mea na fai i le vao i papatusi na ua ou tautala atu ai, o lenei, e moni, o mea ua oo mai a ou te lei faia ia papatusi, ua togitogia atoatoa i papatusi muamua.

3. Ina ua uma foi ona ou faia ia papatusi e tusa ma le poloaiga, o a'u o Nifae, na ou maua le poloaiga, ia tusitusi i ia papatusi o galuega a auauna atoa ma valoaga, o vaega ua sili ona tāua ma le malamalama, a o mea ua tusia, ia tausia mo le a'oa'oina o lo'u nuu o ē mau i le laueleele, atoa foi ma nisi finagalo poto, o finagalo ua silafia e le Atua.

4. O lenei, o a'u o Nifae, ua ou fai le tusi i isi papatusi o i ai le tala, ioe, e i ai le tala ua sili ona atoatoa i taua ma finauga atoa ma faafanoga o lo'u nuu. O le mea foi lenei ua ou faia, ma poloaiina foi lo'u nuu ia latou faia pe a mavae atu a'u, a ia tuufaasoloina ia papatusi nai le tasi tupulaga i le isi, mai le tasi perofeta i le isi, seia maua nisi poloaiga mai le Atua.

5. E faia atalī le tala i lo'u faiga o ia papatusi, faauta, ona ou fai ai lea e pei ona ou tautala atu ai, ou te faia lenei mea foi ina ia tausia mea ua sili ona paia ina ia popoto ai lo'u nuu.

6. A e ui i lea, ou te le tusitusi se mea i papatusi, sei iloga ua ou manatu ua paia. O lenei foi, afai ua ou sese, na sese i latou anamua, a ou te le faapea ua le tioa a'u ona o nisi tagata, a o le vaivai ua ia te au faaletino ua le tioa ai a'u nei.

7. Auā o mea ua taofi e nisi tagata ua aogā tele i le tino atoa ma le agaga, ua faaleaogā e nisi ma solia i lalo ō latou vae. Ioe, o le Atua lava o Isaraelu ua solia e tagata i lalo ō latou vae, ou te fai atu foi ua solia i lalo ō latou vae, a e peitai, ou te tautala i isi upu, ua latou faaleaogaina o ia ma ua le faalogo i le siufofoga o ana faatonuga.

8. Faauta foi e afio mai o ia, e tusa ma upu a le agelu, i tausaga e ono selau o lumanai o le aso na te'a mai ai lo'u tamā i Ierusalema.

9. E faapea le lalolagi, ona o a latou amioletonu, o le mea noa o ia, o lea latou te sasa ai ia te ia, e onosai ai foi o ia, latou te taia o ia, e onosai ai foi o ia. Latou te feanu ia te ia, e onosai ai foi o ia ona o lona alofa mutimutivale tele ma lona onosai i le fanauga a tagata.

10. O le Atua foi ō tatou tamā, o e sa ta'ita'iina mai nai Aikupito ai le nofopologa, na faaolaina foi e ia i le vao, ioe, o le Atua o Aperaamo ma Isaako, ma le Atua o Iakopo, e tusa ma le upu a le agelu, e tuuina atu o ia lava e pei o se tagata, i lima o tagata agasala, e siitia i luga e tusa ma upu a Senoka, e faasatauroina e tusa ma upu a Neuma, ma tanumia o ia i le tuugamau e tusa ma upu a Senosa, na ia fai mai ai e uiga i aso e tolu o le pogisa, e fai ma faailoga o lona maliu, i ē mau i motu i le moana, a e faasili ona avatu i e o i le aiga o Isaraelu.

11. Auā ua faapea le perofeta, e moni, e asiasi le Alii le Atua i le aiga o Isaraelu i lea aso, o nisi i lona siufofoga, ona o la latou amiotonu, e oo i lo latou olioli tele ma olataga, a o nisi i le faitititili ma le uila o lona mana i afā, ma le afi, ma le asu, ma puao o le pogisa, atoa ma le faamagaina o le laueleele, a e maise foi i mauga e aveina ae i luga.

12. E oo mai lava nei mea uma, ua fai mai ai le perofeta o Senosa. E saeia papa o le lalolagi ona o le feōi o le lalolagi, e galue ai foi le Agaga o le Atua i tupu e toatele, e alalaga atu foi motu i le moana: Ua tigaina le Atua o le lalolagi.

13. A o i latou o e o i Ierusalema, ua fai mai le perofeta, e sasaina i latou e nuu uma, auā

ua latou faasatauroina le Atua o Isaraelu, ma liliu ese o latou loto, ua teena foi faailoga ma mea ofoofogia, atoa ma le mana ma le mamalu o le Atua o Isaraelu.

14. Ona ua latou liliu ese foi o latou loto, ua fai mai ai le perofeta, ma ua ʻinoʻino i Lē Paia o Isaraelu, latou te feseai i le tino ma fano ai, e avea foi ma tauemuga ma upu faatusa, e inosia foi i nuu uma.

15. A e ui lava i lea, pe a oo mai le aso, ua fai mai ai le perofeta, latou te le toe liliu ese o latou loto i Lē Paia o Isaraelu, ona manatua lea e ia o feagaiga na ia faia ma o latou tamā.

16. Ioe, ona manatua lea e ia o motu i le moana, ioe, ma tagata uma o e o i le aiga o Isaraelu, ua fetalai mai ai le Atua, e tusa ma upu a le perofeta o Senosa, ou te faapotopotoina i latou mai itu e fa o le lalolagi.

17. Ioe, e vaaia e le lalolagi uma le faaolataga mai le Atua, ua fai mai ai le perofeta, a e faamanuiaina atunuu uma, ma ituaiga, ma gagana eseese, ma nuu.

18. O aʻu foi o Nifae, ua ou tusia ia mea i loʻu nuu, atonu ou te mafai ai ona faaoleole ia te i latou, ia latou manatua le Alii, lo latou Togiola.

19. O lenei, ou te tautala atu i le aiga uma o Isaraelu, afai e faapea e maua ia mea e i latou.

20. Auā faauta, ua ia te au galuega i le Agaga o loo faavaivai ai aʻu, e oo ina vaivai ai oʻu gaugaivi ona o i latou o e o i Ierusalema, auā ana le finagalo alofa le Atua e faaali mai ia te au e uiga ia te i latou, e pei ona ia faia i perofeta anamua, po ua fano foi aʻu.

21. E moni, na ia faaali i le au perofeta anamua o mea uma e uiga ia te i latou, ua na faaali foi i le toatele e uiga ia te i matou, o lea e ao ai ina matou iloa e uiga ia te i latou, auā ua tusia ai i papatusi apamemea.

22. O lenei, ua oo ina aʻoaʻo atu ia mea e aʻu, o Nifae, i oʻu uso. Ua oo foi ina ou faitauina ia te i latou mea e tele ua togitogia i papatusi apamemea, ina ia latou iloa mea ua faia e le Atua i isi nuu i tagata anamua.

23. Na ou faitau atu foi ia te i latou mea e tele ua tusia i le tusi a Mose, ina ia ou faaoleole atili ia te i latou ia talitonu i le Alii, lo latou Togiola. Na ou faitauina ia te i latou mea ua tusia e le perofeta o Isaia, auā foi, na ou faatatau tusi paia uma ia te i matou, ina ia aogā e aʻoaʻoina ai i matou.

24. O lenei, na ou tautala atu ia te i latou, ua faapea atu: Ina faalogo ia outou i upu a le perofeta, o outou o totoe o le aiga o Isaraelu, o le lālā ua mafaʻi ese, ina faalogo ia outou i upu a le perofeta ua tusia i le aiga uma o Isaraelu, ma ia faatatau ai ia te outou, ia maua e outou le faamoenmoega e tusa ma o outou uso, o e ua mafaʻia ese ai outou, auā ua faapea ona tusia e le perofeta.

MATAUPU 20.

O valoaga ua tusia i papatusi apamemea—Ia faatusatusa i le Isaia 48.

1. Ina faalogo mai ia ma lagona lenei mea, o outou le aiga o Iakopo, o e ua igoa i le igoa o Isaraelu, ma ua o mai ai le vai o Iuta, o ē tauto i le suafa o le Atua, ma taʻutaʻua le Atua o Isaraelu, a ua latou le tauto i le faamaoni, po o le amiotonu.

2. A e ui i lea ua latou faaigoaina i latou lava, o tagata o le aai paia, a ua latou le faalagolago i le Atua o Isaraelu, o ia o le

Atua o ‘au, ioe, o lona suafa o le Atua o au.

3. Faauta, ua ou ta‘uina atu mea muamua talu le amataga, ma ua oo atu ai ai lo‘u gutu, na ou faailoa atu ai, na faafuase‘i ona ou faaali atu ai.

4. Na ou faia foi auā na ou iloa ua finau vale oe, o lou ua o le uaua uamea lea, o le apamemea foi lou muaulu.

5. Talu le amataga lava ua ou faaalia atu ia mea ia te oe, a o lei taunuu lava na ou faailoa atu ai ia te oe, na ou faaali ai foi ina nei e faapea ane: Ua faia e la‘u tupua, ua pulea foi e la‘u tupua ua ta ma la‘u tupua uamea.

6. Ua e vaaia ma faalogoina nei mea uma, a ē te le ta‘uina ea? E afua foi i nei aso ua ou faaalia mea fou ia te oe, o mea lilo lava, a ua e le iloa ai.

7. Ua faia nei lava ia mea, a e le o anamua; a o lei oo lava i le aso na faalogoina ai, ua ou faaali atu ai ia te oe, ne‘i e faapea ane: Faauta! na ou iloa nei mea.

8. Ioe, a ua e le faalogo. Ioe, na e le iloa. E moni, e afua i lea aso ua le uai mai ou taliga, auā na ou iloa e te matua amio faa‘ole‘ole, ma ua ta‘ua o lē solitulafono talu ina fanau mai.

9. A e ui i lea, ona o lo‘u igoa ou te taofi lo‘u ita, ou te onosai foi ia te oe ona o lo‘u viiga, ina ia ou le vavaeeseina oe.

10. Auā faauta, ua ou faamamaina oe, ua ou filifilia oe i le ogaumu o le puapuaga.

11. Ona o a‘u, ioe, ona o a‘u lava ou te faia lenei mea, auā ou te le tuuina atu ia faaleagaina lo‘u igoa, ou te le avatu foi lo‘u mamalu i se tasi.

12. Faalogo mai ia ia te au, Iakopo e, o oe na foi Isaraelu, le ua ou valaauina; auā o a‘u lava ia, o a‘u o Lē muamua, o a‘u foi o Lē mulimuli.

13. O lo‘u lima foi na faavaeina ai le lalolagi, o lo‘u lima taumatau na folasia ai le lagi. Ou te valaau atu ia te i latou, e tutū mai faatasi foi i latou.

14. E! outou uma, ina faapotopoto ia outou ma faalogo mai. O ai ea so latou ua tala‘i atu nei mea ia te i latou? Ua alofa le Atua ia te ia, ioe, na te faataunuuina lana afioga ua ia talaiina e i latou. Na te faia foi lona finagalo i Papelonia, e oo atu foi lona aao i Kaletaia.

15. Ua fetalai mai foi le Atua: O a‘u o le Atua, ioe, ua ou fai atu ai; ioe, ua ou valaauina o ia e tala‘i atu, na ou aumaia o ia, e manuia foi o ia i lona ala.

16. Faalatalata mai ia ia te au. Ou te lei tautala faalilolilo talu le amataga; talu le aso na talaiina atu ai ua ou fai atu: O le Alii le Atua ma lona agaga ua auina mai ai a‘u.

17. Ma ua faapea ona fetalai mai le Atua, lou Togiola, o Lē Paia a Isaraelu: Ua ou auina atu o ia, ua faia e le Alii lou Atua, o Lē a‘oa‘o ia te oe i mea aogā, o Lē ta‘ita‘i ia te oe i le ala e tatau ona e ui ai.

18. E! ana e usiusitai i la‘u poloaiga, po ua tusa ma se vaitafe lou filemu, po ua tusa foi lau amiotonu ma peau o le sami;

19. Po ua pei o le oneone lau fanau, ma ē tutupu mai i lou manava e pei o le iliili o le sami; po ua le vavaeeseina ma fanoia lona igoa i o‘u luma.

20. O ese ia outou i Papelonia, ia sosola ese outou ai Kaletaia, ma ia outou tala‘i atu ma le leo o le pese. Ta‘u atu ia lenei mea, ia logo atu i le tuluiga o le lalolagi; fai atu ia outou: Ua faaolaina e le Atua lana auauna o Iakopo.

21. Na latou le fia inu foi; na ia ta'ita'iina i latou i nuu naumati; na ia faatafe mai le vai ai le papa mo i latou; na vaea foi le papa ma ua oso mai ai le vai.

22. E ui lava ina faia e ia nei mea uma, atoa ma mea e sili, ua fetalai mai le Atua: E leai se filemu i ē amioleaga.

MATAUPU 21.

O tusitusiga a Isaia, e pei ona faamauina i papatusi apamemea —Ia faatusatusa i le Isaia 49.

1. Ma lenei foi, Faalogologo mai ia outou le aiga o Isaraelu e, o outou uma lava o e ua mafa'iesea ma tulieseina, ona o le amioleaga a ta'ita'i o lo'u nuu; ioe, o outou uma ua mafa'iesea, o lo'u nuu na faasalalausoloina, le aiga o Isaraelu. Faalogologo mai ia ia te au, o outou motu i le moana, faalogologo mai ia foi outou nuu mamao e; ua valaauina a'u e le Atua talu mai le manava; ua ia ta'ua lo'u igoa talu mai le manava o lo'u tina.

2. Ua ia faia foi lo'u gutu e pei o le pelu maai, o le paolo foi o lona aao ua ia natia ai a'u; ma ua faia a'u o le u fanafana ua faapupulaina, ma ua na faalilofia a'u i lana utu;

3. Ma ua fetalai mai ia te au: O la'u auauna lava oe, Isaraelu e, e viia lava a'u ona o oe.

4. Ona ou fai atu ai lea: Ua ou galue fua lava, ua ou faaumaina lo'u malosi ona o le mea ua le aoga ma le mea ua leai. E moni, o i le Atua la'u faamasinoga, o i lo'u Atua la'u galuega.

5. O lenei foi, ua fetalai mai le Atua, o Le na faia a'u talu mai le manava e fai māna auauna, e toe faafoi mai Iakopo ia te ia. E ui lava ina le faapotopotoina Isaraelu, a e viia a'u i le silafaga a le Atua, e fai foi lo'u Atua mo'u malosi.

6. Na fetalai mai foi o ia: O le mea māmā ina ua faia oe ma'u auauna e faaeaina ai ituaiga o Iakopo, ma toe faatuina ē ua faasaoina i Isaraelu. Ou te avatua foi oe e fai ma malamalama i nuu ese, ia faia oe ma'u faaolataga, ia oo i tuluiga o le lalolagi.

7. O loo faapea ona fetalai mai le Atua, le Togiola o Isaraelu, o lona Alii paia, i Le ua inosia e tagata, o Le ua inoino i ai nuu, o le auauna a ē pule: E iloa e tupu ma latou tutulai, e ifo foi alii ona o le Atua ua faamaoni.

8. O loo faapea ona fetalai mai le Atua: O le aso ua tatau ua ou faalogo atu ai ia te outou, o outou motu i le moana e, o le aso foi o le faaolataga na ou fesoasoani ia te oe; ou te faasaoina foi oe, ma avatu ia te oe la'u auauna e fai ma feagaiga i le nuu, e faatumauina ai le lalolagi, e fai foi ma tofi nuu ua tuufua.

9. Ina ia e fai atu i e ua fusifusia: Ina o atu ia; i ē nonofo foi i le pouliuli: Ina faaali mai ia outou. Latou te aai i ala, e i mea maualuluga uma foi o latou taaga.

10. Latou te le fia aai, pe fia inu, e le ogotia foi i latou i le vevela po o le la; auā e ta'itaiina i latou e Le ua finagalo alofa ia te i latou, na te ta'ita'iina lava i latou i vaipuna.

11. Ou te faia foi o'u mauga uma ma ala, e maualuluga foi o'u ala tele.

12. Faauta, le aiga o Isaraelu e, ona o mai ai lea i latou nei mai mea mamao, faauta foi, o i latou nei mai le itu i matu ma sisifo, o i latou nei foi mai le nuu o Sainima.

13. Ia pese oe le lagi e, ma ia olioli oe le lalolagi e, auā e faatumauina vae o i latou o e o i

sasae. Ia leo tetele foi i le pese
outou mauga, auā e le toe taia i
latou, auā ua faamafanafanaina
e le Atua lona nuu, e finagalo
alofa foi i ona tagata ua puapua-
gatia.
14. A e faauta, ua fai mai
Siona: Ua tuulafoaiina a'u e le
Atua, ma ua galo a'u i lo'u Atua;
a e peitai, na te faaali atu na te
lei faia.
15. Auā, e mafai ea ona galo
i le fafine lana tama ua susu, ina
ia le alofa o ia i le tama a lona
lava manava? Ioe, e mafai ona
galo ia te i latou, a e le galo lava
oe ia te au, le aiga o Isaraelu e.
16. Faauta, ua ou togitogia lou
faatusa i o'u alofilima, e i o'u
luma pea lava ou pa.
17. E faataalise au fanau e tau
ma e na lepetia oe; e o ese foi ia
te oe o e na faatafunaina oe.
18. Fetepatepai ia oe ma vaa-
vaai. O loo faapotopoto faatasi
i latou uma nei, latou te o mai
foi ia te oe. Ua fetalai mai le
Atua: O loo ola a'u, e moni, e
ofu oe ia i latou uma, e pei o le
mea e faamatagofie a'i, ma e fusi
a'i e pei o lē a nofo tane.
19. Auā o nei ona aso lava e
lauitiiti au mea faatafunaina ma
au mea tuufua, ma le nuu o lou
malaia ona o le toatele o ē nonofo
ai, e mamao atu foi o e na faau-
matia oe.
20. E toe fai ane i ou taliga
tama e te maua ina ua aveeseina
e na muamua: Ua lauitiiti lenei
mea ia te au; tuutuu atu ia ia
te au, ou te nofo ai.
21. Ona e fai ifo ai lea i lou
loto: O ai ea ua fanaua mai i
latou nei mo a'u, auā o a'u sa
āufanaua ma ua pa, ua tafea, o
fealuai solo? O ai foi na tausia
i latou nei? Faauta, sa tuua toa-
tasi a'u, a o i latou nei, sa i fea
i latou?
22. O loo faapea ona fetalai
mai le Alii le Atua: Faauta, ou
te sii atu lo'u lima i nuu ese, ma
faatu la'u tagavai i le nuu; latou
te aumaia foi au tama tane i o
latou lima, e aumaia foi au tama
teine i o latou tau'au.
23. E fai foi tupu mau tausi
tama, ma o latou masiofo e fai
mau failele. Latou te ifo toele
ia te oe, ma etoeto i le eleele o
ou vae; e te iloa foi, o a'u o le
Atua, auā e le faamaina i latou
o ē faatalitali ia te au.
24. Auā, e faoa ea le vete ai
le ua malosi, pe laveaiina ea le
tafeaga a le ua amiotonu?
25. A ua faapea ona fetalai
mai le Atua: E faoa lava le vete
a le ua malosi, e laveaiina foi le
vete a le ua matautia, auā ou te
finau atu i le ua finau mai ia te
oe, ou te faaolaina foi au fanau.
26. Ou te fagaina e ua sauā
mai ia te oe i o latou lava tino, e
onanā foi i latou i lo latou lava
toto e pei o le uaina suamalie, e
iloa foi e tagata uma o a'u o le
Atua, o lou Faaola ma lou To-
giola, o Lē Malosi o Iakopo.

MATAUPU 22.

Ua faamatala e Nifae valoaga a Isaia—Ua valoia se malo malosi o nuu ese i le nuu folfolaina—O ē e totoe mai o sa Liae e tausia e nuu ese—O le malaia o ē faasaga tau i Siona.

1. O lenei foi, ua oo ina ua
uma ona faitau e a'u, o Nifae, ia
mea ua togitogia i papatusi apa-
memea, ua o mai o'u uso ia te
au ma ua fai mai ia te au: O le
a le uiga ea o ia mea ua e fai-
tauina? Faauta, pe uiga i mea
faaleagaga ma taunuu mai faa-
leagaga, a e le o la le tino ea?
2. O a'u foi o Nifae, ua ou fai
atu ia te i latou: Faauta na faa-
alia ai i le perofeta i le siufofoga
o le Agaga auā o le Agaga ua

faaalia ai i le au perofeta mea uma e oo mai i le fanauga a tagata e uiga i le tino.

3. O lenei, o mea na ou faitauina, o mea ia e uiga i mea faaletino atoa ma mea faaleagaga, auā e peiseaī e faasalalauina le aiga o Isaraelu i se aso, i le fogaeleele uma, a e maise foi i atunuu uma.

4. Faauta foi, ua toatele ē ua le iloaina nei lava i e o i Ierusalema. E moni, o le toatele lava o ituaiga uma ua ta'ita'ieseina, ma ua faasalalauina i latou i lea itu ma lea itu, i motu i le moana, a o le mea o i ai i latou ua le iloa e so tatou nei na o lenei, ua tatou iloa ua ta'ita'ieseina i latou.

5. Talu ina ta'ita'ieseina i latou, ua valoia ia mea e uiga ia te i latou, e uiga foi ia te i latou uma o ē faasalalauina ma faamaina i aso o lumanai ona o Lē Paia o Isaraelu, auā latou te faamaaa o latou loto ia te ia, o lea e faasalalauina ai i latou i atunuu uma, e inosia foi i latou e tagata uma.

6. A e ui i lea, pe a uma ona tausia i latou e nuu ese, ma ua sii atu e le Atua lona aao i nuu ese, ma ua siitia i luga i latou e fai ma tagavai, ma ua avea a latou tama tane i o latou lima, ma ua avea a latou tama teine i o latou tau'au, faauta, o mea nei ua ta'ua mai, o mea faaleolanei lea, auā ua faapena le feagaiga a le Atua ma o tatou tamā, e uiga foi ia te i tatou i aso o lumanai, a e maise foi o tatou uso o e o i le aiga o Isaraelu.

7. O lona uiga foi, e oo mai aso pe a faasalalauina ma ua faamaina le aiga o Isaraelu uma, e faatuina e le Alii le Atua le atunuu malosi i nuu ese, e moni, i le laueleele o lenei nuu, o i latou e faasalalauina ai a tatou fanau.

8. Pe a uma ona faasalalauina a tatou fanau, e amata e le Alii le Atua le galuega ofoofogia i nuu ese, e aoga tele ai i a tatou fanau, o lea ua faatusaina ai lo latou tausia e nuu ese i le tauaveina i o latou lima ma o latou tau'au.

9. E aoga tele ai foi i nuu ese, e le na o nuu ese, a o le aiga uma o Isaraelu, e oo i le faailoa mai o feagaiga a le Tamā o le lagi ia Aperaamo, ua faapea mai: O lau fanau e manuia ai ituaiga uma o le lalolagi.

10. O'u uso e, ou te loto ina ia iloa e outou, e le mafai ona manuia ituaiga uma o le lalolagi, sei iloga na te faailoa mai lona aao i luma o atunuu.

11. O lea foi e amata ai e le Alii le Atua ona faailoa mai lona aao i luma o nuu uma i le faataunuuina o ana feagaiga ma lana tala lelei ia te i latou o e o i le aiga o Isaraelu.

12. O le mea lea na te toe aumaia ai i latou nai le tafeaga, e faapotopotoina mai foi i latou i latou i nuu o lo latou tofi, e aumaia foi i latou nai le pouliuli ma le pogisa, e iloa foi e i latou, o le Alii, o lo latou Faaola lea, ma lo latou Togiola, o Lē Malosi o Isaraelu.

13. O le toto foi o lea lotu tele ma le inosia, o le fafine talitane lea o le lalolagi uma, e toe tauia i o latou lava ulu, auā latou te tau le taua ia te i latou lava, e paū ifo le pelu ō latou lava lima i o latou lava ulu, e onanā foi i latou i lo latou lava toto.

14. A o atunuu uma e tau le taua ia te oe, le aiga o Isaraelu e, e faafesagai i latou lava, e pāuu foi i latou i le lua na latou elia e faamailei ai tagata o le Atua. E fanoia foi i latou uma o ē tau ma Siona, a o lena fafine talitane tele, o le ua faapiopio

ala tonu o le Atua; ioe, o lea lotu tele ma le inosia, e paū o ia i le eleele, e nutipalaina lava.

15. Auā faauta, ua fai mai le perofeta, e vave mai le aso e le toe pule ai Satani i loto o le fanauga a tagata, auā e vave mai le aso e tusa ai ma tagutugutu o saito o i latou uma o ē faamaualuluga ma ē fai mea leaga, e oo mai le aso e susunuina ai i latou.

16. Auā e vave mai le aso e liligi ifo ai le atoatoa o le toasa o le Atua i le fanauga uma a tagata, auā na te le tuuina atu i ē fai amioleaga, ia latou faaumatia o ē amiotonu.

17. O lenei, na te faasaoina o ē amiotonu i lona mana, pe afai e faapea e oo mai le atoatoa o lona toasa, e faasaoina o ē amiotonu, a e faaumatia lava i le afi o ē ita ia te i latou. O lea e le aoga ai ona fefefe ē amiotonu, auā o loo faapea ona fai mai le perofeta, e faaolaina i latou, pe afai e faapea i le afi lava.

18. Faauta, o'u uso e, ou te fai atu ia te outou, e le pine ona oo mai nei mea, e moni, o le toto lava, ma le afi, atoa ma le puao o le asu, e oo mai lava, a e oo foi i le fogaeleele nei, e oo mai i tagata faaleolanei, afai e faapea ua latou faamaaa o latou loto i Lē Paia o Isaraelu.

19. Auā faauta, e le fano ē amiotinu, auā e oo mai lava le aso e vavaeeseina ai i latou uma o ē fai taua i Siona.

20. E sauni lava e le Atua le ala mo lona nuu, e oo i le faataunuuina o le upu a Mose na ia fai mai, ua faapea mai: E faatuina e le Alii lo outou Atua le perofeta mo outou, e pei o a'u nei, tou te faalogo ia te ia i mea uma lava na te fai atu ia te outou. E oo foi ina vavaeeseina i lo'u nuu i latou o ē le faalogo i lea perofeta.

21. O lenei foi, o a'u, o Nifae, ua ou faailoa atu ia te outou, o lenei perofeta na tautala ai Mose, o Lē Paia o Isaraelu lea, o lea na te fai ai le faamasinoga i le amiotonu.

22. A e le aoga ona fefefe o ē amiotonu, auā o i latou nei e le faamaina. A o le malo o le tiapolo e faatuina i le fanauga a tagata, o lea malo ua faatuina ia te i latou o e o i le tino.

23. Auā e vave mai le aso o lotu uma ua faatuina i le fia fai tupe, ma i latou uma ua faatuina i le fia pule i le tino, o i latou foi ua faatuina ina ia manaomia e le lalolagi, atoa ma i latou e saili i tuinanau o le tino ma mea a le lalolagi ia fai foi amioletonu uiga eseese uma lava, ioe, e moni, o i latou uma o i le malo o le tiapolo, o i latou na e tatau i ai ona matatau ma tetemu ma gatete, o i latou na e faamaulaloina e oo i le eleele, o i latou na e faaumatia e pei o tagutugutu o saito, e tusa lenei mea ma upu a le perofeta.

24. E vave mai le aso e ta'ita'iina ai o ē amiotonu e pei o tamai povi, e pule aoao foi i le saoloto, ma le malosi, ma le mana, atoa ma le mamalu tele o Lē Paia o Isaraelu.

25. Ua ia faapotopoto lana fanau mai itu e fa o le lalolagi, na ia faitau ana mamoe ma ua latou iloa o ia, e tasi le lafu mamoe ma le leoleo mamoe e toatasi. Na te fagaina ana mamoe, e maua foi e i latou taaga ia te ia.

26. Ona o le amiotonu foi o lona nuu e le pule ai Satani, o lea e le matalaina ai o ia i tausaga e tele, auā e leai sana pule i loto o le nuu, auā ua latou nonofo i le amiotonu, e pule aoao foi Lē Paia o Isaraelu.

27. O lenei foi, faauta, o a'u, o Nifae, ua ou fai atu ia te outou, e oo mai ia mea uma i le tino.

28. A e peitai, faauta, e nonofo ma le filemu i Lē Paia o Isarelu o atunuu uma, ma ituaiga, ma gagana eseese, ma nuu, pe afai e faapea e salamo i latou.

29. O lenei, o a'u o Nifae, ua faaiu, auā ou te le mafai ona tautala atili nei e uiga i ia mea.

30. O lea, o'u uso e, ou te loto ai ina ia outou talitonu, e tonu mea ua tusia i papatusi apamemea, ua molimau ai foi e ao ina usiusitai le tagata i poloaiga a le Atua.

31. O lea foi e le aoga ai ona outou masalosalo e gata ia i maua ma lo'u tamā le molimau atu ma a'oa'o atu ai. O lenei, afai tou te usiusitai i poloaiga ma tumau seia oo i le iuga, e faaolaina outou i le aso gataaga. E faapena lava. Amene.

O LE TUSI E LUA A NIFAE.

O le tala i le maliu o Liae. Ua fouvale uso o Nifae ia te ia. Ua faaalia e le Atua ia Nifae ia te'a atu o ia i le vao. O ana malaga i le vao to ma nisi mea.

MATAUPU 1.

O le nuu o le saolotoga, ua faamanuianina mo e amiotonu ae fetuuina mo e amioleaga—O le apoapoaiga a Liae.

1. O lenei, ua oo foi ina ua uma ona faaiu e a'u o Nifae le aoaoina o o'u uso, ua fai atu e lo matou tamā, o Liae, mea e tele ia te i latou, o mea tetele ua faia e le Atua mo i latou ina ua aumai i latou ai le nuu o Ierusalema.

2. Ua na tautala atu ia te i latou e uiga i o latou fouvale i le vasa, ma le alofa mutimutivale o le Atua i le faasaoina ō latou ola, ua le tofatumoanaina ai i latou i le moana.

3. Ua na tautala atu ia te i latou e uiga i le nuu ua folafolaina ua maua e i latou, ua alofa mutimutivale mai le Atua ina ua faailoa mai ia te i matou ia matou sosola ai le nuu o Ierusalema.

4. Auā faauta, ua na fai atu: Ua ou iloaina le faaaliga, na ou iloa ai ua faaumatia Ierusalema. Ana tatou nonofo i Ierusalema, po ua fano foi i tatou.

5. A e peitai, ua fai atu o ia, e ui i o tatou puapuaga, ua tatou maua le nuu ua folafolaina, o le nuu ua sili i nuu ese uma lava, o le nuu na fai ai le feagaiga e le Alii le Atua ma a'u, e fai ma nuu o le tofi o a'u fanau. E moni, ua fai le feagaiga i lenei laueleele e le Atua ma a'u atoa ma a'u fanau e faavavau, a e maise ma i latou uma lava e ta'ita'iina mai nai atunuu eseese e le aao o le Atua.

6. O lenei, o a'u o Liae, ou te vavalo atu, e tusa ma galuega a le Agaga ua ia te au, e le o mai nisi i lenei nuu, sei iloga e aumaia i latou e le aao o le Atua.

7. O lenei foi, ua faasaina lenei nuu i lē aumaia e ia. Afai e faapea e auauna atu i latou ia te ia e tusa ma poloaiga ua na tuuina mai, e fai ai ma nuu o le saoloto ia te i latou, o lea e le

faatoilaloina ai lava i latou faatagataotaua; afai e faatoilaloina, e faapea ona o le amioletonu, auā, afai e matua tele le amioletonu, e fetuuina ai le laueleele ona o i latou, a e faamanuiaina ai e faavavau mo ē amiotonu.

8. Faauta foi, o le poto lenei, ia natia lenei atunuu i nei ona aso, ia le iloa ai e isi atunuu, auā faauta, ana iloa ai e atunuu e tele, po ua lofia le laueleele e tagata, ma ua le toe ai se mea e fai ma tofi.

9. O lenei, o a‘u o Liae, ua ou maua le folafolaga pe afai e tausia poloaiga a le Alii le Atua e i latou e aumaia e ia ai le nuu o Ierusalema, e manuia i latou i lenei laueleele, e natia i latou ai nisi atunuu uma, ina ia latou maua ai lenei laueleele mo i latou lava. Afai foi e faapea e tausi e i latou ana poloaiga, ona manuia ai lea i latou i lenei laueleele; e le faalavelaveina i latou e se tasi, pe aveeseina le fanua o lo latou tofi; latou te nonofo foi ma le filemu e faavavau lava.

10. A e peitai, faauta, pe a oo mai le aso latou te le talitonu, pe a uma ona latou maua manuia e faapea ona tele mai le aao o le Atua, ina ua iloa lelei le faiga o le lalolagi ma tagata uma, ua iloa foi galuega tetele ma le ofoofogia a le Atua talu le foafoaga o le lalolagi, ina ua ia te i latou le mana e fai mea uma i le faatuatua, ina ua ia te i latou poloaiga uma mai le amataga, ina ua aumaia foi i lona agalelei e le iu i lenei nuu tāua ua folafolaina; faauta, ou te fai atu, afai e oo mai le aso latou te teena Lē Paia o Isaraelu, o le Mesia moni, lo latou Togiola ma lo latou Atua, faauta, e tumau ia te i latou faamasinoga a Lē amiotonu.

11. E moni, na te aumaia nisi atunuu ia te i latou, na te tuuina atu foi le pule ia te i latou, na te aveeseina foi fanua o lo latou tofi ia te i latou, na te faasalalauina foi ma taia i latou.

12. E moni, e pei ona mavae lea tupulaga ma lea tupulaga, e i ai le faamaligiina o le toto, ma malaia tetele ia te i latou. O lenei, o‘u atalii e, ou te loto ina ia outou manatua, e moni, ou te loto ina ia outou faalogo mai i a‘u upu.

13. E! ana ala mai outou! Ina ala mai ia ai le moe gase, ioe, o le moe o seoli lava, ma lulu ese filifili faigata ua noatia ai outou, o filifili na e noanoatia ai le fanauga a tagata ina ia avea faatagataotaua i latou i le vanu faavavau o le malaia ma le auega.

14. Ina ala mai ia ma tulai nai le efuefu, ma ia faalogo mai i upu a le matua vaivai, e le pine ona outou tuu ifo lona tino i le tuugamau maalili ma le le tautala, i le mea e le mafai ona toe foi mai ai sē alu malaga; toe itiiti nai aso ona ou alu ai lea i le ala o le lalolagi uma.

15. A e peitai, faauta, ua faatauina lo‘u agaga ai seoli e le Atua, ua ou vaaia lona mamalu, ma ua si‘osi‘omia a‘u e faavavau i aao o lona alofa.

16. Ou te loto foi ina ia manatua e outou e tausi i tulafono ma faamasinoga a le Atua; faauta, o le atuga tele lena o lo‘u agaga talu anamua.

17. Ua tigaina lo‘u loto i le faanoanoa i lea aso ma lea aso, auā ua ou mata‘u ne‘i afio mai le Alii lo outou Atua i le atoatoa o lona toasa ia te outou, e vavaeese ai ma faaumatia outou e faavavau ona o le maaa ō outou loto.

18. Po o lenei, e oo mai le fetuu ia te outou i tupulaga e tele ma asiasia outou i le pelu, ma le oge; e inosia foi ma ta[illegible]fa‘iina

outou e tusa ma le loto o le tia-
polo ma lona faatagataotauaina.
19. E! o'u atalii e, ana mafai
ona ia le oo nei mea ia te outou,
a ia avea outou ma tagata filifilia
ma le faamanuiaina o le Atua!
A e peitai, faauta, ia faia lava
lona finagalo, auā e tonu ona ala
e faavavau.
20. Ua fetalai mai o ia: Afai
tou te tausi i a'u poloaiga, e ma-
nuia outou i le nuu, a e afai tou
te le tausi i a'u poloaiga, e va-
vaeeseina outou i o'u luma.
21. O lenei foi, ina ia olioli lo'u
agaga ia te outou, ina ia te'a ese
foi lo'u loto ma lenei lalolagi i le
fiafia ona o outou, ina ia le ave
ifo a'u ma le faanoanoa i le tuu-
gamau, inā tulai mai ia ai le
efuefu, o'u atalii e, ma ia faata-
matane, ma ia tonu outou i le
manatu e tasi, ma ia outou loto-
gatasi i mea uma, ina ia le faa-
toilaloina outou.
22. Ina ia le fetuuina outou i
fetuu tiga, ma lenei foi, ina ia
outou le faapaū le toasa o le Atua
amiotonu i luga ia te outou i le
malaia; ioe, o le malaia e faava-
vau o le agaga atoa ma le tino.
23. Ina ala mai ia, o'u atalii e,
ia oofu i le ofutau o le amiotonu.
Ina lulu ese ia filifili uamea ua
noatia ai outou, ma ia o mai nai
le pouliuli, ma ia tutulai nai le
efuefu.
24. Aua le toe fouvale i lo ou-
tou uso; o le ua mamalu ona taofi,
o le foi ua tausia poloaiga talu
ina tatou tuua Ierusalema, ma ua
avea o ia ma auupega i aao o le
Atua i le ta'ita'iina o i tatou i le
nuu ua folafolaina, auā, ana le
se anoa o ia po ua fano lava i
tatou i le fia aai i le vao; a e ui
lava i lea, na saili outou e aveese
lona ola, e moni, ua tigaina tele
o ia i le faanoanoa ona o outou.
25. Ma ua ou matua fefe lava
ma ua ou gatete ona o outou, ne'i
toe tigaina o ia, auā faauta, ua
outou molia o ia, ua faapea ua
fia sili ma fia pule o ia ia te ou-
tou, a ua ou iloa na le fia sili pe
fia pule o ia ia te outou, a ua na
saili le viiga i le Atua, atoa ma
lo outou lava manuia e faavavau.
26. Ua outou muimui ona ua
tautalatino atu o ia ia te outou.
Ua outou fai mai ua saua o ia,
ua outou fai mai ua ita o ia ia
te outou, a e peitai, faauta, o lona
saua o le saua lea o le mana o
le afioga a le Atua sa ia te ia,
a o le mea ua outou ta'ua o le
ita, o le upu moni lea e pei ona
i ai i le Atua, ua le mafai ona
taofi ai o ia, ua faailoa ma le le
fefe a outou amioletonu.
27. A e tatau ona i ai ia te ia
le mana o le Atua e oo lava i
lona poloaiina o outou, ia outou
usiusitai ai. A e peitai, faauta, e
le o ia, a o le Agaga o le Atua
sa ia te ia, ua tatalaina ai lona
gutu i le tautala ua le mafai ona
ia tapuni ai.
28. O lenei foi, o'u atalii e,
Lamana ma Lemuelu foi, ma
Sama, a e maise o'u atalii, o ata-
lii ia o Isamaeli, faauta, afai tou
te faalogo i le leo o Nifae e le
fano outou. Afai tou te faalogo
lava ia te ia, ou te tuuina atu ia
te outou le manuia, e moni, o la'u
manuia muamua lava.
29. Afai tou te le faalogo atu
ia te ia, ou te aveese la'u manuia
muamua, ioe, o la'u manuia lava
e tumau ai foi ia te ia.
30. O lenei, Sorama e, ou te
tautala atu ia te oe. Faauta, o
oe o le auauna a Lapana, a e ui
i lea, ua aumaia oe nai le nuu
o Ierusalema, ma ua ou iloa o oe
o le uo e faavavau i lo'u atalii o
Nifae.
31. O lenei foi, ona ua e faa-
maoni e faamanuiaina lau fanau
e faatasi ma ana fanau, latou te
nonofo loa ai ma le manuia i le-

nei laueleele, a e leai se mea, sei iloga o le amioletonu ia te i latou, e tiga ai, pe faalavelave ai lo latou manuia e faavavau i luga o lenei laueleele.

32. O lea afai e te tausi i poloaiga a le Atua, ua faasaina ai e le Atua lenei nuu mo le saogalemu o au fanau faatasi ma le fanau a lo'u atalii.

MATAUPU 2.

O upu a Liae i lona atalii o Iakopo—E tatau ona i ai le faafeagai i mea uma lava—O le laau ua faasaina ma le laau o le ola —Na pa'ū Atamu ina ia i ai tagata —O le Mesia, o le Uuluvaga sili, e togiolaina tagata.

1. O lenei foi, Iakopo e, ou te tautala atu ia te oe, o oe o lo'u atalii muamua na fanauina i aso o lo'u puapuaga i le vao. Faauta foi, na tigaina foi oe i puapuaga ma le faanoanoa tele ina o ē tamā itiiti ona o le faalevao o ou uso.

2. A e ui i lea, Iakopo e, o lo'u atalii muamua na fanau i le vao, ua e iloa le silisiliese o le Atua, na te faapaiaina ou puapuaga e fai mou manuia.

3. O lea e manuia ai lou agaga, a e lua te nonofo i le filemu ma lou uso o Nifae, e faaaoga foi ou aso i le galuega a lou Atua. O le mea lea ua ou iloa ai ua togiolaina oe ona o le amiotonu a lou Togiola, auā ua e iloa e afio mai o ia i le atoatoa o aso e aumai le olataga i tagata.

4. Ua e vaaia lona mamalu ina o e taulealea, o lea e manuia ai oe, e tusa ma i latou na te auauna atu i ai i le tino, auā e le liu lava le Agaga o ananafi, ma le asō, e oo foi i le faavavau. Ua saunia foi le ala talu le paū o Atamu, e le faatauina ai le olataga.

5. Ua lava le a'oa'oina o tagata, ua latou iloa ai le lelei ma le leaga. Ma ua tuuina mai i tagata le tulafono. E le ta'uamiotonuina foi le tino i le tulafono, a ua vavaeeseina tagata e le tulafono. E moni, ua vavaeeseina i latou i le tulafono faaletino, e fano foi i latou i le tulafono i le faaleagaga ai mea lelei, e malaia foi e faavavau.

6. O lea e oo mai ai le togiola talu le Mesia Paia, auā ua tumu o ia i le alofa tunoa ma le upu moni.

7. Faauta, e avae o ia e ia lava e fai ma taulaga ona o agasala, e faatoatoa ai iuga o le tulafono ia te i latou uma o e o i ai le loto momomo ma le agaga salamo, a e leai se tasi e mafaia ona faaatoatoaina ai iuga o le tulafono.

8. O lea e sili ai le aoga o le faailoa atu o ia mea i tagata o le lalolagi, ina ia iloa e i latou e le mafai ona nonofo tagata faatasi ma le Atua, sei iloga ona o le taui ma le alofa mutimutivale ma le alofa tunoa o le Mesia Paia, o Le ua avatu lona soifua i la le tino ma toe maua i le mana o le Agaga, ina ia faataunuu e ia le toe tu mai nai e ua oti, ina ua muamua i ē toe tu mai.

9. O le mea lea e avea ai o ia ma faapolopolo i le Atua, ona ua fautua o ia mo le fanauga uma a tagata, ma i latou o ē faatuatua ia te ia, e faaolaina i latou.

10. Ona o le fautua mo tagata uma, e o mai tagata uma i le Atua, o lea latou te tutu mai ai i ona luma e faamasinoina e ia e tusa ma le upu moni ma le paia e i ai ia te ia. O lenei, o le iuga o le tulafono ua foai mai e Lē Paia i le faaoo mai o le sala ua tu ai, o le sala foi ua tu ua feagai ma le fiafia ua tu e faaatoa ai le iuga o le togiola.

11. Auā e ao lava ina i ai le faafeagai o mea uma. A leai,

lo'u atalii muamua na fanau i le vao, e le mafai ona faataunuuina le amiotonu, po o le amioleaga, po o le mea paia, po o le malaia, po o le lelei, po o le leaga. O lea e ao ai ina filogia faatasi mea uma. O lenei, ana tutusa mea uma, po ua tumau e peiseai ua oti, ina ua leai se ola, po o se oti, po o le pala, po o le le pala, o le fiafia po o le malaia, o le iloa po o le le iloa lava.

12. Ana faapea, po ua faia ma mea e leai, o lea foi po ua leai ai se aoga o lona iuga. O lea e faaleagaina ai i le mea nei le poto o le Atua ma ana mataupu faavavau, atoa ma le mana, ma le alofa, ma le amiotonu a le Atua.

13. Afai tou te fai mai, E leai se tulafono, tou te fai mai foi, E leai se agasala. Afai tou te fai mai e leai se agasala, tou te fai mai foi e leai se amiotonu. Afai foi e leai se amiotonu, e leai foi se fiafia. Afai e leai se amiotonu po o se fiafia, e leai se sala po o se malaia. Afai foi e le o i ai ia mea, e leai foi se Atua. Afai foi e leai se Atua, ua leai i tatou, po o le lalolagi, auā ua le mafai ona i ai se amataga o mea, po o sē fai galuega, pe galueaiina, o lea e mou ai mea uma.

14. O lenei, o'u atalii e, ua ou fai atu ia mea ia te outou ia aoga e a'oa'oina ai outou, auā e i ai le Atua, ua ia faia mea uma i le lagi atoa ma le lalolagi ma mea uma o i ai, o mea e galue, atoa ma mea e galueaiina.

15. Ua ao lava ina ia faataunuuina ana mataupu faavavau i le iuga o tagata, ina ua uma ona faia e ia o tatou mātua muamua, ma manu vaefa o le vao, ma manu felelei, ioe, o mea uma ua faia, ua ao ina i ai le faafeagai, o le laau lava ua faasaina e feagai ma le laau o le ola, e suamalie le tasi, a e oona le isi.

16. O le mea lea na foai mai ai e le Alii le Atua le faitalia i le tagata. O le mea lea e le mafai ai ona filifili le tagata, sei iloga ua faaosoina o ia e le tasi po o le isi.

17. O a'u o Liae, e ao ina ou taofi, e tusa ma mea ua ou faitauina, na paū ifo mai le lagi le agelu a le Atua, e tusa ma mea ua tusia, o lea na avea ai o ia ma tiapolo, ina ua saili e ia le mea ua leaga i luma o le Atua.

18. Ona ua paū ifo o ia ai le lagi ma ua malaia e faavavau, ua ia saili foi le malaia i tagata uma. O le mea lea na ia fai mai ai ia Eva, ioe, o lena gata tuai, o le tiapolo lea, o le tamā o pepelo uma, o lea na ia fai mai ai: Sei e 'ai i le fua o le laau ua faasaina, e te le oti lava, a e avea oe e pei o le Atua, o loo iloa le lelei ma le leaga.

19. In ua uma ona aai e Atamu ma Eva le fua o le laau ua faasaina, ua tulia i laua ai le faatoaga o Etena ia galulue i le eleele.

20. Ua fanafanau i laua, ioe, o le aiga lava o le lalolagi uma.

21. Ua faalevalevaina aso o le fanauga a tagata e tusa ma le finagalo o le Atua, ina ia salamo i latou a o i le tino, o lea ua avea ai o latou ola ma ola faata'ita'i, ma ua faalevalevaina o latou aso e tusa ma poloaiga na aumaia e le Alii le Atua i le fanauga a tagata. Auā na ia aumai le tulafono e ao ina salamo tagata uma, auā na ia faaali i tagata uma ua sē i latou ona o le solitulafono ō latou mātua.

22. O lenei, faauta, ana le solitulafono Atamu, po ua le paū o ia, a e tumau pea o ia i le faatoaga o Etena. Ma ua tumau lava mea uma ua faia e pei ona

i ai ina ua uma ona faia, a e
fa'apea pea lava e faavavau, e
leai lava se iuga.
23. Ma ua le fanafanau foi i
laua, o lea e tumau ai i laua i le
le agasala, ua leai se olioli, auā
ua le iloa se malaia, ua le fai se
lelei, auā ua le iloa se agasala.
24. A e peitai, faauta, ua faia
mea uma i le poto o Le ua silafia
mea uma.
25. Na paū Atamu ina ia i ai
tagata, ua ola tagata ina ia latou
maua le olioli.
26. E afio mai foi le Mesia i le
atoatoa o aso ina ia togiola e ia
le fanauga a tagata ai le paū.
Ina ua togiolaina i latou ai le
paū, ua saoloto ai i latou e faava-
vau, o loo iloa le lelei ai le leaga,
e filifili mo i latou lava, a e le
galueaiina, sei iloga o le faasa-
laina i le tulafono i le aso tele
ma le gataaga, e tusa ma polo-
aiga ua aumaia e le Atua.
27. O lea ua saoloto ai tagata
i la le tino, ma ua foaiina mai ia
te i latou mea uma e tatau i ta-
gata. Ua saoloto foi i latou e
filifili le saolotoga ma le ola faa-
vavau talu le Puluvaga sili o ta-
gata uma, pe filifili le faatoila-
loina ma le oti, e tusa ma le faa-
toilaloina ma le mana o le tiapolo,
auā na te saili ina ia malaia ta-
gata uma e pei o ia lava.
28. O lenei foi, o'u atalii e, ou
te loto ina ia outou vaai i le
Puluvaga sili, ma ia outou faa-
logo atu i ana poloaiga sili, ma
ia faamaoni i ana fetalaiga, ma
filifili i le ola faavavau, e tusa
ma le finagalo o lona Agaga Paia.
29. A e le filifili i le oti faa-
vavau e tusa ma le loto o le tino
ma le leaga o i ai, ua avatu ai
le mana i le tiapolo e faatoila-
loina ma toso ifo ai outou i seoli,
ina ia pule o ia ia te outou i lona
lava malo.
30. Ua ou fai atu ia upu itiiti
ia te outou uma, o'u atalii e, i aso
mulimuli o lo'u olaga faata'ita'i
ma ua ou filifilia le mea lelei e
tusa ma upu a le perofeta. E leai
sa'u isi faamoemoe, tau lava o le
manuia faavavau ō outou agaga.
Amene.

MATAUPU 3.

O upu a Liae i lona atalii o Iosefa—O le valoaga a Iosefa i Aikupito—Ua valoia se tagata vaai tāua—O le galuega faapitoa a Mose—O tusitusiga paia a sa Eperū ma sa Nifaē.

1. O lenei foi, ou te tautala atu
ia te oe, Iosefa e, la'u uii. Na
fanauina oe i le vao o o'u pua-
puaga, ioe, o aso o lo'u faanoanoa
sili sa fanaua ai oe e lou tina.
2. Ia faasaina foi e le Atua
lenei nuu ia te oe, o le nuu ua
sili ona tāua lava lenei, e fai mou
tofi, ma tofi o au fanau faatasi
ma ou uso, ina ia e filemu ai e
faavavau, afai e faapea e te tausi
i poloaiga a Lē Paia o Isaraelu.
3. O lenei, Iosefa e, la'u uii, o
le ua aumaia nai le vao o o'u pua-
puaga, ia faamanuiaina oe e faa-
vavau e le Atua, auā e le matua
faaumatia au fanau uma.
4. Auā faauta, o oe o le fua o
o'u sulugatiti, o a'u foi o le fanau
a Iosefa, o le na avea faapologa
i Aikupito. Ma ua sili lava fea-
gaiga a le Atua na ia faia ma
Iosefa.
5. O lenei, e moni, na iloa e
Iosefa o tatou aso. Ua na maua
foi le folafolaga mai le Atua, e
faatuina e le Alii le Atua, ai le
fua o ona sulugatiti, le lālā amio-
tonu i le aiga o Isaraelu, e le o le
Mesia, a o le lālā e mafa'iesea,
a e ui i lea, e manatulia feagaiga
a le Atua, e faaalia le Mesia ia
te i latou i aso e gata ai, i le
Agaga mamana e oo i le aumaia
o i latou ai le pouliuli i le mala-

malama, e moni, mai le pogisa tele ma le tafeaga i le saolotoga.

6. Auā, e moni, na molimau Iosefa, ua faapea mai: E faatuina e le Alii lo'u Atua le tagata vāai, e fai ma tagata vāai filifilia i le fua o o'u sulugatiti.

7. Ioe, e moni, na fai mai Iosefa: O loo faapea ona fetalai mai le Atua ia te au, Ou te faatuina le tagata vāai filifilia ai le fua o ou sulugatiti, e ta'uleleia lava o ia i le fua o ou sulugatiti. Ou te avatu le poloaiga ia te ia, na te fai le galuega mo le fua o ou sulugatiti, o ona uso i latou, e aoga tele ai ia te i latou i le aumaia lava o i latou i le iloa lelei o feagaiga ua matou faia ma ou tamā.

8. Ou te avatu foi le poloaiga ia te ia, na te le fai se isi galuega, tau Lava o le galuega ou te poloai atu ai ia te ia. Ou te faateleina o ia i o'u luma, auā na te faia la'u galuega.

9. E mamalu o ia e pei o Mose, o le ua ou fai atu ou te faatuina ia te oe e laveai lo'u nuu, le aiga o Isaraelu.

10. Ou te faatuina foi Mose e laveai lou nuu ai le nuu o Aikupito.

11. A e peitai, ou te faatuina le tagata vāai ai le fua o ou sulugatiti, ou te foai atu ia te ia le mana e aumai ai la'u upu i le fanau a ou sulugatiti, o loo fetalai mai ai le Atua, e le na o le aumaia o la'u upu, a o le faamautinoa ia te i latou o la'u upu e muamua atu ia te i latou.

12. O lea e tusitusi ai le fua o ou sulugatiti, e tusitusi foi le fua o sulugatiti o Iuta. O mea foi e tusia e le fua o ou sulugatiti, atoa ma mea e tusia e le fua o sulugatiti o Iuta, e tutupu faatasi e faatoilaloina ai mataupu pepelo, e faaiuina foi finauga, ma faatuina le filemu i le fua o ou sulugatiti, e aumaia ai foi i latou i le iloa lelei ō latou tamā i aso e gata ai, atoa foi ma le iloa lelei o a'u feagaiga, o loo fetalai mai ai le Atua.

13, O le vaivai e faamalosia ai o ia i le aso e amata ai la'u galuega i lo'u nuu uma i le to faatuina o oe, le aiga o Isaraelu, o loo fetalai mai ai le Atua.

14. Sa faapea ona vavalo Iosefa, ua faapea mai: Faauta, e faamanuiaina e le Atua lena tagata vāai, e faafememeaiina i latou o ē saili e faaumatia o ia, auā e taunuu lava lenei folafolaga ua ou maua mai le Atua e uiga i le fua o o'u sulugatiti. Faauta, ua ou mautinoa e taunuu lava lenei folafolaga.

15. E igoa foi o ia i lo'u igoa, o le igoa foi lea o lona tamā. E tusa foi i maua ma ia, auā o le mea e faataunuuina e le Atua i lona lima e aumaia ai lo'u nuu i le olataga i le mana o le Atua.

16. Ioe, ua faapena ona vavalo Iosefa: Ua ou mautinoa lenei mea e pei ona ou mautinoa le folafolaga ia Mose, auā ua fetalai mai le Atua ia te au: Ou te faasaoina au fanau e faavavau.

17. Ua fetalai mai foi le Atua: Ou te faatuina se Mose, ou te foai atu ia te ia le mana i le tootoo, ou te foai atu ia te ia le faamasinoga i le tusitusi. A e peitai, e le tatala e a'u lona laulaufaiva ina ia tautala tele o ia, auā ou te le faamalosia o ia i le tautala. A ou te tusitusi atu ia te ia la'u tulafono i le tamatamai lima o lo'u lava lima, ou te fai foi le failauga mo ia.

18. Ua fetalai mai foi le Atua ia te au: Ou te faatuina i le fua o ou sulugatiti, ou te faia foi le failauga mo ia. Faauta foi, o a'u, ou te tofia o ia, na te tusia le tusi a le fua o ou sulugatiti i le

fua o ou sulugatiti, a e tala'i e le failauga o ou sulugatiti.

19. O upu foi na te tusia, o upu ia e tatau i lo'u poto ona alu atu i le fua o ou sulugatiti. E peiseai foi ua alaga atu le fua o ou sulugatiti nai le efuefu ia te i latou, auā ua ou iloa lo latou faatuatua.

20. Latou te alalaga atu foi nai le efuefu, ioe, o le salamo lava i o latou uso, pē a mavae atu tupulaga e tele ia te i latou. E oo foi ina alu atu lo latou alagā e tusa ma le faigofie o a latou upu.

21. Ona o lo latou faatuatua, e alu atu ai a latou upu ai lo'u gutu i o latou uso o e o le fua o ou sulugatiti, ou te faamalosia le vaivai o a latou upu i lo latou faatuatua, e oo i le manatua o la'u feagaiga na ou faia ma o outou tamā.

22. O lenei foi, faauta, lo'u atalii e, Iosefa, sa faapena ona vavalo lo'u tamā anamua.

23. O lenei, ona o lenei feagaiga ua manuia ai oe, auā e le faaumatia au fanau, auā e faalogo atu i latou i upu a le tusi.

24. E tulai mai ia te i latou le tasi ua malosi, na te faia mea lelei e tele, i le upu atoa ma galuega, e avea foi ma auupega i aao o le Atua i le faatuatua tele, e fai foi vavega tetele, e fai foi le mea ua sili i le silafaga a le Atua, e oo i le faataunuuina o le toefuataiina tele i le aiga o Isaraelu, atoa ma le fanauga a ou uso.

25. O lenei foi, amuia lava oe, Iosefa. Faauta, ua itiiti oe, o lea ia e faalogo atu ai i upu a lou uso o Nifae, ona faia lea ia te oe e tusa ma upu ua ou fai atua. Ia manatua upu a lou tamā ina a oti o ia. Amene.

MATAUPU 4.

Ua faamanuia Liae i atalii ma afafine o Lamana ma Lemuelu—O faamanuiaga i luga o le aiga o Isamaeli ma luga o Sama ma ē o le a tupuga ma ia te ia—O le maliu o Liae —Ua tupu pea le fouvale.

1. O lenei foi, o a'u o Nifae, ua ou tautala atu e uiga i valoaga na tautala ai lo'u tamā ia Iosefa, o le na aveina atu i Aikupito.

2. Auā faauta, e moni, na ia vavalo i ana fanau uma. Ua le tele ni valoaga ua sili i valoaga na ia tusia. Na ia vavalo foi ia te i matou ma a matou tupulaga atalī, ma ua tusia ai i papatusi apamemea.

3. O lenei, ina ua uma ona faaiu e lo'u tamā le tautala atu i valoaga a Iosefa, ua ia valaau i le fanau a Lamana, o ona atalii ma ona afafine, ma ua fai atu ia te i latou: Faauta, o'u atalii ma o'u afafine e, o atalii ma afafine outou o la'u ulumatua, ou te loto ina ia outou uai mai o outou taliga i a'u upu.

4. Auā ua fetalai mai le Alii le Atua: Afai tou te tausia a'u poloaiga, e manuia outou i le nuu, a e afai tou te le tausia a'u poloaiga, e vavaeeseina outou i o'u luma.

5. A e peitai, faauta, o'u atalii e ma o'u afafine e, ou te le mafai ona alu ifo i lo'u tuugamau, sei iloga ou te tuuina atu se manuia ia te outou. Faauta foi, ua ou iloa afai ua a'oa'oina outou i le ala e tatau ona outou savavali ai, e le te'a ese ai outou.

6. O lea, afai e fetuuina outou, faauta, ou te tuuina atu ai la'u manuia ia te outou, ina ia ave ese le fetuu ia te outou, a e taui atu ai i luga ō outou mātua.

7. O lenei, ona o la'u manuia e le tuuina atu e le Alii le Atua

ia fano outou, o lea e finagalo alofa ai o ia ia te outou atoa foi ma a outou fanau e faavavau.

8. Ina ua uma ona faaiuina e lo'u tamā le tautala atu i atalii ma afafine o Lamana, na ia poloai atu ia aumaia atalii ma afafine o Lemuelu i ona luma.

9. Ma ua ia fai atu ia te i latou, ua faapea atu: Faauta, o'u atalii e ma o'u afafine e, o atalii ma afafine outou o lo'u atalii e pito ane i le ulumatua, faauta, ou te tuu atu ia te outou le manuia e tusa ma le manuia na ou tuuina atu i atalii ma afafine o Lamana, o lea e le matua faaumatia ai outou uma, a e iu ina faamanuiaina a outou fanau.

10. Ua oo foi ina ua uma ona faaiuina e lo'u tamā le tautala atu ia te i latou, faauta, ua ia tautala atu i atalii o Isamaeli ma lona auaiga uma lava.

11. Ina ua uma ona faaiuina e ia le tautala atu ia te i latou, ua ia tautala atu ia Sama, ua faapea atu: Amuia lava oe atoa ma au fanau, auā e fai mo latou tofi le nuu, e tusa ma lou uso o Nifae. E faitauina foi au fanau faatasi ma ana fanau, e tutusa foi oulua ma lou uso, e tutusa foi au fanau ma ana fanau, e manuia lava oe i ou aso uma.

12. Ma ua oo ina ua uma ona tautala atu lo'u tamā o Liae i lona auaiga uma, e tusa ma lona loto ma le Agaga o le Atua sa ia te ia, ua toeaina o ia. Ma ua oo ina maliu o ia ma ua tanumia.

13. Ma ua oo ina le tele ni aso talu lona maliu ua ita mai Lamana ma Lemuelu, atoa ma atalii o Isamaeli, ia te au ona o apoapoaiga a le Atua.

14. Auā, o a'u, o Nifae, sa uunaia a'u e tautala atu ia te i latou, e tusa ma lana afioga, auā e tele mea na ou fai atu ia te i latou, ua faapea foi lo'u tamā a o lei maliu o ia, o upu na e tele ua tusia i a'u isi papatusi, auā ua tusia le tele o le tala faasolopito i a'u isi papatusi.

15. A o papatusi nei ou te tusitusi ai mea a lo'u agaga, atoa ma upu paia e tele ua togitogia i papatusi apamemea. Auā e fiafia lo'u agaga i tusi paia, ua mafaufau foi i ai lo'u loto ma ua ou tusi ai mo le a'oa'oina ma le aoga i a'u fanau.

16. Faauta, ua fiafia lo'u agaga i mea a le Atua, e mafaufau pea lo'u loto i mea ua ou vaaia ma faalogoina.

17. A e ui i le agalelei tele lava o le Atua i le faaali mai ia te au o ana galuega sili ma le ofoofogia, ua tagi ai lo'u loto: Auē! o a'u o le tagata malaia! E moni, ua faanoanoa lo'u loto ona o lo'u tino. Ua faanoanoa lo'u agaga ona o a'u amioletonu.

18. Ua siosiomia a'u ona o tofotofoga ma agasala ua faigofie ona taumaileia ai a'u.

19. Pe a ou fia olioli, e ōi lo'u loto ona o a'u agasala, a e ui lava i lea, ua ou iloa Le ua ou faalagolago i ai.

20. Ua fai lo'u Atua mo'u faalagolagoga, na ia ta'ita'i mai ia te au i o'u puapuaga i le vao, ua ia faasaoina foi a'u i le moana tele.

21. Ua na faatumuina a'u i lona alofa e oo i le faaumatia o lo'u tino.

22. Ua na faafememeaiina o ē ita mai e oo i le faagateteina o i latou i o'u luma.

23. Faauta, ua na faafofogaina la'u tagi i le ao, na ia foai mai foi le poto ia te au i faaaliga i le po.

24. Ua ou faamalosi foi i le tatalo faatauanau i ona luma i le ao, e moni, ua alu ae lo'u leo, ma ua maliu ifo agelu ma auauna mai ia te au.

25. Ua avea lo'u tino i apaau o lona Agaga i mauga maualuluga lava. Ua iloa e o'u mata mea tetele, e moni, e sili lava i tagata, o lea na vaosia ai a'u, ia ou le tusitusi ai.

26. O lenei foi, afai ua ou iloa mea e faapea ona tetele, afai ua asiasi le Atua i lona faamaulalo i le alofa e faapea ona tele i le fanauga a tagata, se a le mea e tagi ai lo'u loto ma faatalitali lo'u agaga i le vanu o le faanoanoa, ma ou tauau ina tinovale, ma faavaivai lo'u malosi ona o o'u puapuaga?

27. Se a foi le mea ou te gauai ai i le agasala ona o lo'u tino? Ioe, se a le mea ou te vaivai ai i tofotofoga, ia i ai le ua leaga i lo'u loto, e faaumatia lo'u filemu ma faatigaina ai lo'u agaga? Se a le mea ua ou ita ai ona o lē ita mai ia te au?

28. Lo'u agaga e, ina ala mai ia! Aua le toe vaivai i le agasala. Lo'u loto e, ina fiafia ia, ia le toe ulu mai lē ita mai ia te au i lo'u agaga.

29. Aua le toe ita ona o ē ita mai ia te au. Aua le faavaivai lo'u malosi ona o o'u puapuaga.

30. Lo'u loto e, ina fiafia ma alaga atu ia i le Atua, ma fai ia te oe e faavavau, ioe, e fiafia ia te oe a faavavau, ioe, e fiafia lo'u agaga ia te oe, lo'u Atua, le papa foi o lo'u olataga.

31. Le Atua e, e te togiolaina ea lo'u agaga? Pe e te laveai mai ea a'u ai lima o ē ita mai ia te au? Pe e te faagateteina ea a'u i le tino mai o le agasala?

32. Sei punitia pea ea i o'u luma o faitotoa o seoli? Auā ua momomo lo'u lato, ua salamo lo'u agaga. Le Atua e, aua e te punitia ea faitotoa o lau amiotonu i o'u luma, ia ou savali i le ala o le vanu maulalo, ina ia sa'o a'u i le ala malamalama?

33. Le Atua e, pe e te siosio mai ia te au i le ofu o lau amiotonu? Le Atua e, pe e te faia ea se ala ou te sao ai i luma o ē ita mai ia te au? Pe e te faasa'oina ea lo'u ala i o'u luma? Aua e te tuu ea se maa e tausuai ai i lo'u ala? Ia e teuteu lo'u ala i o'u luma, aua foi le punitia lo'u ala, a o ala o lē ita mai ia te au.

34. Le Atua e, ua ou faalagolago ia te oe, ou te faalagolago ia te oe e faavavau. Ou te le faalagolago i le lima o le tagata, auā ua ou iloa e fetuuina le ua faalagolago i le lima o le tagata. E moni, ua fetuuina le ua faalagolago i le tagata pe fai le tagata mona lima.

35. E moni, ua ou iloa e foai tele mai e le Atua i lē ole atu. E moni, e foai mai e lo'u Atua ia te au, afai ou te le ole atu ma le faaletatau. O lea ou te alaga atu ai ia te oe, e moni, ou te tagi atu ia te oe, lo'u Atua e, o le papa o la'u amiotonu. Faauta, e alu ae pea lo'u leo ia te oe, o lo'u papa, ma lo'u Atua faavavau. Amene.

MATAUPU 5.

Ua lapataia Nifae e le Atua, ma ua alu ese mai i e o loo latou lamatia lona ola—O Sorama, Sama, Iakopo ma Iosefa ma nisi ua au faatasi ma ia—O le pelu a Lapana—Ua fausia le malumalu—O e fauvale ua fetuuina ai le lanu uliulu—Ua faapaiaina ositaulaga ma tiakono.

1. Faauta, ua oo ina alaga tele atu a'u, o Nifae, i le Alii lo'u Atua ona o le ita o o'u uso.

2. A e peitai, faauta, na tupu atili lo latou ita mai ia te au, ua iu ina latou saili e aveese lo'u ola.

3. E moni, ua muimui i latou ia te au, ua faapea mai: O loo ma-

natu lo tatou uso itiiti e pule o ia ia te i tatou, ua tofotofoina tele i tatou ona o ia, o lea ia tatou fasiotia ai o ia, ina ia le toe tigaina i tatou ona o ana upu. Auā faauta, tatou te le mafaia ona ia fai o ia mā tatou pule, auā ua ia te i tatou, o uso matutua i tatou, e pule i lenei nuu.

4. O lenei, ou te le tusia i ia papatusi upu uma na latou muimui ai ia te au. Ua lava ia te au e fai atu ua latou saili e aveese lo'u ola.

5. Ua oo foi ina fetalai mai le Atua ia te au, o Nifae, ou te alu ese ia te i latou, ma sola i le vao faatasi ma i latou uma o ē loto ina o faatasi ma a'u.

6. O le mea lea ua oo ai ina ave e a'u, o Nifae, o lo'u auaiga, ma Sorama ma lona auaiga, atoa ma Sama, lo'u uso matua, ma lona auaiga, ma Iakopo ma Iosefa, o'u uso iti, atoa ma o'u tuafafine, ma i latou uma o e ua loto ina o faatasi ma a'u. O i latou uma na loto ina o ma a'u, o i latou ia ua talitonu i fetalaiga ma faaaliga a le Atua, o lea na latou faalogo ai i a'u upu.

7. Na matou ave foi o matou fale ie ma mea uma ua mafaia, ma ua matou malaga i le vao i aso e tele. Ina ua uma foi ona matou malaga i aso e tele, ua matou faatu o matou fale ie.

8. Na manao foi lo'u nuu ia matou faaigoaina le nuu, o Nifae, o lea na matou faaigoaina ai o Nifae.

9. O i latou uma foi na faatasi ma a'u, na ave i o latou lava luga ia ta'ua i latou o le nuu o Nifae.

10. Na matou tausia foi faamasinoga ma tulafono ma poloaiga a le Atua i mea uma, e tusa ma le tulafono a Mose.

11. Sa ia te i matou foi le Atua, ma ua manuia tele i matou, auā na matou lulu saito, ma matou toe selesele mai ai le mau. Ma ua amata ona matou maua lafu, ma fagaga, ma manu eseese uma.

12. O a'u o Nifae, na ou aumaia foi tusi ua togitogia i papatusi apamemea, atoa ma le polo, o le tapasa lea na saunia e le aao o le Atua mo lo'u tamā, e tusa ma upu ua tusia.

13. Ua oo foi ina amata ona matua manuia tele i matou ma uluola i le nuu.

14. O a'u foi, o Nifae, na ou ave le pelu a Lapana ma ua ou gaosia nisi pelu e tele e uiga faatasi ai, ne'i ai se ala e o mai ai le nuu ua igoa nei o sa Lamanā, ma faaumatia i matou, auā na ou iloa lo latou ita ia te au, ma la'u fanau, ma i latou o e ua ta'ua o lo'u nuu.

15. Na ou a'oa'oina foi lo'u nuu e fai fale ma galulue i laau eseese, ma le uamea, ma le apamemea, ma le sila, ma le auro, ma le ario, ma maa tāua ua taatele.

16. O a'u foi o Nifae, na ou faia le malumalu, na ou faia e uiga faatasi ma le malumalu a Solomona, a ua le tusa ona tele mea tāua na fai a'i, auā ua le mafai ona maua i le laueleele, o lea ua le mafai ai ona faia e tusa ma le malumalu a Solomona, a o le ala na faia ai ua tusa ma le malumalu a Solomona, ma ua matua lelei lona gaosiga.

17. Ma ua oo ina a'oa'o atu e a'u, o Nifae, i lo'u nuu ia latou toaga ma galulue i o latou lava lima.

18. Ma ua oo ina latou fia faia a'u mo latou tupu. A o a'u, o Nifae, ua loto ina ia leai se tupu ia te i latou, a e ui i lea, na ou faia mea ia te i latou e tusa ma lo'u malosi.

19. Faauta, ua faataunuuina le afioga a le Atua i o'u uso na ia fetalai mai ia te i latou, e fai

a'u mā latou pule mā latou a'oa'o, o lea na fai ai a'u mā latou pule mā latou a'oa'o e tusa ma poloaiga a le Atua, e oo lava i le aso na latou saili e aveese ai lo'u ola.

20. O le mea lea ua faataunuuina ai le afioga a le Atua na ia fetalai mai ia te au, ua fapea mai: Afai latou te le faalogo i au upu, e vavaeeseina i latou i luma o le Atua. Faauta foi, ua vavaeeseina i latou i ona luma.

21. Ua uma foi ona ia faaooina atu le fetuu ia te i latou, e moni, o le fetuu faigata lava ona o la latou amioletonu. Auā faauta, ua uma ona latou faamaaaina o latou loto ia te ia, ua iu ina tusa ai i latou ma le papa alā. O lenei, ona ua papa'e i latou ma le lalelei tele ma ua moomia, ua faauliuli ai e le Alii le Atua o latou pa'u, ina ia le manaomia i latou i lo'u nuu.

22. O loo faapea ona fetalai mai le Alii le Atua: Ou te faainosia i latou i lou nuu, sei iloga e salamo i latou i a latou amioletonu.

23. E fetuuina le fanau a lē faatasi mā latou fanau, auā e fetuuina i latou i le fetuu e tasi. Ma ua fetalaia mai e le Atua, ma ua faia.

24. Ona o lo latou fetuu foi ua i luga ia te i latou, na avea ai i latou ma nuu paie, ua tumu i le ulavale ma le pepelo, ma ua latou tuli manu 'aivao.

26. Ua fetalai mai foi le Alii le Atua ia te au: E fai i latou ma sasa i au fanau, e faaoso ia te i latou i le faamanatua o a'u, a e afai latou te le manatua mai a'u ma faalogo mai i a'u upu, latou te sasa ia te i latou e oo i le faafanoga lava.

26. Ua oo foi ina faasaina e a'u, o Nifae, o Iakopo ma Iosefa e fai ma ositaulaga ma a'oa'o i le nuu o o'u tagata.

27. Ua oo foi ina nonofo i matou ma le fiafia.

28. Ua mavae atu tausaga e tolusefulu talu ina matou tete'a ma Ierusalema.

29. O a'u foi o Nifae, ua uma ona ou tusia le tala i lo'u nuu i a'u papatusi na ou gaosia ua oo mai i nei ona aso.

30. Ua oo foi ina fetalai mai le Atua ia te au, ua faapea mai: Ia e faia nisi papatusi e togitogi i ai mea e tele ua lelei i la'u vaai, e aoga ai i lou nuu.

31. O a'u o Nifae, o le mea lea na ou alu atu ai, i le fia usiusitai i poloaiga a le Atua, ma ua ou gaosia ia papatusi ua ou togitogia ai mea nei.

32. Ua ou togitogia foi mea e fiafia ai le Atua. Afai foi e fiafia lo'u nuu i mea a le Atua, ona fiafia lea i latou i a'u togitogiga o i ai i papatusi nei.

33. Afai ua fia iloa e lo'u nuu le vaega sili e i ai le tala faasolopito i o'u tagata, e tatau ona latou suesue i a'u isi papatusi.

34. Ua lava foi ia te au ona fai atu , ua mavae atu le fasefulu o tausaga, ma ua uma ona matou fai taua ma finauga ma o matou uso.

MATAUPU 6.

O le apoapoaiga a Iakopo i tagata—Ua ia siitia valoaga a Isia.

1. O upu nei a Iakopo, le uso o Nifae, na ia fai atu i le nuu o Nifae.

2. Faauta, o'u uso pele e, o a'u o Iakopo. Ona ua valaauina a'u e le Atua, ma ua tofia a'u i le faiva paia, ona ua faasaina foi a'u e lo'u uso o Nifae, o le tou te vaai atu i ai e peiseai o le tupu, po o lē faamamalu, o le foi ua outou faalagolago i ai ina ia saogalemu outou; faauta, ua outou

iloa ua ou fai atu ia te outou mea matua tele lava.

3. A e ui i lea, ou te toe tautala atu ia te outou, auā ua tele lo'u manao ia manuia o outou agaga. E moni, ua tele lo'u popole ona o outou. O outou foi, ua outou iloa sa faapea i aso uma ua mavae. Auā na ou apoapoai atu ia te outou ma le filigā uma, ua ou a'oa'oina atu ia te outou upu a lo'u tamā, ua ou tautala atu foi ia te outou e uiga i mea uma ua tusia talu le foafoaga o le lalolagi.

4. O lenei, faauta, ou te tautala atu ia te outou e uiga i mea o i ai nei atoa ma mea e oo mai, o lea ou te faitau atu ai ia te outou upu a Isaia. O upu ia ua manao ai lo'u uso ou te fai atu ia te outou. Ou te tautala atu foi ia te outou ona o outou lava, ina ia a'oa'oina outou ma ia faamamalu le suafa o lo outou Atua.

5. O lenei foi, o upu ou te faitau, o upu ia na fai atu e Isaia i le aiga uma o Isaraelu, o lea e mafai ai ona faatusaina ia te outou, auā o i le aiga o Isaraelu outou. E tele foi mea na fai atu e Isaia e mafai ona faatatauina ia te outou, auā o i le aiga o Isaraelu outou.

6. O lenei, o upu ia: O loo faapea ona fetalai mai le Alii le Atua, Faauta, ou te sii atu lo'u lima i nuu ese ma ou faatuina la'u tagavai i nuu, latou te aumaia au tama tane i o latou lima, a e aumaia au tama teine i o latou tau'au.

7. E fai foi tupu mau tausi tama, ma o latou masiofo e fai mau failele, latou te ifo toele ia te oe, latou te etoeto i le eleele o ou vae, e te iloa foi, o a'u, o le Atua, e le faamaina i latou o ē faatalitali ia te au.

8. O lenei, o a'u o Iakopo, ou te tautala atu teisi i nei upu, auā faauta, ua faailoa mai e le Atua ia te au ua fasia i latou o e na i Ierusalema, na o mai ai i tatou, ma ua avea i le tafeaga.

9. A e ui i lea, ua faailoa mai e le Atua ia te au, e toe foi mai i latou. Ua na faailoa mai foi ia te au o le Alii le Atua, o Lē Paia o Isaraelu, e faaali mai o ia lava ia te i latou i le tino, pe a uma foi ona ia faaali mai o ia, latou te sasa ia te ia ma faasatauro ia te ia, e tusa ma upu a le agelu, o le na fetalai mai ai ia te au.

10. Pe a uma ona latou faamaaaina o latou loto ma faamāloloina o latou ua i Lē Paia o Isaraelu, faauta, e oo mai faamasinoga a Lē Paia o Isaraelu ia te i latou. E oo mai foi le aso e taia ma faatigaina ai i latou.

11. O le mea lea o loo faapea ona fetalai mai ai le agelu, pe a uma ona tulia i latou i lea itu ma lea itu, e pupuagatia nisi e toatele i le tino, a e le tuuina atu ia fano ona o tatalo a ē faamaoni, e faasalalauina i latou, ma taia, ma inosia, a e ui i lea, e finagalo alofa le Atua ia te i latou pe a oo i latou i le iloa lelei o lo latou Togiola, e toe faapotopotoina i latou i nuu ō latou tofi.

12. Amuia lava nuu ese o e ua tusi ai le perofeta, auā faauta, afai e faapea e salamo i latou, a e le tau ma Siona, e le 'au faatasi foi ma lea lotu tele ma le inosia, ona faaolaina lea i latou, auā e faataunuuina e le Alii le Atua ana feagaiga na ia faia ma ana fanau, o le mea lea ua tusia ai nei me e le perofeta.

13. O le mea lea e etoeto ai le eleele ō latou vae e i latou o ē tau ma Siona ma le nuu o le feagaiga a le Atua, e le māsiasi foi le nuu o le Atua. Auā o le nuu o le Atua o i latou na o ē faatalitali ia te ia, auā ua latou

faatalitali pea i le afio mai o le Mesia.

14. Faauta, e tusa ma le upu a le perofeta e toe tuu atu faalua e le Mesia o ia lava e laveai ia te i latou, o lea na te faaalia mai ai o ia lava ia te i latou i le mana ma le mamalu tele, e faaumatia o ē ita ia te i latou pe a oo mai le aso e talitonu ai i latou ia te ia, na te le faaumatia foi se tasi ua faatuatua ia te ia.

15. E faaumatia i latou o ē le talitonu ia te ia, i le afi atoa ma le afā, ma mafuie, ma le faamaligiina o le toto, ma faamai atoa foi ma oge. Ona latou iloa ai lea o le Alii, o le Atua lava ia, o Lē Paia o Isaraelu.

16. Auā e faoa ea le vete ai le ua malosi? Pe laveaiina ea le tafeaga a le ua amiotonu?

17. A ua faapea ona fetalai mai le Atua: E faoa lava le vete ai le ua malosi, e laveaiina foi le vete a lē matautia, auā e laveaiina e le Atua Malosi o lona nuu o le feagaiga. Auā o loo faapea ona fetalai mai le Atua: Ou te finau atu foi a'u i ē finau mai ia te oe.

18. Ou te fagaina foi ē saua ia te oe i o latou lava tino, e onanā foi i latou i lo latou lava toto e pei o le suavine, e iloa ai e tagata uma lava, o a'u lava o le Alii, o lou Faaola ma lou Togiola, o Lē Malosi o Iakopo.

MATAUPU 7.

O isi upu a Iakopo—Ia faatusatusa i le Isaia 50.

1. Ioe, auā o loo faapea ona fetalai mai le Atua: Po ua ou tuueseina ea outou? Po ua ou tuulafoaiina ea outou e faavavau? Auā o loo faapea ona fetalai mai le Atua: O i fea le tusi alei a lo outou tina na o'u aleia ai o ia? Po o ai ua ou tuueseina ai outou? O ai foi le tagata ua ou aitalafu ai ua ou faatauina atu i ai outou? Faauta, o a outou amioletonu ua outou faatauina ai outou lava, ona ō outou solitulafono ua aleia ai lo outou tina.

2. O le mea lea na leai ai se tagata ina ua ou sau. Ina ua ou valaau foi, ua leai sē tali mai. E! le aiga o Isaraelu e, ua faapuupuuina ea lo'u lima ou te le mafaaola ai? Pe leai ea se mana ia te au e laveai? Faauta, o la'u a'oa'iga ou te faapa'umatuina ai le sami, e faia foi e a'u o latou vaitafe ma nuu naumati, e elo foi i'a ua i ai ona ua faaumatia le vai, e mamate foi i le fia inu.

3. Ou te faaofuina le lagi i le faauliuli, ou te faia foi le ie talatala mona ufiufi.

4. Ua foaiina mai ia te au e le Alii le Atua le laulaufaiva o ē a'oa'oina, ina ia ou iloa e fai atu se upu ia te oe i le aso e tatau ai, le aiga o Isaraelu e. Pe a outou lailoa ou te ala i lea taeao ma lea taeao. Ua ia fagua o'u taliga e faalogo e pei o e ua a'oa'oina.

5. Ua toina le puipui o o'u taliga e le Alii le Atua, a ou te lei fouvale, pe toe foi lava.

6. Na ou tuuina atu lo'u tua i lē sasa mai, ma o'u alafau i e futi le ava. Na ou le ufiufi o'u mata ai le ma ma le feanu.

7. Auā e fesoasoani mai le Alii le Atua ia te au, o le mea lea e le faamaina ai a'u. O le mea lea ua ou faia ai o'u mata ia pei o le papa alā, ou te iloa foi e le faamaina ai a'u.

8. Ua latalata mai foi le Atua, na te ta'uamiotonuina a'u. O ai sē finau ma a'u? Sei ma tutū faatasi. O ai lē tau ma a'u? Sei faalatalata mai o ia ia te au, ona ou taia lea o ia i le malosi o lo'u gutu.

9. Auā e fesoasoani mai le Alii

le Atua ia te au. O i latou uma foi o ē ta'usalaina a'u, faauta, e pala i latou uma e pei o le ofu, e 'aina foi e mogamoga.

10. O ai ea ua ia te outou ua mata'u i le Atua; ua usiusita'i i le leo o lana auauna, ua savali i le pouliuli ma ua aunoa ma le malamalama?

11. Faauta, o outou uma o ē tafu le afi, ma siosiomia outou e outou i aloiafi: Savavali ia i le malamalama o lo outou afi ma aloiafi ua outou faia. O le mea lenei tou te maua mai lo'u lima—tou te taooto i le faanoanoa.

MATAUPU 8.

O isi upu a Iakopo—Ia faatusatusa i le Isaia 51.

1. Faalogo mai ia ia te au, o outou o e tausisi atu i le amiotonu: Ina vaavaai ia i le papa na foafoaina mai ai outou, ma le gutu o le lua na elia mai ai outou.

2. Ina vaavaai ia ia Aperaamo, lo outou tamā ma Sarai, le na fanaua outou, auā na ou valaauina o ia, ma faamanuiaina o ia a o toatasi.

3. Auā e faamafanafanaina Siona e le Atua, na te faamafanafanaina ana mea faatafunaina uma lava; na te faia foi lona fanua lafulafua ia pei o Etena, o lona toafa foi ia pei o le faatoaga a le Atua. E maua ai le olioli ma le fiafia, o le faafetai ma le leo o le pese.

4. Faalogo mai ia ia te au, lo'u nuu e; o'u tagata e, uai mai ia o outou taliga ia te au. Ou te faatumauina foi la'u faamasinoga e fai ma malamalama i le nuu.

5. Ua latalata mai la'u amiotonu; ua alu atu la'u faaolataga, e faamasinoina foi le nuu e lo'u lima. E faatalitali motu i le moana ia te au, latou te faalagolago foi i lo'u lima.

6. Ina tepa ae ia outou i le lagi, ma vaai i le lalolagi i lalo, auā e mavae atu le lagi e pei o le asu, e pala foi le lalolagi e pei o le ofu; e faapea foi ona oti i latou o ē nonofo ai. A o la'u faaolataga e faavavau lea, e le aveeseina foi la'u amiotonu.

7. Faalogo mai ia ia te au, o outou ua iloa le amiotonu, o le nuu ua ou tusia ai i o latou loto la'u tulafono. Aua le fefefe i le faaluma mai o tagata, aua foi tou te fefefe i lo latou faifai mai.

8. Auā e 'aina i latou e le mogamoga e pei o le ofu, e 'aina foi i latou e ilo e pei o fulufulu mamoe. A o la'u amiotonu, e faavavau lea; o la'u faaolataga foi, e āutupulaga lea.

9. Ala mai ia! ina ala mai! Ia ofu i le malosi, o oe na le aao o le Atua, ala mai ia e pei o aso anamua. E le o oe ea le na fasia Raava? o le na manu'a ai le tarako.

10. E le o oe ea Le na pa'umatuina ai le sami, o le suasami o le moana sausau, ma ua faia mea loloto o le sami ma ala e ui ai e ua togiolaina?

11. O le mea lea e foi mai ai e ua togiolaina e le Atua, e pepese fano mai ai i Siona; e i luga foi ō latou ulu le olioli faavavau ma le faapaiaina; latou te maua foi le fiafia ma le olioli; e sosola ese le tiga ma le faanoanoa.

12. O a'u o ia, ioe, o a'u o Lē faamafanafana ia te oe. Faauta, o ai ea oe e te fefe i le tagata e oti, o le atalii foi o le tagata e faia ia tusa ma le mutia;

13. Ma ua galo ia te oe le Atua, o Le na faia oe, o Le na fofola le lagi, ma na faavaeina le lalolagi, ma ua e fefe pea i aso uma, ona o le ita o lē faasaua, e peiseai ua saunia o ia e fasioti? A o i fea ea le ita o lē faasaua?

14. Ua faavave le tagata tafea

ua fusifusia, ina ia tatalaina o ia, ina ia le oti foi o ia i le lua, pe oge o ia i mea e ai.

15. A o a'u o le Alii lou Atua, o Le na u mai ona peau, o le Atua o 'au, o lo'u igoa lea.

16. Ua ou tuuina atu foi a'u upu i lou gutu, ma ua ufitia oe i le paolo o lo'u lima, ina ia ou faatumauina le lagi ma faavaeina le lalolagi, ma fai atu i Siona: Faauta, o lo'u nuu lava oe.

17. Ala mai, ina ala mai; ina tulai mai oe, Ierusalema e, o le na inu mai le lima o le Atua le ipu o lona ita. Ua e inu i alu o le ipu e tautevateva ai, ua uma lava.

18. Ma ua leai se tasi i tama tane uma ua ia fanaua e ta'ita'i ia te ia, po o se tasi i tama tane uma ua ia tausia e tago atu i lona lima.

19. Ua o mai nei tama tane e toalua ia te oe; la te faanoanoa ona o oe, o lou faatafunaina ma lepetia, ma le oge, ma le pelu. O i laua foi ou te faamafanafanaina ai oe.

20. Ua matapogia au tama, ua toe na o i laua nei; ua taatitia i latou i mea e amata mai ai ala uma, e pei o le povi poa aivao i le upega. Ua tutumu i latou i le toasa o le Atua, o le aoaiga mai lou Atua.

21. O le mea lea ia e faalogo ai i lenei mea, o oe na le ua puapuagatia ma onā, a e le o le uaina.

22. O loo faapea ona fetalai mai lou Atua: Ua faia e le Alii, o lou Atua foi, le finauga mo lona nuu. Faauta, ua ou aveeseina ai lou lima le ipu e tautevateva ai, o alu o le ipu o lo'u ita; e te le toe inu ai lava.

23. A ou te tuu atu ai i lima o ē faatiga ia te oe; o e na fai atu i lou agaga: Ifo ia ina ia matou ui atu ai; ma ua e faataatia lou tino e pei o le eleele, e pei o le ala foi i ē savavali atu ai.

24. Ala mai ia, ina ala mai. Ia ofu i lou malosi o oe, Siona e. Ia ofu i ou ofu matagofie, o oe Ierusalema e, le aai paia; auā e le toe alu atu ia te oe le ua le peritomeina ma le ua leaga.

25. Ia e lulu oe ia te oe ai le efuefu; tulai ia, ina e ti'eti'e i lou nofoa, o oe Ierusalema; tatala ia oe ai noanoaga o lou ua, o oe na le tama fafine a Siona sa tafea.

MATAUPU 9.

O isi upu a Iakopo—O le togiola e le iu—Ua valoia puapuaga o le Faaola—A leai se tulafono e leai se faasala.

1. O lenei, o'u uso pele e, ua ou faitauina mea nei ina ia iloa e outou o feagaiga a le Atua na na faia i le aiga uma o Isaraelu.

2. Na ia fetalai atu ai i tagata Iutaia i fofoga o ana perofeta paia talu le amataga lava, i lea tupulaga ma lea tupulaga, e oo i le aso e faafoisia ai i latou i le ekalesia moni ma le lafu mamoe a le Atua, pe a faapotopotoina i latou i nuu ō latou tofi, ma ua faatuina i latou i o latou nuu uma ua folafolaina.

3. Faauta, o'u uso pele e, ua ou fai atu ia mea ia te outou ina ia outou olioli ma faaea i luga o outou ulu e faavavau, ona o manuia e foai mai e le Alii le Atua i a outou fanau.

4. Auā ua ou iloa ua outou suesue lava, o nisi o outou e toatele, ina ia iloa mea e oo mai; o lea ou te iloa ai ua iloa foi e outou e vaivai ma oti o tatou tino, a e ui lava i lea, tatou te iloa atu le Atua i o tatou tino.

5. E moni, ou te iloa ua iloa e outou na te faaalia mai o ia lava i le tino i e o i Ierusalema na o mai ai i tatou; auā e tatau ona i ai faatasi ma i latou, auā

e tatau i Lē silisiliese na faia mea uma ona tuuina atu o ia lava ina ia pule tagata ia te ia i le tino, e maliu foi o ia mo tagata uma lava, ina ia pule o ia i tagata uma lava.

6. Auā e pei ona oo le oti i tagata uma lava ina ia faataunuu le ala alofa o Le na faia mea uma, e tatau ona i ai le mana o le toe tu mai, e tatau foi ona oo le toe tu mai i tagata talu le paū, na oo mai foi le paū ona o le solitulafono; ona ua paū foi tagata ua vavaeeseina ai i latou i luma o le Atua.

7. O le mea lea e ao ai ina i ai le togiola e le iu, afai e le o i ai le togiola e le iu, ona le mafai lea le tino iuvale ona ofu i le tino ola pea. Afai e faapea, e tumau lava le faamasinoga muamua na oo mai i tagata, e leai se iuga. Afai foi e faapea, e taatia le tino nei ia pala ma liliu atu i lona tina o le eleele, e le toe tu mai.

8. E! o le poto o le Atua! E! o lona alofa mutimutivale ma alofa tunoa! Auā faauta, afai e le toe tu mai le tino, e usiusitai o tatou agaga i lena agelu, o le na paū ifo ai luma o le Atua faavavau ma ua avea ma tiapolo, e le toe tu mai.

9. E tutusa foi o tatou agaga ma ia, e avea foi i tatou ma tiapolo, o agelu foi o le tiapolo, vavaeeseina i luma o lo tatou Atua, a e tumau faatasi ma le tamā o pepelo i le malaia e tusa ma ia lava; ioe, i le na faaseseina o tatou mātua muamua, o lē liliu o ia lava ia tali tusa ma se agelu o le malamalama, ma ua faaoso le fanauga a tagata i pulega faalilolilo e fasioti tagata ma galuega faalilo uiga eseese uma o le pouliuli.

10. E! e sili naua le agalelei o lo tatou Atua, o Lē sauniuni le ala ina ia sao ai i tatou ai lima o lenei faaiteite matautia, ioe, o lena faaiteite o le oti ma seoli, ou te ta'ua ai o le oti o le tino atoa ma le oti o le agaga.

11. Ona o le ala o le laveaiina a lo tatou Atua, o Lē Paia o Isaraelu, o lenei oti ua ou fai atu ai, o le oti i la le tino lea, e avae e ua oti o i ai, o lea oti o le tuugamau lea.

12. A o le oti lena ua ou fai atu ai, o le oti i la le agaga lea, e avae e ua oti o i ai, o lea oti i la le agaga o seoli lea, o lea e avae ai e le oti ma seoli e ua oti o i ai; e avae e seoli o agaga ua faatagataotauaina o i ai, e avae foi e le tuugamau o tino ua faatagataotauaina o i ai, ona toe faatasi ai lea o agaga ma tino o le tasi i le tasi, e faia i le mana o le toe tu mai o Lē Paia o Isaraelu.

13. E! ua sili naua le ala o lo tatou Atua! Auā o i le isi itu le parataiso o le Atua e avae agaga o ē amiotonu, e avae foi e le tuugamau tino o ē amiotonu, ona toe faatasi ai lea le agaga ma le tino, e avea foi tagata uma ma tagata ola pea ma le le oti, o tagata ola pea i latou, ina ua ia te i latou le malamalama atoatoa e tusa ma i tatou i le tino, a e peitai, e atoatoa ona lelei lo tatou malamalama.

14. O lea tatou te maua ai le malamalama atoatoa i a tatou agasala ma lo tatou eleelea, ma lo tatou le lavalavā, e maua ai foi e i latou ua amiotonu le malamalama atoatoa i lo latou olioli ma la latou amiotonu ina ua ofu i le legavia, a moni, o le ofu o le amiotonu lava.

15. E oo foi pe a uma ona mavae atu tagata uma ai lenei muai oti i le ola, e iu ina le toe oti i latou, e ao ina latou tutū i luma o le nofoa faamasino o Lē Paia

o Isaraelu, ona oo mai ai lea le faamasinoga, ona faamasinoina ai lea i latou i le faamasinoga paia a le Atua.

16. E moni lava, o soifua le Atua, ua fetalai mai ai le Alii le Atua, o lana afioga e faavavau ia, e le mavae atu; o ē amiotonu e amiotonu pea i latou, o ē eleelea e eleelea pea i latou, o lenei, o ē eleelea o le tiapolo ma ana agelu ia; latou te o ese i le afi faavavau ua saunia mo i latou, e tusa foi o latou tiga ma le lepa afi ma le teiō, e alu ae pea lona mumū e faavavau, faavavau lava ma ua leai sona iuga.

17. E! o le silisiliese ma le amiotonu a lo tatou Atua. Auā na te faia ana fetalaiga uma ma ua alu atu ai i lona fofoga e ao ina faataunuu foi lana tulafono.

18. A e faauta, o ē amiotonu, o le au paia lea a Lē Paia o Isaraelu, o i latou o e ua talitonu i Lē Paia o Isaraelu, o e ua onosai foi i tauemuga a le lalolagi, ma ua ʻinoʻino i lona māsiasi, e fai mo latou tofi le malo o le Atua, ua saunia mo i latou talu le faavaeina o le lalolagi, e atoatoa foi lo latou olioli e faavavau.

19. E! o le silisiliese o le alofa o lo tato uAtua, o Lē Paia o Isoraelu! Auā na te laveai ona tagata paia ai lena faaiteite matautia, o le tiapolo lea ma le oti ma seoli ma lena lepa afi ma le teiō, o le tiga lea e le iu lava.

20. E! o le silisiliese o le paia o lo tatou Atua! Auā ua silafia e ia mea uma, ua leai se mea ua le silafia e ia.

21. E afio mai foi o ia i le lalolagi ina ia faaolaina e ia tagata uma, pe afai latou te faalogo atu i lona siufofoga, auā faauta, e onosai o ia i tiga o tagata uma, e moni, o tiga o tagata ola uma, o tane ma fafine, atoa ma le fanau i le aiga o Atamu.

22. Ua onosai o ia i nei mea uma ina ia oo le toe tu mai i tagata uma lava, ina ia latou tutū mai i ona luma i le aso tele ma le faamasinoga.

23. Ua ia poloai mai foi i tagata uma, e ao ina latou salamo ma ia papatisoina i lona suafa, ia atoatoa lo latou faatuatua i Lē Paia o Isaraelu, a leai e le mafai ona faaolaina i latou i le malo o le Atua.

24. Afai foi latou te le salamo ma faatuatua i lona suafa ma papatisoina i lona suafa ma tumau e oo i le iuga, e faasalaina i latou, auā ua fetalai mai ai le Alii le Atua, o Lē Paia o Isaraelu.

25. O le mea lea ua ia aumai ai le tulafono, a leai se tulafono e leai se faasala, a leai se faasala e leai se taʻusalaina, a leai se taʻusalaina e pule i ai le alofa o Lē Paia o Isaraelu talu le Togiola, auā ua laveaiina i latou i lona mana.

26. Auā o le togisala ua mālie ai poloaiga a lana faamasinoga ia te i latou uma ua le avatu i ai le tulafono, ma ua laveaiina i latou ai lena faaiteite matautia, o le oti, ma seoli, ma le tiapolo, atoa ma le lepa afi ma le teiō, o le tiga e le gata lea a ua faafoisia mai i latou i le Atua, o Le na tuuina mai le mānava, o Lē Paia o Isaraelu lea.

27. A e peitai, oi talofa i le ua foaiina i ai le tulafono, ioe, o le ua maua poloaiga uma a le Atua, e pei o i tatou, ma ua solia ai, ma ua faamaumau aso o lona olaga faataʻitaʻi, auā e malaia lava ia.

28. E! o le togafiti poto a le ua leaga! E! o le faamaualuga, ma le vaivai, ma le valea o tagata! Pe a aʻoaʻoina i latou ua latou faapea ua popoto i latou, ua latou le faalogologo i le faatonuga a le Atua, auā ua latou tuu ese ai, ua manatu i latou ua iloa e i

latou lava. O lenei, ua valea lo latou poto, ua le aoga ai ia te i latou. E malaia foi i latou.

29. A e peitai, e lelei ona ia a'oa'oina afai latou te faalogologo i faatonuga a le Atua.

30. A e peitai, oi talofa i ē mauoa, o ē mauoa i mea a le lalolagi. Auā ina ua mauoa i latou ua latou 'ino'ino i ē matitiva, ua saua foi i latou i e agamalu, o i o latou oa o latou loto, o lea ua fai ai o latou oa ma atua ia te i latou. Faauta foi, e fano o latou oa faatasi ma i latou.

31. Oi talofa foi i ē tutuli, o ē le fia lagona, auā e malaia i latou.

32. Oi talofa i ē tauaso, o ē le fia iloa, auā e malaia foi i latou.

33. Oi talofa i ē le peritomeina i le loto, auā e faatigaina i latou i le aso gataaga i le iloa lelei o a latou amioletonu.

34. Talofa i lē pepelo, auā e lafoina o ia i seoli.

35. Talofa i lē fasioti tagata, o lē fasioti ma le manatu i ai, auā e oti foi o ia.

36. Oi talofa ia te i latou o ē faitaaga, auā e lafoina i latou i seoli.

37. Ioe, oi talofa i ē ifo i tupua, auā e fiafia lava le tiapolo o tiapolo uma ia te i latou.

38. E moni, oi talofa ia te i latou uma o ē oti i a latou agasala. auā e toe foi atu i latou i le Atua, ma vaai i ona fofoga, a e tumau pea i a latou agasala.

39. E! o'u uso pele e, ia outou manatua le matautia o le solitulafono i le Atua paia; ia manatua foi le matautia o le gauai i mailei a lē pepelo. Ia outou manatua o le loto i la le tino, o le oti lea; a o le loto i la le agaga o le ola faavavau lea.

40. E! o'u uso pele, ina uai mai ia o outou taliga i a'u upu. Ia outou manatua le silisiliese o Lē Paia o Isaraelu. Auā le faapea mai, ua ou fai atu mea faigata ia te outou, auā afai tou te faapea, ona outou ta'uleagaina ai lea le upu moni, auā foi, ua ou fai atu le afioga a Le na faia outou. Ou te iloa e faigata le upu moni ia te i latou uma o e ua leaga, a e le mata'u i ai o ē amiotonu, auā ua alofa i latou i le upu moni, ma ua le faagaeetia.

41. O lenei, o'u uso pele e, ina o mai ia i le Atua, o Lē Paia. Ia manatua e tonu ona ala. Faauta, e vaapiapi le ala mo tagata, a e peitai, e ai ma le sa'o i ona luma; o le leoleo o le faitotoa o Lē Paia o Isaraelu lea, na te le tofia ai se auauna, e leai foi se isi ala, na o le faitotoa, auā e le mafai ona olegia o ia, auā foi, o lona suafa o le Alii le Atua lea.

42. Ai sē tu'itu'i atu foi e toina ia te ia, a o ē popoto, ma ē a'oa'oina, atoa ma ē mauoa ua faafefeteina ona o lo latou a'oa'oina, ma lo latou poto, ma lo latou tamaoaiga. E moni, o i latou na e 'ino'ino i ai o ia. Afai foi latou te le tuulafoai ia mea, ma manatu o vale i latou i luma o le Atua, ma ifo toele i le faamaulalo, na te le toina ia te i latou.

43. A o mea a ē mafaufau ma ē faautauta, e natia ia te i latou e faavavau; ioe, o lena olioli ua saunia mo le au paia.

44. E! o'u uso pele e, ia manatua a'u upu. Faauta, ou te toese o'u ofu ma ou lulu ai i o outou luma; ou te tatalo atu i le Atua o lo'u olataga, na te silasila mai ia te au i ona fofoga e silafia mea uma, o le mea lea e iloa ai e outou i le aso gataaga pe a faamasinoina tagata uma i a latou galuega, na silafia mai le Atua o Isaraelu, na ou lulu ese a outou amioletonu ai lo'u agaga ma ua ou tu ma le pupula i ona luma, ua mamā foi a'u i lo outou toto.

45. E! o'u uso pele e, ina liliu ese ia nai a outou agasala, ia lulu ese filifili o le na fusimauina outou, ina o mai ia i le Atua, o le Papa o lo outou olataga.

46. Ina sauniuni ia o outou agaga i lena aso mamalu, pe a foaiina mai le faamasinoga tonu i ē amiotonu, o le aso lava lea o le faamasinoga, ina ia le nē outou ma le matautuia, ina ia le manatua foi e outou le atoatoa o a outou agasala leaga, ma ia uunaia e alalaga atu: Le Alii e, Le Atua e ona le malosi uma, e paia, e paia lava au faamasinoga. Ua ou iloa a'u agasala, na ou solia lau tulafono. O o'u solitulafono o o'u lava; ua maua mai a'u e le tiapolo, o a'u o le vete i lona malaia matautia.

47. Faauta foi, o'u uso e, pe tatau ia te au ona ou fafagu ia te outou i le iloa lelei o le matautia o nei mea? Ana mamā o outou manatu po ua ou faatiga ea o outou agaga? Ana tete'a outou ma le agasala po ua ou ta'utino atu ea ia te outou e tusa ma le malamalama o le upu moni?

48. Faauta, ana paia outou po ua ou tautala atu ia te outou i mea paia, a e peitai, ona ua le paia outou ma ua outou vaavaai mai ia te au faapei o le a'oa'o, ua tatau ai ona ou a'oa'o atu ia te outou i mea e oo mai ona o le agasala.

49. Faauta, ua 'ino'ino lo'u agaga i le agasala, a ua olioli lava lo'u loto i le amiotonu, ou te vivii atu foi i le suafa paia o lo'u Atua.

50. O mai ia, o'u uso e, o outou uma o ē fia inu, o mai ia i le vai, o outou ua leai ni tupe, o mai ia, ina faatau ma aai, e moni, o mai ia ma faatau le uaina ma le suasusu, a e leai se tupe, e leai foi se tau.

51. Se a le mea tou te avatu ai tupe i le mea e leai sona aoga, ma la outou galuega i mea e le maoona ai. Sei matua faalogologo mai ia ia te au, ma ia manatua upu na ou fai atu ai. Ina o mai ia i Lē Paia o Isaraelu, ma ia outou aai i le mea e le pala, e le mafai foi ona faapalaina, sei fiafia foi o outou agaga i mea lololo.

52. Faauta, o'u uso pele e, ia outou manatua fetalaiga a lo outou Atua. Ia outou tatalo pea ia te ia i le ao, ma ia avae le faamanu ia te ia i le po. Ia olioli o outou loto.

53. Faauta foi, e silisili lava feagaiga a le Atua, e silisili lava lona faamaulalo i le fanauga a tagata. Ona o lona silisiliese foi ma lona alofa tunoa ma alofa mutimutivale ua ia fetalai mai ia te i tatou, e le matua faaumatia a tatou fanau uma i la le tino, a e faasaoina i latou e ia, e avea i latou ma lālā amiotonu i le aiga o Isaraelu i tupulaga atalī.

54. O lenei foi, o'u uso e, ou te fia fai atu nisi upu ia te outou, a o le aso a taeao ou te faailoa atu ai ia te outou o a'u upu o totoe. Amene.

MATAUPU 10.

O isi upu a Iakopo—O le afio mai o Keriso—E leai ni tupu i le nuu o le folafolaga—E fano i latou o ē faasaga tau i Siona.

1. O lenei foi, o a'u o Iakopo, ou te toe tautala atu ia te outou, o'u uso pele e, e uiga i lenei lālā amiotonu na ou tautala atu ai.

2. Auā faauta, o folafolaga ua tatou maua, o folafolaga ia ia te i tatou i la le tino. O lenei, ona ua faaalia mai ia te au e fano le tino nisi e toatele o a tatou fanau ona o lē le talitonu, a e ui i lea, e finagalo alofa le Atua

i nisi e toatele, e faafoisia a tatou fanau ina ia latou o mai i le mea e avatu ia te i latou le malamalama moni o lo latou Togiola.

3. O lenei, e pei ona ou fai atu ia te outou, e tatau ia Keriso (auā o le po ana po na fetalai mai le agelu ia te au o lona suafa lena) ona afio mai i tagata Iutaia, ia te i latou o le vaega aupito amioleaga o le lalolagi, latou te faasatauro foi ia te ia. Auā e faapea ona tatau i lo tatou Atua; e leai foi se isi nuu i le lalolagi e faasatauro lo latou Atua.

4. Auā afai e faia vavega tetele i nisi nuu, latou te salamo, e iloa foi e i latou o ia o lo latou Atua.

5. A e peitai, ona o faitaulaga pepelo, ma le amioletonu a i latou o e o i Ierusalema, e faamālolo e i latou o latou ua ia te ia ia faasatauroina ai o ia.

6. O le mea lea e oo mai ai ia te i latou o mala, ma oge, ma faamai, ma le faamaligiina o le toto ona o a latou amioletonu, a o ē le faaumatia, e faasalalauina i latou i atunuu uma.

7. A e peitai, faauta, o loo faapea ona fetalai mai le Alii le Atua: Pe a oo mai le aso latou te talitonu mai ai ia te au, o a'u o le Keriso, ua ou faia le feagaiga ma o latou tamā e faafoisia mai ai i latou i le tino, i le fogaeleele o nuu ō latou tofi.

8. E oo ina faapotopotoina i latou mai lo latou faataapeapeina loaloa, mai motu i le moana, mai itu e fa foi o le lalolagi, e sili foi atunuu o nuu ese i la'u vaai, o loo fetalai mai ai le Atua, i le aveina atu i nuu ō latou tofi.

9. E moni, e fai tupu o nuu ese ma tausi tama ia te i latou, e fai foi o latou masiofo ma failele, o lea e sili ai folafolaga a le Atua i nuu ese, auā ua ia fetalai mai ai, o ai foi sē finau atu ai?

10. A e peitai, faauta, o loo fetalai mai le Atua, o lenei nuu e fai ma nuu o lo outou tofi, e faamanuiaina foi nuu ese i lenei laueleele.

11. O lenei nuu foi e fai ma nuu o le saolotoga o nuu ese, e leai foi ni tupu i le nuu e tulai mai i nuu ese.

12. Ou te fai foi olo i lenei nuu e tetee atu i atunuu ese uma lava.

13. O loo fetalai mai foi le Atua, ua faapea mai: O sē tau ma Siona e faaumatia o ia.

14. Auā o lē faatu se tupu e tetee ia te au, e fano o ia, auā e fai a'u, o le Atua, le Tupu o le lagi, mo latou tupu, e fai foi a'u ma malamalama e faavavau ia te i latou o ē faalogologo i a'u upu.

15. O lenei, ona o lenei mea, ina ia faataunuuina a'u feagaiga ua ou faia ma le fanauga a tagata, ou te faia ia te i latou a o i le tino i latou, e tatau ona a'u faaumatia galuega faalilolilo o le pouliuli, ma le fasioti tagata, ma mea inosia.

16. O le mea lea e fano ai lē tau ma Siona, o Iutaia atoa ma nuu ese, o pologa atoa ma ē saoloto, o tane atoa ma fafine, auā o i latou ia le fafine talitane o le lalolagi uma, auā o i latou o ē le au ia te au e au ese ia te au, o loo fetalai mai ai le Atua.

17. Auā ou te faataunuuina a'u folafolaga ua ou faia i le fanauga a tagata, ou te faataunuuina ai ia te i latou a o i le tino i latou.

18. O le mea lea, o'u uso pele e, o loo faapea ona fetalai mai ai le Atua: Ou te faatigaina au fanau i le lima o nuu ese, a e ui i lea, ou te faamāluluina loto o nuu ese, ia tusa i latou ma se tamā ia te i latou, o le mea lea e manuia ai nuu ese, ma faitauina ai faatasi ma le aiga o Isaraelu.

19. O le mea lea ou te faasainia ai lenei nuu i au fanau atoa ma i latou e faitauina faatasi ma au

fanau e faavavau, e fai ma nuu ō latou tofi, auā o le nuu ua filifilia, o loo fetalai mai ai le Atua ia te au, e sili i nuu ese uma lava, o le mea lea ou te loto ai ina ia tapuai mai ia te au tagata uma o ē nonofo i ai, o loo fetalai mai ai le Atua.

20. O lenei foi, o'u uso pele e, ina ua foaiina mai e lo tatou Atua finagalo alofa, le malamalama e faapea ona tele e uiga i nei mea, ia tatou manatua o ia ma tuu ese a tatou agasala, a e le punonou o tatou ulu, auā ua le tuulafoaiina i tatou, a e ui i lea, ua tulia i tatou nai le nuu ō tatou tofi, a e peitai, ua ta'ita'iina i tatou i le isi nuu e sili, auā ua faia e le Atua le sami mo tatou ala, ma ua i ai i tatou i le motu i le moana.

21. A e peitai, ua sili folafolaga a le Atua i e o i ai i motu i le moana, o lenei, ua faapea le upu, motu, o le mea lea e tatau ai ona i ai nisi motu a e le na o lenei, ua aigā ai foi e o tatou uso.

22. Auā faauta, ua ta'ita'ieseina nisi e le Alii le Atua ai le aiga o Isaraelu i lea tausaga ma lea tausaga, e tusa ma lona finagalo ma lana filifiliga. O lenei foi, e manatua e le Atua i latou uma o e ua mafa'ieseina, o lea e manatua ai i tatou e ia.

23. O lenei, ia outou lototetele, ma ia manatua ua tuusaoloto lava outou, ina ia filifili e outou le ala o le oti faavavau, po o le ala o le ola faavavau.

24. O lenei foi, o'u uso pele e, ina faalelei ia outou ma le finagalo o le Atua, a e le o le loto o le tiapolo ma le tino, ma ia manatua, pe a lelei outou ma le Atua, ua na o le alofa tunoa o le Atua e faaolaina ai outou.

25. O lenei, sei faatuina e le Atua o outou nai le oti i le mana o le toe tu mai, nai le oti faavavau foi i le mana o le togiola, ina ia talia outou i le malo faavavau o le Atua, ina ia outou vivii atu ia te ia i le alofa tunoa faale Atua. Amene.

MATAUPU 11.

O isi upu a Iakopo—O molimau i le afioga a le Atua—O faatusa o le Togiola.

1. O lenei foi, ua fai atu e Iakopo nisi mea e tele i lo'u nuu i na ona aso, a e ui i lea, ua na o nei mea ua ou tusia, auā ua lava ia te au mea ua ou tusia.

2. O lenei foi, o a'u o Nifae, ou te tusia nisi upu a Isaia, auā e olioli lo'u agaga i ana upu. Auā foi, ou te faatusaina ana upu i lo'u nuu, ou te auina atu ai foi i a'u fanau uma, auā e moni, ua na iloa lo'u Togiola, e pei ona ou iloa o ia.

3. Ua iloa foi o ia e lo'u uso o Iakopo, o lea ou te auina atu ai a laua upu i a'u fanau e faamaoni ia te i latou ua moni a'u upu. O lenei foi, ua fetalai mai le Atua: Ou te faamautu a'u upu i le mau a le toatolu. E ui lava i lea, e aauina atu e le Atua nisi molimau, na te faamaonia foi ana fetalaiga uma.

4. Faauta, e olioli lo'u agaga e faamaoni i lo'u nuu le upu moni i le afio mai o le Keriso, auā o le mea lenei ua tuuina mai ai le tulafono a Mose, o mea uma ua foaiina mai e le Atua i tagata talu le amataga o le lalolagi, ua faatusaina ai o ia.

5. E olioli foi lo'u agaga i feagaiga a le Atua na ia faia ma o tatou tamā, ioe, e olioli lo'u agaga i lona alofa tunoa, ma lana amiotonu, mo lona mana, ma alofa i le ala sili ma le faavavau o le laveaiina nai le oti.

6. E olioli foi lo'u agaga i le faamaoni atu i lo'u nuu, afai e le

afio mai Keriso, e fano tagata uma.

7. Auā, afai e leai se Keriso, e leai foi se Atua; afai foi e leai se Atua, ua leai i tatou, auā e le mafai ona i ai se foafoaga o le lalolagi. A e peitai, e i ai le Atua, o ia o Keriso, e afio mai foi o ia i le atoatoa o ona lava aso.

8. O lenei foi, ou te tusia upu a Isaia, ina ia faaea e i latou uma o lo'u nuu o ē iloa nei upu ō latou loto ma olioli ona o tagata uma. O upu nei, e mafai foi ona outou faatatau ai ia te outou atoa ma tagata uma.

MATAUPU 12.

O valoaga ua tusia i papatusi apamemea—Ia faatusatusa i le Isaia 2.

1. O le upu na iloa e Isaia, le atalii o Amosa, ia Iuta ma Ierusalema.

2. E oo foi i aso e gata ai, pe a faatumauina le mauga o le fale o le Atua i tumutumu o atu mauga, ma faamaualugaina e sili i mauga, ona gasolo ane ai lea o nuu uma i ai.

3. E o atu foi tagata e toatele ma fai atu: O mai ia outou, sei tatou o ae i le mauga o le Atua, i le fale o le Atua o Iakopo; e a'oa'o mai foi o ia ia te i tatou i ona ala, tatou te savavali foi i ona ala; auā e alu atu le tulafono ai Siona, o le afioga foi a le Atua ai Ierusalema.

4. E faamasino foi o ia i nuu, ma a'oa'i atu i nuu e tele, ona latou tu'i ai lea i a latou pelu e fai ma uamea a suotosina, ma a latou tao e fai ma polo e teu a'i vine. E le sii atu le pelu e le tasi nuu i le tasi nuu, latou te le toe a'oa'o foi i le taua.

5. E! le aiga o Iakopo e, o mai ia, sei tatou savavali i le malamalama mai le Atua; ioe, o mai ia auā ua sē outou uma, taitasi i ona ala leaga.

6. O le mea lea, le Atua e, ua e tuulafoaiina ai lou nuu, le aiga o Iakopo, auā ua faamalosia i latou mai sasae, ma ua faalogo i ē iite i ao o le lagi e pei o Filisitia, ma ua latou faafiafia ia te i latou lava i le fanau a nuu ese.

7. Ua tumu foi lo latou nuu i le ario ma le auro, e le masino foi o latou oloa; ua tumu foi lo latou nuu i solofanua, e le masino foi o latou kariota.

8. Ua tumu foi lo latou nuu i tupua; ua latou ifo i le galuega a o latou lava lima, o le mea na faia i o latou lava tamatamai lima.

9. Ua le ifo foi le tagatānuu, ma ua le faamaulalo le alii, o le mea lea, aua e te faamagaloina ai o ia.

10. E! outou ua amioleaga, alu ia i totonu o le papa, ma ia e lafi i le efuefu; auā e taia oe i le mata'u mai le Atua, ma le mamalu o lona silisiliese.

11. E oo foi ina faamaulaloina le mata faasiasia o tagata, e faamaulaloina le faamaualuga o tagata, a e na o le Atua e faaeaina i lea aso.

12. Auā e le pine ona oo atu le aso o le Atua o au i nuu uma, ioe, i tagata uma, ioe, ia te i latou uma ua faasiasia ma faamaualuluga, ma i latou uma ua faafefeteina, e faamaulaloina foi o ia.

13. Ioe, e oo atu foi le aso o le Atua i arasi uma o Lepanona, auā ua uumi ma maualuluga, e oo foi i aluna uma o Vasana.

14. E oo foi i mauga maualuluga uma, atoa ma mauga uma; e oo foi i atunuu uma ua faafefeteina; e oo foi i nuu uma lava.

15. E oo foi i olo maualuluga uma, e oo foi i pa uma ua puipuia.

16. E oo foi i vaa uma o le sami, atoa ma vaa uma o Tasesa, ma mea matagofie uma.

17. E faamaulaloina foi le faasiasia o tagata, e faamaulaloina foi le faamaualuga o tagata, a e na o le Atua e faaeaina i lea aso.

18. Na te matua faaumatia foi tupua.

19. Latou te ulu atu foi i ana o papa, ma lua o le eleele, auā e oo atu le mata'u mai le Atua ia te i latou; e taia foi i latou i lona mamalu silisiliese. Pe a tulai o ia e luluina tele lava le laueleele.

20. O lea aso e lafoai atu ai e le tagata ana tupua ario ma ana tupua auro ua ia faia mo ia i afora ma pe'a.

21. Ina ia o atu i mavaevae o papa ma luga o papa vanuvanu, auā e oo atu le matautia o le Atua ia te i latou, e taia foi latou i le silisiliese o lona mamalu; pe a tulai o ia e matua lulina le lalolagi.

22. Soia tou te faatuatua i tagata, o i ai lana mānava i ona pogaiisu, auā se a se mea e manatua ai o ia.

MATAUPU 13.

O isi tusitusiga paia mai papatusia apamemea—Ia faatusatusa i le Isaia 3.

1. Auā faauta, e aveeseina i Ierusalema ma Iuta e le Alii, le Atua o au, o lea lagolago ma lea lagolago, o le lagolago areto uma ma le lagolago vai uma.

2. O le tagata malosi ma le tagata tau, o le faamasino ma le perofeta, o le ua mafaufau ma le ua toeaina.

3. O le ta'ita'i o le toalimasefulu, ma le tagata mamalu, ma le faipule, ma le tufuga atamai, ma le failauga poto.

4. Ou te tuuina atu tamaiti e fai mo latou alii, e pule foi tama meamea ia te i latou.

5. E faasauaina foi le nuu, o le tasi e le tasi; o le tagata foi e le la te tuaoi; e faasiasia le tamaitiiti, o le tagata leaga foi i le ua mamalu.

6. Pe a tago atu le tagata i lona uso o le aiga o lona tamā ma faapea atu: O loo ia te oe ofu, ina fai ia oe ma matou pule; aua le oo mai foi lenei mala a o pule oe.

7. O lea aso e tauto ai o ia, ma faapea atu: E le fai a'u ma fofo; auā e le o i ai i lo'u fale o mea e ai, po o ofu; aua ne'i faia a'u ma pule i lenei nuu.

8. Auā ua malaia Ierusalema, ma ua paū Iuta; auā ō latou laulaufaiva ma a latou amio ua oo atu i le Atua e faa'ono'ono ai i luma o lana afio.

9. O le amio a o latou mata ua molia ai i latou, ma ua faaali mai a latou agasala e pei o Sotoma, ua le mafai foi ona latou ufiufi ai. Oi talofa i o latou agaga, auā ua latou tauia le leaga ia i latou lava.

10. Fai atu i ē amiotonu, e manuia i latou; auā latou te aai le fua o a latou galuega.

11. Oi talofa i ē amioleaga! auā e fano i latou, auā e ia te i latou le taui ō latou lima.

12. A o lo'u nuu, o e na saua ia te i latou o tamaiti ia, ua pule foi fafine ia te i latou. E! lo'u nuu e, ua faaseseina oe e i latou o ē ta'ita'i ia te oe, ma ua latou faaumatia le mea e ui ai ou ala.

13. Ua tulai le Atua e fautua, ma ua tu e faamasino i le nuu.

14. E afio mai le Atua e faa-

masino i toeaina o lona nuu, atoa ma ona alii; auā ua outou ‘aina le tovine, ma le vete mai ē matitiva i o outou fale.

15. O le a lo outou faamoemoe, ua outou tuimomomo ai lo‘u nuu ma olo ai mata o ē matitiva? o loo faapea mai ai le Alii le Atua o au.

16. I le ma lenei, ua fetalai mai le Atua: Ona ua faamaualuga tama fafine a Siona, ma ua savavali ma o latou ūa ua falo, ma ua faamatāitu, o savavali faateine pe a latou feoai, ma ua faatagitagi tauvae i o latou vae.

17. O le mea lea e faatulaina ai e le Atua tumuai o ulu o tama fafine a Siona, e faalia foi e le Atua o latou tino uma.

18. O lea aso foi e aveeseina e le Atua le matagofie ō latou tauvae tagitagi, o teuga faaupega foi, ma mea e asoa ai,

19. O filifili, ma taulima, ma ie ufimata,

20. O pulou, ma tauvae, ma fusi ulu, ma mea e sogi ai, atoa ma tautautaliga,

21. O mama, atoa ma mama i isu,

22. O ofu matagofie, ma ofu tetele, o ie pulupulu foi, ma pine e vi‘o a‘i le lauulu,

23. O tioata, ma ofu lino lelei, ma pulou, atoa ma ufimata.

24. E i ai foi le elo e sui a‘i le manogi lelei; o le masae foi e sui a‘i le fusi; o le ulu tula foi e sui a‘i le lauulu ua fili lelei; o le lavalava talatala e sui a‘i le ofu matagofie, o le mu foi e sui a‘i le lalelei.

25. E oti ou tagata i le pelu, e oti foi ou tagata malolosi i le taua.

26. E tagiaue foi ma faanoanoa ona faitotoa; e faagaogaoina foi o ia ma nofo i le eleele.

MATAUPU 14.

O isi tusitusiga paia mai papatusi apamemea—Ia faatusatusa i le Isaia 4.

1. O lea aso foi e taofi atu ai e fafine e toafitu le tane e toatasi, ma faapea atu: Matou te aai i a matou lava mea e ai, matou te oofu foi i o matou lava ofu, a e tau ina igoa i matou i lou igoa e aveeseina ai o matou luma.

2. O lea aso e matagofie ma viia le la laau a le Atua; e lelei ma matagofie le fua o le laueleele i e ua sao i Isaraelu.

3. E oo foi ina ta‘ufaasaoina e ua tuua i Siona ma e ua totoe i Ierusalema, o i latou uma ua tusia faatasi ma e o ola i Ierusalema.

Pe a uma ona fufulu ese e le Atua le otaota o tama fafine a Siona, pe a uma foi ona mulumuluina le toto o Ierusalema ai totonu ia te ia i le agaga o le faamasinoga ma le agaga o le faamuina.

5. E faia foi e le Atua i luga o mea uma e nonofo ai i le mauga o Siona, i luga foi o ana mea e potopoto ai, o le ao ma le asu i le ao, ma le pupula o le afi mumu i le po; auā e i ai le mea e mamalu ai i luga o le matagofie uma o Siona.

6. E i ai foi le fale apitaga e fai ma paolo ai le vevela i le ao, e fai foi ma mea e malu ai, ma mea e ulu ai i le afā ma le uaga.

MATAUPU 15.

O isi tusitusiga paia mai papatusi apamemea—Ia faatusatusa i le Isaia 5.

1. Ona ou pese atu ai lea i la‘u pele o le pese a la‘u pele e uiga i lona tovine. Ua i la‘u pele le tovine i le mauga lafulemu lava;

2. Na ia puipui ai ma aoao

maa na i ai; na ia totō ai foi le vine ua sili; na ia faia foi le olo i ona totonu, ma na fai ai le tuugauaina; ma ua faatalitali o ia ina ia fua mai ai ni vine, ma ua fua mai ai vine vao.

3. O lenei, o outou o ē nonofo i Ierusalema, ma tagata o Iuta, Ina faamasino mai ia te au ma lo'u tovine.

4. Se a ea se toe mea e faia i lo'u tovine ou te lei faia? Se a foi le mea ua fua mai ai i vine vao, ina ua ou faatalitali ina ia fua mai ai i vine lelei?

5. O lenei foi, ina o atu ia, ou te faailoa atu ia te outou le mea ou te faia i lo'u tovine. Ou te aveeseina lona puipui, ona 'aina lava lea. Ou te soloia foi lona pa, ona solia lava lea.

6. Ou te faatafunaina lava ia; e le teuteua pe elia; a e tutupu ae laau tuitui ma laau talatala. Ou te fai atu foi i ao, aua ne'i totō i ai ni ua.

7. Auā o le tovine o le Atua o au, o le aiga o Isaraelu lea, o tagata foi o Iuta, o lona laau lea na ia fiafia ai. Na ia faatalitali i le faamasinoga, a e faauta, o le faasaua; na ia faatalitali i le amiotonu, a e faauta, o le uio.

8. Oi talofa i ē faasosoo lea fale i lea fale ina seia le toe ai se mea, ina ia tuua na'o i latou i le lalolagi.

9. Na fetalai mai e le Atua o au i o'u taliga: E moni, e faatafunaina fale e tele, o aai tetele foi ma le matagofie, e leai sē nofo ai.

10. Auā e sefulu eka e fua mai ai le paita e tasi, o le somera foi o saito e fua mai ai le efa.

11. Oi talofa i ē alausu ina ia latou saili 'ava, ma ua nonofo pea e oo i le po, ma ua faavalemalosi ai i latou i le uaina.

12. O i o latou tausamiga foi le Kitara ma le napeli, ma le topa, ma le fagufagu foi ma le uaina, a ua latou le mafaufau i le galuega a le Atua, pe vāai i le galuega a ona aao.

13. O le mea lea ua avea ai lo'u nuu faatagataotaua, ona ua leai se malamalama ia te i latou; ua otilaina foi o latou alii mamalu, ma ua lailoa le toatele o i latou i le fia inu.

14. O le mea lea ua faalauteleina ai seoli e ia lava, ma ua faamaga tele lava lona gutu; e o ifo i ai foi lo latou mamalu, ma le toatele o i latou, o le ua mitamita, atoa ma le ua olioli.

15. E lafotuina le tagatānuu, e faamaulaloina foi le alii mamalu, e faamaulaloina foi mata o e faamaualuluga;

16. A e viia le Atua o au i le faamasinoga, e ta'upaiaina le Atua paia i le amiotonu.

17. Ona aai faasaoloto ai lea tamai mamoe, e 'aina foi mea gaogao a ē pepeti e tagata ese.

18. Oi talofa i ē toso le amioletonu i maea o le pepelo, o le agasala foi e peiseai i le maea o se taavale;

19. O ē faapea mai: Ia faataalise o ia, ia faavave lana galuega ina ia matou iloa ai; ia faalatalata mai le pule a Lē Paia o Isaraelu ma ia oo mai ina ia matou iloa ai.

20. Oi talofa i ē ta'uleleia le leaga, a e ta'uleaga le lelei, o ē fai ma malamalama le pouliuli, a e fai ma pouliuli le malamalama; o ē fai ma mea suamalie le mea oona, a e fai ma mea oona le mea suamalie!

21. Oi talofa i ē popoto i o latou lava manatu, ma e ua fai ma tagata mafaufau i o latou lava taofi!

22. Oi talofa i ē malolosi i inu uaina, atoa ma tagata malolosi e palu le ava malosi;

23. O ē ta'uamiotonuina ona o

le taui le ua amioleaga, a e aveeseina le amiotonu ai le ua amiotonu!

24. O lenei, e pei ona ‘aina tagutugutu o saito i le afi, e pei foi ona faaumatia aputi saito i le mumu o le afi, e faapea lava ona avea ma mea pala lo latou aa, e pusa ae foi o latou fuga e pei o le efuefu; auā ua latou lafoaiina le tulafono a le Atua o au, ma ua ‘ino‘ino i le afioga a Lē Paia o Isaraelu.

25. O le mea lea ua faateleina ai le toasa o le Atua i lona nuu, ma ua ia faaloaloa atu ai lona aao i luga ia te i latou, ma ua taia i latou; ma ua gatete ai mauga, ma ua saeia o latou tino oti i moa o ala. E ui lava i na mea uma, e lei liliu ese lona toasa, a ua faaloaloa atu pea lona aao.

26. E sii i luga foi e ia le tagavai i nuu ese o mamao, ma mapumapu atu ia te i latou ai tuluiga o le lalolagi; faauta foi, latou te faataalise ona vave mai; e leai so latou e vaivai pe tautevateva.

27. E leai so latou e tautulemoe pe moe; e le tatalaina foi fusi ō latou sulugatiti, pe motusia le nonoa ō latou seevae;

28. E maamaai a latou u fanafana, e malo‘u foi a latou aufana uma, e faatusaina atigivae o a latou solofanua i le alā, e tusa foi vae ō latou taavale i le asiosio, ma lo latou tagi e pei o se leona.

29. Latou te tagi e pei o leona taanoa; ioe, latou te tagi ma pupue manu, ma ave ese ai lava, a e leai se laveai.

30. O lea aso foi latou te u ai ia te i latou e pei o le u o le sami; afai latou te vāai i le laueleele, faauta, o le pogisa ma le faanoanoa, ma ua faapouliuligia le malamalama i lona lagi.

MATAUPU 16.

O isi tusitusiga paia mai papatusi apamemea—Ia faatusatusa i le Isaia 6.

1. O le tausaga na oti ai le tupu o Usia, na ou iloa ai le Atua o afio i le nofoālii silisili ma le maualuga, na tumu foi le malumalu i e na auauna ia te ia.

2. Sa tutū serafi i ona luga, ua tofu ma apaau e ono; e lua na ia ufitia ai ona mata, o le lua foi na ia ufitia ai ona vae, o le lua foi na ia lele a‘i.

3. Na valaau foi le tasi i le tasi, ua faapea ane: E paia, e paia, e paia le Atua o au. Ua tumu le lalolagi uma i lona mamalu.

4. Ma ua luluina pou o le faitotoa i le leo o le na valaau, ma ua faatumuina le fale i le asu.

5. Ona ou fai atu ai lea: Auē a‘u nei! auā ua vaivai a‘u, auā o a‘u o le tagata laugutu leaga, o a‘u foi ua mau faatasi ma le nuu laugutu leaga; auā ua vaaia e o‘u mata le Tupu, le Atua o au.

6. Ona lele mai ai lea ia te au le tasi serafi, sa i lona lima le malala ola, na ia aumai ai i le iofi ai luga o le fata faitaulaga.

7. Na ia tuu ai foi i lo‘u gutu ma faapea mai: Faauta, ua pa‘i atu lenei mea i ou laugutu, ma ua aveeseina ai lau amioletonu, ua faamagaloina lau agasala.

8. Na ou faalogo atu foi i le siufofoga o le Atua, ua faapea mai: O ai ea ou te auina atu? O ai foi e alu mo i matou? Ona ou fai atu ai lea: O a‘u lenei, ina auina atu a‘u.

9. Ma ua fetalai mai o ia: Ina alu ia, ma fai atu i lenei nuu, Ia outou matua faalogo lava, a ua latou le lagona; ma ia outou matua vāai lava, a ua latou le iloa.

10. Ia faamafiafia loto o lenei nuu, ma ia faatutuli o latou taliga,

ia faamoe foi o latou mata, ne'i vāai o latou mata, ma faalogo o latou taliga, ma lagona o latou loto, ma liliu ma faamaloloina i latou.

11. Ona ou fai atu ai lea: Le Atua e, seia afea ea? Ma ua fetalai mai o ia: Seia faagaogaoina aai, ia leai sē nofo ai, ia leai foi se tagata i fale, ma ia matua faatafunaina le laueleele.

12. Seia avemamaoina foi tagata e le Atua, auā e matua tuulafoaiina le laueleele.

13. A e ui i lea, e i ai pea lona sefulu, e toe foi mai ma 'aina foi i latou, a e pei o le tapeneto ma le aluna ina ua toulu o latou lau, e i ai pea lo latou malosi; e faapea foi ona fai le fanau paia mona malosi.

MATAUPU 17.

O isi tusitusiga paia mai papatusi apamemea—Ia faatusatusa i le Isaia 7.

1. Na oo foi i ona po o Aasa, le atalii o Iotama, le atalii o Usia, le tupu o Iuta, na o ae ai i Ierusalema Resina, le tupu o Suria, ma Peka, le atalii o Remalia, le tupu o Isaraelu, e tau ai le taua, a ua le mafai ona manumalo i ai.

2. Ua talaiina atu i le aiga o Tavita, ua faapea atu: Ua au faatasi Suria ma Efaraima. Ma ua gatete ai lona loto atoa ma loto o lona nuu, e pei ona luluina laau o le vao i le matagi.

3. Ona fetalai mai ai lea le Atua ia Isaia: Alu atu ia e faafetaiai ia Aasa, o oe, ma Sarasopa lou atalii, i le pito alāvai i le lepa aupito i luga, i le ala tele i le fanua o lē ta ofu;

4. Ma ia fai atu ia te ia: Ia oe! ia e fifilemu, aua e te fefe, pe faavaivai ona o ia i'u aulama e lua o loo pupusa, o le ita o Resina ma Suria lea, ma le ita o le atalii o Remalia.

5. Auā ua pulea le mea leaga ia te oe e Suria, ma Efaraima, ma le atalii o Remalia, ua faapea:

6. Ia tatou o ae ia Iuta ma faaatuatuvale ia te ia, ia tatou lepetia ai foi se ala mo i tatou, ma faatuina ai se tupu, o le atalii O Tapala lea.

7. O loo faapea ona fetalai mai le Alii le Atua: E le tu lava ia, e le oo mai lava.

8. Auā o le ulu o Suria, o Tamaseko lea, o le ulu foi o Tamaseko o Resina lea. A o lei mavae foi tausaga e onosefulu ma le lima, e gauia lava Efaraima ina ia le toe fai ma nuu.

9. O le ulu foi o Efaraima, o Samaria lea, o le ulu foi o Samaria, o le atalii o Remalia lea. Afai tou te le talitonu, e moni, e le faatumauina outou.

10. Ma le tasi foi, ua toe fetalai mai le Atua ia Aasa, ua faapea mai:

11. Ia e fai mai se faailoga e le Alii lou Atua; ia e fai mai se mea i lalō, po o se mea i lugā.

12. A ua fai atu Aasa: Ou te le fai atu lava, pe tofotofo i le Atua.

13. Ma ua fai atu o ia: Ina faalogologo mai ia, le aiga o Tavita e, o se mea itiiti ea ia te outou e faatigaina tagata, a e tou te faatigaina ea lo'u Atua.

14. O le mea lea e tuuina mai ai e le Atua lava le faailoga ia te outou. Faauta, e to le taupou ma fanau mai se tama tane, na te faaigoa foi ia te ia o Emanuelu.

15. E 'ai e ia le pata ma le meli, ina ia iloa e ia e tetee atu i le leaga, a e filifili i le lelei.

16. Auā a o lei oo ina iloa e le tama e tetee atu i le leaga a e filifili i le lelei, e tuua e ona

tupu uma e lua le nuu ua e ʻino-ʻino ai.

17. E faaoo mai e le Atua ia te oe, ma lou nuu, ma le aiga o lou tamā, o aso e lei faapea talu le aso na teʻa ai Efaraima ma Iuta, o le tupu o Asuria lea.

18. E oo foi i lea aso ina mapumapu atu le Atua i le lago ua i le itu pito mamao o Aikupito, ma le lago meli ua i le nuu o Asuria.

19. Latou te o mai foi, e mapu foi i latou i le vanu tuufua, ma mavaevae o papa, ma laau tuitui uma, atoa ma laau uma.

20. O lea lava aso e tafi ai e le Atua i le tafi ua tauia, e i latou i ona tala atu o le vaitafe, o le tupu o Asuria, e tafia le ulu ma fulufulu o vae, e faaumatia foi atoa ma le ava.

21. E oo foi ina tausia e le tagata i lea aso le povi fafine taanoa ma mamoe e lua.

22. E oo foi ina ʻai e ia le pata ona o le tele o le suasusu e maua mai ai; auā e aai le pata ma le meli e i latou uma ua totoe i le nuu.

23. E oo foi i lea aso ona i ai laau tuitui ma laau talatala, e sui aʻi vine e afe e faatauina i tupe e afe.

24. E o mai i ai foi tagata ma u fanafana ma aufana, auā e tumu le nuu uma i laau tuitui ma laau talatala.

25. E le oo atu le mataʻu i laau tuitui ma laau talatala i mauga uma e galueaiina i le suo; a e faaogaina e auuina atu ai povi, ma ia solia e mamoe.

MATAUPU 18.

O isi tusitusiga paia mai papatusi apamemea—Ia faatusatusa i le Isaia 8.

1. Ma le tasi foi, na fetalai mai le afioga a le Atua ia te au: Ia e tago i se tusi taai tele, ma tusi i ai ma le matafulu a le tagata, e uiga ia Maeli-sala-asa-pasa.

2. Ma ua ou amia molimau faamaoni e molimau ai, o Uria le faitaulaga, ma Sakaria le atalii o Iperekia.

3. Ua ou alu ane i le perofeta fafiine, ona to lea o ia ma ua fanau mai le tama tane. Ona fetalai mai lea le Atua ia te au: Ia e faaigoa ia te ia o Maeli-sala-asa-pasa.

4. Auā faauta, a o lei oo ina iloa e le tama e valaau, loʻu tama e, ma loʻu tina e, e avea le oloa o Tamaseko ma le vete a Samaria i luma o le tupu o Asuria.

5. Ua toe fetalai mai foi le Atua ia te au, ua faapea mai:

6. Ona ua teena e lenei nuu le vai o Seloa ua tafe lemu, ma ua fiafia ia Resina ma le atalii o Remalia;

7. O le mea lea, faauta, e aumaia ai e le Atua le vai o le vaitafe, e malosi ma le tetele lava, o le tupu o Asuria lava lea ma lona mamalu uma; e alu aʻe foi o ia i ona alāvai uma, ma lofia ona auvai uma.

8. E tafe atu foi o ia i Iuta, e oso ae foi o ia ma lofia ai lava, e oo ae lava i ua; o le faloina foi o ona apaau e tumu ai le lautele o lou nuu, Emanuelu e.

9. O outou le nuu e, faatasi ia outou, a le lepetia ai outou. Faalogologo mai ia o outou i nuu mamao: Ina fufusi ia ia te outou, a e lepetia outou.

10. Taupulepule ia outou, a e faaleaogaina ai; ina fai atu ia le upu, a e le tumau; auā ua ia te i matou le Atua.

11. Auā na faapea ona fetalai mai le Atua ia te au ma le aao malosi, na ia aʻoaʻo mai foi ia te au ina ia ou le savali i le ala o lenei nuu, ua faapea mai:

12. Aua tou te fai atu, O le fouvale, ia i latou uma e fai atu i ai lenei nuu, o le fouvale, pe fefefe i lo latou fefe, pe matata'u.

13. Ia paia ia te outou le Atua o au, o ia foi tou te fefefe ai, o ia foi ia outou matata'u ai.

14. E fai foi o ia ma malumalu; a e fai ma ma'a tausuai ai, ma papa e tautevateva ai i aiga uma e lua o Isaraelu, o le mailei foi ma le matāsele i ē nonofo i Ierusalema.

15. E toatele foi o i latou e tautevateva ma pāuu, e gaugau foi i latou, e maileia foi ma pu'ea.

16. Fusifusi ia le mau, ina faamaufaailogaina ia le tulafono i o'u soo.

17. Ou te faatalitali foi le Atua, o le ua 'alo ona fofoga ai le aiga o Iakopo, ou te faamoemoe foi ia te ia.

18. Faauta, e faia a'u, ma le fanau ua foaiina mai e le Atua ia te au, ma faailoga ma mea e ofo ai ia Isaraelu mai le Atua o au, o Lē afio i le mauga o Siona.

19. A latou fai atu ia te outou: Saili atu ia i aitu vavalo, ma taulāitu, o ē tilotilo ma ua memu. A le saili atu ea le nuu i lo latou Atua ina ia faalogo o ē ola i e ua oti?

20. Ina saili ia i le tulafono ma le mau; afai foi latou te le tautala e tusa ma ia upu, e faapea ona ua leai se malamalama ia te i latou.

21. Latou te ui atu ai foi o puapuagatia ma matelaina, e oo foi pe a matelaina, latou te atuatuvale ma fetuu lo latou tupu ma lo latou Atua, ma vāai i luga.

22. E vāai foi i latou i le laueleele, a e faauta, o le puapuaga, ma le pogisa, o le pouliuli foi e atuatuvale ai, e tulia foi i le pogisa.

MATAUPU 19.

O isi tusitusiga paia mai papatusi apamemea—Ia faatusatusa i le Isaia 9.

1. A e ui i lea, e le tusa le pouliuli ma lea sa i ai i lona puapuaga, ina ua ia muai faapuapuagatia teisi le nuu o Sepulona ma le nuu o Nafatali; a e mulimuli ane ua ia faapuapuagatia atili lava i le ala o le sami Ulaula, i ona tala atu o Ioritana, i le Kalilaia o nuu ese.

2. Ua vaaia e le nuu na savavali i le pouliuli le malamalama tele; o i latou ua nonofo i le nuu o le ata o le oti, o i latou ua pupula atu i ai le malamalama.

3. Ua faatoateleina le nuu, ma faateleina lo latou olioli; ua latou olioli i ou luma e pei ona olioli i le seleselegāsaito, e pei ona fiafia tagata pe a latou tufatufa le vete.

4. Auā ua e gauia le amo o lana avega, o le sasa foi na i lona tau'au, ma le tootoo o le na saua ia te ia.

5. Auā o taua uma o le tagata tau ua i ai le vavaō, ma ofu ua taaia i le toto; a o lenei e faia ma le faamuina ma le fafie o le afi.

6. Auā ua fanau mai ia te i tatou le tama, ua foaiina mai ia te i tatou le atalii, e i lona ua foi le malo; e igoa foi o ia, o le Faipule Silisili ese, o le Atua malosi, o le Tamā Faavavau, o le Alii o le Filemu.

7. E leai se iuga o le filemu ma le manuia o le pule i le nofoālii o Tavita, ma lona malo e pule ai ma faatumau ai i le faamasinoga ma le amiotonu, e amata mai nei a e oo i le faavavau. E faia lenei mea i le maelega o le Atua o au.

8. Na auina mai e le Atua lana afioga ia Iakopo, ma ua paū ai i luga o Isaraelu.

9. E iloa ai foi e le nuu uma,

o Efaraima foi ma e o nonofo i Samaria, o ē faapea mai i le faamaualuga ma le malosi o le loto:

10. Ua solo maa omea, a e matou te ati ae i maa talai, ua tatuuina sukamoru, a e matou te suia ai i arasi.

11. O le mea lea e faaosoina atu ai e le Atua o ē tau ia Resina, ma faatasia i latou o ē ita ia te ia;

12. O Asuria i luma ma Filisitia i tua. Latou te 'aina foi Isaraelu ma le gutu ua faamaga. E ui lava i ia mea uma, e lei liliu ese lona toasa, a ua faaloaloa pea lona aao.

13. Auā ua le foi mai le nuu i Lē ua taia i latou, latou te le saili foi le Atua o au.

14. O le mea lea e vavaeeseina ai e le Atua o le ulu ma le iu o Isaraelu; o le laau ma le u i le aso e tasi.

15. O le toeaina, o le ulu lea; o le perofeta foi ua a'oa'o atu le pepelo, o le iu lea.

16. Auā ua faaseseina lenei nuu ona ō latou ta'ita'i; o e ua ta'ita'iina foi e i latou, ua faaumatia i latou,

17. O le mea lea e le fiafia ai le Atua i o latou taulelea, pe alofa i o latou tama ua aumatuā, ma fafine ua oti a latou tane; auā o i latou uma o tagata pepelo ma ē fai mea leaga, ua tautala foi gutu uma i le valea. O mea uma nei ua le liliueseina ai lona toasa, a ua faaloaloa atu pea lona aao.

18. Auā ua mu le amioleaga e pei o le afi; e susunuina ai laau tuitui ma laau talatala; e mu foi i le vao filifili, e o ae foi i latou e pei ona alu ae le asu.

19. O le toasa o le Atua o au ua faapouliuligia ai le laueleele, e tusa foi le nuu ma le fafie o le afi; e leai se tagata na te faasaoina lona uso.

20. E tago atu foi o ia i le itu taumatau, a e fia 'ai pea; e 'ai foi o ia i le itu tauagavale, a e le maoona ai i latou; e taitasi ma 'ai le aano o lona lava lima;

21. E 'aina Efaraima e Manase, o Manase foi e Efaraima; e faasaga atu i laua uma ia Iuta. O nei mea uma ua le liliueseina ai lona toasa, a ua faaloaloa atu pea lona aao.

MATAUPU 20.

O isi tusitusiga paia mai papatusi apamemea—Ia faatusatusa i le Isaia 10.

1. Oi talofa i ē pule i pulega leaga, ma tusi le faasaua ua latou pulea,

2. Ina ia faalilliueseina ē matitiva ai le faamasinoga, ma faoa foi le pule ai ē matitiva i lo'u nuu, ina ia fai fafine ua oti a latou tane mā latou vete, ina ia latou faoa foi mea a e ua aumatuā!

3. Se a foi se mea tou te faia i le aso e faaootia ai le sala, ma le malaia e oo mai ai le mea mamao? Tou te sosola ea ia te ai e maua ai le fesoasoani? O i fea tou te tuu ai lo outou mamalu?

4. A le i ai a'u, latou te punonou i lalo o e ua fusifusia, latou te pāuu foi i lalo o e ua fasia. E ui i nei mea uma, ua le liliuese ai lona toasa, a ua faaloaloa pea lona aao.

5. O oe na le Asuria, o le sasa a lo'u ita, ma le tootoo i o latou lima, o lo latou ita tele lea.

6. Ou te auina atu ia i le nuu pepelo, ou te avatu foi ia te ia le poloaiga i le nuu o loo i ai lo'u ita ia ave le vete, ina ia avea foi le mea e faoa, ma solia i latou e pei o le palapala i ala.

7. A e ui i lea, e le faapea lona manatu, e le faapea foi le taofi o

lona loto, a o lona loto ia fasia
ma faaumatia nuu e tele.
8. Auā ua faapea ane o ia: E
le ua fai ma tupu ea o'u alii
uma?
9. E le tutusa ea Kaleno ma
Karekimisa? E le tutusa ea
Amato ma Arepa? E le tutusa ea
Samaria ma Tamaseko?
10. E pei ona faatuina e lo'u
lima malo o tupua, o ona tupua
ua ta sa sili i tupua o Ierusalema
ma Samaria;
11. E pei ona ou faia i Samaria
foi ma ona tupua, e le faapea ea
ona ou faia i Ierusalema ma ona
tupua?
12. O le mea lea, pe a faauma
e le Atua lana galuega uma i le
mauga o Siona ma Ierusalema, e
oo ina ou faasalaina ai le fua o
le loto malosi o le tupu o Asuria,
ma le faalialia o ona mata faa-
siasia.
13. Auā o loo faapea ane o ia:
O le malosi o lo'u lima ma lo'u
poto ua ou faia ai nei mea, auā
ua ou faautauta lava, ma ua ou
siitia tuaoi o le nuu, ma vetea o
latou oloa, e pei o se toa foi ua
ou faatoilaloina e o nonofo ai.
14. Ma ua maua e lo'u lima
oloa o le nuu e pei o se ofaga, e
pei ona faaputu e se tasi fua o
manu ua totoe, ua faapea ona ou
faaputuina le lalolagi uma; ua
leai foi se tasi na sii lona apaau,
pe faamaga lona gutu, pe iī.
15. E mitamita ea le mātau i le
na te taia a'i? Pe faamaualuga
ae ea le ili i le na te ilia a'i? e
peiseai ua lulu atu le tootoo i le
na te siitia ai i luga, pe siitia le
sasa e ia lava, e peiseai ua le o
se laau.
16. O le mea lea e tuuina atu ai
e le Alii, le Atua o au, le tino-
vale i ona tagata puputa, na te
faamuina foi le mu i lalo o lona
mamalu e pei o le mu o le afi.
17. E avea foi ma afi le Mala-
malama o Isaraelu, e fai foi ma
mumū o le afi lona Alii Paia, e
susunuina foi ma faaumatia ona
laau talatala ma ona laau tuitui
i le aso e tasi;
18. E faaumatia ai foi le mata-
gofie o lona vao matua, ma lona
fanua lafulemu; e tusa foi i latou
ma le tagata tauave le tagavai
ina ua matapogia.
19. O laau foi e totoe i lona vao
matua e itiiti ia, e mafaia lava
ona tusia e se tama.
20. E oo foi i lea aso ina le
toe faalagolago e ua totoe i Isa-
raelu, ma e ua sao o le aiga o
Iakopo i le na taia i latou, a e
faalagolago ma le faamaoni i le
Atua, o Lē Paia o Isaraelu.
21. E toe foi mai i le Atua
malosi o e ua totoe, ioe, o e ua
totoe lava o Iakopo.
22. Auā e ui lava ina tusa lou
nuu o Isaraelu ma le oneone o le
sami, a e foi mai lava ni ē totoe;
e lofia foi i le amiotonu le faafa-
noga ua pulea.
23. Auā e faia e le Alii le Atua
o au le faafanoga ua pulea e oo
i le nuu uma.
24. O le mea lea o loo faapea
ona fetalai mai ai le Alii le Atua
o au: E lo'u nuu e, o lē nofo i
Siona, aua e te fefe i le Asuria,
na te taia oe i le tootoo, ma sii i
luga lana sasa ia te oe, e faapei
o Aikupito.
25. Auā e toe itiiti lava ona
uma lea lo'u ita tele, e uma foi
lo'u ita i lo latou faafanoga.
26. E sii foi e le Atua o au
le sasa ia te ia e tusa ma le
fasiga o Mitiana i le papa o
Oreva; e pei foi ona i ai lana
sasa ile sami, e faapea lava ona
ia siitia ai faapei o Aikupito.
27. E oo foi i lena aso ina
aveeseina lana avega ai lou tau-
'au, o lana amo foi ai lou ua, e
faaumatia foi le amo ona o le
faauuina.

28. Ua oo mai foi o ia i Aiata, ua ui ane o ia i Mekerona, ua ia tuua ona kariota i Mekemase;

29. Ua latou ui atu i le ala, ua latou api i Kapa, ua gatete Rama, ua sola Kipea o Saulo.

30. Ina alaga ia oe le tama fafine a Kali, ia faalogo atu ai Laisa, Anatota e, le ua puapuagatia.

31. Ua aveeseina Matemena; ua faapotopoto faatasi e o nonofo i Kepima ina ia latou sosola.

32. A e nofo nei o ia i Nove i lena aso, e lu'i tau atu lona lima i le mauga o le tama fafine a Siona, o le mauga o Ierusalema.

33. Faauta, e vavaeeseina ma le mata'u tele e le Alii le Atua o au le la laau; e tatuuina foi e ua maululuga o latou tino, e faamaulaloina foi o ē faamaualuluga.

34. Na te tatuuina le vao filifili i le uamea, e faapaūina foi Lepanona i sē malosi.

MATAUPU 21.

O isi tusitusiga paia mai papatusi apamemea—Ia faatusatusa i le Isaia 11.

1. A e tupu mai le la laau ai le pogai o Iese, e tupu ae foi le tatupu i ona aa.

2. E i ona luga le Agaga o le Atua, o le Agaga o le poto ma le malamalama, o le agaga o le faatonuga ma le malosi, o le agaga o le malamalama ma le mata'u i le Atua.

3. E atamai o ia i le malamalama ma le mata'u i le Atua, a e na te le faamasino e tusa ma le silasila atu o ona fofoga, pe aoai atu e tusa ma le faafofoga o ona taliga.

4. A o le amiotonu na te faamasinoina ai ē matitiva, e aoai atu ma le tonu ona o ē faamaulalo o i le lalolagi, na te taia foi le lalolagi i le sasa a lona fofoga, o le mānava mai lona fofoga, na te fasioti a'i o ē amioleaga.

5. E fai foi le amiotonu ma fusi i ona sulugatiti, a e fai le faamaoni ma fusi o lona tino.

6. E nofo faatasi le luko ma le tamai mamoe, e taoto foi le nameri faatasi ma le tamai 'oti, e faatasi foi le tamai povi ma le leona taanoa atoa ma le manu peti, e ta'ita'iina foi i latou e le tamaitiiti.

7. E aai faatasi le povi fafine ma le urosa, e taooto faatasi a laua tama, e 'ai foi e le leona au o saito e pei o le povi.

8. E taalo foi le tama e lei te'a ma le susu i le lua o le asipi, o le tama foi ua te'a ma le susu, e tuu e ia lona lima i le lua o le gata uogo.

9. Latou te le faia se mea leaga pe faaumatia se mea i lo'u mauga paia uma, auā e tumu le lalolagi i le malamalama o le Atua, e pei ona ufitia le ilititai i le suasami.

10. O lea aso foi e tu mai ai le Pogai o Iese e fai ma tagavai o le nuu, e sailia ai foi e nuu ese, e matagofie foi lona malologa.

11. O lea aso foi e oo ina toe tuu atu faalua e le Atua lona aao e laveaiina e ua totoe o lona nuu, o e ua totoe i Asuria, ma Aikupito, ma Patoro, ma Kusa, ma Elama, ma Semara, ma Amato atoa ma motu i le moana.

12. E faatuina foi e ia le tagavai mo nuu ese, ma faapotopotoina e ua tulia o Isaraelu, ma aofai e ua faataapeapeina o luta i itu e fa o le lalolagi.

13. E mavae atu le mataua o Efaraima, e vavaeeseina o ē tau ma Iuta. E le mataua Efaraima ia luta, e le faasaua foi Iuta ia Efaraima.

14. A e felelei atu i latou i sisifo i tau'au o Filisitia, latou te vetea faatasi mea a tagata o sasae; e fetagofi atu o latou lima

ia Etoma ma Moapi; e usiusitai foi le fanauga a Amoni ia te i latou.

15. E matua faaumatia lava le Atua le faga o le sami Aikupito. O lona matagi malosi na te lulu ai lona aao i luga o le vaitafe, ma taia magāvai e fitu, ma faaui atu ai tagata o faaseevaeina.

16. E i ai foi le ala tele mo e ua totoe o lona nuu, o ē totoe i Asuria, e pei ona fai ia Isaraelu i le aso na alu ae ai o ia nai le nuu o Aikupito.

MATAUPU 22.

O isi tusitusiga paia mai papatusi apamemea—Ia faatusatusa i le Isaia 13.

1. O lea aso foi e te faapea mai: Le Atua e, ou te vivii atu ia te oe. E ui lava ina e toatamai mai, a ua liliu ese lou toasa, ma ua e faamatalaloto mai ia te au.

2. Faauta, o le Atua, o lo‘u faaolataga ia, ou te faatuatua, ou te le fefe, auā o le Alii o IEOVA, o lo‘u malosi ia, ma la‘u pese, ua avea foi o ia mo‘u faaolataga.

3. O le mea lea tou te utu ai vai ma le olioli i vaipuna o le faaolataga.

4. O lea aso foi tou te fai mai: Vivii atu ia i le Atua, ina valaau atu ia i lona suafa, ia faailoa atu ana galuega i le nuu, ina ta‘uta‘u atu ia ua viia lona suafa.

5. Pepese atu ia i le Atua, auā ua faia e ia mea silisiliese. Ua iloaina lenei mea i le lalolagi uma.

6. Ia valaau ma alaga atu o oe na lē nofo i Siona, auā ua silisiliese Lē Paia o Isaraelu i totonu ia te oe.

MATAUPU 23.

O isi tusitusiga paia mai papatusi apamemea—Ia faatusatusa i le Isaia 12.

1. O le avega a Papelonia na vaaia e Isaia le atalii o Amosa.

2. Faatu ia le tagavai i le mauga maualuga, inā leo tele atu ia ia te i latou, inā lu‘i tau atu ia le lima ina ia latou ulu atu i faitotoa o alii mamalu.

3. Ua ou poloaiina o‘u tagata ua faapaiaina, ua ou valaauina foi o‘u tagata malolosi, auā e le i ai lo‘u ita i luga o i latou o ē olioli i lo‘u mamalu.

4. O le taalili o le vao tagata i mauga, e peiseai o se nuu e toatele lava, o le vavaō foi o malo o nuu ese ua faapotopotoina faatasi; o loo aofai au o le taua e le Atua o au.

5. Ua latou o mai ai le nuu mamao, mai le tulu‘iga o le lagi, ioe, o le Atua ma le auupega a lona toasa tele, ina ia faaumatia le nuu uma.

6. Ia outou uio, auā ua latalata mai le aso o le Atua, e oo mai ai foi e pei o le faafanoga mai Lē ona le malosi uma lava.

7. O le mea lea e vaivai ai lima uma, e faavaivai foi loto o tagata uma.

8. E matatau i latou, e maua foi i latou i puapuaga ma le faanoanoa; e taufaiofo foi i latou o le tasi i le tasi, e tusa foi o latou mata ma le afi mumū.

9. Faauta, o loo sau le aso o le Atua, e ogoogo i le toatama‘i atoa ma le toasa tele e faatafunaina ai le laueleele; na te faaumatia foi tagata agasala o i ai.

10. Auā e le fepulafi mai fetu o le lagi ma ona fa‘aputuputugāfetū e faapouliuliga le la i lona alu ae, e le susulu mai foi le malamalama o le masina.

11. Ou te faasalaina foi le lalo-

lagi ona o le leaga, o ē amioleaga foi ona o a latou amioletonu; ou te faaumatia foi le faasausili o ē faamaualuluga, ma faamaulaloina le faasiasia o e ua matautia.

12. Ou te faia foi le tagata ia tāua e sili ‘ai le auro lelei, o le tagata lava e sili i le auro o Ofeira.

13. O le mea lea ou te luluina ai le lagi, e te‘a ese foi le lalolagi ai le mea o i ai o ia i le toatamai o le Atua o au, i le aso foi o lona toasa aasa.

14. E pei foi o le sevi ua tulia, e pei foi o le mamoe ua leai sē tausi i ai, e taitasi i latou ma liliu atu i lona lava nuu, e taitasi foi ma sola i lona lava laueleele.

15. E tutu‘ia foi i latou uma ua faamaualuluga; ioe, e oti foi i le pelu i latou uma ua faatasi ma ē amioleaga.

16. E faapalasia foi o latou tamaiti i o latou luma, e vetea o latou fale ma fetosoina a latou avā.

17. Faauta, ou te faaoso atu Metai e tau ma i latou, latou te le manatu i le ario ma le auro, pe fiafia i ai i latou.

18. O a latou aufana e nutimomomoina ai taulelea; latou te le alolofa i fanau, latou te le faasaoina foi tama.

19. O Papelonia foi, o le ua sili ona matagofie i malo, o le aai manaia ua mitamita ai Kaletaia, e avea lea e pei o le aso na faaumatia ai Sotoma ma Komoro.

20. E le toe aigā ai e faavavau, e le mau ai lava se tasi i lea tupulaga ma lea tupulaga; e le to lauapi ai foi le Arapi; e le ave i ai foi e leoleo mamoe a latou lafu e taooto ai.

21. A e taooto ai manu feai o le vao, e tumu foi o latou fale i manu leaga, e mau ai foi lulu, e sisiva ai foi ‘oti.

22. E tagi foi manu feai mai motu i le moana i o latou fale tuufua, ma tarako i o latou maota sa fiafia ai; ua lata mai foi ona po, e le faafualoaina lona aso, auā ou te faaumatia o ia, e faafuasei lava; ioe, auā ou te loto alofa i lo‘u nuu, a e fano ē amioleaga.

MATAUPU 24.

O isi tusitusiga paia mai papatusi apamemea—Ia faatusatusa i le Isaia 14.

1. Auā e finagalo alofa le Atua ia Iakopo, na te toe filifilia foi Isaraelu, ma faanofo ia te i latou i lo latou lava laueleele; e faaopoopo mai foi tagata ese ia te i latou, latou te pipii lava i le aiga o Iakopo.

2. E ave foi i latou e le nuu ma aumaia i latou i lo latou nuu; ioe, mai mea mamao, o tuluiga lava o le lalolagi; latou te toe o mai foi i o latou nuu na folafolaina. E mau ai foi le aiga o Isaraelu, e mau foi auauna tane ma auauna fafine i le laueleele o le Atua; latou te ave faatagataotaua i latou o e sa faia i latou ma tagata o taua; latou te pule foi i e sa faasaua ia te i latou.

3. O lea aso foi e faafifilemuina ai oe e le Atua i lou faanoanoa ma lou mata‘u, ma le nofopologa faigata na e galue toa‘i ai.

4. E oo foi i lea aso ina e sauni atu lenei faataoto i le tupu o Papelonia ma fai atu: Auē, ua mavae atu le na faasaua, ua mavae atu le aai auro.

5. Ua gausia e le Atua le sasa a ē amioleaga, ma tootoo o e na pule.

6. Ua faasauaina le na taia le nuu i le ita e le aunoa, o le na pule i nuu ese i le ita, ma ua leai sē faalavelave.

7. Ua mapu le lalolagi uma,
ma ua filemu, ua latou leo tetele
i le pese.
8. Ioe, ua olioli ona o oe o
perosi atoa ma arasi o Lepanona,
ua faapea ane: Talu ina e taoto
ua le alu ae ia te i matou sē ta
laau.
9. Ua faagaeetia seoli i lalō
ona o oe, ina ia faafetaiai ia te
oe i lou alu atu; ua faaosoina
ona o oe o e ua oti, o alii sili
uma lava o le lalolagi, ua faatu-
laiina ai nai o latou nofoālii o
tupu uma o nuu ese.
10. E tautala i latou uma ma
faapea atu ia te oe: Ua vaivai ea
oe e pei o i matou? Ua avea ea
oe e pei o i matou?
11. Ua aveina ifo i le tuuga-
mau lou faalialia; ua le faalo-
goina foi le leo o au napeli, ua
folasia ilo i lalo ia te oe, ua fai
foi ilo mou ie afu.
12. Oi ua faapea ona paū mai
le lagi o oe, Lusifelo, le atalii o
le taeao! Ua taia oe i lalo i le
eleele, o oe sa faavaivaia malo!
13. Auā na e fai ifo i lou loto:
Ou te alu ae i le lagi, ou te siitia
lo'u nafoālii i luga o fetū o le
Atua. Ou te nofo foi i le mauga
o le faapotopotoga, i le itu i matu.
14. Ou te alu ae i luga o mea
maualuluga o ao, ma te tutusa
ma Lē Silisiliese.
15. A e ui i lea, e aveina ifo
oe i seoli i itu o le lua.
16. O i latou o ē vāai ia te oe,
latou te pulato'a ia te oe, ma
mafaufau ia te oe, ma faapea ane:
O le tagata lenei ea na faagate-
teina le lalolagi, o le na luluina
malo?
17. Ma na faia le lalolagi uma
ia pei o le vao, na faaumatia foi
ona aai, sa na le tatalaina le fale
o ona tagata ua fusifusia?
18. O tupu uma o nuu, ioe, o i
latou uma lava, ua taooto ma le
mamalu, ta'itasi i lona falelauasi.
19. A ua lafoaiina oe ai lou
tuugamau, e pei o le tatupu ua
inosia, e pei foi o toe tagata o e
ua fasia ua tutu'ia i le pelu, o ē
o ifo i maa o le lua, e pei o le
tino oti ua solia.
20. E le tanumia o ē faatasi ma
i latou, auā ua faaumatia lou
laueleele, ma fasiotia lou nuu; e
le ta'ua e faavavau le fanau a ē
amioleaga.
21. Ina sauni ia le fasiga o lana
fanau ona o le amioletonu a o la-
tou tamā, ina ia latou le tutū ma
fai mo latou le nuu, pe faatu-
muina le fogaeleele i aai.
22. O loo faapea mai le Atua
o au: Ou te tu i luga e tau ma
i latou, ma vavaeeseina i Pape-
lonia le igoa, ma e o totoe, o le
atalii, atoa ma le atalii o le uso,
o loo fetalai mai ai le Atua.
23. Ou te faia foi o ia ma mea
e nofo ai le kifota, ma vailepa;
ou te tafitafi ai foi i le tafi o le
faafanoga, o loo fetalai mai ai le
Atua o au.
24. Ua tauto le Atua o au, ua
faapea ane: E moni, e pei ona ou
manatu, e faapea lava ona tau-
nuu, e pei foi ona ou pulea, e
faapea lava ona tumau;
25. Ina ia ou aumaia le Asuria
i lo'u nuu, ma solia o ia i luga
o o'u mauga, ona mavae atu ai
lea lana amo ai ia te i latou, e
mavae atu foi lana avega ai o
latou fuataua.
26. O le mea lenei ua pulea i
le lalolagi uma; o le lima foi
lenei ua faaloaloaina atu i luga
o nuu uma.
27. Auā ua pulea e le Atua o
au, o ai ea e faaleaogaina ai?
Ma ua faaloaloaina lona aao, a o
ai ea e faafoisia ai?
28. O le tausaga na oti ai le
tupu o Aasa na oo mai ai lenei
avega.
29. Filisitia atoa e, aua e te

olioli oe ona ua gauia le tootoo ó le na taia oe, auā o le tino o le gata e tupu mai ai le gata uogo, o lona fua o le gata lele mūmū lea.

30. E ‘ai foi le ulumatua o lē mativa, e taooto foi ē le tagolima ma le filemu. Ou te faamateina foi lou pogai i le oge, e fasia o e ua totoe ia te oe.

31. Le faitotoa e, ina uio ia; le aai e, ina tagi ia; Filisitia atoa e, ua matua faavaivaia oe; auā e sau le asu mai le itu i matu, e le tuua toatasi se tasi i ona aso ua atofaina.

32. Se a foi se tali i lea aso a savali a nuu ese? Ua faavaeina Siona e le Atua, e faalagolago i ai foi o ē matitiva o lona nuu.

MATAUPU 25.

O upu a Nifae—O lana valoaga i le faasalalauina ma le toe faapotopotoina o Isaraelu i ona aso e tusa ai—Ua valoia le taimi tonu o le afio mai ai le Mesia.

1. O lenei, o a‘u o Nifae, ou te tautala atu teisi e uiga i upu ua ou tusia, na fai mai ai i le fofoga o Isaia. Auā faauta, na fai mai e Isaia mea e tele sa faigata ona lagona e nisi e toatele o lo‘u nuu, auā ua latou le iloa valoaga a tagata Iutaia.

2. Auā, o a‘u o Nifae, ou te lei a‘oa‘oina atu ia te i latou mea e tele e uiga i tagata Iutaia, auā o a latou galuega o galuega ia a le pogisa, o a latou mea sa fai o mea ia e ‘ino‘ino i ai.

3. O le mea lea ou te tusitusi atu ai i lo‘u nuu, ia te i latou uma o ē maua i aso o lumanai o nei mea ou te tusia, ina ia iloa e i latou faamasinoga a le Atua, e oo lava i atunuu uma, e tusa ma le fetalaiga na ia fetalai mai ai.

4. O lenei, faalogo mai ia lo‘u nuu e, o outou o i le aiga o Isaraelu, uai mai ia o outou taliga i a‘u upu auā, ona ua le malamalama upu a Isaia ia te outou, a e ui i lea, ua malamalama ai ia te i latou uma o ē ua tumu i le Agaga o le valoaga. A e peitai, ou te avatu ia te outou le valoaga e tusa ma le Agaga ua ia te au, o le mea lea ou te vavalo atu ai e tusa ma le malamalama ua ia te au talu le aso na matou tuua ai Ierusalema faatasi ma lo‘u tamā; auā faauta, e olioli lo‘u agaga i le faamalamalama atu i lo‘u nuu ina ia a‘oa‘oina i latou.

5. E moni, ua olioli foi lo‘u agaga i upu a Isaia, auā na ou sau ai Ierusalema, ua vaaia foi e o‘u mata mea a tagata Iutaia, ua ou iloa foi ua malamalama i tagata Iutaia mea a le au perofeta, ma ua leai se isi nuu ua lagona mea sa fai atu i tagata Iutaia, e pei o i latou lava, sei iloga ua a‘oa‘oina i latou e tusa ma mea a tagata Iutaia.

6. A e peitai, faauta, o a‘u o Nifae, ua ou le a‘oa‘oina la‘u fanau i tu a tagata Iutaia, a e peitai, faauta, o a‘u nei na ou nofo i Ierusalema, o le mea lea ua ou masani ai ma ona tuaoi, ma ua ou ta‘uina foi i la‘u fanau faamasinoga a le Atua ua oo i tagata Iutaia, i la‘u fanau, e tusa ma mea uma na fai mai Isaia, a ou te le tusia ai.

7. A e peitai, faauta, ou te fai atu la‘u lava valoaga, e tusa ma lo‘u malamalama, ua ou iloa e le mafai ona sese ai se tasi, a e ui i lea, o aso e faataunuuina ai valoaga a Isaia e iloa tino ai e tagata, i aso lava e oo mai ai.

8. O lea e aoga ai i le fanauga a tagata, a o le ua masalo faapea ua le aoga, o i latou lava ou te tautala atu ai, ou te tautalatino i lo‘u lava nuu, auā ua ou iloa e aoga tele ai ia te i latou

i aso amuli, auā latou te lagona ai i lea aso, o lea ua ou tusia ai ina ia manuia ai i latou.

9. E pei foi ona faaumatia le tasi tupulaga o tagata Iutaia ona o le amioletonu, ua faapea foi ona faaumatia i latou i lea tupulaga ma lea tupulaga e tusa ma a latou amioletonu, a e lei faaumatia so latou sei iloga ua muamua ona valoia ai e perofeta a le Atua.

10. O lenei, ua uma ona ta'u atu ia te i latou le malaia e oo loa ia te i latou ina ua tuua Ierusalema e lo'u tamā, e ui i lea, na latou faamaaaina o latou loto; e tusa ma la'u valoaga, ua faaumatia i latou, toe lava o e ua avea faatagataotaua i Papelonia.

11. O lenei foi, ou te fai atu lenei upu ona o le agaga ua ia te au. E ui foi ina aveeseina i latou, latou te toe foi mai ma mau i le nuu o Ierusalema, o le mea lea e faafoisia ai i latou i le laueleele o lo latou tofi.

12. A e peitai, faauta, e i ai taua ma tala i taua ia te i latou, pe a oo mai le aso e faaali ai le Alo e toatasi o le Tamā, e moni, o le Tamā o le lagi ma le lalolagi, ia te i latou i le tino, faauta, latou te tetee atu ia te ia ona o a latou amioletonu, ma le maaa ō latou loto, ma le mālō ō latou ua.

13. Faauta, latou te faasatauroina o ia, pe a uma foi ona tuuina o ia i le tuugamau i aso e tolu, e tu mai o ia nai e ua oti ma le mea e malolo ai i ona apaau. O i latou uma foi e talitonu i lona suafa, e faaolaina i latou i le malo o le Atua, o lea e olioli ai lo'u agaga e vavalo atu ia te ia, auā ua ou vaaia lona aso, e faaneenee atu foi lo'u loto i lona suafa paia.

14. Faauta foi, e oo pe a uma ona toe tu mai le Mesia nai e ua oti, ma ua faaalia mai o ia lava i lona nuu, ia te i latou uma e talitonu i lona suafa, faauta, e toe faaumatia Ierusalema, auā oi talofa ia te i latou o ē tau ma le Atua ma tagata o lana ekalesia.

15. O le mea lea e faasalalauina ai tagata Iutaia i atunuu uma, e moni, e faaumatia foi papelonia, o le mea lea e faasalalauina ai tagata Iutaia e nisi nuu.

16. Pe a uma ona faasalalauina foi i latou, ma ua fasaina i latou e le Alii le Atua i nuu ese i tupulaga e tele, e moni, i lea tupulaga ma lea tupulaga e oo ina faaoleole i latou e talitonu ia Keriso, le Alo o le Atua, ma le togiola e le iu mo tagata uma; pe a oo mai foi lena aso e talitonu ai i latou ia Keriso, ma ifo ma tapuai atu i le tamā i lona suafa, i loto mamā ma lima mamā, a e le toe faatalitali i se isi Mesia, ona oo mai ai lea le aso i na ona po e tatau ai lava ona latou talitonu nei mea.

17. E toe tuu atu faalua e le Atua lona aao e laveai lona nuu nai lo latou ese ma le agasala. O lea na te fai ai le galuega ofoofogia ma le mea e ofo ai i le fanauga a tagata.

18. O lenei, na te aumaia ana fetalaiga ia te i latou, o fetalaiga ia e faamasinoina ai i latou i le aso gataaga, auā e foaiina atu ai ia te i latou ina ia faailoa ia te i latou o le Mesia moni, o le sa teena e i latou; i le ma le faailoa atu ia te i latou e le aoga ona latou toe faatalitali i se Mesia e afio mai, auā e leai se isi e maliu mai, ua na o le Mesia pepelo, na te faasese le nuu; auā ua na o le Mesia e toatasi ua fai mai ai le au perofeta, o lea Mesia foi o ia lea e teena e tagata Iutaia.

19. Auā e tusa ma upu a le au perofeta, e afio mai le Mesia pe a mavae atu tausaga e ono selau ai aso na te'a ai lo'u tamā

ma Ierusalema, e tusa foi ma upu a le au perofeta, a e maise foi le upu a le agelu a le Atua, o lona suafa o Iesu Keriso, le Alo o le Atua.

20. O lenei foi, o'u uso e, ua ou tautala atu ma le malamalama ina ia le mafai ona sese outou; o soifua le Alii le Atua na aumaia Isaraelu ai le nuu o Aikupito, na foai foi ia Mose le mana na te faamalolo ai nuu, ina ua uma ona utia i latou e gata uogo, afai latou tepa ae i le gata na ia siitia i luga i o latou luma, na foaiina foi ia te ia le mana na te taia ai le papa, ona puna mai ai lea le vai; e moni, faauta, ou te fai atu ia te outou, e pei ona tonu ia mea, o soifua le Alii le Atua, e faapea foi ona leai se tasi igoa i lalo o le lagi, ua na o lenei, o Iesu Keriso, ua ou tautala atu ai, e mafai ona faaolaina ai tagata.

21. O lenei, ona o lenei mea ua folafolaina mai e le Alii le Atua ia te au, o mea nei ou te tusia e tausia ai ma faasaoina, e tuufaasoloina i a'u faanau i lea tupulaga ma lea tupulaga, ina ia taunuu le folafolaga ia Iosefa, e le fano ana fanau a o tu le lalolagi.

22. O lea e tuufaasoloina atu ai nei mea i lea tupulaga ma lea tupulaga a o tu le lalolagi, e tuuina atu foi e tusa ma le finagalo ma le filifiliga a le Atua; e faamasinoina foi nuu e maua ai e tusa ma upu ua tusia.

23. Auā ua matou galulue ma le maelega ina ia tusitusi e faaoleole i a matou fanau, atoa ma o matou uso, ia talitonu ia Keriso, ma ia lelei ma le Atua, auā ua matou iloa e faaolaina i tatou i le alofa tunoa pe a uma ona faia mea uma tatou te mafaia.

24. E ui foi ina matou talitonu ia Keriso, ua matou tausia le tulafono a Mose, a e faatalitali faamaoni ia Keriso seia faataunuuina le tulafono.

25. Auā, o le mea lenei sa foaiina mai ai le tulafono, o le mea lea ua mate ai le tulafono ia te i matou, a e faaolaina i matou ia Keriso ona o lo matou fatuatua, a e ui i lea, ua matou tausia le tulafono ona o poloaiga.

26. Ua matou tautalatala ia Keriso, ua matou olioli ia Keriso, ua matou tala'i atu Keriso, ua matou vavalo atu foi ia Keriso, ua matou tusitusi e tusa ma a matou valoaga, ina ia iloa e a matou fanau le mea latou te faamoemoe ai mo le faamagaloina o a latou agasala.

27. O le mea lea ua matou tautala atu ai e uiga i le tulafono, ina ia iloa e a matou fanau ua mate le tulafono; ina ua iloa foi ua mate le tulafono e mafai ona latou faamoemoe i lena ola e ia Keriso, ia latou iloa foi le iuga na foaiina mai ai le tulafono pe a uma foi ona faataunuuina le tulafono ia Keriso, ina ia le tatau ona latou faamaaa o latou loto ia te ia i le aso e tatau ona aveeseina ai le tulafono.

28. O lenei foi, faauta, lo'u nuu e, o outou o le nuu ūa mālolo, o lea na ou fai atu ai ma le malamalama ia te outou, ina ia le mafai ona pouliuli. O upu foi ua ou fai atu ai e tu ma molimau ia te outou, auā ua lava ia ona a'oa'o atu i se tagata le ala moni, auā o le ala moni lenei, ia talitonu ia Keriso, aua le faafiti ia te ia, auā afai tou te faafiti ia te ia ona outou faafitia lea le au perofeta atoa ma le tulafono.

29. O lenei foi, faauta, ou te fai atu ia te outou, o le ala moni ia talitonu ia Keriso, a e aua le faafiti ia te ia; o Keriso foi o Lē Paia o Isaraelu lea. O lenei, e ao ina outou ifo i ona luma ma tapuai atu ia te ia i o outou

loto, ma ō outou manatu, ma lo
outou malosi, ma o outou agaga
atoa; afai tou te faia lenei mea e
le lafoaiina lava outou.
30. E ao ina outou tausi tau-
laga ma sauniga a le Atua e tusa
ona tatau ai, seia faataunuuina
le tulafono sa foaiina mai ia
Mose.

MATAUPU 26.

O isi valoaga o Nifae—O le a afio mai le Keriso i sa Nifaē—O lo latou malaia mulimuli—O ona po o nuu ese.

1. Pe a uma foi ona toe tu mai
Keriso nai e ua oti, na te faaali
mai o ia ia te outou, a'u fanau
e, ma o'u uso pele e, o upu foi na
te fetalai mai ia te outou e fai
ma tulafono tou te faia.
2. Auā faauta, ou te fai atu ia
te outou, ua ou iloa e mavae atu
tupulaga e tele, e i ai taua tetele
ma finauga i totonu o lo'u nuu.
3. Pe a uma foi ona afio mai
le Mesia ona faia lea faailoga i
lo'u nuu i lona fanau mai, atoa
foi ma lona maliu ma toe tu mai.
E sili ona matautia lea aso i ē
agasala, auā e fano lava i latou,
e fano lava i latou ona ua latou
lafoaiina perofeta atoa ma le au
paia, ma fetogia i latou i maa,
ma fasiotia i latou, o lea e alu
ae ai i le Atua le tagi a le toto
o le au paia nai le eleele ia te i
latou.
4. O lenei, o ē faamaualuluga
uma atoa ma ē amioleaga, o loo
fetalai mai ai le Atua o au, e
susunuina i latou i le aso e oo
mai, auā e tusa i latou ma ta-
gutugutu o saito.
5. O i latou foi o ē fasioti le au
perofeta ma le au paia, e foloina
i latou i mea loloto o le lalolagi,
o loo fetalai mai ai le Atua o au.
E ufitia i latou i mauga, e avee-
seina i latou i asiosio, e pāuu foi
fale i luga ia te i latou, e nuti-
momomoina i latou ma nutipala-
ina. 6. E asiasia foi i latou i le
faitititili, ma le uila, ma mafuie,
ma mala uiga eseese uma, auā e
faamuina le afi o le toasa o le
Atua ia te i latou e tusa foi i la-
tou ma tagutugutu o saito e su-
sunuina i latou i le aso lea e oo
mai, o loo fetalai mai ai le Atua
o au.
7. Aue! o le tiga ma le pua-
puaga o lo'u agaga ona o le oti
o e ua fasia o lo'u nuu! Auā, o
a'u, o Nifae, ua ou vaai i ai, ma
ua tali faaumatia ai a'u i luma
o le Atua, a e peitai, e tatau ona
ou alaga atu i lo'u Atua, E tonu
ou ala!
8. A e peitai, faauta, o i latou
o e ua amiotonu, o ē faalogo foi
i upu a le au perofeta, a e le
faaumatia i latou, a e peitai, e
faamoemoe ia Keriso ma faatali-
tali i faailoga ua tuuina mai, e
ui lava i sauaga uma, faauta foi,
o i latou na e le fano lava.
9. A e peitai, e faailoaina le
Alo o le amiotonu ia te i latou;
na te faamaloloina i latou, latou
te fifilemu ma ia, seia mavae atu
lona tolu o tupulaga, e toatele foi
o lona fa o tupulaga e mavae atu
i le amiotonu.
10. Pe a mavae atu ia mea ona
oo lea le malaia faafuasei i lo'u
nuu, auā, e ui ina tiga lo'u agaga,
ua ou vaaia ai, o le mea lea ua
ou mautinoa ai e oo mai lava;
latou te faatauina i latou lava i
le mea ua leai, auā o le taui o
lo latou faamaualuga ma lo latou
valea latou te selesele ai le ma-
laia; auā ona ua latou gaua'i i
le tiapolo ma ua filifili galuega
a le pouliuli, a e le o le mala-
malama, o le mea lea e o ifo ai
i latou i seoli.
11. Auā e le faavavau ona finau
le Agaga o le Atua ma tagata.
Pe a le toe finau le Agaga ma

tagata ona oo ai lea le malaia faafuase'i. Ua tigaina lo'u agaga i lenei mea.

12. E pei ona ou fai atu i le faamautinoa atu o tagata Iutaia, o Iesu o le Keriso lava ia, e ao foi ina faailoatino atu i nuu ese o Iesu o le Keriso lava ia, o le Atua faavavau.

13. I le ma lenei, na te faaalia o ia lava ia te i latou uma o ē talitonu ia te ia, i le mana o le Agaga Paia, ioe, i atunuu uma, ma ituaiga uma, ma gagana eseese, ma nuu, e fai vavega tetele, ma faailoga, atoa ma mea ofoofogia i le fanauga a tagata, e tusa ma lo latou faatuatua.

14. A e peitai. faauta, ou te vavalo atu ia te outou e uiga i aso e gata ai, i aso e aumaia ai nei mea e le Alii le Atua i le fanauga a tagata.

15. Pe a uma ona le toe talitonu a'u fanau ma le fanau a o'u uso, ma ua taia i latou e nuu ese, e moni, pe a uma ona to lauapi le Alii le Atua e si'osi'o ia te i latou, ma ua uma ona vagavagai ia te i latou i le mauga ma faatuina olo e tetee atu ia te i latou, pe a uma ona faamaulalcina i latou i le efuefu, ma ua leai i latou, a e ui i lea e tusia upu a ē amiotonu, e faafofogaina foi tatalo a ē faamaoni, ma i latou uma o e ua le toe talitonu, e le faagalogaloina foi i latou.

16. Auā o i latou e faaumatia e tautala mai ia te i latou nai le eleele, e leo itiiti mai a latou upu mai le efuefu, o lo latou leo foi e oo mai mai le eleele e pei o le ua i ai le aitu vavalo, auā e foai mai ia te ia e le Alii le Atua le mana, na te musumusu mai ia te i latou, e peiseai mai le eleele, e musumusu mai a latou upu nai le efuefu.

17. Auā o loo faapea ona fetalai mai le Alii le Atua: Latou te tusia mea e faia ia te i latou, e tusia foi ma faamaufaailogaina ai i le tusi, a e le maua lava e i latou ua le talitonu, auā ua latou saili e faaumatia mea a le Atua.

18. O lenei, e pei ona faaumatia faataalise i latou ua faaumatia, o le toatele foi o e ua matautia e tusa i latou ma aputi saito e lelea. E moni, o loo faapea ona fetalai mai le Alii le Atua: E faafuasei, ua se emo ona oo mai.

19. E oo mai foi, o i latou o e ua le toe talitonu, e taia i latou i le lima o nuu ese.

20. Ua faafefeteina foi nuu ese i le faamaualuga ō latou lava taofi, ma ua tausuai ona o le tele o la latou maa e tausuai ona o le tele o la latou maa e tausuai ai, ina ua faatuina e i latou lotu e tele, e ui lava i lea, ua latou faaleaogaina le mana ma vavega a le Atua, ua talai foi ia te i latou lava lo latou lava poto, ma lo latou lava a'oa'oina, ina ia latou maua ai le oloa, ma olo ai mata o ē matitiva.

21. Ma ua faatupuina lotu e tele ua faatupu ai le mataua, ma fefinauaiga, ma le faalotoloto.

22. E i ai foi pulega faalilo, pei o anamua, e tusa ma pulega a le tiapolo, auā o ia o le faavae o ia mea uma, e moni, o le pogai o le fasioti tagata atoa ma galuega a le pouliuli, e moni, ua ia ta'ita'i foi ia te i latou i le maea vavae i o latou ua seia noatia i latou e ia e faavavau i ana maea malolosi.

23. Auā faauta, o'u uso pele e, ou te fai atu ia te outou, e le galue le Alii le Atua i le pouliuli.

24. E le faia e ia se mea sei iloga e aoga ai i le lalolagi, auā e alofa o ia i le lalolagi, e oo ina tuuina atu lona lava soifua ina ia toso tagata uma ia te ia. O le mea lea e le poloai atu ai o ia i

se tasi ia latou le ‘au i lana faaolataga.

25. Faauta, po ua alaga ea o ia i se tasi ma faapea mai: Alu ese ia ia te au? Faauta, ou te fai atu ia te outou, e leai, a ua fetalai mai o ia: O mai ia ia te au o outou tuluiga uma o le lalolagi, ia outou faatau le suasusu ma le meli, a e leai se tupe, e leai foi se tau e faatau a‘i.

26. Faauta, po ua poloai atu ea o ia i se tasi ia latou o ese ai sunako, pe o ese i fale e tapuai ai? Faauta, ou te fai atu ia te outou, e leai.

27. Po ua poloai atu ea o ia i se tasi, aua le ‘au i latou i lana faaolataga? Faauta, ou te fai atu ia te outou, e leai, a ua ia foaifua mai ai mo tagata uma, ma ua ia poloaiina foi lona nuu ia latou faaoleole i tagata uma ia latou salamo.

28. Faauta, po ua poloai atu ea le Atua i nisi ia le au i latou i lona agalelei? Faauta, ou te fai atu ia te i latou, e leai, a o le tofi o tagata uma e tutusa lava ma ua le vaosia se tasi.

29. O loo poloai mai o ia ia leai se faitaulaga pepelo, auā faauta, o le faitaulaga pepelo lenei, ua tala‘i atu e tagata ma latou faatuina i latou lava e fai ma malamalama i le lalolagi ina ia latou maua le oloa, atoa ma le viiga o le lalolagi, a ua latou le saili le manuia o Siona.

30. Faauta, ua faasaina lenei mea e le Atua, o le mea lea ua aumai ai e le Alii le Atua le poloaiga ia i ai i tagata uma le alofa, o le alofa faamaoni lea. Afai foi ua leai se alofa ia te i latou ua leai i latou, o lenei foi, afai ua ia te i latou le alofa, latou te le tuuina atu ia fano lē fai galuega i Siona.

31. A o lē galue i Siona, e galue o ia mo Siona, auā afai latou te galulue i le fia fai tupe e fano i latou.

32. I le ma lenei, ua poloaiina tagata e le Alii le Atua ia le fasioti tagata, ia latou le tala pepelo, ia latou le gaoi, ia latou le ta‘u fua le suafa o le Alii lo latou Atua, ia latou le mataua, ia le i ai ia te i latou le faalotoloto, ia le fefinauai i latou, ia latou le faitaaga, ia latou le faia se tasi o nei mea, auā ai sē faia, e fano lava ia.

33. Auā e leai se tasi o nei amioletonu e ala mai i le Atua, auā e faia e ia mea lelei i le fanauga a tagata, e le faia foi se mea sei iloga e malamalama ai i le fanauga a tagata. E tala‘i atu e ia ia latou o mai ia te ia, ia tofu i latou i lona agalelei, ua le faafiti i se tasi e sau ia te ia, o tagata uli ma tagata papa‘e, o ē pologa ma ē saoloto, o tane atoa ma fafine, e manatua foi e ia o tagata faapaupau, e tutusa tagata uma i le Atua, tagata Iutaia, atoa ma nuu ese.

MATAUPU 27.

O isi valoaga a Nifae—O faamasinoga a le Atua i luga o e amioleaga—O le tusi ua faamaufaailogaina—O le tagata ua le a‘oa‘oina—O le galuega aua ma le ‘ofoofogia.

1. A e peitai, faauta, o aso e gata ai o aso foi ia o nuu ese, e moni, faauta, o atunuu uma o nuu ese, atoa foi ma tagata Iutaia, o i latou e o mai i lenei laueleele, atoa ma i latou e i ai i nisi nuu, e moni, i nuu uma o le lalolagi, faauta, e onanā i latou i le amioletonu ma mea inosia uiga eseese uma lava.

2. Pe a oo mai foi lena aso, ona asiasia ai lea i latou e le Atua o au i le faititili, ma mafuie, ma le taalili tele, o le asiosio ma le

afā, ma le mumū o le afi e faaumatia ai.

3. E pei o le miti, o le mea e vaaia i le po, e faapea foi nuu uma o ē tau ma Siona, atoa ma i latou o ē faatiga ia te ia, e moni, e ia te i latou e pei o le tagata ua fia ai o loo fai lana miti, faauta, ua 'ai lava ia, a e a ala mai ua lāina lava ia; e pei foi o le ua fia inu o loo fai lana miti, faauta, ua inu ia, a e a ala mai, faauta, ua mole, ua fia inu lava ia; e faapea lava le vao tagata o nuu uma o ē tau ma le mauga o Siona.

4. Auā faauta, o outou uma o ē fai amioletonu, ia outou faatuatuai, ma ia outou ofo; auā tou te alalaga atu ma tagi atu, ioe, e onanā outou, a e le o le uaina, e tautevateva outou a e le o le ava.

5. Auā faauta, ua liligi atu e le Atua le agaga e moe gase ai i luga ia te outou. Auā, faauta foi, ua outou moeiini o outou mata, ua outou teena perofeta, ua ia ufitia foi o outou alii, atoa ma tagata vāai ona o la outou amioletonu.

6. E oo foi ina aumaia ia te outou e le Alii le Atua o upu a le tusi, o upu ia foi a i latou o e ua momoe.

7. Faauta foi, e faamaufaailogaina le tusi, e i ai i le tusi le faaaliga mai le Atua, e afua i le amataga o le lalolagi e oo lava i le iuga.

8. O lenei foi, ona o mea ua faamaufaailogaina e le tuuina atu mea ua faamaufaailogaina i aso o le amioleaga ma mea inosia a le nuu. O lea foi e le tuuina atu ai le tusi ia te i latou.

9. A e peitai, e tuuina atu le tusi i le tagata, e tuuina atu foi e ia upu a le tusi, o upu lava ia a i latou o e ua momoe i le efu; o ia foi na te tuuina atu ia upu i se tasi.

10. A e peitai, na te le tuuina atu upu ua faamaufaailogaina, na te le tuuina atu foi le tusi. Auā e faamaufaailogaina le tusi i le mana o le Atua, o le faaaliga foi ua faamaufaailogaina e i ai pea i le tusi, seia oo i le aso e tatau ai i le Atua ona ia oo mai ai; auā faauta, e faaalia ai mea uma talu le amataga o le lalolagi e oo lava i lona iuga.

11. E oo mai foi le aso e faitauina ai i tumutumu o fale upu o le tusi ua faamaufaailogaina, e faitauina ai foi i le mana o Keriso, e faaalia i le fanauga a tagata mea uma sa i ai i le fanauga a tagata, atoa ma mea uma e oo mai i ai, e oo lava i le iuga o le lalolagi.

12. O lenei, o le aso e tuuina atu ai le tusi i le tagata, o le ua ou fai atu ai, e natia ai le tusi ai le vaai a le lalolagi. E le vaai i ai se tasi, tau lava o molimau e toatolu e vāai atu i ai i le mana o le Atua, a e maise foi o lē tuuina atu i ai le tusi, latou te molimau e faamaoni le tusi atoa ma mea e i ai.

13. E leai foi se tasi e vaai atu i ai, tau lava o le toaitiiti, e tusa ma le finagalo o le Atua, e molimau atu i le fanauga a tagata i lana afioga, auā ua fetalai mai le Alii le Atua: E tautala mai upu a ē faamaoni e peiseai mai e ua oti.

14. O le mea lea a amata ai ona aumai e le Alii le Atua upu o le tusi, i fofoga foi o molimau uma e finagalo ai o ia na te faamautu ai lana afioga; oi talofa lava i sē teena le afioga a le Atua.

15. A e peitai, faauta, e oo ina fetalai atu le Alii le Atua i le na te tuuina atu i ai le tusi: Ia e ave nei upu ua le faamaufaailogaina ma ia e tuuina atu ai i le

tasi, ina ia faailoa atu e ia i le ua a'oa'oina, ma faapea atu: Sei faitau mai nei upu. E fai mai le ua a'oa'oina: Aumai iinei le tusi ona ou faitau ai lea.

16. O lenei, ona o le viiga o le lalolagi ma le fia fai oloa latou te fai mai ai ia upu, a e le ona o le viiga o le Atua.

17. E fai atu le tagata: Ou te le mafai ona aumai le tusi, auā ua faamaufaailogaina.

18. Ona faapea mai lea le ua a'oa'oina: Ou te le mafai ona faitau ai.

19. O lenei, e oo ina toe tuuina atu e le Alii le Atua o le tusi ma upu e i ai i le ua le a'oa'onna, a e fai mai e le tagata ua le a'oa'oina: Ua le a'oa'oina a'u.

20. Ona faapea atu ai lea le Alii le Atua ia te ia: E le faitauina ai e i latou ua a'oa'oina, auā ua latou teena ai; ou te mafaia foi la'u lava galuega, o le mea lea e te faitauina ai upu ou te tuuina atu ia te oe.

21. Aua e te tago i mea ua faamaufaailogaina, auā ou te faaali atu ai i le aso ou te loto i ai, auā foi, ou te faaali atu i le fanauga a tagata ou te mafaia la'u lava galuega.

22. O lenei, pe a faitauina e oe upu ou te poloai atu ai ia te oe, pe a e maua foi molimau ua ou folafolaina atu ia te oe, ona e toe faamaufaailogaina ai lea le tusi, ma natia ai mo a'u, ina ia ou faasaoina upu e te lei faitauina seia oo i le aso e tatau i lo'u mafaufau ona faaali atu ai mea uma i le fanauga a tagata.

23. Auā faauta, o a'u o le Atua, o a'u foi o le Atua o vavega, ou te faaali atu foi i le lalalagi e le liu lava a'u o ananafi ma le asō e oo foi i le faavavau; ou te le faia foi se mea e tasi i le fanauga a tagata sei iloga e tusa ma lo latou faatuatua.

24. O lenei foi, e oo ina fetalai atu le Atua i le na te faitauina upu e tuuina atu ia te ia:

25. Ona ua faalatalata mai lenei nuu ia te au i o latou gutu, ma latou vivii mai ia te au i o latou laugutu, a ua mamao lava o latou loto ia te au, ma ua a'oa'oina lo latou mata'u mai ia te au i upu a tagata,

26. O le mea lava lea o le a a'u faia ai le vavega i lenei nuu, o le vavega lava, o le mea foi e ofo ai, e fano lava le poto ō latou tagata popoto ma le a'oa'oina, e natia foi le mafaufau ō latou tagata mafaufau.

27. Oi talofa i ē fai togafiti faaloloto ina ia lilo ai la latou filifiliga i le Atua. Ua fai foi i le pouliuli a latou mea, ma ua faapea ane i latou: O ai sē vaai mai ia te i tatou? O ai foi sē iloa mai i tatou? O loo faapea ane i latou: E moni, o lou faatu'iese o mea e faatusaina i le omea i le tufuga. A e peitai, ou te faailoa atu ia te i latou, o loo faapea ona fetalai mai le Atua o au, e iloa e a'u a latou mea uma. Pe fai atu ea le mea i le na na faia, E lei faia lava a'u e ia? Pe fai atu ea le mea na gaosia i le na na gaosia o ia, E leai sona mafaufau?

28. A e peitai, faauta, o loo faapea ona fetalai mai le Atua o au, Ou te faailoa atu i le fanauga a tagata e toe itiiti lava ona liua lea Lepanona ma fanua lafulemu, e ta'ua foi le fanua lafulemu, o le vao matua.

29. O le aso lava lea e lagona ai upu o le tusi i e o tutuli, e faapupulaina foi mata o e ua tauaso ina ua te'a le pouliuli ma le pogisa.

30. E faatoateleina foi o ē agamalu, e i ai foi lo latou fiafia i le Atua. E olioli foi tagata matitiva i Lē Paia o Isaraelu.

31. E moni, o soifua lava le

Atua, latou te iloa ua mavae atu le na faasaua, ua faaumatia foi le na tauemu, e fasiotia i latou uma o e na mataala e fai mea leaga;

32. O i latou foi o ē faasalaina le tagata ona o lana upu, ma ua taumaileia le ua fai finauga i le faitotoa, ma faaliliueseina fua lava le ua amiotonu.

33. O lenei, o loo faapea ona fetalai mai le Atua, o Le na laveaiina Aperaamo, ua faapea mai i le aiga o Iakopo: E le toe faamaina Iakopo, e le toe sesega foi ona mata.

34. Auā e vaai atu o ia i lana fanau, o le galuega a o'u lima i totonu ia te ia, latou te ta'upaiaina lo'u igoa, ma ta'upaiaina Lē Paia o Iakopo, latou te matata'u foi i le Atua o Isaraelu.

35. E iloa mafaufau e i latou o e na sese i o latou loto, e a'oa'o foi i le mataupu o e na muimui.

MATAUPU 28.

O isi valoaga a Nifae—O lotu i aso e gata ai ma o latou tulaga—O le a luluina le malo o le tiapolo—O upu faasese a tagata.

1. O lenei foi, faauta, o'u uso e, ou te tautala atu ia te outou e pei, ona uuna'i mai le Agaga ia te au, o le mea lea ua ou iloa ai e taunuu ai lava.

2. O mea e tusia nai le tusi e aoga tele lava i le fanauga a tagata, a e faasili i a tatou fanau, o toe tagata i latou i le aiga o Isaraelu.

3. Auā e oo mai i lea aso, pe a faatuina lotu, a e le faatuina mo le Atua, e fai ane le tasi i le tasi: Faauta mai ia, o a'u e mai le Atua a'u. E fai ane foi nisi: O a'u lenei, e mai le Atua a'u. E faapea foi ona fai ane tagata uma o ē faatuina lotu, a e le mai le Atua.

4. Latou te fefinauai, e fefinauai foi a latou ositaulaga, latou te a'oa'o atu lo latou lava poto, ma faafitia le Agaga Paia, o lē foai mai le upu.

5. Latou te teena foi le mana o le Atua, o Lē Paia o Isaraelu. Ua latou fai atu i le nuu: Ina faalogo mai ia te i matou ma ia faafofoga mai i a matou upu, auā faauta, ua leai se Atua i aso nei, auā o le Alii, o le Togiola, ua faia lana galuega ma ua ia foaiina mai lona mana i tagata.

6. Faauta, faalogo mai ia outou i la'u upu, afai latou te faapea: Ua faia se vavega e le aao o le Atua, aua tou te talitonu i ai, auā o nei aso e le o le Atua o vavega ia, ua uma ona faia lana galuega.

7. E moni, e toatele o ē faapea mai: Ina aai ma inu, ma ia olioli, auā o a taeao e oti ai i tatou, e manuia foi i tatou.

8. E toatele foi e faapea mai: Ina aai ma inu, ma ia olioli, a e ui i lea, ia tatou matatau i le Atua, na te ta'uamiotonuina le faiga o agasala laiti; ioe, ia tala pepelo laitiiti, ia faa'aimamago foi i tagata ona o a latou upu, ia eli foi le lua ina ia paū ai le lua te tuaoi, e le afaina lava nei mea. Ia tatou faia foi nei mea uma, auā o a taeao e oti ai i tatou, afai foi e agasala i tatou, e sasa foi le Atua ia te i tatou i ni nai ta itiiti, a o le iuga e faaolaina i tatou i le malo o le Atua.

9. E moni, e toatele e faapea ona a'oa'o atu mataupu pepelo, ma le le aoga, ma le faavalea, e faafefeteina foi i latou i o latou loto, latou te fai foi togafiti faaloloto ina ia lilo i le Atua la latou filifiliga, e i le pouliuli foi a latou galuega.

10. E tagi atu foi le toto o le au paia mai le eleele ia te i latou.

11. E moni, ua o ese i latou
uma i le ala, ua leaga tele i latou.
12. Ona o le faamaualuga, ona
o a'oa'o pepelo foi, ma mataupu
sese ua faaleagaina a latou lotu,
ua faamaualuluga a latou lotu, ua
faafefeteina i latou ona o le faa-
maualuga.
13. Latou te fao mea a ē ma-
titiva ona o a latou malumalu
manaia, latou te fao mea a ē ma-
titiva ona ō latou ofu matagofie,
ua faasaua i latou i ē agamalu
ma ē loto maulalo, auā ua faa-
fefeteina i latou i lo latou faa-
maualuga.
14. Ua ia te i latou ūa mālolo
ma ulu maualuluga, e moni, ona
o le faamaualuga, ma le amio-
leaga, ma mea inosia, ma le fai-
taaga ua o ese ai i latou uma, ua
toe na o le toaitiiti o ē mulimuli
ma le faamaulalo ia Keriso, a e
ui i lea, ua ta'ita'iina i latou ua
latou sese ai i mea e tele, ona ua
a'oa'oina i latou i mataupu a
tagata.
15. E! o ē popoto, ma ē a'oa-
'oina, ma ē mauoa, ma ē faafefe-
teina i le faamaualuga ō latou
loto, ma i latou uma o ē talai
atu mataupu pepelo, atoa ma i
latou uma o ē faitaaga ma faa-
pi'oese le ala moni o le Atua, oi
talofa, oi talofa, oi talofa ia te
i latou, o loo faapea ona fetalai
mai ai le Alii, le Atua e ona le
malosi uma, auā e lafoina i latou
i seoli.
16. Oi talofa i ē faalilliueseina
fua lava le ua amiotonu, ma ta-
'uleagaina le mea lelei, ma faa-
pea atu: E le aoga lea, auā e oo
mai lava le aso e asiasi faataa-
lise ai le Alii le Atua i tagata
o le lalolagi, o le aso foi e atoa-
toa ai la latou amioletonu, e fano
ai i latou.
17. A e peitai, faauta, o loo
fetalai mai le Atua o au, afai e
salamo tagata o le lalolagi i a la-
tou agasala ma mea inosia, ona
le faaumatia ai lea i latou.
18. A e peitai, faauta, e ao ina
paū i le lalolagi lea lotu tele ma
le inosia, o le fafine talitane lea
o le lalolagi uma, a e nutipalaina
lava.
19. Auā e ao ina luluina le ma-
lo o le tiapolo, e ao foi ina faa-
osoina i le salamo i latou e i ai,
a leai, e faamauina i latou e le
tiapolo i ana filifili faavavau, e
faaosoina i latou i le ita ma latou
fano ai.
20. Auā faauta, e ita tele o ia
i lea aso i loto o le fanauga a
tagata ma faaoso ia te i latou i
le ita i le mea ua lelei.
21. A o nisi na te faalotomalie,
ma faamoe ia te i latou i le file-
mu i la le tino, latou te fai mai:
Ua lelei mea uma i Siona, e moni,
ua manuia Siona, ua lelei mea
uma. E faapena ona olegia e le
tiapolo o latou agaga, e ta'ita'i
ifo ai i latou ma le faaeteete i
seoli.
22. O nisi foi na te viivii i ai
ma fai atu ia te i latou: E leai
se seoli. Na te fai atu foi ia te
i latou: E le se tiapolo a'u neí,
auā ua leai se tiapolo. E faapena
ona musumusu o ia i o latou ta-
liga seia faamauina i latou e ia
i ana filifili matautia e le mala-
veaiina mai ai.
23. E moni, ua faamauina i la-
tou i le oti ma seoli e tutū i luma
o le nofoa faamasino o le Atua,
le oti, ma seoli, ma le tiapolo,
atoa ma i latou ua pueina e ia,
e faamasinoina e tusa ma a la-
tou galuega, ona latou o ai lea
ai lena mea i le mea ua saunia mo
i latou, o le lepa afi lea ma le
teio, e i ai le tiga, o le tiga lea
e le iu lava.
24. O lenei, oi talofa i sē filemu
i Siona.
25. Oi talofa i se faapea atu:
Ua lelei mea uma.

26. E moni, oi talofa i sē faalogo atu i upu a tagata ma faafitia le mana o le Atua ma le mea foaifuaina mai, o le Agaga Paia lea.

27. E moni, oi talofa sē faapea mai: Ua matou maua, e le toe aoga ni mea ia te i matou.

28. I le ma lenei, oi talofa ia te i latou uma o ē gatete ma ua ita ona o le upu moni a le Atua. Auā faauta, o le ua atiina ae i luga o le papa, o ia lena e talia ai ma le fiafia, a o le ua atiina ae i luga o le faavae oneone, o ia lena ua gatete ne'i paū o ia.

29. Oi talofa i lē faapea mai: Ua maua e i matou le afioga a le toe aoga nisi afioga a le Atua, e le auā ua lava ia te i matou.

30. Auā faauta, o loo faapea ona fetalai mai le Alii le Atua: Ou te tuuina atu i le fanauga a tagata le upu ma le upu, o le fuaiupu ma le fuaiupu, o sina mea itiiti iinei ma sina mea itiiti iina. Amuia foi i latou o ē faalogo i a'u upu, ma uai mai o latou taliga i la'u faatonuga, auā latou te a'oa'o i le poto, auā foi, o lē talia ou te foai atili ai ia te ia, a o e ua faapea, Ua lava ia te i matou, e aveeseina ia te i latou o mea ua ia te i latou.

31. E malaia lava lē faalagolago i tagata, ma fai tagata mona lima, ma faalogologo i upu a tagata, sei iloga ua foaiina atu a latou upu i le mana o le Agaga Paia.

32. O loo fetalai mai le Atua: Oi talofa i nuu ese, auā, e ui ina ou faaloaloa atu lo'u lima ia te i latou i lea aso ma lea aso, latou te faafitia a'u, a e ui i lea, o loo fetalai mai ai le Alii le Atua, ou te loto alofa ia te i latou afai latou te salamo ma o mai ia te au, auā ua faaloaloa atu pea lo'u lima i le aso atoa, o loo fetalai mai ai le Alii le Atua o au.

MATAUPU 29.

O isi valoaga a Nifae—O tagata o nuu ese ma le Tusi Paia —O nisi tala tusia faamauina—O le a aofa'iina uma o afioga a le Atua ina ia tasi.

1. A e peitai, faauta, o lea aso, pe a ou amata ona fai le galuega ofoofogia ia te i latou, ina ia ou manatua a'u feagaiga ua ou faia ma le fanauga a tagata, ina ia ou tuuin atu faalua lo'u lima e laveaiina lo'u nuu o e o i le aiga o Isaraelu.

2. O lenei foi, ina ia ou manatua folafolaga ua ou faia ia te oe, Nifae e, atoa ma lou tamā, e manatua e a'u a outou fanau, o upu foi ā outou fanau e alu atu ai lo'u gutu i a outou fanau. E alu atu foi a'u upu i tuluiga o le lalolagi e fai ma tagavai i lo'u nuu o e o i le aiga o Isaraelu.

3. Ona ua alu atu foi a'u upu e faapea mai nisi e toatele o nuu ese: O se Tusi Paia! o se Tusi Paia! Ua ia te i matou le Tusi Paia, e le mafai ona i ai se isi Tusi Paia.

4. O loo faapea ona fetalai mai le Alii le Atua: O tagata valelea! E maua e i latou le Tusi Paia, e alu atu ai mai tagata Iutaia, o lo'u nuu o le feagaiga anamua. Po ua latou faafetai atu ea i tagata Iutaia ona o le Tusi Paia ua latou maua mai ia te i latou? Ioe, po o le a le mea ua faapea ai nuu ese? Po ua latou manatua ea malaga, ma galuega, ma le tiga o tagata Iutaia, ma lo latou filigā ia te au i le aumaia o le olataga i nuu ese?

5. Nuu ese e, po ua outou manatua ea tagata Iutaia, o lo'u nuu o le feagaiga anamua? E leai, a ua outou fetuuina i latou, ma ua 'ino'ino ia te i latou. Ua outou le saili e laveai ia te i latou. A e peitai, faauta, ou te faafoisia

ia mea uma i luga ō outou lava ulu, auā o a'u o le Atua, ua le galo ia te au lo'u nuu.

6. O oe na le vale e, ua e fai mai o se Tusi Paia, ua maua e i matou le Tusi Paia, e le aoga nisi Tusi Paia ia te i matou. Po ua outou maua ea se Tusi Paia e lei maua mai i tagata Iutaia?

7. Pe tou te le iloa ea e le na o le tasi o nuu? Pe tou te le iloa ea o a'u, o le Alii lo outou Atua, ua ou faia tagata uma, ma ua ou manatua i latou o e o i motu i le moana, e pule foi a'u i luga i le lagi ma le lalolagi i lalo, ua ou aumaia foi la'u upu i le fanauga a tagata, e moni i nuu uma o le lalolagi?

8. O le a le mea ua outou muimui mai ai ona ua maua e outou nisi o a'u upu? Tou te le iloa ea o le mau o nuu e lua o le molimau lea ia te outou, o a'u o le Atua, e manatua e a'u le tasi nuu e tusa ma le isi. O lenei, ou te fai atu upu i le tasi nuu e tusa ma le isi. Pe a au faatasi foi nuu e lua, e uiga faatasi foi le mau a nuu e lua.

9. Ua ou faia foi lenei mea ina ia ou faailoa atu i nisi e toatele, e le liliu lava a'u o ananafi ma le asō e oo foi i le faavavau, ua ou fai atu foi a'u upu e tusa ma la'u lava filifiliga. Ona ua ou fai atu le tasi upu e le tatau ona outou manatu e le mafai a'u ona fai atu se isi upu, auā e lei iu la'u galuega, e le iu lava e oo atu i le iuga o tagata, e afua foi i lea aso e oo i le faavavau.

10. O lenei, ona ua ia te outou se Tusi Paia, e le aoga ona faapea a outou o i ai a'u upu uma, pe aoga ona outou faapea ua ou le poloai atu ia tusia nisi upu.

11. Auā ua ou poloai atu i tagata uma i sasae atoa ma sisifo, i le itu i matu atoa ma le itu i saute, atoa ma motu i le moana, ia latou tusia upu ou te fai atu ia te i latou, auā ou te faamasino atu i le lalolagi i tusi ua tusia, o tagata uma e tusa ma a latou lava galuega, e tusa ma mea ua tusia.

12. Auā faauta, ou te tautala atu i tagata Iutaia ona tusitusi ai lea e i latou, ou te tautala atu foi i sa Nifae, ona tusitusi ai lea e i latou; ou te tautala atu i ituaiga o le aiga o Isaraelu ua ou ta'ita'ieseina, ona tusia ai lea e i latou; ou te tautala atu foi i nuu uma o le lalolagi, ona tusia ai lea e i latou.

13. E oo foi ina maua e tagata Iutaia upu a sa Nifaē, a e maua e sa Nifaē upu a tagata Iutaia, e maua e sa Nifaē ma tagata Iutaia upu a ituaiga o Isaraelu ua le iloa, e maua foi e ituaiga o Isaraelu ua le iloa o upu a sa Nifaē ma tagata Iutaia.

14. E oo foi ina faapotopotoina mai lo'u nuu o i le aiga o Isaraelu i o latou lava nuu, ona faaopoopoina faatasi ai lea la'u upu. Ou te faailoa atu foi ia te i latou o ē tau ma la'u upu, atoa ma lo'u nuu o e o i le aiga o Isaraelu, o a'u o le Atua, ua ou faia foi le feagaiga ma Aperaamo, e manatua e a'u ana fanau e faavavau.

MATAUPU 30.

O isi valoaga a Nifae—O e liliu mai o nuu ese o le a faitauina faatasi ma tagata o le feagaiga —E talitonu Iutaia ma sa Lamanā—E faaumatia ē amioleaga.

1. O lenei foi, faauta, o'u uso pele e, ou te tautala atu ia te outou, auā o a'u o Nifae, ou te le tuuina atu ia te outou ia faapea ua sili ona amiotonu outou ai nuu ese. Auā faauta, afai tou te le tausia poloaiga a le Atua,

e faapea foi ona fano outou uma; e le aoga ona outou faapea ona o upu ua fai atua e matua faaumatia nuu ese.

2. Auā faauta, ou te fai atu ia te outou, o i latou uma o nuu ese o ē salamo, o tagata o le feagaiga a le Atua i latou, o tagata Iutaia uma foi o ē le salamo e tuulafoaiina i latou, auā e le faia e le Atua ni feagaiga ma tagata, sei iloga o i latou o ē salamo ma talitonu i lona Alo, o Lē Paia o Isaraelu lea.

3. O lenei foi, ou te vavalo atu atili i tagata Iutaia atoa ma nuu ese. Auā pe a uma ona oo mai le tusi ua ou fai atu ai, ma ua tusia i nuu ese, ma toe faamaufaailogaina mo le Atua, ona i ai lea nisi e toatele e talitonu i upu ua tusia, latou te ave ai foi i e totoe o a tatou fanau.

4. Ona iloaina ai lea i tatou i e ua totoe o a tatou fanau, o le ala na tatou o mai ai nai Ierusalema, ua aiga foi i latou ma tagata Iutaia.

5. E talai atu ia te i latou le tala lelei a Iesu Keriso, o le mea lea e toe faafoisia ai i latou i le iloa lelei ō latou tamā, i le ma le iloa lelei o Iesu Keriso sa i ai i o latou tamā anamua.

6. Ona olioli ai lea i latou, auā e iloa e i latou le manuia mai le aao o le Atua ia te i latou, ona amata ai lea ona paū ese le ufimata pouliuli ai o latou mata, e le mavae atu foi tupulaga e tele, seia oo ina avea i latou ma nuu pa‘epa‘e ma le moomia.

7. E oo ina amata ona talitonu ia Keriso tagata Iutaia ua faasalalauina, e amata foi ona faapotopoto i latou i le fogaeleele, o i latou uma o ē talitonu ia Keriso, e avea foi i latou ma nuu moomia.

8. E oo foi ina amata e le Alii le Atua lana galuega i atunuu uma, ma ituaiga, ma gagana esese, ma nuu, e faafoi mai ai lona nuu o i le lalolagi.

9. E faamasino le Alii le Atua ma le tonu i ē matitiva, e aoai atu foi o ia ma le tonu ona o ē agamalu o le lalolagi, na te taia foi le lalolagi i le sasa a lona fofoga, o le mānava mai lona fofoga na te fasioti a‘i ē amioleaga.

10. Auā e vave oo mai le aso e faatupuina e le Alii le Atua le fevaevaeaiga i le nuu, na te faaumatia foi ē amioleaga, a e faasaoina e ia lona nuu, e moni, pe afai lava e tatau ona faaumatia ē amioleaga i le afi.

11. E fai foi le amiotonu ma fusi o ona sulugatiti, o le faamaoni foi ma fusi o lona tino.

12. Ona nonofo faatasi ai lea le luko ma le tamai mamoe, e taoto foi le nameri faatasi ma le tamai oti; e faatasi foi le tamai povi ma le leona taanoa atoa ma le manu peti, e ta‘ita‘iina foi i latou e le tamatitiiti.

13. E aai faatasi le povi fafine ma le urosa, e taooto faatasi a laua tama, e ‘ai foi e le leona au o saito e pei o le povi.

14. E taalo foi le tama e lei te‘a ma le susu i le lua o le asipi, o le tama foi ua te‘a ma le susu, e tuu e ia lona lima i le lua o le gata uogo.

15. Latou te le fai se mea leaga, latou te le faaumatia foi se mea i lo‘u mauga paia uma, auā e tumu le lalolagi i le malamalama o le Atua e pei ona ufitia le iliti tai i le suasami.

16. O le mea lea e faailoa atu ai mea a nuu uma, e moni, e faailoa atu i le fanauga a tagata mea uma lava.

17. E leai se mea ua lilo e le faaalia, e leai se galuega o le pogisa, e le faaalia i le malamalama,

e leai se mea ua faamaufaailogaina i le lalolagi e le tatalaina.

18. O lenei foi, o mea uma ua faaalia i le fanauga a tagata, e faailoa atu i lena aso, e le toe i ai foi le pule a Satani i loto o le fanauga a tagata i tausaga e tele. A o lenei, o'u uso pele e, e tatau ona ou faaiuina a'u upu.

MATAUPU 31.

O isi valoaga a Nifae—O le ala e papatisoina ai le Faaola—O le ala sa'o ma le lauitiiti.

1. O lenei, o a'u, o Nifae, ou te faaiu a'u valoaga ia te outou, o'u uso pele e, ua na o nai mea itiiti ua mafai ona ou tusia, o mea foi ua ou mautinoa e taunuu lava, ua na o ni nai upu foi a lo'u uso o Iakopo ua mafai ona a'u tusia.

2. O lenei, ua lava ia te au mea ua ou tusia, ua totoe nai upu e tatau ona ou fai atu e uiga i le mataupu a Keriso, o lea ou te ta'utino atu ai ia te outou, e tusa ma le malamalama o a'u valoaga.

3. Auā ua olioli lo'u agaga i le malamalama, auā foi, e faapenei ona galue le Alii le Atua i le fanauga a tagata. Auā ua foai mai e le Alii le Atua le malamalama i le mafaufau, auā foi ua tautala mai o ia i tagata i o latou mafaufau e tusa ma la latou gagana.

4. O lea ou te loto ai ina ia outou manatua ua ou tautala atu ia te outou e uiga i lea perofeta ua faailoaina mai e le Atua ia te au, na te papatisoina le Tamai Mamoe a le Atua, o Lē aveese agasala a le lalolagi.

5. O lenei foi, afai e ao ina papatisoina i le vai le Tamai Mamoe a le Atua, ma ua paia o ia, ina ia faataunuuina mea tonu uma, ona matua sili lava lea ona tatau ia te i tatou, o ē agasala, ona ia papatisoina, ioe, i le vai lava.

6. O lenei foi, ou te fesili atu ia te otuou, o'u uso pele e, pe faapefea ona faataunuuina e le Tamai Mamoe a le Atua o mea tonu uma, ina ua papatisoina i le vai?

7. Tou te le iloa ea ua paia o ia? A e peitai, e ui ina paia o ia, na te faailoa atu i le fanauga a tagata, na te faamaulaloina o ia lava i le tino i luma o le Tamā, ma ia molimau atu i le Tamā e usiusitai o ia ia te ia i le tausiga o ana poloaiga.

8. O lenei, ina ua papatisoina o ia i le vai, ua afio ifo le Agaga Paia i luga ia te ia e peiseai o se lupe.

9. I le ma lenei, e faailoa atu ai i le fanauga a tagata le sa'o o le ala ma le vaapiapi o le faitotoa latou te ulu atu ai, ina ua faia o ia ma faaa'oa'o ia te i latou.

10. Na ia fetalai atu foi i le fanauga a tagata: Ina mulimuli mai ia outou ia te au. O lenei, o'u uso pele e, e mafai ea ona tatou mulimuli atu ia Iesu, pe afai tatou te le loto ina tausi i poloaiga a le Tamā?

11. Ua fetalai mai foi le Tamā: Ia outou salamo, ma ia papatisoina outou i le suafa o lo'u atalii pele.

12. Ma lea, na oo mai foi le siufofoga o le Alo ia te au, ua faapea mai: O le ua papatisoina i lo'u igoa, o ia e foaiina i ai le Agaga Paia e le Tamā e pei o a'u nei; o lenei, ina mulimuli mai ia ia te au, ma faia mea ua outou vaavaai mai ai ia te au ua ou faia.

13. O lenei, le au uso pele e, ua ou iloa afai tou te mulimuli atu i le Alo ma le loto atoa, a e

le fai se mea pepelo, po o se faa'ole'olega i luma o le Atua, a o le loto faamaoni ua salamo ai i a outou agasala, ma molimau atu i le Tamā, ua outou loto ina ave i o outou luga le suafa o Keriso i le papatisoga; ioe, ma ia mulimuli ifo i lo outou Alii ma lo outou Faaola i le vai, e tusa ma lana afioga, faauta, ona maua lea e outou le Agaga Paia; e moni, ona oo mai lea le papatisoga i le afi ma le Agaga Paia, ona mafai ai lea ona outou tautala i le gagana a agelu, ma alalaga atu i viiga i Lē Paia o Isaraelu.

14. A e peitai, faauta, o'u uso pele e, sa faapea ona oo mai le siufofoga o le Alo ia te au, ua faapea mai: Pe a uma ona outou salamo i a outou agasala, ma molimau atu i le Tamā i le papatisoga i le vai ua loto outou ina tausi i ana poloaiga, ma ua maua le papatisoga i le afi ma le Agaga Paia, ma ua mafai ona tautala atu i le gagana fou, e moni, o le gagana lava a agelu—pe a uma na mea, afai tou te faafitia mai a'u, ua sili ia te outou ana outou le iloaina a'u.

15. Na ou faalogo foi i le siufofoga o le Tamā, ua faapea mai: Ioe, e tonu ma ua faamaoni upu a la'u pele. O lē tumau e oo le iuga, e faaolaina lea.

16. O lenei, o'u uso pele e, o le mea lenei ou te iloa ai afai e le tumau pea lava le tagata e oo i le iuga, ma mulimuli atu i le faaa'oa'o o le Alo o le Atua soifua, e le mafai ona faaolaina o ia.

17. O lenei, ia outou faia mea ua ou fai atu ia te outou ua ou vaaia e faia e lo outou Alii ma lo outou Togiola, auā o le mea lenei ua faaalia mai ai ia te au, ina ia iloa e outou le faitotoa tou te ulu atu ai. Auā o le faitotoa tou te ulu atu ai, o le salamo lea ma le papatisoga i le vai, ona oo mai ai lea le faamagaloina o a outou agasala i le afi ma le Agaga Paia.

18. Ona i ai lea outou i lenei ala sa'o ma le lauitiiti e tau atu i le ola faavavau, ioe, ua ulu atu ai outou i le faitotoa, ua faia e outou e tusa ma poloaiga a le Tamā ma le Alo, ua maua foi e outou le Agaga Paia, e molimau o ia i le Tamā ma le Alo, e oo i le faataunuuina o le folafolaga ua na faia, ua faapea mai: Afai ua outou ui atu i le ala ona maua lea e outou.

19. O lenei, o'u uso pele e, ona ua maua e outou lenei ala sa'o ma le lauitiiti, ou te fesili atu: Po ua faia mea uma ea? Faauta, ou te fai atu ia te outou, e leai, auā ana le se anoa le afioga lava a Keriso, ma le faatuatua e le mafaagaeetia ia te ia, o loo faalagolago lava outou i le galuega a Lē malosi i faaola, po ua outou le o mai i nei mea.

20. O le mea lea e tatau ai ona outou fetaomi atu i luma ma le faamaoni ia Keriso, ina ua i ai le faamoemoe atoatoa lelei, i le ma le alofa atu i le Atua atoa ma tagata uma. O lea, afai tou te fetaomi atu i luma, o fiafia i le afioga a Keriso, ma tumau lava e oo i le iuga, faauta, o loo faapea ona fetalai mai le Tamā: Tou te maua le ola faavavau.

21. O lenei foi, faauta, o'u uso pele e, o le ala lava lenei, e leai foi se isi ala po o se isi igoa i lalo o le lagi e mafai ona faaolaina ai tagata i le malo o le Atua. O lenei foi, faauta, o le mataupu lenei a Keriso, o le mataupu e tasi ma le sa'o a le Tamā, ma le Alo, ma le Agaga Paia, o le Atua e tasi lava lea, e leai se iuga. Amene.

MATAUPU 32.

O isi vaolaga a Nifae—O le gagana a agelu—O le faiva o le Agaga Paia.

1. O lenei foi, faauta, o'u uso
pele e, ou te manatu o loo outou
masalosalo foi i o outou loto i
mea tou te faia pe a uma ona ou-
tou ui atu i le ala. A e peitai,
faauta, po o le a ea le mea tou te
masalosalo ai i nei mea i o outou
loto?
2. Tou te le manatua ea na ou
fai atu ia te outou, pe a uma ona
maua e outou le Agaga Paia tou
te mafai ona tautala i le gagana
a agelu? O lenei foi, e mafai faa-
pefea ea ona outou tautala i le
gagana a agelu sei iloga o le
Agaga Paia?
3. E tautala mai agelu i le
mana o le Agaga Paia, o le mea
lea ua latou fetalai mai ai le
afioga a Keriso. O le mea lea na
ou fai atu ai ia te outou, ia outou
fiafia i le afioga a Keriso, auā
faauta, e faaalia mai ia te outou
i le afioga a Keriso mea uma tou
te faia.
4. O lenei foi, ina ua uma ona
ou fai atu nei upu, afai e le ma-
lamalama ai ia te outou, e le ma-
fai ona ua outou le ole atu pe
tu'itu'i atu outou, o le mea lea
ua le aumaia ai outou i le mala-
malama, a e fano outou i le pou-
liuli.
5. Auā faauta, ou te toe fai atu
ia te outou, Afai tou te ui atu i
le ala ma talia le Agaga Paia, na
te faaali ia te outou mea uma e
tatau ona outou faia.
6. Faauta, o le mataupu lenei
a Keriso, e le foaiina mai foi se
isi mataupu e oo i le aso na te
faaalia mai ai o ia lava i le tino.
Pe a faaalia mai o ia lava ia te
outou i le tino, tou te faia lava
mea na te fetalai mai ia te outou.
7. O lenei foi, o a'u o Nifae, ou
te le mafai ona fai atu nisi upu,
ua faaiuina a'u upu e le Agaga,
ma ua tuuina mai ia te au e faa-
noanoa ona o le le talitonu, ma
le amioleaga, ma le vālea, ma ūa
mālolo o tagata, auā latou te le
sailiili i le poto, pe lagona le
faautauta ina ua faaalitinoina atu
ai, ua ta'utino lava e tusa ma le
manino o upu.
8. O lenei foi, o'u uso pele e, ua
ou iloa ua outou masalosalo pea
i o outou loto, ua tigaina a'u ona
ua ao ina ou tautala atu e uiga
i lenei mea. Auā afai e faalogo
atu outou i le Agaga e a'oa'o atu
i le tagata ia tatalo, ona iloa lea
e outou e tatau ona outou tatalo,
auā e le a'oa'o atu le agaga leaga
i se tagata ia tatalo o ia, a ua
ia a'oa'o atu ia te ia e le tatau
ona ia tatalo.
9. A e peitai, faauta, ou te fai
atu ia te outou e ao ina outou
tatalo e le aunoa, aua le faavaivai
aua tou te faia se mea e tasi i la
le Atua, sei iloga tou te muai
tatalo i le Tamā i le suafa o
Keriso, ina ia faapaiaina e ia la
outou galuega ia te outou, ina ia
aoga la outou galuega e faama-
nuiaina ai o outou agaga.

MATAUPU 33.

O le molimau faamavae a Nifae—E le malosi i le tusitusi e tusa ma le malosi i le tautala atu—O lona alofa tele mo ona tagata.

1. O lenei foi, o a'u o Nifae,
ou te le mafai ona tusia mea uma
na a'oa'oina ai lo'u nuu, ou te le
malosi a'u i le tusitusi e tusa ma
lo'u malosi i le tautala atu, auā
pe a tautala atu le tagata i le
mana o le Agaga Paia, e molio-
oina ai i le mana o le Agaga Paia
i loto o le fanauga a tagata.
2. A e peitai, faauta, e toatele
i latou o ē faamaaaina o latou loto

i le Agaga Paia, ina ia le mau ai i totonu ia te i latou, o le mea lea ua latou tuulafoai ai mea e tele ua tusia, ma ua faapea a i latou ua le aoga lava.

3. A e peitai, o a'u o Nifae, ua tusia mea ua ou tusia, o lo'u taofi e aoga tele, a e faasili i lo'u nuu. Auā ua ou tatalo e le aunoa i le ao mo i latou, ua faasusuina e o'u mata lo'u aluga i le po ona o i latou, ua tagi atu ma le faatuatua i lo'u Atua, ua ou iloa foi na te faafofoga mai i la'u tagi.

4. Ua ou iloa foi e faapaiaina e le Alii le Atua a'u tatalo ia aoga ai i lo'u nuu. O upu ua ou tusia i le vaivai, e faamalosia ia te i latou, auā e faaoleolea ai i latou ia amiolelei, e faailoa atu foi ia te i latou o latou tamā, ua i ai upu e uiga ia Iesu, ma ua faaoleole ia te i latou ia talitonu ia te ia, ma ia tumau lava e oo i le iuga, o le ola faavavau lea.

5. Ua tautala mai foi ma le saua i le agasala e tusa ma le malamalama o le upu moni, o le mea lea e le ita ai se tagata i upu ua ou tusia, sei iloga o lo le agaga o le tiapolo o ia.

6. Ou te olioli lava i le malamalama, ou te olioli i le upu moni, ou te olioli i lo'u Iesu, auā ua togiolaina e ia lo'u agaga ai seoli.

7. Ou te alofa atu i lo'u nuu ma le faatuatua tele ia Keriso matou te fetaiai ma agaga e toatele ma le le pona i lona nofoa faamasino.

8. Ou te alofa atu i tagata Iutaia, ua ou fai atu o tagata Iutaia, auā ou te faasino atu ia i latou na ou sau ai.

9. Ou te alofa atu foi i nuu ese. A e peitai, faauta, ou te le mafai ona faamoemoe i se tasi o i latou na, sei iloga latou te faalelei ma Keriso, ma ulu atu i le faitotoa vaapiapi, ma savavali i le ala sa'o e tau atu i le ola, ma tumau i le ala e oo lava i le iuga o aso o le olaga faata'ita'i.

10. O lenei foi, o'u uso pele e, atoa ma tagata Iutaia, o outou tulu'iga uma o le lalolagi e, ina faalogo mai ia i nei upu, ma talitonu ia Keriso; afai tou te le talitonu i nei upu, ia talitonu ia Keriso. Afai foi tou te talitonu ia Keriso tou te talitonu foi i nei upu, auā o le afioga lenei a Keriso, ua ia foaiina mai foi ia te au, e a'oa'o atu ai foi i tagata uma ia latou amiolelei.

11. Afai foi e le o le afioga lenei a Keriso, ia faamasino outou, auā e faailoa atu e Keriso ia te outou i le mana ma le mamalu tele i le aso gataaga, o lana afioga lava lenei; tatou te faafesagai ma a'u i luma o lona nofoa faamasino, ona outou iloa ai lea, e ui i lo'u vaivai, na poloaiina a'u e ia e tusi nei mea.

12. Ou te tatalo atu foi i le Tamā, i le suafa o Keriso, ina ia faaolaina nisi e toatele o i tatou i lona malo, pe afai e le mafai i tatou uma, i lena aso tele ma le gataaga.

13. O lenei foi, o'u uso pele e, o outou uma o i le aiga o Isaraelu, atoa ma outou o i tulu'iga o le lalolagi, e tautala atu a'u ia te outou, e pei o le leo o le tasi ua leo iī mai le efuefu, tofā lava seia oo mai lena aso tele.

14. A o outou e le tofu i le agalelei o le Atua ma usiusitai i upu a tagata Iutaia atoa ma a'u upu, atoa foi ma fetalaiga e tūlei atu nai le fofoga o le Tamai Mamoe a le Atua, faauta, ou te faatofā atu ia te outou e faavavau, auā e faasalaina outou i upu nei i le aso gataaga.

15. Auā o mea ou te faamau-

faailogaina i le lalolagi, e aumaia e molia ai outou i luma o le nofoa faamasino, auā o loo faapea ona poloai mai le Atua ia te au, e ao foi ina ou usiusitai lava. Amene.

O LE TUSI A IAKOPO,

O LE USO O NIFAE.

O upu o lana talaiga i ona uso. Ua ia faafememeaiina le tagata na saili e fulisia le mataupu a Keriso. O nai upu e uiga i le talaaga i le nuu o Nifae.

MATAUPU 1.

O sa Nifaē ma sa Lamanā—O le maliu o Nifae, le atalii o Liae—O le loto maaa ma amioga leaga.

1. Auā faauta, ua oo ina ua uma ona mavae atu tausaga e limasefulu ma le lima talu ina te'a Liae ma Ierusalema, o lenei, ua tuu mai le poloaiga e Nifae ia te au, o Iakopo, e uiga i papatusi laiti ua togitogia ai nei mea.

2. Na ia aumai foi le poloaiga ia te au, o Iakopo, ou te tusia i nei papatusi o nai mea ua ou manatu ua sili ona tāua, ia ou tusia foi na o ni nai tala puupuu e uiga i le talaaga i lenei nuu, ua ta'ua o le nuu o Nifae.

3. Auā na ia fai mai e togitogia le talaaga i lona nuu i ana isi papatusi, ou te faasaoina foi nei papatusi ma tuufaasolo ai i a'u fanau i lea tupulaga ma lea tupulaga.

4. Afai foi e i ai le talaiga e paia, po o faaaliga e sili, po o valoaga, ia ou togitogia upu sili i nei papatusi ma faamatala atu ai i mea uma e mafaia, ona o Keriso, ona o lo matou nuu foi.

5. Auā, ona o le faatuatua ma le popole tele, e moni, na faaalia mai ai ia te i matou e uiga i lo matou nuu mea e oo ia te i latou.

6. Na maua foi e i matou faaaliga e tele, ma le Agaga o valoaga e tele, o le mea lea na matou iloa ai Keriso ma lona malo e oo mai.

7. O lenei, ua matou galulue ma le filigā i lo matou nuu ina ia matou faaoleole ia te i latou e o mai ia Keriso, ina ia au i latou i le agalelei o le Atua, ina ia latou sao atu i lona malologa, ina ne'i tauto o ia i lona toasa latou te le sao atu i ai, e pei o le faa'ono'ono i aso o le faaosoosoga ina o i le vao le fanauga a Isaraelu.

8. O lenei, matou te loto i le Atua ina ia matou faaoleole i tagata uma, aua le fouvale i le Atua ma faa'ono'ono ia te ia i le toasa, a ia talitonu tagata uma ia Keriso ma iloa lona maliu, ma ia tauave lona satauro, ma onosai i le masiasi o le lalolagi, o lea, o a'u o Iakopo, ou te ave ai i luga ia te au e faataunuu le poloaiga a lo'u uso o Nifae.

9. O lenei, ua toeaina Nifae, ua na iloa foi toe itiiti ona oti ai lea o ia, o le mea lea na ia faauuina ai le tagata e fai ma tupu ma pule i lona nuu e tusa ma le nofoaiga a tupu.

10. Sa alolofa tele le nuu ia Nifae, auā na ia faamamaluina i latou, na tago foi o ia i le pelu a Lapana ina ia leoleo ia te i latou, ona ua ia galue foi i ona aso uma ina ia manuia i latou.

11. O le mea lea na fia taofi

ai lona igoa e le nuu i o latou manatu. O lē sui i lana nofoaiga sa ta'ua e le nuu, o Nifae lona lua, ma Nifae lona tolu, ma ua faapea lea ma lea e tusa ma nofoaiga a tupu, ua faapena ona ta'ua e le nuu, a e le ta'ua i o latou igoa moni.

12. Ua oo foi ina maliu Nifae.

13. O lenei, o i latou ua le ni sa Lamanā, o lo sa Nifaē i latou, a e ui i lea, sa ta'ua i latou o sa Nifaē, ma sa Iakopō, ma sa Iosefā, ma sa Soramā, ma sa Lamanā, ma sa Lemuelū, ma sa Isamaelī.

14. A o a'u, o Iakopo, ou te le toe ta'ua i latou i nei igoa, a e peitai, ou te ta'ua i latou o ē saili e faaumatia le nuu o Nifae, o sa Lamanā; ou te ta'ua foi i latou o ē alolofa ia Nifae, o sa Nifaē, po o le nuu o Nifae, e tusa ma nofoaiga a tupu.

15. O lenei foi, ua oo ina amata ona maaa i o latou loto le nuu o Nifae i le nofoaiga a lona lua o tupu, ma ua latou fai foi le amioleaga e pei o Tavita anamua, ua mananao i avā e toatele ma palake, e pei foi o Solomona lona atalii.

16. Ioe, ua amata ona latou saili le auro e tele ma le ario, ua amata foi ona faafefeteina i le faamaualuga.

17. O lenei, o a'u o Iakopo, na ou avatu nei upu ia te i latou ina o a'u a'oa'oina i latou i le malumalu, ina ua muamua ona maua la'u feau mai le Atua.

18. Auā na faasaina i maua, o a'u o Iakopo, ma lo'u uso o Iosefa, i le lima o Nifae, e fai ma ositaulaga ma a'oa'o i lenei nuu.

19. Na ma faamamalu foi o maua tofiga i la le Atua, na ma ave i luga ia te i maua le mea mamafa, ia tauia i luga o i maua agasala a le nuu, pe afai ma te le a'oa'o atu ia te i latou le afioga a le Atua, ma le filigā uma. O lenei, ua ma galulue ma lo maua malosi uma, ne'i oo mai lo latou toto i o maua ofu. Ana leai, po ua oo mai lo latou toto i o maua ofu, ona le maua mai lea i maua ma le le pona i le aso gataaga.

MATAUPU 2.

Ua ta'u e Iakopo le leaga o le le nofo mama ma nisi agasala— Ua faasaina le toatele o avā ona o agasala a le nuu.

1. O upu na fai atu e Iakopo, le uso o Nifae, i le nuu o Nifae, ina ua mavae le maliu o Nifae.

2. O lenei, o'u uso pele e, o a'u o Iakopo, ua ou sau i le malumalu i le asō, e tusa ma le tofiga mamafa mai le Atua ia te au, e faamamalu ma le faautauta lo'u tofiga, ina ia ou faate'aeseina foi ai o'u ofu a outou agasala, ina ia ou talai atu foi ia te outou le afioga a le Atua.

3. O outou foi, ua outou iloa na filigā a'u i tausaga ua mavae i le tofiga ua valaauina ai a'u, a o le asō ua sili ona mafatia ai a'u 'ai aso ua alu atu i le mana'o ma le popole tele ona o le manuia ō outou agaga.

4. Auā faauta, e oo i nei ona po ua usiusitai outou i le afioga a le Atua ua ou tuuina atu ia te outou.

5. A e peitai, faauta, ia outou faalogo mai ia te au ma iloa, ona o le fesoasoani o Lē Silisiliese na faia mea uma i le lagi ma le lalolagi, ou te mafai ai ona ta'u atu le uiga ō outou manatu, auā ua amata ona outou galulue i le agasala, o le agasala lea ua ou 'ino'ino tele lava i ai, ioe, e 'ino'ino i ai le Atua.

6. E moni, ua tigaina ai lo'u agaga, ua meme'i ai a'u i le māsiasi i luma o Le na faia a'u, e

molimau atu ia te outou e uiga
i le agasala a o outou loto.
7. Ma ua tigaina a'u ona ua
ao ina ou faaalitino atu ai ia te
outou i luma o a outou avā ma
a outou fanau, e toatele foi o i
latou ua agavaivai ma ua mamā
o latou manatu, ma ua faapele-
peleina i luma o le Atua, o le
mea foi lea e fiafia mai ai le Atua.
8. Ou te masalo foi ua latou o
mai iinei e faalogologo i le afioga
malie a le Atua, ioe, o le upu e
faamalolo a'i le agaga ua manu'a.
9. O lea ua mafatia ai lo'u aga-
ga ina ua uuna'ia a'u ona o le
poloaiga sa'o ua ou maua mai le
Atua e apoapoai atu ia te outou
e tusa ma a outou agasala, e faa-
teleina manu'a o i latou ua uma
ona manunu'a, a e le faamafana-
fana ma faamaloloina o latou
manu'a, a o i latou ua le ma-
nunu'a, e le fiafia i latou i le afi-
oga malie a le Atua, a e tu'ia o
latou agaga i pelu ma manunu'a
o latou mafaufau faapelepeleina.
10. A e ui i le mamafa o le
fe'au, e ao ina ou faia e tusa ma
le poloaiga sa'o a le Atua, ma
ta'utino atu ia te outou a outou
agasala ma mea inosia i luma o
ē loto mamā ma ē loto momomo,
i lalo foi o le silafaga maati a le
Atua e ona le malosi uma.
11. O lenei, e ao ina ta'u atu
ia te outou le upu moni, e tusa
ma le pupula o le afioga a le
Atua, auā faauta, ina ua ou ole
atu i le Atua, ua faapea ona oo
mai le upu ia te au, ua faapea
mai: Iakopo e, ia e alu ae a
taeao i le malumalu ma ta'utino
atu i lenei nuu le upu ou te
tuuina atu ia te oe.
12. O lenei foi, o'u uso e, o le
upu lenei ou te ta'utino atu ia
te outou, e toatele o outou ua
amata ona saili le auro, ma le
ario, ma mea tāua uiga eseese
uma, e matua tele lava na mea i
lenei nuu, o le nuu ua folafolaina
ia te outou ma a outou fanau.
13. Na alofa tele lava le Atua
ia te outou ua outou maua ai oloa
e tele; ona ua maua e nisi o ou-
tou ni oloa e sili i lea ō outou
uso, ua faafefeteina outou i le
faamaualuga ō outou loto, ua mā-
lolo o outou ua ma ua faamaua-
luga o outou ulu ona o le taugatā
ō outou ofu, ma ua faasaua i o
outou uso, auā ua outou manatu
ua sili outou ia te i latou.
14. O lenei foi, o'u uso e, fa te
outou ea e ta'uamiotonuina outou
e le Atua ona o lenei mea?
Faauta, ou te fai atu ia te outou,
e leai, a e na te faasalaina ai ou-
tou; afai foi tou te fai pea nei
mea, e vave oo mai ana faamasi-
noga ia te outou.
15. E! ana faailoa e ia ia te
outou na te mafaia ona tu'ia ou-
tou, e mafai foi i le silasila mai
e tasi o ona fofoga ona taia outou
i le efuefu.
16. E! ana faate'aina e ia ia
te outou lenei amioletonu ma
mea inosia. E! ana outou faalogo-
logo mai i le afioga a ana polo-
aiga, a e aua le faaumatia o ou-
tou loto i le faamaualuga.
17. Ia outou manatu i o outou
uso e pei ona outou manatu ia
te outou lava, ma ia outou fefaa-
masaniai ma i latou uma, ma ia
tufatufa atu a outou mea ina ia
mauoa i latou e pei o outou.
18. A o lei sailiili e outou le
oloa, ia outou saili le malo o le
Atua.
19. Pe a uma foi ona outou
maua le faamoemoe ia Keriso ona
maua lea e outou le oloa, pe afai
tou te saili ai; tou te saili ai foi
i le fia fai mea lelei, e faaofu ai
ē le lavalavā, ma fafaga i ē fia
aai, ma tuusaoloto ai e ua fusi-
fusia, ma auauna atu i ē mama'i
ma ē tigaina.

20. O lenei foi, oʻu uso e, ua ou fai atu ia te outou e uiga i le loto faamaualuga, o outou foi o ē faatigaina le lua te tuaoi, ma faasaua ia te ia ona ua faamaualuga outou i o outou loto ona o mea ua foaiina mai ia te outou e le Atua, pe ni a fa outou i ai?

21. Tou te le manatu ea e inosia na mea i Le na faia tagata uma? E tusa ona lelei le tasi i le tasi i ona luma. E mai le efuefu tino uma, ona o le mea e tasi na ia faia i latou, ina ia tausi e i latou ana poloaiga ma faamamalu ia te ia e faavavau.

22. O lenei foi, ou te faaiu nei laʻu fai atu e uiga i le loto faamaualuga. Ana le ao ina ou tautala atu ia te outou e uiga i le agasala e sili ona mamafa, po ua matua olioli lava loʻu loto ona o outou.

23. A ua mafatia aʻu i le afioga a le Atua ona o a outou agasala sili, auā faauta, o loo faapea ona fetalai mai le Atua: Ua tauau ina amioletonu lenei nuu, ua le malamalama ia te i latou Tusi Paia, auā ua latou saili e taʻuamiotonuina i latou lava i le faitaaga, ona o mea ua tusia e uiga ia Tavita, atoa ma Solomona lona atalii.

24. Faauta, e moni, na fai avā ma palake e toatele e Tavita ma Solomona, ua inosia lena mea i oʻu luma, o loo fetalai mai ai le Atua.

25. O le mea lea o loo faapea ona fetalai mai ai le Atua: Ua ou taʻitaʻiina mai ai lenei nuu ai le nuu o Ierusalema i le mana o loʻu lima, ina ia ou faatuina mai le la laau amiotonu ai le fua o sulugatititi o Iosefa.

26. O lenei, o aʻu o le Alii le Atua, ou te le tuuina atu i lenei nuu ia latou amio e tusa ma i latou anamua.

27. O lenei foi, oʻu uso e, faalogo mai ia ia te au, ma ia outou faafofoga i le afioga a le Atua; auā ia taitasi outou ma lana avā e toatasi, ia leai foi sana palake.

28. Auā o aʻu o le Alii le Atua, e fiafia aʻu i le lēgāviā o fafine. O le faitaaga foi, o le mea inosia lea i oʻu luma, o loo faapea ona fetalai mai ai le Atua o au.

29. O le mea lea o loo faapea ona fetalai mai ai le Atua o au: E tausia e lenei nuu aʻu poloaiga, a leai, e fetuuina le laueleele ona o i latou.

30. Auā o loo fetalai mai le Atua o au: Afai ou te loto ina faatu mai ni fanau mo aʻu, ou te poloai atu ai i loʻu nuu, a leai, latou te usiusitai i nei mea.

31. Auā faauta, o aʻu o le Atua, ua ou vaaia le puapuaga, ua ou faalogoina foi le faanoanoa o tama fafine a laʻu fanau i le nuu o Ierusalema, ioe, i nuu uma o loʻu nuu ona o le amioleaga ma mea inosia ā latou tane.

32. O loo fetalai mai le Atua o au: Ou te le tuuina atu ia tagi mai ia te au tama fafiine lalelei a lenei nuu ua ou taʻitaʻiina mai ai le nuu o Ierusalema ona o tane a loʻu nuu, o loo fetalai mai ai le Atua o au.

33. Auā latou te le ave faatagataotaua tama fafine a loʻu nuu ona o lo latou agavaivai, auā a latou faia, ou te asiasi atu ia te i latou i le fetuu tiga, e oo lava i le faafanoga, auā latou te le faitaaga e pei o i latou anamua, o loo fetalai mai ai le Atua o au.

34. O lenei foi, faauta, oʻu uso e, ua outou iloa na foaiina mai nei poloaiga i lo tatou tamā o Liae, o lea ua uma ona outou iloa ai, e oo ia te outou le sala mamafa, auā ua outou faia nei mea ua le tatau ona outou faia.

35. Faauta, ua sili a outou amioletonu ai la sa Lamanā, o

tatou uso. Ua outou tu'imomomoina loto o a outou avā agavaivai, ua mavae atu foi le faatuatua o a outou fanau ona o a outou faaa'oa'o leaga i o latou luma, ua oo ae foi i le Atua māsusu ō latou loto e molia ai outou. Ona o le sa'o o le afioga a le Atua ua oo ifo ia te outou, ua oti nisi e toatele ona ua tu'ia i manu'a leaga.

MATAUPU 3.

Ua ta'u e Iakopo le leaga o isi mea—Ua sili atu ona amiotonu sa Lamanā i lo sa Nifaē—Ua ta'uleleia le fa'amaoni o sa Lamanā i le fa'aipoipoga—Ua toe lapataiina sa Nifaē.

1. A e peitai, faauta, o a'u o Iakopo, ou te tautala atu ia te outou o ē loto mamā. Ia outou faamoemoe atu i le Atua ma le le mafaagaeetia o le manatu, ma ia tatalo ia te ia ma le faatuatua tele lava, ona faamafanafanaina ai lea outou e ia o outou puapuaga, na te fautua mo outou, e auina mai le faamasinoga i luga o i latou o ē saili lo outou faafanoga.

2. E! outou uma ua loto mamā, inā faaea ia o outou ulu ma talia le afioga malie a le Atua, ma ia fiafia i lona alofa, auā tou te mafaia e faavavau, pe afai ua mausali o outou manatu.

3. A e peitai, oi talofa, oi talofa ia te outou o ē le loto mamā ma ua eleelea i le aso nei i luma o le Atua, auā afai tou te le salamo, e fetuuina le laueleele ona o outou. A o sa Lamanā, ua le eleelea i latou e pei o outou, (a e ui i lea, ua fetuuina i latou i le fetuu tiga,) latou te sasa ia te outou e oo i le faafanoga.

4. E vave oo mai foi le aso, afai tou te le salamo, latou te maua ai le nuu o lo outou tofi, e ta'ita'iese foi e le Alii le Atua o ē amiotonu nai ia te outou.

5. Faauta, o sa Lamanā, o outou uso, o e ua outou 'ino'ino i ai ona ua eleelea i latou, ona o le fetuu foi ua oo i o latou pa'u, ua sili ona amiotonu i latou ia te outou, auā ua le faagalogalo ia te i latou le poloaiga a le Atua na tuuina mai i o outou tamā, ia taitasi i latou ma le avā e toatasi, ia leai foi sa latou palake, aua le fai foi le faitaaga ia te i latou.

6. O lenei foi, ua latou tausisi i le tausiga o lenei poloaiga, o lea, ona o le tausisi i le tausiga o lenei poloaiga e le faaumatia ai i latou e le Alii le Atua, a e finagalo alofa o ia ia te i latou, e avea foi i latou ma nuu manuia i se aso.

7. Faauta, ua alolofa a latou tane i a latou avā, ua alolofa a latou avā i a latou tane, ua alolofa a latou tane mā latou avā i a latou fanau; ua ala lo latou le talitonu ma lo latou 'ino'ino ia te outou ona o le amioletonu a o latou tamā, o lenei foi, e sili ea i ni a outou ia te i latou i luma o Lē Silisiliese na faia outou?

8. E! o'u uso e, ou te fefe pe afai tou te le salamo i a outou agasala, e sili ona pa'epa'e o latou pa'u i o outou, pe a ta'ita'iina faatasi outou ma i latou i luma o le afioaga o le Atua.

9 O lenei, ou te avatu le poloaiga ia te outou, o le afioga lea a le Atua, aua tou te toe faifai atu ia te i latou ona o le faauliuli ō latou pa'u, pe faifai atu outou ia te i latou ona o lo latou eleelea, a e tou te manatua lo outou eleelea, ma ia manatua foi na oo ina eleelea i latou ona ō latou tamā.

10. O lenei, ia outou manatua a outou fanau, ua outou faati-

gaina o latou loto ona o le amio ua outou faia i luma o i latou; i le ma lenei, ia outou manatua e mafai outou ona o lo outou eleelea ona faafanoina lava a outou fanau, a e faafaulaia a latou agasala i luga ō outou ulu i le aso gataaga.

11. E! o'u uso e, ina faalogo mai ia i a'u upu, ia fagua manatu ō outou agaga, ia luluina outou ina ia outou ala mai ai le moe o le oti, ma ia tatalaina outou ia te outou ai tiga o seoli ina ia le avea outou ma agelu a le tiapolo, e lafoina i le lepa afi ma le teio, o le oti faalua lea.

12. O lenei foi, o a'u o Iakopo, na ou fai atu nisi mea e tele i le nuu o Nifae, ua lapata'i atu ia te i latou ona o le faitaaga ma le matāitu, atoa ma agasala eseese uma, na ou ta'u atu mea matautia e oo mai ona o ia mea.

13. E le mafai ona tusia i nei papatusi le tasi vaeselau o mea na faia e lenei nuu, ua tauau ina toatele lava i nei ona po, a o mea e tele na faia e i latou ua tusia i papatusi tetele, atoa ma a latou taua, ma a latou finauga, ma nofoaiga a o latou tupu.

14. Ua ta'ua nei papatusi, o papatusi a Iakopo, na gaosia foi i le lima o Nifae. Ou te faaiu foi la'u fai atu o nei upu.

MATAUPU 4.

O isi a'oa'oga a Iakopo—O le tulafono a Mose ua i tagata sa Nifae, ua ta'ata'iina ai i latou ia Keriso—Ua valoia le le talianina o ia e tagata Iutaia.

1. O lenei, faauta, ua oo ina ua auauna atu soo a'u o Iakopo i le upu i lo'u nuu, (ou te le mafai ona tusia tau o a'u upu e itiiti, ona ua faigata ona togitogia a matou upu i papatusi,) ua matou iloa foi e tumau lava mea matou te tusia.

2. A o mea uma matou te tusia i nisi mea, sei iloga e togitogia i papatusi, e pala ma mou ai, a e mafai ona matou tusia ni nai upu i papatusi, e mafai ona maua mai ai e a matou fanau atoa ma o matou uso pele le tala puupuu ia i matou, po ō latou tamā.

3. O lenei, ua fiafia i matou nei i lenei mea, o loo ua matou galulue ma le filigā e togitogi ai nei upu i papatusi, ua faamoemoe e talia ai ma le faafetai e o matou uso pele ma a matou fanau, ma vaavaai i ai ina ia a'oa'o atu i le olioli a e le o le faanoanoa po o le 'ino'ino i ai, e uiga i o latou muai mātua.

4. Auā, o le manatu lenei ua matou tusia ai nei mea, ina ia latou iloa na matou iloa Keriso, na i ai ia te i matou le faamoemoe i lona mamalu e tele selau tausaga a o lei afio mai o ia, a e le gata ia i matou le faamoemoe i lona mamalu, a ua i ai foi i perofeta paia na muamua ia i matou.

5. Faauta, na latou talitonu ia Keriso, ma tapuai atu i le Tamā i lona suafa; ua matou tapuai atu foi i le Tamā i lona suafa. O le manatu lenei ua matou tausi ai le tulafono a Mose, ua tusi ai o matou agaga ia te ia, ona o lenei mea ua faapaiaina ai ia te i matou i le amiotonu, e pei ona faia ia Aperaamo i le vao, i le usiusitai i poloaiga a le Atua i le foaiina atu o lona atalii o Isaako, o le faatusa lea o le Atua ma lona Alo e toatasi.

6. O le mea lea na matou suesue ai i le au perofeta ma ua matou maua faaaliga e tele, ma le Agaga o le valoaga, ina ua ia te i matou molimau uma nei matou te maua ai le faamoemoe, e mausali lo matou faatuatua, e

moni, e iu ina mafai i matou ona poloai atu i le suafa o Iesu, ona usiusitai ai lea ia te i matou o laau lava, po o mauga, po o peau o le sami.

7. A e ui i lea, ua faailoa mai ia te i matou e le Alii le Atua lo matou vaivai, ina ia matou iloa o lona alofa tunoa ma lona faamaulalo tele i le fanauga a tagata ua matou maua ai le mana e fai ai nei mea.

8. Faauta, e sili lava ma le ofoofogia galuega a le Atua. E le masuesueina lava le loloto o ana mea lilo, e le mafai lava ona iloa e tagata ona ala uma. Ua leai se tagata ua iloa ona ala sei iloga ua faaalia mai ai ia te ia, o lea, o'u uso e, aua tou 'ino'ino ai i faaaliga a le Atua.

9. Auā faauta, ua oo mai tagata i le fogaeleele i le mana o lana afioga. Ua faia foi le lalolagi i lana lava afioga. O le mea lea, afai e mafai le Atua ona fetalai atu ona i ai lea le lalolagi, ona le mafai ai lea i se a ona poloai atu i le lalolagi, po o le galuega a ona aao i luga o le fogaeleele, e tusa ma lona finagalo ma lana filifiliga?

10. O lenei, le au uso e, aua tou te saili e faatonu atu i le Atua, a ia outou talia faatonuga mai ona aao. Auā faauta, o outou lava, tou te iloa e faatonu mai o ia ma le poto, ma le amiotonu, ma le alofa tele lava i ana galuega uma lava.

11. O lenei, le au uso pele e, ia outou faalelei ma ia i le togisala a Keriso, o lona Alo e toatasi, ona mafai ai lea ona outou maua le toe tu mai e tusa ma le mana o le toe tu mai ua i ai ia Keriso, ma ia avea ma faapolopolo o Keriso i la le Atua, o ia te outou le faatuatua, ma ua maua le faamoemoe lelei o le malu ia te ia a o lei faaalia mai lava o ia i le tino.

12. O lenei foi, le au pele e, aua tou te ofo ona ua ou ta'u atu nei mea ia te outou, auā, se a le mea e le talatala ai i le togisala a Keriso ma maua le malamalama atoatoa ia te ia, ia oo foi i le iloa lelei o le toe tu mai ma le lalolagi e oo mai.

13. Faauta, o'u uso e, o sē vavalo o ia ina ia malamalama ai i tagata, auā e tautala mai le Agaga i le upu moni, a e le pepelo lava. O lea e fai mai ai mea e pei ona i ai lava, o mea foi e pei lava ona oo mai, o lea ua faaali tino ai nei mea ia te i tatou ina ia ola ai o tatou agaga. A e peitai, faauta, e le na o i tatou e molimau i nei mea, auā na fetalai atu ai foi le Atua i perofeta anamua.

14. A e peitai, faauta, o le nuu ūa mālolo tagata Iutaia, na 'ino'ino i upu malamalama, na fasiotia foi perofeta, ma ua saili mea ua le mafai ona lagona. O lenei, ona ua tauaso i latou, na oo foi ina tauaso ona ua latou vaavaai atu i ona tala atu o le faailoga, e tatau ona latou pāuu, auā ua aveeseina e le Atua lona malamalama mai ia te i latou, ma tuuina atu ia te i latou mea e tele e le mafai ona latou lagona, auā na latou manana'o i ai. Ona ua mananao i ai i latou, ua faia e le Atua ina ia tautevateva ai i latou.

15. O lenei foi, o a'u o Iakopo, ua ta'ita'iina i le Agaga i le vavalo atu, auā, ou te iloa ona o galuega a le Agaga o ia te au, ona o le tautevateva o tagata Iutaia latou te teena le maa e mafai ona ati ae ai i latou ma maua le faavae mausali.

16. A e peitai, faauta, e tusa ma le Tusi Paia, e avea lenei maa ma faavae sili ma le mulimuli,

atoa ma le faavae tonu e tasi lava e mafai ona ati ae i ai tagata Iutaia.

17. O lenei foi, le au pele e, ina ua latou teena le faavae tonu, e mafai faapefea ea ona latou ati ae i ai e faavavau ina ia avea ai ma maa tulimanu aupitoaluga ia te i latou.

18. Faauta, o'u uso pele e, ou te folafola atu lenei mea lilo ia te outou, pe afai e le luluina lava a'u i lo'u mausali i le Agaga ma ou tautevateva ona o lo'u popole anoanoai ona o outou.

MATAUPU 5.

Ua siitia e Iakopo upu a le perofeta o Senosa—O le faataoto i le olive totō ma le olive vao—O Isaraelu ma tagata o nuu ese.

1. Faauta, o'u uso e, tou te le manatua ea pe na faitauina e outou upu a le perofeta o Senosa, na ia fai mai i le aiga o Isaraelu, ua faapea mai:

2. Faalogo mai ia outou, le aiga o Isaraelu e, ma faafofoga i upu a a'u nei o le perofeta a le Atua.

3. Auā faauta, o loo faapea ona fetalai mai le Atua: Ou te faatusaina oe, le aiga o Isaraelu e, i le olive totō, na ave e le tagata ma ua tausi ai i lona tovine, ona tupu lea, ua leva, ma ua amata ona pala.

4. Ua oo foi ina alu atu lē pule i le tovine, ona ia iloa ai lea ua amata ona pala lona olive. Ona fai atu foi lea o ia: Ou te tetele ma eli faataamilo i ai ma tausi ai, ai lava e totogo mai tātupu laiti ma le mu'amu'a, a e le pala lava.

5. Ua oo ina tetele ai e ia, ma eli faataamilo ma tausi ai e tusa ma lana upu.

6. Ma ua oo ina ua mavae aso e tele ua amata ona totogo mai foi ni ona tātupu laiti ma le mu'amu'a, a e peitai, faauta, ua amata ona pe lona tumutumu.

7. Ma ua oo ina iloa ai e lē pule i le tovine, ona fai atu ai lea o ia i lana auauna: E tigaina a'u pe afai e maumau lenei laau, o lenei, inā alu atu ia ma fati ni la ai le olive vao ma aumai ai ia te au, ta te fati ese la sili na ua amata ona mamae, tate lafo ai i le afi ina ia susunuina.

8. Faauta foi, o loo faapea ona fetalai mai le Alii o le tovine: Ou te aveese la laiti ma le mu'amu'a e tele, ou te faapipiiina ai i le mea ou te loto i ai, ona le afaina ai lea pe afai e faapea e mate le pogai o lenei laau, ou te faasaoina ona fua ma'u. O le mea lea ou te ave ai nei la laiti ma le mu'amu'a, ou te faapipiiino ai foi i le mea ou te loto i ai.

9. Ina e ave la olive vao ma faapipii ai e sui a'i, a o nei mea ua ou fatia ou te lafoina i le afi ma susunu ai, ne'i faaleaogaina ai le fanua o lo'u tovine.

10. Ma ua oo ina faia e le auauna a le Alii o le tovine e tusa ma le fetalaiga a le Alii o le tovine ua na faapipiiina la o le olive vao.

11. Na poloai atu le Alii o le tovine ia elia faataamilomilo, ma ia teteleina, ma ia tausia, o loo faapea atu o ia i lana auauna: E tigaina a'u pe afai e maumau lenei laau, o lenei, ai lava ou te mafai ona faasaoina ni ona aa ia le mate, ua ou faia lenei mea ina ia ou faasao ai mo a'u lava.

12. O lenei, ina alu ia oe i lou ala, ia leoleo i le laau ma ia tausi ai e tusa ma a'u upu.

13. O mea nei ou te tuuina atu i le itu mamao lava o lo'u tovine, soo se mea ou te loto i ai, e le afaina ia te oe. Ou te faia ina ia ou faasaoina mo a'u la moni o le laau, i le ma lenei foi, ia

ou teuina ni ona fua i lea aso mo a'u lava, auā e tigana a'u pe afai e maumau lenei laau ma ona fua.
14. Ma ua oo ina maliu atu le Alii o le tovine i lona ala, ua ia natia la moni o le olive totō i itu mamao lava o le tovine, o nisi i le tasi mea, o nisi foi i le isi mea, e tusa ma lona finagalo ma lana filifiliga.
15. Ua oo foi ina ua mavae atu tausaga e tele, ua fetalai ane le Alii o le tovine i lana auauna: Sau ia, sei ta o ifo ia i le tovine ina ia ta galulue i le tovine.
16. Ma ua oo ina maliu ifo le Alii o le tovine faatasi ma lana auauna i le tovine e galulue ai. Ona fai mai lea le auauna i lona Alii: Faauta, silasila mai ia iinei, silasila ia i le laau.
17. Na silasila atu ma ua iloa e le Alii o le tovine le laau na faapipiiina ai la olive vao, ua totogo mai ma ua amata ona fua mai ni fua. Na silafia ua lelei ma ua tusa ona fua ma le fua moni.
18. Ona ia fai atu lea i lana auauna: Faauta, na maua le sua o lona aa i la o le laau vao, ua tupu mai i le aa le malosi tele, ona o le malosi tele foi o lona aa, ua fua mai la laau vao i ni fua totoina. O lenei, ana ta le faapipiina nei la, po ua mate le laau. O lenei foi, faauta, ou te teuteuina ni fua e tele ua fua mai ai le laau, o lona fua foi ou te teuteuina i lea aso mo a'u lava.
19. Ua oo foi ina fetalai atu le Alii o le tovine i lana auauna: Sau ia, ta o i le itu mamao lava o le tovine, ma ia ta vāai i le la laau moni, po ua fua mai foi ni fua e tele, ina ia ou teuteuina mo a'u lava, o ona fua i lea aso e oo mai.
20. Ua oo foi ina o atu i laua i le mea na natia ai e lē pule o la moni o le laau, ona fetalai ane ai lea o ia i lana auauna: Vaai ia i nei mea. Ona iloa atu ai lea e ia le mea muamua, ua fua mai ai ni fua e tele, ua na iloa foi ua lelei. Ona fetalai ane lea o ia i lana auauna: Ia e ave ni fua ma teuteuina i lea aso e oo mai, ina ia ou faasaoina ai mo a'u lava, auā faauta, na ia fetalai atu: Ua leva lava ona ou tausia ai, ua fua mai foi ni fua e tele.
21. Ua oo foi ina fai mai le auauna i lona Alii: O le a ea le mea na e maliu mai ai i lenei mea o totō ai lenei laau, po o lenei la o le laau? Auā faauta, ua sili ona leaga lenei fasi laueleele i le fanua uma o le tovine.
22. Na fetalai atu le Alii o le tovine ia te ia: Aua e te faatonu mai ia te au. Na ou iloa ua leaga lenei fasi laueleele, o le mea lea na ou fai atu ai ia te oe, ua leva ona ou tausia ai, ua e iloa foi ua fua mai ni fua e tele.
23. Ua oo foi ina fetalai atu le Alii o le tovine i lana auauna: Vaai mai iinei, faauta, ua ou totōina le tasi la o le laau, ua e iloa foi ua sili ona leaga lenei fasi laueleele ai lea muamua. A e vaai ia i le laau. Ua leva lava ona ou tausia ai, ua fua mai foi ni fua e tele. O lenei, ina tau mai ia ma ia teuteuina i lea aso e oo mai, ina ia ou faasaoina ai mo a'u lava.
24. Ua oo foi ina toe fetalai atu le Alii o le tovine i lana auauna: Vaai mai iinei ma iloa le isi la ua ou totoina. Faauta, ua ou tausia ai foi ma ua fua mai ai ni fua.
25. Na ia fetalai atu i le auauna: Vaai mai iinei ma iloa le la mulimuli; faauta, ua ou totoina lenei la i le fasi laueleele lelei, ua leva lava ona ou tausia ai, a e na o le tasi itu o le laau

ua fua mai i fua totōina a o le isi itu o le laau ua fua mai i fua vao, faauta, ua ou tausia lenei laau e tusa ma laau na.

26. Ua oo ina fetalai atu le Alii o le tovine i lana auauna: Ina fati ese ia la ua le fua mai i fua lelei, ma ia lafo ai i le afi.

27. A e peitai, faauta, na fai mai le auauna ia te ia: Sei ta tetele ai, ma eli faataamilo i ai, ma tausi ai i nai tausaga, ai lava e fua mai i fua lelei mo oe ina ia teuteuina ai i lea aso e oo mai.

28. Ua oo foi ina tausi e le Alii o le tovine ma le auauna a le Alii o le tovine o fua uma o le tovine.

29. Ua oo foi ina ua mavae atu tausaga e tele lava, ua fetalai atu le Alii o le tovine i lana auauna: Sau ia, ta o ifo i le tovine, ina ia toe galulue i taua i le tovine. Auā faauta, e taulatalata mai le aso, e vave oo mai foi le iuga, o lenei, e ao ina ou teuteuina ni fua i lea aso e oo mai mo a'u lava.

30. Ma ua oo ina o ifo le Alii o le tovine ma le auauna, ua la o atu i le laau na mafa'ieseina ai ona la moni, na faapipiina ai foi la vao, faauta foi, ua faaleaogaina le laau ona o fua eseese sa i ai.

31. Ma ua oo ina tofotofo e le Alii o le tovine i le fua, o fua eseese e tusa ma le faitau aofai. Ona fetalai atu ai lea le Alii o le tovine: Faauta, ua tele aso na ta tausia ai lenei laau, ua ou teuteuina foi fua e tele mo a'u i lea aso e oo mai.

32. A e peitai, faauta, o nei ona aso ua fua mai ai ni fua e tele, a ua leai se tasi ua lelei. Faauta foi, o i ai fua leaga uiga eseese uma; e ui i a ta galuega uma, e le aoga ai lava ia te au, o lenei, e tigaina a'u afai e maumau lenei laau.

33. Ona fetalai atu ai lea le Alii o le tovine i lana auauna: Se a se mea ta te faia i le laau ina ia ou toe faasao ai ona fua lelei mo a'u?

34. Ua fai ane foi le auauna i lona Alii: Faauta, ona ua e faapipiina la o le olive vao ua fafagaina ai le aa, ua ola pea, ua le mate lava, o lea e te silafia ai e lelei pea le aa.

35. Ua oo foi ina fetalai atu le Alii o le tovine i lana auauna: E le aoga lava ia te au le laau, e le aoga foi ona aa i aso uma e fua mai ai i fua leaga.

36. A e ui i lea, ou te iloa e lelei aa, ua ou faasaoina ai ona o lo'u lava manatu, ona o lo latou malosi tele ua latou fua mai o fua lelei i la vao i aso ua mavae.

37. A e peitai, faauta, ua tutupu la vao ma ua soloa ai aa, ona ua manumalo la vao i ona aa ua fua mai ai fua leaga e tele, ona ua fua mai fua leaga e faapea ona tele, ua e iloa ua amata ona mate ai, e vave foi ona saunia ina ia lafo ai i le afi, sei iloga ta te faia se mea e faasaoina ai.

38. Ua oo foi ina fetalai atu le Alii o le tovine i lana auauna: Ta o ifo ia i itu mamao lava o le tovine ina ia iloa la moni, po ua fua mai foi i fua leaga.

39. Ua oo foi ina o ifo i laua i le itu mamao o le tovine. Ma ua oo ina iloa e i laua ua le aoga foi fua o la moni, ioe, o lē muamua, ma lona lua, atoa ma lē mulimuli, ua leaga uma lava.

40. Ua faatoilaloina foi e le fua vao lea itu o le laau na fua mai i fua lelei, ua oo ina mamae lea la laau, ma ua pe.

41. Ua oo foi ina tagi le Alii o le tovine, na ia fetalai atu foi

i le auauna: Se a se isi mea na mafai ona a'u faia i lo'u tovine?

42. Faauta, ua ou iloa ua faaleagaina fua uma o le tovine, a e na o nei fua sa ou le iloa. A o lenei la na muai fua mai le fua lelei, ua leaga foi ia, o lenei foi, ua le aoga laau uma o lo'u tovine, na ona ia taia i lalo ma lafoina i le afi.

43. Faauta o lenei na mulimuli ua mamae lona la na ou totoina i le fasi laueleele lelei, ioe, e sili ai ia te au i isi itu uma o le fanua o lo'u tovine.

44. Ua e iloa foi na ou taia i lalo lea na na faaleaogaina lenei fasi laueleele, ina ia ou totoina lenei laau e sui a'i.

45. Ua e iloa foi na fua mai le tasi itu i fua lelei, a o le isi itu na fua mai i fua vao; ona ua ou le fati ese foi ona la ma lafo ai i le afi, faauta, ua manumalo ai i le la laau lelei, ua mamae ai.

46. O lenei, faauta, e ui ina ta tausia lelei lo'u tovine, ua faaleagaina ona laau ma ua le fua mai ai ni fua lelei. Sa ou faamoemoe e faasaoina nei laau, ina ia teuteuina ona fua mo a'u lava i lea aso o oo mai. A e peitai, faauta, ua avea ai e tusa ma le olive vao, ma ua le aoga, na ona ia taia i lalo ma lafoina i le afi; e tigaina foi a'u pe afai e maumau ai.

47. A e peitai, se a ea se isi mea na mafai ona a'u faia i lo'u tovine? Po ua faamatagatagaina ea lo'u lima, ou te lei tausi ai? E leai, a ua ou tausia ai, ma ua ou elia faataamilomilo, ua ou teteleina foi ma ua ou nasu ai, ua ou faaloaloa atu lo'u lima, ua tali atoa le aso, ma ua taulatalata mai le gataaga. E tigaina foi a'u e taia i lalo laau uma o lo'u tovine ma lafo ai i le afi, ina ia susunuina. Po o ai ea na faaleagaina lo'u tovine?

48. Ua oo foi ina fai ane le auauna i lona Alii: E le o le maualuga ea o lou tovine? Po ua le manumalo ea ona o la i aa lelei? Ina ua manumalo foi la i ona aa, faauta, ua tutupu tele vave i latou a e tele gese le malosi o aa, ua maua mai ia te i latou lava le malosi. Faauta, ou te fai atu, e le o le mea lena ea ua faaleagaina ai laau o lou tovine?

49. Ua oo foi ina fetalai atu le Alii o le tovine i lana auauna: Sei ta o atu ia ma taia i lalo laau o le tovine, ma lafo ai i le afi, ina ia le faaotaotā ai lo'u tovine, auā ua ou faia mea uma; se a foi se isi mea na mafai ona a'u faia i lo'u tovine?

50. A e peitai, faauta, na fai ane le auauna a le Alii o le tovine: Sei tuu ai pea i nai isi tausaga.

51. Ona fetalai atu ai lea le Alii: Ioe, ou te faasaoina i nai aso, auā e tigaina lava a'u pe afai e maumau laau o lo'u tovine.

52. O lenei, sei ta ave la o lenei laau na ou totōina i itu mamao o lo'u tovine, ma ia ta faapipiiina ai i le laau sa i ai muamua, ia ta fati ese ai le laau o na la ua sili on oona o latou fua, a e faapipii ai la moni e sui a'i.

53. Ou te faia foi lenei mea ina ia le mate le laau, atonu ou te mafaia ona faasaoina mo a'u ona aa i lo'u lava manatu.

54. Faauta, o ola pea aa o la moni o le laau, na ou totōina i mea sa ou loto i ai, o lenei, ina ia mafai a'u ona faasao ai i lo'u lava manatu, ou te ave ai la o lenei laau, ou te faapipiiina ai foi ia te i latou. E moni, ou te faapipina ai la i lo latou tinā laau, ina ia ou faasaoina foi aa

mo a'u lava, pe a lava le malosi atonu e fua mai ai ni fua lelei mo a'u, ou te maua foi le olioli i le fua o lo'u tovine.

55. Ua oo foi ina la ave la o le olive totō ua avea ma laau vao, ma ua faapipiina ai i laau totōina ua avea foi ma laau vao.

56. Na la ave foi la mai laau totoina ua avea ma laau vao, ma ua faapipiina ai i le laau na tutupu mai ai.

57. Ona fetalai atu ai lea le Alii o le tovine i lana auauna: Aua le fati ese la vao nai laau, tau o la ua sili ona oona, e te faapipiiina ai foi e tusa ma la'u fai atu.

58. Ta te toe tausia laau o le tovine, ta te teteleina foi o latou la, ta te fati ese i laau o la ua matua, ua mamate, ma lafo ai i le afi.

59. Ou te faia foi lenei mea atonu e maua ai e aa le malosi ona o le lelei e i ai, ona ua fesuiaiina la, ai lava e manumalo le lelei i le leaga.

60. Ina ua ou faasaoina foi la moni atoa ma o latou aa, ma ua ou toe faapipiiina la totoina i le laau na tutupu mai ai, ma ua ou faasaoina aa o le laau na tutupu mai ai, atonu e toe fua mai laau o lo'u tovine i fua lelei, atonu ou te fiafia tele lava i ai, ina ua ou faasaoina aa ma la o le fua muamua.

61. O lenei, ina alu ia ma valaau atu i auauna ina ia tatou galulue i le tovine ma le filigā i lo tatou malosi, ina ia tatou teuteu ai le ala ia ou toe aumai ai le fua moni, o le fua moni e lelei, e sili ona tāua i fua ese uma.

62. O lenei, ia tatou o atu ma galulue i lo tatou malosi, o le toe galuega lenei, auā faauta, ua taulatalata mai le iuga, o le aso mulimuli lava lenei e tetele ai e a'u lo'u tovine.

63. Ina faapipii ia la, ia amata i lē mulimuli ina ia muamua ia, ina ia mulimuli foi le na muamua, ma ia eli faataaliolio i laau, o laau matua atoa ma laau mu'amu'a, o lē muamua ma lē mulimuli, o lē mulimuli ma lē muamua ,ina ia toe tausia uma lava, o le toe galuega lenei.

64. O lenei, ia eli faataaliolio i ai, ma tetele, ma toe nasu ai, o le aso mulimuli lenei, auā ua taulatalata mai le iuga. Afai e tutupu nei la ua faapipiiina ma fua mai i fua moni, ona teuteu ai lea e oe le ala mo i latou ina ia tutupu pea.

65. Pe a amata ona tutupu ia e aveeseina la laau ua fua mai i fua oona e tusa ma le malosi o lona lelei ma lona lautele, aua e te aveeseina foi lona leaga uma i le aso e tasi, ne'i sili le malosi o aa i le malosi o la ua faapipiiina, ne'i mate ai la ua faapipiiina, ona maumau lea ia te au laau o lo'u tovine.

66. Auā e tigaina a'u afai e maumau laau o lo'u tovine, o lenei, ia e aveeseina le leaga e faatatau ma le tupu o le lelei, ina ia faataumalolosi le aa ma le tumutumu, seia manumalo le lelei i le leaga, seia taia i lalo foi le leaga ma lafoina i le afi, ina ia le otaotā ai le fanua o lo'u tovine, e faapena ona ou tafi ese ai le leaga ai lo'u tovine.

67. Ona ou toe faapipiiina ai lea la o le laau totō i le laau totō.

68. Ou te faapipiiina la o le laau totō i la o le laau totō, e faapena ona ou toe aumaia faatasi i latou, ina ia latou fua mai i fua totōina, ona tasi ai lea i latou.

69. Ioe, e lafoaiina le leaga ai le fanua uma o lo'u tovine, auā faauta, o le toe aso lenei e teteleina ai e a'u lo'u tovine.

70. Ua oo foi ina auina atu e le Alii o le tovine lana auauna. Ua alu atu foi le auauna ma ua ia faia e pei ona poloaiina ai o ia e le Alii, na aumaia foi isi auauna, a ua na o le toaitiiti i latou.

71. Na fetalai atu foi le Alii o le tovine ia te i latou: Ina o atu ia ma galulue i le tovine i lo outou malosi, auā faauta, o le aso mulimuli lenei e tausi ai e a'u lo'u tovine, auā ua taulatalata mai le iuga, e vave mai le aso. Afai tatou te galulue ma a'u i lo tatou malosi, ona fiafia lea outou i le fua ou te teuteuina mo a'u lava i lea aso e vave oo mai.

72. Ma ua oo ina o atu auauna ma ua latou galulue i lo latou malosi, na galue foi le Alii o le tovine faatasi ma i latou, na latou usiusitai foi i poloaiga a le Alii o le tovine i mea uma.

73. Ona toe amata lea ona i ai le fua moni i le tovine, ua amata foi ona tutupu ma tauluuluola tele lava la totō, ma ua amata ona fatia ma lafoaiina la vao, na latou faatautausia foi le aa ma lona tumutumu e tusa ma lona malosi.

74. Sa faapea ona latou galulue ma le filigā uma, e tusa ma poloaiga a le Alii o le tovine, ina seia lafoaiina le leaga ai le tovine, ma ua faasaoina e le Alii mo ia lava, ua toe avea laau ma fua totō, ona avea lea i latou e pei o le tino e tasi, ua tutusa lava le fua, ua faasaoina foi e le Alii o le tovine le fua moni, sa sili ona tāua ia te ia talu le amataga.

75. Ua oo foi ina ua iloa e le Alii o le tovine ua lelei lona fua, ma ua le toe leaga lona tovine, na ia valaau atu i auauna, ma ua na fetalai atu ia te i latou: Faauta, o le aso mulimuli lenei ua tatou tausia ai lo'u tovine, ua outou iloa foi ua ou faia e tusa ma lo'u loto, ma ua ou faasaoina le fua moni ua lelei, e pei ona i ai i le amataga. Amuia lava outou, auā ua filigā outou e galulue faatasi ma a'u i lo'u tovine, ma ua outou tausia a'u poloaiga, ma ua toe aumaia ia te au le fua moni, ua le toe faaleagaina foi lo'u tovine, ma ua lafoaiina le leaga. Faauta, tatou te fiafia faatasi ma a'u ona o le fua o lo'u tovine.

76. Auā faauta, o tausaga e tele ou te teuteuina le fua o lo'u tovine mo a'u lava i lea aso e vave oo mai, auā o le aso mulimuli ua tausia e a'u lo'u tovine, ma teteleina ai ma elia faataaliolio, ma nasua ai, o lenei, ou te teuteuina le fua mo a'u lava i tausaga e tele, e tusa ma mea na ou fai atu ai.

77. Pe a sau le aso e toe oo mai le fua leaga i lo'u tovine ona ou poloai atu ai lea ia faaputuputuina le lelei ma le leaga, ou te faasaoina le lelei mo a'u lava, a ou te lafoai atu le leaga i lana lava mea. Ona oo mai lea le aso ma le iuga, ou te faamuina foi lo'u tovine i le afi.

MATAUPU 6.

Ua faamatala atu e Iakopo le faataoto i le olive—O le teuga o le tovine.

1. O lenei foi, faauta, o'u uso e, e pei ona ou fai atu ia te outou ou te vavalo atu, faauta, o la'u valoaga lenei: O mea na fai mai lenei perofeta o Senosa e uiga i le aiga o Isaraelu, na ia faatusaina ai i latou i le olive totō, e matua faataunuuina lava.

2. O le aso na te toe tuuina atu ai lona aao e laveai lona nuu, o le aso lena, e moni, o le toe aso lena e o atu ai auauna a le Atua i lona mana e tausi ma tetele ai lona to-

vine, pe a uma lea ona vave mai lea le iuga.

3. Amuia lava i latou o e ua galulue ma le filigā i lona tovine, a e fetuuina lava i latou o ē lafoaiina atu i a latou lava mea! E faamuina foi le lalolagi i le afi.

4. E finagalo alofa lo tatou Atua ia te i tatou, auā e manatua e ia le aiga o Isaraelu, o aa atoa ma la laau, o loo faaloaloa atu e ia lona aao ia te i latou i le aso atoa, a o i latou o le nuu ūa mālolo ma le finauvale. E faaolaina i le malo o le Atua i latou uma o ē le faamaaa o latou loto.

5. O lenei, o'u uso pele e, ou te aioi atu ia te outou i upu faamaoni, ia outou salamo, ma ia o mai ma le loto atoa, ma pipii atu i le Atua e pei ona pipii mai o ia ia te outou. Aua tou te faamaaa o outou loto, manu o faaloaloa atu lona aao alofa ia te outou i le malamalama o le ao.

6. E moni, afai tou te faalogologo atu i lona siufofoga i le asō, aua tou te faamaaa o outou loto, auā o le a le mea tou te oti ai?

7. Auā faauta, ina ua fafagaina outou i le aso atoa i le afioga malie a le Atua, pe tou te fua mai ea i fua leaga, ina ia taia i lalo ma lafoina i le afi?

8. Faauta, pe tou te teena ea nei upu? Pe tou te teena ea upu a le au perofeta? Pe tou te teena ea upu uma ua ta'ua mai e uiga ia Keriso ina ua faapea ona toatele e ua tautala mai e uiga ia te ia? Pe tou te faafitia ea le afioga malie a Keriso ma le mana o le Atua, atoa ma le mea foaifuaina, o le Agaga Paia lea, ma tinei le Agaga Paia? ma ula i le ala sili o le togiola ua faia mo outou?

9. Tou te le iloa ea afai tou te faia nei mea, o le mana o le togiola ma le toe tu mai nai e ua oti o ia Keriso, e faatuina ai outou i le masiasi ma le nofo sala matautia i luma o le nofoa faamasino o le Atua?

10. E tusa foi ma le mana o le amiotonu, auā e le mafai ona faafitia le amiotonu, tou te o ifo lava i lea lepa afi ma le teio e le matineia ona mumū, e alu ae foi lona asu e faavavau, faavavau lava, o le lepa afi ma le teio o le tiga lea e le gata lava.

11. O lenei, le au uso pele e, ia outou salamo, ma ia ulu atu i le faitotoa moni, ma ia tumau pea i le ala lauitiiti, seia maua e outou le ola faavavau.

12. E moni, ia faautauta lava! Se a foi se isi mea ou te fai atu?

13. O le toe upu lenei, ou te faatofā ia te outou, seia tatou fetaiai ma a'u i luma o le nofoa faamasino lelei o le Atua, o le faamasinoga lea e taia ai lē agasala i le fefe tele lava ma le matautuia. Amene.

MATAUPU 7.

Ua faafitia le Keriso e Serema, ua tuuina mai se faailoga ma ua taia o ia—Ua ia ta'u atu lana agasala ma ua maliu—Ua amata ona salamo le nuu—O le 'ino'ino o sa Lamanā ia sa Nifaē—Ua tuuina atu papatusi e Iakopo i lona atalii o Enosa.

1. O lenei, ua oo ina ua mavae atu nai tausaga, ua sau le tagata i le nuu o Nifae, o lona igoa o Serema.

2. Ua oo ina amata ona talai atu o ia i le nuu ma ta'utino atu ia te i latou, E leai se Keriso. Na ia talai atu foi mea e tele e faa'ole'ole i le nuu, na ia faia foi nei mea ina ia fuli i lalo e ia le mataupu a Keriso.

3. Ua ia galue ma le filifiligā ina ia ta'ita'ieseina e ia loto o le nuu, ua iu ina ta'ita'ieseina e ia loto o nisi e toatele. Ona ua ia iloa foi o a'u, o Iakopo, ua faa-

tuatua ia Keriso e afio mai, ua tausailiili o ia e sau ia te au.

4. Ua a'oa'oina o ia, ua iloa lelei e ia le atoatoa o le gagana a le nuu, o lea ua poto tele ai o ia i le taufaa'ole'ole, ma ua malosi i upu e tusa ma le mana o le tiapolo.

5. Na ia te ia le faamoemoe e lulu a'u i le faatuatua, e ui lava i faaaliga e tele ma mea e tele na ou iloa e uiga i nei mea, auā e moni, na ou iloa agelu, sa auauna mai foi i latou ia te au. I le ma lenei, na ou faalogo i le siufofoga o le Atua, na fetalai mai i le upu lava i lea aso ma lea aso, o le mea lea na le mafai ai ona luluina a'u.

6. Ua oo ina sau o ia ia te au. Sa faapea ona ia tautala mai ia te au, ua faapea mai: Uso Iakopo e, sa ou tausailiili ina ia mafai a'u ona tautala atu ia te oe, auā na ou faalogo atu ma ua ou iloa foi o loo ua e femaliuai soo ma talai atu le mea ua e ta'ua o le tala lelei, po o le mataupu a Keriso.

7. Ua e ta'ita'ieseina nisi e toatele o lenei nuu, ua latou faapi'opi'o ai le ala tonu o le Atua, ua le tausi foi le tulafono a Mose, o le ala moni lena, ua faaliliuina foi e i latou le tulafono a Mose i le tapuai atu i le tasi, ua e fai mai e afio mai pe a mavae mai tausaga e tele selau. O lenei foi, o a'u o Serema, ou te ta'utino atu ia te oe, o le faifai lena i le Atua, auā ua le iloa e se tasi mea faapena, auā e le mafai o ia ona ta'u mai mea e oo mai. Sa faapena ona finau mai Serema ia te au.

8. A e peitai, faauta, na liligi mai e le Alii le Atua o lona agaga i lo'u agaga, ua iu ina ou faafememeaiina o ia i ana upu uma.

9. Na ou fai atu foi ia te ia: E te faafitia ea le Keriso e afio mai? Ona fai mai lea o ia: Ana i ai se Keriso, po ua ou le faafiti ia te ia, a ua ou iloa e leai se Keriso, na le i ai foi i aso ua te'a, e le i ai foi i aso o lumanai.

10. Na ou fai atu foi ia te ia: Po ua e talitonu ea i Tusi Paia? Ona fai mai lea o ia: Ioe.

11. Na ou fai atu ia te ia: Ua le malamalama ai ia te oe, auā o loo molimau ai faamaoni ia Keriso. Faauta, ou te fai atu ia te oe, ua leai se tasi o le au perofeta na tusitusi, pe vavalo, sei iloga ua latou tautala e uiga i lenei Keriso.

12. E le gata foi i lea, ua faaalia mai ia te au nei, auā ua ou faalogoina ma vaaia, ua faaalia mai foi ia te au i le mana o le Agaga Paia, o le mea lea ua ou iloa ai, afai e le faia le togisala e malaia tagata uma.

13. Ua oo foi ina fai mai o ia ia te au: Ina faaali mai ia ia te au se faailoga i le mana lena o le Agaga Paia ua e iloa ai nei mea.

14. Na ou fai atu ia te ia: Po o ai ea a'u ou te tofotofo atu ai i le Atua e faailoa mai ia te oe se fa'ailoga i le mea ua e iloa ua moni lava? A e peitai, e te faafitia lava, auā e mai le tiapolo oe. A e ui i lea, e le fai lo'u loto, a e afai e taia oe e le Atua, ia fai lea mea ma faailoga ia te oe e ia te ia le mana i le lagi atoa ma le lalolagi, i le ma lenei, e afio mai Keriso. Le Atua e, ia faia lou finagalo, a e le o lo'u loto.

15. Ua oo foi ina ua uma ona fai atu nei upu e a'u o Iakopo, ua oo i luga ia te ia le mana o le Atua, ua i'u ina paū ai o ia i le eleele. Ma ua oo ina tausia o ia i aso e tele.

16. Ua oo foi ina fai atu o ia i le nuu: Ia faapotopoto mai i le aso a taeao, auā ou te oti ai. O lenei, ou te fia tautala atu i le nuu a ou te lei oti.

17. Ua oo foi i le aso a taeao

ina faapotopotoina mai faatasi le motu o tagata, na ia faaalitino atu ia te i latou ma ua faafiti mea na ia a'oa'oina atu ia te i latou, ua na ta'uta'ua le Keriso, atoa ma le mana o le Agaga Paia, i le ma le auauna mai o agelu.

18. Na ia ta'utino atu ia te i latou na faaseseina o ia i le mana o le tiapolo. Ua ia tautala atu e uiga i seoli, ma le faavavau, atoa ma le sala faavavau.

19. Na ia fai atu foi: Ou te fefe ne'i uma ona ou faia le agasala e le mafaamagaloina, auā ua ou pepelo atu i le Atua, auā foi, na ou faafitia le Keriso, na ou fai atu ua ou talitonu i Tusi Paia, a ua molimau ai faamaoni ia te ia. Ona ua faapea la'u pepelo atu i le Atua, ua ou mata'u tele ne'i faigata lava la'u sala, a e peitai, ou te ta'uta'u atu i le Atua.

20. Ua oo foi ina ua uma ona fai atu e ia nei upu, ua le toe mafai ona tautala atu o ia, ona to ai lea lana mānava.

21. Ina ua iloa e le motu o tagata ua na fai atu nei upu ina a oti o ia, ua taufaiofo tele lava i latou, ua iu lava ina alu ifo le mana o le Atua i luga ia te i latou, ma ua vaivai i latou, ua latou pāuu ai i le eleele.

22. O lenei, sa lelei lava lenei mea ia te au, o Iakopo, auā na ou aioi atu ai i lo'u Tamā o i le lagi, na ia faafofoga mai i la'u tagi, ma ua talia la'u tatalo.

23. Ua oo foi ina toe faatuina i le nuu le filemu ma le alofa i le Atua, na latou suesue foi Tusi Paia, ma ua le toe usiusitai i upu a lena tagata agasala.

24. Ua oo foi ina faia togafiti e tele e laveai ma faafoi mai sa Lamanā i le malamalama o le upu moni, a ua fai fua lava, auā na fiafia i latou i le taua ma le faamaligiina o le toto, sa ia te i latou le ita faavavau ia te i matou, ō latou uso. Ua latou tausailiili pea e faaumatia i matou i le malosi o la latou auupega.

25. O lenei, na fai olo le nuu o Nifae i a latou au e tetee atu ia te i latou i lo latou malosi atoa, ua faalagolago i le Atua ma le Papa o lo latou olataga. O le mea lea na manumalo ai i latou e oo i nei ona po i ē ita mai ia te i latou.

26. Ua oo foi ina amata ona toeaina a'u o Iakopo, ua fai foi le tusi a lenei nuu i isi papatusi a Nifae, o le mea lea ou te faaiu ai lenei tusi. Ua ou ta'utino atu ua ou tusitusia e tusa ona tatau i lo'u malamalama, ua faapea, na mavae atu o matou aso, na mavae atu foi o matou olaga e peiseai o le miti ia te i matou. O i matou o le nuu ua ausage, ma ua matafaanoanoa, o tagata aunuua, na tulia ai Ierusalema, ua fanau mai i le puapuaga i le vao; ua itagia e o matou uso, na ala ai taua ma finauga, o le mea lea ua matou faanoanoa ai i o matou aso.

27. O a'u foi o Iakopo, ua ou iloa e le pine ona ou alu ifo i lo'u tuugamau, o le mea lea ua ou fai atu ai i lo'u atalii o Enosa: Ia e ave nei papatusi. Ua ou ta'u atu ia te ia mea na poloaiina ai a'u e lo'u uso o Nifae. Ua fai mai o ia na te usiusitai i poloaiga. Ou te faaiu nei la'u tusi i nei papatusi, ua itiiti foi la'u tusi. Ou te faatofa atu i lē faitau ai, o loo ua ou faamoemoe e faitauina a'u upu e o'u uso e toatele.

Le au uso e, tofā!

O LE TUSI A ENOSA.

MATAUPU 1.

O le folafolaga a le Atua e faatatau i le tusi a sa Nifaē; e toe aumaia ia sa Lamanā—O amioga, tulaga, ma taua o nuu ia e lua.

1. Faauta, ua oo ina iloa e a'u o Enosa o lo'u tamā o le tagata amiotonu ia, auā na ia a'oa'oina mai ia te au lana gagana, i le ma le aoaiga ma le apoapoaiga a le Atua. Ia faamanuina lava le suafa o lo'u Atua ona o lena mea.

2. Ou te faamatala atu foi ia te outou le fagatuaga na ou faia i luma o le Atua, a e lei maua e a'u le faamagaloina o a'u agasala.

3. Faauta, na ou alu atu e tuli manu i le vao ma ua tuia lava lo'u loto i upu na fai mai e lo'u tamā, na ou faalogoina soo lava e uiga i le ola faavavau, ma le olioli tele o le au paia.

4. Sa matelaina lo'u agaga, ona ou tootuli ai lea i luma o Le na faia a'u, ma ua ou tagi atu ia te ia i le tatalo faatauanau ma le aioi atu mo lo'u lava agaga, na ou tagi atu ia te ia i le aso atoa, ioe, ina ua po lava le aso ua ou alaga atu pea i le lagi.

5. Ua tūlei mai ia te au le siufofoga, ua faapea mai: Enosa e, ua faamagaloina au agasala, e faamanuiaina foi oe.

6. O a'u o Enosa, ua ou iloa e le mafai ona pepelo le Atua, o le mea lea ua tafiesea ai la'u agasala.

7. Ua ou fai atu foi: Le Atua e, pe faapefea ea ona faia?

8. Ona fetalai mai foi lea o ia ia te au: Ona o lou faatuatua ia Keriso, o Le ua e faatoa faalogoina ma iloa. E mavae tausaga e tele a o lei faailoa mai o ia i le tino, o lenei, alu ia, ua e ola i lou faatuatua.

9. O lenei, ua oo ina ua uma ona ou faalogo i nei upu, ua oo ina tupu ia te au le manao ia manuia o'u uso, o sa Nifaē o le mea lea na ou momoli atu ai lo'u loto atoa i le Atua ona o i latou.

10. Ina o faapea ona ou finau i le Agaga, faauta, ua toe tūlei mai le siufofoga o le Atua ia te au, ua faapea mai: Ou te asiasi atu i ou uso e tusa ma lo latou filigā i le tausiga o a'u poloaiga. Ua ou foaiina atu ia te i latou lenei laueleele, o le laueleele paia lenei, ou te le fetuuina ai, sei iloga ona o le amioletonu, o le mea lea ou te asiasi atu ai i ou uso, e pei ona ou fai atu, ou te tuuina atu a latou solitulafono ma le faanoanoa i luga ō latou ulu.

11. O a'u o Enosa, ina ua uma ona ou faalogoina nei upu, ua amata ona mausali lo'u faatuatua i le Atua, ua ou tatalo atu foi ia te ia i finauga uumi e tele ona o o'u uso o sa Lamanā.

12. Ua oo foi ina ua uma ona ou tatalo ma galue foi ma le filigā uma, ua fetalai mai le Atua ia te au: Ou te tuuina atu ia te oe e tusa ma ou manao ona o lou faatuatua.

13. O lenei foi, faauta, o le manao lenei na ou fia maua mai ia te ia, afai e oo ina pāuu lo'u nuu, o sa Nifaē, i le solitulafono, pe faaumatia i latou, afai e le faaumatia sa Lamanā, ia faasaoina e le Alii le Atua le tusi a lo'u nuu, o sa Nifaē, afai e tatau ai i le mana o le aao paia, ina ia toe aumai ai i se aso o lumanai i sa Lamanā, atonu e aumai ai i latou i le olataga.

14. Auā o nei ona po ua le aoga

a matou galuega e faafoi mai i latou i le faatuatua moni. Ua tauto i latou i lo latou ita, afai e mafaia, latou te faaumatia a matou tusi atoa ma i matou, a e maise foi uputuu uma a o matou tamā anamua.

15. O lenei, ina ua ou iloa e mafai le Atua ona faasaoina a matou tusi, ua ou tagi pea ia te ia, auā na ia fetalai mai ia te au: Soo se mea e te aioi mai ai i le faatuatua, o talitonu i le suafa o Keriso e te maua, e te maua ai lava.

16. Sa ia te au le faatuatua, ma ua ou tagi atu i le Atua, sei faasaoina e ia tusi, ma ua ia fai le feagaiga ma a'u na te au mai ai i sa Lamanā i ona aso e tatau ai.

17. O a'u o Enosa, na ou iloa e faia e tusa ma le feagaiga ua uma ona ia faia, o lea sa filemu ai lo'u agaga.

18. Ma ua fetalai mai le Atua ia te au: Na manao foi e ou tamā lenei mea ia te au, e faia foi ia te i latou e tusa ma lo latou faatuatua, auā e tusa lo latou faatuatua ma lou faatuatua.

19. O lenei foi, ua oo ina fealuai a'u o Enosa i le nuu o Nifae, ma vavalo i mea e oo mai, ma molimau atu foi i mea ua uma ona ou faalogoina ma vaaia.

20. Ou te molimau atu foi na sailiili le nuu o Nifae ma le filigā e faafoi mai sa Lamanā i le faatuatua moni i le Atua. A e peitai, ua fai fua la matou galuega, ua mau lo latou ita mai, ua ta'ita'iina i latou i o latou manao leaga, ma ua avea i latou ma nuu solitulafono ma le feai, o le nuu ua fia faamaligi toto, ua paie, ma ua eleelea, ua aai i tino o manu feai, ua nonofo i fale ie, ua feoai foi i le vao ma lavalava pupuu o pa'u manu i o latou sulugatiti, ua tafi o latou lauulu, sa i ai lo latou poto i le aufana, ma le pelu, ma le simetea, ma le to'i. Ua toatele foi o i latou ua le aai se isi mea ua na o aano o manu mata, ua latou tausailiili foi e le aunoa e faaumatia i matou.

21. Ma ua oo ina galue i le fanua le nuu o Nifae, ma faatupu ai ituaiga eseese o saito, ma laau fua, o lafu ma fagaga, o lafu povi uiga eseese, o 'oti foi, ma 'oti 'aivao, atoa ma solofanua e tele.

22. E matua toatele perofeta ia te i matou. A e ūa mālolo le nuu, ua faalogogatā.

23. E leai foi se mea, sei iloga o le saua tele lava, o le talaiga ma valoaga i taua, ma finauga, ma faafanoga, i le ma le faamanatu pea ia te i latou o le oti ma le ola favavau, ma faamasinoga, ma le mana o le Atua, e faaoso pea nei mea uma ia te i latou ina ia tumau i latou i le mata'u i le Atua. Ou te fai atu, e leai se isi mea, na o mea nei ma le matua ta'utino atu, e taofi ai i latou, ne'i vave oo ifo i latou i le malaia. E faapenei ona ou tusi e uiga ia te i latou.

24. Na ou vaaia taua i sa Nifaē ma sa Lamanā i o'u aso.

25. Ma ua oo ina amata ona toeaina a'u, ma ua mavae tausaga e selau fitusefulu ma le iva talu aso na te'a ai lo matou tamā o Liae ma Ierusalema.

26. Ina ua ou iloa foi ua latalata mai le aso e alu ifo ai a'u i le tuugamau, ina ua uuna'ia foi a'u i le mana o le Atua e talai atu ma vavalo atu i lenei nuu, ma ta'utino atu le upu e tusa ma le upu moni e i ai ia Keriso, ma ua ou talai atu ai i o'u aso uma, ua ou fiafia lava i ai, e sili lava ai le fiafia o le lalolagi.

27. E le pine ona ou alu ifo i le mea ou te malolo ai, e i ai

faatasi ma lo'u Togiola, auā ua ou iloa ou te malolo ia te ia, e fiafia foi a'u i le aso e ofu ai lenei tino iuvale i le tino ola pea ma tu i ona luma, ona ou iloa ai lea ona fofoga ma le fiafia, na te fetalai mai foi ia te au: Sau ia ia te au, o oe na le ua manuia, ua saunia le mea mo oe i maota o lo'u Tamā. Amene.

O LE TUSI A IAROMA.

MATAUPU 1.

Ua tusia tala faamauina e Iaroma, le atalii o Enosa—Ua auauna sa Nifaē i le Atua ma ua manuia ai li latou.

1. O lenei foi, faauta, o a'u o Iaroma, ou te tusia nai upu itiiti, e tusa ma le poloaiga a lo'u tamā o Enosa, ina ia tausia lo matou gafa.

2. Ona ua laiti nei papatusi, ma ua tusia nei mea ona o le manatu e aoga ai i o matou uso o sa Lamanā, o le mea lea e tatau ai ona ou tusia nai mea itiiti, a ou te le tusia mea i a'u valoaga, po o a'u faaaliga. Auā se a ea se isi mea e mafai a'u ona tusia e le'i tusia e o'u tamā? Po ua latou le faailoa mai ea le ala e ola ai? Ou te fai atu ia te outou, ioe, ua lava foi lena mea ia te au nei.

3. Faauta, e tatau ona faia mea e tele i lenei nuu, ona o le maaa ō latou loto, ma le tutuli ō latou taliga, ma le tauaso ō latou mata, ma le mālolo ō latou ūa, a e ui i lea, o loo alofa mutimutivale le Atua ia te i latou, ua oo i nei ona po, e lei tafieseina ai i latou ai le fogaeleele.

4. Ma ua toatele o i matou ua maua faaaliga e tele, auā ua le ūa mălolo i latou uma. O i latou foi ua le mălolo o latou ūa ma ua faatuatua, ua latou mafuta ma le Agaga Paia, o ia foi e faaali mai mea i le fanauga a tagata e tusa ma lo latou faatuatua.

5. O lenei foi, faauta, ua uma ona mavae atu tausaga e lua selau, ua tupu malosi le nuu o Nifae i le laueleele. Ua tausisi i latou i le tausiga o le tulafono a Mose, ma le aso Sapati, ia paia i le Atua. Ua latou le upuleaga, ua latou le faifai foi i le Atua. Ua matua sa'o lava tulafono a le nuu.

6. Ua salalau foi i latou i itu e tele o le laueleele, ma ua faapea foi sa Lamanā. Ua matua sili ona toatele i latou ai sa Nifaē, ua fiafia i latou i le fasioti tagata, ma ua inu le toto o manu.

7. Ua oo ina atulasi ona latou o mai e tau ma i matou, o sa Nifaē. A ō matou tupu ma o matou ta'ita'i, o tagata malolosi i latou i le faatuatua i le Atua, sa latou a'oa'oina atu foi le nuu i ala o le Atua, o le mea lea ua teena ai e i matou sa Lamanā, ma ua tafi ese i latou ai o matou nuu, ua amata foi ona matou fai olo i o matou aai, atoa foi ma nisi mea i lo matou tofi.

8. Ua matua uluola i matou, ua sosolo atu foi i le laueleele, ua matua mauoa tele i matou i le auro, ma le ario, atoa ma mea tāua, i le ma galuega lelei i laau, ma fale, ma mea eseese e fai a'i galuega, atoa ma le uamea, ma le apa memea, ma le apa pupula, ma le sila. Ua matou gaosia mea e fai a'i galuega eseese uma lava e galue ai i le eleele, atoa ma auupega o le taua, ioe, o le u ua maai lona mata, ma le utu, ma le

tao, ma le tao laitiiti, ma sauniga uma i le taua.

9. Ona ua faapea ona saunia i matou e tau ma sa Lamanā, ua le manumalo ai i latou ia te i matou. A ua faamaonia le afioga a le Atua na ia fetalai mai i o matou tamā, ua faapea mai: Afai tou te tausia a'u poloaiga, e manuia outou i le laueleele.

10. Ua oo foi ina faamata'u perofeta a le Atua i le nuu o Nifae e tusa ma le afioga a le Atua, afai latou te le tausia poloaiga, a e pāuu i le solitulafono, e faaumatia i latou ai le fogaeleele.

11. O le mea lea na galulue ai ma le filigā perofeta, ma ositaulaga, atoa ma a'oa'o, ua apoapoai atu ma le onosai uma, ina ia filigā foi le nuu; ua a'oa'o atu le tulafono a Mose ma le mea na foaiina mai ai; ua faaoleole atu ia te i latou ia faamoemoe i le Mesia, ma talitonu ia te ia e afio mai, ia peiseai ua uma ona afio mai o ia. Ua faapena ona latou a'oa'o atu ia te i latou.

12. Ua oo foi ina ua faapea ona latou faia, ua taofia ai i latou, ua le faaumatia ai i latou ai le fogaeleele, auā na latou tu'ia o latou loto i le upu e faaoso pea ia te i latou i le salamo.

13. Ua oo ina uma ona mavae atu tausaga e lua selau tolu sefulu ma le valu, ma ua i ai taua, ma finauga, ma fevaevaeaiga i tausaga e tele.

14. O a'u o Iaroma, ou te le tusi nisi mea, auā ua itiiti papatusi. A e peitai, faauta, le au uso e, tou te mafai ona o atu i isi papatusi a Nifae, auā faauta, ua togitogia i ai le tala i a matou taua, e tusa ma le tusitusiga a tupu, ma tala na latou poloai atu ia tusia.

15. Ou te tuuina atu foi nei papatusi i lima o lo'u atalii, o Ominae, ina ia tausia ai e tusa ma poloaiga a o'u tamā.

O LE TUSI A OMNIAE.

MATAUPU 1.

O tala tusia faamauina, ua aofia ai tusitusiga a Ominae, Emarona, Kemiso, Apinatome, ma Amaleki—Ua tuua e Mosaea le nuu o Nifae, ma ua na maua le nuu o Sara'emila, o loo nonofo ai se tasi vaega o tagata mai Ierusalema—Ua fai o ia ma tupu—O Korianetuma, o ia o le toe tagata o sa Iaretō—O le tupu o Peniamina—O isi faigamalaga.

1. Faauta, ua oo foi ina ua poloaiina a'u, o Ominae, e lo'u tamā o Iaroma, ou te tusitusi nai mea i nei papatusi ina ia faasaoina lo matou gafa.

2. O le mea lea ou te loto ai ina ia outou iloa, na ou tau soo i le pelu i o'u aso ina ia faasaoina lo'u nuu, o sa Nifaē, ne'i pāuu i latou i lima o ē ita mai, o sa Lamanā. A e peitai, faauta, o a'u o le tagata amioleaga, ua ou le tausia tulafono ma poloaiga a le Atua e pei ona tatau ai ia te au.

3. Ua oo foi ina ua uma ona mavae atu tausaga e lua selau fitusefulu ma le ono, sa i ai le filemu ia te i matou i nisi tausaga, sa i ai foi ia te i matou tausaga e tele o le taua faigata ma le faamaligiina o le toto. Ioe, e moni, ua uma ona mavae atu tausaga e lua selau valu sefulu ma le lua, ua ou tausia foi nei papa-

tusi e tusa ma poloaiga a o'u tamā, ma ua ou tuuina atu ai i lo'u atalii o Emarona. Ou te faaiu nei la'u tusi.

4. O lenei foi, o a'u o Emarona, o mea uma ou te tusia, ma ua itiiti ia, e tusia e a'u i le tusi a lo'u tamā.

5. Faauta, ua oo ina uma ona mavae atu tausaga e tolu selau ma le luasefulu, ma ua faaumatia le vaega aupito amioleaga o sa Nifaē.

6. Auā e le tuuina atu e le Atua, ina ua uma ona ta'ita'iina mai i latou e ia ai le nuu o Ierusalema, ma ua ia tausia ma faasaoina i latou ia le paū i lima o ē ita ia te i latou, ioe, e le tuuina atu e ia ia le faamaonia upu na ia fetalai mai i o matou tamā, ua faapea mai: Afai tou te le tausia a'u poloaiga, e le manuia outou i le laueleele.

7. O le mea lea na asiasi ai le Atua ia te i latou i le faamasinoga tele, a e ui lava i lea, na ia faasaoina o ē amiotonu, ina ia le fano foi i latou, a ua na laveaiina i latou ai lima o ē ita ia te i latou.

8. Ma ua oo ina ou tuu atu papatusi i lou uso o Kemiso.

9. O lenei, o a'u o Kemiso, o mea foi ou te tusia, e tusia e a'u i le tusi e tasi na tusi ai lo'u uso, auā faauta, na ou vaaia le mea mulimuli na ia tusia, na ia tusia ai foi i lona lava lima, na ia tusia ai foi i le aso na ia tuuina mai ai ia te au. E faapenei ona matou tausia tusi, auā ua tusa lena ma poloaiga a o matou tamā. O a'u foi, ou te faaiu la'u tusi.

10. Faauta, o a'u o Apinatome, o le atalii o Kemiso. Faauta, ua oo ina ou vaaia taua e tele ma finauga i lo'u nuu, o sa Nifaē ma sa Lamanā, o a'u foi, ua ou aveeseina i la'u lava pelu ola o sa Lamanā e toatele i le leoleoina o o'u uso.

11. Faauta foi, ua togitogia le tala i lenei nuu i isi papatusi e i ai i tupu, e tusa ma o latou tupulaga, ou te le iloa se faaaliga ua le tusia, po o se valoaga, o lenei, ua lava mea ua tusia. Ou te faaiu foi la'u tusi.

12. Faauta, o a'u o Amaleki, o le atalii o Apinatome. Faauta, ou te fai atu nai upu ia te outou e uiga ia Mosaea, o lē na faia ma tupu i le nuu o Sara'emila. Auā faauta, na fetalai mai le Atua ia te ia, na te sola ese ai le nuu o Nifae faatasi ma i latou uma o ē fia gaua'i i le siufofoga o le Atua, latou te te'a ese ai le nuu faatasi ma ia, ma o atu i le vao.

13. Ua oo foi ina faia e ia e pei ona poloai mai le Atua ia te ia. Na latou tete'a ese ai le nuu, i le vao, faatasi ma i latou uma o e na gaua'i atu i le siufofoga o le Atua, sa ta'ita'iina foi i latou i folafolaga ma valoaga e tele. Sa apoapoaiina i latou i le afioga a le Atua e le aunoa, sa ta'ita'iina foi i latou i le vao i le mana o lona aao, e oo ina seia taunuu i latou i le nuu, ua ta'ua o le nuu o Sara'emila.

14. Ma ua latou maua tagata o e ua ta'ua, o le nuu o Sara'emila. O lenei foi, sa i ai le olioli tele lava i le nuu o Sara'emila, ma ua matua fiafia lava Sara'emila ona ua aauina mai e le Atua le nuu o Mosaea ma papatusi apamemea, e i ai le tala i tagata Iutaia.

15. Faauta, ua oo ina iloa e Mosaea na o mai tagata Sara'emila ai Ierusalema i ona po na avea ai Setekaia, le tupu o Iuta, faatagataotaua i Papelonia.

16. Na latou malaga foi i le vao, ma ua aumaia e le aao o le Atua i le vasa tele i le nuu na maua ai i latou e Mosaea, ma ua

latou nonofo ai e afua i lea lava aso.

17. O ona po foi na maua i latou e Mosaea ua matua toatele lava i latou. A e ui lava i lea, ua uma ona i ai ia te i latou taua e tele ma fefinauaiga faigata, ma ua pāuu soo i latou i le pelu, na faaleagaina foi la latou gagana, na le aumaia e i latou ni tusi, na latou faafitia Le na faia i latou, uà le mafai Mosaea, po o le nuu o Mosaea, ona lagona la latou tala.

18. Ma ua oo ina poloai atu Mosaea, ia a'oa'oina i latou i lana gagana. Ua oo foi ina ua uma ona a'oa'oina i latou i le gagana a Mosaea, na tala mai e Sara'emila le gafa o ona tamā, e pei ona manatua e ia; ua tusia foi, a e le i nei papatusi.

19. Ua oo foi ina faatasia le nuu o Sara'emila ma le nuu o Mosaea, na tofia foi Mosaea e fai mo latou tupu.

20. O ona po o Mosaea foi na oo ina aumaia ia te ia le maa tele sa i ai togitogiga, na ia faamatalaina foi togitogiga i le mea foaifuaina ma le mana o le Atua.

21. Na i ai le tala i le tagata ua igoa ia Korianetuma, ma tagata o lona nuu ua fasiotia. Na maua foi Korianetuma e le nuu o Sara'emila, na latou nonofo ma ia i masina e iva.

22. Na i ai foi nai upu itiiti e uiga i ona tamā. Na o mai ona tamā muamua nai le olo, i ona po na faaeseeseina ai e le Atua gagana a le nuu, na oo ifo foi le faigata mai le Atua e tusa ma ana faamasinoga, ma ua tonu ia, ma ua taatitia solo o latou ivi i le laueleele i le itu i matu.

23. Faauta, o a'u o Amaleki, na fanauina a'u i ona po o Mosaea, ma ua ola a'u e iloa lona maliu, ma ua sui foi Peniamina, lona atalii, i lana pule.

24. Faauta foi, ua ou vaaia i aso o le tupu o Peniamina le taua faigata, ma le faamasaaina o le toto matua tele i sa Nifaē ma sa Lamasā. A e peitai, faauta, na manumalo tele sa Nifaē ia te i latou, ioe, ua iu ina tulia i latou e le tupu o Peniamina ai le nuu o Sara'emila.

25. Ua oo foi ina amata ona ou toeaina a'u, e leai foi sa'u fanau, a ua ou iloa o le tupu o Peniamina, o le tagata amiotonu ia i luma o le Atua, o lea ou te tuuina atu ai nei papatusi ia te ia. Ou te apoapoai atu i tagata uma ia o mai i le Atua, o Lē Paia o Isaraelu, ma talitonu i valoaga, ma faaaliga, atoa ma le auauna mai o agelu, ma le mea foaifuaina e tautala i gagana fou, ma le mea foaifuaina e faamatala gagana, ma mea uma lava e lelei, auā e leai se mea lelei e le oo mai mai le Atua, a o le mea leaga mai le tiapolo lea.

26. O lenei foi, o'u uso pele e, ou te loto ina ia o mai outou ia Keriso, o Lē Paia o Isaraelu, ina ia tofusia outou i lana faaolataga, ma le mana o lona togiolaina. Ioe, ina o mai ia ia te ia, ma tuu mai o outou agaga atoa e fai ma taulaga ia te ia, ma ia tutumau i le anapogi ma le tatalo, ma ia tutumau e oo i le iuga, o soifua lava le Atua, e faaolaina outou.

27. O lenei foi, ou te tautala teisi e uiga i nisi tagata na o ae i le vao e foi atu i le nuu o Nifae, auā e toatele na fia maua le nuu o lo latou tofi.

28. O le mea lea na o a'e ai i latou i le vao. O lo latou ta'ita'i, o le tagata malosi ma le toa lava, o le tagata ūa mălolo, o le mea lea na ia faatupu ai le fefinauaiga ia te i latou; na fasia foi i latou uma i le vao, ua na o le

toalimasefulu ua sao, ma ua latou toe foi mai i le nuu o Sara'emila.

29. Ma ua oo ina latou ave foi nisi e toatele ma toe malaga atu i le vao.

30. O a'u foi o Amaleki, sa ia te au le uso na latou o atu ma ia, talu ai ou te lei iloa se upu ia te i latou. O le a ou taatia a'u i lo'u tuugamau, ua tumu foi nei papatusi. Ou te faaiu foi a'u upu.

O UPU A MAMONA.

MATAUPU 1.

O le tala 'oto'oto a Mamona, ma papatusi laiti a Nifae—O le ala e fetaui ai le vaega muamua o le Tusi a Mamona ma le vaega mulimuli.

1. O lenei foi, o a'u o Mamona, o le a ou tuu atu le tusi ua ou faia i lima o lo'u atalii o Moronae, faauta, ua ou vaaia, ua tali atoa le faafanoga o lo'u nuu, o sa Nifaē.

2. Ua tele selau tausaga ua mavae atu talu le afio mai o Keriso ou te tuuina atu ai ia tusi i lima o lo'u atalii, ou te masalo foi na te vaaia le faafanoga atoatoa o lo'u nuu. A ia alofa le Atua ma faatoeina o ia ia te i latou, ia mafai ai ona tusi e ia nai mea e uiga ia te i latou, atoa ma nai mea ia Keriso, atonu e aogā ai ia te i latou i se aso.

3. O lenei foi, ou te tautala teisi i mea ua ou tusia; auā ina ua uma ona ou 'oto'otoina le tala i papatusi a Nifae, e oo lava i le nofoaiga a lenei tupu o Peniamina, o le na tautala mai ai Amaleki, sa ou suesue i tusi na tuuina mai i o'u lima, na ou maua foi nei papatusi ua i ai lenei tala itiiti i perofeta, e amata ia Iakopo a e oo lava i le nofoaiga a lenei tupu o Peniamina, atoa ma upu e tele a Nifae.

4. Ua lelei ia te au mea ua i ai i nei papatusi, auā o perofetaga i le afio mai o Keriso; ona ua iloa foi e o'u tamā ua taunuu ia mea e tele, ioe, ma ua ou iloa foi o mea uma ua valoia e uiga ia te i tatou e oo mai i le aso nei, ua uma ona faataunuuina; o perofetaga uma foi o lumanai o lenei aso, e matua taunuu lava.

5. O lea ou te filifilia ai nei mea e faaiu a'i la'u tusi, ou te sii mai ai papatusi a Nifae le mea ua toe o la'u tusi. Ou te le mafai foi ona tusia le vaegaselau o mea a lo'u nuu.

6. A e peitai, faauta, ou te ave nei papatusi ua i ai nei perofetaga ma faaaliga ma tuu ai faatasi ma le mea ua toe o la'u tusi, auā ua tāua ia te au, ma ua ou iloa e tāua foi i o'u uso.

7. Ou te faia foi lenei mea ona o le manatu poto, auā ua faapea ona musumusuina mai ia te au, e tusa ma galuega a le Agaga o le Atua ua i totonu ia te au. O lenei, ou te le iloa mea uma, a ua silafia e le Atua mea uma e oo mai, o lea ua galue ai o ia i totonu ia te au, ia faia e tusa ma lona finagalo.

8. O la'u tatalo lenei i le Atua mo o'u uso, ina ia latou toe foi mai i le malamalama o le Atua, ioe, ma le togiola o Keriso, ina ia toe avea i latou ma nuu moomia.

9. O lenei foi, o a'u o Mamona, ou te faasaga e taufaaiu la'u tusi ua ou siitia mai ai papatusi a Nifae; ou te faia foi e tusa ma

le poto ma le malamalama ua foaiina mai ia te au e le Atua.

10. O lea ua oo ai ina ua mavae ona tuuina atu e Amaleki o nei papatusi i lima o le tupu o Peniamina, ua ia ave ai ma tuu faatasi ma isi papatusi ua i ai tusi na tuufaasoloina mai e tupu, i lea tupulaga ma lea tupulaga, e oo i ona po o le tupu o Peniamina.

11. Ma ua tuufaasoloina mai e le tupu o Peniamina i lea tupulaga ma lea tupulaga, ua oo ina paū ai i o'u lima. O a'u foi o Mamona, ou te tatalo i le Atua ina ia faatumauina ai, ia amata mai nei a ia oo i le faavavau. Ou te iloa foi e faatumauina ai, auā ua tusia i ai mea sili e faamasinoina ai lo'u nuu ma o latou uso i le aso tele ma le gataaga, e tusa ma le afioga a le Atua ua tusia.

12. A o lenei tupu o Peniamina, sa ia te ia fefinauaiga i lona lava nuu.

13. Ma ua oo ina o ifo au a sa Lamanā ai le nuu o Nifae e sii taua i lona nuu. A e peitai, faauta, na faapotopotoina e le tupu o Peniamina ana au, ma ua ia tu atu ia te i latou, sa tau foi o ia i le malosi o lona lava lima ma le pelu a Lapana.

14. O le malosi foi o le Atua na latou tau ai ma e na ita mai ia te i latou, ina seia fasia e i latou afe e tele o sa Lamanā. Ua oo foi ina latou tau ma sa Lamanā ina seia tuliseina i latou ai nuu uma lava o lo latou tofi.

15. Ua oo ina i ai Keriso pepelo i le nuu ma ua tapunia o latou gutu, ua faasalaina foi i latou e tusa ma a latou solitulafono.

16. Sa i ai foi perofeta pepelo, atoa ma a'oa'o ma failauga pepelo i le nuu, ma ua faasalaina i latou e tusa ma a latou solitulafono. Ua mavae foi ona i ai fefinauaiga e tele ma fevaevaeaiga e tele, o tagata na o atu i sa Lamanā. Faauta, ua oo ina fesoasoani i le tupu o Peniamina o perofeta paia o e sa i ai i lona nuu.

17. Auā faauta, o le tupu o Peniamina, o le tagata paia o ia, na ia pule i lona nuu i le amiotonu. Sa i ai foi tagata paia e toatele i le nuu, ma ua latou tautala atu i le afioga a le Atua i le mana ma le pule, sa matua maamaai lava a latou upu ona o le ūa mălolo o le nuu.

18. O lea, ona o le fesoasoani o i latou nei, ua toe faatuina ai le filemu i le nuu e le tupu o Peniamina, ina ua galue ma le malosi uma o lona tino ma le poto o lona agaga, faatasi foi ma perofeta.

O LE TUSI A MOSAEA.

MATAUPU 1.

O le apoapoaiga a le tupu o Peniamina i ona atalii—Ua filifilia Mosaea e sui tulaga i lona tama—Ua maua e Mosaea tala tusia faamauina, atoa ma isi mea.

1. O lenei foi, ua le toe ai ni fefinauaiga i le nuu o Sara'emila, i tagata uma na i ai i le tupu o Peniamina, o lea na i ai i le tupu o Peniamina le filemu e le aunoa i ona aso uma na totoe.

2. Ua oo ina ia te ia atalii e toatolu, na ia faaigoa foi ia te i latou o Mosaea, ma Heloruma, ma Helamana. Na ia faia foi ia a'oa'oina i latou i le gagana uma

a ona tamā, ina ia avea i latou ma tagata ua malamalama, ina ia iloa e i latou valoaga na talatalaina mai e o latou tamā, na foaiina mai ia te i latou e le aao o le Atua.

3. Na ia a'oa'o atu foi ia te i latou i tala na togitogia i papatusi apamemea, ua faapea atu: O'u atalii e, o lo'u manao, ia outou manatua, ana le se anoa nei papatusi, ua i ai nei tala ma ia poloaiga, po ua tatou tigaina i le pouliuli e oo lava i nei ona po, ona ua le iloa mea lilo a le Atua.

4. Auā na le mafai lo tatou tamā o Liae ona manatua nei mea uma, ia a'oa'oina ai i ana fanau, pe ana le se anoa le fesoasoani o nei papatusi. Ona ua a'oa'oina o ia i le gagana a Aikupito, na mafai ai ona ia faitauina nei togitogiga, ma a'oa'o ai i ana fanau, ina ia mafai ona latou a'oa'o ai i a latou fanau, ma ua faapea ona faataunuuina poloaiga a le Atua e oo mai i nei ona po.

5. Ou te fai atu ia te outou, o'u atalii e, ana le se anoa nei mea, sa tausia ma faatumauina e le aao o le Atua ina ia tatou faitau ai ma malamalama ai i ana mea lilo, ina ia i ai pea ana poloaiga i luma ō tatou mata, po ua iu ina le faatuatua o tatou tamā lava, po ua tusa foi i tatou ma o tatou uso o sa Lamanā, o e ua le iloa ia mea, ma ua le talitonu i ai pe a a'oa'oina atu ia te i latou, ona o uputuu lē tonu a o latou tamā.

6. E! o'u atalii e, ou te manao ina ia outou manatua ua moni nei upu; ma lea foi ua moni lava ia tusi. Faauta foi, o papatusi a Nifae, ua i ai tusi ma tala i o tatou tamā, e amata i le aso na te'a ai ma Ierusalema e oo mai nei lava, ua moni lava ia papatusi. E mafai foi ona tatou iloa lo latou faamaoni, auā ua i ai i luma ō tatou mata.

7. O lenei foi, o'u atalii e, ou te mana'o ina ia outou manatua ma suesue i ai ma le filifiligā, ina ia manuia ai outou. O lo'u manao foi ia outou tausi i poloaiga a le Atua, ina ia manuia ai outou i le nuu, e tusa ma folafolaga na faia e le Atua i o tatou tamā.

8. E tele foi nisi mea na a'oa'o atu ai le tupu o Peniamina i ona atalii, ua le tusia ai i lenei tusi.

9. Ua oo ina ua uma ona faaiu e le tupu le a'oa'oina o ona atalii, ua toeaina o ia, na ia iloa foi ua lata ona alu o ia i le ala o le lalolagi uma. O le mea lea na manatu ai o ia ua tatau ona ia tuu atu le malo i se tasi o ona atalii.

10. O le mea lea na ia poloai atu ai ia aumaia Mosaea i ona luma. O upu nei na ia fai atu ia te ia, ua faapea atu: Lo'u atalii e, o lo'u manao ia e faia se talaiga i lenei nuu uma, i nei tagata uma, o tagata o Sara'emila, atoa ma tagata o Mosaea o ē nonofo i le nuu, ina ia faapotopotoina mai faatasi. Auā o le aso a taeao ou te talai atu i lo'u nuu nei, i lo'u lava gutu, o oe o le tupu ma lē pule i lenei nuu ua foaiina mai e le Atua ia te i tatou.

11. Ma lea foi, ou te avatu i lenei nuu le igoa, ia faailogaina ai i latou e sili i nuu uma lava sa ta'ita'iina mai e le Atua mai le nuu o Ierusalema. Ou te faia lenei mea, auā sa fai i latou ma nuu ua filigā i le tausiga o poloaiga a le Atua.

12. Ou te avatu ia te i latou le igoa e le tineia e faavavau, vaganā o le solitulafono e tineia ai.

13. Ioe, ou te fai atu ia te oe, afai e paū lenei nuu alofagia tele i le Atua i le solitulafono, ma

avea i latou ma nuu agasala ma le mulilua, ona tuulafoaiina lea i latou e le Atua, ina ia vaivai i latou e pei ō latou uso, na te le toe faasaoina i latou i lona mana e le mafaatusaina ma le ofoofogia, e pei ona ia faasaoina o tatou tamā.

14. Auā, ou te fai atu ia te oe, ana le faaloaloa atu e ia lona aao e faasaoina o tatou tamā, po ua pāuu i latou i lima o sa Lamanā, po ua avea foi i latou ma tagata malaia i lo latou ita tele.

15. Ma ua oo ina ua faaiu e le tupu o Peniamina nei upu i lona atalii o Mosaea, ua ia faatonu atu ia te ia i mea uma a le malo.

16. Ma le tasi, na poloai atu o ia e uiga i tusi ua togitogia i papatusi apamemea, ma papatusi a Nifae, atoa ma le pelu a Lapana, ma le polo, o le faasino ala lea sa ta'ita'i i o tatou tamā i le vao, na saunia foi e le aao o le Atua ina ia ta'ita'iina ai i latou e tusa ma lo latou usiusitai ma filifiligā taitoatasi ia te ia.

17. O le mea lea, ona ua latou le faamaoni, na le manuia ai i latou, pe alu i luma i la latou malaga, a ua liutuaina, ma ua faatupuina le toasa o le Atua ia te i latou, o lea na taia ai i latou i le oge ma puapuaga faigata, e faaoso ai i latou i le faamanatua o mea e tatau ona latou faia.

18. O lenei foi, ua oo ina alu atu Mosaea, ma na faia e pei ona poloaiina o ia e lona tamā, ma na talai atu i tagata uma ua i ai i le laueleele o Sara'emila, ina ia latou potopoto mai faatasi, ma ia o atu i le malumalu e faalogologo i upu e tautala atu ai lona tamā ia te i latou.

MATAUPU 2.

Ua fausia e le tupu o Peniamina se 'olo na te tautala atu ai i ona tagata—O le nofoa'iga amiotonu a le tupu e mata'u i le Atua.

1. Ma ua oo ina ua uma ona faia e Mosaea e pei ona poloaiina o ia e lona tamā, ma ua faia le talaiga i le nuu uma, sa potopoto mai le nuu ai le laueleele uma, ina ia latou o ae i le malumalu e faalogologo i upu e tautala atu ai le tupu o Peniamina ia te i latou.

2. Ma ua matua toatele lava i latou, ua le mafaitaulia lo latou aofai, auā ua matua uluola i latou ma ua tupu malosi i le laueleele.

3. Ua latou ave foi le faapolopolo o a latou lafu, ina ia latou fai ai taulaga ma taulaga mu, e tusa ma le tulafono a Mose.

4. Ma lea foi, ina ia mafai ona latou avae le faafetai i le Alii lo latou Atua, o Le na aumaia i latou ai le nuu o Ierusalema, o Le na faasaoina foi i latou ai lima o e na ita mai ia te i latou, ma na tofia tagata amiotonu e fai mo latou a'oa'o, ma le tagata amiotonu e fai mo latou tupu, o le na faatumauina le filemu i le nuu o Sara'emila, o le foi na a'oa'o atu ia te i latou ia tausi i poloaiga a le Atua, ina ia latou olioli ma ia tumu foi i le alofa i le Atua atoa ma tagata uma lava.

5. Ma ua oo ina ua o ae i latou i le malumalu, ua latou faatuina o latou fale ie e latalata ane i ai, e taitasi le tagata e tusa ma lona aiga, ua i ai lana avā, ma ona atalii, ma ona afafine, ma o latou atalii, ma o latou afafine, e amata i le ulumatua a e oo lava i le uii; ua faanofoeseeseina ai aiga o le tasi ai le tasi.

6. Ma ua latou faatuina o latou fale ie e latalata ane i le malumalu, ua tofu le tagata ma

lona fale ie ua faasaga atu le faitotoa i le malumalu, ina ia mafai ai ona latou nonofo i o latou fale ie ma faalogologo i upu e fai atu e le tupu o Peniamina ia te i latou.

7. Auā ua faapea ona toatele le motu o tagata, ua le mafai ai le tupu o Peniamina ona a'oa'o atu ia te i latou uma i totonu o le malumalu. O le mea lea na ia faatuina ai le olo, ina ia mafai lona nuu ona lagona upu o le a ia tautala atu ai ia te i latou.

8. Ua oo foi ina ua amata ona tautala atu o ia ai le olo i lona nuu, ua le mafai i latou uma ona lagona ana upu ona o le toatele o le motu o tagata, o lea na ia poloai atu ai ia tusia upu na ia tautala atu ai, ma ia avatua i e ua le i le mea na lagona atu ai lona leo, ina ia maua foi e i latou ana upu.

9. O upu nei na ia tautala atu ai ma na poloai atu ia tusia, ua faapea atu: O'u uso e, o outou uma ua faapotopotoina mai faatasi, o outou uma ua mafai ona lagona a'u upu, ou te tautala atu ia te outou i le aso nei. Auā ou te lei poloai atu ia te outou ia o mai iinei e ta'ufaatauvaaina ai upu ou te tautala atu ai, a e peitai, ina ia outou faalogologo mai ia te au ma uai mai o outou taliga ina ia outou lagona, ma o outou loto, ina ia malamalama ia te outou, ma o outou manatu, ina ia folafolaina mea lilo a le Atua i la outou vaai.

10. Ua ou le poloai atu ia te outou, ia o mai iinei ina ia outou matatau ia te au, pe manatu outou ua sili a'u nei 'ai le tagata iuvale.

11. Auā ua tusa a'u nei ma outou lava, ua i ai vaivai uma o le tino ma le manatu; a e peitai, ua filifilia a'u e lenei nuu, ma ua faauuina e lo'u tamā, na tuuina mai foi e le aao o le Atua ia faia a'u ma pule ma tupu i lenei nuu, ua tausia foi ma faasaoina a'u i lona mana e le mafaatusaina, e auauna atu ia te outou ma lo'u loto atoa, ma lo'u manatu atoa, ma lo'u malosi uma ua tuuina mai e le Atua ia te au.

12. Ou te fai atu ia te outou, ona ua tuuina mai ia te au ia faaaoga o'u aso i galuega mo outou, e oo mai i lenei aso, ua ou le sailia foi le auro, po o le ario, po o oloa uiga eseese mai ia te outou.

13. Ua ou le tuuina atu ia taofia outou i fale puipui, pe tuu ia outou tausi i poloaiga a le tasi i le tasi, pe fasioti tagata outou, pe vete, pe gaoi, pe mulilua. Ua ou le tuuina atu foi ia te outou ia fai mea leaga eseese, a ua ou a'oa'oina atu ia te outou ia outou tasui i poloaiga a le Atua i mea uma lava ua ia poloaiina ai outou.

14. Ma a'u foi, sa ou galue i o'u lava lima ina ia ou auauna atu ia te outou, ina ia le mafatia outou i lafogātupe, ina ia le oo foi i luga ia te outou se mea e tasi ua faigata ona onosai ai. O ia mea uma ua ou tautala atu ai, o molimau i ai outou i lenei lava aso.

15. E ui i na mea, o'u uso e, ua ou le faia ia mea ina ia ou mitamita ai, ua ou le ta'u atu foi ia mea ia te outou ina ia ou molia ai outou, a ua ou ta'u atu nei mea ia te outou ina ia outou iloa ua mafai ona ou tali atu i le aso nei ma le loto fuatiaifo lelei i luma o le Atua.

16. Faauta, ou te fai atu ia te outou, ona ua ou fai atu ia te outou ua ou faaaogaina o'u aso i le auauna atu ia te outou, ou te le fia mitamita ai, auā ua na ona ou i ai i le galuega a le Atua.

17. Faauta foi, ou te fai atu

nei mea ia te outou ina ia outou a'oa'o i le poto, ina ia outou iloa lenei mea, pe a i ai outou i le galuega a o outou uso ua na ona i ai outou i le galuega a le Atua.

18. Faauta, ua outou ta'ua a'u o lo outou tupu. A e afai e galue a'u, o le ua ta'ua e outou o lo outou tupu, e auauna atu ia te outou ona le tatau lea ea ona outou galulue ia auauna le tasi i le tasi?

19. Faauta foi, afai ua tatau ona outou faafetai mai ia te au, o le ua ta'ua o lo outou tupu, o le foi na faaaoga ona aso i le auauna atu ia te outou, a e ui i lea, sa i le galuega a le Atua, ua matua tatau lava ona outou faafetai atu i lo outou Tupu o i le lagi.

20. Ou te fai atu ia te outou, o'u uso e, afai tou te avatu le faafetai ma le viiga uma a o outou agaga i le Atua, o Le na faia outou, ma na tausia ma faasaoina outou, ma na faia ia olioli, na tuuina mai foi ia taitoatasi outou ma nofo i le filemu.

21. Ou te fai atu ia te outou, afai tou te auauna atu i Le na faia outou talu le amataga, o loo faasaoina foi outou i lea aso ma lea aso, ua tuuina mai foi ia te outou le manava ina ia mafai ai ona outou ola ma feoai, ma galulue e tusa ma o outou lava loto, ma ua tausi ia te outou i lea itula ma lea itula—ou te fai atu, afai tou te auauna atu ia te ia ma o outou agaga atoa, e fai pea outou ma auauna le aogā.

22. Faauta foi, o le atoatoa lenei o mea ua ia manao mai ia te outou, ia tausi i ana poloaiga. Ua ia folafola mai foi ia te outou, afai tou te tausi i ana poloaiga, e manuia outou i le laueleele, ma ua le liliu lava o ia i mea ua ia fetalaia mai. O le mea lea, afai ua outou tausi i ana poloaiga, ua ia faamanuiaina ma faauluolaina ai outou.

23. O lenei foi, o le mea muamua, na ia faia outou, ma na tuuina mai ia te outou o outou ola, o lea ua ia te outou e taui atu ai ia te ia.

24. O lona lua, ua finagalo o ia ia outou faia e pei ona ia poloai mai ia te outou, auā afai ua outou faia, ua ia faamanuia loa ia te outou, o lea foi ua ia totogi ai outou, ma ua ia te outou e taui atu ai ia te ia. Ua faapea i nei ona aso, e faapea foi e oo i le faavavau, faavavau lava. O lenei, se a se mea ua ia te outou e mitamita ai?

25. O lenei foi, o la'u fesili: E mafai e a ona outou tala mai i se mea e tasi o ia te outou? Ou te tali atu mo outou, e leai lava. Tou te le mafai lava ona fapea ua tusa outou ma le efuefu o le eleele, a e ui i lea, o le efuefu o le eleele na fai a'i outou, a e faauta, e pule i ai Le na faia outou.

26. O a'u lava foi, o le ua outou ta'ua o lo outou tupu, ua le sili a'u ia te outou. Auā o a'u foi o le efuefu. Ua outou iloa foi ua toeaina a'u, ma ua lata ona ou faato atu lenei tino iuvale i lona tinā, o le eleele;

27. E pei ona ou fai atu ia te outou, na ou auauna atu ia te outou, o loo savali ma le loto fuatiaifo lelei i luma o le Atua, o le mea lea ua ou poloaiina atu ai i le aso nei ia faapotopotoina mai outou faatasi, ina ia iloa ua le ponā a'u, ina ia le oo foi i o'u luga lo outou toto i le aso ou te tu ai ia faamasinoina e le Atua i mea na ia poloaiina ai a'u ia te outou.

28. Ou te fai atu ia te outou, na ou poloai atu ia faapotopotoina mai outou faatasi, ina ia ou faamamāina o'u ofu ai lo ou-

tou toto i lenei aso, ona ua latalata ona ou alu ifo i lo'u tuugamau, ina ia ou alu ifo ma le filemu, ia faatasi atu foi lo'u agaga ola pea i le au faipese i lugā, e sauni atu viiga i le Atua amiotonu.

29. O lea foi ou te fai atu ai ia te outou, na ou poloai atu ia te outou ia faapotopotoina mai faatasi outou, ina ia ou faailoa atu ia te outou, ou te le toe mafai ona fai ma outou a'oa'o po o outou tupu;

30. Auā o lenei lava itula ua tete lava lo'u tino ina o a'u taumafai ona tautala atu ia te outou; a e peitai, ua fesoasoani mai le Alii le Atua ia te au, ia ou tautala atu ai ia te outou, ma ua poloai mai o ia ia te au, ia ou talai atu ia te outou i lenei aso, o lo'u atalii o Mosaea, o le tupu ia ma le pule ia te outou.

31. O lenei foi, o'u uso e, o lo'u manao ia outou faia e pei ona outou faia i aso ua mavae. E pei ona outou tausi i a'u poloaiga atoa ma poloaiga a lo'u tamā, ma manuia ai, ma tausia ina ia le pāuu i lima o e na ita mai ia te outou; e faapea lava pe afai tou te tausi i poloaiga a lo'u atalii ma poloaiga a le Atua na te tuuina atu ia te outou, tou te manuia ai i le laueleele, e le pule foi ia te outou o ē ita ia te outou.

32. A e peitai, lo'u nuu e, ia outou, ne'i tutupu fefinauaiga ia te outou, e tuuina atu ai outou e outou lava e uisiusitai i le agaga leaga na tautala mai ai lo'u tamā o Mosaea.

33. Auā faauta, e i ai le mala e faapaū i luga o lē fia usiusitai i lena agaga, auā afai ua loto o ia ina usiusitai ia te ia, ma ua tumau ai ma oti i ana agasala, o ia lava lena e inu le malaia i lona lava agaga, auā na te talia e fai mona taui le sala faavavau, ona ua solia le tulafono a le Atua, ua le tusa foi ma lona poto.

34. Ou te fai atu ia te outou, ua leai se tasi ia te outou, (sei iloga ō outou tamaiti,) ua le a'oa'oina i nei mea, a ua outou iloa ua ia te outou e faavavau e toe taui atu i lo outou tamā o i le lagi, ina ia tuuina atu ia te ia outou lava ma mea uma ua ia te outou, ua a'oa'oina foi outou i tusi ua i ai perofetaga na faia e le au perofeta paia, e oo mai i ona po na te'a mai ai lo tatou tamā o Liae ai Ierusalema.

35. Atoa foi ma mea uma na tautala ai o tatou tamā e oo mai i nei ona po. Faauta foi, na latou tautala i mea na poloaiina ai i latou e le Atua, o le mea lea ua tonu ai ma ua faamaoni lava.

36. O lenei foi, ou te fai atu ia te outou, o'u uso e, ona ua uma ona outou iloa ma a'oa'oina i nei mea uma, afai tou te solitulafono ma outou o ese ai mea ua fetalaia mai, ina ia outou tete'a ma le Agaga o le Atua, ina ua le maua e ia se mea e nofo ai ia te outou e ta'ita'i ai outou i le ala o le poto, ina ia faamanuiaina, ma faauluolaina, ma faatumauina foi outou—

37. Ou te fai atu ia te outou, o le tagata e fai lenei mea, e matua fouvale o ia i le Atua. O le mea lea ua ia fia usiusitai atu ai i le agaga leaga, ma ua avea ai o ia ma lē ita i le amiotonu uma; o lea ua leai ai se mea i le Atua e afio ai ia te ia, auā e le afio o ia i malumalu ua le paia.

38. O lenei, afai e le salamo lena tagata, a e tumau ma oti, o ita pea i le Atua, e fagua lona agaga ola pea e poloaiga a le faamasinoga paia, ia iloa ai lana lava agasala, o lea e faia ai o

ia ia nē ai luma o le Atua, e faatumuina foi lona loto i le ma, ma le tiga, atoa ma le atuatuvale, e pei o le afi e le matineia, o loo alu ae pea lona mumū e faavavau, faavavau lava.

39. O lenei foi, ou te fai atu ia te outou, e le toe ai se alofa mo lena tagata, o lea o lana sala mulimuli lava ia i ai o ia i le tiga e le uma.

40. E! outou toeaina uma, ma outou taulelea foi, ma outou tamaiti, o e ua malamalama i ai a'u upu, (auā ou te tautala tino lava ia te outou, ina ia malamalama ia te outou,) ou te tatalo ina ia outou ala mai i le faamanatua o le mea matautia ua i ai i latou ua pāuu i le solitulafono.

41. Ma lea foi, o lo'u manao, ia outou mafaufau i le manuia ma le fiafia o i latou o ē tausi i poloaiga a le Atua. Auā, faauta, ua manuia i latou i mea uma, i le faaletino, atoa ma le faaleagaga, afai foi ua latou tutumau e oo i le iuga, e talia i latou i le lagi, ina ia latou mau faatasi ma le Atua i le fiafia e le iu. E! ia manatua, ia manatua lava, ua moni lava nei mea, auā na fetalaia mai e le Alii le Atua.

MATAUPU 3.

O isi upu o le lauga a le tupu o Peniamina—O se tasi valoaga i le Keriso—O nisi mea e faatatau i le togisala.

1. Ma lea foi, o'u uso e, o lo'u manao, ia outou faalogologo mai pea, auā ua totoe ia te au nisi upu e tautala atu ai ia te outou. Faauta foi, ua ia te au upu e fai atu ia te outou e uiga i mea e oo mai.

2. O mea foi ou te fai atu ia te outou, na faaalia mai ia te au e le agelu mai le Atua. Na ia fetalai mai ia te au: Ala mai ia! Ona ou ala ai lea, faauta foi, ua tu mai o ia i o'u luma.

3. Ona fetalai mai lea o ia ia te au: Ina ala ia, ma ia faalogo mai i upu ou te fai atu ia te oe, auā faauta, ua ou sau e talai atu ia te oe le tala lelei e olioli tele ai.

4. Auā ua faafofogaina au tatalo e le Atua, ma ua ia faamasinoina lau amiotonu, ma ua auina mai a'u e tala'i atu ia te oe ina ia e olioli ai, ina ia e tala'i atu ai foi i lou nuu, ina ia faatumuina i latou foi i le olioli.

5. Auā faauta, o loo sau le aso, ma ua le toe mamao, e afio ifo ai mai le lagi, i le mana, o le Alii e pule aoao, o ia foi lea sa soifua, e soifua pea foi mai le vavau lava e oo i le faavavau lava. E afio ifo o ia mai le lagi e faatasi ma le fanauga a tagata, e mau foi i se fale omea ma fema liua'i faatasi ma tagata, e fai vavega tetele, e pei o le faamaloloina o ē mama'i, ma le toe faatuina mai o e ua oti, e faasavavali o ē pipili, ma faapupula mata o ē tauaso, e faafaalogo foi o ē tutuli, ma faamalolo i ma'i uiga eseese uma.

6. E tulia i fafo foi e ia o temoni, po o agaga leaga ua ulu i loto o le fanauga a tagata.

7. Faauta, e onosai o ia i tofotofoga, ma le tigaina o le tino, o le matelaina, ma le fia inu, ma le lailoa, e sili i mea e mafai ona onosai ai tagata, vaganā ona ua oo i le oti. Auā faauta, e sau le toto ai mea uma e afu ai, e faapea ona tele lona puapuaga ona o le amioleaga ma mea inosia a lona nuu.

8. E ta'ua foi o ia o Iesu Keriso, le Alo o le Atua, o le Tamā foi o le lagi ma le lalolagi, o Le na faia mea uma talu le ama-

taga. E igoa foi lona tina ia Maria.

9. Faauta, e afio mai o ia i ona lava tagata, ina ia oo mai le olataga i le fanuga a tagata ona o le faatuatua i lona suafa. E ui lava i nei mea uma, latou te faapea o ia o le tagata lava, e fai atu foi: Ua ia te ia se temoni. Latou te sasa foi ia te ia ma faasatauroina o ia.

10. E toe tu mai foi o ia nai e ua oti i le aso tolu. Faauta foi, e tu o ia e faamasino atu i le lalolagi. A e faauta, e faia nei mea uma ina ia oo mai le faamasinoga tonu i le fanauga a tagata.

11. Auā faauta, e togisala lona toto i agasala a i latou ua pāuu i le agasala a Atamu, o ē na oti ma le le iloa o le finagalo o le Atua ia te i latou, o i latou foi o ē na agasala ona o le pouliuli.

12. A e peitai, oi talofa, oi talofa lava i le ua iloa ua fouvale o ia i le Atua, auā e le oo le olataga i se tasi o ē faapea, sei iloga ona o le salamo ma le faatuatua i le Alii o Iesu Keriso.

13. Ua aauina mai e le Alii e le Alii le Atua ana perofeta paia i le fanauga uma a tagata e talai atu ai nei mea i ituaiga uma, ma nuu ma gagana uma, ina ia faamagaloina agasala a i latou uma o ē faatuatua e afio mai Keriso ma latou olioli ma le fiafia tele, e peiseai ua uma ona afio mai o ia ia te i latou.

14. A e peitai, na silafia e le Alii le Atua o lona nuu o le nuu ūa mălolo, na ia faia le tulafono ia te i latou, o le tulafono lea a Mose.

15. Ma ua tele faailoga, ma mea e ofo ai, ma faatusa, ma ata na ia faaalia atu ia te i latou ona o lona afio mai, o perofeta paia foi na tautala atu ia te i latou e uiga i lona afio mai, a ua latou faamaaa pea o latou loto, ma ua le malamalama ia te i latou ua leai se aoga o le tulafono a Mose, sei iloga ua i ai foi le togisala o lona toto.

16. Auā ana mafai lava ona agasala tamameamea, po ua le mafai ona faaolaina ai i latou; a e peitai, ou te fai atu ia te outou, ua manuia i latou, auā faauta, e pei ona pāuu i latou ia Atamu, po o le fanau mai, e faapea ona togisala le toto o Keriso i a latou agasala.

17. Ma lea foi, ou te fai atu ia te outou, e leai se tasi igoa e foaiina mai, po o se tasi ala e oo mai ai le olataga i le fanauga a tagata, ua na o le suafa lava o Keriso, le Alii e pule aoao.

18. Auā faauta, e faamasino atu o ia, e tonu foi lana faamasinoga; e le fano foi le tamaitiiti na oti a o tamameamea o ia. A e peitai, ua inu e tagata le malaia i o latou lava agaga, sei iloga latou te faamaulaloina i latou lava e pei o tamaiti, ma talitonu sa i ai le olataga, ma ua i ai nei, e oo mai ai foi atalī ona o le togisala o le toto o Keriso, le Alii e pule aoao.

19. Auā o le tagata o le lalolagi, o lē ita lea i le Atua, ma ua faapea talu le paū o Atamu, e faapea foi e oo i le faavavau, faavavau lava. A e afai e gauai o ia i galuega alofa a le Agaga Paia, ma ua tuu ese le tagata o le agasala, ma ua avea o ia ma tagata amiotonu ona o le togiola o Keriso le Alii; ma ua avea foi o ia e pei o le tama itiiti, ua fia usiusitai, ma agamalu, ma faamaulalo, ma onosai, ma ua tumu i le alofa ma le fia gauai i mea uma ua silafia e le Atua e tatau ona faatiga ai o ia, e pei lava ona gauai le tama itiiti i lona tamā.

20. Ma le tasi foi, ou te fai atu

ia te oe, e sau le aso e faasalalauina atu ai le tala i le Faaola i atunuu uma, ma ituaiga, ma gagana eseese, ma nuu.

21. Faauta foi, a oo mai lea aso, ona le maua lea se toatasi ua sao i luma o le Atua, (vaganā lava tamaiti,) sei iloga ua salamo ma faatuatua i le suafa o le Alii le Atua e pule aoao.

22. O nei ona po lava, pe a uma ona e a'oa'oina atu lou nuu i nei mea ua poloaiina ai oe e le Alii lou Atua, ona le maua lea se toatasi ua sao i le silafaga a le Atua, sei iloga ua tusa ma upu ua ou fai atu ia te oe.

23. O lenei, ua ou ta'uina atu upu na poloaiina a'u e le Atua.

24. Ua faapea foi ona fetalai mai le Atua: E tu ia upu e pei o se molimau pupula i lenei nuu i le aso faamasino, ia faamasinoina ai i latou, e taitasi le tagata e tusa ma ana galuega, pe lelei, pe leaga.

25. Afai foi ua leaga a latou galuega, ona tuuina atu lea i latou ia iloa ma le matautuia a latou lava agasala ma mea inosia, o lea latou te nē ai i luma o le Atua ma o atu i le malaia, ma le puapuaga e le uma, e le mafai ona latou toe foi mai ai, o lea na latou inu ai le malaia i o latou lava agaga.

26. O le mea lea ua latou inu ai i le ipu o le toasa o le Atua, na le toe mafai ona faafitia ai ia te i latou e le faamasinoga, e pei ona le mafai ona faafiti i le paū o Atamu ina ua ua 'ai o ia i le fua o le laau na faasaina, o lea e le toe ai se alofa mo i latou e oo i le faavavau.

27. O lo latou puapuaga foi ua pei o se lepa afi ma teio, e le matineia ona mumū, ma ua alu ae pea lona asu e faavavau, faavavau lava. Ua faapea ona poloaiina ai a'u e le Atua. Amene.

MATAUPU 4.

Ua faaiu le lauga a le tupu o Peniamina—O mea e mafai ona faaolaina ai tagata—O le faalagolago o le tagata i le Atua—E alualu faatasi le alofa, le poto ma le filigā.

1. O lenei foi, ua oo ina ua faaiu e le tupu o Peniamina ona fai atu upu na tuuina mai ia te ia e le agelu a le Atua, ua ia vaai solo i le motu o tagata, faauta foi, ua pāuu i latou uma i le eleele, auā ua oo ia te i latou le matau i le Atua.

2. Na latou iloa foi i latou lava i o latou tuinanau, ua le tusa i latou ma le efuefu o le eleele. Ua alalaga i latou uma ma le leo e tasi, ua faapea atu: Auē! Ia alofa mai ma faaaoga le toto o Keriso, ina ia matou maua le faamagaloina o a matou agasala, ma ia faamamāina o matou loto; auā ua latou faatuatua ia Iesu Keriso, le Alo o le Atua, o Le na faia le lagi ma le lalolagi, atoa ma mea uma, o Le foi e afio mai i le fanauga a tagata.

3. Ma ua oo ina ua uma ona latou fai atu nei upu, ua oo mai le Agaga o le Atua ia te i latou, ma ua faatumuina i latou i le olioli, ona ua maua le faamagaloina o a latou agasala, ma ua filemu i o latou loto fuatiaifo ona o lo latou faatuatua tele ia Iesu Keriso, o Lē afio mai, e tusa ma upu na fai atu e le tupu o Peniamina ia te i latou.

4. Ua toe amata ona tautala atu le tupu o Peniamina ia te i latou, ua faapea atu: Le au meamamae e, o'u uso e, lo'u aiga ma lo'u nuu, ou te toe manao i lo outou faalogologo mai ia te au, ina ia outou lagona ma ia malamalama a'u upu ua totoe ou te fai atu ia te outou.

5. Auā faauta, afai o le iloa-

tino o le agalelei o le Atua i lenei aso ua outou ala mai ai ina seia iloa lo outou faatauvaa, ma lo outou le aoga, atoa foi ma lo outou paū—

6. Ou te fai atu ia te outou, afai ua oo ina outou iloa le agalelei o le Atua, ma lona mana e le mafaatusalia, ma lona poto, ma lona faapalepale mai, atoa ma lona onosai pea i le fanauga a tagata, atoa foi ma le togiola na saunia talu le faavaeina o le lalolagi, ina ia oo mai ai le olataga i lē faalagolago i le Atua ma filifiligā i le tausiga o ana poloaiga, ma tumau i le faatuatua e oo lava i le iuga o lona olaga, o le olaga lea o le tino iuvale.

7. Ou te fai atu, o le tagata lena e maua le olataga ona o le togiola na saunia talu le faavaeina o le lalolagi mo tagata uma sa i le lalolagi talu le paū o Atamu, o e o i ai nei, atoa ma i latou e i ai i aso o lumanai e oo lava i le gataaga o le lalolagi.

8. O le ala lenei e oo mai ai le togiola. Ma ua leai lava se tasi olataga, ua na o lea na ta'uina mai. Ua leai foi ni tasi galuega e mafai ona faaolaina ai tagata, ua na o galuega ua ou ta'uina atu ia te outou.

9. Ina faatuatua ia i le Atua, ma ia talitonu o loo soifua o ia, na ia faia foi mea uma ua i le lagi atoa ma le lalolagi; ia talitonu foi ua le iloa e tagata mea uma e mafai ona silafia e le Atua.

10. I le ma lea foi, inā talitonu ia e ao ina outou salamo i a outou agasala, ma lafoai ai, ma faamaulalo outou e outou lava i luma o le Atua, ma ia faatoga atu i le faamaoni o le loto ia faamagaloina outou e ia. O lenei foi, afai ua outou talitonu i nei mea uma, inā outou faia.

11. Ou te toe fai atu ia te outou, e pei ona ou muai fai atu, afai ua oo ina iloa e outou le mamalu o le Atua, afai foi ua outou iloa lona agalelei, ma ua tofotofo i lona alofa, ma ua maua le faamagaloina o a outou agasala, ua tumu ai o outou agaga i le olioli e faapea ona tele; e faapea lava ona ou manao ina ia outou manatua ma fatufatuai pea i o outou manatu le silisiliese o le Atua ma lo outou lava faatauvaa, o lona agalelei foi ma faapalepale pea ia te outou, o tagata le aoga, ma ia faamaulaloina outou e outou lava, ia matua ifo lava i le faamaulalo, ma valaau i le suafa o le Atua i aso fai soo, ia tutumau foi i le faatuatua i mea e oo mai na fetalaia mai i le fofoga o le agelu.

12. Faauta foi, ou te fai atu ia te outou, afai tou te faia nei mea, e olioli pea outou, e faatumuina foi outou i le alofa o le Atua, tou te taofi pea le faamagaloina o a outou agasala, e tutupu foi outou i le iloa lelei o le mamalu o Le na faia outou, ma le iloa lelei o mea ua tonu ma faamaoni.

13. E le ia te outou foi le manatu e faasaunoa le tasi i le tasi, a e nonofo i le filemu ma avatu i tagata uma mea e tatau ia te i latou.

14. Tou te le tuu atu i a outou fanau ia latou fia aai, pe le lavalavā; tou te le tuu atu foi ia te i latou e soli i tulafono a le Atua, ma latou tau ma femisa'i, ma latou auauna i le tiapolo, o lē pule i le agasala, o le agaga leaga lea na ta'uina mai e o tatou tamā, o ia foi o lē ita i le amiotonu uma.

15. A e peitai, tou te a'oa'o atu ia te i latou ia savavali i ala o le upu moni ma le faautauta; tou te a'oa'o atu foi ia te i latou ia

fealofani, ma auauna le tasi i le tasi.

16. Ma lea foi, o outou lava, tou te fesoasoani i e ua aoga i ai lo outou fesoasoani, tou te foai foi o outou oa i lē mativa, tou te le tuu le tagata aiisi e aioi fua ia te outou ma tulieseina o ia ia fano.

17. Anei e te faapea: Ua faapaūina e lenei tagata lona malaia i ona lava luga, o le mea lea ou te taofi ai lo'u lima, ou te lē avatu ia te ia ni a'u mea e 'ai, pe avatu ia te ia ni o'u oa ina ia le puapuagatia, auā ua tatau lana sala.

18. A e peitai, ou te fai atu ia te oe, le tagata e, o lē fai lenei mea, e ao ina salamo o ia, a e afai e le salamo o ia i le mea ua ia faia, e fano o ia e faavavau, e leai foi sona manuia i le malo o le Atua.

19. Auā faauta, e le ni tagata aiisi ea i tatou uma? Po ua tatou le faalagolago ea i le toatasi, o le Atua lea, ia maua ai mea uma ua ia te i tatou? o mea e 'ai atoa ma mea e oofu ai? o le auro, ma le ario, atoa ma oloa uiga eseese ua tatou maua?

20. Faauta foi, o lenei lava itula ua tatou valaauina lona suafa, ma ua aioi atu ia te ia i le faamagaloina o a outou agasala. Po ua ia tuu ea ia te outou e aioi atu faaleaogā? E leai, a ua ia liligi tele mai lona agaga ia te outou, ua faatumuina foi o outou loto i le olioli, ma ua tapunia o outou gutu ina ia le mafeganavai outou, ua faapea ona tele lo outou olioli.

21. O lenei foi, afai e foaiina ia te outou e le Atua, o Le na faia outou, o Le foi ua outou faalagolago i ai i o outou ola ma mea uma ua ia te outou—o mea uma ua tatau ua outou faatoga atu ai ia te ia ma le faatuatua, o loo talitonu tou te maua, ona matua tatau lava lea ona outou foai i mea ua ia te outou o le tasi i le tasi.

22. Afai foi e te faamasino i le tagata e tuu ae lana tagi ia te oe i ni au mea ina ia le fano o ia, ma e ta'usalaina o ia, pe le matua sili ona tatau ea le ta'usalaina o oe ona ua e taofi lou oa, e le ni au mea foi, a o mea a le Atua, o Lē ana foi lou ola, a ua e le avae se tagi, pe salamo i le mea ua e faia?

23. Ou te fai atu ia te outou, oi talofa i lena tagata, auā e fano ana mea faatasi ma ia. O lenei foi, ou te fai atu nei mea i e ua mau'oa i mea a lenei lalolagi.

24. O lenei foi, ou te fai atu i ē matitiva, o outou ua le i ai ni mea, a e ui i lea, ua lava ina ia outou tumau ai i lea aso ma lea aso, ou te tautala atu ia te outou uma o ē faafiti i le tagata aiisi ona ua leai ni mea ia te outou. O lo'u manao ia outou fai ifo i o outou loto, ua ou le avatu auā ua le ia te au ni mea, ana i ai po ua ou avatua.

25. O lenei foi, afai tou te fai ifo lenei upu i o outou loto, ua tutumau outou ma le le agasala, a leai, e ta'usalaina outou, auā ua outou manumanu i mea tou te lei maua.

26. O lenei foi, ona o nei mea ua ou ta'uina atu ia te outou—o lona uiga, ona o le taofi o le faamagaloina o a outou agasala i lea aso ma lea aso, ina ia outou savavali ma le le agasala i luma o le Atua, ou te manao ai ina ia outou foai ni o outou oa i ē matitiva, ia taitasi le tagata e tusa ma mea ua ia te ia, e pei o le fafagaina o ē fia aai, ma le faaofuina o ē le lavalavā, atoa ma le asiasi i ē mama'i, ma le tausiga o i latou i le faaleagaga atoa ma

le faaletino, e tusa ma mea ua mananao ai i latou.

27. Ia pule foi ina ia faia nei mea uma i le poto ma le auauai lelei, auā e le tatau ona momo'e vave le tagata ia silia le malosi ua ia te ia. Ma lea foi, e tatau ona ia filifiligā o ia ina ia maua ai le taui. O lea e tatau ai ona ia faia mea uma ma le auauai lelei,

28. O lo'u manao foi ia outou manatua, ai se tasi o ia te outou e nonō se mea ai le la te tuaoi, e tatau ona ia toe avatu le mea na ia nonō e tusa ma lana feagaiga, a leai, ua e agasala, e le iloga foi pe le agasala foi le lua te tuaoi ona o oe.

29. O le iuga lenei, ou te le mafai ona ta'u atu ia te outou mea uma e mafai ona outou agasala ai, auā ua tele ala ma togafiti eseese e faapea ona tele ou te le mafai ona faitau ai.

30. A e peitai, ou te mafai ona fai atu lenei mea ia te outou, afai tou te le leoleo ia te outou lava, ma o outou manatu, ma a outou upu, ma a outou galuega, ma tausi i poloaiga a le Atua, ma tutumau i le faatuatua i mea ua outou faalogoina e uiga i le afio mai o lo tatou Alii, e oo lava i le iuga ō outou olaga, e fano lava outou. O lenei foi, le tagata e, ia manatua, ina ia e le fano.

MATAUPU 5.

O le aogā o le lauga a le tupu o Peniamina—Ua salamo tagata ma ua latou osia le feagaiga ma Keriso, ma ua ta'ua i latou i lona suafa.

1. O lenei foi, ua oo ina ua uma ona faapea atu le tupu o Peniamina i lona nuu, ua ia feau atu ia te i latou, ua fia iloa mai lona nuu po ua latou talitonu i upu na ia fai atu ia te i latou.

2. Ma ua latou alalaga ma le leo e tasi, ua faapea mai: Ioe, ua matou talitonu i upu uma ua e fetalai mai ia te i matou, ma lea foi, ua matou iloa ua moni ma ua tonu lava, ona o le Agaga o le Atua pule aoao, na ia faaliliuina a matou amio ma o matou loto, ua le toe ai so matou manatu e fai amio leaga, a e fia fai pea lava le amio lelei.

3. O i matou foi, ona o le agalelei e le gata o le Atua, ma galuega a lona Agaga ua maua faaaliga sili i mea e oo mai, ana tatau, po ua mafai ona matou vavalo i mea uma.

4. O le faatuatua foi na ia te i matou i mea na fetalai mai lo matou tupu ia te i matou, ua ala ai ina matou maua lenei malamalama tele, o loo ua matou olioli ai ma le fiafia e faapea ona matua tele.

5. Ua matou fia osi le feagaiga ma lo tatou Atua e fai lona finnagalo, ma usiusitai i ana poloaiga i mea uma na te poloaiina ai i matou, i o matou aso uma ua totoe, ina ia matou le faapaū i luga ia te i matou lava se puapuaga e le iu, e pei foi ona fetalaia mai e le agelu, ina ia matou le inu i le ipu o le toasa o le Atua.

6. O lenei foi, o upu nei na manao i ai le tupu o Peniamina mai ia te i latou, o lea foi na ia fai atu ai ia te i latou: Ua outou fai mai upu sa ou manao i ai; o le feagaiga foi ua outou osia, o le feagaiga tonu lea.

7. O lenei, ona o le feagaiga ua outou faia, e ta'ua outou o le fanau a Keriso, o ona atalii ma ona afafine, auā faauta, o le aso nei ua fanaua ai outou e ia i le faaleagaga; auā ua outou fai mai ua liua o outou loto ona o le faatuatua i lona suafa, o le mea lea ua fanauina ai outou ia te ia,

ma ua avea ai outou mona atalii ma ona afafine.

8. O lenei pule foi ua tuusaolotoina ai outou, ua leai lava se tasi pule e mafai ona tuusaolotoina ai outou. Ua leai foi se tasi igoa ua foaiina mai e oo mai ai le olataga; o le mea lea ua ou manao ai ina ia outou ave i luga ia te outou le suafa o Keriso, o outou uma ua osia le feagaiga ma le Atua, ina ia ia outou gauai i ai e oo i le iuga ō outou olaga.

9. E oo mai foi, o le na te faia nei mea, e maua o ia i le itu taumatau o le Atua, auā e iloa e ia le igoa e valaauina ai o ia, auā e valaauina o ia i le suafa o Keriso.

10. O lenei foi, e oo mai le aso, o i latou uma e le ave i luga ia te i latou le suafa o Keriso, e ao ina valaauina i latou i se tasi igoa, o lea e maua ai i latou i le itu tauagavale o le Atua.

11. O lo'u manao foi ia outou manatua, o le igoa lenei sa ou faapea ou te avatu ia te outou, e le tineia lava, sei iloga o le solitulafono e tineia ai. O lea ia outou faaeteete ai, ina ia le solitulafono outou, ina ia le tineia foi lea suafa ai o outou loto.

12. Ou te fai atu ia te outou, o lo'u manao ia outou manatua e taofi lea suafa, ia tusia ai i o outou loto, ina ia le maua outou i le itu tauagavale o le Atua, a e peitai, ina ia outou lagona ma iloa le leo e valaauina ai outou, atoa foi ma le igoa na te valaau a'i outou.

13. Auā, pe faapefea ona iloa e le tagata le alii e lei auauna i ai o ia, o le tagata ese foi ia te ia, ma ua mamao i manatu ma manao o lona loto?

14. Ma lea foi, e ave ea e se tagata le asini a le la te tuaoi ma taofi ai? Ou te fai atu ia te outou, e leai. Na te le tuuina atu lava ia 'ai faatasi ma lana lafu, a e tuli ese ai ma tuulafoai atu i tuapa. Ou te fai atu ia te outou, e faapea lava ma outou pe afai tou te le iloa le igoa e valaauina ai outou.

15. O le mea lea ou te manao ai ina ia outou tutumau ma le le mafaagaeetia, ia fua mai pea i galuega lelei, ina ia faamaufaailogaina outou mōna e Keriso, le Alii le Atua pule aoao, ina ia aveina atu outou i le lagi, ina ia outou maua le olataga e tumau, ma le ola faavavau i le poto, ma le mana, ma le amiotonu, ma le alofa o Le na faia mea uma i le lagi ma le lalolagi, o le Atua o ia i mea uma. Amene.

MATAUPU 6.

Ua faamauina igoa o tagata—Ua tofia ositaulaga—O le amataga o le nofoa'iga a Mosaea—O le maliu o le tupu o Peniamina.

1. O lenei foi, ua manatu le tupu o Peniamina, ina ua uma ona tautala o ia i le nuu, ua tatau ona tusia e ia igoa o i latou uma o e na osi le feagaiga ma le Atua e tausi i ana poloaiga.

2. Ma ua oo ina leai se toatasi na le fai le feagaiga, ua na o tamameamea na le faia, a ua osia le feagaiga e i latou uma ma ua ave i o latou luga le suafa o Keriso.

3. Ma lea foi ua oo ina ua faaiuina e le tupu o Peniamina nei mea uma, ma ua faauuina lona atalii o Mosaea e fai ma pule ma tupu i lona nuu, ma ua tuuina atu ia te ia faatonuga uma e uiga i le malo, ina ua uma foi ona tofia e ia faitaulaga e a'oa'o i le nuu ina ia latou faalogo ma iloa ai poloaiga a le Atua, ma faaoso ia te i latou i le faamanatua o le tautoga na latou faia, ua ia faatuua le motu o tagata,

ma ua latou foi atu taitoatasi uma, e tusa ma o latou aiga, i o latou lava fale.

4. Ma ua amata le nofoaiga a Mosaea e sui i lona tamā. Ua ia amata lana nofoaiga i le tausaga e tolusefulu o ona tausaga, o le aofai atoa pe faselau fitusefulu ma le ono tausaga talu le aso na te'a ai Liae ma Ierusalema.

5. E tolu tausaga na ola ai le tupu o Peniamina, ona maliu lea o ia.

6. Ma ua oo ina savali le tupu o Mosaea i ala o le Atua, ma ua tausi i ana faamasinoga ma ana tulafono, ma na tausia foi ana poloaiga i mea uma na ia poloai mai ai ia te ia.

7. Ua poloai atu foi le tupu o Mosaea i lona nuu ia latou galulue i le laueleele. Na galue foi o ia lava i le laueleele ina ia le mafatia lona nuu ia te ia, ina ia mafai foi ona ia faia e tusa ma mea na faia e lona tamā i mea uma. Ma ua leai lava ni fefinauaiga i lona nuu uma i tausaga e tolu.

MATAUPU 7.

O le faigamalaga i le nuu o Liae-Nifae—O Amona ma le tupu o Limae—Ua nofo pologa tagata o Liae-Nifae ia sa Lamana.

1. O lenei, ua oo ina ua i ai le filemu e le aunoa i le tupu o Mosaea i tausaga e tolu, ua ia fia iloa po ua faapefea le nuu na o ae e nonofo i le laueleele o Liae-Nifae, po o le aai o Liae-Nifae. Auā ua le faalogoina e lona nuu se mea e tasi ia te i latou talu le aso na latou te'a ai ma le nuu o Sara'emila, o le mea lea na latou faavaivaia ai o ia i lo latou fesili soo.

2. Ma ua oo ina tuu atu e le tupu o Mosaea ia o ae ni o latou tagata e toasefulu ma le toaono i le laueleele o Liae-Nifae e saili o latou uso.

3. Ma ua oo i le aso a taeao ina latou amata ona o ae ai. Sa faatasi ma i latou le tasi tagata, o Amona lona igoa, o ia foi o le tagata malosi ma le loto tele, e tupuaga mai ia Sara'emila, o ia foi o lo latou ta'ita'i.

4. O lenei, ua le iloa e i latou le ala latou te malaga ai i le vao e o ae i le laueleele o Liae-Nifae. O lea na latou feseseai ai i le vao i aso e tele, e fasefulu lava aso na latou feseseai ai.

5. Ina ua latou feseseai foi i aso e fasefulu, ua oo i latou i le tasi mauga i le itu i matu o le laueleele o Seloma, ma ua latou faatu ai o latou fale ie.

6. Ua ave foi e Amona ona uso e toatolu, ō latou igoa o Amaleki, ma Helema, ma Hema, ma ua latou o ifo i le laueleele o Nifae.

7. Faauta foi, ua latou fetaiai ma le tupu o le nuu na nofo i le laueleele o Nifae ma le laueleele o Seloma, ma ua siosiomia i latou e le au leoleo a le tupu, ma ua pueina i latou ma ua saisaitia ma lafoina i le falepuipui.

8. Ua oo foi ina ua i ai i latou i le falepuipui i aso e lua, ua toe aumaia i latou i luma o le tupu, ma ua tatalaina o latou noanoaga, ua latou laulaututu foi i luma o le tupu, ma ua tuuina mai ma ua poloaiina i latou ia tali atu i fesili e fai mai e ia ia te i latou.

9. Ua ia fai mai foi ia te i latou: Faauta, o a'u o Limae, le atalii o Noa, le atalii o Senifa, o le na sau mai le nuu o Sara'emila e fai mona tofi lenei nuu sa fai ma nuu ō latou tamā. Sa fai foi o ia ma tupu i le filifiliga a le nuu.

10. O lenei foi, ou te fia iloa le mea na outou loto tele ai e faalatalata mai i le aupa, manu

o a'u i ai ma a'u leoleo i tuapa o le aai.

11. O lenei, o le mea lea ua ou tuuina atu ai ia faasaoina outou, ina ia ou fesili atu ia te outou, ana leai, po ua ou fai atu i a'u leoleo ia latou fasia outou. Ua tuuina atu ia te outou ia tautala mai.

12. O lenei foi, ina ua iloa e Amona ua tuuina mai ia te ia ia tautala atu, ua alu atu o ia ma ua ifo i luma o le tupu; ona toe tulai lea o ia, ma ua fai atu: Le tupu e, ua ou matua faafetai atu i luma o le Atua i lenei aso ona ua ou ola nei, ma ua tuuina mai ia ou tautala atu. Ou te taumafai foi ona tautala atu ma le malosi.

13. Auā ua ou iloa ana e silafia mai a'u, po ua e le tuuina mai ia i ai nei noanoaga ia te au. Auā o a'u o Amona, o lo le aiga o Sara'emila, ua ou sau foi mai le laueleele o Sara'emila e saili o matou uso, o e na ta'ita'iina mai ai lea nuu e Senifa.

14. O lenei foi, ua oo ina ua uma ona faalogo Limae i upu a Amona, ua matua fiafia o ia, ma ua fai mai: O lenei, ou te iloa moi lava o loo ola pea o'u uso i le nuu o Sara'emila. O lenei foi, ua ou olioli, o le aso a taeao foi ou te faamatala atu ai i lo'u nuu, latou te olioli foi.

15. Auā faauta, ua nofopologa i matou i sa Lamanā, ma ua togitūina i matou i le taulaga e faigata ona onosai ai. O lenei foi, faauta, o le a laveaiina i matou ai lo matou nofopologa e o matou uso, ai lima o sa Lamanā. E fai foi i matou mā latou pologa, auā e sili lo matou nofopologa i sa Nifaē 'ai le avatu o le taulaga i le tupu o sa Lamanā.

16. O lenei foi, ua poloai atu le tupu o Limae i ana leoleo ia latou le toe saisaia Amona, po o ona uso, a ua na poloai atu ia latou o atu i le mauga i le itu i matu o le nuu o Seloma ma aumai o latou uso i le aai, ina ia latou aai ma feinu, ma latou malolo i galuega a la latou malaga; auā na latou onosai i mea e tele. Na onosai i latou i le fia ai, ma le fia inu, atoa ma le lailoa.

17. O lenei foi, ua oo i le aso a taeao, ona ave ai lea e le tupu o Limae le talaiga i lona nuu uma, ina ia latou potopoto faatasi i le malumalu e faalogologo i upu na te fai atu ia te i latou.

18. Ma ua oo ina ua faapotopotoina faatasi i latou, na ia tautala atu ia te i latou ma ua faapea atu: O outou, lo'u nuu e, ia faaeaina o outou ulu, ma ia faamafanafanaina, auā faauta, ua oo mai le aso, a leai ua le matua mamao, e le toe faatoilaloina ai i tatou i e ita mai ia te i tatou, e ui lava i a tatou finauga e tele sa faia ma le le aoga, a ou te faamoemoe e i ai le finauga aoga o loo toe e faia.

19. O le mea lea ia faaeaina ai o outou ulu, ma ia olioli ma faalagolago i le Atua; o le Atua sa fai ma Atua o Aperaamo, ma Isaako, ma Iakopo, o le Atua foi na aumaia le fanauga a Israelu ai le nuu o Aikupito, ma na faia ia latou savavali i le sami Ulaula i le ilititai matutu; na fafaga foi ia te i latou i le manai, ina ia le fano i latou i le vao. Ua tele foi nisi mea na ia faia mo i latou;

20. Ma lea foi, o lea lava Atua na aumaia o tatou tamā ai le nuu o Ierusalema, ma na tausia ma faasaoina lona nuu e oo mai nei lava. Faauta foi, ua aumaia i tatou i le nofopologa ona o a tatou amioletonu ma mea inosia.

21. O molimau foi outou uma i le aso nei, o Senifa, o le na fai ma tupu i lenei nuu, na mae-

legā anoanoai foi o ia i le fia fai mona tofi le nuu o ona tamā, o le mea lea na olegia ai o ia i le poto ma le pepelo o le tupu o Lamana, o le na faia le sootaga ma le tupu o Senifa, ma na tuuina mai ia te ia le pule i se vaega o le laueleele—o le aai lava o Liae-Nifae, ma le aai o Seloma, atoa ma le laueleele e latalata ane i ai.

22. Ma ua faia nei mea uma e ia ma le faamoemoe e tasi lava, ia faatoilaloina lenei nuu i le nofopologa. Faauta foi, o aso nei lava ua tatou avatu le taulaga i sa Lamanā, e oo i le vaeluaga o la tatou sana, ma la tatou karite, ma la tatou saito uiga esese uma, atoa ma le vaeluaga o mea uma e tutupu i a tatou lafu ma a tatou fagaga, e oo lava i le vaeluaga o mea uma ua ia te i tatou, a leai, ua ave faamalosi lava o tatou ola e le tupu o sa Lamanā.

23. O lenei foi, po ua le faigata ona onosai i nei mea? Po ua le tele ea lo tatou nei puapuaga? O lenei, faauta, ua tele lava mea ua tatou faanoanoa ai.

24. Ioe, ou te fai atu ia te outou, ua tele mea ia te i tatou e faanoanoa ai. Auā faauta, ua matua toatele lava o tatou uso ua fasia, ma ua faamaligiina faaleaoga lo latou toto, ma ua ala uma lava i le amioletonu.

25. Auā ana le paū lenei nuu i le agasala, po ua le tuuina mai e le Atua ia oo lenei leaga i luga ia te i latou. A e faauta, na le mafafai i latou ona faalogologo i ana fetalaiga, a ua tutupu fefinauaiga ia te i latou, ua iu ina latou faamaligi le toto ia te i latou lava.

26. Ma ua latou fasiotia le perofeta a le Atua, ioe, o le tagata filifilia o le Atua, o le na ta'u atu ia te i latou a latou agasala ma mea inosia, na valoia foi mea e tele e oo mai, ioe, o le afio mai lava o Keriso.

27. Ona ua ia fai atu foi ia te i latou, o Keriso, o le Atua ia, o le Tamā o mea uma lava, ma na faapea, e ofu o ia i le tino tagata, o le tino foi na foliga i ai le tagata i le amataga. O lona uiga, na ia fai atu, na faia le tagata e foliga i le Atua, e afio ifo foi le Atua i le fanauga a tagata, ma ofu o ia i le aano ma le toto, ma afio atu o ia i luga o le fogaeleele.

28. O lenei foi, ona ua ia fai atu nei mea, ua latou fasiotia o ia, ma ua tele foi nisi mea na latou faia na faatotō ifo ai le toasa o le Atua i o latou luga. O lenei, e ofo ea se tasi ina ua faapologaina i latou, ma ua taia i latou i puapuaga faigata.

29. Auā faauta, ua fetalai mai le Atua: Ou te le fesoasoani ilo'u nuu i le aso o la latou solitulafono. A e peitai, ou te puipuia o latou ala ina ia le manuia i latou, e avea a latou mea e fai ma maa e tausuai ai i o latou luma.

30. Ma lea foi, ua fetalai mai o ia: Afai e lulu e lo'u nuu le leaga, latou te selesele mai ai lona otatota i le asiosio e oona lona iuga.

31. I le ma lea foi, ua fetalai mai o ia: Afai e lulu e lo'u nuu le leaga, latou te selesele le matagi mai sasae, e aumai ai le faafanoga faafuasei.

32. O lenei foi, faauta, ua faataunuuina le folafolaga a le Atua, ma ua taia outou ma puapuagatia.

33. A e afai tou te liliu atu i le Atua ma le loto atoa, ma outou faalagolago ia te ia, ma auauna atu ia te ia ma le filifiligā atoa o le manatu—afai tou te faia lenei mea, e laveai o ia ia te ou-

tou ai le nofopologa, e tusa ma lona lava finagalo ma alofa.

MATAUPU 8.

Ua faato'a iloa e Amona ua maua papatusi auro e luasefulu ma le fa ua i ai togitogiga—Ua ia fautuaina lo latou tuuina atu i le tupu o Mosaea, le perofeta ma le tagata vaai.

1. Ma ua oo ina ua faaiu ona tautala atu le tupu o Limae i lona nuu, auā ua tele mea na ia fai atu ia te i latou, a e itiiti upu ua ou tusia i lenei tusi, na ia faamatala atu i lona nuu mea uma e uiga i o latou uso, o e ua i le nuu o Sara'emila.

2. Na ia manao foi ia tulai Amona i luma o le motu o tagata, ma tala atu ia te i latou mea uma ua oo i o latou uso talu aso na alu ae ai Senifa ai le nuu, e oo lava i le aso na sau ai o ia mai lea nuu.

3. Na ia tala atu foi ia te i latou upu mulimuli lava na a'oa'oina ai i latou e le tupu o Peniamina; na ia faamatala ai i le nuu o le tupu o Limae, ina ia malamalama ia te i latou upu uma na ia tautala a'i.

4. Ma ua oo ina ua uma ona ia faia nei mea uma, ona faatuua lea le motu o tagata e le tupu o Limae, ma ua poloai atu ia foi atu i latou, taitasi le tagata i lona lava fale.

5. Ua oo foi ina poloai atu o ia ia aumaia i luma o Amona papatusi ua i ai le talaaga i lona nuu talu le aso na latou te'a ai ma Sara'emila, ina ia mafai ona ia faitau ai.

6. O lenei, ina ua uma ona faitau e Amona le tusi, ua fesili le tupu ia te ia i le fia iloa po ua mafai o ia ona faamatala gagana, a ua fai atu Amona ua le mafaia e ia.

7. Ma ua fai atu le tupu ia te ia: Ona ua tigaina a'u ona o puapuaga o lo'u nuu, sa ou poloai atu ia malaga atu i le vao le toafasefulu ma le toatolu o lo'u nuu, ina ia latou maua le nuu o Sara'emila, ina ia matou tagi atu i o matou uso ia laveaiina i matou ai lo matou nofopologa.

8. Na latou feseseai foi i le vao i aso e tele, e ui i lea, na latou filifiligā, a ua le maua le nuu o Sara'emila, ma ua toe foi mai i lenei nuu. Sa latou malaga foi i le nuu ua tele ai vai, na maua foi le nuu ua ufiufitia i ivi o tagata ma manu feai, ma mea eseese faapea, ma ua ufitia i fale uiga eseese ua malelepe, na latou maua foi le laueleele sa aigā e le nuu sa tusa ona toatele ma au a Isaraelu.

9. O le mau foi ua moni upu na latou fai mai ua latou aumaia papatusi e luasefulu ma le fa, ua tumu i togitogiga, ua gaosia foi i le auro lelei.

10. Faauta foi, ua latou aumaia ufifatafata tetele, ua faia foi i le apa pupula ma le apa memea, ma ua atoatoa lelei.

11. Ma lea foi, ua latou aumaia pelu, ua faaumatia au, o lau foi ua atiatia i le ele. E leai foi se tasi i le nuu e mafai ona faamatala le gagana, po o togitogiga ua i ai i papatusi. O le mea lea na ou fai atu ai ia te oe, pe mafai ona e faamatala gagana.

12. Ou te toe fai atu foi ia te oe, po ua e iloa se tasi e mafai ona faamatala gagana, auā o lo'u manao ia faamatalaina nei tusi i la tatou gagana, auā ai lava tatou te maua mai ai le tala i e ua totoe o le nuu ua faaumatia, na maua mai ai nei tusi, a le o lea, atonu tatou te maua mai ai le tala i lenei lava nuu sa faaumatia. Ou te fia iloa le mea na faaumatia ai i latou.

13. Ona fai atu lea Amona ia te ia: Ou te mafai ona ta'u atu ia te oe, le tupu e, le tagata e mafai ona faamatala tusi na, auā ua ia te ia mea e mafai o ia ona vaai i ai ma faamatala tusi uma sa tusia anamua, o le mea alofa foi mai le Atua. Ua ta'ua foi ia mea o mea e faamatala a'i upu o tusi, e le mafai foi ona vaai i ai se tagata, sei iloga ua poloaiina o ia, ne'i vaai o ia i se mea le tatau ma fano ai o ia. O le foi ua poloaiina e vaai i ai ua ta'ua o ia o le tagata vāai.

14. Faauta, o le tupu i le nuu i le laueleele o Sara'emila, o le tagata lea ua poloaiina e faia nei mea, ma ua ia te ia lenei mea alofa sili mai le Atua.

15. Ua fai mai foi le tupu: Ua sili le tagata vāai i le perofeta.

16. Ma ua fai atu Amona: O le tagata vāai, o lē faaali mea lilo o ia atoa foi ma le perofeta. Ua le mafai foi ona maua e se tagata se mea alofa e sili i lea, sei iloga ua ia te ia le mana o le Atua e le mafai ona i ai i se tagata. A e ui i lea, e mafai ona maua e tagata le mana tele mai le Atua.

17. A e peitai, e mafai le tagata vāai ona iloa mea ua mavae atu atoa ma mea e oo mai. E faaalia foi mea uma e i latou; o lona uiga, e faaalitinoina mea lilo, e oo mai foi i le malamalama mea sa natia, e faailoaina foi e i latou mea ua le iloa, e faailoaina e i latou mea e le mafai ona iloa i se tasi ala.

18. Ua faapea ona faatuina e le Atua le ala e mafai ai le tagata ona fai vavega tetele i le faatuatua, o le mea lea ua avea ai o ia ma tagata aoga tele i ona uso o tagata.

19. O lenei, ina ua uma ona fai atu e Amona o nei upu, ua olioli tele le tupu, ma ua avae le faafetai i le Atua, ua faapea atu: Ua leai se masalosalo, ua i ai le mea lilo tele i nei papatusi; ua leai foi se masalosalo, na saunia ia mea faamatala tusi ina ia folafolaina mea lilo uma faapea i luma o le fanauga a tagata.

20. E! ua matua ofoofogia galuega a le Atua, ma ua matua leva ona faapalepale o ia i lona nuu. Ioe, a ua matua tauaso ma le le maatia mafaufau o le fanauga a tagata, auā e le saili e i latou le poto, ma ua le manao i latou ia pule o ia ia te i latou.

21. Ioe, ua tusa i latou ma le lafu segisegi ua sosola ese ai le leoleo mamoe, ma ua taapeape solo, ua tulia foi ma 'aina e manu feai o le vao matua.

O LE TUSI A SENIFA.—O le tala i *lona nuu, e amata i le aso na latou tete'a ai ma le laueleele o Sara'emila, a e oo mai lava i le aso na laveaiina ai i latou ai lima o sa Lamana.*

(E aofia ai mataupu 9 o oo i le 22)

MATAUPU 9.

Ua alu atu Senifa ina ia maua le nuu o Liae-Nifae—Ua avea o ia o se tagata matavao i sa Lamanā—O le pepelo o le tupu o Lamana.

1. O a'u o Senifa, ua a'oa'oina i le gagana uma a sa Nifaē, ma ua iloa lelei le laueleele o Nifae, o le laueleele lea na muai nonofo ai o matou tamā. Na auina atu foi a'u e fai ma tagata agaga i sa Lamanā, ina ia ou vaaia a latou au, ina ia oo atu a matou au ia te i latou ma faaumatia ai i latou. A e peitai, ina ua ou iloa mea lelei ua ia te i latou, sa ou manao ia le faaumatia i latou.

2. O le mea lea na ou finau ai ma o'u uso i le vao, auā o lo'u manao, ia faia se sootaga e lo matou ta'ita'i ma i latou; a e peitai, o ia o le tagata matapaū ma le fia faamasaa toto, o lea na ia poloai atu ai ia fasiotia a'u, a ua laveaiina a'u i le faamasaaina o le toto e matua tele. Auā na tau le tamā ma le tamā, o le uso foi ma le uso, ina seia faaumatia i le vao le toàtele o la matou au; ma ua matou foi atu, o e ua totoe o i matou, i le nuu o Sara'emila e tala atu lena tala i a latou avā ma a latou fanau.

3. A e ui i lea, ona ua ou maelega anoanoai i le fia fai mo'u tofi le nuu ō matou tamā, na ou faapotopotoina i latou uma o e na fia o ae e nonofo i le nuu, ma ua toe amata la matou malaga i le vao e o ae ai i le nuu. A ua taia i matou i le oge, ma puapuaga faigata; auā na telegese i matou e manatua le Alii lo matou Atua.

4. E ui i lea, ina ua mavae aso e tele o feseseai ai i le vao ua matou faatuina o matou fale ie i le mea na fasia ai o matou uso, ua latalata i le laueleele ō matou tamā.

5. Ua oo foi ina ou toe alu atu i le aai ma ni o'u tagata e toafā, ua oo atu lava i le tupu, ina ia mafai ona ou iloa le manatu o le tupu, ina ia ou iloa foi pe mafai ona matou o atu, o a'u ma lo'u nuu, ma nonofo i le laueleele ma le filemu.

6. Na ou alu atu foi i le tupu, ua ia faia foi le feagaiga ma a'u, ua mafai ai ona ou maua le laueleele o Liae-Nifae, ma le laueleele o Seloma.

7. Na poloai atu foi o ia ia te'a ese lona nuu ai le laueleele, ma ua matou o atu foi, o a'u ma lo'u nuu, ina ia matou mau ai.

8. Ua amata foi ona mātou ati ae fale, ma toe fau aupa o le aai, ioe, o aupa lava o le aai o Liae-Nifae, ma le aai o Seloma.

9. Ua amata foi ona matou galulue i le fanua, ioe, ma ua totō fatu uiga eseese, o fatu o le sana, ma le saito, ma le karite, ma le nea, ma le seuma, atoa ma fatu o laau fua e uiga eseese uma. Ua amata ona tauluuluola i matou ma ua manuia i le laueleele.

10. O lenei, o le poto ma le pepelo o le tupu o Lamana, ia faapologa lo'u nuu, na ia tuu mai ai le laueleele matou te mau ai.

11. O le mea lea na oo ai ina ua mavae tausaga e sefulu ma le lua na matou mau ai i le laueleele, ua amata ona popole le tupu o Lamana, ne'i ai se ala e tupu malosi ai lo'u nuu i le laueleele, ia le mafai ai ona latou manumalo mai ia te i latou ma faapologaina i latou.

12. O lenei, o i latou o le nuu paie ma le tapuai i tupua, o le mea lea na latou fia faapologaina ai i matou, ina ia mafai ona latou vavao i galuega a o matou lima; ioe, ina ia 'aina e i latou lafu ō matou fanua.

13. O le mea lea ua oo ai ina amata e le tupu o Lamana ona faaosoina lona nuu ia latou finau ma lo'u nuu, o lea ua amata ona i ai taua ma fefinauaiga i le nuu.

14. Auā o le tausaga e sefulu ma le tolu o la'u nofoaiga i le nuu o Nifae, ina o faainu ma fafaga e lo'u nuu i le itu i toga o le nuu o Seloma a latou lafu, ina o galulue foi i o latou fanua, ua sau ai le au a sa Lamanā e matua toatele, ua amata foi ona fafasi ia te i latou ma fao a latou lafu ma le sana i o latou fanua.

15. Ioe, ua oo foi ina latou sosola, o i latou uma ua sao, ua oo lava i le aai o Nifae, ma ua

tagi mai ia te au ina ia faamamaluina.

16. Ua oo foi ina ou fai auupega ia te i latou i aufana, ma u fanafana, ma pelu, ma simetea, atoa ma uatogi, ma maatā, ma auupega uiga eseese uma ua mafai ona matou gaosia, ma ua matou o atu, o a'u ma lo'u nuu e tau ma sa Lamanā.

17. Ioe, o le malosi lava mai le Atua na matou o atu ai e tau ma sa Lamanā, auā na matou tagi tele i le Atua, o a'u ma lo'u nuu, ina ia laveaiina i matou e ia ai lima o ē ita mai ia te i matou; auā ua fagua i matou i le faamanatua o le laveaiina ō matou tamā.

18. Ma ua faafofoga foi le Atua i a matou tagi, ma ua talia mai a matou tatalo; ua matou o atu foi i le malosi mai ia te ia; ioe, na matou o atu e tau ma sa Lamanā i le ao e tasi atoa ma le po, na matou fasia foi le toatoluafe fasefulu ma le tolu; na matou fafasi ia te i latou ina seia matou tulieseina i latou ai lo matou nuu.

19. O a'u lava, ma o'u lava lima, na fesoasoani i le tanuga ō latou tagata oti. Faauta foi, sa ia te i matou le faanoanoa tele ma le tagiauē, auā ua fasia le toaluaselau fitusefulu ma le iva ō matou uso.

MATAUPU 10.

Ua maliu le tupu o Lamana—Ua manumalo Senifa ma ona tagata i e na saua ia te i latou.

1. Ma ua oo ina amata ona matou toe faatuina le malo, ma ua toe amata ona matou nonofo i le laueleele ma le filemu. Na ou poloai atu foi ia gaosia auupega uiga eseese o le taua, ina ia i ai le auupega ia te au ma lo'u nuu i se aso e toe sii taua mai ai sa Lamanā i lo'u nuu.

2. Na ou tofia foi leoleo i tuaoi o le laueleele, ina ia le toe faafuasei mai sa Lamanā ia te i matou ma faaumatia i matou. Ua faapea foi ona ou leoleo i lo'u nuu, ma a'u lafu, ma tausi ia te i latou ina ia le pāuu i lima o ē ita mai ia te i matou.

3. Ma ua oo ina fai mo matou tofi le laueleele ō matou tamā i tausaga e tele, ioe, o tausaga e luasefulu ma le lua.

4. Na ou poloai atu foi ia galulue tane i le fanua, ma faatupu le saito uiga eseese, atoa ma fua laau uiga eseese uma.

5. Na ou faia foi ia milo fafine, ma galulue, ma gaosi le lino uiga eseese, ioe, ma ia fai foi ie uiga eseese, ina ia matou faaofu a'i lo matou le lavalavā. Ua faapea foi ona manuia i matou i le nuu, ma ua faapea foi ona ia te i matou le filemu e le aunoa i le nuu i tausaga e luasefulu ma le lua.

6. Ma ua oo ina oti le tupu o Lamana, ma ua sui lona atalii i lana nofoaiga. Ua amata foi ona ia faaosoina lona nuu ia latou sii taua mai i lo'u nuu, o le mea lea na latou amata ona sauni ai i le taua ma o mai foi e tau ma lo'u nuu.

7. A e peitai, na ou aauina atu o'u tagata matavao e faataamilomilo i le nuu o Semilona, ina ia ou iloa mea ua latou saunia, ina ia ou teena i latou, ia le oo mai ai i latou i lo'u nuu e faaumatia i latou.

8. Ma ua oo ina latou o mai i le itu i matu o le laueleele o Seloma ma a latou au tetele, o tagata ua fai auupega i aufana, ma u fanafana, ma pelu, ma simetea, atoa ma maa, ma maatā; ua tafia foi o latou ulu, ma ua le lavalavā i latou, ua fusia foi i latou ma fusi pa'u i o latou sulugatiti.

9. Ma ua oo ina ou natia fafine ma tamaiti o lo'u nuu i le vao. Na ou faapotopotoina foi o'u tagata toeaina ua lavā tau, ma a'u taulele'a ua mafai ona tau, ina ia latou o atu i le taua ma sa Lamanā. Na ou tofia foi i latou i a latou tulaga, taitasi le tagata e tusa ma ona tausaga.

10. Ua oo foi ina matou o ae e tau ma sa Lamanā, ma a'u lava, e ui i lo'u nei toeaina, na a'u alu lava e tau ma sa Lamanā. Ua oo foi ina matou o atu i le taua i le malosi mai le Atua.

11. O lenei, ua le iloa e sa Lamanā se mea e tasi e uiga i le Atua, po o le malosi o le Atua, o le mea lava lea na latou faalagolago ai i lo latou lava malosi. A e ui i lea, o i latou o le nuu malolosi i le malosi o tagata.

12. O i latou o le nuu 'aivao, ma le fe'ai, ma le fia faamasaa toto, o loo talitonu i uputuu a o latou tamā, ua faapea: Ua taofi na tulieseina i latou ai le nuu o Ierusalema ona o amioletonu a o latou tamā; na agaleagaina foi i latou i le vao e o latou uso, na agaleagaina foi i latou i le malaga i le vasa.

13. Ma lea foi, na agaleagaina i latou a o i le nuu sa latou nonofo ai muamua, ina ua uma le malaga i le vasa, sa faapea nei mea uma ona ua sili ona faamaoni Nifae i le tausiga o poloaiga a le Atua, o le mea lea na alofagia ai o ia e le Atua, auā na faafofoga le Atua i ana tatalo, ma na talia ai; o ia foi na ta'ita'i i la latou malaga i le vao.

14. Na ita foi ona uso ia te ia, auā na le malamalama ia te i latou galuega a le Atua; sa ita foi i latou ia te ia i le moana, auā na latou faamaaa o latou loto i le Atua.

15. Ma lea foi, na ita i latou ia te ia ina ua latou taunuu mai i le nuu sa folafolaina, auā na faapea a i latou, na ia fao le pule i le nuu mai ia te i latou. Na latou saili foi e fasioti ia te ia.

16. I le ma lea foi, na latou ita ia te ia, auā na te'a ese o ia i le vao, e pei ona poloaiina o ia e le Atua, na ia ave foi tusi ua togitogia i papatusi apamemea, auā na faapea a i latou, ua ia faoina mai ia te i latou.

17. Ma ua faapea ona latou a'oa'oina atu i a latou fanau ia latou ita ia te i latou, ma ia latou fasioti ia te i latou, ma ia latou fao mea ma vete ia te i latou, ma fai mea uma ua mafaia i latou ina ia faaumatia i latou. O le mea lea ua i ai ia te i latou le ita tele e faavavau i le fanau a Nifae.

18. O le mea lava lenei na olegia ai a'u e le tupu o Lamana i lona poto, ma lona pepelo, ma ana folafolaga malie, na ou aumai ai lo'u nuu nei i lenei laueleele, ina ia mafai ona latou faaumatia i latou. Ioe, ma ua tigaina i matou i le nuu i nei tausaga e tele.

19. O lenei foi, o a'u o Senifa, ina ua uma ona fai atu nei mea i lo'u nuu e uiga i sa Lamanā, ma ou faaosoina i latou e o ae i le taua ma lo latou malosi ma faalagolago i le Atua, o le mea lea na matou tau ai faafesagai lava ma i latou.

20. Ua oo foi ina matou toe tulieseina i latou ai lo matou laueleele. Na matou fasia foi i latou ma le fasi tele, ua matua toatele, ua matou le faitaulia ai.

21. Ua oo foi ina matou toe o mai i lo matou lava laueleele, ma ua toe amata e lo'u nuu ona tausi i a latou lafu, ma galulue i o latou fanua.

22. O lenei foi, ona ua toeaina a'u, ua ou tuu atu ai le malo i

le tasi o o'u atalii. O le mea lea ou te le toe fai atu ai nisi upu. A ia alofa le Atua ma faamanuiaina lo'u nuu. Amene.

MATAUPU 11.

O Noa, le tupu amioleaga, ma ana ositaulaga—Ua ta'uleagaina e le perofeta o Apinati agasala tetele a le nuu—Ua lamatia lona ola e le tupu o Noa.

1. O lenei foi, ua oo ina tuuina atu le malo e Senifa ia Noa, o le tasi o ona atalii. O le mea lea na amata ai ona sui Noa ia te ia i le pule. Na le savali foi o ia i ala o lona tamā.

2. Auā faauta, na le tausi o ia i poloaiga a le Atua, a ua savali o ia e tusa ma manao o lona lava loto. Sa toatele foi ana avā ma ana palake. Na ia faia foi ia agasala lona nuu ma fai mea ua inosia i luma o le Atua. Ioe, ma ua latou agasala i le faitaaga ma amioleaga uiga eseese uma.

3. Na ia togitū ia te i latou i le mea e lima a'i o mea uma ua ia te i latou; o le mea e lima a'i o la latou auro ma la latou ario, ma le mea e lima a'i o la latou sifa, ma la latou apa memea, ma la latou apa pupula, ma la latou uamea, ma le mea e lima a'i o a latou manu pepeti, atoa foi ma le mea e lima a'i o la latou saito uma.

4. Na ia ave nei mea uma e tausi ia te ia lava, ma ana avā, ma ana palake, atoa foi ma ana faitaulaga ma a latou avā ma a latou palake. Ua faapea ona faaliliuina e ia mea a le malo.

5. Auā ua ia aveeseina faitaulaga uma na faauuina e lona tamā, ma ua faauuina faitaulaga fou, o e ua faafefeteina i le faamaualuga ō latou loto, e sui ia te i latou.

6. Ioe, ua faapea foi ona tausia i latou i lo latou paie, ma la latou tapuai i tupua, ma a latou faitaaga, i lafoga na togitūina ai e le tupu o Noa lona nuu. Ua faapea ona matua tauivi le nuu i le tausiga o le amioletonu.

7. Ioe, ma ua avea ai i latou ma ē tapuai i tupua, auā ua olegia i latou i upu pepelo ma le faaviivii a le tupu ma ana faitaulaga, auā na latou tautala ia te i latou i upu faaviivii.

8. Ua oo foi ina faia e le tupu o Noa o fale e tele ua manaia ma le vateatea, na ia teuteuina i galuega lelei i laau ma mea tāua uiga eseese uma, o le auro, ma le ario, ma le uamea, atoa ma le apa pupula, ma le sifa, ma le apa memea.

9. Na ia faia foi le fale vateatea mo ia lava, ma le nofoālii foi i ona totonu, na gaosia uma i laau lelei, ma ua teuteuina i le auro, ma le ario, atoa ma mea tāua.

10. Ua ia poloai atu foi i ona tagata fai galuega, ia latou faia galuega lelei uiga eseese i totonu o pa o le malumalu, o laau lelei, ma le apa memea, atoa ma le apa pupula.

11. O nofoa foi ua tofia mo le au faitaulaga sili, ua maualuga i isi nofoa uma, ma ua ia teuteuina ai i le auro lelei. Na ia faia foi le tulaga i o latou luma, ina ia latou faalagolago i ai o latou tino ma o latou lima, manū o latou tautala atu i lona nuu i upu pepelo ma le le aoga.

12. Ua oo foi ina atiina ae e ia le olo latalata ane i le malumalu, ioe, o le olo matua maualuga, ua faapea ona maualuga ua mafai ai o ia ona tu i ona luga ma iloa atu i le nuu uma o Seloma, atoa ma le nuu o Semilona ua pule ai sa Lamanā, ma ua mafai lava ona ia iloa atu

le laueleele uma e latalata ane i ai.

13. Ua oo foi ina faia e ia o fale e tele i le laueleele o Seloma. Na ia faia foi le olo tele i le tumutumu o le mauga i le itu i matu o le nuu o Seloma, sa fai ai ma malologa o le fanauga a Nifae i ona aso na latou sosola ese ai le nuu. Sa faapea lava ona faia e ia i le oloa na ia maua i le lafoga a lona nuu.

14. Ma ua oo ina mafuli lona loto i lona oloa tele, na ia faamaumau foi ona aso i le ulavale faatasi ma ana avā ma ana palake, ua faapea foi ana faitaulaga ona faamaumau o latou aso faatasi ma fafine talitane.

15. Ua oo foi ina totō solo e ia o tovine i le laueleele; na ia faia foi tuugauaina, ma na gaosia le uaina e tele lava, o le mea lea na avea ai o ia ma lē inu soo i le uaina, ma ua faapea foi lona nuu.

16. Ua oo foi ina amata ona o mai sa Lamanā i lona nuu. A latou maua le toaitiiti a o galulue i o latou fanua, pe tausi i a latou lafu, ua fafasi ia te i latou.

17. Na aauina atu e le tupu o Noa leoleo i le fanua e tuliese ia te i latou. A e peitai, na le lava e na aauina atu, na o mai foi sa Lamanā ia te i latou ma ua fafasi ia te i latou; ua tulieseina foi a latou lafu e tele ai le nuu. Ua faapea ona amata e sa Lamanā ona faaumatia i latou, ma faaoo mai lo latou ita tele ia te i latou.

18. Ua oo foi ina aauina atu e le tupu o Noa ana au ia te i latou, ma ua tulieseina i latou, na tulia ese i latou i nai aso itiiti. O le mea lea na latou toe foi mai ai ma le olioli i la latou vete.

19. O lenei foi, ua faafefeteina i latou i le faamaualuga ō latou loto ona o lenei manumalo tele. Na latou mitamita i lo latou lava malosi, o loo faapea ane, e manumalo le toalimasefulu o i latou i afe e tele o sa Lamanā. Sa faapea ona latou mitamita ma fiafia i le toto ma le faamasaaina o le toto ō latou uso. Sa faapea ona o le amioleaga a lo latou tupu ma a latou faitaulaga.

20. Ma ua oo ina i ai le tasi tagata ia te i latou, o lona igoa o Apinati. Na alu atu foi o ia ia te i latou, ma ua amata ona vavalo, ua faapea atu: Faauta, o loo faapea ona fetalai mai le Atua, ma ua faapea ona ia poloaiina a'u, ua faapea mai: Alu atu ia ma fai atu i lenei nuu, o loo faapea ona fetalai mai le Atua, oi talofa i lenei nuu, auā ua ou iloa a latou mea inosia, ma a latou faitaaga; afai foi latou te le salamo, ou te asiasi ia te i latou i lo'u ita.

21. Afai foi latou te le salamo ma liliu mai i le Alii lo latou Atua, faauta, ou te tuuina atu i latou i lima o ē ita ia te i latou. E moni, e faapologaina i latou, e tigaina foi i latou i lima o ē ita ia te i latou.

22. E oo foi ina latou iloa o a'u o le Alii lo latou Atua, o le Atua fuā, o loo taui atu amioletonu a lo'u nuu i o latou lava luga.

23. E oo foi, pe afai e le salamo lo'u nuu ma liliu mai i le Alii lo latou Atua, e faapologaina i latou, e le laveai foi se tasi ia te i latou, na o le Alii le Atua e ona le malosi uma.

24. E moni, e oo mai le aso, pe a latou tagi mai ia te au, ou te faatelegese e faalogo i a latou tagi. Ioe, ou te tuu atu foi ia taia i latou i ē ita ia te i latou.

25. A latou le salamo i le ie talatala ma le lefulefu, ma tagi malosi i le Alii lo latou Atua, ou

te le faalogo i a latou tatalo, ou te le laveai foi ia te i latou ai o latou puapuaga. Ua faapea ona fetalai mai le Atua, ma ua faapea ona ia poloaiina ai a'u.

26. O lenei, ua oo ina ua fai atu e Apinati nei upu ia te i latou, ua ita i latou ia te ia, ma ua saili e aveese lona ola, a ua laveaiina o ia ai o latou lima e le Atua.

27. O lenei, ina ua faalogo le tupu o Noa i upu na fai atu e Apinati i lona nuu, ua ita tele o ia, ma ua faapea ane o ia: O ai ea Apinati e faamasinoina a'u ma lo'u nuu e ia? Po o ai foi le Atua e faaoo mai ai le puapuaga e faapea ona tele i luga o lo'u nuu?

28. Ou te poloai atu ia te outou, ia aumaia Apinati iinei ina ia ou fasiotia o ia; auā ua ia faia nei upu e tina a'i lo'u nuu, ina ia feitagai, ma ia faatupuina fefinauaiga i lo'u nuu. O le mea lea ou te fasiotia ai o ia.

29. O lenei, ua faatauasoina mata o le nuu, o le mea lea na latou faamaaa ai o latou loto i upu a Apinati, e afua foi i lea aso ua latou saili e pu'e ia te ia. Ua faamaaa foi e le tupu o Noa lona loto i le afioga a le Atua, ma ua le salamo o ia i ana amioleaga.

MATAUPU 12.

Ona ua ta'uleagaina e Apinati ē fai amioga leaga, ua lafoina o ia i le falepuipui—Ua faia e ositaulaga pepelo se faamasinoga ia te ia—Ua fa'afememea'iina i latou.

1. Ina ua mavae mai tausaga e lua, ua oo ina foi mai Apinati ia te i latou, ua faafoliga ese ona mata, ma ua latou le iloa o ia. Ua amata foi ona vavalo ia te i latou, ua faapea atu: Ua faapea ona poloaiina a'u e le Atua, ua faapea mai: Apinati e, alu atu ia ma vavalo i lo'u nuu nei, auā ua latou faamaaaina o latou loto i a'u upu, ua le salamo ai i latou i a latou amioleaga. O le mea lea ou te asiasi atu ai ia te i latou i lo'u ita, ioe, o lo'u ita tele ou te asiasi atu ai ia te i latou i a latou amioletonu ma mea inosia.

2. Ioe, oi talofa i lenei tupulaga. Ua fetalai mai foi le Atua ia te au: Faaloaloa atu ia lou lima, ma ia e vavalo, ia faapea atu, o loo faapea ona fetalai mai le Atua: E oo ina faapologaina lenei tupulaga ona o a latou amioletonu, e taia foi i le alafau, ioe, e tulia foi e tagata ma fasia, e 'aina foi o latou tino e manu felelei o le vanimonimo, ma ulī, ioe, atoa foi ma manu fe'ai.

3. E oo foi ina tusa le tau o le ola o le tupu o Noa ma se ofu i le ogāumu aasa, auā na te iloa o a'u o le Atua.

4. E oo foi ina ou taia lo'u nuu nei i puapuaga faigata, ioe, o le oge atoa ma le faama'i, ou te faia foi ia latou uio i le aso atoa.

5. Ioe, ou te faia foi ia saisaitia avega i luga ō latou tua, e tulia foi i latou e pei o le asini gugu.

6. E oo foi ina ou aauina atu le uatoa ia te i latou e taia a'i i latou. E taia foi i latou i le matagi mai sasae, e faaleagaina lo latou laueleele e tuga, e faaumatia ai foi la latou saito.

7. E taia foi i latou i le faama'i tele. Ou te faia foi nei mea uma ona o a latou amioletonu ma mea inosia.

8. Afai foi latou te le salamo, e oo ina ou matua faaumatia i latou ai le fogaeleele. A e peitai, latou te tuu mai le talaaga ia te i latou, ou te faasaoina ai foi mo nisi nuu e mau i le laueleele. Ioe, o le mea lava lenei ou te faia ina ia ou faailoa atu i nisi nuu mea inosia a lenei nuu. Ua tele foi

mea na vavalo ai Apinati i lenei nuu.

9. Ma ua oo ina ita i latou ia te ia, ma ua latou pueina o ia ma aveina atu o ia o saisaitia i luma o le tupu. Ua latou fai atu foi i le tupu: Faauta, ua matou aumaia i ou luma le tagata ua vavalo i mea leaga i lou nuu, ma ua fai mai e faaumatia i latou e le Atua.

10. Ua ia valoia foi le leaga i lou soifua, ma ua faapea, e avea lou soifua e pei o le ofu i le ogāumu o le afi.

11. Ma lea foi ua fai mai o ia e avea oe e pei o le au o le sana, o le au o le sana lava ua mago i le fanua, ua taufetuli ai manu vaefa i ona luga, ma ua solia i o latou vae.

12. O le mea lea ua fai mai ai o ia, e avea oe e pei o le fuga o le laau tuitui, auā ina ua afu lelei, a agi le matagi, ua lelea ese i luga o le fogaeleele. Ua faapea mai o ia, ua fetalai mai ai le Atua. Ua fai mai foi o ia, e oo mai nei mea uma ia te oe pe afai e te le salamo, o lea foi ona o au amioletonu.

13. O lenei foi, le tupu e, se a ea se mea leaga tele ua e faia? Po o a foi ni agasala tetele ua faia e lou nuu e ta'usalaina ai i latou e le Atua, e faamasino mai ai lenei tagata.

14. O lenei foi, le tupu e, faauta, ua mamā i matou, o oe foi, le tupu e, e te lei agasala. O lea ua pepelo ai lenei tagata e uiga ia te oe, ma ua vavalo fua o ia.

15. Faauta foi, ua malolosi i tatou, e le faapologaina i tatou, pe avea faatagataotaua i ē ita mai ia te i tatou. Ioe, ua manuia lava oe i le nuu, e te saga manuia ai lava.

16. Faauta, o iinei le tagata, matou te tuuina atu o ia i ou aao. Ia e faia lou finagalo ia te ia.

17. Ua oo foi ina poloai atu le tupu o Noa ia lafoina Apinati i le falepuipui. Ua poloai atu foi o ia i faitaulaga sili, ia latou potopoto faatasi, ina ia latou faia le filifiliga ma ia, e iloa ai le mea na te faia ia te ia.

18. Ma ua oo ina latou fai atu i le tupu: Aumai ia o ia iinei, ina ia tatou fesili ia te ia. Ona poloai atu ai lea le tupu, ia aumaia o ia i o latou luma.

19. Ma ua amata ona latou fesili ia te ia, ina ia latou taumaileia o ia, ia latou maua ai se mea e molia ai o ia, a ua tali atu o ia ma le malosi lava ia te i latou, ma ua manumalo i a latou fesili uma, ioe, ua iu ina latou taufaiofo, auā na ia manumalo ia te i latou i a latou fesili uma, ma ua faafememeai ia te i latou i a latou upu uma.

20. Ma ua oo ina fai mai le tasi o i latou ia te ia: Po o le a le uiga o ia upu ua tusia, na a'oa'oina foi e o tatou tamā, o loo faapea mai:

21. E matua matagofie i luga o mauga vae o lē aumai le tala lelei, o lē talai mai le filemu, e aumai le tala lelei i le manuia, o lē talai foi le olataga, ma ua fai mai i Siona, o loo pule lou Atua.

22. E alalaga le leo o au leoleo, o le leo faatasi latou te taufaipepese ai, auā e lotogatasi i latou pe a toe aumaia Siona e le Atua.

23. Ina pa mai ia le alaga o le fiafia, ia pepese faatasi o outou mea faatafunaina i Ierusalema, auā ua faamafanafanaina e le Atua lona nuu, ua ia togiolaina Ierusalema.

24. Ua faaui e le Atua le ofu ai lona aao paia i luma o nuu uma, e iloa foi e tuluiga uma o le lalolagi le olataga mai lo tatou Atua.

25. O lenei foi, ua fai atu Apinati ia te i latou: O faitaulaga ea outou, o loo faapea ua a'oa'o i lenei nuu, ma ua mala-

malama ia te outou le agaga o perofetaga, a e tou te toe fia iloa mai ia te au le uiga o nei mea?

26. Ou te fai atu ia te outou, oi talofa ia te outou, auā ua faapiopioina e outou ala o le Atua. Auā, afai ua malamalama nei mea ia te outou, tou te lei a'oa'oina atu ai, o lea ua outou faapiopioina ai ala o le Atua.

27. Tou te lei tuuina atu o outou loto i le malamalama, o le mea lea ua le popoto ai outou. O lenei, pe ni a mea ua outou a'oa'o atu i lenei nuu?

28. Ma ua latou fai mai: Ua matou a'oa'o atu le tulafono a Mose.

29. Ona toe fai atu ai lea o ia ia te i latou: Afai tou te a'oa'o atu le tulafono a Mose, se a le mea ua outou le tausi ai? Se a foi le mea ua tuinanau ai o outou loto i le fia tamāoaiga? Tou te faitaaga i se a ma faauma lo outou malosi i fafine talitane? ioe, ma uunai atu i lenei nuu ia latou agasala, ua ala ai ina auina mai a'u e le Atua e vavalo i lenei nuu, ioe, o le leaga tele i lenei nuu?

30. Tou te le iloa ea ua ou tautala atu i le upu moni? Ioe, ua outou iloa lava, o le upu moni ua ou tautala atu ai, ma ua tatau ona outou tetemu i luma o le Atua.

31. E oo foi ina taia outou ona o a outou amioletonu, auā ua outou fai mai ua outou a'oa'o atu le tulafono a Mose. Se a foi se mea ua outou iloa i le tulafono a Mose? Pe maua ea le olataga i le tulafono a Mose? Pe ni a fa outou?

32. Ua latou tali faapea mai: O le tulafono a Mose e oo mai ai le olataga.

33. A o lenei, ua fai atu Apinati: Ou te iloa, afai tou te tausi i poloaiga a le Atua, e faaolaina outou. E moni foi lea, pe afai tou te tausi i tulafono na tuuina mai e le Atua ia Mose i le mauga o Sinai, ua faapea:

34. O a'u o le Alii lou Atua, o le na aumaia oe ai le nuu o Aikupito, ai le fale o le nofopologa.

35. Aua ne'i e fai ni atua ese i o'u luma.

36. Aua ne'i fai mo oe se tupua ua ta, po o se faatusa lava o se mea ua i le lagi i lugā, po o mea ua i le fanua i lalo.

37. Ona fai atu lea o Apinati ia te i latou: Po ua outou faia ea nei mea uma? Ou te fai atu ia te outou, e leai, tou te lei faia. Po ua outou a'oa'oina ea lenei nuu e tatau ona latou faia nei mea? Ou te fai atu ia te outou, e leai, tou te lei faia.

MATAUPU 13.

Ua puipuia le perofeta o Apinati e le mana o le Atua, ua vavao atu i faitaulaga ma ua ta'u atu le Tulafono ma le Tala Lelei.

1. Ina ua faalogo le tupu i nei upu, ua fai atu o ia i ana faitaulaga: Ave ese ia lenei tagata ma fasioti ia te ia, auā se a sa tatou mea e fai ia te ia, auā ua fasa o ia.

2. Ua latou tutu atu ma taufetagofi o latou lima ia te ia, a ua ia teena i latou, ma ua fai atu ia te i latou:

3. Aua tou te pa'i mai ia te au, auā e taia outou e le Atua pe afai tou te fetagofi mai o outou lima ia te au. Auā ou te lei fai atu le feau na auina mai ai a'u e le Atua. Ou te lei ta'u atu foi le mea na outou mananao ou te ta'uina atu, o le mea lea e le tuu atu ai e le Atua ia fasiotia a'u i lenei itula.

4. A e peitai, e ao ina ou faataunuuina poloaiga na poloaiina

ai a'u e le Atua. Ona ua ou ta'u atu le upu moni ia te outou, ua outou ita mai ia te au. Ma lea foi, ona ua ou fai atu le afioga a le Atua ia te outou, ua outou faamasino mai ia te au, ma faapea ua fasa a'u.

5. Ua oo foi ina ua fai atu nei upu e Apinati, ua fefe le nuu o le tupu o Noa e fetagofi o latou lima ia te ia, auā ua i ona luga le Agaga o le Atua, ua pupula foi ona mata ma le pupula tele, e pei o fofoga o Mose ina o i le mauga o Sinai, ina o tautala ma le Atua.

6. Ua ia tautala foi i le mana ma le pule mai le Atua, ua fai pea e ia ana upu, ua faapea atu:

7. Ua outou iloa ua le ia te outou le pule e fasioti ia te au, o lea ou te faauma ai la'u feau. Ioe, ua ou iloa foi ua atia outou e oo i o outou loto, auā ua ou fai atu ia te outou le upu moni e uiga i a outou amioletonu.

8. Ioe, o a'u upu foi ua faatumuina ai outou i le ofo, ma le matua taufaiofo lava, atoa ma le ita.

9. A e peitai, ou te faauma la'u feau, ona tusa lava lea se mea ou te alu i ai, pe afai e faasaoina a'u.

10. A e peitai, ou te fai atu lenei mea ia te outou, o le mea tou te faia ia te au pe a mavae nei mea, o le faatusa lea ma le ata o mea e oo mai.

11. O lenei foi, ou te faitau atu ia te outou poloaiga a le Atua o loo ua totoe, auā ua ou iloa ua le tusia i o outou loto. Ua ou iloa foi ua outou faaa'oa'o ma a'oa'o atu foi i le amioletonu i le tele o aso ō outou olaga.

12. O lenei foi, ua outou manatua na ou fai atu ia te outou: Aua ne'i fai mo oe se tupua ua ta, po o se faatusa o mea o i le lagi i luga, po o le fanua i lalo, po o le sami i lalo o le fanua.

13. Ma lea foi, aua e te ifo i ai, aua foi e te auauna i ai; auā o a'u o le Alii lou Atua, o le Atua fuā, o Lē taui atu i le fanau le amioletonu a o latou mātua e oo i le tupulaga e tolu ma le fa o ē 'ino'ino mai ia te au,

14. A e ou te alofa i afe o tupulaga o ē alolofa mai ia te au ma tausi i a'u poloaiga.

15. Aua e te ta'u fua le suafa o le Alii lou Atua, auā e le faasaoina e le Atua lē ta'u fua lona suafa.

16. Ia e manatua le aso Sapati e te faapaiaina ai.

17. O aso e ono e te galue ai, ma fai ai au galuega uma lava.

18. A o le aso fitu, o le Sapati lea i le Alii lou Atua; aua e te fai ai se galuega e tasi, o oe, ma lou atalii, ma lou afafine, o lau auauna tane, ma lau auauna fafine, o au manu foi, ma le tagata ese o loo mau ma oe.

19. Auā na faia e le Atua i aso e ono le lagi ma le lalolagi, atoa ma le sami, ma mea uma lava o i ai; o le mea foi lea na faamanuia ai e le Atua le aso Sapati, ma na faapaiaina ai.

20. Ia e ava i lou tamā ma lou tinā, ina ia faalevalevaina ai ou aso i le nuu e foaiina mai e le Alii lou Atua ia te oe.

21. Aua e te fasioti tagata.

22. Aua e te mulilua. Aua e te gaoi.

23. Aua e te molimau pepelo i le lua te tuaoi.

24. Aua e te manao i le fale o le lua te tuaoi, aua e te manao i le avā a le lua te tuaoi, po o lana auauna tane, po o lana auauna fafine, po o lana povi, po o lana asini, po o se tasi mea a le lua te tuaoi.

25. Ua oo foi ina ua faaiu e Apinati nei upu, ua ia fai atu ia

te i latou: Po ua outou a'oa'o atu ea i le nuu e tatau ona latou faia nei mea uma? ma tausi i nei poloaiga?

26. Ou te fai atu ia te outou, e leai. Auā ana outou faia, po ua le poloai mai le Atua ia ou sau ma vavalo i le leaga i lenei nuu.

27. O lenei foi, ua fai mai outou, e oo mai le olataga mai le tulafono a Mose. Ou te fai atu ia te outou, e ao ina outou tausi i le tulafono a Mose i nei aso, a e peitai, ou te fai atu ia te outou, o loo sau aso e le toe ao ai ina tausi i le tulafono a Mose.

28. Ma lea foi, ou te fai atu ia te outou, e le oo mai le olataga i le tulafono pe a na o lea. Ana le se anoa foi le togiola e faia e le Atua lava mo agasala ma amioletonu a lona nuu, e ui lava i le tulafono a Mose, e fano lava i latou.

29. O lenei foi, ou te fai atu ia te outou, sa ao ina faia le tulafono mo le fanauga a Isaraelu, ioe, o le tulafono malosi, auā o i latou o le nuu ūa mălolo, ua tele lise e fai le amioletonu, a e tele gese e manatua le Alii lo latou Atua.

30. O le mea lea na faia ai le tulafono mo i latou, ioe, o le tulafono o taulaga ma sauniga, o le tulafono latou te tausi tonu i ai i lea aso ma lea aso, ina ia latou manatu pea i le Atua, ma mea e tatau ona latou faia ia te ia.

31. A e faauta, ou te fai atu ia te outou, o ata nei mea uma o mea e oo mai.

32. O lenei foi, pe na malamalama ea le tulafono? Ou te fai atu ia te outou, e leai, sa le malamalama le tulafono ia te i latou uma, o lenei foi ona o le maaa ō latou loto, auā na latou le malamalama e le mafai ona faaolaina se tasi tagata, ana le se anoa le togiola mai le Atua.

33. Auā faauta, na le vavalo ea Mose ia te i latou i le afio mai o le Mesia, ma lea, e togiola e le Atua lona nuu? Ioe, ma ua valosia ai foi e perofeta uma lava ua vavalo talu le amataga o le lalolagi? Po ua le tautala ea i latou i nai upu e tele pe itiiti e uiga i nei mea?

34. Latou te lei fai mai ea e afio ifo le Atua lava i le fanauga a tagata, e ofu foi o ia i le tino tagata, ma afio atu i le fogaeleele ma le mana tele?

35. Ioe, latou te lei fai mai foi ea na te faataunuuina le toe tu mai o e ua oti, e sauaina ma puapuagatia lava o ia?

MATAUPU 14.

Ua ta'u atu e Apinati upu a Isaia i faitaulaga a le tupu o Noa —Ia faatusatusa i le Isaia 53.

1. Ioe, e le ua fai mai ea Isaia: O ai ea ua faalogo i la matou upu, ua faaalia ia te ai le aao o le Atua?

2. Auā e tupu ae o ia e pei o se tatupu i ona luma, e pei o le pogai i le eleele paaā; ua le aulelei pe lalelei o ia; a tatou vaavaai ia te ia, e leai sona matagfie tatou te mananao ai ia te ia.

3. Ua inosia o ia ma tuulafoaiina e tagata; o le tagata faanoanoa, ua masani foi ma le tagi; e peiseai ua 'alo foi o tatou mata ia te ia, ua inosia o ia ma ua tatou le manatua o ia.

4. E moni, ua na tauave o tatou tiga, na tauave foi o tatou faanoanoa; a ua tatou manatu o ia ua taia, ua fasia e le Atua, ma ua puapuagatia.

5. A ua manu'a o ia ona o a tatou solitulafono, ua momomo o

ia ona o a tatou amioletonu; o le aoaiga e filemu ai i tatou, sa i ona luga lea; o ona faalavalava foi e malolo ai i tatou.

6. Ua se foi i tatou uma e pei o mamoe; ua tatou faasaga taitasi i lona lava ala; ma ua faaoo ia te ia e le Atua le amioletonu a i tatou uma.

7. Sa faasauaina o ia, sa puapuagatia foi o ia, a ua le tautala o ia; ua ta'ita'iina o ia e pei o le mamoe a fasia, e pei foi o le mamoe i luma o ē sele ona fulufulu ua faalologo ia, o ia foi ua le tautala mai.

8. Na aveeseina o ia ai le falepuipui ma le faamasinoga; o ai foi e talatalaina lana tupulaga? auā ua vavaeeseina o ia ai le nuu o tagata ola; na taia o ia ona o solitulafono a lo'u nuu.

9. Na ia faia lona tuugamau faatasi ma e amioleaga, a e faatasi ma ē mauoa i lona maliu; auā ua le faia e ia se mea leaga, ua leai foi se pepelo i lona fofoga.

10. A e ui i lea, ua finagalo le Atua e tuimomomo ia te ia; ua ia faatigaina o ia; pe a e faia lona ola ma taulaga mo agasala, ona iloa ai lea e ia o ana fanau, e faalevalevaina e ia ona aso, e manuia foi le finagalo o le Atua ia te ia.

11. Na te iloa le tiga o lona agaga, e malie ai foi o ia; o lona malamalama e ta'uamiotonuina ai tagata e toatele e la'u auauna amiotonu, auā e tauave e ia a latou amioleaga.

12. O le mea lea ou te vaevaea ai se vaega mo ia faatasi ma e ua sili, na te vaea foi le vete faatasi ma ē malolosi; auā na ia sasaaina atu lona ola ia oti; ua faitauina foi o ia faatasi ma ē pagotata; ua ia ave foi agasala a tagata e toatele ma ua fautua mo ē solitulafono.

MATAUPU 15.

O le valoaga a Apinati—O le Atua lava ia o le a afio ifo ma togiolaina ona tagata—O le ala e ta'ua ai Iesu Keriso o le Tamā ma le Alo.

1. O lenei foi, ua fai atu Apinati ia te i latou: O lo'u manao ia malamalama ia te outou, e afio ifo le Atua lava i le fanauga a tagata ma togiola lona nuu.

2. Ona ua nofo o ia i le tino, e ta'ua o ia o le Alo o le Atua; ona ua tuu atu foi e ia le tino ia gauai i le finagalo o le Tamā, o le Tamā foi o ia ma le Alo.

3. O le Tamā, auā na fanau mai o ia i le mana o le Atua, a o le Alo ona o le tino; ua faapea ona avea o ia ma Tamā ma Alo.

4. O i laua o le Atua e tasi, ioe, o le Tamā faavavau lava o le lagi ma le lalolagi.

5. Ua faapea foi ona gauai le tino i le Agaga, po o le Alo i le Tamā, o le Atua e tasi ia, ua onosai i tofotofoga, a ua le gauai i le tofotofoga; ua onosai foi o ia ia tauemuina, ma sasaina, ma tuulafoaiina, ma faafitia e lona nuu.

6. A mavae ia mea, a uma foi ona faia vavega e tele i le fanauga a tagata, e ta'ita'iina o ia e pei ona fai mai a Isaia: E pei ona faalologo le mamoe i luma o ē sele lona fulufulu, e faapea foi o ia, e le tautala mai.

7. Ioe, e faapea lava ona ta'tia'iina atu o ia, ma faasatauroina, ma fasiotia, o loo gauai le tino e oo lava i le oti, ua faaumatia foi le loto o le Alo i le finagalo o le Tamā.

8. Ua faapea foi ona motusia e le Atua noanoaga o le oti ina ua manumalo o ia i le oti, ua foaiina i le Alo le mana e fautua mo le fanauga a tagata.

9. Ua afio ae i le lagi, ua ia te

ia le alo o le alofa, ua tumu foi i le alofa mutimutivale i le fanauga a tagata; o loo tu o ia i le va o i latou ma le faamasinoga; ua motusia e ia noanoaga o le oti, ma ua ave i ona lava luga a latou amioletonu ma a latou solitulafono, ua togiola foi ia te i latou, ma faamalie ai poloaiga a le faamasinoga.

10. O lenei foi, ou te fai atu ia te outou: O ai se na te talatalaina lana tupulaga? Faauta, ou te fai atu ia te outou, pe a avea lona ola ma taulaga mo le agasala, e silafia e ia ana fanau. O lenei, pe ni a fa outou? Po o ai e fai mana fanau?

11. Faauta, ou te fai atu ia te outou, o i latou uma ua faalogo i upu a le au perofeta, ioe, o perofeta paia uma ua vavalo i le afio mai o le Alii; ou te fai atu ia te outou, o i latou uma ua faalogo i a latou upu, ma ua faatuatua e togiolaina e le Atua lona nuu, ma ua faatalitali i lea aso ina ia faamagaloina a latou agasala; ou te fai atu ia te outou, o i latou na o ana fanau, e o latou foi le malo o le Atua.

12. O i latou na o e ua tauaveina a latou agasala e ia; o i latou na na maliu ai o ia e togiola ia te i latou ai a latou solitulafono. O lenei la, e le o ana fanau ea i latou?

13. Ioe, e le o le au perofeta foi ea o i latou uma na tatala o latou fofoga e vavalo ma ua le pāuu i le solitulafono; ua ou manatu i le au perofeta uma talu le amataga o le lalolagi? Ou te fai atu ia te outou, o ana fanau i latou.

14. O i latou na talai le filemu, na aumai le tala i mea lelei, o e na talai le olataga, na fai atu foi i Siona: O loo pule lou Atua!

15. Ua matua matagofie i luga o mauga o latou vae!

16. Ma lea, ua ma'eu le matagofie i luga o mauga o vae o i latou o loo talai pea le filemu.

17. I le ma lea foi, e ma'eu le matagofie i luga o mauga o vae o e talai le filemu atalī, ioe, e amata mai nei a e oo i le faavavau!

18. Faauta foi, ou te fai atu ia te outou, e le gata i lea, auā ua ma'eu le matagofie i luga o mauga o vae o le ua aumai le tala lelei, o le na faavaeina le filemu; ioe, o le Alii lava na togiola lona nuu, ioe, o le na faia le olataga mo lona nuu.

19. Auā ana le se anoa le togiola ua faia e ia mo lona nuu na saunia talu le faavaeina o le lalolagi; ou te fai atu ia te outou, ana le se anoa lenei mea, po ua fano tagata uma.

20. A e peitai, faauta, ua motusia noanoaga o le oti, ma ua pule le Alo, ua ia te ia foi le pule i e ua oti. O le mea lea e faataunuuina ai e ia le toe tu mai o e ua oti.

21. E oo mai le toe tu, o le uluai toe tu lava, ioe, o le toe tu mai o i latou na i ai, o i latou ua i ai nei, atoa ma i latou e i ai atalī, e oo lava i le toe tu mai o Keriso, auā o lona suafa lea.

22. O lenei foi, o le toe tu mai o le au perofeta uma, ma i latou uma foi na talitonu i a latou upu, o i latou uma sa tausi i poloaiga a le Atua, e o mai i latou i le uluai toe tu. O lenei, o le uluai toe tu i latou.

23. E toe faatuina i latou e nonofo faatasi ma le Atua, o Le na togiola ia te i latou. Ua faapea ona i ai ia te i latou le ola faavavau ia Keriso, o Le na motusia ai noanoaga o le oti.

24. O i latou na e a'u atu i le uluai toe tu. O i latou foi ia na maliliu a o lei afio mai Keriso, a o i le pouliuli i latou ona ua le

talaiina atu le olataga ia te i latou. Ua faapea foi ona faaoo mai e le Atua le faaolaina o i latou nei, ua ia i latou le tofi i le uluai toe tu, ua ia i latou le ola faavavau, ona ua togiolaina e le Atua.

25. Ua i ai foi le ola faavavau i tamaiti.

26. A e peitai, faauta, ia outou fefefe ma tetemu i luma o le Atua, auā e tatau ona outou tetemu, auā e le togiola e le Atua so latou o ē fouvale ia te ia, ma oti i a latou agasala. Ioe, o i latou uma o e na oti i a latou agasala talu le amataga o le lalolagi, o e na fouvale i le Atua ma le loto i ai, o e na iloa poloaiga a le Atua a ua le tausi ai—o i latou foi nei e le i ai se tofi i le uluai toe tu.

27. O lenei, e le tatau ea ona outou tetemu? Auā e le oo mai le olataga i se tasi o ē faapea, auā e le togiolaina e le Atua se tasi o ē faapea, e le mafai foi le Atua ona togiolaina se o faapena, auā e le mafai o ia ona faafitia o ia lava, auā foi e le mafai o ia ona faafitia le faamasinoga pe a i ai le mea e tatau ona maua ai.

28. O lenei foi, ou te fai atu ia te outou, e oo mai le aso e talai'ina atu ai le olataga mai le Atua i ituaiga uma ma gagana eseese ma nuu.

29. E! le Atua e, e alalaga le leo o au leoleo, o le leo faatasi latou te taufaipepese ai, auā e lotogatasi i latou pe a toe aumaia Siona e le Atua.

30. Ina pa mai ia le alaga o le fiafia, ia pepese faatasi outou o mea faatafunaina i Ierusalema, auā ua faamafanafanaina e le Atua lona nuu, ua ia togiolaina Ierusalema!

31. Ua faaui e le Atua le ofu ai lona aao paia i luma o nuu uma, e iloa e tuluiga uma o le lalolagi le olataga mai lo tatou Atua.

MATAUPU 16.

O isi upu o le valoaga a Apinati—Ua na'o Keriso lava le Togiola—O le toe tu ma le faamasinoga.

1. O lenei, ua oo ina ua uma ona fai atu nei upu e Apinati, ua ia faaloaloa atu lona lima ma faapea atu: E oo mai le aso e iloa ai e tagata uma le olataga mai le Atua, pe a lotogatasi atunuu uma, ma ituaiga, ma gagana eseese ma nuu, ma latou ta'uta'u atu i luma o le Atua ua tonu ana faamasinoga.

2. Ona tulieseina lea ē amioleaga, e ia te i latou foi le mea e uio ai, ma tagitu'i, ma tagiauē, ma lilivau o latou nifo; e faapea foi auā na le mafafai i latou ona faalogologo i le siufofoga o le Atua, o le mea lea e le togiolaina ai i latou e le Atua.

3. Auā ua faalelalolagi i latou ma faatiapolo, ua i ai foi i le tiapolo le pule ia te i latou; ioe, o lena gata tuai lava na faasese i o tatou mātua muamua, o le ala lea o lo la paū, o le mea lea na avea ai tagata uma ma faalelalolagi, ma matāitu, ma faatiapolo, ua iloa le leaga ma le lelei, o gauai foi i le tiapolo.

4. Ua faapea ona fano tagata uma. Faauta foi, ana le faaolaina e le Atua lona nuu mai lo latou paū ma faafanoga, po ua fano i latou e faavavau.

5. A e peitai, ia manatua o lē tumau i lona lava faaletino, ma ua alu pea i ala o le agasala ma le fouvale i le Atua, o ia lena e tumau pea i lona paū, ma ua i le tiapolo le pule ia te ia. O le mea lea ua i ai ia te ia e peiseai ua le faia se togiola, auā o ia o

lē ita i le Atua, o le tiapolo o lē ita i le Atua ia.

6. O lenei foi, ana le afio mai Keriso i le lalolagi, (ua ou tautala i mea e oo mai e peiseai ua uma ona taunuu,) po ua leai se togiola.

7. Ana le toe tu mai foi Keriso mai e ua oti, pe motusia noanoaga o le oti, ina ia leai se manumalo o le tuugamau, ina ia leai foi se tui o le oti, po ua leai se toe tu.

8. A e peitai, ua i ai le toe tu, o le mea lea ua leai ai se manumalo o le tuungamau, ma ua faaumatia le tui o le oti talu Keriso.

9. O ia o le malamalama ma le ola o le lalolagi, ioe, o le malamalama e leai sona iuga, e le mafaapouliuligia; ioe, o le ola foi e le iu lava, ina ia le toe mafai ona i ai se oti.

10. E ofu foi lenei tino oti i le tino ola pea, e ofu foi lenei leaga i lē le leaga lava, e aveina atu foi o ia e tu i luma o le nofoa faamasino o le Atua, ia faamasinoina e ia e tusa ma a latou galuega, pe lelei, pe leaga.

11. Afai e lelei, e toe faatuina i le ola faavavau ma le fiafia; a e afai e leaga, e toe faatuina mai i le faafanoga faavavau, auā ua tuuina atu i le tiapolo, o le ua faatoilaloina ai i latou, o le faafanoga lea.

12. Ona ua faia e tusa ma o latou loto ma manaonaoga leaga, ona ua le valaau foi i le Atua ina o faaloaloa mai ia te i latou aao o le alofa, auā na faaloaloaina mai aao o le alofa ia te i latou, a ua le mafafai i latou; sa lapata'ia foi i latou ona o a latou amioletonu, a ua le mafafai lava ona latou tete'a ese ai, na poloaiina foi i latou ia salamo, a e peitai, ua latou le mafafai foi ona salamo.

13. O lenei foi, e le tatau ea ona outou tetemu ma salamo i a outou agasala, ma manatua ua na o Keriso e mafai ona faaolaina outou?

14. O lenei, afai tou te a'oa'o atu le tulafono a Mose, ia a'oa'o atu foi o le ata lea o mea e oo mai.

15. Ia a'oa'o atu ia te i latou e oo mai le togiola ona o Keriso le Alii; o ia lava o le Tamā faavavau. Amene.

MATAUPU 17.

Ua fasiotia Apinata—A o tigaina o ia e oo i le oti i le afi, ua ia vavalo i le taui o le a oo i e ua latou fasioti ia te ia—O le liuga o Alema.

1. O lenei foi, ua oo ina ua faaiu e Apinati nei upu, ua poloai atu le tupu i le au faitaulaga ia latou ave o ia ma fasioti ia te ia.

2. A ua i ai le tasi o i latou ua igoa ia Alema, e tupuaga mai foi o ia ia Nifae. O le taulealea o ia, ua ia talitonu foi i upu uma na fai atu ai Apinati, auā na ia iloa le amioletonu na molia ai i latou e Apinati. O le mea lea na ia amata ai ona faatoga atu i le tupu ina ia le ita o ia ia Apinati, a ia tuu atu ia te ia e alu ma le filemu.

3. A e peitai, ua ita atili ai le tupu, ua ia tulieseina foi Alema ai ia te i latou, ma ua aauina atu foi ana auauna e tuliloa ia te ia, ina ia latou fasioti ia te ia.

4. A ua sola o ia i o latou luma, ma ua ia lafi, o lea na latou le maua ai o ia. Ina ua lafi o ia i aso e tele, ua ia tusia upu uma na tautala atu ai Apinati.

5. Ua oo foi ina poloai atu le tupu ia siosio ana leoleo ia Apinati ma pue ia te ia. Ua latou saisaitia o ia ma lafoina o ia i le falepuipui.

6. Ina ua mavae foi aso e tolu

na latou filifili ai ma ana faitaulaga, ua poloai atu le tupu ia toe aumaia o ia i ona luma.

7. Ma ua fai mai o ia ia te ia: Apinati e, ua matou maua le mea e molia ai oe, ma ua tatau ona e oti ai.

8. Auā na e fai mai e afio mai le Atua lava e faatasi ma le fanauga a tagata. O lea foi, ona o lenei mea, e fasiotia ai oe, sei iloga e te faafoia upu uma na e tautala mai ai e uiga ia te au ma lo'u nuu.

9. Ona fai atu lea o Apinati: Ou te fai atu ia te oe, ou te le faafoia upu na ou fai atu ia te oe e uiga i lenei nuu, auā o upu moni lava ia. Ua ou tuuina atu foi o a'u lava i o outou lima ina ia outou iloa ua moni a'u upu.

10. Ioe, ou te onosai e oo lava i le oti, ou te le faafoia a'u upu, a e peitai, e tu ai e fai ma mau e molia ai outou. Afai foi tou te fasioti ia te au, tou te faamasaa le toto o lē le sala, e tu foi lea mea e fai ma mau e molia ai outou i le aso gataaga.

11. O lenei foi, sa fai a tuu atu o ia e le tupu o Noa e alu, auā na ia mata'u i lana upu, auā foi ua fefe o ia ne'i oo mai i ona luga faamasinoga a le Atua.

12. A e peitai, ua leo tetele le au faitaulaga, ma ua amata ona momoli ia te ia, ua faapea ane: Ua ia faifaia le tupu. O le mea lea na faaosoina ai le ita o le tupu, ua ia tuu atu ai o ia ina ia fasiotia.

13. Ma ua oo ina latou ave ma saisaia o ia, ma ua latou faamuina lona tino i le afi, ioe, ua iu lava ina oti.

14. O lenei foi, ina ua amata ona mu o ia i le afi na ia alaga atu ia te i latou, ua faapea atu:

15. Faauta, e pei ona outou faia ia te au, e faapea lava ona faia e a outou fanau ia tigaina nisi e toatele i tiga lava o le oti i le afi, o lenei foi ona ua latou talitonu i le olataga mai le Alii lo latou Atua.

16. E oo foi ina tigaina outou i ma'i uiga eseese ona o a outou amioletonu.

17. Ioe, e taia foi outou i mea uma, e tulia foi ma faasalalausoloina, e pei o le lafu segisegi ua tulia e manu 'aivao ma le feai.

18. O lea aso foi e tulia ai outou ma pueina i lima o ē ita ia te outou, ona tigaina ai lea outou, e pei ona tigaina a'u nei i tiga o le oti i le afi.

19. E faapea ona taui ma sui le Atua i e faaumatia lona nuu. Le Atua e, ia e talia lo'u agaga.

20. O lenei foi, ina ua fai atu nei upu e Apinati, ua paū o ia ina ua oti i le afi. Ioe, ina ua fasiotia auā na le mafai o ia ona faafitia poloaiga a le Atua. Ua faamaufaailogaina le faamaoni o ana upu i lona maliu.

MATAUPU 18.

O le vai o Mamona—Ua papatisoina e Alema Helama ma nisi—O le ekalesia a Keriso—Ua auina atu e le tupu o Noa se itu taua e faaumatia ia Alema ma e na mulimuli atu ia te ia.

1. O lenei foi, ua oo ina salamo Alema, o le na sola ese ai auauna a le tupu o Noa, i ana agasala ma lana amioletonu, ma ua fealuai faalilolilo i le nuu, ua amata foi ona a'oa'o atu ai upu a Apinati.

2. Ioe, o mea e oo mai atoa ma le toe tu mai o e ua oti, ma le togiolaina o le nuu e oo mai i le mana ma tiga atoa ma le maliu o Keriso, ma lona toe tu mai ma afio a'e i le lagi.

3. Na ia a'oa'o atu foi ia te i latou uma o e na faalogo i ana

upu. Na ia a'oa'o atu faalilolilo foi ia te i latou ina ne'i iloa e le tupu. Ua toatele foi na talitonu i ana upu.

4. Ua oo foi ina o atu i latou uma o e na talitonu ia te ia i le mea ua igoa o Mamona, na maua foi lea igoa mai le tupu, auā ua i ai i nisi aso ma nisi itutausaga o manu feai.

5. O lenei, ua i ai i Mamona le vaipuna manino lelei, ua alu atu i ai Alema. Ua i ai latalata i le vai le ulu vao o laau laiti, o le mea lea na ia lafi ai i le ao mai sailiga a le tupu.

6. Ma ua oo ina o atu i ai i latou na talitonu ia te ia e faalogologo i ana upu.

7. Ua oo foi ina ua mavae aso e tele, ua toatele e ua faapotopotoina i le nuu o Mamona a faalogologo i upu a Alema. Ioe, ua faapotopotoina i latou uma ua talitonu i ana upu e faalogologo ia te ia. Na ia a'oa'o atu ia te i latou, ma ua tala'i atu ia te i latou le salamo ma le togiola, atoa ma le faatuatua i le Atua.

8. Ua oo foi ina fai atu o ia ia te i latou: Faauta, o iinei le vai o Mamona, auā na faapea ona ta'ua ai. O lenei foi, ua outou fia o mai i le lafu mamoe a le Atua, ma ia ta'ua o lona nuu, ma ua loto ina fesui i a outou avega e ave ina ia māmā ai,

9. Ioe, ma ua loto ina faanoanoa faatasi ma ē faanoanoa; ioe, ma faamafanafana i e ua tatau i ai le faamafanafanaga, ma laulaututu e fai ma molimau a le Atua i aso uma, ma mea uma, atoa ma nuu uma tou te i ai e oo lava i le oti, ina ia togiolaina outou e le Atua, ma faitauina faatasi ma i latou i le uluai toe tu, ina ia outou maua le ola faavavau.

10. O lenei, ou te fai atu ia te outou, afai o le manao lenei ō outou loto, se a le mea e le papatisoina ai outou i le suafa o le Atua, e fai ma molimau i ona luma ua outou osia le feagaiga ma ia tou te auauna atu ia te ia ma tausi i ana poloaiga, ina ia liligi atili ai e ia lona agaga i luga ia te outou?

11. O lenei foi, ina ua faalogo le nuu i nei upu, ua latou pati o latou lima i le fiafia, ma ua alalaga atu: O le manao lea ō matou loto.

12. Ona oo lea ina ave e Alema ia Helama, o ia o le tasi o e na muamua, ma ua alu atu ma tu i le vai, ua alaga foi o ia, ua faapea atu: Le Atua e, ia liligi mai lou agaga i luga o lau auauna, ina ia faia e ia lenei galuega ma le paia o le loto.

13. Ina ua uma ona fai atu e ia nei upu, ua oo i ona luga le Agaga o le Atua, ma ua fai atu e ia: Helama e, ona ua ia te au le pule mai le Atua e ona le malosi uma lava, ou te papatiso ia te oe e fai ma mau ua e osia le feagaiga e auauna atu ia te ia seia oo i le oti, o i le tino iuvale lea; ia liligiina mai foi le Agaga o le Atua i luga ia te oe, ma ia alofa o ia ma foai mai ia te oe le ola faavavau ona o le togiola o Keriso, o Le na saunia e ia talu le faavaeina o le lalolagi.

14. Ina ua uma ona fai atu e Alema nei upu, ua tanumia i le vai Alema atoa ma Helama, ona la toe tutu ai lea ma o mai nai le vai ma le olioli ina ua tumu i le Agaga.

15. Ma ua ave e Alema le tasi ma toe alu atu i le vai, ma ua papatiso ia te ia e pei o le na muamua, a ona lei toe tanumia o ia lava i le vai.

16. Sa faapea foi ona ia papatiso ia te i latou uma o e na o atu i le nuu o Mamona, o le fai-

tau aofai pe toaluaselau ma le toafa tagata, ioe, ua papatisoina foi i latou i le vai o Mamona ma ua faatumuina i latou i le alofa tunoa o le Atua.

17. Ma ua ta'ua i latou o le Ekalesia a le Atua, po o le Ekalesia a Keriso e afua i lea lava aso. Ua oo foi, o i latou uma ua papatisoina i le mana ma le pule mai le Atua, ua faaopoopoina i latou i lana ekalesia.

18. Ma ua oo ina tofia e Alema, ona ua i ai le pule mai le Atua, o faitaulaga, e taitasi le faitaulaga i tagata e toalimasefulu o le ekalesia na ia tofia e talai atu ia te i latou, ma a'oa'o atu ia te i latou i mea e uiga i le malo o le Atua.

19. Na ia poloai atu foi ia te i latou, aua latou te a'oa'o atu se mea e tasi tau lava o mea ua a'oa'oina ai i latou e ia, ma ua fai mai i fofoga o le au perofeta paia.

20. Ioe, na ia poloai atu lava, aua le talai atu e i latou se tasi mea, tau lava o le salamo ma le faatuatua i le Atua, o Le na togiolaina lona nuu.

21. Na ia poloai atu foi ia aunoa i latou ma fefinauaiga, a ia latou faamoemoe i le mea e tasi ona ua tasi le faatuatua ma le papatisoga ua tasi, ma ua fusifusia faatasi o latou loto i lotogatasi ma le fealofani.

22. Ma ua faapea ona poloai atu o ia ia latou talai. Ua faapea foi ona avea i latou ma fanau a le Atua.

23. Na ia poloai atu foi ia te i latou, ia latou tausi i le aso Sapati ma faapaiaina ai, ma ia faafetai atu i le Alii lo latou Atua i aso uma lava.

24. Na ia poloai atu foi i faitaulaga na ia tofia ia latou galulue i o latou lava lima i mea e ola ai i latou.

25. Ua i ai foi le tasi aso i vaiasosa uma ua atofaina ia latou potopoto faatasi ai e a'oa'o i le nuu, ma tapuai atu i le Alii lo, latou Atua, ma ia latou potopoto faatasi i aso uma ua mafai ai i latou.

26. Aua le faalagolago foi faitaulaga i le nuu i mea e tusa ma o latou ola, a e maua e i latou le alofa tunoa o le Atua e taui a'i a latou galuega, ina ia malolosi i latou i la le Agaga, ona ua i ai le iloa lelei o le Atua, ina ia mafai ona latou a'oa'o atu i le mana ma le pule mai le Atua.

27. Ma lea foi, na poloai atu Alema i tagata uma i le ekalesia, ia foai atu nisi o a latou mea, ia taitasi e tusa me mea ua ia te ia; afai ua mau mea, ia foai atu mea e tele, o le foi ua itiiti ana mea, ia itiiti mea e foai atu; a o le ua leai ni mea, ia avatu ia te ia.

28. Ia faapea lava ona latou foai atu a latou mea ma le loto malie ma manao lelei i le Atua i faitaulaga foi ua matitiva, ioe, ma tagata matitiva uma, ma ē le lavālavā.

29. Na ia fai atu foi lenei mea ia te i latou ona ua poloaiina e le Atua; na latou savavali foi ma le amio sao i luma o le Atua, ua foai o le tasi i le tasi o mea faaletino atoa ma mea faaleagaga, e tusa ma mea ua matitiva ai i latou, e tusa foi ma o latou manao.

30. O lenei foi, ua oo ina faia nei mea uma i Mamona, ioe, i tafatafa o le vai o Mamona, i le vao matua e latalata ane i le vai o Mamona; ioe, i le nuu o Mamona, le vai o Mamona, le vao matua o Mamona; ua matua matagofie ia mea i le vaai a e na maua i lea mea le iloa lelei o lo latou Togiola; ioe, ma ua ma-

tua manuia i latou, auā latou te pepese e vivii atu ia te ia e oo i le faavavau.

31. Na faia nei mea uma i tuaoi o le nuu, ina ia le iloa ai e le tupu.

32. A e peitai, faauta, ua oo ina ua iloa e le tupu ua feoai nisi o le nuu, na ia aauina atu ana auauna e lamalama ia te i latou. O le mea lea na faailoaina ai i latou i le tupu i le aso na latou potopoto faatasi ai e faalogologo i le afioga a le Atua.

33. O lenei foi, sa faapea a le tupu, o loo faaoso e Alema le nuu ia latou fouvale ia te ia, o le mea lea na ia auina atu ai lana itutaua e faaumatia i latou.

34. A ua oo ina faaalia ia Alema ma le nuu o le Atua o le a sau le itutaua a le tupu, o le mea lea na latou ave ai o latou fale ie ma o latou aiga ma te'a atu i le vao.

35. O le faitau aofai o i latou pe toafaselau ma le toalimasefulu tagata.

MATAUPU 19

O se sa'iliga le manuia—O le fouvale o Kitiona—Ua tau atu sa Lamanā i le nuu—Ua maliu tigaina le tupu o Noa i le afi—O lona atalii o Limae, o ia o se Tupu e totogi atu se taulaga.

1. Ua oo ina toe foi mai le itutaua a le tupu, ina ua sue a e le maua le nuu o le Atua.

2. O lenei foi, faauta, ua toaitiiti le itutaua a le tupu, ua faatoaitiiitia, ma ua amata ona i ai fevaevaeaiga i e ua totoe o le nuu.

3. Ma ua amata ona mapugatamai le vaega itiiti i faamata'u i le tupu, ua amata foi ona tupu le finauga tele ia te i latou.

4. O lenei foi, sa faatasi ma i latou le tagata ua igoa ia Kiteona, o ia foi o le tagata malosi ma lē ita i le tupu. O lea na ia sei ai lana pelu, ma na tauto i lona ita tele na te fasioti le tupu.

5. Ua oo foi ina tau i laua ma le tupu; a e peitai, ina ua iloa e le tupu o le a faiaina o ia ia Kiteona, ua sola o ia, ma ua momo'e o ia ma alu ae i luga o le olo maualuga latalata ane i le malumalu.

6. Ua tuliloa Kiteona ia te ia, o le a alu ae foi o ia i le olo e fasioti le tupu, a ua faasaga atu mata o le tupu i le nuu o Semilona, faauta foi, ua oo mai le itutaua a sa Lamanā i ona tala mai o tuaoi o le nuu.

7. Ona tagi ai lea le tupu i le atuatuvale o lona loto, ua faapea mai: Kiteona e, ia e alofa ia ou ola, auā ua oo mai sa Lamanā ia te i tatou, latou te faaumatia foi i latou, ioe, latou te faaumatia lo'u nuu.

8. O lenei, ua le popole le tupu ona o lona nuu, a o lona lava ola na ia popole ai, a e ui i lea, ua faaolaina o ia e Kiteona.

9. Ua poloai atu le tupu i lona nuu, ia latou sosola i luma o sa Lamanā, ua muamua atu foi o ia ia te i latou, ma ua latou sosola atu i le vao ma o latou fafine ma o latou tamaiti.

10. Ua oo foi ina tuliloa sa Lamanā ia te i latou, ma ua maua atu ia te i latou, ua amata foi ona fafasi ia te i latou.

11. Ona oo lea ina poloai atu le tupu ia te i latou ia tuua e tane uma a latou avā ma a latou fanau, ma sosola i luma o sa Lamanā.

12. O lenei, sa i ai nisi e toatele ua le loto ina tuua i latou, a ua sili ia te i latou ona ia nonofo ma fano faatasi ai. A o e ua totoe, ua latou tu'ua a latou

avā ma a latou fanau ma ua sosola.

13. Ua oo foi ina faia e i latou o e na nonofo ma a latou avā ma a latou fanau ia tutulai atu o latou afafine lalelei ma fautua i sa Lamanā, ina ia latou le fafasi ia te i latou.

14. Ua oo foi ina alofa sa Lamanā ia te i latou, auā ua tupu lo latou fiafia i le lalelei ō latou afafine.

15. O le mea lea na faasaoina ai o latou ola e sa Lamanā, na avea foi i latou faatagataotaua, ma ua toe aveina atu i latou i le nuu o Nifae, ma ua tuuina atu ia te i latou e mau i le laueleele, afai latou te tuu atu le tupu o Noa i sa Lamanā, ma tuu atu o latou oloa e oo lava i le vaeluaga o mea uma ua ia te i latou; o le vaeluaga o la latou auro, ma la latou ario, ma a latou mea tāua uma lava ua ia te i latou, ia faapea foi ona latou avatu le taulaga i le tupu o sa Lamanā i lea tausaga ma lea tausaga.

16. O lenei foi, sa i ai le tasi atalii o le tupu faatasi ma e ua avea faatagataotaua, o lona igoa o Limae.

17. O lenei foi, o le manao o Limae ia le fasiotia lona tamā· a e ui i lea, ua le pouliuli ia Limae le amioletonu a lona tamā, auā o ia lava o le tagata amiotonu.

18. Ma ua oo ina aauina atu faalilo e Kiteona ni tagata e o atu i le vao e sue le tupu ma ē na faatasi ma ia. Ua oo foi ina latou fetaiai ma le nuu i le vao, o i latou uma, ua na o le tupu ma ana faitaulaga na le i ai.

19. O lenei na latou tauto i o latou loto latou te foi atu i le nuu o Nifae, a e afai ua fasia a latou avā ma a latou fanau atoa ma i latou o e na nonofo faatasi ai, latou te saili e taui ma sui ma fano foi faatasi ma i latou.

20. A ua poloai atu le tupu ia te i latou, aua latou te foi atu. Ona latou ita lea i le tupu, ma ua faatiga ia te ia e oo lava i le oti i le afi.

21. Sa fai a latou ave foi faitaulaga ma fafasi ia te i latou, a ua latou sosola i o latou luma.

22. Ua oo foi ina a latou foi atu i le nuu o Nifae ua latou fetaiai ma tagata o Kiteona. Ua tala atu foi ia te i latou e tagata o Kiteona o mea uma na oo i a latou avā ma a latou fanau, ma lea foi, ua tuuina mai ia te i latou e sa Lamanā ia mau i le nuu, pe afai latou te avatu le taulaga i sa Lamanā o le vaeluaga o mea uma lava ua ia te i latou.

23. Ma ua tala foi le nuu i tagata o Kiteona ua latou fasiotia le tupu, ma ua sosola ese ana faitaulaga ia te i latou, ua o mamao atu i le vao.

24. Ua oo foi ina ua latou faaiu le talatalaga, ua latou foi atu i le nuu o Nifae ma le olioli, auā ua le fasia a latou avā ma a latou fanau. Ua latou faamatala atu foi ia Kiteona le mea na latou faia i le tupu.

25. Ua oo foi ina faia e le tupu o sa Lamanaā le tautoga ia te i latou e le fasia i latou e lona nuu.

26. O Limae foi, o le atalii o ia o le tupu, ina ua tuuina le malo ia te ia e lona nuu· ua ia faia le tautoga i le tupu o sa Lamanā e avatu e lona nuu le taulaga ia te ia, e oo i le vaeluaga o mea uma ua ia te i latou.

27. Ma ua oo foi ina amata e Limae ona faatuina le malo ma faatumau le filemu i lona nuu.

28. Ua tofia foi e le tupu o sa Lamanā o leoleo i tuaoi o le laueleele, ina ia taofi e ia le nuu o Limae i le laueleele, ina ia le te'a atu i latou i le vao. Na ia totogia foi ana leoleo ai mea a le taulaga na ia maua mai sa Nifaē.

29. O lenei, na i ai le filemu e le aunoa i le tupu o Limae i lona malo i tausaga e lua, na le faasoesa mai foi sa Lamanā ia te i latou, pe saili e fafasi ia te i latou.

MATAUPU 20.

Ua ave afafine o sa Lamanā e faitaulaga a le tupu o Noa—Ua taumafai e sa Lamanā ona taui atu ai i le tupu o Limae ma ona tagata—Ua taofia i latou ma ua faalotomalilieina.

1. O lenei, sa i Semilona le mea sa masani afafine o sa Lamanaā ona potopoto ai e usu pese, ma sisiva, ma fai mea e fiafia ai i latou.

2. Ua oo foi i le tasi aso ina faapotopotoina ni o latou e toaitiiti e pepese ma sisiva.

3. O lenei foi, ua mamā faitaulaga a le tupu o Noa e toe foi atu i le aai o Nifae, ioe, ma ua fefefe ne'i fasia i latou e le nuu, o le mea lea na le mafai ai i latou ona foi atu i a latou avā ma a latou fanau.

4. Ona ua latou nonofo foi i le vao ua latou iloa afafine o sa Lamanā, ma ua lalafi ma lamalama ia te i latou.

5. Ina ua toaitiiti i latou ua faapotopotoina faatasi e sisiva, ua latou o mai mai o latou lafitaga, ua pupue ia te i latou ma aveina atu i latou i le vao, ioe, e toaluasefulu ma le toafa o afafine o sa Lamanaā na latou ave i le vao.

6. Ua oo ina ua le iloa e sa Lamanā o latou afafine ua ita i latou i le nuu o Limae, auā fa te i latou o le nuu o Limae.

7. O le mea lea na latou aauina mai ai a latou au; ioe, na muamua mai le tupu lava i luma o lona nuu, ua latou o mai foi i le nuu o Nifae e faaumatia le nuu o Limae.

8. O lenei foi, ua uma ona iloa i latou e Limae mai le olo; na ia iloa foi a latou sauniga uma i le taua, o le mea lea na ia faapotopoto faatasi ai lona nuu, ma ua lalafi solo i le fanua ma le vao matua e faatali ia te i latou.

9. Ina ua oo mai foi sa Lamanā, ua oo ina amata ona faaifo atu le nuu o Limae ia te i latou ai o latou lafitaga, ma ua amata ona fafasi ia te i latou.

10. Ua oo foi ina matua faigata le taua, auā na latou tau e pei ona tau leona i a latou mea e ai.

11. Ma ua oo ina amata ona tulia sa Lamanā i luma o le nuu o Limae, a e ui i lea, ua le tusa ona toatele i latou ma le vaeluaga o sa Lamanā, a ua tau i latou mō latou ola, ma a latou avā, ma a latou fanau; o le mea lea na latou faamalosi ai, ma ua tau e pei o tarako.

12. Ua oo foi ina latou maua le tupu o sa Lamanā faatasi ma o latou tagata oti, a e lei oti o ia; sa tuua o ia i le eleele ina ua manu'a, sa faapea ona telelise le solaaga o lona nuu.

13. Na latou ave foi o ia ma fusia ona manu'a, ma aumaia o ia i luma o Limae, ma ua faapea mai: Faauta, o le tupu lenei o sa Lamanā; ona ua manu'a o ia ua ia paū faatasi ma o latou tagata oti, ma ua latou tuulafoaiina o ia; faauta foi, ua matou aumaia o ia i ou luma. O lenei, sei tatou fasioti ia te ia.

14. A ua fai atu Limae ia te i latou: Tou te le fasioti ia te ia, a ia aumaia o ia iinei ina ia ou vaai atu ia te ia. Ona latou aumaia lea o ia. Ona fai atu lea o Limae ia te ia: O le a ea le mea ua outou siitaua mai ai i lo'u nuu? Faauta, e lei solia e lo'u nuu le tautoga na ou faia ia te oe, o lenei, se a ea le mea ua e

solia ai le tautoga na e faia i lo'u nuu?

15. Ona fai mai lea le tupu: Ua ou solia le tautoga auā na aveese e lou nuu afafine o lo'u nuu; o le mea lea na ou poloai atu ai i lo'u ita tele ia sau lo'u nuu e tau ma lou nuu.

16. O lenei, e lei faalogo Limae i se upu e tasi i lenei mea, o le mea lea na ia fai atu ai: Ou te suesue i lo'u nuu, o le foi ua na faia lenei mea e fano lava ia. O le mea lea na ia faia ai le suega i lona nuu.

17. O lenei, ina ua faalogo Kiteona i nei mea, o ia o le ta'ita'i au a le tupu, ua alu atu o ia ma ua fai atu i le tupu: Ou te aioi atu ia te oe, ia e faapalepale mai. Aua e te suesuesue i lenei nuu, aua foi e te tuuaiina atu lenei mea ia te i latou.

18. Auā e te le manatua ea faitaulaga a lou tamā, o e na sailia e lenei nuu ina ia fasioti ia te i latou? E le o i le vao ea i latou? E le o i latou ea ua gaoia afafine o sa Lamanā?

19. O lenei foi, faauta, ia e faamatala atu nei mea i le tupu, ina ia faamatala atu ai e ia i lona nuu, ina ia loto malie ai i latou ia te i tatou; auā faauta, o loo latou sauniuni faasaga tau nei lava ia te i tatou; a e faauta foi, ua toaitiiti lava i tatou.

20. Faauta foi, latou te o mai ma a latou au toatele, afai foi e le faalotomalie mai i latou e le tupu ia te i tatou, e fano lava i tatou.

21. Auā e le ua faataunuuina ea upu a Apinati na ia vavalo ai ia te i tatou? Ua oo mai foi nei mea uma auā ua tatou le faalogologo i le afioga a le Atua ma liliu ese ai a tatou amioletonu.

22. O lenei foi, sei tatou faalotomalie le tupu, ma tatou faataunuu le tautoga ua tatou faia ia te ia; auā e lelei ona tatou nofo pologa a e leaga ona maumau o tatou lava ola, o lea sei tatou faaiu ai lenei faamasaaina o le toto e faapea ona tele.

23. O lenei foi, ua faamatala e Limae i le tupu mea uma e uiga i lona tamā ma faitaulaga na sosola i le vao, ma ua tuu tonu ia te i latou le aveeseina o afafine o sa Lamanā.

24. Ua oo foi ina loto malie le tupu i le nuu o Limae, ma ua ia fai atu ia te i latou: Sei tatou tuu le auupega ma o atu e faafetaiai i lo'u nuu. Ou te tauto foi ia te oe ma le augani, e le fasia lou nuu e lo'u nuu.

25. Ua oo foi ina latou mulimuli atu i le tupu, ma ua o atu e faafetaiai i sa Lamanā, ua leai foi se auupega. Ma ua oo ina latou fetaiai ma sa Lamanā, ona ifo toele atu lea le tupu o sa Lamanā i o latou luma, ma ua ia fautua ai mo le nuu o Limae.

26. Ina ua iloa e sa Lamanā le nuu o Limae ua leai sa latou auupega, ua latou alolofa ia te i latou, ma ua loto malilie ia te i latou, ma ua latou foi atu faatasi ma lo latou tupu ma le filemu i lo latou lava nuu.

MATAUPU 21.

Ua faataunuuina isi vaega o le valoaga a Apinati—O le nofo pologa o sa Nifaē, ma lo latou puapuaga tele—Ua faamăluluina e le Atua loto o o latou fili—O nisi faamatalaga e uiga i papatusi e lua sefulu ma le fa.

1. Ua oo ina foi mai Limae ma lona nuu i le aai o Nifae, ma ua toe amata ona nonofo i le nuu ma le filemu.

2. A ua oo ina ua mavae aso e tele, ua toe amata ona faaosoina sa Lamanā i le ita i sa Nifaē, ma

ua amata ona latou o mai i tuaoi o le laueleele latalata mai.

3. O lenei, sa fefefe i latou e fafasi ia te i latou ona o le tautoga na faia e lo latou tupu ia Limae; a e peitai, ua latou fepō i o latou alafau ma ua pule fua ia te i latou; ua amata foi ona faaee avega mamafa i o latou tua, ma ua tutuli ia te i latou e pei o asini gūgū.

4. Ioe, ua faia nei mea uma ina ia faataunuuina le afioga a le Atua.

5. O lenei foi, ua tetele puapuaga o sa Nifaē, ma ua leai se ala ua mafai ai i latou ona laveai ia te i latou ai o latou lima, auā ua siosio sa Lamanā ia te i latou i itu uma.

6. Ma ua oo ina amata ona muimui le nuu i le tupu ona ō latou puapuaga, ma ua amata ona latou manao ina o atu e tau ma i latou. Ma ua latou faasoesa lava i le tupu i a latou tagi; o le mea lea na ia tuuina atu ai ia te i latou ia latou faia e tusa ma o latou manao.

7. Ma ua latou toe potopoto faatasi, ua oofu foi i o latou ofu tau, ma ua o atu i sa Lamanā e tutuli ese ia te i latou ai lo latou laueleele.

8. A ua oo ina fasia i latou e sa Lamanā, ma tulia i latou, ma fasia nisi o i latou e toatele.

9. O lenei foi, sa i ai le faanoanoa tele ma le auega i le nuu o Limae—o le fafine ua tagi i lana tane ua oti· o le atalii ma le afafine ua faanoanoa i lo la tamā, ma uso i o latou uso.

10. O lenei, ua toatele fafine i le nuu ua oti a latou tane, ma ua latou taufaitagiaue i lea aso ma lea aso, auā ua oo ia te i latou le mata'u tele ona o sa Lamanā.

11. Ua oo foi, o lo latou taufaitagi soo na faaosoina ai le ita o e ua totoe o le nuu o Limae i sa Lamanā, ma ua latou toe o atu i le taua, a ua toe tulia i latou ma le fasi o tagata e toatele.

12. Ona latou toe o atu lea, o le atu tolu lena, ma ua toe malaia foi e pei o taua muamua. Ua toe foi mai e na le fasia i le aai o Nifae.

13. Ma ua latou faamaulalo ia te i latou lava i le efuefu, ua talia foi le amo o le pologa, ma ua tuu atu i latou ia taia, ma ia tulia i lea mea ma lea mea, ia mafatia foi i avega e tusa ma manao o ē ita ia te i latou.

14. Na latou faamaulaloina i latou lava, ua matua maulalo lava; ma ua latou tagi malosi i le Atua, ioe, o le aso atoa lava na latou tagi ai i lo latou Atua ina ia laveai o ia ia te i latou ai o latou puapuaga.

15. O lenei foi, ua faatelegese le Atua e faafofoga i la latou tagi ona o a latou amioletonu; a e ui i lea, ua faafofoga le Atua i a latou tagi· ma ua amata ona faamălulu loto o sa Lamanā, ua amata ai ona latou faamāmā a latou avega, a e lei tatau i le silafaga a le Atua ona laveai ia te i latou ai le nofopologa.

16. A ua oo ina tauamata ona manuia i latou i le nuu, ma ua amata ona faatupu le saito e sili ona tele, atoa ma lafu ma fagaga na le tigaina ai i latou i le fia ai.

17. O lenei, ua toatele fafine e sili i tane, o le mea lea na poloai atu ai le tupu o Limae, ia foai atu e tane uma ni a latou mea i le tausiga o fafine ua oti a latou tane, ma a latou fanau, ina ia le oti i latou i le fia 'ai. Na latou faia lenei mea ona ua toatele o i latou ua fasia.

18. O lenei, sa faatasi pea le nuu o Limae e pei o se au tau i mea uma sa mafai ai, ma ua faasaoina la latou saito ma a latou lafu.

19. Ua le alu foi le tupu i tuapa o le aai, sei iloga ua ave ana leoleo faatasi ma ia, auā ua fefe ne'i ai se ala e paū ai o ia i lima o sa Lamanā.

20. Ua ia poloai atu foi ia lamalama lona nuu i le fanua latalata mai, pe ai se ala latou te pupue ai na faitaulaga na sosola i le vao, o e na gaoi afafine o sa Lamanā, ua ala mai ai foi lenei malaia tele ia te i latou.

21. Auā na latou fia maua i latou ina ia latou faasala ia te i latou; auā ua latou o mai i le nuu o Nifae i le po ma aveese la latou saito ma mea tāua e tele; o le mea lea na latou nofo lamalama ai ia te i latou.

22. Ua oo foi ina le toe ai se isi faalavelave i le va o sa Lamanā ma le nuu o Limae e oo lava i le aso na o mai ai Amona ma ona uso i le nuu.

23. Ina ua i ai foi le tupu i tua o faitotoa o le aai faatasi ma ana leoleo, na ia maua ai Amona ma ona uso; fa te ia o fai taulaga a Noa, o le mea lea na ia poloai atu ai ia pueina i latou, ma ia saisaitia ma lafoina i le falepuipui. Ana faapea o faitaulaga a Noa, po ua poloai atu o ia ia fasiotia i latou.

24. A e ina ua iloa e ia e le o i latou, a o ona uso ua o mai ai le nuu o Sara'emila, ua tumu o ia i le olioli matua tele.

25. O lenei, a o lei sau Amona, na aauina atu e le tupu o Limae ni tagata e toaitiiti e sue le nuu o Sara'emila, a ua latou le maua; na feseseai foi i latou i le vao.

26. A e ui i lea na latou maua le nuu sa aigā; ioe, o le nuu ua ufitia i ivi mamago; o le nuu sa aigā a ua faaumatia. Fa te i latou o le nuu o Sara'emila, o lea na latou foi mai ai i le nuu o Nifae. Ua le tele foi ni aso na va a'i lo latou taunuu i tuaoi o le nuu ma le sau o Amona.

27. Ua latou aumaia foi le tusi, o le tusi lava a le nuu e o latou ivi na latou maua, ma ua togitogia i papatusi auro.

28. O lenei foi, ua toe faatumuina Limae i le olioli ina ua maua mai ia Amona ua i ai le mea alofa mai le Atua i le tupu o Mosaea, ua mafai ai ona ia faamatala togitogiga faapea. Ioe, ua olioli ai foi Amona.

29. A ua faatumuina Amona ma ona uso i le faanoanoa ona ua fasiotia o latou uso e faapea ona toatele;

30. Ma lea foi, auā na uunaia le nuu e le tupu o Noa ma ana faitaulaga ia latou fai agasala ma amioletonu e faapea ona tele i le Atua. Ua latou faanoanoa foi ona o le maliu o Apinati, atoa foi ma le te'a atu o Alema ma le nuu na latou o faatasi ai, o e na faatuina le ekalesia a le Atua i le mana ma le pule a le Atua, atoa ma le faatuatua i upu na fai mai ai Apinati.

31. Ioe, ua latou faanoanoa ona o lo latou te'a atu, auā ua latou le iloa le mea na latou sosola i ai, ana latou iloa po ua fiafia e faatasi atu ma i latou, auā ua faia e i latou lava le feagaiga ma le Atua e auauna atu ia te ia ma tausi i ana poloaiga.

32. O lenei foi, talu le sau o Amona ua osia e le tupu o Limae, atoa ma nisi e toatele o lona nuu, le feagaiga ma le Atua e auauna atu ia te ia ma tausi i ana poloaiga.

33. Ua oo foi ina manao e le tupu o Limae ma nisi e toatele o lona nuu ia papatisoina i latou; a ua leai se tasi i le nuu ua i ai le pule mai le Atua. Ua le mafai foi Amona ona fai lenei sauniga ona ua ia manatu ifo o le auauna le aoga o ia.

34. O le mea lea na latou le faia ai i latou ma ekalesia, a ua faatalitali i le Agaga o le Atua. O lenei, o lo latou manao, ia tusa i latou ma Alema ma ona uso, o e na sosola i le vao.

35. Sa mananao ia papatisoina i latou e fai ma faailoga ma molimau ua latou loto ina auauna atu i le Atua ma o latou loto atoa, a e ui i lea, ua latou faatuai le aso. E tusia atalī le tala i la latou papatisoga.

36. O lenei foi, o mafaufauga uma o Amona ma lona nuu ma Limae ma lona nuu, ua i ai lea i se ala latou te laveaiina ai i latou ai lima o sa Lamanā atoa ma le nofopologa.

MATAUPU 22.

Ua fuafua o le a lafoa'i ese le avega o sa Lamanā—O fuafuaga a Kitiona—Ua faaonanā sa Lamanā—Ua sosola ē na faatagataotauaina ma toe foi atu i Sara'emila—O le i'uga o le tala na tusia e Senifa.

1. O lenei foi, ua oo ina amata ona filifili faatasi Amona ma Limae ma le nuu i se ala latou te laveaiina ai i latou lava ai le nofopologa. Ua latou faapotopotoina faatasi le nuu uma. Na latou faia lenei mea ina ia latou maua le filifiliga a le nuu.

2. Ua oo foi ina latou le maua se ala e laveaiina ai i latou ai le nofopologa, sei iloga ua latou ave o latou fafine ma tamaiti, ma a latou lafu, ma a latou fagaga· ma o latou fale ie ma te'a atu i le vao; auā ua faapea ona toatele sa Lamanā ua le mafai ai lava le nuu o Limae ona finau ma i latou, pe afai o le pelu ua latou manatu ai e laveai ia te i latou lava ai le nofopologa.

3. O lenei, ua oo ina alu atu Kiteona ma tu i luma o le tupu, ma ua fai atu ia te ia: Faafofoga mai ia, le tupu e. Ua atu lasi ona e faafofoga mai ia te au i aso ua mavae, ina o tatou finau ma o tatou uso o sa Lamanā.

4. O lenei foi, le tupu e, afai ua e le iloa a'u o se auauna le aogā, pe afai ua e faafofogaina a'u upu i aso ua mavae, a ua aoga ai ia te oe, e faapea lava ona ou manao ina ia e faafofoga i a'u upu i le aso nei, e fai a'u mau auauna ma laveai lenei nuu ai le nofopologa.

5. Ma ua tuu atu ia te ia e le tupu ia tautala. Ona fai atu lea o Kiteona ia te ia:

6. Silasila i le ala tua e ui atu ai i le aupa i tuā i le itu i uta o le aai. Ua onanā i le po sa Lamanā, po o leoleo o sa Lamana, o le mea lea sei tatou fai ai le talaiga i lenei nuu uma, ia latou faapotopoto faatasi a latou lafu ma fagaga, ina ia latou tuli atu ai i le vao i le po.

7. Ou te alu atu foi e tusa ma lau poloai, ma avatu le taulaga mulimuli o le uaina i sa Lamanā, latou te onanā ai. Tatou te o atu i le faitotoa lilo i le itu i tauagavale o le toagalauapi· manū o onanā i latou i le uaina ma momoe.

8. E faapea ona tatou tete'a atu i le vao ma o tatou fafine, ma o tatou tamaiti, ma a tatou lafu, ma a tatou fagaga. Tatcu te taamilo foi i le nuu o Seloma.

9. Ua oo foi ina amana'ia e le tupu upu a Kiteona.

10. Ua poloai atu foi le tupu o Limae ia faapotopotoina faatasi e lona nuu a latou lafu; na ia avatu foi i sa Lamanā le taulaga o le uaina; na ia faasili foi le uaine e fai ma alofa ia te i latou. Na latou inu tele i le uaina na avatua ia te i latou e le tupu o Limae.

11. Ua oo foi i le po ina te'a

atu i le vao le nuu o le tupu o Limae ma a latou lafu ma a latou fagaga. Ua latou o faataamilomilo i le nuu o Seloma i le vao, ma ua pi'o ane lo latou ala e faasaga atu i le nuu o Sara'emila, ua ta'ita'iina i latou e Amona ma ona uso.

12. Ua latou ave foi i le vao la latou auro ma ario uma, atoa ma a latou mea tāua uma na mafai ai i latou ona tauave, atoa ma a latou mea e 'ai, ma ua latou o i la latou malaga.

13. Ina ua mavae aso e tele na i ai i latou i le vao, ua taunuu i latou i le laueleele o Sara'emila, ma ua faatasia ma lona nuu, ma ma ua avea foi mona tagata.

14. Ma ua oo ina talia i latou e Mosaea ma le olioli. Ua ave foi e ia a latou tusi, atoa foi ma tusi na maua e le nuu o Limae.

15. O lenei foi, ua oo ina ua iloa e sa Lamanā ua te'a ese i le po le nuu o Limae ai le laueleele, ua latou aauina atu le au tau e tuliloa ia te i latou i le vao.

16. Ina ua latou tutuli ia te i latou i aso e lua, ua le toe mafai ona latou iloa o latou tulagāvae, o le mea lea na latou sese ai i le vao.

O le tala ia Alema ma le nuu o le Atua, o e na tulia i le vao e le nuu o le tupu o Noa.

(E aofia ai mataupu 23 ma le 24)

MATAUPU 23.

E le mana'o Alema e fai o ia ma tupu—Ua avea le nuu o Helama e sa Lamanā—O Amulona, o le ta'ita'i o faitaulaga amio leaga a Noa, una na pule atu i lalo ifo o le pule o le tupu o sa Lamanā.

1. O lenei, ua fetalai mai le Atua ia Alema, o le a o mai au a le tupu o Noa ia te i latou ma ua ia faaalia atu ai i lona nuu; o le mea lea na latou faapotopoto faatasi ai a latou lafu, ma ua ave la latou saito ma tete'a atu i le vao i luma o au a le tupu o Noa.

2. Na faamalolosia i latou e le Atua ina ia le maua i latou e au a le tupu o Noa e faaumatia ai i latou.

3. Na latou sosola foi i le vao i aso e valu.

4. Ma ua oo atu i latou i le tasi nuu, o le nuu matagofie ma le moomia, o le nuu na i ai vai manino.

5. Ua latou faatu o latou fale ie ma ua amata ona galulue i le fanua, ma ua amata ona fai fale ma mea faapea. Ioe, na maelega i latou ma ua toaga i galuega.

6. Sa manao foi le nuu ona fai Alema mo latou tupu, auā ua alofagia o ia e lona nuu.

7. A ua fai atu o ia ia te i latou: Faauta, e le tatau ona i ai se tupu ia te i tatou, auā o loo faapea ona fetalai mai le Atua: Aua tou te manatu ua sili se tasi tino i se tasi tino; aua le manatu foi se tasi tagata ua sili o ia i se tasi. O le mea lea na ou fai atu ai ia te outou, e le tatau ona i ai se tupu ia te outou.

8. A e ui i lea, ana mafai ona outou maua pea tagata amiotonu e fai mo outou tupu, po ua lelei ona ia i ai se tupu ia te outou.

9. A ia manatua le amioletonu a le tupu o Noa ma ana faitaulaga. Na lavea foi a'u i le mailei, na ou faia foi mea e tele ua inosia i le silafaga a le Atua, na tupu ai lo'u salamo matua tele.

10. A e ui i na mea, ina ua mavae puapuaga e tele, ua faafofoga le Atua i a'u tagi, na ia talia foi a'u talosaga, ma ua ia faia a'u mona tufugīaao e aumai a'i outou e faapea ona toatele i le malamalama o lana upu moni.

11. E ui i lea, ou te le mitamita i lenei mea· auā e le tatau ia te au ona ou mitamita ona o a'u lava.

12. O lenei foi, ou te fai atu ia te outou, na faasauaina outou e le tupu o Noa, ma faapologaina e ia ma ana faitaulaga, na aumaia foi i le amioletonu ona o i latou; o le mea lea na noanoatia ai outou i noanoaga o le amioletonu.

13. O lenei foi, ua laveaiina outou i le mana o le Atua ai nei noanoaga, ioe, mai lima o le tupu o Noa ma lona nuu, atoa ma noanoaga o le amioletonu, o lea ou te manao ai ina ia outou tutumau i lenei saolotoga ua tuusaunoa ai nei outou, ina ia outou le faalagolago i se tagata e toatasi e fai ma tupu ia te outou.

14. Aua foi tou te faalagolago i se toatasi e fai ma outou a'oa'o, po o faifeau, sei iloga o ia o le tagata o le Atua, o loo savali i ona ala ma tausi i ana poloaiga.

15. Sa faapea ona a'oa'o atu Alema i lona nuu, ina ia taitasi le tagata ma alofa atu i le la te tuaoi e pei o ia lava, ina ia leai se finauga ia te i latou.

16. O lenei foi, sa fai Alema ma latou faitaulaga sili, auā o ia o le na amataina la latou ekalesia.

17. Ua oo foi ina le maua e se tasi le pule e talai atu, pe a'oa'o atu· vaganā ona ua tonu ia te ia mai le Atua. O le mea lea na ia faauuina ai a latou faitaulaga uma ma a latou a'oa'o uma, ma ua le faauuina nisi, a e na o tagata amiotonu.

18. O le mea lea na latou leoleo ai i le nuu ma tausi ia te i latou i mea e uiga i le amiotonu.

19. Ma ua oo ina amata ona manuia tele i latou i le nuu. Na latou faaigoaina foi le laueleele o Helama.

20. Ua oo ina uluola tele i latou ma ua manuia i le nuu o Helama. Na latou faia foi le a'ai ma ua faaigoaina ai o le aai o Helama.

21. A e ui i na mea, ua silafia e le Atua ua tatau ona a'oa'i i lona nuu, ioe, na te tofotofoina lo latou onosai ma lo latou faatuatua.

22. A e ui i lea, ai sē faalagolago ia te ia, e faaeaina o ia i le aso gataaga. Ioe, ma ua faapea foi ma lenei nuu.

23. Auā faauta, ou te faailoa atu ia te outou, na faapologaina i latou, ma ua leai se na mafai ona laveai ia te i latou, ua na o le Alii lo latou Atua, ioe, o le Atua lava o Aperaamo, ma Isaako, ma Iakopo.

24. Ua oo foi ina laveai o ia ia te i latou· ma na faaali atu ai lona mana tele ia te i latou, ma ua tele lo latou olioli.

25. Auā faauta, na oo ina o i ai i latou i le nuu o Helama, ioe, i le aai lava o Helama, ina o galulue i le fanua e latalata mai, faauta, ua oo mai le au a sa Lamanā i tuaoi o le nuu.

26. O lenei, ua oo ina sosola uso o Alema ai o latou fanua ma ua potopoto faatasi i latou i le aai o Helama. Ua fefefe tele i latou ona o le fotu mai o sa Lamanā.

27. A e peitai, ua alu atu Alema ma ua tu i totonu ia te i latou, ma na apoapoai atu ia te i latou ina ia le fefefe i latou, a ia latou manatua le Alii lo latou Atua, ona faaolaina lea i latou e ia.

28. O le mea lea na latou faana ai lo latou fefe, ma ua amata ona tagi i le Atua, ia faamăluluina e ia loto o sa Lamanā, ina ia latou tuu ola i latou, ma a latou avā, ma a latou fanau.

29. Ma ua oo ina faamălulu e

le Atua loto o sa Lamanā. Ua o atu foi Alema ma ona uso, ma ua tuu atu i latou lava i sa Lamanā, ma ua pule sa Lamanā i le nuu o Helama.

30. O lenei, na feseseai i aao e tele au a sa Lamanā o e na tulia le nuu o le tupu o Limae.

31. Faauta foi, na latou maua na faitaulaga a le tupu o Noa i le mea ua ta'ua e i latou o Amulona, ma ua amata ona latou mau i le nuu o Amulona. Ua amata foi ona galulue i le fanua.

32. O lenei, o le igoa o le ta'ita'i o na faitaulaga o Amulona lea.

33. Ma ua oo ina fautua Amulona i sa Lamanā; na ia aauina atu foi a latou avā, o afafine i latou o sa Lamanā, e fautua i o latou uso, ia latou le faaumatia a latou tane.

34. Ua alofa foi sa Lamanā ia Amulona ma ona uso, ua le faaumatia foi i latou ona o a latou avā.

35. Ua faatasia foi Amulona ma ona uso i sa Lamanā, o loo malaga foi i latou i le vao e saili le nuu o Nifae, a ua latou maua le nuu o Helama, ua i ai lea ia Alema ma ona uso.

36. Ua oo foi ina fai mai sa Lamanā ia Alema ma ona uso, afai latou te faaali atu ia te i latou le ala e tau atu i le nuu o Nifae, latou te tuu ia te i latou o latou ola ma lo latou saolotoga.

37. A e peitai, ina ua faaalia ia te i latou e Alema le ala i le nuu o Nifae, ua le tausi e sa Lamanā la latou upu, a ua latou tofia leoleo i tuaoi o le nuu o Helama e pule ia Alema ma ona uso.

38. Na o atu foi e ua totoe o i latou i le nuu o Nifae. Ua toe o mai foi se vaega o i latou i le nuu o Helama, ma ua aumai faatasi ma i latou o avā ma fanau a leoleo na tuua i le nuu.

39. Ma ua tuu foi e le tupu o sa Lamanā ia Amulona ia fai o ia ma tupu ma pule i lona nuu, o e ua i ai i le laueleele o Helama; a e ui i lea ua leai se pule ia te ia e fai se mea e tasi ua le tusa ma le loto o le tupu o sa Lamanā.

MATAUPU 24.

Ua faasau Amulona ia Alema ma e na mulimuli ia te ia—Ua faamāmāina e le Atua a latou avega ma aveeseina ia te i latou mai le nofo pologa—Ua latou foi atu i Sara'emila.

1. Ua oo foi ina alofagia Amulona i luma o le tupu o sa Lamanā; o le mea lea na tuu atu ai e le tupu o sa Lamanā ia te ia ma ona uso ia tofia i latou e fai ma a'oa'o i lona nuu, ioe, i le nuu lava i le laueleele o Semilona ma le laueleele o Seloma atoa ma le laueleele o Amulona.

2. Auā ua avea e sa Lamanā nei nuu uma mō latou; o le mea lea na tofia ai e le tupu o sa Lamanā o tupu e pule i nei nuu uma.

3. O lenei foi, o le igoa o le tupu o sa Lamanā o Lamana lea, ua igoa foi o ia i le igoa o lona tamā, o le mea lea na ta'ua ai o ia o le tupu o Lamana. O le tupu foi o ia i le nuu e matua toatele.

4. Na ia tofia foi a'oa'o mai uso o Amulona i nuu uma ua mau ai lona nuu. Ma ua faapea ona amata ona a'oa'oina atu le gagana a Nifae i le nuu uma o sa Lamanā.

5. O i latou foi o le nuu fealofani; a e ui i lea ua latou le iloa le Atua; ua le a'oa'oina atu foi ia te 'i latou e uso o Amulona se mea e tasi tau le Alii lo latou Atua, po o le tulafono a Mose; ua latou le a'oa'o atu foi ia te i latou upu a Apinati.

6. A ua latou a'oa'o atu ia te i latou e tatau ona latou tusi la latou talaaga ma ia latou fetusiai.

7. Ua faapea foi ona amata ona tutupu sa Lamanā i le tamāoaiga, ma ua amata ona fefaatauai, ma ua uluola tele, ua amata foi ona fai ma nuu atamai, ma ua poto tele i le poto o lenei lalolagi; ioe, o le nuu matua atamai lava; ua fiafia i amioleaga uiga eseese uma, ma le vete, vaganā i o latou lava uso.

8. O lenei foi, ua oo ina amata ona pule Amulona ia Alema ma ona uso, ma ua amata ona faasaua ia te i latou, ma ua faia ia faasaua ana fanau i a latou fanau.

9. Auā ua iloaina Alema e Amulona, ua iloa foi sa fai o ia ma so le au faitaulaga a le tupu, sa talitonu foi o ia i upu a Apinati, na tulieseina foi o ia i luma o le tupu; o le mea lea na ita ai o ia ia te ia, auā ua pule le tupu o Lamana ia te ia; a e ui i lea, ua pule o ia ia te i latou, ma ua faaee galuega mamafa ia te i latou, ma ua tofia tagata e pule i a latou galuega.

10. Ma ua oo ina faapea ona tele o latou puapuaga, ua amata ai ona latou tagi lotulotu lava i le Atua.

11. Ona poloai atu ai lea o Amulona ia te i latou, ia latou tuu lo latou tagi. Ua ia tofia foi leoleo e leoleo ia te i latou, a maua se tasi ua valaau atu i le Atua ua fasioti ia te ia.

12. Ona le toe avae lea e Alema ma ona uso o latou leo i le Alii lo latou Atua, a ua momoli atu o latou loto ia te ia, ma ua silafia e ia manatu ō latou loto.

13. Ma ua oo ina tūlei mai le siufofoga o le Atua ia te i latou i o latou puapuaga, ua faapea mai: Ina faaea ia o outou ulu ma ia lototetele; auā ua ou iloa le feagaiga ua outou osia ma a'u. Ou te faia foi le feagaiga ma lo'u nuu ma laveai ia te i latou ai le nofopologa.

14. Ou te faamāmā foi avega ua faaeeina i o outou tauau, ina ia outou le lagona ai lava i o outou tua, manū lava o outou nofopologa. Ou te faia foi lenei mea ina ia outou laulaututu e fai ma molimau ia te au i aso amulī ina ia ia autou mautinoa lava o a'u o le Alii le Atua, ua asiasi atu i lo'u nuu i o latou puapuaga.

15. O lenei foi, ua oo ina faamāmāsagia avega na faaeeina ia Alema ma ona uso. Ioe, ua faamalolosia i latou e le Atua ina ia faigofie ona latou tauave a latou avega, ma ua latou gauai ma le loto fiafia ma le onosai i le finagalo atoa o le Atua.

16. Ua oo foi ina faapea ona tele lo latou faatuatua ma lo latou onosai, ua toe tūlei mai ai le siufofoga o le Atua ia te i latou, ua faapea mai: Ia outou lototetele, auā o le aso a taeao ou te laveaiina ai outou ai le nofopologa.

17. Ua ia fetalai mai foi ia Alema: Ia e muamua atu i luma o lenei nuu, ta te o foi ma a'u ma laveai lenei nuu ai le nofopologa.

18. O lenei, ua oo i le po ina faapotopoto faatasi e Alema ma lona nuu a latou lafu, atoa foi ma la latou saito; ioe, o le po atoa na faapotopoto ai a latou lafu.

19. O le taeao foi na faamoegaseina ai sa Lamanā e le Atua, ioe, ma ua taufaimomoe lava o latou tagata uma e pule i galuega.

20. Ua te'a atu foi i le vao Alema ma lona nuu. Ina ua latou malaga foi i le vao i le aso atoa, ua latou faatuina o latou fale ie

i le tasi vanu, ma ua faaigoaina le vanu o Alema, o ia na ta'ita'i i lo latou ala i le vao.

21. Ioe, o le vanu o Alema na latou avae ai la latou faamanū i le Atua, auā na ia finagalo alofa ia te i latou, ma na faamāmāina a latou avega, na laveaiina foi i latou ai le nofopologa, auā sa latou nofopologa ma ua leai se tasi na mafai ona laveai ia te i latou, ua na o le Alii lo latou Atua.

22. Ua latou avae foi le faafetai i le Atua. Ioe, o latou tane uma, ma o latou fafine uma, atoa ma o latou tamaiti o e na mafai ona tautala; ua alalaga o latou leo i viiga i lo latou Atua.

23. Ona fetalai mai lea le Atua ia Alema: Ia e faavave, ma ia outou te'a ese o oe ma lenei nuu, ai lenei laueleele, auā ua ala sa Lamanā ma ua tuliloa ia te outou, o le mea lea ia o ese ai outou ai lenei laueleele. Ou te faapau mai foi sa Lamanā i lenei vanu, ina ia latou le o ese ai e tuliloa i lenei nuu.

24. Ua oo foi ina latou tete'a ese ai le vanu, ma ua alu la latou malaga i le vao.

25. Ina ua mavae aso e sefulu ma le lua na i ai i latou i le vao, ua taunuu i latou i le nuu o Sara'emila. Ua talia foi i latou e le tupu o Mosaea ma le olioli.

MATAUPU 25.

O Sara'emila, o le na tupu mai ia Moleka—Ua faitau atu i tagata le tala na tusia e Senifa ma le tala ia Alema—Ua tuuina atu le pule ia Alema na te faatuina solo ai le Ekalesia a Keriso i le nuu.

1. O lenei foi, ua faapotopotoina faatasi e le tupu o Mosaea le nuu uma.

2. O lenei, ua le tusa ona toatele le fanauga a Nifae o e na tutupu mai ia Nifae, ma le nuu o Sara'emila, o le na tupu mai ia Moleka ma i latou o e na o mai faatasi ma ia i le vao.

3. Ma ua le tusa ona toatele le nuu o Nifae faatasi ma le nuu o Sara'emila, ma sa Lamanā. Ioe, ua le tusa ma le vaeluaga o i latou.

4. O lenei foi, ua faapotopotoina le nuu uma o Nifae atoa ma le nuu o Sara'emila, ma ua faapotopotoina faatasi i latou i potopotoga e lua.

5. Ua oo foi ina faitau atu e Mosaea, ma na poloai atu ia faituina atu i lona nuu, o tusi a Senifa. Ioe, na ia faitau atu tusi a le nuu o Senifa e amata i le aso na latou te'a ai ma le laueleele o Sara'emila, e oo mai lava i lo latou toe foi mai.

6. Na ia faitau atu foi le tala ia Alema ma ona uso, ma o latou puapuaga uma e amata atu i le aso na latou te'a ai ma le nuu o Sara'emila a e oo mai lava i le aso na latou toe foi mai ai.

7. O lenei foi, ina ua faaiu e Mosaea le faitau i tusi, ua tutumu e na nonofo faamuli i le nuu i le ofo, ma ua taufaiofo lava.

8. Auā ua latou le mau manatu; auā ina ua latou vāai i e na laveaiina ai le nofopologa ua faatumuina i latou i le olioli tele lava.

9. Ma lea, ina ua latou manatu i o latou uso o e na fasia e sa Lamanā, ua faatumuina i latou i le faanoanoa, ua oo lava ina maligi loimata e tele i le faanoanoa.

10. Ma lea foi, ina ua latou manatu i le agalelei e le aunoa o le Atua, ma lona mana i le laveaiina o Alema ma ona uso ai sa Lamanā, mai le nofopologa, ua alalaga o latou leo, ma ua avae le faafetai i le Atua.

11. I le ma lea, ina ua latou manatu i sa Lamanā, ō latou uso foi i latou, o lo latou nofo i le agasala ma le loto eleelea, ua faatumuina i latou i le tiga ma le atuatuvale mo le manuia ō latou agaga.

12. Ua oo foi ina tigaina e na i le fanauga a Amulona ma ona uso, o e na ave mā latou avā afafine o sa Lamanā, ona o le amio a o latou tamā, ma ua latou le toe fia igoa i le igoa ō latou tamā; o le mea lea na latou ave ai ia te i latou le igoa o Nifae, ina ia ta'ua i latou o le fanauga a Nifae, ma ia faitaulia i latou faatasi ma e ua ta'ua o sa Nifaē.

13. O lenei foi, ua faitauina le nuu uma o Sara'emila faatasi ma sa Nifaē, auā ua le tuuina atu le malo i se tasi, ua na o e na tutupu mai ia Nifae.

14. O lenei foi, ua oo ina faaiu e Mosaea ona tautala atu ma faitau atu i le nuu, ona manao lea o ia ia tautala atu Alema i le nuu.

15. Ma ua lauga atu Alema ia te i latou ina o potopotoina i latou i potopotoga tetele. Ua ia fealuai i potopotoga uma, o loo ua talai atu i le nuu le salamo ma le faatuatua i le Atua.

16. Ua ia apoapoai atu i le nuu o Limae ma ona uso, o i latou uma na laveaiina ai le nofopologa, ina ia latou manatua o le Atua na laveaiina ai i latou.

17. Ua oo foi ina ua a'oa'oina le nuu e Alema i mea e tele, ma ua faaiu ona tautala atu o ia ia te i latou, ua manao le tupu o Limae ia papatisoina o ia, ma ua mananao lona nuu ia papatisoina foi i latou.

18. O le mea lea na alu atu ai Alema i le vai ma na papatiso ia te i latou. Ioe, na ia papatiso ia te i latou e pei ona ia papatisoina ona uso i le vai o Mamona. Ua lotu mai i le Ekalesia a le Atua o i latou uma na papatisoina e ia, o lenei foi ona o latou faatuatua i upu a Alema.

19. Ua oo foi ina tuu atu e Mosaea ia Alema ia faatuina e ia ekalesia i le nuu uma o Sara'emila, ma ua na tuu atu ia te ia le pule e tofia ai faitaulaga ma a'oa'o i ekalesia uma.

20. Ua faia lenei mea ona ua faapea ona toatele le nuu ua le mafai ona pule ia te i latou le a'oa'o e toatasi; ua le mafai ona faalogo i latou uma i le afioga a le Atua i le potoptoga e tasi.

21. O le mea lea na latou faapotopotoina ai i latou i potopotoga eseese, ua ta'ua o ekalesia. Ua tofu ekalesia taitasi ma a latou faitaulaga ma a latou a'oa'o. O loo ua talai atu foi le upu e faitaulaga uma e pei ona paū atu ai ia te i latou ai fofoga o Alema.

22. O lea, e ui ina tele ekalesia, o le ekalesia e tasi i latou uma; ioe, o le ekalesia a le Atua auā ua le talaiina atu se mea e tasi i ekalesia uma, ua na o le salamo ma le faatuatua i le Atua.

23. O lenei foi, e fitu ekalesia i le nuu o Sara'emila. Ua oo foi ina lotu mai i le ekalesia a le Atua i latou uma o e na fia ave i luga ia te i latou le suafa o Keriso po o le Atua.

24. Ma ua ta'ua i latou o le nuu o le Atua. Ua liligi mai foi e le Atua lona Agaga i luga ia te i latou, ma ua faamanuiaina ma faauluolaina i latou i le nuu.

MATAUPU 26.

E uiga i ē le talitonu ma ē fai mea leaga—Ua faatonuina e le Atua Alema i le mea e faia mo i latou.

1. O lenei, ua oo ina toatele o le tupulaga na le mafai ona la-

gona upu a le tupu o Peniamina, auā o tamaiti i latou i ona aso na tautala atu ai o ia i lona nuu, ua le talitonu i latou i upu a o latou tamā.

2. Ua latou le talitonu i mea na folafolaina e uiga i le toe tu mai o e ua oti, ma ua latou le faatuatua foi i le afio mai o Keriso.

3. O lenei foi ona o lo latou le faatuatua, ua le mafai ai ona malamalama ia te i latou le afioga a le Atua, ma ua faamaaaina o latou loto.

4. Ma ua le mafafai ona ia papatisoina i latou, ua le lotu foi i latou i le ekalesia. O le nuu ese lava i latou i lo latou faatuatua, ma ua tumau faapea i aso uma talu ai, i lo latou faaletino ma le agasala, auā ua le mafafai i latou ona valaau i le Alii lo latou Atua.

5. A o aso o le nofoaiga a le tupu o Mosaea ua le tusa i latou ma le vaeluaga o le nuu o le Atua; a e peitai, ona o fevaevaeaiga i le au uso, ua avea ai i latou ma nuu e sili ona toatele.

6. Ua oo foi ina latou faa'ole'olegia i a latou upu faaviivii o nisi e toatele o e na i le ekalesia, ma ua ala ai ona latou fai agasala e tele; o le mea lea na tatau ai ona aoaiina e le ekalesia o i latou uma sa i le ekalesia ma ua fai agasala.

7. Ua oo foi ina aumaia i latou i luma o faitaulaga, ma ua tuuina atu i faitaulaga e le au a'oa'o. ua aumaia foi i latou e faitaulaga i luma o Alema, o ia foi o le faitaulaga sili.

8. O lenei, sa tuuina atu e le tupu o Mosaea le pule i le ekalesia ia Alema.

9. Ua oo foi ina le iloa e Alema pe faapeafea i latou, auā ua toatele molimau ua molia ai i latou. Ioe, ua laulaututū le nuu ma molimau i la latou amioletonu e matua tele.

10. O lenei, e lei tupu se mea faapea i le ekalesia i aso ua mavae atu, o le mea lea na atuatuvale ai Alema i lona loto, ua ia aumaia ai i latou i luma o le tupu.

11. Ua ia fai atu i le tupu: Faauta, o iinei nisi e toatele ua matou aumaia i ou luma ua molia e o latou uso, ioe, ma ua maua i latou i amioletonu uiga eseese, ua latou le salamo foi i a latou amioletonu; o le mea lea ua matou aumaia ai i latou i ou luma, ina ia e faamasino ia te i latou e tusa ma a latou agasala.

12. A ua fai ane le tupu o Mosaea ia Alema: Faauta, ou te le faamasino ia te i latou; o lea ou te tuuina atu ai i latou ia te oe ia faamasinoina ai.

13. O lenei foi, ua toe atuatuvale le loto o Alema, ma ua alu atu o ia ma fesili i le Atua i le mea e tatau ona ia faia, auā ua mata'u o ia ne'i faia e ia se mea sese i le silafaga a le Atua.

14. Ma ua oo ina ua ia faaali ae lona loto atoa i le Atua. ua tūlei mai le siufofoga o le Atua ia te ia, ua faapea mai:

15. Amuia lava oe, Alema e, e manuia foi i latou o e na papatisoina i le vai o Mamona. Ua faamanuiaina oe ona o lou faatuatua tele i upu a la'u auauna o Apinati.

16. Ua manuia foi i latou ona o lo latou faatuatua tele i au upu na e fai atu ia te i latou.

17. Amuia foi oe, auā ua e faatuina le ekalesia i lenei nuu. E faatumauina foi i latou, e avea foi i latou mo'u nuu.

18. Ioe, amuia lava lenei nuu o e ua loto ina tauave lo'u igoa, auā e valaauina i latou i lo'u igoa, auā e o'u lava i latou.

19. Ona ua e fesili mai ia te

au ona o ē solitulafono, ua manuia lava oe.

20. O la'u auauna lava oe, ou te faia foi le feagaiga ma oe e te maua ai le ola faavavau; e te auauna mai foi ia te au, ma alu atu i lo'u igoa ma faapotopoto faatasi a'u mamoe.

21. O lē faalogo i lo'u leo e faia o ia ma'u mamoe, o ia foi e te talia i le ekalesia, ou te talia foi o ia.

22. Auā faauta, o la'u ekalesia lenei. Ai sē papatisoina, e papatisoina o ia i le salamo. Ai se tasi e te talia, e faatuatua o ia i lo'u igoa; ou te faamagalofuaina atu foi o ia.

23. Auā o a'u lava e amoina agasala a le lalolagi, auā o a'u na faia i latou; o a'u foi e tuu atu i lē faatuatua mai ia te au e oo i le gataaga o se mea e nofo ai i lo'u itu taumatau.

24. Auā faauta, o lo'u igoa ua valaauina ai i latou; afai foi ua latou iloa a'u, latou te o mai ma maua le mea e nonofo ai e faavavau i lo'u itu taumatau.

25. A oo foi ina ilia lona lua o pu, ona o mai ai lea o e na le iloa a'u, e laulaututū i o'u luma.

26. Ona latou iloa ai lea o a'u o le Alii lo latou Atua; o a'u foi o lo latou Togiola, a ua le mafafai i latou ona ia togiolaina.

27. Ona ou ta'utino atu ai lea ia te i latou, ou te le iloa i latou; e o atu foi i latou i le afi faavavau ua saunia mo le tiapolo ma ana agelu.

28. O le mea lea ou te fai atu ai ia te oe, o lē le faalogo i lo'u leo, e te le talia o ia i la'u ekalesia, auā ou te le talia o ia i le aso gataaga.

29. O le mea lea ou te fai atu ai ia te oe, ina alu ia; ai sē agasala mai ia te au, o ia lena e te faamasino i ai e tusa ma agasala ua faia e ia. Afai foi e faaali e ia ana agasala i luma o oe ma a'u, ma ua salamo faamaoni i lona loto, o ia lena e te faamagaloina, ou te faamagaloina foi o ia.

30. Ioe, o aso uma e salamo ai lo'u nuu, ou te faamagaloina ai lo latou agaleaga mai iā te au.

31. Ia outou fefaamagaloai a outou agasala, auā e moni, ou te fai atu ia te oe, o lē le faamagalo atu i le agaleaga o le la te tuaoi pe a fai mai o ia ua salamo, o ia lena ua aumaia o ia lava i le ta'usalaina.

32. O lenei, ou te fai atu ia te oe, ina alu ia; ai sē le salamo i ana agasala, e le faitauina o ia faatasi ma lo'u nuu. E tausia foi lenei mea i aso o lumanai, e afua i lenei aso.

33. Ma ua oo ina ua faalogo Alema i nei upu, ua ia tusia ai ina ia mau ia te ia, ina ia mafai foi ona faamasino atu o ia i tagata o lena ekalesia e tusa ma poloaiga a le Atua.

34. Ma ua oo ina alu atu Alema ma faamasino e tusa ma le afioga a le Atua ia te i latou uma o e ua maua i le amioletonu.

35. O i latou foi o e na salamo i a latou agasala ma ua faaali atu ai, o i latou ia ua faitauina e ia faatasi ma tagata o le ekalesia.

36. O i latou foi na le faaali a latou agasala ma salamo i la latou amioletonu, o i latou na ua le faitauina faatasi ma tagata o le ekalesia, ma ua tineia o latou igoa.

37. Ma ua oo ina faatatau e Alema galuega uma a le ekalesia; ma ua toe amata ona latou maua le filemu ma manuia i galuega uma a le ekalesia, ua savavali ma le faaeteete i luma o le Atua; ua talia nisi e toatele, ma ua toatele o e ua papatisoina.

38. Ua faia foi nei mea uma e Alema ma ona uso o le au faigaluega, o e ua pule i le ekalesia; ua savavali ma le filifiligā uma, ua a'oa'o atu foi le afioga a le Atua i mea uma, ua onosai i puapuaga uiga eseese, ona ua faasauaina e i latou uma o e na le lotu i le ekalesia a le Atua.

39. Ua latou apoapoai atu foi i o latou uso; ua apoapoaiina foi i latou i le afioga a le Atua, taitoatasi e tusa ma ana agasala, po o agasala ua faia e ia; o loo ua poloaiina e le Atua ia tatalo e le aunoa, ma ia avae le faafetai ona o mea uma.

MATAUPU 27.

Ua vaosia faasauaga ae ia tutusa tagata uma—O Alema, lē laitiiti, ma atalii e to'afa o Mosaea, ua faatasi ma ē le talitonu—O lo latou liuga uiga ese—Ua avea i latou ma ē tala'i le amiotonu.

1. O lenei foi, ua oo ina faapea ona tele sauaga ua faia i le ekalesia e i latou ua le talitonu ua amata ona muimui ai le ekalesia, ma ua tagi i o latou ta'ita'i ona o lea mea; ma ua latou tagi ia Alema. Ua folafola atu foi le tagi e Alema i luma o le tupu o Mosaea. One filifili ai lea o Mosaea ma ana faitaulaga.

2. Ua oo foi ina avatu e le tupu o Mosaea le poloaiga i le nuu uma, aua le faasaua se ua le talitonu i so latou ua i ai i le ekalesia a le Atua.

3. Ua i ai foi le poloaiga mamalu i le ekalesia uma, ia leai ni faasauaga ia te i latou, ina ia tutusa tagata uma.

4. Ia leai foi se loto faamaualuga, po o le faasiasia e faalavelave i lo latou filemu; a ia taitasi le tagata ma manatu ua tusa le la le tuaoi ma ia lava, ia galulue foi i o latou lava lima i mea e tatau i o latou ola.

5. Ioe, ia galulue foi ā latou faitaulaga uma atoa ma a latou a'oa'o i o latou lava lima i mea e tatau ia te i latou i mea uma, sei iloga ua maua i le ma'i, po o le mativa tele. A o faia nei mea ua tumu i latou i le alofa tunoa o le Atua.

6. Ua toe amata foi ona i ai le filemu tele i le laueleele; ua amata foi ona tupu toatele lava le nuu, ua amata ona salalau solo i latou i le fogaeleele, ioe, i le itu i matu ma le itu i saute, i sasae foi ma sisifo, ua fai aai tetele ma faoa aai i itu uma o le laueleele.

7. Ua asiasi foi le Alii le Atua ia te i latou, ma ua faamanuia ia te i latou, ua avea foi i latou ma nuu tele ma le tamāoaiga.

8. O lenei, ua faatasi atalii o Mosaea ma ē le faatuatua, ua faitauina foi faatasi ma i latou le tasi atalii o Alema, ua igoa foi o ia ia Alema, i le igoa o lona tamā; a e ui i lea, na avea o ia ma tagata amioleaga tele ma le ifo i tupua. O ia foi o le tagata mau upu, ma ua tautala atu i le nuu i upu faaviivii e tele; o le mea lea na ia ta'ita'i ese ai nisi e toatele o le nuu e mulimuli atu ia te ia i ana amioletonu.

9. Ua avea foi o ia ma faalavelave tele i le ekalesia a le Atua; ua ta'ita'i ese loto o le nuu, ua faatupu foi fevaevaeaiga i le nuu, ua tuuina atu ai le ala i lē ita i le Atua ia pule ia te i latou.

10. O lenei foi, ina o fealuai o ia e faaumatia le ekalesia a le Atua—auā na feoai faalilolilo i latou ma atalii o Mosaea, o loo sailiili e faaumatia le ekalesia ma ta'ita'i ese le nuu o le Atua, ina ia soli ai poloaiga a le Atua atoa foi ma poloaiga a le tupu.

11. E pei ona ou fai atu ia te outou, ina o feoai i latou, o loo fouvale i le Atua, faauta, ua faaalia mai le agelu a le Atua ia te i latou; ua afio ifo o ia e peiseai ua i se ao, ma ua peiseai ua ia tautala ma le leo o le faititili, ua luluina ai le eleele na latou tutu ai.

12. Ma ua faapea ona tele lo latou taufaiofo, ua pāuu ai i latou i le eleele, ma ua le lagona upu na ia fetalai mai ia te i latou.

13. E ui i lea, ua ia toe valaau, ua faapea mai: Alema e, ina tulai ia, ma ia tu mai, auā se a ea le mea ua e faasaua ai i le ekalesia a le Atua? Auā o loo faapea ona fetalai mai le Atua: O la'u ekalesia lenei, o a'u foi e faatumauina ai; e leai foi se mea e manumalo i ai, sei iloga o le solitulafono a lo'u nuu.

14. Ma lea foi, ua fetalai mai le agelu: Faauta, ua faafofogaina e le Atua talosaga o lona nuu, atoa foi ma talotaloga a lana auauna o Alema, o lou tamā lea. Auā ua tatalo o ia ma le faatuatua tele ona o oe, ina ia aumaia oe i le malamalama o le upu moni; o le mea lea na ou sau ai e faamautinoa ia te oe le mana ma le pule a le Atua, ina ia talia talosaga a na auauna, e tusa ma lo latou faatuatua.

15. O lenei foi, faauta, e mafai ea ona e finau ma le mana o le Atua? Auā faauta, ua le luluina ea le lalolagi i lo'u leo? E te le mafai ea ona iloa a'u i ou luma? Ua auina mai foi a'u e le Atua.

16. O lenei, ou te fai atu ia te oe, ina alu ia, ia e manatua foi le nofopologa o ou tamā i le nuu o Helama atoa ma le nuu o Nifae; ma ia manatua mea tetele na ia faia mo i latou, auā sa latou nofopologa, a ua laveiina i latou e ia. O lenei foi, ou te fai atu ia te oe, Alema e, ina alu ia i lou ala, aua foi e te toe saili e faaumatia le ekalesia, ina ia talia a latou tatalo, e faia foi lenei mea, a e malaia oe ona o oe lava.

17. O lenei foi ,o upu mulimuli nei a le agelu ia Alema, ona te'a ese lea o ia.

18. O lenei foi, ua toe pāuu Alema ma e na faatasi ma ia i le eleleele, auā ua tele lo latou taufaiofo, auā ō latou lava mata na latou iloa ai le agelu a le Atua; o lona leo foi ua pei o le faititili, ua luluina ai foi le lalolagi; ua latou iloa foi ua leai se mea, ua na o le mana o le Atua ua mafai ona luluina ai le lalolagi, ma ua ala ai ona gatete e peiseai o le a vaevaeina.

19. O lenei foi, ua faapea ona maofa tele Alema, ua gūgū ai o ia, ua le mafai foi ona faamaga lona gutu; ioe, ua tupu ai foi le vaivai ia te ia, ua le mafai ona gaoioi ona lima; o le mea lea na aveina atu ai o ia e i latou o e sa faatasi ma ia, ma ua latou fataina atu o ia o loo le gaoioi lava, e oo ina ua faataatia o ia i luma o lona tamā.

20. Ma ua latou tala atu i lona tamā mea uma na oo ia te i latou; ma ua olioli lona tamā, auā ua ia iloa o le mana o le Atua.

21. Na ia faapotopotoina foi le motu o tagata, ina ia latou vaaia le mea ua faia e le Atua mo lona atalii atoa foi ma e na faatasi ma ia.

22. Na ia faapotopoto faatasi le au faitaulaga; ma ua amata ona latou anapogi ma tatalo i le Alii lo latou Atua, ina ia tatalaina e ia le gutu o Alema, ina ia tautala o ia, ina ia maua foi i lona tino lona malosi, ia faapupulaina ai mata o le nuu, ina ia vaavaai ma iloa le agalelei ma le mamalu o le Atua.

23. Ua oo foi ina ua latou anapogi ma tatalo i ao e lua ma po e lua, ua toe maua i le tino o Alema lona malosi tuai, ma ua tulai o ia, ma ua amata ona tautala atu ia te i latou, ua fai atu, ia mafaamafanafanaina i latou.

24. Auā ua ia fai atu: Ua ou salamo i a'u agasala, ma ua togiolaina a'u e le Atua; faauta, ua fanauina a'u i la le Agaga.

25. Na fetalai mai foi le Atua ia te au, Aua e te ofo, auā e ao ina toe fanauina tagata uma lava, ioe, o tane atoa ma fafine, o atunuu uma, ituaiga, ma gagana eseese, ma nuu; ioe, ia fanauina i la le Atua, ma ia liua mai le faaletino ma le paū i le amiotonu, ona ua togiolaina e le Atua, ma ua avea mona atalii ma afafine.

26. Ua faapea foi ona avea i latou ma tagata fou; a latou le faia lenei mea, e le mafai ona fai mo latou tofi le malo o le Atua.

27. Ou te fai atu ia te outou, sei iloga e faapea, e ao ina lafoaiina i latou. Ua ou iloa lenei mea, auā sa fai a lafoaiina a'u.

28. E ui i lea, ina ua mavae ona ou feseai i puapuaga e tele, ma ua salamo foi e tali oo i le oti, na silafia e le Atua i lona alofa tunoa ua tatau ona seia mai a'u ai le mu e faavavau, ma ua fanauina a'u i la le Atua.

29. Ua togiolaina lo'u agaga ai le au oona ma noanoaga o le amioletonu, sa a'u i le vanu aupito pouliuli lava; a o lenei, ua ou vaaia le malamalama ofoofogia o le Atua. Sa puapuagatia lo'u agaga i le faasala faavavau, a ua se'ia mai a'u, ma ua le toe tigaina lo'u agaga.

30. Sa ou teena lo'u Faaola, ma ou faafitia mea na fai mai ai o tatou tamā; a o lenei, sa mafai ona latou luai iloa e afio mai o ia, ma ua manatua e ia mea uma ua ia faia, e faaalia foi o ia ia te i latou uma.

31. Ioe, e tootuli tulivae uma lava, e ta'uta'u atu foi laulaufaiva uma i ona luma. Ioe, o le aso gataaga lava, pe a laulautu tagata uma lava ia faamasinoina e ia, ona latou ta'utino atu ai lea o ia o le Atua; ona ta'uta'u ai lea e i latou uma o e na ola e aunoa ma le Atua i le lalolagi, ua tatau ia te i latou le faamasinoga a le faasala faavavau, latou te gatete foi ma tetemu ma meme'i i le silafaga a ona fofoga e silasila i mea uma.

32. O lenei foi, ua oo ina amata i lena lava aso ona a'oa'o atu Alema i le nuu, ua faapea foi e na faatasi ma Alema ina ua faailoa mai le agelu ia te i latou; ua feoai i latou i le nuu uma, ma ua talai atu i tagata uma o mea uma na latou faalogologo i ai ma vaavaai i ai; ma ua talai atu le afioga a le Atua i puapuaga e tele, ona ua faasauaina e i latou o e na le talitonu, ua taia foi i latou e nisi e toatele o i latou.

33. A e ui nei mea uma, na latou faamafanafanaina le ekalesia, ua faamauina lo latou faatuatua, ma ua apoapoai atu ia te i latou ma le onosai ma tiga e tele, ia tausi i poloaiga a le Atua.

34. O le toafā o i latou o atalii o Mosaea; ō latou igoa o Amona, ma Arona, ma Ominea, ma Himinae, o igoa ia o atalii o Mosaea.

35. Ma ua latou malaga solo i le nuu uma o Sara'emila, i tagata uma ua pule ai Mosaea, ua vilivilitai lava e faalelei mea leaga uma na latou faia i le ekalesia; ua faaali atu foi a latou agasala uma, ma ua talai atu mea uma na latou vaaia, ua faamatala foi perofetaga ma tusi ia te i latou uma o e na fia faalogo ia te i latou.

36. Ma ua faapea ona avea i latou ma tufugāao o le Atua e aumai a'i nisi e toatele i le malamalama o le upu moni, ioe, ma le iloa lelei o lo latou Togiola.

37. Amuia lava i latou! auā na latou talai le filemu, na latou talai le tala lelei i le manuia, ma ua latou fai atu i le nuu: O loo pule le Atua.

MATAUPU 28.

Ua faatagina e Mosaea ona atalii e tala'i atu i sa Lamanā—Ua faaliliuina papatusi e lua sefulu ma le fa—Ua tausia papatusi e Alema, lē laitiiti.

1. O lenei, ua oo ina ua uma ona faia nei mea uma e atalii o Mosaea, ua latou ave nisi e toaitiiti faatasi ma i latou, ma ua toe foi atu i lo latou tamā, le tupu. O lo latou manao, ia tuu mai e ia ia te i latou ia latou o atu faatasi ma i latou nei o e ua filifilia e i latou i le nuu o Nifae, ia latou talai atu ai mea na latou faalogoina, ina ia latou momoli atu le afioga a le Atua i o latou uso o sa Lamanā.

2. Atonu e mafai ai ona latou aumaia i latou i le malamalama o le Alii lo latou Atua, ma faamautinoa ia te i latou le amioletonu a o latou tamā; atonu e mafai ona taufofoina i latou i lo latou ita tele i sa Nifaē, ina ia olioli foi i latou i le Alii lo latou Atua, ma ia latou fealofani, ina ia le toe i aī ni finauga i le nuu ua foaiina mai ia te i latou e le Alii lo latou Atua.

3. O lenei, o lo latou manao, ia talaiina atu le olataga i tagata uma lava, auā ua le mafafai i latou ona tuu le agaga o se tagata e toatasi ia fano. Ioe, o le manatu lava e tigaina se agaga e toatasi i le puapuaga e le iu, ua tetemu ai i latou ma gatete lava.

4. Ma ua faapea ona galue le Agaga o le Atua ia te i latou, auā sa silimusa lava i latou i le faiga o agasala. Na silafia e le Atua i lona alofa tunoa ua tatau ona faasaoina i latou; e ui i lea, na tigaina i latou i puapuaga e tele o le agaga ona o a latou amioletonu; ona ua tigaina foi i mea e tele, ua fefefe ne'i tuulafoaiina i latou e faavavau.

5. Ua oo foi ina latou aioi mai i lo latou tamā i aso e tele ia mafai ai ona latou o ae i le nuu o Nifae.

6. Na alu atu foi le tupu o Mosaea ma fesili i le Atua, po ua tatau ona ia tuu atu ona atalii e o ae i sa Lamanā e talai atu ai le upu.

7. Ma ua fetalai mai le Atua ia Mosaea: Tuu atu ia ia te i latou e o ae, auā e faatuatua nisi e toatele i a latou upu, latou te maua ai foi le ola faavavau. Ou te faasaoina foi ou atalii ai lima o sa Lamanā.

8. Ua oo foi ina tuuina atu e Mosaea ia latou o ma fai e tusa ma lo latou manao.

9. Ma ua latou malaga i le vao e o ae ai e talai atu le upu i sa Lamanā. Ou te tusi i se aso o lumanai le tala i a latou galuega.

10. O lenei, ua leai se tasi ia Mosaea le tupu e tuu atu i ai le malo, auā ua leai se toatasi o ona atalii ua loto ina talia le malo.

11. O le mea lea na ia ave ai tusi ua togitogia i papatusi apa memea, atoa foi ma papatusi a Nifae, ma mea uma na tausia ma faatumauina e ia, e tusa ma poloaiga a le Atua, ina ua uma foi ona faamatalaina ma ua tusia mea ua i ai i papatusi auro na maua e le nuu o Limae, na tuuina mai foi ia te ia e Limae.

12. Na ia faia foi lenei mea

ona o le popole tele o lona nuu, auā sa latou naunau tele i le fia iloa pe faapefea le nuu lea sa faaumatia.

13. O lenei, na ia faamatala ai i maa nā e lua ua faamauina i li'o e lua, o le mea e pei o se tioata.

14. O lenei, na saunia nei mea talu le amataga, ma ua tuufaasoloina mai i lea tupulaga ma lea tupulaga e faamatala a'i gagana.

15. Ua tausia foi ma faatumauina e le aao o le Atua, ina ia faailoa atu e ia i nuu uma e mau i le laueleele le amioletonu ma mea inosia a lona nuu.

16. Ua ta'ua le ua i ai nei mea, o le tagata vāai, e tusa ma le tu anamua.

17. O lenei, ina ua faauma e Mosaea le faamatalaina o nei tusi, faauta, ua i ai le tala i le nuu sa faaumatia, e amata i le aso na faaumatia ai i latou, a e oo atu i ona po o le faiga o le olo tele i le aso na faaeseeseina ai e Atua le gagana a le nuu, ma na faataapeapeina solo ai i latou i le fogaeleele uma. Ioe, e amata i lea aso, a e oo atu i le faiga o Atamu.

18. Na faanoanoa tele le nuu o Mosaea i lenei tala, ioe, ua faatumuina i latou i le faanoanoa; a e ui i lea, ua tele le poto na latou maua mai ai, o lea na latou fiafia ai.

19. E tusia amulī lenei tala; auā faauta, e ao ina iloa e nuu uma lava mea ua tusia i lenei talaaga.

20. O lenei foi, e pei ona ou fai atu ia te outou, ina ua uma ona faia nei mea uma e le tupu o Mosaea, na ia ave papatusi apa memea, atoa ma mea uma na tausia e ia, ma ua avatu ai ia Alema, o le atalii o ia o Alema; ioe, o tusi uma, atoa ma mea e faamatala a'i gagana, ma ua avatu ai ia te ia, ma ua ia poloai atu ia te ia na te tausia ma faatumauina ai, ma tusi foi le tala i le nuu, ma tuufaasoloina ai i lea tupulaga ma lea tupulaga, e pei ona tuufaasoloina ai talu le aso na te'a ai Liae ma Ierusalema.

MATAUPU 29.

Ua tautala atu le tupu o Mosaea e uiga i le pule faatupu—Ua filifilia faamasino—O le maliu o Alema, le matua—Ua faai'uina le nofoa'iga a tupu o sa Nifaē ina ua maliu Mosaea.

1. O lenei, ina ua faia nei mea e Mosaea, ua feau atu o ia i le nuu uma, i tagata uma lava, ua fia iloa lo latou manao, po o ai e fai mo latou tupu.

2. Ma ua oo ina maua mai le filifiliga a le nuu, ua faapea mai: O lo matou manao, ia faia Arona, lou alo, mo matou tupu, ma pule ia te i matou.

3. O lenei, ua alu Arona i le nuu o Nifae, o le mea lea na le mafai ai le tupu ona tuu atu le malo ia te ia, ua le mafai foi Arona ona talia le malo i ona luga, ma ua le loto se toatasi o atalii o Mosaea ina talia le malo i ona luga.

4. O le mea lea na toe feau atu ai le tupu o Mosaea i le nuu; ioe, o le upu tusia lava na ia feau atu ai i le nuu. O upu nei na tusia, ua faapea atu:

5. Faauta, outou lo'u nuu e, o'u uso e, auā ua faapea ona ou manatu ia te outou, auā o lo'u manao, ia mafaufau i le mea ua tuuina atu ia te outou e filifili ai, auā ua outou fia fai se tupu.

6. O lenei, ou te fai atu ia te outou, ua le mafai le ua tatau i ai le malo, e le talia foi e ia le malo.

7. O lenei foi, afai e tofia se

tasi e sui ia te ia, faauta, ou te fefe ne'i tupu fefinauaiga ia te outou; a e iloa e ai pe le liliu i le ita lo'u atalii, o le ua tatau i ai le malo, ma ta'ita'i ese se vaega o lenei nuu e mulimuli atu ia te ia, e faatupu ai taua ma fefinauaiga ia te outou, e ala ai foi le faamasaaina o le toto e tele, ma le faapiopioina o le ala o le Atua, ioe, ma faafano ai agaga o tagata e toatele.

8. O lenei, ou te fai atu ia te outou, sei tatou mafaufau ma filifili i nei mea, auā e le ia te i tatou le pule e faafanoina lo'u atalii, e le ia te i tatou foi le pule e faafanoina se tasi, pe afai e tofia o ia e sui ia te ia.

9. Afai e toe liliu lo'u atalii i lona faamaualuga, ma ana mea le aoga, ona faafiti ai lea e ia mea na ia fai mai, ma taofi ua tatau ona i ai ia te ia le malo, e ala ai ina agasala tele o ia atoa ma lenei nuu uma.

10. O lenei foi, sei tatou mafaufau ma tagatagai i luma i nei mea, ma faia le mea e tupu ai le filemu i lenei nuu.

11. O le mea lea e fai ai a'u ma tupu ia te outou i o'u aso ua totoe; a e ui i lea, sei tatou tofia faamasino e faamasino i lenei nuu e tusa ma la tatou tulafono; ma ia tatou toe faatatau galuega a lenei nuu, auā tatou te tofia tagata popoto e fai ma faamasino e faamasino i lenei nuu e tusa ma poloaiga a le Atua.

12. O lenei, e sili ona ia faamasinoina le tagata e le Atua, ai le faamasinoina o ia e tagata; auā e tonu pea lava faamasinoga a le Atua, a e le tonu pea faamasinoga a tagata.

13. O lenei, ana mafai ona outou maua tagata amiotonu e fai mo outou tupu, e faatumau ai tulafono a le Atua ma faamasino i lenei nuu e tusa ma ana poloaiga; ioe, ana mafai ona outou maua tagata mō outou tupu e fai e pei ona faia mo lenei nuu e lo'u tamā o Peniamina, ou te fai atu ia te outou, ana mafai ona faapea i aso uma, po ua lelei ona outou fai pea lava tupu e pule ia te outou.

14. O a'u foi, sa ou galue ma lo'u malosi uma, e tusa ma le poto ua ia te au, e a'oa'o atu ia te outou poloaiga a le Atua, ma faatumau le filemu i le nuu, ina ia leai ni taua ma fefinauaiga, ina ia leai foi se fao mea, po o vete, po o fasiga o tagata, po o se tasi amioletonu.

15. Ai se tasi foi na faia le amioletonu, o ia lena na ou faasalaina e tusa ma le tulafono na tuuina mai ia te i tatou e o tatou tamā.

16. O lenei, ou te fai atu ia te outou, ona ua le amiotonu tagata uma, e le tatau ai ona i ai ia te outou se tupu, po o tupu e pule ia te outou.

17. Auā faauta, ua matua tele le amioletonu ua faia talu le tupu amioletonu e toatasi; ioe, ua matua tele foi le malaia ua faatupuina e ia.

18. Ioe, ia manatua le tupu o Noa, o lana amioleaga ma ana mea inosia, atoa foi ma le amioleaga ma mea inosia a lona nuu. Faauta i le faafanoga tele na oo mai ia te i latou; o lea foi ona o a latou amioletonu na faapologaina ai i latou.

19. Ana le se anoa le puluvaga o Le na faia i latou, o ia foi ua silafia mea uma, na faia foi ona o lo latou salamo faamaoni, po ua latou tumau e le malaveaiina i le nofopologa e oo mai nei lava.

20. A e peitai, faauta, na ia laveai ia te i latou, ina ua faamaulaloina i latou e i latou lava i ona luma; auā foi na latou tagi malosi ia te ia, na ia laveaiina

ai i latou ai le nofopologa; ma ua faapea ona galue le Atua ma lona mana i mea uma i le fanauga a tagata, o loo faaloaloa atu le aao o le alofa ia te i latou uma o ē faalagolago ia te ia.

21. Faauta foi, ou te fai atu nei ia te outou, tou te le mafaia ona aveese se tupu amioletonu, sei iloga ua faia finauga e tele ma ua faamasaaina le toto e tele.

22. Auā faauta, e ia te ia ana uo i le amioletonu, e vagavagaia foi o ia i ana leoleo, na te saeia tulafono a e na muamua ia te ia, o e na pule foi i le amiotonu, na te solia foi i ona vae poloaiga a le Atua.

23. E faia foi e ia tulafono ma avatu ai i lona nuu; ioe, o tulafono e uiga faatasi ma lana amioleaga. Ai sē le usiusitai i ana tulafono, e faaumatia lea e ia; o ē fouvale foi ia te ia, e aauina atu i ai e ia ana au e tau ma i latou, afai foi e mafaia, na te faaumatia i latou. E faapea foi ona faalilliueseina e le tupu amioletonu ala o le amiotonu uma.

24. O lenei foi, faauta, ou te fai atu ia te outou, e le tatau ona ia oo mai ia te outou mea inosia faapea.

25. O lea ia outou filifili ai faamasino i le filifiliga a lenei nuu, ina ia faamasinoina outou e tusa ma tulafono ua tuuina mai ia te outou e o tatou tamā, o loo ua tonu ia, na tuuina mai foi ia te i latou i le aao o le Atua.

26. O lenei, e le se mea e masani ai ona filifilia e le nuu uma o le mea ua le tonu, a o se mea e masani ona manao i ai le vaega itiiti o le nuu, o le mea le tonu lea. O lea o le mea lenei tou te tausi i ai ma fai ma outou tulafono, ia faia a outou galuega i le filifiliga a le nuu uma.

27. Afai foi e oo mai le aso e filifilia ai e le nuu uma le amioletonu, o le aso lena e oo mai ai faamasinoga a le Atua ia te outou; ioe, o le aso lena na te asiasi mai ai ia te outou i le faafanoga tele, e pei ona asiasia lenei nuu e ia i aso ua mavae.

28. O lenei foi, afai e ia te outou faamasino, ma ua latou le faamasino ia te outou e tusa ma le tulafono ua tuuina mai, tou te mafai ona pule ina ia faamasinoina i latou e se faamasino sili.

29. Afai foi e le faia faamasinoga tonu e o outou faamasino sili, tou te faapotopotoina faatasi nisi ō outou faamasino iti, latou te faamasinoina o outou faamasino sili, e tusa ma le filifiliga a le nuu.

30. Ou te poloai atu foi ia te outou, ia outou faia nei mea ma le mata'u i le Atua. Ou te poloai atu foi ia te outou, ia outou faia nei mea, aua ne'i fai foi se tupu mo outou. Afai e fai agasala ma amioletonu nei tagata, e tauiatua i luga ō latou lava ulu.

31. Auā faauta, ou te fai atu ia te outou, ua fai agasala tagata e toatele talu le amioletonu a o latou tupu; o le mea lea e taui atu ai a latou amioletonu i luga o ulu ō latou tupu.

32. O lenei foi, o lo'u manao, ia le toe i ai i lenei nuu lenei le gatusa o tagata, ia sili ona faapea i lenei lo'u nuu; a o lo'u manao, ia faia lenei nuu ma nuu o le saoloto, ia faataufiafia tagata taitoatasi i mea ua tatau ia te ia atoa ma ona tofi, i aso uma e finagalo ai le Atua ia tatou ola ma fai mo tatou tofi le laueleele, ioe, i aso uma e tumau ai nisi o a tatou fanau i le fogaeleele.

33. Ua tele foi nisi mea na tusia e le tupu o Mosaea ia te i latou, ua folafola atu ai tofotofoga ma puapuaga uma o le tupu amiotonu; ioe, o ātuga uma o le agaga ona o lona nuu, atoa foi

ma muimuiga o le nuu i lo latou tupu, ma na faamatala uma lava ia te i latou.

34. Na ia fai atu foi ia te i latou, ua le tatau ona i ai nei mea, a e tatau ona oo le avega i le nuu uma, ia taitasi le tagata ma tauave lana lava vaega.

35. Na ia folafola atu ia te i latou mea faigata uma latou te galulue ai pe a pule le tupu amioletonu ia te i latou.

36. Ioe, o ana amioletonu ma mea inosia uma, atoa ma taua uma, ma fefinauaiga, ma le faamasaaina o le toto, ma le gaoi, ma le vete, ma le faitaaga, ma amioletonu uiga eseese e le masino; ua fai atu ia te i latou, e le tatau ona i ai nei mea; ma ua inosia lava i poloaiga a le Atua.

37. O lenei foi, ua oo ina ua aveina atu nei upu i le nuu e le tupu o Mosaea, ua mautinoa lava e i latou ua tonu ana upu.

38. O le mea lea na latou tuu ai o latou manao i se tupu, ma ua tinoū i le manao ia tutusa tagata uma i le nuu atoa; ioe, ma ua ta'utino atu e tagata taitoatasi ua loto o ia ina tali ma taui i ana agasala.

39. O le mea lea na oo ai ina latou faapotopoto faatasi i potopotoga i le nuu uma, e lafo ai a latou mau po o ai e fai mo latou faamasino, e faamasino ia te i latou e tusa ma le tulafono ua tuuina mai ia te i latou; ma ua latou olioli matua tele ona o le saolotoga ua tuuina atu ia te i latou.

40. Ua tupu tele lava lo latou alofa ia Mosaea; ioe, ua latou manatu ua sili o ia i nisi tagata uma, auā ua latou le manatu ia te ia e pei o se tagata saua, o loo saili i le fia fai mea, ioe, ma lena oloa e faaleagaina ai le agaga, auā na ia le aveeseina le oloa ia te i latou, na le fiafia foi o ia i le faamasaaina o le toto; a ua na faatumauina le filemu i le nuu, na ia tuuina atu foi i lona nuu ia laveaiina i latou ai le nofopologa uma. O le mea lea na latou faaneenee ai ia te ia, ioe, ua matua tele lava e le mafuatia.

41. Ma ua oo ina latou tofia faamasino e pule ia te i latou, ma faamasino ia te i latou e tusa ma le tulafono. Sa faia lenei mea i le nuu atoa.

42. Ua oo foi ina tofia Alema e fai mo latou faamasino sili muamua, o ia foi o lo latou faitaulaga sili, auā na tuuina mai lea pule ia te ia e lona tamā, na ia aumai foi ia te ia faatonuga i sauniga uma a le ekalesia.

43. O lenei foi, ua oo ina savali Alema i ala uma o le Atua, ma ua tausi i ana poloaiga. Ua faamasino foi o ia i faamasinoga tonu, ua tumau ai e le aunoa le filemu i le nuu.

44. Ma ua faapea ona amataina le nofoaiga a faamasino i le nuu o Sara'emila, i tagata uma ua ta'ua o sa Nifaē; o Alema o le faamasino muamua ia ma lē sili.

45. O lenei foi, ua oo ina maliu lona tamā ina ua valusefulu ma le lua ona tausaga, na ola foi e faataunuu poloaiga a le Atua.

46. Ua iu ina maliu foi Mosaea i le tausaga e tolusefulu ma le tolu o lana nofoaiga, ina ua onosefulu ma le tolu ona tausaga, o loo ua atoa ai le lima selau ma le iva tausaga talu le aso na te'a ai Liae ma Ierusalema.

47. Ua faapea ona iu le nofoaiga a tupu i le nuu o Nifae; ma ua faapea ona iu aso o Alema, o le na amataina la latou ekalesia.

O LE TUSI A ALEMA,

LE ATALII O ALEMA.

O le tala a Alema, le atalii o le Alema muamua, o le uluai Faamasino Sili i le nuu o Nifae, o le Faitaulaga Sili foi i le Ekalesia. O le tala i le nofoaiga a Faamasino, o taua ma fefinauaiga i le nuu; atoa foi ma le tala i le taua o sa Nifae ma sa Lamana, e tusa ma le tusi a Alema le Faamasino Sili muamua.

MATAUPU 1.

O Ne'oa, o le fili; le ekalesia, ua fasiotia e ia Kiteona, ma ua faamasinoina o ia ma ua faasalaina ai i le oti—O faitaulaga pepelo ma sauaga—Ua faaleleia mea uma i le nuu—Ua tutusa faitaulaga ma tagata uma.

1. O lenei, ua oo i le tausaga muamua o le nofoaiga a faamasino i le nuu o Nifae, ma aso uma talu ai, ina ua alu le tupu o Mosaea i le ala o le lalolagi uma, ina ua ia tau le taua lelei, na savali ma le amio sao i luma o le Atua, ma ua le tuu i se tasi e sui i lana nofoaiga, a e ui i lea, na ia faia tulafono, ma ua talia e le nuu, o le mea lea ua ao ai ina latou tausi i tulafono na ia faia.

2. O le tausaga muamua foi o le nofoaiga a Alema i le nofoa faamasino, na oo ai ina aumaia le tagata i ona luma ia faamasinoina. O ia o le tagata ua tino ese ma ua ta'ua ona o lona malosi tele.

3. Na ia alu atu i le nuu ma ua talai atu le mea ua ta'ua e ia o le afioga a le Atua, ua faasaga tau i le ekalesia; ma ua talai atu i le nuu e tatau ona viia faitaulaga ma a'oa'o uma, ma ua le tatau ona latou galulue i o latou lima, a ua tatau ona tausia i latou e le nuu.

4. Ua ia molimau atu foi i le nuu, e faaolaina tagata uma lava i le aso gataaga; a ua le aoga ona latou fefefe ma tetemu, a ia faaea o latou ulu ma le olioli, auā ua faia tagata uma e le Atua, ma ua faaolaina i latou e ia, o le iuga foi e maua e tagata uma le ola faavavau.

5. Ua oo foi ina faapea ona ia a'oa'o atu nei mea, ua talitonu ai nisi e toatele i ana upu; ua faapea ona toatele ua amata ai ona latou tausi ia te ia ma avatu i ai tupe.

6. Ma ua amata ona faafefeteina o ia i le faamaualuga o lona loto, ma ua ofu o ia i ofu tautele, ioe, ma ua amata ona faatuina e ia le lotu e uiga faatasi ma lana talaiga.

7. Ua oo foi ina o alu atu o ia e talai atu i e na talitonu i ana upu, ua la fetaiai ma le tasi tagata o le ekalesia a le Atua, ioe, o le tasi ō latou a'oa'o, ma ua amata ona ia finau malosi ma ia, ina ia ta'ita'i ese e ia tagata o le ekalesia; a ua teena o ia e le tagata, ma ua aoaiina o ia i le afioga a le Atua.

8. O lenei, o le igoa o le tagata o Kiteona, o ia foi lena sa fai ma tufugāaa o le Atua i le laveaiina o le nuu o Limae ai le nofopologa.

9. O lenei, ona ua tete'e atu Kiteona ia te ia i le afioga a le Atua, ua ita tele o ia ia Kiteona, na ia sei foi lana pelu ma ua amata ona fasi ia te ia. O lenei, ona ua mafatia Kiteona i ona tausaga ua tele, o le mea lea na

le mafai ai o ia ona teena ana ta, o lea na fasiotia ai o ia i le pelu.

10. Ua pueina foi le tagata na fasioti ia te ia e tagata o le ekalesia, ma ua aumaia o ia i luma o Alema, ia faamasinoina e tusa ma agasala na ia faia.

11. Ua oo foi ina tu o ia i luma o Alema, ma ua ia finau malosi ma ia.

12. A ua fai atu Alema ia te ia: Faauta, o le faatoa aso lenei ua aumaia le faitaulaga pepelo i lenei nuu. Faauta, e le na ona e faitaulaga pepelo, a ua e faamalosi atu e faaoo ai i le pelu. Ana faaootia le faitaulaga pepelo i lenei nuu, po ua ala mai ai lo latou faafanoga atoatoa.

13. Ua e faamaligiina foi le toto o le tagata amiotonu, ioe, o le tagata na faia mea aoga e tele mo lenei nuu. Afai matou te faasaoina oe, ona paū mai ai lea lona toto i luga ia te i matou ina ia tauia.

14. O le mea lea e faasalaina ai oe i le oti, e tusa ma le tulafono na tuuina mai ia te i tatou e Mosaea, lo tatou tupu mulimuli, ma ua talia e lenei nuu; o lea e ao ai ina tausia e lenei nuu le tulafono.

15. Ma ua oo ina latou ave o ia, o lona igoa foi o Ne'oa. Na latou ave foi o ia i le tumutumu o le mauga o Maneti; o i lenei mea foi na uuna'ia o ia, ioe, na ia ta'utino mai i le va o le lagi ma le lalolagi, ua le ogatasi ma le afioga a le Atua mea na ia a'oa'o atu i le nuu, ma ua tigaina o ia i le oti masiasi.

16. A e ui i lea, ua le faaiuina i lenei mea le faasalalauina o le faitaulaga pepelo i le nuu; aua ua mananao nisi e toatele i mea le aoga a lenei lalolagi, ma ua latou o atu ma talai atu mataupu pepelo; ua latou faia foi lenei mea ona o le manao i oloa ma le fia viia.

17. A e ui i lea, ua fefefe i latou ona pepelo afai ua iloaina, auā ua faasalaina ē tala pepelo; o le mea lea na latou faatagā talai ai e tusa ma lo latou taofi; o lenei ua le mafai le tulafono ona pule i se tagata e toatasi ona o lona taofi.

18. Ua fefefe foi i latou ona gaoi, ona o le mata'u i le tulafono, auā ua faasalaina o ē faapea; ma ua fefefe i latou ona fao mea, pe fasioti tagata, auā ua faasalaina i le oti lē fasioti tagata.

19. A ua oo ina amata ona faasauā i latou o e ua le i le ekalesia a le Atua i e ua lotu i le ekalesia a le Atua, ma ua ave i o latou luga le suafa o Keriso.

20. Ioe, na latou faasaua ia te i latou, ma faatiga ia te i latou i upu uiga eseese; ua faapea ona o lo latou faamaulalo; auā ua le faamaualuga i latou i o latou loto, auā ua latou avatu le afioga a le Atua o le tasi i le tasi e aunoa ma le tupe, e aunoa foi ma le tau.

21. O lenei, ua i ai le tulafono mamalu i tagata uma o le ekalesia, aua le tulai se tagata e toatasi ua lotu i le ekalesia ma faasaua atu i e ua le lotu i le ekalesia; aua foi le faasaua o le tasi i le tasi.

22. E ui i lea, ua toatele o i latou ua amata ona faamaualuga, ma ua amata ona finau malosi ma e na ita ia te i latou, ua oo lava ina misa; ioe, ma ua latou tauaifusu.

23. O lona lua lenei o tausaga o le nofoaiga a Alema, ma ua ala mai ai puapuaga e tele i le ekalesia; ioe, o le ala lava lea o tofotofoga e tele i le ekalesia.

24. Auā ua faamaaaina ai loto o nisi e toatele, ma ua tineia o

latou igoa, ina ia le toe manatulia i le nuu o le Atua. Ma ua o ese nisi e toatele ia te i latou.

25. O le tofotofoga tele lenei ia te i latou uma o e na tutumau i le faatuatua, e ui i lea, ua latou tutumau ma le le mafaagaeetia i le tausiga o poloaiga a le Atua, ma ua latou saga onosai i le faasauga na faafaulaia i o latou luga.

26. Ina ua tuua foi e faitaulaga a latou galuega ina ia avatu le afioga a le Atua i le nuu, ua tuu foi e le nuu a latou galuega, a e faalogologo i le afioga a le Atua. Ina ua avatua le afioga a le Atua ia te i latou e le faitaulaga, ona latou toe foi atu ai lea ma le filifiligā i a latou galuega. Ua le manatu le faitaulaga ua sili o ia i e na faalogologo ia te ia; auā ua le sili lē tala'i i lē faalogologo, ua le sili foi lē a'oa'o atu i le a'oa'oina e ia. Ma ua faapea ona tutusa i latou, ma ua galulue uma, e taitasi le tagata e tusa ma lona lava malosi.

27. Ua latou foai atu foi nisi o a latou mea, taitasi le tagata e tusa ma mea ua ia te ia, i ē matitiva, ma e ua le tagolima, ma ē mama'i, atoa ma e ua puapuagatia. Ua latou le oofu foi i ofu tautele, a e ui i lea, ua teua lelei i latou ma le onomea.

28. Ma ua faapea ona latou faatuina galuega a le ekalesia, ua faapea foi ona amata ona latou toe maua le filemu e le aunoa, e ui lava i o latou puapuaga uma.

29. O lenei foi, ona o le alualu lemu o le ekalesia, ua amata ai ona latou mau'oa tele, ma ua faulai lava ia te i latou mea uma lava e aoga ia te i latou; ua tele lava a latou lafu ma fagaga, ma manu pepeti uiga eseese, atoa foi ma le taumafa o saito, ma auro, ma ario, ma mea tāua, atoa ma le taumafa o silika, ma lino miloa lelei, ma ie malosi lelei uiga eseese uma.

30. Ma ua faapea ina o tamāoaiga tele i latou, ua latou le faaliliu ese e ua le lavalavā, po o ē fia aai, po o ē fia inu, po o ē mama'i, po o e ua le fagaina. Ua le mafuli foi o latou loto i le oloa, ua latou matamau ai i tagata uma lava, o ē matutua atoa ma ē iti, o ē noanoatia ma ē saoloto, o tane atoa ma fafine, o e ua lotu atoa ma e ua le lotu, ua le faailogaina tagata ia te i latou ai ē matitiva.

31. Ma ua faapea ona manuia i latou, ma ua mau'oa atili ai, e sili ia te i latou ua le lotu.

32. Auā ua fiafia i latou o e ua le lotu i le faiga o togafiti faataulāitu, ma le tapuai i tupua, ma le paiē, ma le faatuaupua, ma le losilosivale, ma finauga; ua oofu i ofu tautele, ua faafefeteina i le faamaualuga ō latou manatu, ua tala pepelo, ma gaoi, ma vete, ma faitaaga, ma fasioti tagata, ma fai amioleaga uiga eseese; a e ui i na mea, ua faaooina atu le tulafono ia te i latou uma o e ua soli ai, i mea uma ua mafaia.

33. Ma ua oo ina ua faapea ona faaoo atu le tulafono ia te i latou, ua taitasi le tagata ma tigaina e tusa ma mea ua ia faia, ua tauau ina fifilemu i latou, ma ua le mafai ona faia se tasi amioleaga, pe afai ua iloaina, o lea na i ai le filemu tele i le nuu o Nifae e oo i lona lima o tausaga o le nofoaiga a faamasino.

MATAUPU 2.

Ua taumafai Amiliki ia avea o ia ma tupu—Ua le talia e le tele o tagata, ae peita'i ua fai o ia ma tupu—Ua toilalo o ia i le taua—Ua 'au o ia i sa Lamanā—Ua fasiotia e Alema o Amiliki ma ua faataapeape lana 'au tau.

1. Ma ua oo i le amataga o lona

lima o tausaga o lo latou nofoaiga ina amata ona i ai le finauga i le nuu ona o le tagata e igoa ia Amiliki; o ia foi o le tagata matua atamai, ioe, o le tagata poto tele i le poto o le lalolagi; ua taofi foi o ia e pei o le tagata na fasioti ia Kiteona i le pelu, o lea foi na fasiotia e tusa ma le tulafono.

2. Na ta'ita'i ese e lenei Amiliki i lona atamai o tagata e toatele e mulimuli atu ia te ia; ua faapea ona toatele ua amata ai ona malosi tele i latou, ma ua amata ona latou taumafai ona fai Amiliki ma tupu i le nuu.

3. Sa mata'u le ekalesia i lenei mea, ua faapea foi i latou uma o e na le ta'ita'ieseina e mulimuli atu i taofi o Amiliki; auā na latou iloa, e tusa ma la latou tulafono, e ao ina faatuina mea faapea i le filifiliga a le nuu.

4. O le mea lea, afai e mafai Amiliki ona maua le filifiliga a le nuu, auā o ia o le tagata amioleaga, na te aveeseina ia te i latou la latou pule ma saolotoga i le ekalesia, ma mea uma faapea, auā o lona faamoemoe e faaumatia le ekalesia a le Atua.

5. Ua oo foi ina faapotopoto faatasi le nuu i le laueleele uma i potopotoga, e taitasi le tagata e tusa ma lona manatu, pe manao ia Amiliki, pe leai. Ua tele foi finauga ma fefinauaiga ofoofogia na faia e i latou.

6. Ma ua faapea ona latou faapotopotoina i latou e lafo a latou mau i lenei mataupu, ua faataatia ai foi i luma o faamasino.

7. Ua oo foi ina ua maua mai le filifiliga a le nuu, ua teena Amiliki, ma ua le faia o ia ma tupu i le nuu.

8. O lenei, ua tupu i lenei mea le fiafia tele i loto o i latou o e na le mananao ia te ia; a ua faaosoina e Amiliki o e na loto ia te ia ia ita i e na le mananao ia te ia.

9. Ua oo foi ina latou potopoto faatasi, ma ua faauu ia Amiliki e fai mo latou tupu.

10. O lenei, ina ua faia Amiliki ma tupu ia te i latou, ua ia poloai atu ia te i latou, ia latou fetagofi i le auupega ma siitaua i o latou uso; na ia faia foi lenei mea ina ia faatoilaloina i latou e ia.

11. O lenei, ua faailogaina le nuu o Amiliki i le igoa o Amiliki, o loo ua ta'ua o sa Amiliki; a o e ua totoe, ua ta'ua o sa Nifaē, po o le nuu o le Atua.

12. O le mea lea na iloa ai e sa Nifaē le manatu o sa Amiliki, o lea na latou sauniuni ai e tetee atu ia te i latou; ioe, na latou fai auupega i pelu, ma simetea, ma aufana, ma u fanafana, ma maa, ma maatā, atoa ma auupega uig eseese uma o le taua.

13. Ma ua faapea ona saunia i latou e tetee atu i sa Amilikī i le aso latou te o mai ai. Ua tofia foi ta'ita'i, au, ma ta'ita'i sili, ma ta'ita'i silisili lava e faatatau i lo latou faitau aofai.

14. Ma ua oo ina fai auupega Amiliki i ona tagata i auupega uiga eseese uma o le taua, ma ua na tofia foi pule ma ta'ita'i i lona nuu e ta'ita'i ia te i latou e tau ma o latou uso.

15. Ua oo foi ina o mai sa Amilikī i le mauga o Aminisu, i le itu i sasae o le vaitafe o Saitonu, ua tafe ifo ai i tafatafa o le laueleele o Sara'emila, o le mea foi lea na latou amata ai ona tau ma sa Nifaē.

16. O lenei, ona ua fai Alema ma faamasino sili ma kovana i le nuu o Nifae, o le mea lea na ia alu ae ai faatasi ma lona nuu; ioe, faatasi ma ana ta'ita'i ma

ta'ita'i silisili, ioe, i luma o ana
au i sa Amilikī e tau ma i latou.
17. Ma ua amata ona latou fa-
fasi i sa Amilikī i le mauga i ona
gaga'e o Saitonu. Ma ua finau
sa Amilikī ma sa Nifaē i le ma-
losi tele, ua iu lava ina pāuu nisi
e toatele o sa Nifaē i luma o sa
Amilikī.
18. A e ui i lea, ua faamalolosia
e le Atua lima o sa Nifaē ua la-
tou fafasi ai sa Amilikī, ma le
fasi tele, ua amata ai ona latou
sosola i o latou luma.
19. Ma ua oo ina tuliloa sa Ni-
faē i sa Amilikī i lena aso atoa,
ma ua fafasi ia te i latou ma le
fasi matua tele, ua iu ina fasia
tagata o sa Amilikī e sefulu ma
le lua afe lima selau tolusefulu
ma le lua. A o le fasi o sa Nifaē,
e ono afe lima selau onosefulu
ma le lua tagata.
20. Ua oo foi ina ua le toe ma-
fai Alema ona tuliloa i sa Ami-
likī, na ia poloai atu, ia faatuina
o latou fale ie i le vanu o Kiteona,
ua faaigoaina le vanu i le igoa
o Kiteona, o le na fasiotia i le
lima o Ne'oa i le pelu; o lenei
vanu sa faatuina ai e sa Nifaē
o latou fale ie i le po.
21. Ua aauina atu foi e Alema
tagata matavao e mulimuli atu i
e ua totoe o sa Amilikī, ina ia
iloa e ia o latou manatu ma a
latou taupulepulega, ina ia leo-
leonina o ia lava ma faasaoina e
ia lona nuu, ina ia le faaumatia.
22. O lenei, ua igoa e na aauina
atu e ia e tilotilo atu i le toaga-
lauapi o sa Amilikī ia Serama,
ma Aminoa, ma Maneti, atoa ma
Limea; o i latou nei na o atu ma
o latou tagata e tilotilo i le toa-
galauapi o sa Amilikī.
23. O le aso a taeao foi ua oo
ina latou toe foi mai i le toaga-
lauapi o sa Nifaē, ua teletele'a'i
mai lava, ua taufaiofo lava, auā
ua taia i le mata'utuia, ma ua
fai mai:
24. Faauta, na matou mulimuli
atu i le toagalauapi o sa Amilikī,
ma ua segia o matou mauli, auā
o le nuu o Minona, i ona luga ae
o le nuu o Sara'emila, i le ala i
le nuu o Nifae na matou iloa ai
le au e matua toatele lava a sa
Lamanā, faauta foi, ua faatasi
atu sa Amilikī ia te i latou.
25. Ma ua oo mai i latou i o
tatou uso i lena nuu, o loo sosola
foi i latou i o latou luma ma a la-
tou lafu, ma a latou avā, ma a
latou fanau, ua aga'i mai i lo ta-
tou aai; a tatou le telelise, e
maua e i latou lo tatou aai, e fa-
sia foi o tatou tamā, ma a tatou
avā, ma a tatou fanau.
26. Ma ua oo ina ave e le nuu
o Nifae ō latou fale ie ma te'a
ese ai le vanu o Kiteona, ua aga'i
atu i lo latou aai, o le aai lea o
Sara'emila.
27. Faauta foi, ina o latou so-
sopo i le vaitafe o Saitonu, ua oo
mai sa Lamanā ma sa Amilikī e
peiseai e tusa ma le oneone o le
sami, ua o mai e faaumatia i la-
tou.
28. A e ui i lea, ona ua faa-
malosia sa Nifaē e le Atua, ina
ua matua tatalo i latou ia te ia
ia laveaiina i latou ai lima o ē
ita ia te i latou, o le mea lea na
faafofogaina ai e le Atua a latou
tagi ma na faamalolosia i latou,
ua pāuu ai sa Lamanā ma sa
Amilikī i o latou luma.
29. Ua oo foi ina tau Alema
ma Amiliki i le pelu, ua faafesa-
gai lava; ma ua la fefinauai ma
le malosi tele.
30. O Alema o le tagata o le
Atua, ma ua faatuatua tele, o le
mea lea na oo ai ina tagi o ia,
ua faapea atu: Le Atua e, ia e
alofa ma faasaoina lo'u ola, ina

ia faia a'u mou tufugāaao e faaola a'i ma faatumau lenei nuu.

31. O lenei, ina ua fai atu e Alema nei upu, ua la toe finau ma Amiliki, ma ua faamalosia o ia, ua iu lava ina fasitoti o ia ia Amiliki i le pelu.

32. Ua la finau foi ma le tupu o sa Lamanā, a ua sola ese le tupu o sa Lamanā i luma o Alema, ma ua auina mai ana leoleo e finau ma Alema.

33. A e peitai, ua finau Alema ma ana leoleo ma leoleo a le tupu o sa Lamanā ina seia fasia ma tulieseina i latou e ia.

34. Ma ua faapea ona ia tafi mamā ai le fanua, c le auvai lea i le itu i sisifo o le vaitafe o Saitonu, ua lafoina tino o sa Lamanā ua fasia i le vai o Saitonu, ina ia avanoa se mea e sopo atu ai lona nuu e finau ai ma sa Lamanā ma sa Amilikī i le itu sisifo o le vaitafe o Saitonu.

35. Ua oo foi ina ua latou sosopo atu uma i le vaitafe o Saitonu, ua amata ona sosola sa Lamanā ma sa Amilikī i o latou luma, a e ui i lea, ua faapea ona toatele i latou ua le mafaitaulia.

36. Ma ua latou sosola i luma o sa Nifaē, ua aga'i atu i le vao i le itu i sisifo ma le itu i matu, e mamao atu i tala atu o tuaoi o le nuu, ma ua tuliloa sa Nifaē ia te i latou ma lo latou malosi, ma ua fafasi ia te i latou.

37. Ioe, ua faafetaiaiina i latou i itu uma, ma ua fasia ma tulia ina seia faataapeapesoloina i le itu i sisifo ma le itu i matu, ina seia oo atu i latou i le vao ua ta'ua o Heamouneta, o i ai i lea ituvao manu vao ma manu feai.

38. Ma ua oo ina oti nisi e toatele i le vao ona ō latou manu'a, ma ua 'aina e na manu feai atoa ma taie o le vanimonimo, ua maua foi o latou ivi, ma ua faafaula'ia i le eleele.

MATAUPU 3.

O le fa'ailoga o sa Amilikī, ma le fetu'u i sa Lamanā—O le tasi manumalo o sa Nifaē.

1. Ina ua uma ona tanumia e ua fasia, o lenei, ua le faitauina le aofai o e ua fasia auā ua matua toatele i latou; ina ua latou faauma le tanuga ō latou tagata oti, ua oo ina toe foi mai sa Nifaē, o i latou uma o e na le fasia i le auupega o le taua, ma ua toe o atu i latou i o latou fanua, ma o latou fale, ma a latou avā, ma a latou fanau.

2. O lenei, ua toatele fafine ma tamaiti na fasia i le pelu, ua faapea foi a latou lafu ma a latou fagaga e tele; ma ua faaumatia foi o latou tosaito e tele, auā ua solia e le vao tagata.

3. O lenei foi, ua lafoina i le vai o Saitonu sa Lamanā ma sa Amilikī uma na fasia i auvai o le vaitafe o Saitonu; faauta foi, ua i ai o latou ivi i mea loloto o le moana, ma ua toatele i latou.

4. Ua faailogaina sa Amilikī ai sa Nifaē, auā na latou faailogaina i latou lava i le faailoga mūmū i o latou muaulu, e tusa ma le tu a sa Lamanā; a e ui i lea, ua latou le tafia o latou ulu e pei o sa Lamanā.

5. O lenei, ua tafia ulu o sa Lamanā, ma ua le lavalavā i latou, ua na o le pa'u manu ua fusia i o latou sulugatiti, ma o latou ofu tau ua fusia i o latou tino, ma a latou aufana, ma a latou u fanafana, ma a latou maa, ma a latou maatā, ma mea uma faapea.

6. Ua faauliuli foi pa'u o sa Lamanā e tusa ma le faailoga na tuuina i o latou tamā, o le fetuu lea ia te i latou ona o la latou solitulafono ma lo latou fouvale i o latou uso, o Nifae, ma Iakopo,

ma Iosefa, ma Sama; o tagata paia ma le amiotonu i latou.

7. Ma ua sailiili o latou uso e faaumatia i latou, o le mea lea na fetuuina ai i latou, ma ua tuuina e le Alii le Atua le faailoga ia te i latou, ioe, ia Lamana, ma Lemuelu, atoa ma atalii o Isamaeli, ma fafine o sa Isamaelī.

8. Ua faia foi lenei mea ina ia faailogaina a latou fanau ai fanau a o latou uso, ina ia faatumauina e le Alii le Atua lona nuu, ina ia latou le felotoiai ma talitonu i uputuu sese e ala mai ai lo latou faafanoga.

9. Ua oo foi, ai sē fai avā pe nofotane i sa Lamanā, ua faapaū e ia lea lava fetuu i ana fanau.

10. O lea, ai se tasi ua tuu atu o ia lava ia ta'ita'ieseina e sa Lamanā, ua ta'ua ai o ia i lea lava igoa, ma ua tuuina atu le faailoga ia te ia.

11. O i latou uma foi ua le talitonu i uputuu a sa Lamanā, a ua talitonu i tusi na aumaia ai le nuu o Ierusalema, atoa foi ma uputuu ua tonu a o latou tamā, o e ua talitonu foi i poloaiga a le Atua, ma ua tausi i ai, ua oo ina ta'ua i latou o sa Nifaē, po o le nuu o Nifae e afua i lea lava aso.

12. O i latou nei foi na tausi i tusi tonu a lo latou nuu, atoa foi ma le nuu o sa Lamanā.

13. O lenei, tatou te toe foi i sa Amilikī, auā ua faia foi le faailoga ia te i latou, ioe, na latou tuu le faailoga ia te i latou lava, o le faailoga mūmū i o latou muaulu.

14. Ua faapea foi ona faataunuuina le afioga a le Atua, auā o upu nei na ia fetalai mai ia Nifae: Faauta, ua ou fetuuina sa Lamanā, ou te tuuina atu foi le faailoga ia te i latou, ina ia tuueseeseina i latou ma a latou fanau ma oe ma au fanau, e amata mai nei a e oo atu i le faavavau, sei iloga ua latou salamo i la latou amioleaga ma liliu mai ia te au, ina ia ou alofa atu ia te i latou.

15. Ma lea, ou te tuuina atu le faailoga i lē fai avā pe nofo tane i ou uso, ina ia fetuuina foi i latou.

16. Ma lea foi, ou te tuuina atu le faailoga i lē faasaga tau ia te oe ma au fanau.

17. I le ma lea foi, ou te fai atu, o le te'a ese ia te oe, e le toe ta'ua o ia o lau fanau. Ou te faamanuiaina foi oe atoa ma i latou uma a ta'ua amulī o au fanau e oo i le faavavau. O mea nei na folafolaina mai e le Atua ia Nifae atoa ma ana fanau.

18. O lenei, na le iloa e sa Amilikī ua latou faataunuuina le afioga a le Atua ina ua amata ona latou faailogaina i latou lava i o latou muaulu; a e ui i lea, ua fouvale lava i latou i le Atua, o le mea lea na ao ai ina paū le fetuu i luga ia te i latou.

19. O lenei, o lo'u manao, ia outou iloa na latou faapaū le fetuu i o latou lava luga. Ua faapea foi ona faia e tagata taitasi uma ua fetuuina, ua faapaū i ona lava luga lona lava faasala.

20. O lenei, ua le tele ni aso talu le taua na tau i le laueleele o Sara'emila e sa Lamanā ma sa Amilikī, a ua oo ina sau le tasi au a sa Lamanā i le nuu o Nifae, i lea lava mea na fetaiai ai le au muamua ma sa Amilikī.

21. Ma ua oo ina auina atu le au tau e tulieseina i latou ai le laueleele.

22. O lenei, ona ua tigaina Alema i le manu'a, ua le alu ae ai o ia e tau ma sa Lamanā i lea aso;

23. A ua na auina atu le au tau e matua toatele ia te i latou, ma

ua latou o ae ma fafasi i nisi e toatele o sa Lamanā, ma ua tuli ese o e ua totoe i tala atu o tuaoi o le nuu.

24. Ona latou toe foi mai ai lea, ma ua amata ona faatumau le filemu i le nuu, ona ua le toe faalavelaveina i na ona aso i ē ita ia te i latou.

25. O lenei, na faia nei mea uma, ioe, o nei taua uma ma fefinauaiga, na amataina ma faaiuina i lona lima o tausaga o le nofoaiga a faamasino.

26. O le tausaga lava e tasi na aauina atu ai afe ma mano lava o agaga i le lagi, ina ia latou selesele o latou taui e tusa ma a latou galuega, pe lelei, pe leaga; e selesele ai le fiafia faavavau, po o le malaia faavavau, e tusa ma le agaga na latou tuuina atu ai i latou e usiusitai i ai, po o le Agaga lelei, po o le agaga leaga.

27. Auā e maua e tagata uma taitoatasi le taui mai le na loto o ia ina usiusitai i ai; ua tusa foi lenei ma upu a le agaga o le perofetaga; o le mea lea, ia tusa ai ma le upu moni. Ma ua faapea ona iu lona lima o tausaga o le nofoaiga a faamasino.

MATAUPU 4.

O le faatupuina o le Ekalesia—O le manuia, o le faamaualuga, ma le agasala—Ua avea Nifaea ma faamasino sili.

1. O lenei, ua oo i lona ono o tausaga o le nofoaiga a faamasino i le nuu o Nifae, ina leai ni finauga po o taua i le nuu uma o Sara'emila.

2. A e peitai, ua puapuagatia le nuu, ioe, ua puapuagatia tele lava ona o le maliu ō latou uso, ma le alu vale o a latou lafu ma fagaga, atoa foi ma le alu vale ō latou tosaito na solia ma faaumatia e sa Lamanā.

3. Ma ua faapea ona tele o latou puapuaga, ua i ai i tagata taitasi uma le mea e faanoanoa ai; o lo latou taofi foi, o le faamasinoga a le Atua ua faaooina mai ia te i latou ona o a latou amioleaga ma a latou mea inosia; o le mea lea ua fagua ai i latou i le faamanatua o mea e tatau ona latou faia.

4. Ma ua amata ona latou faatuina atili le ekalesia. Ioe, ua papatisoina foi nisi e toatele i i le vai o Saitonu, ma ua faatasia ma le ekalesia a le Atua; ioe, na papatisoina i latou i le lima o Alema, o le na faauuina i le lima o lona tamā e fai ma faitaulaga sili i le ekalesia.

5. Ma ua oo i lona fitu o tausaga o le nofoaiga a faamasino ina i ai pe toatolu afe ma le lima selau tagata na faatasia e i latou lava ma le ekalesia, ma ua papatisoina ai. Ua faapea foi ona iu lona fitu o tausaga o le nofoaiga a faamasino i le nuu o Nifae, ma ua i ai le filemu e le aunoa i ia ona aso uma.

6. O lona valu o tausaga o le nofoaiga a faamasino na oo ai ina amata ona faamaualuga tagata o le eklesia ona o lo latou oloa matua tele, ma a latou silika lelei, ma a latou lino miloa lelei, ona o le tetele o a latou lafu ma fagaga, ma la latou auro, ma la latou ario, ma mea tāua uiga eseese uma ua latou maua i lo latou toaga i galuega; o nei mea uma foi ua faafefeteina ai i latou i le faamaualuga ō latou loto, auā ua amata ona latou oofu i ofu tautele.

7. O le ala lenei o le tiga tele ia Alema, ioe, ua faapea foi ma nisi o toatele o e na faauuina e Alema e fai ma a'oa'o, ma faitaulaga, ma toeaina i le ekalesia; ioe, ua toatele o i latou ua faanoanoa tele ona o le amioleaga

ua latou iloa ua amata ona i ai i lo latou nuu.
8. Auā ua latou vaaia ma ua iloa ma le faanoanoa tele ua amata ona faafefeteina tagata o latou manatu, ma ua amata ona faamoemoe o latou loto i le oloa ma mea le aoga a le lalolagi; ua amata foi ona latou ‘ino‘ino o le le ekalesia i le faa maualuga ō tasi i le tasi, ma faasaua i e na le faatuatua e tusa ma o latou loto ma manao.
9. Ma ua faapea i lona valu o tausaga o le nofoaiga a faamasino, ua amata ona i ai fefinauaiga e tele i tagata o le ekalesia; ioe, ua i ai le losilosivale, ma finauga, ma le faalotoloto, ma faasauaga, ma le faamaualuga e sili lava i le faamaualuga o e ua le i le ekalesia a le Atua.
10. Ma ua faapea ona iu lona valu o tausaga o le nofoaiga a faamasino; ua fai foi le amioleaga a le ekalesia ma mea e tausuai tele ai o e ua le i le ekalesia; ma ua faapea ona amata ona vaivai le ekalesia i lona alualu i luma.
11. Ua oo foi i le amataga o lona iva o tausaga ina iloa e Alema le amioleaga a le ekalesia, ma ua iloa foi e ia o le faaa‘oa‘o o le ekalesia ua amata ona ta‘ita‘iina ai e ua le talitonu mai le tasi amioletonu i le tasi amioletonu, o lea ua ala mai ai le malaia o le nuu.
12. Ioe, na ia iloa ua matua le tutusa tagata. Ua faafefeteina nisi i lo latou faamaualuga, ua ‘ino‘ino i nisi, ua liliu atu o latou tua i ē matitiva, ma ē le lavalavā, ma ē fia aai, ma ē fia inu, ma ē mama‘i ma puapuagatia.
13. O le ala lenei i auega e tele i le nuu; manū o loo faamaulalo nisi ia te i latou lava, ma tausi i e ua aoga i ai lo latou tausi, e pei o le foaiina atu o a latou mea i ē matitiva, ma ē le tagolima, o loo fafaga i ē fia aai, ua onosai foi i puapuaga uiga eseese uma ona o Keriso, o Lē afio mai e tusa ma le agaga o le perofetaga.
14. O loo faatalitali i lea aso. Ua faapea ona taofia ai le faamagaloina o a latou agasala, ua tutumau ai i le olioli tele ona o le toe tu mai o e ua oti, e tusa ma le finagalo, ma le mana, ma le faaolaina o Iesu Keriso ai noanoaga o le oti.
15. O lenei foi, ua oo ina ua iloa e Alema puapuaga o soo maulalo o le Atua, ma sauaga ua faafaula‘ia i o latou luga e i latou ua totoe o lona nuu, ina ua iloa foi lo latou le tutusa uma, ua amata ona matua faanoanoa o ia; e ui i lea, ua le tuulafoaiina o ia e le Agaga o le Atua.
16. Na ia filifilia le tagata poto i toeaiina o le ekalesia, ma ua tuuina atu ia te ia le pule e tusa ma le filifiliga a le nuu, ina ia ia te ia le pule e fai tulafono e tusa ma tulafono na tuuina mai, ma ia faaoo atu ai e tusa ma le amioleaga ma agasala a le nuu.
17. O le igoa foi o lenei tagata o Nifaea, ua tofia foi o ia e fai ma faamasino sili; ua nofo o ia i le nofoa faamasino e faamasino atu ma pule i le nuu.
18. O lenei, ua le tuuina atu ia te ia e Alema le tofiga o le faitaulaga sili i le ekalesia, a ua taofi pea e ia le tofiga o le faitaulaga sili ia te ia lava; a e peitai, ua ia tuuina atu le nofoa faamasino ia Nifaea.
19. Na ia faia foi lenei mea ina ia alu atu o ia lava i lona nuu, o le nuu lea o Nifae, ina ia talai atu e ia le afioga a le Atua ia te i latou, ia faaosoina i latou e manatua mea e tatau ona latou faia; ina ia lepeti e ia

i le afioga a le Atua le faamaualuga ma le pepelo uma, atoa ma fefinauaiga uma ua i ai i lona nuu, auā ua le iloa se ala ua mafai ai ona ia faaola ia te i latou, sei iloga ua aoai atu ia te i latou i le molimau paia.

20. Ma ua faapea i le amataga o lona iva o tausaga o le nofoaiga a faamasino i le nuu o Nifae, ua tuuina atu e Alema le nofoa faamasino ia Nifaea, ma ua tafatasi lona loto i le faiva paia o le faitaulaga sili i le tofiga mai le Atua, i le molimau i le upu e tusa ma le agaga o le faaaliga ma le perofetaga.

MATAUPU 5.

O upu a Alema, le faitaulaga sili e tusa ma le tofiga paia mai le Atua, na ia talaiina atu i le nuu, i o latou aai ma faoa aai i le laueleele uma.

Ua ia ta'u atu le mea sa tupu i le Ekalesia—Ua ta'uleagaina agasala—Ua vala'au i tagata ia salamo.

1. O lenei, ua oo ina amata ona avatu e Alema le afioga a le Atua i le nuu; ua muamua i le nuu o Sara'emila, ona oo atu lea i le nuu uma lava.

2. O upu nei na ia fai atu i tagata o le ekalesia ua faatuina i le aai o Sara'emila, e pei ona tusia i lana lava tusi, ua faapea atu:

3. O a'u o Alema, sa faauuina e lo'u tamā o Alema e fai ma faitaulaga sili i le ekalesia a le Atua, auā sa ia te ia le pule ma le tofiga mai le Atua e fai nei mea, faauta, ou te fai atu ia te outou, na amata o ia ona faatuina le ekalesia i le nuu ua i ai i tuaoi o Nifae, ioe, o le nuu ua ta'ua o le nuu o Mamona; ioe, na ia papatisoina foi ona uso i le vai o Mamona.

4. Faauta foi, ou te fai atu ia te outou, na laveaiina i latou ai lima o le nuu o le tupu o Noa i le alofa ma le mana o le Atua.

5. Faauta foi, ina ua mavae lea, ua faapologaina i latou i le vao e sa Lamanā; ioe, ou te fai atu ia te outou, sa faapologaina i latou ma ua toe laveaiina i latou ai le nofopologa e le Atua i le mana o lana afioga, ma ua aumaia i matou i lenei nuu, ma ua amata ona matou faatuina le ekalesia a le Atua i lenei nuu.

6. O lenei foi, faauta, ou te fai atu ia te outou, o'u uso e, o outou ua i lenei ekalesia, po ua outou manatua e pei ona tatau ai le faapologaina ō outou tamā? Ioe, po ua outou manatua e pei ona tatau ai lona alofa ma faapalepale pea ia te i latou? Ma lea foi, po ua outou manatua e pei ona tatau ai ua laveaiina e ia o latou agaga ai seoli?

7. Faauta, na ia faaliliuina o latou loto. Ioe, na ia fagua i latou ai le moegase, ma ua latou ala mai ai i la le Atua. Faauta, sa i ai i latou i le pouliuli, e ui i lea, ua faamalamalamagia o latou agaga i le malamalama o le upu faavavau. Ioe, sa fusifusia i latou i noanoaga o le oti ma filifili o seoli; na faatalitali foi le faafanoga faavavau ia te i latou.

8. O lenei foi, ou te fesili atu ia te outou, o'u uso e, pe na faafanoina ea i latou? Faauta, ou te fai atu ia te outou, e leai, ua le faafanoina i latou.

9. Ou te toe fesili atu foi: Po ua motusia ea noanoaga o le oti? ma filifili foi o seoli o loo siomia ai i latou, po ua tatalaina ea? Ou te fai atu ia te outou, ioe, ua tatalaina, ma ua saoloto ai o latou agaga, ma ua latou vivii i le

alofa faaola. Ou te fai atu ia te outou, ua faaolaina i latou.

10. O lenei foi, ou te fesili atu ia te outou, ni a ea galuega ua faaolaina ai i latou? Ioe, po o a foi mea na ia te i latou e faamoemoe ai i le olataga? Po o le a le ala o le tatalaina o i latou ai noanoaga o le oti? ioe, atoa foi ma filifili o seoli?

11. Faauta, ou te mafaia ona ta'u atu ai ia te outou. Na le talitonu ea lo'u tamā o Alema i upu na folafolaina mai i le fofoga o Apinati? E le o le perofeta paia ea o ia? Na le tautala ea o ia i le afioga a le Atua, na talitonu ai foi lo'u tamā?

12. E tusa foi ma lona faatuatua na faaliliuina tele lona loto. Faauta, ou te fai atu ia te outou, ua moni nei mea uma.

13. Faauta foi, na ia talai atu le upu i o outou tamā, na faaliliuina tele o latou loto, na latou faamaulaloina foi i latou lava, ma ua faamoemoe i le Atua moni o loo sofiua. Faauta foi, na tutumau ai i latou e oo i le iuga, o le mea lea na faaolaina ai i latou.

14. O lenei foi, faauta, ou te fai atu ia te outou, o'u uso i le ekalesia, po ua fanauina ea outou faaleagaga i la le Atua? Po ua outou maua ea lona foliga i o outou mata? Po ua outou lagona ea lenei liliu tele i o outou loto?

15. Po ua outou faatuatua ea i le togiola mai Le na faia outou? Pe tou te vaavaai i luma ea ma le mata o le faatuatua ma iloa lenei tino oti ua toe faatuina mai o le tino ola pea, o lenei tino pala foi ua toe faatuina mai i lē le pala lava, e tu i luma o le Atua ia faamasinoina ai e tusa ma galuega na faia i le tino iuvale?

16. Ou te fai atu ia te outou, po ua peiseai ea i o outou loto ua outou lagona le siufofoga o le Atua, o loo fetalai mai ia te outou i lena aso: O mai ia ia te au, o outou ua faamanuiaina, auā faauta, o a outou galuega o galuega ia a le amiotonu i luga o le fogaeleele?

17. Po ua outou manatu ea e mafai ona outou pepelo atu i le Atua i lena aso, ma fai atu: Le Atua e, o a matou galuega sa fai i luga o le fogaeleele, o galuega tonu ia, a e faaolaina ai outou e ia?

18. A le o lea, po ua peiseai ea ua aumaia outou i luma o le nofoa faamasino o le Atua, o loo mafatia o outou agaga i le agasala ma le salamo vale, vale o lo'o i ai le fa'amanatua o a outou agasala uma, ioe, o le faamanatua atoatoa o a outou amioleaga uma, ioe, ma le faamanatua ua outou tuu faamelea poloaiga a le Atua?

19. Ou te fai atu ia te outou, e mafai ea ona outou tepa ae i le Atua i lena aso ma loto mamā ma lima mamā? Ou te fai atu ia te outou, e mafai ea ona outou vāai i luga ma le foliga o le Atua i o outou mata?

20. Ou te fai atu ia te outou, e mafai ea ona outou manatu e faaolaina outou, manū ua outou tuuina atu outou e fai ma ē gauai i le tiapolo?

21. Ou te fai atu ia te outou, tou te iloa i lea aso e le mafai ona faaolaina outou; auā e le mafai ona faaolaina se tagata e toatasi, sei iloga ua faamamāina ona ofu ia sisina; ioe, e ao ina faamamāina ona ofu seia te'a ma le leaga uma i le toto e le na fai mai ai o tatou tamā e afio mai e togiola lona nuu ai a latou agasala.

22. O lenei foi, ou te fesili atu ia te outou, o'u uso e, se a ea o outou manatu, afai tou te laulaututu i luma o le nofoa faamasino o le Atua, o loo pisia o outou ofu i le toto ma mea leaga uiga

eseese uma? Faauta, ni a ea mea e molia ai outou i nei mea?

23. Faauta, e le molia ai ea outou o fasioti tagata outou? ioe, ma ua agasala i amioleaga uiga eseese uma?

24. Faauta, o'u uso e, fa te outou ea e maua e sē faapea se mea e nofo ai i le malo o le Atua faatasi ma Aperaamo, ma Isaako, ma Iakopo, atoa ma perofeta paia uma, o e ua faamamāina o latou ofu, o loo ua leai se ila, a ua mamā ma sisina?

25. Ou te fai atu ia te outou, e leai lava, sei iloga ua outou avea ma pepelo talu le amataga o Le na faia i tatou, pe taofi ua pepelo o ia talu le amataga. Tou te le mafai ona taofi e i ai le mea i le malo o le Atua mo ē faapea, a e peitai, e lafoaiina i latou i fafo, auā o fanau i latou a le malo o le tiapolo.

26. O lenei foi, faauta, ou te fai atu ia te outou, o'u uso e, afai ua oo ia te outou le liliu o le loto, afai foi ua outou lagona le fia pepese i le pese o le alofa faaola; ou te fesili atu, e mafai ea ona outou lagona ai nei?

27. Po ua outou savavali ma le le ponā i luma o le Atua? E mafai ea ona outou fai ifo i o outou loto, pe afai e valaauina outou e oti i le aso nei, ua faamaulalo outou e tusa ona tatau ai? Ua faamamāina ea o outou ofu ma faasinnasinaina i le toto o Keriso, o Lē afio mai e togiola lona nuu ai a latou agasala?

28. Faauta, po ua toeseina ea le faamauluga ai ia te outou? Ou te fai atu ia te outou, afai e leai, ua le saunia outou e fetaiai ma le Atua. Faauta, e ao ina outou sauniuni faavave, auā ua latalata mai le malo o le lagi, e le maua foi e sē faapea le ola faavavau.

29. Faauta, ou te fai atu ia te outou, pe ia te outou se tasi e lei tuueseina le mataua? Ou te fai atu ia te outou, e lei saunia se o faapea. O lo'u manao foi, ia faavave ona sauni o ia, auā ua latalata mai le ituaso, ua le iloa foi o ia pe oo mai afea le aso, auā e le maua ma le le agasala sē faapea.

30. Ou te toe fai atu ia te outou, pe ia te outou ea se tasi ua fai lona uso ma mea e tauemu ai, ma ua faafaulai le sauaga i ona luga.

31. Oi talofa i sē faapea, auā ua le saunia o ia, ua oo mai foi le aso e ao ai ina salamo o ia, a leai, e le mafai ona faaolaina o ia.

32. Ioe, oi talofa ia te outou uma o ē fai amioletonu. Ina salamo ia, ina salamo, auā ua fetalai mai ai le Alii le Atua.

33. Faauta, ua valaau o ia i tagata uma, auā ua faaloaloaina mai ia te i latou aao o le alofa, ma ua fetalai mai o ia: Ina salamo ia, ona ou talia lea outou.

34. Ioe, o loo faapea ona fetalai mai o ia: O mai ia ia te au, ma ia outou aai i le fua o le laau o le ola; ioe, tou te aai ma feinu fua i le areto ma le vai o le ola.

35. Ioe, ina o mai ia ia te au, ma ia fua mai i galuega a le amiotonu, ona le taia i lalo lea outou ma lafoina i le afi.

36. Auā faauta, ua oo mai le aso ua i ai le mea e tagiaue ma faanoanoa ai le ua le fua mai i fua lelei, ma le ua le faia galuega a le amiotonu.

37. E! o outou o ē fai amioletonu e, o outou ua faafefeteina i mea le aoga a le lalolagi; o outou o e na fai mai ua iloa e outou ala o le amiotonu, a ua sese e pei o mamoe ua leai se leoleo mamoe,

manū ua valaau atu le leoleo mamoe ia te outou, o loo valaau atu pea foi ia te outou, a ua le mafafai ona outou faalogologo i lona leo.

38. Faauta, ou te fai atu ia te outou, o loo valaau le Leoleo Mamoe lelei ia te outou; o lona lava suafa foi ua ia valaauina ai outou, o le suafa lea o Keriso; afai foi tou te le faalogo i le leo o le Leoleo Mamoe lelei, i le igoa o loo ua valaauina ai outou, faauta, e le ni mamoe outou a le Leoleo Mamoe lelei.

39. O lenei foi, afai e le ni mamoe outou a le Leoleo Mamoe lelei, po o se fea lafu ua i ai outou? Faauta, ou te fai atu ia te outou, o le tiapolo o lo outou leoleo mamoe lea, o i lana lafu foi outou; o lenei, po o ai e mafai ona faafitia lenei mea? Faauta, ou te fai atu ia te outou, o lē faafitia lenei mea, o le pepelo ia, o le fanau foi a le tiapolo.

40. Auā ou te fai atu ia te outou, e mai le Atua mea lelei uma, a e mai le tiapolo mea leaga uma.

41. O lenei, a fua mai le tagata i galuega lelei, ua faalogo o ia i le leo o le Leoleo Mamoe lelei, ma ua mulimuli atu o ia ia te ia. A o le ua fua mai i galuega leaga, ua avea o ia ma fanau a le tiapolo, auā ua faalogo o ia i lona leo ma ua mulimuli atu ia te ia.

42. Ai sē faia lenei mea, e maua lava e ia lona taui mai ia te ia, o le mea lea e maua ai e fai mona taui le oti i mea e uiga i le amiotonu, auā ua oti o ia i galuega lelei uma.

43. O lenei foi, o'u uso e, o lo'u mana'o ia outou faalogologo mai ia te au, auā ou te tautala atu i le malosi o lo'u agaga, auā faauta, ua ou ta'utino atu ia te outou, ina ia le sese outou; ua ou tautala foi e tusa ma poloaiga a le Atua.

44. Auā ua valaauina a'u e tautala atu faapea e tusa ma le tofiga paia mai le Atua ua ia Keriso Iesu; ua poloaiina a'u e tulai ma molimau atu i lenei nuu i mea na fai mai ai o tatou tamā i mea e oo mai.

45. E le gata foi i lea. Tou te le manatu ea ua iloa nei mea e a'u lava? Faauta, ou te molimau atu ia te outou, ua ou iloa ua moni lava nei mea uma ua ou tautala atu ai. Pe ni a fa outou i le ala ua ou iloa ai ua moni nei mea?

46. Faauta, ou te fai atu ia te outou, ua faaalia mai ai ia te au e le Agaga Paia o le Atua. Faauta, na ou anapogi ma tatalo i aso e tele ina ia ou iloa nei mea mo a'u lava. O lenei foi, ua ou iloa mo a'u lava ua moni, auā ua faaalitinoina ia te au e le Alii le Atua i lona Agaga Paia, o le Agaga foi lea o le faaaliga o loo ua ia te au.

47. Ma lea foi, ou te fai atu ia te outou, ua faapea ona faaalia mai ia te au, ua moni upu na fai mai ai o tatou tamā e tusa ma le agaga o le perofetaga ua ia te au, ua i ai foi i le faaaliga o le Agaga o le Atua.

48. Ou te fai atu ia te outou, ua ou iloa lava a'u, o mea uma ou te fai atu ia te outou i mea e oo mai, ua moni lava ia; ou te fai atu ia te outou, ou te iloa e afio mai Iesu Keriso; ioe, o le Alo e toatasi ua fanauina e le Tamā, ua tumu i le alofa tunoa, ma le alofa, ma le upu moni. Faauta foi, o ia lena e afio mai e aveeseina agasala a le lalolagi, ioe, o agasala a tagata uma o ē tutumau i le faatuatua i lona suafa.

49. O lenei foi, ou te fai atu

ia te outou, o le tofiga lenei ua
valaauina ai a'u, e talai atu i o'u
uso pele, atoa ma tagata uma ua
nonofo i le nuu; ioe, e talai atu
i tagata uma, o ē matutua ma ē
iti, o ē pologa ma ē saoloto; ioe,
ou te fai atu ia te outou, o toe-
aina, atoa ma outou o matuā ta-
gata, i le ma le tupulaga; ioe, e
alaga atu ia te i latou e ao ina
latou salamo ma toe fanauina.
50. Ioe, ua faapea ona fetalai
mai le Agaga: Ina salamo ia ou-
tou tuluiga o le lalolagi, auā ua
latalata mai le malo o le lagi;
ioe, e afio mai le Alo o le Atua
i lona pupula, ma lona malosi, o
lona mamalu, ma lona mana, atoa
ma lana pule. Ioe, o'u uso pele
e, ou te fai atu ia te outou, ua
fetalai mai le Agaga: Faauta i le
mamalu o le Tupu o le lalolagi
uma, o le Tupu foi o le lagi, ua
latalata ona pupula atu i le fa-
nauga uma a tagata!
51. Ua fetalai mai foi le Aga-
ga ia te au, ioe, ua alaga mai ia
te au ma le leo malosi, ua faapea
mai: Ia e alu atu ma fai atu i
lenei nuu, Ina salamo ia, auā a
le salamo outou, e le mafai ona
fai mo outou tofi le malo o le lagi.
52. Ma lea foi, ou te fai atu ia
te outou, ua fetalai mai le Agaga:
Faauta, o loo ua tuu le mătau i
le tafu'e laau, o le mea lea, o laau
uma e le fua mai i fua lelei, e
taia ma lafoina i le afi; ioe, o le
afi e le mafaaumatia, o le afi
lava e le matineia. Faauta, ia
manatua ua fetalaia mai e Lē
Paia.
53. O lenei foi, o'u uso pele e,
ou te fai atu ia te outou, e mafai
ea ona outou teena nei upu? E
mafai ea ona outou tuu ese nei
mea ma soli Lē Paia i lalo o ou-
tou vae? Ioe, e mafai ea ona
faafefeteina outou i le faamau-
aluga ō outou loto? Tou te oofu
pea ea i ofu tautele ma naunau
i o outou loto i mea le aoga a
lenei lalolagi, o outou oloa?
54. Ioe, tou te tutumau ea i le
taofi ua sili outou o le tasi i le
tasi? Tou te tutumau ea i le faa-
saua atu i o outou uso, o e ua
faamaulalo i latou, ma ua sava-
vali i le ala paia o le Atua, ua
aumaia ai i latou i lenei ekalesia,
ma ua faapaiaina ai e le Agaga
Paia, ua latou fua mai ai i ga-
luega e tatau ma le salamo?
55. Ioe, tou te liliu atu pea ea
o outou tua i ē matitiva ma e le
tagolima, ma taofi pea o outou
oloa mai ia te i latou?
56. O le toe upu lenei, o outou
uma o ē tutumau i a outou amio-
leaga, ou te fai atu ia te outou,
o i latou ia e taia i lalo ma la-
foina i le afi, vaganā ona ua latou
salamo loa.
57. O lenei foi, ou te fai atu
ia te outou, o outou uma o ē fia
usiusitai atu i le leo o le Leoleo
Mamoe lelei, o ese ia outou ai ē
amioleaga, ma ia tuueseina ou-
tou, aua ne'i pa'i atu i a latou
mea eleelea. Faauta foi, e tineia
o latou igoa, ina ia le faitauina
igoa o ē amioleaga faatasi ma
igoa o ē amiotonu, ina ia faa-
taunuuina le afioga a le Atua ua
faapea: E le filogia igoa o ē
amio leaga ma igoa o lo'u nuu.
58. Auā e tusia igoa o ē amio-
tonu i le tusi o le ola, ou te avatu
foi ia te i latou le tofi i lo'u itu
taumatau. O lenei foi, o'u uso e,
se a sa outou e finau mai i lenei
mea? Ou te fai atu ia te outou,
afai tou te finau i ai e le afaina
lava ia, auā e ao ina faataunuuina
le afioga a le Atua.
59. Auā po o ai ea se leoleo
mamoe o ia te outou ua ia te ia
mamoe e tele, ua le leoleo ea ia
te i latou ina ia le o mai luko
ma 'aina le lafu? Faauta foi,
afai e sau se luko i lana lafu, ua
le tuli ese ea o ia? Ioe, o le iuga

foi, afai e mafaia, na te fasi ia te ia.

60. O lenei foi, ou te fai atu ia te outou, ua valaau mai le Leoleo Mamoe lelei ia te outou; afai foi tou te faalogo i lona leo, na te aumaia outou i lana lafu, e fai foi outou mana mamoe. Ua ia poloai foi ia te outou, aua tou te tuu i se luko feai e ulu mai e faatasi ma outou, ina ia le faaumatia outou.

61. O lenei foi, o a'u o Alema, ou te poloai atu ia te outou i upu a Le na poloaiina a'u, ia outou manatua ma tausi i upu ua ou fai atu ia te outou.

62. Ou te poloai atu ia te outou o e o i le ekalesia, a ou te valaau atu ia te i latou o e ua le i le ekalesia, ma faapea atu: O mai ia, ma ia papatisoina i le salamo, ina ia outou aai i le fua o le laau o le ola.

MATAUPU 6.

Ua toe faatulagaina le Ekalesia i Sara'emila, ma ua o'o atu i le aai o Kiteona.

1. O lenei foi, ua oo ina ua uma ona tautala atu Alema i tagata o le ekalesia ua faatuina i le aai o Sara'emila, ua ia tofia faitaulaga ma toeaina i le faaee atu o ona lima, e tusa ma le tofiga paia mai le Atua, e pule ma leoleo i le ekalesia.

2. O i latou uma foi na le i le ekalesia, a ua salamo i a latou agasala, ua oo foi ina papatisoina i latou i le salamo ma ua talia i latou i le ekalesia.

3. O i latou uma foi na i le ekalesia, a ua le salamo i a latou amioleaga ma faamaulalo i latou i luma o le Atua—ua ou fai atu o i latou o e ua faafefeteina i le faamaualuga ō latou loto—ua oo ina teena i latou ma ua tineia o latou igoa, ina ia le faitauina o latou igoa faatasi ma igoa o ē amiotonu.

4. Ma ua faapea ona amata ona latou faatuina sauniga a le ekalesia i le aai o Sara'emila.

5. O lenei, o lo'u manao, ia malamalama ia te outou, ua alofa le afioga a le Atua i tagata uma; ua le faafitia se toatasi i le manao e potopoto faatasi i latou e faalogologo i le afioga a le Atua.

6. A e ui i lea, ua poloaiina le fanau a le Atua, ia latou potopoto soo ma faatasi i le anapogi ma le tatalo faatauanau ia faaolaina agaga o e ua le iloa le Atua.

7. O lenei foi, ua oo ina ua faia nei faatonuga e Alema, ua te'a ese o ia ia te i latou, ioe, nai le ekalesia i le aai o Sara'emila, ma ua alu ae o ia i le itu i sasae o le vaitafe o Saitonu, i le vanu o Kiteona, auā ua faia le aai ua ta'ua o le aai o Kiteona, ua i le vanu ua ta'ua o Kiteona, ua faaigoaina i le igoa o le na fasiotia i le pelu i le lima o Ne'oa.

8. Ua alu atu foi Alema, ma ua amata ona talai atu le afioga a le Atua i le ekalesia ua faatuina i le vanu o Kiteona, e tusa ma le faaaliga o le faamaoni o le upu na tautala mai ai ona tamā, e tusa foi ma le agaga o le perofetaga na ia te ia, e tusa ma le mau a Iesu Keriso, le Alo o le Atua, o Lē afio mai e togiola lona nuu ai a latou agasala, e tusa foi ma le tofiga paia ua valaauina ai o ia, ma ua faapea lava ona tusia. Amene.

MATAUPU 7.

O upu a Alema na ia fai atu i le nuu o Kiteona, e tusa ma lana lava tusi.

O lana molimau i le Faaola—Ua ia ta'uleleia tagata ona o la latou amiotonu.

1. Faauta, o'u uso pele e, ona

ua tuuina mai ia te au e sau ia te outou, o le mea lea ou te taumafai ai ona lauga atu ia te outou i la'u lava gagana, ioe, ma lo'u lava gutu; auā o le aso muamua lenei ua ou tautala atu ia te outou i upu a lo'u gutu, auā na taofia pea a'u i le nofoa faamasino, auā sa i ai feau e tele na le mafai ai ona ou sau ia te outou.

2. Ana le tuuina atu le nofoa faamasino i se tasi e sui i la'u pule, po ua le mafai ona ou sau nei. Ua tuuina mai ia te au i le finagalo alofa o le Atua ia ou sau ia te outou.

3. Faauta foi, ua ou sau ma le faamoemoe tele ma le manao ia ou iloa ua outou faamaulaloina outou lava i luma o le Atua, ma ua outou tutumau i le faatoga atu i lona alofa tunoa, ina ia ou maua outou ma le le ponā i ona luma; ina ia ou iloa ua le i ai outou i le puapuaga sa i ai o outou uso i Sara'emila.

4. A ia faamanūina le suafa o le Atua, auā ua ia tuuina mai ia te au ia ou iloa, ioe, auā ua ia foaiina mai ia te au le olioli tele i le iloa lelei ua toe faatuina i latou i le ala o lana amiotonu.

5. Ou te faamoemoe foi, e tusa ma le Agaga o le Atua ua ia te au, ou te maua le fiafia ona o outou, a e ui i lea, ou te le manao ina ia oo mai lo'u olioli ia te outou ona o le puapuaga ma le faanoanoa e tusa ona tele ma lea sa ia te au ona o le au uso i Sara'emila, auā faauta, ua oo mai lo'u olioli ona o i latou ina ua mavae ona savali i puapuaga ma faanoanoaga e tele.

6. A e peitai, faauta, ou te faamoemoe e le o i ai outou i le le faatuatua e pei o outou uso. Ou te faamoemoe ua le faafefeteina outou i le faamaualuga ō outou loto. Ioe, ou te faamoemoe ua le mafuli o outou loto i le oloa ma mea le aoga a lenei lalolagi. Ioe, ou te faamoemoe ua outou le tapuai i tupua, a ua outou tapuai i le Atua moni ma Lē soifua, ma ua outou faamoemoe i le faamagaloina o a outou agasala ma le faatuatua tumau e oo mai ai.

7. Auā faauta, ou te fai atu ia te outou, ua tele mea e oo mai, faauta foi, e i ai le tasi mea e sili i nisi mea uma, auā faauta, ua le mamao le aso e soifua mai ai le Togiola ma afio mai o ia i lona nuu.

8. Faauta, ou te lei fai atu e afio mai o ia ia te i tatou manū o i ai o ia i lona tino faalelalolagi, auā faauta, e lei fetalai mai le Agaga ia te au e faapea; ou te le iloa lea mea; a e peitai, ou te iloa lenei mea, ua i ai i le Alii le Atua e faia mea uma e tusa ma lana afioga.

9. A e peitai, faauta, ua fetalai mai lenei mea ia te au e le Agaga, ua faapea mai: Alaga atu ia i lenei nuu, ia faapea atu, Ina salamo ia outou, ma ia sauniuni le ala o le Atua, ma ia savavaili i ona ala o loo sagatonu. Auā faauta, ua latalata mai le malo o le lagi, e afio mai foi le Alo o le Atua i le lalolagi.

10. Faauta foi, e fanaua o ia e Maria i Ierusalema, o le nuu ō tatou tamā; o ia foi o le taupou, o le ipu filifilia ma le tāua, e faamamaluina ma to o ia i le mana o le Agaga Paia, e fanau mai foi le tama tane, ioe, o le Alo o le Atua.

11. E maliu foi o ia, e onosai i mea tiga, ma puapuaga, ma tofotofoga uiga eseese; e faapea foi ina ia faataunuuina le upu ua faapea mai, na te ave i ona luga puapuaga ma ma'i o lona nuu.

12. Na te ave foi le oti i ona luga, ina ia tatalaina e ia noanoaga o le oti o loo ua noanoatia ai nei lona nuu. Na te ave foi i

ona luga o latou vaivai, ina ia faatumuina lona alo i le alofa e tusa ma le faaletino, ina ia silafia e ia e tusa ma le tino le ala e tausi a'i lona nuu e tusa ma o latou vaivai.

13. O lenei, ua silafia e le Agaga mea uma, a e ui i lea, e tigaina le Alo o le Atua i le tino, ina ia ave i ona luga agasala a lona nuu, ina ia tineia foi a latou solitulafono e tusa ma le mana o lona faaolaina. O lenei foi, faauta, o le mau lea ua ia te au.

14. O lenei, ou te fai atu ia te outou, e ao ina outou salamo ma ia toe fanauina, auā ua fetalai mai le Agaga: Afai e le toe fanauina outou, e le mafai ona fai mo outou tofi le malo o le lagi. O lenei, ina o mai ia, ma ia papatisoina i le salamo, ina ia faamamāina outou ai a outou agasala, ina ia outou faatuatua i le Tamai Mamoe a le Atua, o Lē ave ese agasala a le lalolagi, o Lē malosi e faaola ma faamamā amioletonu uma.

15. Ioe, ou te fai atu ia te outou, o mai ia, aua foi tou te fefefe, ma ia tuu ese agasala uma ua faigofie ona faaseseina ai outou, ua fusifusia ai outou i le malaia. Ioe, o mai ia, ma ia outou o atu ma faaali i lo outou Atua ua outou fia salamo i a outou agasala, ma osi le feagaiga ma ia e tausi i ana poloaiga, ma ia molimau atu ai ia te ia i lenei lava aso i le ō ifo i le vai o le papatisoga.

16. Ai sē faia lenei mea ma tausi i poloaiga a le Atua e amata mai ai, e manatua e ia na ou fai atu, ioe, e manatua e ia na ou fai atu e maua e ia le ola faavavau, e tusa ma le mau a le Agaga Paia o loo molimau ai i totonu ia te au.

17. O lenei foi, o'u uso pele e, tou te talitonu ea i nei mea? Faauta, ou te fai atu ia te outou, ioe, ua ou iloa ua outou talitonu i ai; o le mea foi ou te iloa ai ua outou talitonu, o le faaaliga lea o le Agaga ua i totonu ia te au. O lenei foi, ua tele lo'u olioli, auā ua malosi lo outou faatuatua i lena mea, ioe, i mea ua ou tautala atu ai.

18. Auā e pei ona ou fai atu ia te outou talu le amataga, ua tele lo'u manao ia le i ai outou i le puapuaga e pei o outou uso, ua faapea lava ona ou iloa ai ua faataunuuina o'u manao.

19. Auā ua ou iloa ua i ai outou i ala o le amiotonu; ua ou iloa foi ua i ai outou i le ala e tau atu i le malo o le Atua. Ioe, ua ou iloa ua outou faasa'osa'o ona ala.

20. Ua ou iloa ua faailoaina ia te outou i le mau a lana afioga, e le mafai ona savali o ia i ala pi'opi'o, ua le liliu foi o ia i le mea ua ia fetalaia mai; ua le liliu lava o ia mai le itu taumatau i le itu tauagavale, pe liliu mai le mea tonu i le mea sese; o le mea lea ua le liliu ai lona ala e faavavau.

21. Ua le afio foi o ia i malumalu ua le paia; ua le mafai foi ona talia le leaga, po o se mea ua le mamā i le malo o le Atua; o le mea lea ou te fai atu ai ia te outou, e oo mai le aso, ioe, e oo i le aso gataaga, o le ua eleelea e tumau o ia i lona eleelea.

22. O lenei foi, o'u uso pele e, ua ou fai atu nei mea ia te outou, ina ia ou fagua outou i le manatu i mea e tatau ona outou faia i la le Atua, ina ia outou savavali ma le le ponā i ona luma; ina ia outou savavali e tusa ma le tofiga paia mai le Atua, e tusa ma mea ua outou maua.

23. O lenei foi, o lo'u manao, ia outou faamaulalo, ma ia gauai ma le agamalu, ia ganagofie, ia tutumau i le onosai ma le faapalepale, ia faatatau mea uma, ia fili-

filigā e le aunoa i le tausiga o poloaiga a le Atua, ia faatoga atu foi i mea uma ua matitiva ai outou i le faaleagaga atoa ma le faaletino, ma ia avatu le faafetai e le aunoa i le Atua i mea uma ua outou maua.

24. Ma ia outou galulue, ia ia te outou foi le faatuatua, ma le faamoemoe, ma le alofa, ma ia outou fua mai pea i galuega lelei.

25. Ia alofa foi le Atua ma faamanuia ia te outou, ma faamamā pea o outou ofu, ina ia iu ina aumaia outou e nonofo faatasi ma Aperaamo, ma Isaako, ma Iakopo, ma le au perofeta paia uma na ola mai talu le amataga o le lalolagi, o loo ua mamā o outou ofu e pei ona mamā o latou ofu, i le malo o le lagi e le toe ulufafo ai.

26. O lenei foi, o'u uso pele e, ua ou tautala atu ia te outou i nei upu e tusa ma le Agaga ua molimau i totonu ia te au, ma ua olioli tele lo'u agaga ona o lo outou filifiligā tele ma gauai i a'u upu.

27. O lenei foi, ia i ai le filemu mai le Atua i luga ia te outou, atoa ma o outou fale ma fanua, atoa foi ma a outou lafu ma fagaga, ma mea uma ua ia te outou, ō outou fafine, ma ō outou tamaiti, e tusa ma lo outou faatuatua ma a outou galuega lelei, e amata mai nei, a ia oo i le faavavau, faavavau lava. Ma una faapea lava ona ou fai atu. Amene.

MATAUPU 8.

Ua manuia le tala'iga a Alema i Meleka—Ua tulia o ia e tagata o Amonaea—Ua faamafanafafaina e le agelu, ma ua toe fo'i atu—Ua faatasi o ia ma Amoleka i le talaiga—Ua tuuina atu le mana tele.

1. O lenei, ua oo ina foi mai Alema ai le nuu o Kiteona ina ua uma ona a'oa'oina le nuu o Kiteona i mea e tele e le mafai ona tusia, ina ua faatuina e ia le pule a le ekalesia, e pei ona ia faia i le nuu o Sara'emila. Ioe, ua foi mai o ia i lona lava fale i Sara'emila e mapu ai i ana galuega.

2. Ma ua faapea ona iu lona iva o tausaga o le nofoaiga a faamasino i le nuu o Nifae.

3. Ua oo foi i le amataga o lona sefulu o tausaga o le nofoaiga a faamasino i le nuu o Nifae, ua te'a ese ai Alema ma ua alu malaga i le nuu o Meleka, i le itu i sisifo o le vaitafe o Saitonu, i sisifo, i tuaoi o le vao.

4. Ua amata foi ona a'oa'o atu o ia i tagata o le nuu o Meleka, e tusa ma le tofiga paia mai le Atua ua valaauina ai o ia, ma ua amata ona a'oa'o atu o ia i le nuu uma i le laueleele o Meleka.

5. Ua oo foi ina o mai le nuu ia te ia mai tuaoi uma o le laueleele ua i tafatafa o le vao. Ma ua papatisoina i latou, o le nuu uma lava.

6. O lea ina ua faaiu e ia lana galuega i Meleka, ua te'a ese ai o ia ma ua alu malaga i aso e tolu i le itu i matu o le nuu o Meleka, ma ua oo atu o ia i le aai ua ta'ua o Amonaea.

7. O lenei, o le tu a le nuu o Nifae e faaigoaina o latou nuu ma o latou aai, ma o latou faoa aai, ioe, ma o latou faiaai laiti i le igoa o le na muai mau ai; ua faapea foi ma le nuu o Amonaea.

8. Ma ua oo ina ua taunuu Alema i le nuu o Amonaea, ua amata ona talai atu e ia le afioga a le Atua ia te i latou.

9. O lenei, ua malosi le pule a Satani i loto o tagata o le aai o Amonaea, o le mea lea na le mafafai ai ona latou faalogo i upu a Alema.

10. E ui i lea, ua galue tele Alema i le Agaga, ua finau ma le Atua i le tatalo faatauanau, ina ia liligi ifo e ia lona Agaga i tagata ua i le aai; ina ia tuuina mai foi e ia ia papatiso ia te i latou i le salamo.

11. E ui i lea, ua latou faamaaa o latou loto ma fai mai ia te ia: Faauta, ua matou iloa o oe o Alema, ua matou iloa foi o oe o le faitaulaga sili i le lotu ua e faatuina i itu e tele o le nuu e tusa ma lau uputuu; ua le lotu i matou i lau lotu, ua matou le talitonu foi i uputuu faavalea faapena.

12. O lenei foi, ua matou iloa ona ua le lotu i matou i lau lotu, ua leai sau pule ia te i matou. Ua e tuuina atu foi le nofoa faamasino ia Nifaea, o lea e le se faamasino sili oe ia te i matou.

13. O lenei, ina ua fai mai e le nuu nei upu ma ua teena ana upu uma, ma ua faifai ia te ia, ma taufeanu ia te ia, ma ua lafoaiina o ia i tuapa o lo latou aai, ua te'a ese ai o ia ma alu i lana malaga e aga'i atu i le aai e igoa ia Arona.

14. Ma ua oo ina o malaga atu ai o ia, o loo mafatia i le fa'anoanoa ma 'ua savali i le puapuagā tele ma tiga o lona agaga ona o le amioleaga a tagata o le aai o Amonaea. Ua oo ina o faapea ona mafatia Alema i le faanoanoa, faauta, ua faaalia le agelu a le Atua ia te ia, ma ua fetalai mai:

15. Amuia lava oe, Alema e. O lenei, ina faaea ia lou ulu ma ia olioli, auā ua e tumau i le tausiga o poloaiga a le Atua talu le aso na e maua ai lau poloaiga muamua mai ia te ia. Faauta, o a'u o le na avatu ai ia te oe.

16. Faauta foi, ua auina mai a'u e poloai atu ia te oe, ia e toe foi atu i le aai o Amonaea, ma ia toe talai atu i tagata o le aai; ioe, ia talai atu ia te i latou, ioe, fai atu ia te i latou, a latou le salamo, e faafanoina i latou e le Alii le Atua.

17. Auā faauta, o loo latou tausailiili nei ia latou faaumatia le saolotoga o lou nuu, (auā o loo faapea ona fetalai mai ai le Atua,) ua le tusa foi lea mea i tulafono, ma faamasinoga, ma poloaiga ua ia tuuina mai i lona nuu.

18. O lenei, ua oo ina ua uma ona maua lenei feau mai le agelu a le Atua, ua ia foi atu loa i le nuu o Amonaea. Ua alu atu foi o ia i le aai i le tasi ala, ioe, i le ala ua i le itu i saute o le aai o Amonaea.

19. Ina o alu atu o ia i le aai, ua fia 'ai o ia, ma ua fai atu i le tasi tagata: E te aumai ea sina mea e 'ai i se auauna faamaulalo a le Atua?

20. Ona fai mai lea le tagata ia te ia: O a'u o le sa Nifaē, ua ou iloa foi o oe o le perofeta paia a le Atua, auā o oe o le tagata na fetalai mai ai le agelu i le faaaliga ou te talia. O lenei, sei ta o atu ma a'u i lo'u fale, ou te avatu foi ia te oe nisi o a'u mea e 'ai; ou te iloa e fai oe ma manuia ia te au ma lo'u aiga.

21. Ma ua oo ina talia o ia e le tagata i lona fale. Ua igoa foi le tagata ia Amoleka, ua ia aumaia foi o areto ma mea aano, ua tuu ai i luma o Alema.

22. Ua oo foi ina 'aina le areto e Alema, ma ua maona ai, ua ia faamanuia atu foi ia Amoleka ma lona aiga, ua ia faafetai atu foi i le Atua.

23. Ina ua uma ona 'ai o ia ma ua maona ai, ua fai atu o ia ia Amoleka: O a'u o Alema, o le faitaulaga sili i le ekalesia a le Atua i le nuu uma.

24. Faauta foi, ua valaauina a'u e tala'i atu le afioga a le

Atua i lenei nuu uma, e tusa ma le agaga o le faaaliga ma perofetaga. Sa ou i lenei nuu, a ua le mafafai i latou ona talia a'u, ua latou lafoina atu foi a'u i tuapa, sa fai a ou liliu mai lo'u tua i lenei nuu e oo i le faavavau.

25. A e peitai, faauta, ua poloaiina a'u, ia ou toe liliu mai ma vavalo atu i lenei nuu, ioe, ma molimau atu ia te i latou ona o a latou amioletonu.

26. O lenei foi, Amoleka e, ona ua e fagaina a'u ma talia mai a'u, ua faamanuiaina ai oe, auā sa ou fia 'ai, auā foi na ou anapogi i aso e tele.

27. Ua nofo Alema faatasi ma Amoleka i aso e tele a e lei amata ona talai atu o ia i le nuu.

28. Ua oo foi ina saga leaga atili le nuu i a latou amioletonu.

29. Ma ua oo mai le upu ia Alema, ua faapea mai: Ina alu ia, ia e fai atu i la'u auauna o Amoleka, ia alu atu ma vavalo i lenei nuu, ia faapea atu, Ina salamo ia outou, auā o loo faapea ona fetalai mai le Atua, afai tou te le salamo, ou te asiasi atu i lenei nuu i lo'u ita, ioe ou te le liliu ese foi lo'u ita tele.

30. Ua alu atu foi Alema atoa ma Amoleka i le nuu e talai atu ai le afioga a le Atua ia te i latou, ua tutumu foi i laua i le Agaga Paia.

31. Ua foaiina mai foi ia te i laua le mana ua le mafai ai ona taofia i laua i falepuipui, ua le mafai foi ona fasiotia i laua e tagata, a e ui i lea, ua la le faaaogaina lo laua mana seia oo ina saisaitia i laua i maea ma lafoina i le falepuipui. O lenei, ua faia lenei mea ina ia faaali atu ai e le Atua lona mana ua ia te i laua.

32. Ma ua oo ina o atu i laua, ma ua amata ona talai atu ma vavalo atu i le nuu e tusa ma le Agaga ma le mana ua foaiina mai ia te i laua e le Atua.

O upu a Alema atoa ma upu a Amoleka na talaiina atu i tagata o le nuu o Amonaea. O le tasi foi, ua lafoina i laua i le falepuipui ma ua laveaiina i le mana ofoofogia o le Atua sa ia te i laua, e pei ona tusia i le tusi a Alema.

(E aofia ai mataupu 7 e oo i le 14)

MATAUPU 9.

Ua tala'i atu Alema i tagata o Amonaea ma valaau ia i latou ia salamo—Ua teena lana molimau.

1. O lenei foi, o a'u o Alema, ua poloaiina e le Atua ia ou ave ia Amoleka ma alu atu ma toe talai atu i lenei nuu, o le nuu lea i le aai o Amonaea, ua oo ina ua amata ona ou talai atu ia te i latou, ua amata ona latou finau mai ia te au, ua faapea mai:

2. O ai ea oe? Fa te oe ea matou te talitonu i le mau a le tagata e toatasi, e ui ina talai mai o ia ia te i matou e mavae atu le lalolagi?

3. O lenei, ua le malamalama ia te i latou upu na latou tautala a'i, auā na le iloa e i latou e mavae atu lava le lalolagi.

4. Ua fai mai foi i latou: Matou te le talitonu i au upu, e ui lava ina e vavalo mai e faaumatia lenei aai tele i le aso e tasi.

5. O lenei, na latou le iloa ua mafaia e le Atua galuega ofoofogia faapea, auā o i latou o le nuu loto maaa ma le ūa mălōlō.

6. Ua fai mai foi i latou: O ai ea le Atua ua ia le aauina mai i lenei nuu se pule e sili i le tagata e toatasi e talai mai le upu moni i mea tetele ma le ofoofogia faapea?

7. Ma ua latou tutulai mai e

taufetagofi mai o latou lima ia te au; a e peitai, ua latou le faia. Ua ou tulai ma le faamalosi e talai atu ia te i latou. Sa ou molimau malosi lava ia te i latou, ua faapea atu:

8. Faauta, o outou na le tupulaga amioleaga ma le faapiopio, pe faapefea ona galo ia te outou le uputuu a o outou tamā? ioe, ua matua vave ona galo ia te outou poloaiga a le Atua.

9. Tou te le manatua ea na aumaia lo tatou tamā o Liae ai Ierusalema e le aao o le Atua? Tou te le manatua ea na ia ta'ita'iina i latou uma i le vao?

10. Ua faapea ea ona vave galo ia te outou o aso e tele na ia laveai ai o tatou tamā ai lima o e na ita ia te i latou, ma na faasaoina i latou ai le faafanoga i lima ō latou lava uso?

11. Ioe, ana le se anoa foi lona mana e le mafaatusaina, ma lona alofa, ma lona faapalepale pea mai ia te i tatou, po ua vavaeeseina i tatou ma le le 'alofia ai le fogaeleele, a o mamao i lumanai nei ona aso; e le iloga foi po ua le tuuina atu ai foi i le malaia ma le puapuaga e leai sona iuga.

12. Faauta, ou te fai atu nei ia te outou, ua poloai atu o ia ia te outou ia salamo; a outou le salamo, e le mafai lava ona fai mo outou tofi le malo o le lagi. A e peitai, faauta, e le gata i lea, a ua ia poloaiina outou ia salamo, a leai na te matua faaumatia outou ai le fogaeleele; ioe, na te asiasi atu ia te outou i lona toasa, o lona toasa aasa foi na te le liliu ese ai.

13. Faauta, tou te le manatua ea upu na ia fetalai mai ia Liae, ua faapea mai: Afai tou te tausi i a'u poloaiga e manuia outou i le nuu? Ma lea foi ua fetalaia mai: Afai tou te le tausi i a'u poloaiga e vavaeeseina outou i luma o le Atua.

14. O lenei, o lo'u manao, ia outou manatua ona ua le tausia e sa Lamanā poloaiga a le Atua, ua vavaeeseina i latou i luma o le Atua. O lenei, ua tatou iloa ua faataunuuina le afioga a le Atua i lenei mea, ma ua vavaeeseina sa Lamanā i ona luma talu le amataga o a latou solitulafono i le nuu.

15. A e ui i lea, ou te fai atu ia te outou, e sili ona lelei ia te i latou ai outou i le aso faamasino, afai tou te tutumau i a outou agasala. Ioe, e sili ona lelei ia te i latou ai outou i lenei olaga, afai tou te le salamo.

16. Auā ua tele mea ua folafolaina i sa Lamanā, auā o uputuu a o latou tamā ua ala ai ina latou tutumau i lo latou pouliuli, o le mea lea e alofa ai le Atua ia te i latou ma tului atu o latou olaga i le nuu.

17. E i ai foi le aso e aumaia i latou e talitonu i ana afioga ma iloa ai le le tonu o uputuu a o latou tamā, e faaolaina foi nisi e toatele o i latou, auā e alofa le Atua ia te i latou uma o ē valaau atu i lona suafa.

18. A e peitai, faauta, ou te fai atu ia te outou, afai tou te tutumau i a outou amioleaga, e le tuluia o outou aso i le nuu, auā e auina mai sa Lamanā ia te outou, afai foi tou te le salamo, e o mai i latou i le aso tou te le iloa ai; e asiasia foi outou ma le faafanoga atoatoa, e faia foi e tusa ma le toasa aasa o le Atua.

19. Auā na te le tuu ia te outou ia outou ola i a outou amioletonu e faaumatia ai lona nuu. Ou te fai atu ia te outou, e leai, e sili ia te ia ona tuu atu ia faaumatia e sa Lamanā lona nuu uma o e ua ta'ua o le nuu o Nifae, ana mafai ona latou pāuu i agasala

ma solitulafono, ina ua uma ona foaiina mai ia te i latou e le Alii lo latou Atua le malamalama e faapea ona tele atoa ma le poto tele.

20. Ioe, ina ua faia i latou ma nuu ua faapea ona alofagia e sili i atunuu ese uma, ma ituaiga, ma gagana eseese, ma nuu; ina ua faaalia foi ia te i latou mea uma e tusa ma o latou manao, ma lo latou faatuatua, atoa ma a latou tatalo i mea sa i ai, ma mea o i ai nei, atoa ma mea e oo mai atalī;

21. Ua asiasia e le Agaga o le Atua, ma ua fetautalatalai ma agelu, ua tūlei mai foi le siufofoga o le Atua ia te i latou; ua i ai foi ia te i latou le agaga o le perofetaga ma le agaga o le faaaliga, atoa ma mea alofa uiga eseese—o le mea alofa o le tautala i gagana ese, ma le mea alofa o le tala'i, ma le mea alofa o le Agaga Paia, atoa ma le faamatalaina o gagana ese.

22. Ioe, ua laveaiina e le Atua ai le nuu o Ierusalema, i le aao o le Atua, ua laveaiina foi ai le oge, ma le faamai, ma ma'i uiga eseese uma, ma ua faamalolosia i latou i le taua ina ia le faaumatia i latou, ua laveaiina soo i latou ai le nofopologa, ma ua tausia ma faasaoina e oo mai lava i nei ona po, ma ua faamanuiaina i latou seia oo ina tamāoaiga i latou i mea eseese uma.

23. O lenei foi, faauta, ou te fai atu ia te outou, afai e solitulafono lenei nuu o e ua maua manuia e faapea ona tele mai le aao o le Atua, e te'a ese ai le malamalama ma le poto ia te i latou. Ou te fai atu ia te outou, afai e oo ina faapea, afai e pāuu i latou i le solitulafono, ona matua sili lava lea ona lelei i sa Lamanā ai i latou.

24. Auā faauta, e oo atu i sa Lamanā folafolaga a le Atua, a e le i ai ia te outou pe afai tou te solitulafono. E lei faaalitinoina ea e le Atua ma poloaiina foi e ia, afai tou te fouvale ia te ia, e matua faaumatia outou ai le fogaeleele?

25. O lenei foi, ona o lenei mea, ina ia le faaumatia outou ua auina mai e le Atua lana agelu e asiasi i nisi e toatele o lona nuu, ua ta'utino mai ia te i latou e ao ina latou o atu ma alalaga atu ma le leo tele i lenei nuu, ia faapea atu: Ina salamo ia outou, auā ua latalata mai le malo o le lagi.

26. E le tele foi ni aso o lumanai, e afio mai ai le Alo o le Atua i lona mamalu tele, o lona mamalu foi o le mamalu lea o le toatasi ua fanauina e le Tamā, o loo tumu i le alofa tunoa, ma le faamasinoga tonu, ma le upu moni; o loo tumu i le onosai, ma le alofa, ma le faapalepale pea; e telelise e faafofoga i tagi a lona nuu ma talia a latou talosaga.

27. Faauta foi, e afio mai o ia e togiola ia te i latou o ē papatisoina i le salamo ona o le faatuatua i lona suafa.

28. O le mea lea ia outou sauniuni ai le ala o le Atua, auā ua oo mai le aso e selesele ai e tagata uma le taui i a latou galuega e tusa ma mea na faia e i latou; afai na amiotonu i latou, latou te selesele ai le faaolaina ō latou agaga, e tusa ma le mana ma le faaolaina o Iesu Keriso; afai foi na amioleaga i latou, latou te selesele ai le faasalaina ō latou agaga, e tusa ma le mana ma le faatagataotauaina o le tiapolo.

29. O lenei, faauta, o le leo lenei o le agelu ua alaga atu i le nuu.

30. O lenei foi, o'u uso pele e, auā o o'u uso outou ma ua tatau ona faapelepeleina outou, e tatau foi ona outou fua mai i galuega

e tatau ma le salamo, auā ua matua faamaaaina o outou loto i le afioga a le Atua, auā foi o outou o le nuu ua sē ma ua paū.

31. O lenei foi, ua oo ina ua fai atu nei upu e a'u, o Alema, faauta, ua ita le nuu ia te au, auā na ou fai atu ia te i latou, o i latou o le nuu loto maaa ma le ūa mălolo.

32. Ma lea foi, auā na ou fai atu ia te i latou, o i latou o le nuu ua sē ma ua paū, ua ita ai i latou ia te au, ma ua sailiili e fetagofi mai o latou lima ia te au, ina ia latou tuuina atu a'u i le falepuipui.

33. A ua oo ina le tuuina atu e le Atua ia latou pueina a'u i lena aso ma tuuina atu a'u i le falepuipui.

34. Ua oo foi ina alu atu Amoleka ma ua tulai, ua amata foi ona lauga atu o ia ia te i latou. O lenei foi, ua le tusia upu uma a Amoleka, a e ui i lea, ua tusia nisi o ana upu i lenei tusi.

MATAUPU 10.

O le gafa o Amoleka—O Liae e tupuga mai ia Iosefa e ui mai ia Manase—Ua ta'u atu e Amoleka lona liliu mai—O lana molimau—Ua ta'u e ia le amioletonu o loia ma faamasiono—O Seseroma.

1. O upu nei na lauga atu ai Amoleka i tagata o le nuu o Amonaea, ua faapea atu:

2. O a'u o Amoleka, o le atalii o Kitona, le atalii o Isamaeli, o lo le gafa o Aminati; o lea lava Aminati foi na faamatalaina le tusiga sa i le pa o le malumalu, na tusia foi e le aao o le Atua.

3. O Aminati o lo le gafa o Nifae, o le atalii o Liae, o le na sau mai le nuu o Ierusalema, o lo le gafa foi o Manase le atalii o Iosefa, o le na faatauina atu i Aikupito e ona uso.

4. Faauta foi, o a'u o le tagata e le ta'ufaatauvaaina e i latou uma ua iloa a'u; ioe, faauta, ua tele o'u aiga ma uō, ma ua ou maua le oloa matua tele i lo'u filifiligā.

5. E ui i nei mea, ua le tele mea na ou iloa i ala o le Atua, ma ana mea lilo, ma lona mana ofoofogia. Sa ou fai atu ua le tele mea na ou iloa i nei mea, a e faauta, na ou sese, auā ua tele mea ua ou vaaia i ana mea lilo ma lona mana ofoofogia, ioe, i le faasaoina o ola o lona nuu.

6. A e ui i lea, sa ou faamaaa lo'u loto, auā ua atulasi ona valaauina a'u, a ua ou le faalogo; o lea sa ou iloa ai nei mea, a ua ou loto ina le iloa; o le mea lea sa ou tumau ai i le fouvale i le Atua i le leaga o lo'u loto, e oo i lona fa o aso o lenei lona fitu o masina, i lona sefulu o tausaga o le nofoaiga a faamasino.

7. Ina o a'u malaga atu e asiasi i le tasi o lo'u aiga pele, faauta, ua faaalia mai le agelu a le Atua ia te au, ma ua fetalai mai: Amoleka e, foi atu ia i lou lava fale, auā e te fafagaina le perofeta a le Atua; ioe, o le tagata paia, o ia foi o le tagata ua filifilia e le Atua, auā ua anapogi o ia i aso e tele ona o agasala a lenei nuu, ma ua fia 'ai o ia; e te talia foi o ia i lou fale ma fafagaina o ia. Na te faamanuiaina foi oe ma lou aiga, e oo atu foi ia te oe ma lou aiga le manuia mai le Atua.

8. Ma ua oo ina ou usiusitai i le leo o le agelu, ma ua ou toe aga'i atu i lo'u fale. Ina o a'u alu atu, na ou maua le tagata na fetalai mai ai le Atua ou te talia i lo'u fale. O ia o lenei lava tagata, o le na tautala atu ia te outou i mea a le Atua.

9. Ua fetalai mai foi le agelu

ia te au: O ia o le tagata paia. O le mea lea ou te iloa ai o ia o le tagata paia, auā ua fetalai mai ai le agelu a le Atua.

10. Ma lea foi, ua ou iloa ua moni lava mea ua ia molimau atu ai, auā faauta, ou te fai atu ia te outou, o soifua le Atua, ua auina mai e ia lana agelu e faailoa mai nei mea ia te au. Ua ia faia foi lenei mea a o nofo Alema i lo'u fale.

11. Auā faauta, ua ia faamanuiaina lo'u aiga; ua ia faamanuiaina foi a'u nei, ma o'u fafine, ma a'u fanau, ma lo'u tamā, atoa ma o'u aiga; ioe, ua faamanuiaina o'u aiga, ma ua oo mai le manuia o le Atua ia te i matou, e tusa ma upu ua fai mai ai o ia.

12. O lenei foi, ina ua fai atu nei upu e Amoleka, ua amata ona taufaiofo ai le nuu, auā ua iloa ua le na o le toatasi ua molimau atu i mea ua molia ai i latou, atoa foi ma mea e oo mai, e tusa ma le agaga o le perofetaga sa ia te i laua;

13. A e ui i lea, ua i ai nisi ia te i latou o e na manatu e fesili ia te i laua, ina ia latou taumaileia ai i laua i a latou togafiti popoto i a laua upu, ina ia latou maua ai se mea e molia ai i laua. ina ia latou tuuina atu i laua i faamasino ia faamasinoina e tusa ma le tulafono, ina ia latou fasiotia i laua, pe lafoina i laua i le falepuipui, e tusa ma le agasala ua mafai ona latou faaali, pe molia ai i laua.

14. O lenei, o na tagata o e na saili e faafanoina i laua, o tagata loia ia o e ua tauia ma filifilia e le nuu e faamatala a latou tulafono i luma o faamasino i suega ma faamasinoga i agasala a le nuu.

15. O lenei, ua a'oa'oina nei loia i galuega ma le poto uma o le nuu. Ua faia foi lenei mea ina ia atamamai i latou i lo latou faiva.

16. Ua oo foi ina amata ona latou fesili ia Amoleka, ina ia latou iloa pe faafiti e ia ana upu, pe faafiti i upu na ia tautala atu ai.

17. O lenei, na le iloa e i latou ua mafaia Amoleka ona iloa a latou togafiti. A ua oo ina ua amata ona latou fesili ia te ia, ua ia iloa o latou manatu, ma ua fai atu o ia ia te i latou: O outou na le tupulaga amioleaga ma le faapiopio, o outou loia ma tagata pepelo, auā o loo ati ae e outou faavae a le tiapolo, auā o loo outou faia togafiti ma mailei e pupue ai tagata paia o le Atua.

18. O loo sauniuni e outou togafiti e faapiopio ai ala o ē amiotonu, ma faatotō ifo foi le toasa o le Atua i luga ō outou lava ulu, e iu i le faafanoga atoaatoa o lenei nuu.

19. Ioe, ua moni le upu na fai mai ai Mosaea, lo tatou tupu mulimuli,, ina a tuu atu e ia le malo, ona ua leai se tasi ia te ia e tuuina atu i ai, na ia faia ia pulea lenei nuu i la latou lava filifiliga. Ioe, ua tonu le upu na ia fai mai: Afai e oo mai le aso e filifilia ai le amioletonu i le filifiliga a le nuu, o lona uiga, afai e oo mai le aso e paū ai lenei nuu i le soitulafono, ona tatau lea le faafanoga ia te i latou.

20. O lenei foi, ou te fai atu ia te outou, ua lelei le faamasinoina o a outou amioletonu e le Atua; ua lelei lona valaau mai i lona nuu i le leo o ana agelu: Ia outou salamo, ina salamo ia, auā ua latalata mai le malo o le Atua.

21. Ioe, ua valaau mai lelei o ia i le leo o ana agelu: Ou te alu atu i lo'u nuu ma le amiotonu ma le faamasinoga i o'u lima.

22. Ioe, ou te fai atu ia te outou, ana le se anoa talosaga a tagata amiotonu o ē o i ai i lenei nuu, po ua asiaasia nei lava outou ma le faafanoga atoatoa; a e peitai, e le faia i le lolo, e pei ona faaumatia le nuu i ona po o Noa, a e faia i le oge, ma le faama'i, ma le pelu.

23. A o talosaga a ē amiotonu ua faasaoina ai outou; o lenei, afai tou te tuli ese ia te outou o ē amiotonu, ona le taofi ai lea e le Atua lona aao, a e afio ifo o ia i lona toasa aasa e tau ai ma outou, ona taia lea outou i le oge, ma le faamai, ma le pelu; ua latalata mai foi le aso, pe afai tou te le salamo.

24. O lenei foi, ua oo ina ita atili ai le nuu ia Amoleka, ma ua latou alalaga, ua faapea mai: Ua ta'uleagaina e lenei tagata a tatou tulafono tonu, ma tatou loia popoto ua filifilia e i tatou!

25. A ua faaloaloa atu e Amoleka lona lima, ma ua alaga atu o ia ma le leo e sili ona malosi ai lo latou, ua faapea atu: O outou na le tupulaga amioleaga ma le faapiopio, se a ea le mea ua maua ai e Satani le pule e faapea ona tele i o outou loto? Tou te gauai ia te ia i se a ina ia maua ai e ia le pule ia te outou e faatauaso ai o outou mata, ina ia outou le lagona upu ua ou fai atu e tusa ma le upu moni ua i ai?

26. Auā faauta, po ua ou ta'uleagaina ea la outou tulafono? Ua le malamalama ia te outou. Fai mai a outou ua ou ta'uleagaina la outou tulafono, a e peitai, ou te lei faia, a ua ou ta'uleleia la outou tulafono, e oo lava i lo outou ta'usalaina.

27. O lenei foi, faauta, ou te fai atu ia te outou, ua amata ona outou faavaeina le faafanoga o lenei nuu i le amioletonu ā outou loia ma faamasino.

28. O lenei foi, ua oo ina fai atu nei upu e Amoleka, ona alalaga ai lea le nuu ia te ia, ua faapea ane: Ua tatou iloa nei o le atalii o le tiapolo lenei tagata, auā ua pepelo mai o ia ia te i tatou, auā ua ia ta'uleagaina la tatou tulafono, a o lenei, ua fai mai o ia na te lei ta'uleagaina ai.

29. Ma lea foi, ua ia faifaia a tatou loia ma o tatou faamasino, ma nisi mea faapea.

30. Ma ua oo ina tuu e loia i o latou loto latou te manatua nei mea ia te ia.

31. Na i ai foi le tasi ia te i latou, o lona igoa o Seseroma. O lenei, ua tausolomua o ia e molia Amoleka ma Alema, auā o ia o le tasi o ē ua sili ona atamamai ua ia te i latou, auā ua tele feau ua ia faia i le nuu.

32. O lenei, o le manao o nei loia ia maua le tupe, ua latou maua foi le tupe e tusa ma galuega ua tuuina atu ia te i latou.

MATAUPU 11.

O faamasino ma o latou totogi —O tupe a sa Nifaē ma o latou fuataga—Ua faafememeaiina Seseroma e Amoleka.

1. O lenei, o le tulafono a Mosaea, o tagata uma ua fai ma faamasino i le tulafono, o i latou oē ua tofia e fai ma faamasino ua maua le taui e tusa ma aso ua galulue ai i latou e faamasino i ē ua aumaia i ō latou luma 'ia fa'amasinoina.

2. O lenei, afai ua aitalafu se tagata i se tasi, ma ua le loto ina totogi atu ia te ia le mea na ia aitalafu ai, ua molia o ia i luma o le faamasino, ma ua aauina atu ai leoleo e aumai le tagata i ona luma; ua ia faamasino foi i le tagata e tusa ma le tulafono atoa ma mau ua molia ai o ia, ma ua faapea ona uuna'ia le tagata ia

totogi atu le mea na ia aitalafu ai; a leai, ua faoeseina ona ofu, pe tulieseina o ia ai le nuu e pei o le gaoi ma le fao mea.

3. Ua maua foi e le faamasino lona totogi e tusa ma ona aso, o le senine auro i le aso, po o le senuma ario, ua tusa lea ma le senine auro. Ua tusa foi lenei mea ma le tulafono na tuuina mai.

4. O igoa nei o a latou tupe auro eseese ma la latou ario, e tusa ma o latou tau. Ua faaigoaina foi e sa Nifaē, auā ua latou le faitau e tusa ma le tu a tagata Iutaia i Ierusalema; ua latou le fua foi ni mea e tusa ma le tu a tagata Iutaia, a ua latou liliu la latou faitau ma o latou fua e tusa ma o latou manatu, ma mea ua tutupu i le nuu i tupulaga uma e oo i le nofoaiga a faamasino, ina ua faatuina ai e le tupu o Mosaea.

5. O lenei, ua faapea le faitau: O le senine auro, ma le seone auro, ma le sume auro, ma le limena auro.

6. O le senuma ario, o le aminoa ario, ma le eseroma ario, ma le oneti ario.

7. Ua tusa le senuma ario ma le senine auro; soo se tasi o ia mea e lua e faatau a'i se fuataga o karite, po o se fuataga o saito uiga eseese uma.

8. O lenei, ua tusa le seone auro ma senine e lua;

9. Ua tusa foi le sume auro ma seone e lua;

10. O le limena auro, o le tau lea o ia mea uma.

11. Ua tusa foi le aminoa ario ma senuma e lua;

12. Ma ua tusa le eseroma ario ma senuma e fa;

13. Ua tusa foi le oneti ario ma nei mea uma.

14. O le tau lenei o a latou numera laiti i la latou faitau:

15. O le sipelona, o le vaeluaga lea o le senuma; o lea o le sipelona e faatau a'i le vaeluaga o se fuataga o karite;

16. O le sipelumo o le vaeluaga o le sipelona.

17. O le lea foi o le vaeluaga o le sipelumo.

18. O lo latou faitau aofai lenei e tusa ma la latou faitau.

19. Ua tusa foi le oneti auro ma supelone e tolu.

20. O lenei, ua tasi lava lo latou manatu, ia maua le tupe, auā ua latou maua o latou totogi e tusa ma a latou galuega; o le mea lea na latou faaoso ai le nuu i le ulavale, ma misa uiga eseese, ma amioleaga, ina ia faateleina a latou galuega; ina ia latou maua le tupe e tusa ma suega ua aumaia i o latou luma; o le mea lea na latou faaosoina ai le nuu i le ita ia Alema ma Amoleka.

21. Ua amata foi ona fesili lenei Seseroma ia Amoleka, ua faapea mai: E te tali mai ea i nai fesili ou te fai atu ia te oe? O lenei, o Seseroma o le tagata ua poto i togafiti a le tiapolo ina ia faaumatia e ia mea lelei; o le mea lea na ia fai mai ai ia Amoleka: E te tali mai ea i fesili ou te fai atu ia te oe.

22. Ma ua fai atu Amoleka ia te ia: Ioe, afai ua tusa ma le Agaga o le Atua ua i totonu ia te au; auā ou te le fai atu se mea e tasi ua le tusa ma le Agaga o le Atua. Ua fai mai foi Seseroma ia te ia: Faauta, o iinei oneti ario e ono, ou te avatu foi nei mea uma ia te oe, afai e te faafiti ua i ai Lē soifua e pule aoao.

23. O lenei, ua fai atu Amoleka: O oe na le tama a seoli, se a ea le mea e te tofotofo mai ai ia te au? E te le iloa ea e le gauai o ē amiotonu i tofotofoga faapea?

24. O lou taofi ea e leai se Atua? Ou te fai atu ia te oe, e leai, ua e iloa e i ai le Atua, a ua sili lou alofa i tupe na ai lou alofa ia te ia.

25. O lenei foi, ua e pepelo mai ia te au i luma o le Atua. Na e fai mai ia te au, Faauta i nei oneti e ono, ua tau tele, ou te avatu ai ia te oe; manū ua i lou loto e taofi ai nai ia te au, a ua na o lou manao, ia ou faafitia le Atua moni o loo soifua ina ia e maua se ala e faafano ai a'u. O lenei, faauta, e te maua lou taui i lenei mea leaga tele.

26. Ona fai mai ai lea o Seseroma ia te ia: Ua e fai mai ea e i ai se Atua moni o soifua?

27. Ma ua fai atu Amoleka: Ioe, e i ai le Atua moni o loo soifua.

28. O lenei, ua fai mai Seseroma: Po ua i ai ea Atua e sili i le tasi?

29. Ua tali atu o ia: E leai.

30. Ona toe fai mai ai lea o Seseroma ia te ia: Pe faapefea ona e iloa nei mea?

31. Ma ua fai atu o ia: Ua faaalia mai ai ia te au e le agelu.

32. Ua toe fai mai Seseroma: O ai ea Lē afio mai? O le Alo ea o le Atua?

33. Ona fai atu lea o ia: Ioe.

34. Ma ua toe fai mai Seseroma: E faaola ea e ia lona nuu i a latou agasala? Ona tali atu ai lea o Amoleka ma ua fai atu ia te ia: Ou te fai atu ia te oe, na te le faia, auā e le mafai ona faafitia e ia lana fetalaiga.

35. Ona fai atu ai lea o Seseroma i le nuu: Ia outou manatua nei mea, ua fai mai o ia ua na o le tasi Atua, a ua fai mai foi e afio mai le Alo o le Atua, a e peitai, na te le faaolaina lona nuu, e peiseai ua ia te ia le pule e poloai atu i le Atua.

36. Ona toe fai atu ai lea o Amoleka ia te ia: Faauta, ua e pepelo, auā ua e fai mai na ou tautala e peiseai ua i ai le pule ia te au e poloai atu i le Atua, auā na ou fai atu na te le faaolaina lona nuu ī a latou agasala.

37. Ou te toe fai atu ia te oe, na te le mafai ona faaolaina i latou i a latou agasala; auā ou te le mafai ona faafitia lana fetalaiga; ua fetalai mai foi o ia e le mafai ona fai le malo o le lagi ma tofi o se mea eleelea. O lenei, e mafai faapefea ona faaolaina outou, sei iloga ua fai mo outou tofi le malo o le lagi? O le mea lea e le mafai ai ona faaolaina outou i a outou agasala.

38. O lenei, ua fai mai Seseroma ia te ia: Po o le Alo o le Atua ea le Tamā faavavau lava?

39. Ua fai atu foi Amoleka ia te ia: Ioe, o ia o le Tamā faavavau o le lagi ma le lalolagi ma mea uma o i ai; o ia o le amataga ma le gataaga, o Lē muamua ma Lē mulimuli.

40. E afio mai foi o ia i le lalolagi e togiola lona nuu; na te ave foi i ona luga solitulafono a i latou o ē faatuatua i lona suafa; o i latou ia foi e maua le ola faavavau, e le maua foi le olataga e se tasi ua le faapea.

41. O lea e tumau ai o ē amioleaga e peiseai ua le faia se togiola, a e na ona tatalaina noanoaga o le oti, auā e oo mai le aso e toe tutu ai tagata uma mai e ua oti, ma laulaututu i luma o le Atua ma faamasinoina e tusa ma a latou galuega.

42. O lenei, o i ai le oti ua ta'ua o le oti faaletino, e tatalaina foi i le maliu o Keriso noanoaga o lenei oti faaletino, ina ia toe faatutuina mai tagata uma mai le oti faaletino;

43. E toe faatasia le agaga ma

le tino i lona uiga atoatoa; o ivi atoa ma gaugaivi e toe faatuina i le tino e tatau ai, e pei lava ona i ai nei i tatou; e aumaia foi i tatou e laulaututu i luma o le Atua, o loo iloa e pei ona tatou iloa nei, e i ai foi le manatu pupula i la tatou agasala uma.

44. O lenei, e oo mai lenei toefuataiina i tagata uma, o ē matutua ma ē iti, o ē noanoatia atoa ma ē saoloto, o tane atoa ma fafine, o ē amioleaga atoa ma ē amiotonu; e leai foi se lauulu e tasi ō latou ulu e le iloa, a e toe faatuina mea uma i le tino e tatau ai e pei ona i ai nei i le tino; e aumaia foi e tutu i luma o le nofoa faamasino o Keriso le Alo, ma le Atua le Tama, ma le Agaga Paia, o le Atua faavavau e tasi, ia faamasinoina e tusa ma a latou galuega, pe lelei, pe leaga.

45. O lenei foi, faauta, ua ou tautala atu ia te outou e uiga i le oti o le tino iuvale, atoa ma le toe tu mai o le tino iuvale. Ou te fai atu ia te outou, e toe faatuina mai lenei tino e oti i le tino e le oti lava, o lona uiga mai le oti; mai le uluai oti i le ola, ina ia le mafai ona toe oti; o loo ua toe faatasia o latou agaga ma o latou tino, e le toe vavaeeseina ai; ma ua faapea ona avea ma faaleagaga uma ma le le oti lava, ina ia le toe mafai ona latou iloa le leaga.

46. O lenei, ina ua faaiu e Amoleka nei upu, ua toe amata ona taufaiofo le nuu; ua amata foi ona tetemu Seseroma. Ua faapea foi ona i'u upu a Amoleka, o lona uiga, ua pau mai ai upu ua ou tusia.

MATAUPU 12.

O le molimau a Amoleka ua faamauina e Alema—O le mataupu o le laau o le ola—Ua faamatalaina le ala o le togiola.

1. O lenei, ina ua iloa e Alema ua faalologo Seseroma ona o upu a Amoleka, auā ua ia iloa ua iloa e Amoleka lana pepelo ma faa'ole'olega e faaumatia ai o ia; ina ua iloa foi ua amata ona tetemu o ia i le iloa o ana agasala, ua amata ona tautala atu o ia ma faamaoni a'i upu a Amoleka, ma ua faamatala atu mea maotua, ma folafola atu tusi paia e sili i mea na faia e Amoleka.

2. O lenei, ua faalogoina upu na fai atu e Alema ia Seseroma e tagata ua latalata ane i ai, auā ua toatele le motu o tagata, ma ua faapea ona tautala o ia:

3. O lenei, Seseroma e, ina ua iloaina ua maua oe i au togafiti pepelo, auā e le na o tagata ua e pepelo i ai, a ua e pepelo foi i le Atua; auā faauta, ua silafia e ia ou manatu uma, ua e iloa foi ua faailoaina mai ou manatu ia te i maua e lona Agaga.

4. Ua e vaaia foi ua ma iloa o lau togafiti o le togafiti poto lava i le poto o le tiapolo, e pepelo ai ma faa'ole'ole i lenei nuu, ina ia e faaosoina mai i latou ia te i maua, e faifaia ma tulieseina i maua.

5. O le togafiti lenei a lē ita ia te oe, ma ua faia e ia lana pule ia te oe. O lenei, o lo'u manao, ia e manatua o mea ou te fai atu ia te oe, ou te fai atu ai ia te outou uma.

6. Faauta, ou te fai atu ia te outou, o le matāsele lenei a lē ita ia te outou ua tatao e ia e pue ai lenei nuu, ina ia faatoilaloina outou e ia, ina ia noanoatia outou e ia i ana filifili, ina ia faamauina ifo outou e ia i filifili o le faafanoga e faavavau, e tusa ma le mana o lona faatagataotauaina.

7. O lenei, ina ua fai atu e

Alema nei upu, ua amata ona tetemu atili ai Seseroma, auā ua mautinoa atili ai ia te ia le mana o le Atua; ua mautinoa foi e ia ua iloa lelei lana amio e Alema ma Amoleka, auā ua mautinoa e ia ua iloa e i laua manatu ma mafaufauga o lona loto, auā ua foaiina mai ia te i laua le mana e iloa ai nei mea, e tusa ma le agaga o le perofetaga.

8. Ma ua amata ona filigā Seseroma i fesili ia te i laua, ina ia iloa atili ai e ia le malo o le Atua. Ua fai mai foi o ia ia Alema: O le a ea le uiga o lenei mea na fai mai Amoleka i le toe tu mai o e ua oti? E toe tutu uma ea mai e ua oti, o ē amiotonu atoa ma ē amioleaga, ma aumaia e laulaututu i luma o le Atua ia faamasinoina e tusa ma a latou galuega?

9. O lenei, ua amata e Alema ona faamatala atu nei mea ia te ia, ua faapea atu: Ua tuuina mai i nisi e toatele e iloa mea lilo a le Atua, e ui i lea, ua tuuina mai foi ia te i latou le poloaiga mamalu, latou te le avatu ai, tau lava o le tufaaga o ana afioga ua tofia mai e ia mo le fanauga a tagata, e tusa ma lo latou gauai ma filifiligā ia te ia.

10. O le mea lea e maua ai e le ua faamaaa lona loto o le tufaaga itiiti o le upu; a o le ua le faamaaa lona loto, e avatua ia te ia le tufaaga tele o le upu, seia oo ina tuuina atu ia te ia e iloa mea lilo a le Atua, seia latou iloa le atoatoa.

11. O i latou foi o ē faamaaa o latou loto ua foaiina i ai le tufaaga itiiti o le upu, seia oo ina latou le iloa se mea e tasi i ana mea lilo, ona avea faatagataotaua ai lea e le tiapolo, e ta'ita'iina foi e lona loto e oo i le malaia. O le uiga lea o filifili o seoli.

12. Ua tautala atu Amoleka ma le malamalama i le oti, ma le toe tu mai o lenei tino e oti i le tino e le oti lava, ma le amiga i luma o le nofoa faamasino o le Atua ia faamasinoina ai e tusa ma a tatou galuega.

13. Afai foi ua faamaaaina o tatou loto, ioe, afai ua tatou faamaaaina o tatou loto i le upu, e iu lava ina le mau ai ia te i tatou, ona oo mai lea ia te i tatou le mata'utuia, auā e ta'usalaina i tatou;

14. Auā o a tatou upu e ta'usalaina ai i tatou, ioe, e ta'usalaina i tatou i a tatou galuega uma; e le maua foi i tatou ma le le ponā, a e ta'usalaina i tatou i o tatou manatu. A o faapea ona mata'utuia tele, tatou te le faamalosi e tepa ae i lo tatou Atua; e fiafia foi i tatou afai e faapea e mafai ona tatou poloai atu i maa ma mauga ia pāuu i luga ia te i tatou e natia ai i tatou i ona luma.

15. A e peitai, e le mafai ona faapea, a e ao lava ina tatou o atu ma tutu i ona luma i lona pupula, ma lona mana, o lona malosi foi, ma lona mamalu, ma lana pule, ma ta'utino atu, e oo i lo tatou faamaina e le iu, ua tonu ana faamasinoga uma, ma ua amiotonu o ia i ana galuega uma, ma ua finagalo alofa o ia i le fanauga a tagata, ua ia te ia foi le mana uma e faaola a'i tagata uma o ē faatuatua i lona suafa ma fua mai i galuega e tatau ma le salamo.

16. O lenei foi, faauta, ou te fai atu ia te outou, ona oo mai ai lea le oti, o le oti faalua lea, o le oti lea faaleagaga. O le aso lena, ai sē oti i ana agasala i le oti faaletino, e oti foi o ia i le oti faaleagaga, ioe, e oti o ia i mea e uiga i le amiotonu.

17. Ona oo mai lea le aso e tusa ai o latou tiga ma le tiga i se lepa afi ma le teio, o loo alu

ae lona mumū e faavavau, faavavau lava; o le aso lena e faamauina ai i latou i lalo i filifili o le faafanoga faavavau, e tusa ma le mana ma le faatagataotauaina o Satani, ona ua faatoilaloina i latou e ia e tusa ma lona loto.

18. Ou te fai atu ia te outou, ona i ai lea ia te i latou e peiseai ua le faia se togiola, auā e le mafai ona faaolaina i latou e tusa ma le faamasinoga a le Atua; e le mafai foi ona oti i latou, auā ua le toe i ai se mea leaga.

19. O lenei, ua oo ina ua faaiu e Alema ona tautala atu i nei upu, ua amata ona taufaiofo atili ai lava le nuu.

20. A ua i ai le tasi, o Anetiona, o le faipule sili o ia ia te i latou, ua tulai mai i luma ma ua fai mai ia te ia: O le a ea lenei upu ua e fai mai na, e toe tutu mai tagata mai e ua oti, e liua foi lenei tino e oti i le tino e le oti lava, e le mafai foi ona oti le agaga e faavavau lava?

21. Po o le a ea le uiga o le tusi paia ua faapea mai: Na tofia e le Atua kerupi ma le pelu afi mumū i le itu i sasae o le faatoaga o Etena, ne'i ulu atu i ai o tatou mātua muamua ma aai i le fua o le laau o le ola, ma ola ai e faavavau? Ma ua faapea ona tatou iloa ua leai lava se ala e ola faavavau ai i laua.

22. Ona fai atu lea o Alema ia te ia: O le mea lenei sa faapea o le a ou faamatala atu. O lenei, ua tatou iloa na paū Atamu ina ua 'ai i le fua o le laau na faasaina, e tusa ma le afioga a le Atua, ma ua faapea ona tatou iloa ai o lona paū ua avea ai tagata uma ma nuu ua sē ma ua paū.

23. O lenei, faauta foi, ou te fai atu ia te outou, ana mafai Atamu ona 'ai i le fua o le laau o le ola i lea aso, po ua leai se oti ma ua fai le upu ma mea noa, po ua avea foi le Atua ma pepelo, auā na fetalai mai o ia: Afai e te 'ai ai, e te oti lava.

24. Ma ua tatou iloa ua oo le oti i tagata, ioe, o le oti na tautala ai Amoleka, o le oti lea faaletino; e ui i lea, ua tuuina mai i le tagata aso e salamo ai o ia; o le mea lea ua avea ai lenei olaga ma olaga faata'ita'i, o aso e sauniuni ai e fetaiai ma le Atua, o aso e sauniuni ai i le ola faavavau na talatalaina atu e i maua, e mulimuli ane lea i le toe tu mai o e ua oti.

25. O lenei, ana le se anoa le ala o le togiola ua faia talu le faavaeina o le lalolagi, po ua le mafai ona i ai se toe tu mai o e ua oti; a ua faia le ala o le togiola e oo mai ai le toe tu mai o e ua oti ua uma ona faamatalaina atu.

26. O lenei foi, faauta, ana mafai ona o atu o tatou matua muamua ma aai i le fua o le laau o le ola, po ua malaia i laua e faavavau ona ua leai se olaga faata'ita'i; ana faapea foi, po ua faaleaogaina le ala o le togiola, po ua faia foi le afioga a le Atua ma mea noa, ina ua le aoga.

27. A e peitai, faauta, ua le faapea, a ua tofia i le tagata ia oti o ia; mulimuli ane foi i le oti e o mai i latou i le faamasinoga, o lea lava faamasinoga ua ma talatalaina atu, o le gataaga lea.

28. Ina ua uma ona tofia e le Atua nei mea e oo i tagata, faauta, ua silafia e ia ua tatau ona iloa e tagata mea ua ia tofia ia te i latou.

29. O le mea lea na ia aauina mai ai agelu e tautala ma i latou, o e na faailoa mai i tagata lona mamalu.

30. Ma ua amata i lea lava aso ona latou valaau atu i lona suafa;

o le mea lea na fetalai mai ai le Atua i tagata, ma na faailoa mai ia te i latou le ala o le togiola na saunia talu le faavaeina o le lalolagi, na ia faaali mai foi lenei mea ia te i latou e tusa ma lo latou faatuatua ma salamo, ma a latou galuega paia.
31. O le mea lea na ia tuu mai ai poloaiga i tagata, auā ua latou solia poloaiga muamua i mea faalelalolagi nei, na avea ai i latou e pei o atua, o loo iloa le lelei ma le leaga, ua avea ai ia te i latou lava le faitalia, ioe, ua tuuina mai ia te i latou le faitalia e fai e tusa ma o latou loto ma mana'ona'oga, pe fai le leaga po o le lelei.
32. O le mea lea na aumai ai e le Atua o poloaiga ia te i latou, ina ua uma ona ia faaali ia te i latou le ala o le togiola, ina ia latou le fai le leaga ua fai mona sala le oti faalua, o le oti lea e faavavau i mea e uiga i le amiotonu; auā e leai se pule o le ala o le togiola i ē faapea; auā e le mafai ona faaumatia galuega a le faamasinoga, e tusa ma le agalelei silisiliese o le Atua.
33. A e peitai, na valaau mai le Atua i tagata i le suafa o lona Alo, (o le ala lea o le togiola na faia,) o loo faapea mai: A outou salamo, a e le faamaaa o outou loto, ona ou alofa atu lea ia te outou ona o lo'u atalii e toatasi ua fanauina.
34. O le mea lea, ai sē salamo, a e le faamaaa lona loto, e tatau ai ia te ia le alofa e oo i le faamagaloina o ana agasala ona o lo'u atalii e toatasi ua fanauina; o i latou ia e ulufale mai i lo'u malologa.
35. Ai sē faamaaina lona loto ma fai le amioletonu, faauta, ua ou tauto i lo'u ita, na te le ulufale mai i lo'u malologa.
36. O lenei foi, o'u uso e, ou te fai atu ia te outou, afai tou te faamaaa o outou loto, tou te le ulu atu i le malologa o le Atua. O le mea lea ua faa'ono'ono ai la outou amioletonu ia te ia ina ia faaoo mai e ia lona toasa, e pei o le faa'ono'ono muamua, ioe, e tusa ma lana fetalaiga i le faa'ono'ono mulimuli, e amata mai i lē muamua e oo i le faafanoga e faavavau ō outou agaga, o lea e tusa ai ma lana fetalaiga, i le oti mulimuli atoa ma le oti muamua.
37. O lenei foi, o'u uso e, ina ua tatou iloa nei mea, ma ua moni ia, ia tatou salamo, aua foi le faamaaa o tatou loto, ina ia tatou le faa'ono'ono ai i le Alii lo tatou Atua, e faatotō ifo ai lona toasa i luga ia te i tatou i ana poloaiga faalua nei ua ia aumaia ia te i tatou; a ia tatou ulu atu i le malologa o le Atua, ua saunia e tusa ma lana fetalaiga.

MATAUPU 13.

Ua faaauau pea le tautalaga a Alema—O tofiga paia e uiga faatasi ma le Alo o le Atua—O Faitaulaga Sili—O le ala ua faauuina ai—O Mekisateko ma Aperaamo.

1. O lenei foi, le au uso e, o lo'u manao, ia amaamana'i mai o outou loto i ona aso na tuu mai ai e le Alii le Atua nei poloaiga i ana fanau; o lo'u manao, ia outou manatua na tofia e le Alii le Atua o faitaulaga e tusa ma lana tofiga paia, e i ai lea i le tofiga o lona Alo, e a'oa'o atu ai nei mea i le nuu.
2. Na tofia foi na faitaulaga i le tofiga o lona Alo, i le ala e mafai ona iloa ai e le nuu le ala latou te faamoemoe ai i le togiola mai lona Alo.
3. O le ala foi lenei na tofia ai i latou, o loo ua valaauina ma

saunia talu le faavaeina o le lalolagi, e tusa ma le silasila mamao o le Atua, ona o lo latou faatuatua tele ma galuega lelei, ina ua maumua ona tuuina atu e filifili i le lelei ma le leaga, o lea, ona ua filifilia e i latou le lelei ma ua faatuatua tele, ua valaauina ai i latou i le faiva paia, ioe, e tusa ma lena faiva paia na saunia faatasi ma ua tusa ma le togiola sauniuni mo ē faapea.

4. Ma ua faapea ona valaauina i latou i lenei faiva paia ona o lo latou faatuatua, a ua teena e nisi le Agaga o le Atua ona o le maaa ō latou loto, ma le tauaso ō latou manatu, manū ana le se anoa nei mea, po ua maua e i latou le manuia e tusa ma o latou uso.

5. O lona uiga, o le amataga sa tutusa ai i latou ma o latou uso; ua faapea ina ua saunia lenei faiva paia talu le faavaeina o le lalolagi mo ē le faamaaa o latou loto, o loo faapea ona o le togiola a le Alo e toatasi ua fanauina, o Le foi na saunia;

6. Ma ua faapea ina ua valaauina i lenei faiva paia, ma ua tofia o le faitaulaga sili i le tofiga mai le Atua, e a'oa'o atu ai ana poloaiga i le fanauga a tagata, ina ia ulu atu ai foi i latou i lona malologa.

7. O lenei faitaulaga sili ua uiga faatasi ma le Alo o le Atua; o lea tofiga foi sa i ai talu le faavaeina o le lalolagi; o lona uiga, ua leai se amataga o ona aso, po o se gataaga o ona tausaga, o loo ua saunia mai le vavau e oo i le faavavau lava, e tusa ma lona silasila mamao e i ai i mea uma.

8. O le uiga lenei o le tofia o i latou, ua valaauina i le faiva paia, ma ua tofia i le sauniga paia, ua ave foi i o latou luga le faiva paia o le faitaulaga sili, o lea faiva, ma sauniga, ma tofiga o le faitaulaga sili ua leai sona amataga po o sona gataaga.

9. Ua faapea ona avea i latou ma faitaulaga sili e faavavau, e uiga faatasi ma le Alo, o le toatasi ua fanauina e le Tamā, o Le ua leai se amataga o ona aso po o se gataaga o ona tausaga, o Le ua tumu i le alofa tunoa, ma le amiotonu, ma le upu moni. Ma ua faapea lava. Amene.

10. O lenei, e pei ona ou fai atu e uiga i lenei au faitaulaga sili, sa tofia nisi e toatele ma ua avea ma faitaulaga sili a le Atua, ona o lo latou faatuatua tele ma salamo, ma la latou amiotonu i luma o le Atua, ina ua latou loto ina salamo ma fai le amiotonu, a e le fano.

11. O le mea lea na valaauina ai i latou i lenei tofiga paia, ma ua faapaiaina, ma ua faasisinaina o latou ofu i le toto o le Tamai Mamoe.

12. O lenei, ina ua faapaiaina i latou e le Agaga Paia, ina ua faasisinaina foi o latou ofu, ina ua mamā ma le le ponā i luma o le Atua, ua le mafai ona vāai i le agasala, sei iloga ua 'ino'ino i ai; ma ua toatele nisi, e matua toatele lava o e ua faamamāina, ma ua ulu atu i latou i le malologa o le Alii lo latou Atua.

13. O lenei foi, o'u uso e, o lo'u manao, ia outou faamaulaloina outou lava i luma o le Atua, ma ia fua mai i fua e tatau ma le salamo, ina ia ulu atu foi outou i lona malologa.

14. Ioe, ina faamaulalo ia outou e pei o le nuu i ona po o Mekisateko, o ia foi o le faitaulaga sili i lenei lava tofiga paia na ou fai atu ai, o Le na ave i ona luga le taulaga sili e faavavau.

15. O lea lava Mekisateko foi na avatu i ai e Aperaamo o mea e sefuluai mea; ioe, o lo tatou tamā lava o Aperaamo na avatu

mea e sefuluai mea, o lona sefulu lava o mea uma lava sa ia te ia.

16. O lenei, ua faapea ona faia nei sauniga, ina ia faamoemoe le nuu i le Alo o le Atua, o le faatusa lenei i lona tofiga, o lona tofiga lava lea; o lenei foi ina ia latou faamoemoe ia te ia ina ia faamagaloina a latou agasala, ina ia latou ulu atu i le malologa o le Atua.

17. O lenei Mekisateko, o le tupu i le nuu o Salema; na tupu malosi lona nuu i le amioletonu ma mea inosia, ioe, na sese i latou uma, na tumu foi i latou i amioleaga uiga eseese uma lava.

18. A o Mekisateko, ina ua faatuatua tele o ia, ina ua maua foi le tofi o le faitaulaga sili, e tusa ma le tofiga paia mai le Atua, na ia talai atu le salamo i lona nuu. Faauta foi, na salamo i latou, ma ua faatumau e Mekisateko le filemu i le nuu i ona aso uma, o le mea lea na ta'ua ai o ia o le Alii o le Filemu, auā o ia o le tupu o Salema, sa sui tupu o ia i lalo o lona tamā.

19. O lenei, e toatele e na muamua ia te ia, ma ua toatele talu o ia, a ua leai sē sili; o le mea lea ua sili ona ta'ua ai o ia e i latou.

20. O lenei, e le aoga ona ou toe faamatala atu lenei mataupu, a ua lava mea ua ou ta'uina atu. Faauta, o loo i o outou luma tusi paia, afai tou te faauigaese ai, e iu atu ai i lo outou faafanoga.

21. O lenei foi, ua oo ina ua fai atu nei upu e Alema ia te i latou, ua ia faaloaloa atu lona lima, ma ua alaga o ia ma le leo tele, ua faapea atu: O le aso lenei e tatau ai ona salamo, auā ua latalata mai le aso o le olataga.

22. Ioe, ma ua fetalaia mai e le siufoga o le Atua i fofoga o agelu i atunuu uma; ioe, ua tala'i atu ai ina ia ia te i latou le tala fiafia e olioli tele ai. Ioe, ma ua taulogologo atu e ia lenei tala fiafia i lona nuu uma, ioe, ia i latou o e ua faasalalauina i le fogaeleele, o lea ua oo mai ai ia te i tatou.

23. Ma ua faailoaina ia te i tatou i upu malamalama; ina 'ia malamalama ia te i tatou, a e le mafai ona tatou sese ai; ua faapea auā o i tatou o tagata taase i le nuu ese, o le mea lea ua faapea ona alofagia tele ai i tatou; auā ua talaiina nei upu fiafia ia te i tatou i itu uma o lo tatou tovine.

24. Auā faauta, o loo talai mai ai nei e agelu i nisi e toatele i lo tatou nuu, ua faia foi lenei mea e sauni ai loto o le fanauga a tagata e talia lana upu i le aso e afio mai ai o ia i lona mamalu.

25. O lenei foi, ua na ona tatou faatalitali e faalogologo i le talaiina o le tala fiafia ia te i tatou i fofoga o agelu i lona afio mai: auā e oo mai le aso, ua tatou le iloa foi pe oo mai afea. E! se anoa, ana faaoo mai ai e le Atua i o'u aso, a e a vave pe tuai, ou te olioli ai pea.

26. E faailoaina foi i tagata amiotonu ma ē paia i fofoga o agelu i le aso o lona afio mai, ina ia faataunuuina upu a o tatou tamā, e tusa ma mea na latou fai mai e uiga ia te ia, e tusa ma le agaga o le perofetaga sa i ai ia te i latou.

27. O lenei foi, o'u uso e, ua ou manao i le totonu o lo'u loto, ioe, ma ua atuatuvale tele ai e oo lava i le tiga, ia faalogologo outou i a'u upu, ma lafo ese a outou agasala, aua foi tou te faatuai le aso o lo outou salamo.

28. A ia outou faamaulalo outou lava i luma o le Atua, ma ia valaau atu i lona suafa paia, ma ia mataala ma tatalo e le aunoa ina ia le tofotofoina outou e sili i mea e mafai ona outou onosai ai, ma ia faapea ona ta'ita'iina

e le Agaga Paia, ia avea ai outou ma ē faamaulalo ma le agamalu, ma gauai, ma onosai, o loo tutumu i le alofa ma le faatoatoa uma.
29. O loo faatuatua i le Atua, o loo i ai le faamoemoe tou te maua le ola faavavau, ua i ai pea le alofa o le Atua i o outou loto, ina ia faaeaina outou i le aso gataaga ma ulu atu i lona malologa.
30. Ia aumaia foi e le Atua le salamo ia te outou, ina ia outou le faatotō ifo lona toasa i luga ia te outou, ina ia le noanoatia i lalo outou i filifili o seoli, ia le tuuina atu ai outou i le oti faalua.
31. Ua tele foi nisi upu na fai atu e Alema i le nuu, a ua le tusia i lenei tusi.

MATAUPU 14.

Ua fale puipui Alema ma Amoleka—Ua fa'asauaina ē na mulimuli ia i laua—O le oti i le afi—Ua salamo Seseroma, ua finau mo i latou ma ua tulieseina—Ua faasaoina o Perofeta a ua fasiotia o latou fili.

1. Ua oo foi ina ua faaiu e ia ona tautala atu i le nuu, ua talitonu nisi e toatele o i latou i ana upu, ma ua amata ona salamo ma suesue i tusi paia.
2. A o le toatele o i latou ua loto ina fafasi ia Alema ma Amoleka, auā ua ita i latou ia Alema ona o le manino tele o ana upu ia Seseroma. Ua fai mai foi i latou, ua pepelo Amoleka ia te i latou ma ua ia ta'uleagaina la latou tulafono, atoa foi ma o latou loia ma faamasino.
3. Ua ita foi i latou ia Alema ma Amoleka, auā ua la molimau atu i a latou amioleaga; ua latou saili foi e aveeseina faalilo i laua.
4. A e peitai, ua latou le faia, a ua oo ina latou pueina i laua, ma ua saisai ia te i laua i maea malolosi, ma ua aveina atu i laua i luma o le faamasino sili o le nuu.
5. Ua o atu foi le nuu ma molia i laua, ua molimau atu na faifai i laua i le tulafono, ma o latou loia, ma faamasino o le nuu, atoa foi ma tagata uma ua i le nuu, ma molimau atu ua na o le Atua e tasi, e auina mai foi e ia lona Alo i le nuu, a e peitai, na te le faaolaina i latou, ma ua tele mea faapea na molia ai Alema ma Amoleka e le nuu. Na faia foi lenei mea i luma o le faamasino sili o le nuu.
6. Ua oo foi ina ofo Seseroma i upu na latou fai atu. Ua ia iloa foi o ia na ala ai le faatauasoina o manatu o le nuu i ana upu pepelo, ma ua amata ona atuatuvale lona loto, auā ua iloa e ia lana agasala; ioe, ua amata ona siosiomia o ia i puapuaga o seoli.
7. Ma ua oo ina amata ona alaga atu o ia i le nuu, ua faapea atu: Faauta, ua ou agasala, a ua mamā nei tagata i luma o le Atua. Ua amata foi ona fautua o ia mo i laua e afua i lea lava aso. A ua latou faifai ia te ia, ua faapea ane: Ua uluitinoina ea oe foi e le tiapolo? Ma ua latou taufeanu ia te ia, ma ua tulieseina o ia ia te i latou. Ua faapea foi ma i latou uma o e na faatuatua i upu na talaiina atu e Alema ma Amoleka. Ua latou tulieseina foi i latou, ma ua aauina atu tagata e fetogi ia te i latou i maa.
8. Ma ua latou aumai faatasi a latou avā ma a latou fanau, o i latou uma o e ua faatuatua, ma e ua a'oa'oina e faatuatua i le afioga a le Atua, ua latou lafoina i latou i le afi. Ua latou aumai foi tusi ua i ai le afioga a le Atua, ma ua lafoina ai i le afi, ina ia susunuina ma faaumatia i le afi.
9. Ua oo ina latou ave ia Alema

ma Amoleka, ma ua sii atu i laua i le mea o loo fasioti ai molimau, ina ia vaaia e i laua le faafanoina o i latou o e ua susunuina i le afi.

10. Ina ua vaai atu Amoleka i tiga o fafine ma tamaiti ua susunuina i le afi, ua tigaina o ia foi, ma ua fai ane o ia ia Alema: Pe faapefea ona ta vaaia lenei mea mata'utia? Sei ta faaloaloa atu ia o taua lima ma faaaoga le mana o le Atua ua ia te i taua, ma laveai ia te i latou ai mumu o le afi.

11. A ua fai atu Alema ia te ia: Ua taofia mai a'u e le Agaga, aua ou te faaloaloa atu lo'u lima, auā faauta, ua talia i latou e le Atua ia te ia lava i le mamalu; ua ia tuu foi ia te i latou e fai lenei mea, ma ia faia lenei mea ia te i latou e le nuu e tusa ma le maaa ō latou loto, ina ia tonu ai faamasinoga na te faia ia te i latou i lona toasa; e tu foi le toto o ē loto mamā e fai ma molimau ia te i latou, ioe, e molia malosi ai i latou i le aso gataaga.

12. Ua fai mai Amoleka ia Alema: Faauta, atonu latou te susunuina foi i taua.

13. Ona fai atu ai lea o Alema: Ia faia le finagalo o le Atua. A e peitai, faauta, e lei uma la taua galuega, o le mea lea latou te le susunuina ai i taua.

14. O lenei, ua oo ina ua uma ona susunuina tino o i latou o e na lafoina i le afi, atoa foi ma tusi na lafoina ai faatasi ma i latou, ua sau le faamasino sili o le nuu, ma ua tu i luma o Alema ma Amoleka ina o fusifusia i laua; ua ia tu'i foi i o la alafau i lona lima, ma ua fai mai ia te i laua: Ina ua vaaia e oulua nei mea, lua te toe tala'i atu ea i lenei nuu e lafoina i latou i se lepa afi ma le teio?

15. Faauta, ua oulua iloa na le i ai ia te oulua le mana e laveaiina ai e na lafoina i le afi, ua le faaolaina foi i latou e le Atua, auā ua ai i latou i lo oulua faatuatuaga. Ma ua toe tu'i o la alafau e le faamasino, ma ua fesili mai: Se a ea sa oulua upu ia te oulua?

16. Ua i ai lenei faamasino i le ituaiga ma le faatuatuaga o Ne'oa, o le na fasioti ia Kiteona.

17. Ua oo foi ina leai se upu na tali atu ai Alema ma Amoleka ia te ia, ma ua toe tu'i o ia ia te i laua, ma ua tuu atu i laua i leoleo ina ia lafoina i le falepuipui.

18. Ina ua lafoina i laua i le falepuipui i aso e tolu, ua o mai loia, ma faamasino e toatele, ma faitaulaga, ma a'oa'o o le faatuatuaga o Ne'oa; ua latou o mai foi i totonu o le falepuipui e matamata ia te i laua. Ua latou fesili foi ia te i laua i upu e tele, a ua leai se upu na la tali atu ai ia te i latou.

19. Ua oo foi ina tu le faamasino i o laua luma ma ua fai mai: O le a ea le mea lua te le tali mai ai i upu a lenei nuu? Lua te le iloa ea ua ia te au le pule e tuu atu ai oulua i le afi? Ua poloai mai foi o ia ia tautala atu i laua, a ua leai se mea na la tali atu ai.

20. Ua oo foi ina latou o ese ma o atu i o latou ala eseese, a ua toe foi mai i le aso a taeao; ua toe tu'ia foi o laua alafau e le faamasino. Ua o mai foi nisi e toatele ma tu'i ia te i laua, ma ua fai mai: Lua te toe tutulai ea ma faamasino i lenei nuu, ma ta'uleagaina la matou tulafono? Afai ua ia te oulua lenei mana tele, o le a ea le mea lua te le laveai ai oulua i a te oulua?

21. E tele foi nisi mea faapea na latou fai mai ia te i laua, ua lilivau foi o latou nifo ia te i

laua, ma feanu ia te i laua, ma ua fai mai: Pe tino mai faapefea i matou pe a faasalaina?

22. E tele foi mea faapea, o mea eseese lava faapea na latou fai mai ia te i laua, ma ua faapea ona latou tauemu ia te i laua i aso e tele. Ua latou le avatu foi ni mea e ʻai ia te i laua, ina ia la fia aai, ua le avatu foi ni vai, ina ia la fia inu. Ua latou aveeseina foi ia te i laua o laua ofu, ina ia le lavalavā i laua. Ma ua faapea ona saisaitia i laua i maea malolosi, ma ua taofia i le falepuipui.

23. Ua oo foi ina ua faapea ona tigaina i laua i aso e tele, (o le aso e sefulu ma le lua o le masina e sefulu o lona sefulu o tausaga o le nofoaiga a faamasino i le nuu o Nifae,) na sau ai le faamasino sili o le nuu o Amonaea faatasi ma o latou aʻoaʻo e toatele, ma o latou loia i le falepuipui ua saisaitia ai Alema ma Amoleka i maea.

24. Ua tu le faamasino i o laua luma, ma ua toe tuʻia i laua, ma ua fai mai ia te i laua: Afai ua ia te oulua le mana o le Atua, ina laveai ia oulua ia te oulua lava ai nei noanoaga, ona matou talitonu ai lea e faaumatia lenei aai e le Atua, e tusa ma a oulua upu.

25. Ma ua oo ina o mai i latou uma ma tuʻi ia te i laua, ma ua fai mai ia lava upu e oo i lē mulimuli lava. Ina ua uma ona tautala lē mulimuli, ua oo mai le mana o le Atua i luga o Alema ma Amoleka, ona la tutulai ai lea ma ua tutu i luga i o laua vae.

26. Ua alaga atu foi Alema, ua faapea atu: Le Atua e, ma te onosai seia afea i nei puapuaga tetele? Le Atua e, ia e foai mai ia te i maua le mana e tusa ma lo maua faatuatua ua i ai ia Keriso, e oo lava i le laveaiina o i maua. Ona la motusia ai lea o maea sa saisaitia ai i laua. Ina ua vaaia lenei mea e le nuu, ua amata ona latou sosola, auā ua oo ia te i latou le mataʻu i le faafanoga.

27. Ma ua oo ina faapea ona tele lo latou mataʻu, ua pāuu ai i latou i le eleele, ma ua le maua atu le faitotoa aupito i fafo o le falepuipui, a ua matua luluina tele lava le laueleele, ua vaeluaina ai foi aupa o le falepuipui, ma ua solofa i lalo i le eleele; ua fasia ai foi le faamasino sili, ma loia, ma faitaulaga, atoa ma aʻoaʻo, o e sa tuʻi ia Alema ma Amoleka, i le solofa o le falepuipui.

28. Ua o mai Alema ma Amoleka ai le falepuipui, ua le afaina i laua, auā na foaiina mai e le Atua le mana e tusa ma lo laua faatuatua ia Keriso, ona la ulufafo loa lea ai le falepuipui, o loo ua tālaina foi i laua ai o laua noanoaga. Ua solofa i lalo le falepuipui i le eleele, ua fano ai tagata uma sa i le lotofale, ua na o Alema ma Amoleka ua sao, ma ua la o loa mai i le aai.

29. O lenei, ina ua faalogo le nuu i le gogolo tele, ua latou taufetuli mai, ua lolofi mai lava e iloa ai lona uiga. Ina ua latou vāai ia Alema ma Amoleka ua ulufafo ai le falepuipui, ma ua solofa ona pa i le eleele, ua taia i latou i le mataʻu tele, ma ua sosola ese ia Alema ma Amoleka, e pei ona sola le ʻoti ma ana tama ai leona e lua; ua faapea ona latou sosola i luma o Alema ma Amoleka.

MATAUPU 15.

Ua faamaloloina Seseroma i le vavega, ua liliu mai i le Ekalesia ma talaʻi atu—E toatele ē ua pa-

patisoina—Ua toe foi atu Alema ma Amoleka i Sara'emila.

1. Ua oo ina poloaiina Alema ma Amoleka ia o ese ai lea aai. Ma ua la o ese ai ma ua o mai e oo lava i le nuu o Saitoma. Faauta foi, na la maua i lea mea tagata uma o e na tete'a ese ai le nuu o Amonaea, o i latou o e na tulieseina ma fetogia i maa ona ua latou talitonu i upu a Alema.

2. Ma ua la faamatala atu ia te i latou mea uma na oo i a latou avā ma fanau, atoa foi ma i laua, ma le mana o lo laua laveaiina.

3. Ua taoto foi Seseroma i Saitoma, ua ma'i i le ma'i vevela lava, na tupu ai i le atuatuvale tele o lona manatu ona o lana amioleaga, auā fa te ia ua maliliu Alema ma Amoleka, fa te ia ua fasiotia i laua talu lana amioletonu. O lenei agasala tele atoa ma ana agasala eseese uma na tigaina ai lona manatu, ua iu ina ma'i tele ai o ia ona ua leai se laveaiina, o le mea lea na amata ai ona mu o ia i le vevela tele.

4. O lenei, ina ua faalogo o ia ua i ai Alema ma Amoleka i le nuu o Saitoma, ua amata ona loto tele ai o ia, ona ia auina mai loa lea le feau ia te i laua, ua aioi mai ia o atu i laua ia te ia.

5. Ma ua oo ina o loa atu i laua, ua usiusitai i le feau na ia auina mai ia te i laua. Ua la ulu atu i le fale ia Seseroma, ua la maua atu foi o ia i luga o lona moega, ua ma'i, ua vaivai tele lava i le ma'i vevela, ma ua tigaina tele lona manatu ona o lana amioleaga. Ina ua vaai mai o ia ia te i laua, ua faaloaloa mai lona lima, ma ua aioi mai ia te i laua, ia faamaloloina o ia.

6. Ua oo foi ina tago atu Alema i lona lima, ma ua fai atu ia te ia: Po ua e faatuatua ea i le mana o Keriso i le faaolataga?

7. Ma ua tali mai o ia, ua faapea mai: Ioe, ua ou talitonu i upu uma ua e a'oa'oina mai.

8. Ona fai atu lea o Alema ia te ia: Afai ua e faatuatua i le togiola a Keriso, e mafai ona faamaloloina oe.

9. Ua fai mai o ia: Ioe, ua ou faatuatua e tusa ma au upu.

10. Ona valaau atu lea o Alema i le Atua, ua faapea atu: Le Alii e, lo matou Atua, ia e alofa i lenei tagata ma faamaloloina o ia e tusa ma lona faatuatua ia Keriso.

11. Ina ua fai atu e Alema nei upu, ua oso i luga Seseroma i ona vae, ma ua amata ona savali. Ua fai lenei mea ma mea e taufaiofo ai le nuu uma, ma ua salalau le tala i lenei mea i le nuu uma o Saitoma.

12. Na papatiso foi Alema ia Seseroma mo le Atua, ma ua amata mai i lea lava aso ona tala'i atu o ia i le nuu.

13. Ua faatuina e Alema le ekalesia i le nuu o Saitoma, na ia faauuina foi faitaulaga ma a'oa'o i le nuu, e papatiso mo le Atua i latou uma o e ua mananao i le fia papatisoina.

14. Ma ua oo ina toatele o i latou, auā ua lolofi mai i latou ai nuu uma e latalata ane i Saitoma, ma ua papatisoina ai.

15. A ua tutumau pea tagata i le nuu o Amonaea i le loto maaa ma le ūa mālolo, ua latou le salamo foi i a latou agasala, a ua taofi e mai le tiapolo le mana uma o Alema ma Amoleka, auā o i latou o lo le faatuatuaga o Ne'oa, ma ua le faamoemoe i le salamo i a latou agasala.

16. Ua oo foi ina o atu Alema ma Amoleka, ua tuua e Amoleka lana auro uma, ma ario, ma ana mea tāua sa i le nuu o Amonaea ona o le afioga a le Atua. Ua tulieseina foi o ia e i latou o e

sa fai mana uo, atoa foi ma lona
tamā ma ona aiga.
17. O lenei, ina ua faatuina e
Alema le ekalesia i Saitoma, ina
ua vaaia le liliu tele, ioe, ina ua
iloa ua vaosia i le nuu le faamau-
aluga ō latou loto, ma ua amata
ona faamaulalo i latou i luma o le
Atua, ua amata foi ona potopoto
soo i a latou mea paia e tapuai
atu i le Atua i luma o le fata-
faitaulaga, o loo mataala ma ta-
talo e le aunoa, ina ia laveaiina
i latou mai ia Satani, mai le oti
foi ma le faafanoga.
18. O lenei, e pei ona ou fai
atu, ua vaaia nei mea uma e
Alema, o lea na ia ave ai ia Amo-
leka, ma ua foi mai ai i le nuu
o Sara'emila, ua ave foi o ia i
lona lava fale, ma ua faamafana-
fana ia te ia i ona puapuaga, ma
faamalosia o ia i la le Atua.
19. Ua faapea foi ona i'u lona
sefulu o tausaga o le nofoaiga a
faamasino i le nuu o Nifae.

MATAUPU 16.

O le alaga o le taua—Ua faaumatia le aai amioleaga o Amonaea e sa Lamanā—Ua faataapeape e Sorama ma ona atalii le fili—O le Tafunaiga o sa Ne'oā—Ua matuā faateleina le ekalesia.

1. Ua oo i lona sefulu ma le
tasi o tausaga o le nofoaiga a
faamasino i le nuu o Nifae, i le
aso e lima o lona lua o masina,
ina ua leva le filemu o le nuu o
Sara'emila, ona ua leai ni taua
ma finauga i ni nai tausaga, e oo
lava i le aso e lima o lona lua o
masina, i lona sefulu ma le tasi
o tausaga, ona faalogoina ai lea
le alaga o le taua i le nuu uma.
2. Auā faauta, ua o mai au a
sa Lamanā i le itu i le vao i
tuaoi o le laueleele, e oo lava i le
aai o Amonaea, ma ua amata ona
fafasi le nuu ma faaumatia le
aai.
3. O lenei foi, a o lei mafai sa
Nifaē ona faala'ei i au e lava ona
tulieseina i latou ai le laueleele,
ua faaumatia e i latou tagata
uma i le aai o Amonaea, atoa ma
nisi i tuaoi o Noa, ma ua ave nisi
faatagataotaua i le vao.
4. O lenei, ua oo ina fia maua
e sa Nifaē i latou o e na avea
faatagataotaua i le vao.
5. O lenei, o le na tofia e fai
ma ta'ita'i sili i au a sa Nifaē,
(o lona igoa foi o Sorama, ua ia
te ia foi atalii e toalua, o Liae ma
Asa.) O lenei, ona ua iloa e Sora-
ma ma ona atalii e toalua o
Alema o le faitaulaga sili o le
ekalesia, ma ua faalogo ua ia te
ia le agaga o le perofetaga, o lea
na latou o atu ai ia te ia, ma ua
fesili ia te ia i le fia iloa, pe
finagalo le Atua latou te o atu
i le vao e saili o latou uso, o e
ua avea faatagataotaua e sa La-
manā.
6. Ma ua oo ina fesili atu Ale-
ma i le Atua i le mea. Ua toe
foi mai Alema ma ua fai atu ia
te i latou: Faauta, e sopoia e sa
Lamanā le vaitafe o Saitonu i le
vao i le itu i saute, e mamao ae
i tala atu o tuaoi o le nuu o
Maneti: Faauta foi, tou te fe-
taiai ma i latou i lea mea, i le
auvai i le itu i sasae o le vaitafe
o Saitonu, o le mea lea foi e tu-
uina mai ai ou uso ia te oe e le
Atua, o i latou o e ua avea faa-
tagataotaua e sa Lamanā.
7. Ma ua oo ina sosopo atu
Sorama ma ona atalii faatasi ma
a latou au i le vaitafe o Saitonu,
ma ua savavali atu mamao i ona
tala atu o tuaoi o Maneti, i le vao
i le itu i saute, i le itu i sasae o
le vaitafe o Saitonu.
8. Ma ua oo atu i latou i au
a sa Lamanā, ua faasalalauina
foi ma tulia sa Lamanā i le vao,

ona latou maua ai lea o latou uso o e na avea faatagataotaua e sa Lamanā, ua leai foi se toatasi lava o e na avea faatagataotaua ua le iloa. Ua toe aumaia foi e o latou uso e mau i o latou lava nuu.

9. Ua faapea foi ona iu lona sefulu ma le tasi o tausaga o faamasino, ua tulieseina sa Lamanā ai le nuu, ua faaumatia foi le nuu o·Amonaea, ioe, ua faaumatia tagata ola uma o sa Amonaeā, atoa ma lo latou aai tele sa fai mai ai i latou e le mafai ona faaumatia e le Atua ona o lona tele.

10. A e peitai, faauta, o le aso e tasi na faatafunaina ai, ma ua faataugāina tino oti e ulī ma manu feai o le vao.

11. A e ui i lea, ina ua mavae aso e tele, ua faafaulaia o latou tino oti i luga o le fogaeleele, ma ua ufiufitia ai le ufiufi manifinfi. O lenei foi, ua faapea ona tele le manogi mai ai, ua le o atu ai tagata e mau i le nuu o Amonaea i tausaga e tele. Ua ta'ua ai foi, o le Tafunaiga o sa Ne'oā, auā na i le lotu a Ne'oa i latou o e na fasiotia, ma ua tumau o latou nuu o faatafunaina.

12. Ua le toe o mai foi sa Lamanā e tau ma sa Nifaē seia oo i lona sefulu ma le fa o tausaga o le nofoaiga a faamasino i le nuu o Nifae. O lea ua i ai le filemu e le aunoa i le nuu o Nifae i tausaga e tolu.

13. Ma ua o atu Alema ma Amoleka ma talai atu le salamo i le nuu i o latou malumalu, ma a latou mea paia, atoa ma o latou sunako na faia e tusa ma le masani a tagata Iutaia.

14. Ua folafola atu foi e i laua le afioga a le Atua ma le le faailogaina o tagata ia te i latou uma o e na faalogologo i a laua upu.

15. Ua faapea foi ona o atu Alema ma Amoleka atoa ma nisi e toatele o e na filifilia mo le galuega, e talai atu le upu i le nuu uma. Ua faatuina le ekalesia i le nuu uma, i ona tuaoi uma ua latalata ane i ai, i le nuu uma lava o sa Nifaē.

16. Ua le faailogaina tagata ia te i latou, ua liligi ifo foi e le Atua lona Agaga i le nuu uma lava e sauniuni ai manatu o le fanauga a tagata, e sauniuni foi o latou loto e talia le upu e a'oa'oina atu ia te i latou i le aso o lona afio mai,

17. Ina ia le faamaaaina i latou i le upu, ina ia le avea foi i latou ma ē le talitonu ma ē o atu i le faafanoga, a ia latou talia le upu ma le olioli, ia pei foi o le la laau ese ua faapipiiina i le vine moni, ina ia latou ulu atu i le malologa o le Alii lo latou Atua.

18. O lenei, na o atu na faitaulaga i le nuu, ua tala'i atu ai ia tuu mea pepelo, ma le faa'ole'ole, ma le losilosivale, ma finauga, ma le matau'a, ma taufaifaiga, ma le gaoi, ma le fao mea, ma le vete ma le fasioti tagata, ma le mulilua, atoa ma le matāitu uma; o loo tala'i atu e le tatau ona i ai nei mea.

19. Ua folafola atu foi mea e oo mai, e le pipine lava, ioe, ua folafola atu le afio mai o le Alo o le Atua, o ona tiga foi ma lona maliu, atoa foi ma le toe tu mai o e ua oti.

20. Ua fesili nisi e toatele o le nuu i le mea e afio mai ai le Alo o le Atua, ma ua a'oa'oina i latou e faailoa o ia ia te i latou mulimuli ane i lona toe tu mai. Ua faalogoina foi lenei mea e le nuu ma le olioli tele ma le fiafia.

21. O lenei foi, ina ua faatuina le ekalesia i le nuu uma, ma ua manumalo i le tiapolo, ua talaiina atu foi le tonu i le afioga a

le Atua i le nuu uma, ma ua sasaa ifo e le Atua ona manuia i luga o le nuu, ua faapea ona iu lona sefulu ma le fa o tausaga o le nofoaiga a faamasino i le nuu o Nifae.

O le tala i atalii o Mosaea o e na lafoa'ia la latou pule i le malo ona o le afioga a le Atua, ma ua o ae i le laueleele o Nifae e talai atu i sa Lamana; o latou puapuaga ma laveaiina, e tusa ma le tusi a Alema.

(E aofia ai mataupu 17 e oo i le 26)

MATAUPU 17.

O le galuega a Amona i le nuu o Isamaeli—Ua avea o ia o se 'au'auna i le tupu o Lamonae—O lana leoleoga lelei i lafu a le tupu.

1. O lenei foi, ina o malaga Alema mai le nuu o Kiteona i le itu o saute o le nuu o Maneti, faauta, ua ofo lava o ia, auā ua oo ina fetaiai o ia ma atalii o Mosaea, o loo malaga e aga'i mai i Sara'emila.

2. O lenei, o nei atalii o Mosaea sa faatasi ma Alema i le aso na muai faaalia mai ai le agelu ia te ia. O le mea lea na olioli tele ai Alema ina ua vaai atu o ia i ona uso. O le mea sili foi na faateleina ai lona fiafia, o ona uso pea i latou i la le Atua; ioe, ma ua tutupu malolosi i latou i le malamalama o le upu moni; auā o i latou o tagata mafaufau lelei, ma ua latou suesueina tusi paia ma le filifiligā, ina ia latou iloa ai le afioga a le Atua.

3. A e peitai ua le gata i lea, a ua latou tatalo faatauanau ma ua anapogi, o le mea lea ua i ai ia te i latou le agaga o le perofetaga ma le agaga o le faaaliga. A latou a'oa'o atu foi, ua a'oa'o atu i le mana ma le pule mai le Atua.

4. Sa latou a'oa'o atu foi le afioga a le Atua i sa Lamanā i tausaga e sefulu ma le fa, ma ua manuia tele i le ta'ita'iina mai o nisi e toatele i le malamalama o le upu moni; ioe, ona o le mana o a latou upu, ua aumaia nisi e toatele i luma o le fatafaitaulaga a le Atua, ia valaau atu ai i lona suafa ma ta'uta'u atu i ona luma a latou agasala.

5. O lenei, o mea ia na oo ia te i latou i la latou vao malaga, auā na tele o latou puapuaga; na tigaina tele i latou i le tino atoa ma le manatu, e i ai le fia 'ai, ma le fia inu, ma le lailoa, atoa foi ma galuega e tele i la le Agaga.

6. O a latou malaga nei: Ina ua faamavae ma lo latou tamā o Mosaea i le tausaga muamua o le nofoaiga a faamasino, ina ua faamelea foi le malo sa fia tuu atu e lo latou tamā i luga ia te i latou, o le manao foi lea o le nuu.

7. E ui i na mea, ua latou o ese ai le nuu o Sara'emila, ua ave foi a latou pelu, ma a latou tao, ma a latou aufana, ma a latou u fanafana, atoa ma a latou maatā. Na latou faia lenei mea ina ia mafai ona latou maua ai mea e 'ai mo i latou manū o i ai i latou i le vao.

8. Ma ua faapea ona latou tete'a atu i le vao faatasi ma e na latou filifilia e o ae ai i le laueleele o Nifae, e tala'i atu ai le afioga a le Atua i sa Lamanā.

9. Ua oo foi ina latou malaga i le vao i aso e tele, ma ua latou anapogi tele ina ia tuu mai e le Atua se vaega o lona Agaga latou te malaga faatasi ai, ia mafuta foi ma i latou, ina ia avea i latou ma tufugāaao o le Atua e aumai a'i o latou uso o sa Lamanā i le malamalama o le upu

moni, ma le iloa lelei o le leaga o uputuu a o latou tamā e le tonu, pe afai lava ua mafaia.
10. Ma ua oo ina asiasi mai le Atua ia te i latou i lona Agaga, ma ua fetalai mai ia te i latou: Ia faamafanafanaina outou, ma ua faamafanafanaina i latou.
11. Ua fetalai mai foi le Atua ia te i latou: Ina o atu ia i sa Lamanā, o outou uso, ma ia faatuina ai la'u upu; a ia outou onosai i tiga ma puapuaga faafualoa, ina ia outou faaali atu ia te i latou faaa'oa'oga lelei ia te au. Ou te faia outou ma auupega i o'u lima e faaoo mai ai le faaolaina o agaga e toatele.
12. Ua oo foi ina loto tetele atalii o Mosaea atoa ma e na faatasi ma i latou e o atu i sa Lamanā, e talai atu le afioga a le Atua ia te i latou.
13. Ma ua oo ina ua taunuu i latou i tuaoi o le laueleele o sa Lamanā, ua latou taapeape ma tuua le tasi e le tasi, o loo faalagolago i le Atua latou te toe feiloai ai i le faaiuga o la latou galuega, auā ua faapea a i latou ua tele le galuega ua latou tagofia.
14. E moni lava, ua tele, auā ua latou faamoemoe e talai atu le afioga a le Atua i le nuu saua ma le faamaaaina, o le nuu foi ua feai, o le nuu ua fiafia i le fasiotia o sa Nifaē, ua fiafia foi i le gaoi ma le vete ia te i latou, ma ua mafuli o latou loto i le oloa, o le auro, ma le ario, ma maa tāua; a ua latou sailiili e maua nei mea i le fasioti tagata, ma le vete, ina ia le galulue ai i latou i o latou lava lima.
15. Ma ua faapea ona avea i latou ma nuu paiē lava; e toatele foi o i latou ua tapuai i tupua, ma ua paū le fetuu a le Atua i o latou luga ona o uputuu a o latou tamā, a e ui i lea, ua tuuina atu ia te i latou le afioga a le Atua sa folafolaina, afai latou te salamo.
16. O le mea lenei na tagofia ai e atalii o Mosaea le galuega, auā atonu ua mafai ona latou aumaia i latou i le salamo, atonu foi ua mafai ona latou aumaia i latou i le malamalama o le ala o le togiola.
17. O le mea lea na latou tuua ai o le tasi e le tasi, ma ua o atu e taitoatasi le tagata na o ia lava, e tusa ma le fetalaiga ma le mana o le Atua ua tuuina mai ia te ia.
18. O lenei, o Amona o lē sili ia te i latou, na ia tausi ia te i latou, na ia tuua i latou ina ua uma ona faamanuiaina i latou e tusa ma o latou tofiga taitoatasi; ma ua avatua le afioga a le Atua ia te i latou, ma ua faamanuiaina i latou, a o lei te'a ese o ia. Ua faapea foi ona latou o atu i a latou malaga solo i le nuu.
19. Ua alu atu Amona i le laueleele o Isamaeli, ua faaigoaina le laueleele i le igoa o atalii o Isamaeli, na avea foi i latou ma lo sa Lamanā.
20. Ina ua alu atu Amona i le nuu o Isamaeli, ua pueina o ia e sa Lamanā; ua saisaitia foi o ia e tusa ma la latou tu e saisai sa Nifaē uma ua pāuu i o latou lima, ma aveina atu i latou i luma o le tupu; ma ua faapea ona tuuina atu i le pule a le tupu pe fasioti ia te i latou, pe taofi i latou faatagataotaua, pe lafo i latou i le falepuipui, pe tuli ese i latou ai lona nuu e tusa ma lona loto ma manao.
21. Ma ua faapea ona aveina atu Amona i luma o le tupu ua pule i le nuu o Isamaeli, o lona igoa o Lamonae, o ia foi o lo le aiga o Isamaeli.
22. Ua fesili le tupu ia Amona, po o lona manao e nofo i le nuu

faatasi ma sa Lamanā, faatasi foi ma lona nuu?
23. Ona tali atu lea o Amona ia te ia: Ioe, ua ou fia nofo faatasi ma lenei nuu i ni nai aso, ioe, atonu foi seia oo i le aso ou te oti ai.
24. Ua oo foi ina fiafia tele le tupu o Lamonae ia Amona, ma ua poloai atu ia tālaina ona noanoaga; ua manao foi o ia ia ave e Amona le tasi o ona afafine e fai mana avā.
25. A ua tali atu Amona ia te ia: E leai, a e fai a'u mau auauna. O lea na avea ai Amona ma auauna a le tupu o Lamonae. Ua oo foi ina tuuina atu o ia faatasi ma nisi auauna e leoleo i lafu a Lamonae, e tusa ma le masani a sa Lamanā.
26. Ina ua i ai o ia i le galuega a le tupu i aso e tolu, ina o latou faatasi ma le au auauna sa Lamanā, o loo o atu ma a latou lafu i le mea e faainu ai, ua ta'ua o le vai o Sevusa, ma ua tuli mai i ai e sa Lamanā a latou lafu uma ina ia maua ai le vai;
27. O lenei, ina o tuli atu e Amona ma auauna a le tupu a latou lafu i lenei mea ua i ai le vai, faauta, ua tutu nisi o sa Lamanā o e na ave a latou lafu e faainu ai, ma ua faataapeape solo lafu a Amona ma auauna a le tupu, ma ua latou faataapeapeina ai, ua iu ina sosola ese i itu e tele.
28. O lenei, ua amata ona tagi auauna a le tupu, ua faapea ane: O lenei, e fasiotia i tatou e le tupu, e pei ona faia e ia i o tatou uso, auā na faataapeapeina a latou lafu i le amioleaga a nei tagata. Ma ua amata ona latou taufaitagi lava, ua faapea atu: Faauta, ua uma ona faataapeapeina a tatou lafu!
29. Na latou taufaitagi i le mata'u, ne'i fasiotia i latou. O lenei, ina ua iloa e Amona lenei mea, ua tumu lona loto i le fiafia, auā ua fai ifo o ia: Ou te faaali atu lo'u mana i o'u uso nei o auauna, o le mana lea ua i ai ia te au, e toe aumaia nei lafu a le tupu, ia ou maua ai foi loto o i latou nei o'u uso o auauna, ina ia ou ta'ita'iina mai i latou e talitonu i a'u upu.
30. O lenei, o manatu ia o Amona ina ua vaai o ia i puapuaga o e na ta'ua e ia o ona uso.
31. Ma ua oo ina faaviiviia i latou e ia i ana upu, ua faapea atu: O'u uso e, ina loto tetele ia. Sei tatou sailiili mai lafu, tatou te faapotopotoina ai ma toe aumaia i le mea e i ai le vai; e faapea ona tatou faasaoina lafu mo le tupu, e le fasia foi i tatou e ia.
32. Ua oo foi ina latou o atu e saili mai lafu, ua latou mulimuli atu ia Amona, ma ua latou o atu, ua teletele'a'i lava, ua faaliliu mai lafu a le tupu, ma ua toe faapotopotoina ai i le mea e faainu ai.
33. Ua toe tutū foi na tagata e faataapeape a latou lafu, a ua fai atu Amona i ona uso: Ina siosio ia i lafu ina ia le sosola ai, a e alu atu a'u nei ma finau ma nei tagata o ē faataapeape a tatou lafu.
34. O le mea lea na latou faia ai e pei ona poloai atu ai Amona ia te i latou, a ua alu atu o ia ma tu e finau atu i e na tutū i tafatafa o le vai o Sevusa, ua le toaitiiti foi i latou.
35. O le mea lea na latou le matatau ai ia Amona, auā sa faapea a i latou, ua mafaia le toatasi ō latou tagata ona fasioti ia te ia e tusa ma lo latou manao, auā na le iloa e i latou na fetalai mai le Atua ia Mosaea, e laveaiina e ia ona atalii ai o latou

lima; na latou le iloa foi se mea e tasi tau le Atua, o le mea lea na fiafia ai i latou i le malaia ō latou uso, o le mea foi lea na latou tutū ai e faataapeapeina lafu a le tupu.

36. A ua tu atu Amona ma ua amata ona sasau atu maa ia te i latou i lana maatā, ioe, o le malosi ma le mana lava na ia sasau atu ai maa ia te i latou, ma ua faapea ona fasioti e ia nisi o i latou, ua iu ina amata ona latou taufaiofo i lona malosi tele; a e ui i lea, ua ita i latou ona ō latou uso ua fasiotia, ua lotogatasi foi i latou e fasioti ia te ia. O lea, ina ua iloa ua le mafai ona lavea o ia i a latou maa, ua latou o mai ai ma uatogi e fasi ia te ia.

37. A e peitai, faauta, ina ua sii i luga e le tagata lana uatogi e ta ia Amona, ua sala ese e ia o latou lima i lana pelu; auā o le taia ō latou lima i le mata o lana pelu na ia teena ai a latou ta, ua iu ina matua taufaiofo lava i latou, ma ua amata ona sosola i ona luma. Ioe, ua le toaitiiti foi i latou, a ua ia faasolaina i latou i le malosi o lona lima.

38. O lenei, e toaono o i latou na oti i le maatā; a e peitai, na ia le fasioti se tasi i lana pelu, na o lo latou ta'ita'i; na ia sala ese o latou lima uma na siitia i luga ia te ia, ma ua le toaitiiti i latou.

39. Ina ua ia tulia mamao i latou, ua toe foi mai o ia, ona latou faainu ai lea a latou lafu, ma ua toe tuli atu ai i le fanua taamanu o le tupu, ona latou o atu ai lea i le tupu, ua aveina atu lima na salaeseina i le pelu a Amona o e na saili e fasioti ia te ia, ma ua aveina atu ai i le tupu e fai ma molimau i mea na latou faia.

MATAUPU 18.

Ua manatu le Tupu o Lamonae o Amona o le Agaga Sili—Ua a'oa'oina o ia e uiga i le Atua moni—Ua faatoilaloina o ia e le Agaga o le Atua.

1. Ua oo foi ina poloai atu le tupu o Lamonae, ia tutulai mai ana auauna ma molimau i mea uma na vaaia e i latou e uiga i lenei mea.

2. Ina ua uma ona molimau i latou uma i mea na latou vaaia, ina ua iloa foi e ia le faamaoni o Amona i le tausiga o ana lafu, ina ua iloa foi lona malosi tele i le finauga ma e na taumafai ona fasioti ia te ia, ua matua ofo lava o ia, ma ua fai ane o ia: E moni lava, e sili lenei ai se tagata. Faauta, e le o le Agaga Sili ea lenei ua aauina mai nei sala tetele i lenei nuu ona o lo latou fasioti tagata?

3. Ua latou tali atu i le tupu, ma ua fai atu ia te ia: Matou te le iloa po o ia o le Agaga Sili, po o se tagata, a o le mea lenei matou te iloa, e le mafai ona fasiotia o ia e i latou o ē ita i le tupu; e le mafaia foi ona latou faataapeapeina lafu a le tupu pe a faatasi i matou ma ia, ona o lona atamai ma malosi tele, o le mea lea ua matou iloa ai o ia o lē agalelei i le tupu. O lenei foi, le tupu e, matou te le talitonu ua i ai le mana e faapea ona tele i se tagata, auā ua matou iloa e le mafai ona fasiotia o ia.

4.O lenei foi, ina ua faalogo le tupu i nei upu, ua fai atu o ia ia te i latou: Ou te iloa nei o le Agaga Sili lenei, ma ua afio ifo o ia i nei ona po e faasaoina o outou ola, ina ia ou le fasioti ia te outou e pei ona ou faia i o outou uso. O le Agaga Sili lenei na fai mai ai o tatou tamā.

5. O le uputuu lenei a Lamonae

na ia maua mai lona tamā: Ua i ai se Agaga Sili. E ui ina latou faatuatua i le Agaga Sili, ua faapea ā i latou ua tonu mea uma ua faia e i latou; a e ui i lea, ua amata ona mata'u tele Lamonae, ma ua fefe ne'i faapea ua ia faia le mea sese ina ua fasioti ana auauna.

6. Auā ua toatele o i latou na fasiotia e ia ona ua faataapeapeina a latou lafu i le mea e fainu ai; o lea, ona ua faataapeapeina a latou lafu, ua fasiotia ai i latou.

7. O lenei, o le masani a sa Lamanā e tutū i tafatafa o le vai o Sevusa e faataapeape ai lafu a le nuu, ina ia latou tuli atu i lo latou lava nuu nisi manu e tele ua faataapeapeina, o le masani lea i le vete ia te i latou.

8. Ua oo ina fesili le tupu o Lamonae i ana auauna, ua faapea ane: Po o i fea lenei tagata ua i ai lenei mana tele?

9. Ona latou fai atu lea ia te ia: Faauta, o loo fafaga e ia au solofanua. O lenei, na poloai atu le tupu i ana auauna a o lei oo i le itula e faainu ai a latou lafu, latou te sauniuni ana solofanua ma kariota, ma momoli atu o ia i le nuu o Nifae, auā ua saunia le tausamiga tele i le nuu o Nifae e le tamā o Lamonae, o le tupu o ia i le nuu uma lava.

10. O lenei, ina ua faalogo le tupu o loo sauni e Amona ana solofanua ma ana kariota, ua ofo atili ai o ia i le faamaoni o Amona, ua faapea ane: E moni, e lei i ai i a'u auauna uma se auauna ua faamaoni e pei o lenei tagata, auā ua manatua e ia a'u poloaiga uma ina ia faataunuuina ai.

11. O lenei, ou te iloa tino lava, o le Agaga Sili lenei; o lo'u manao ia afio mai o ia ia te au, a ua ou mata'u.

12. Ua oo ina ua saunia e Amona solofanua ma kariota mo le tupu ma ana auauna, ua alu atu o ia i le tupu, a ua iloa e ia ua liua mata o le tupu, o lea sa fai a toe alu ese ai o ia ai ona luma.

13. Ona fai mai lea le tasi auauna a le tupu ia te ia: Rapana e, o lona uiga pe a faamatalaina: Le tupu sili e, po o Lē mamana e, auā o lo latou taofi ua mamana o latou tupu; o lea na ia fai mai ai ia te ia: Rapana e, o le finagalo o le tupu lua te alaala iinei.

14. O lea na liliu atu ai Amona i le tupu, ma ua fai atu ia te ia: Le tupu e, po o le a le mea ua e finagalo i ai ou te faia mo oe? A ua le tali mai le tupu ia te ia e tusa ma le itula atoa i lo latou faitau, auā ua le iloa e ia se mea e tatau ona tali mai ai o ia ia te ia.

15. Ua oo ina toe fai atu Amona ia te ia: O le a sou finagalo e fetalai mai ia te au? A ua le tali mai le tupu ia te ia.

16. Ua tumu Amona i le Agaga o le Atua, o le mea lea na ia iloa ai manatu o le tupu. Ona fai atu ai lea o ia ia te ia: Ua e ofo ea ina ua e faafofoga na ou laveaiina au auauna ma au lafu, ma ua ou fasiotia ni o latou uso e toafitu i le maatā ma le pelu, ma ua ou salaeseina foi lima o nisi ina ia laveaiina au lafu ma au auauna? Faauta, po o lenei ea le mea ua e ofo ai?

17. Ou te fai atu ia te oe, po o le a ea le mea ua e ofo tele ai faapea? Faauta, o a'u o le tagata, o lau auauna foi. O lenei, soo se mea tonu e te finagalo i ai, o le mea lea ou te faia.

18. O lenei, ina ua faalogo le tupu i nei upu, ua toe ofo o ia, auā ua iloa e ia ua mafai Amona ona iloa ona manatu. A e ui i lenei mea, ua fai mai Lamonae

ia te ia: Po o ai ea oe? O oe ea
lena Agaga Sili ua silafia mea
uma?
19. Ua tali atu Amona ia te ia,
ua faapea atu: E leai, e le o a'u
lea.
20. Ona fai mai lea le tupu:
Pe faapefea ona e silafia manatu
o lo'u loto? Ia e matua ta'utino
mai ma faaali mai ia te au le
uiga o nei mea; ia e faamatala
mai foi le mana na e fasioti ai ma
sala ese ai lima o o'u uso, o e na
faataapeapeina a'u lafu.
21. O lenei foi, afai e te ta-
'uina mai nei mea ia te au, soo
se mea lava e te finagalo i ai, ou
te avatu lea ia te oe; ai ana aogā,
po ua ou leoleoina oe i a'u au, a
ua ou iloa ua sili lava lou mana
ia i latou uma; a e ui i lea, soo
se mea e te manao mai ia te au,
ou te avatu ai lava ia te oe.
22. O lenei, ua poto Amona, a
e ui i lea, ua agamalu, o lea na
ia fai atu ai ia Lamonae: E te
faafofoga mai ea i a'u upu, pe
afai ou te ta'uina atu ia te oe le
mana ua ou fai ai nei mea? O le
mea lenei ua ou manao mai ia
te oe.
23. Ua tali mai le tupu ia te
ia, ua faapea mai: Ioe, ou te tali-
tonu i au upu uma. Ua faapea
ona lavea o ia i le togafiti.
24. Ona amata lea ona tautala
atu Amona ia te ia ma le malosi,
ua fai atu ia te ia: Po ua e tali-
tonu ea ua i ai se Atua?
25. Ua tali mai o ia ua faapea
mai: Ou te le iloa le uiga o lea
mea.
26. Ona fai atu lea Amona: Ua
e taofi ea ua i ai se Agaga Sili?
27. Ma ua fai mai o ia: Ioe.
28. Ona fai atu lea Amona ia
te ia: O le Atua lea. Ua toe fai
atu foi Amona ia te ia: Po ua e
taofi o lenei Agaga Sili, (o le
Atua lea,) na faia mea uma i le
lagi ma le lalolagi?
29. Ma ua fai mai o ia: Ioe,
ua ou taofi na ia faia mea uma
i le lalolagi, a ua ou le iloa le lagi.
30. Ona fai atu lea Amona ia
te ia: O le lagi, o le mea lea e
afio ai le Atua faatasi ma ana
agelu paia uma.
31. Ua fai mai le tupu o La-
monae: Po ua i luga ea o le lalo-
lagi?
32. Ma ua fai atu Amona: Ioe,
ma ua silasila ifo o ia i le fanau-
ga uma a tagata; ua silafia foi e
ia manatu ma mafaufauga uma o
le loto, auā o lona aao na faaia
i latou uma talu le amataga.
33. Ua fai mai le tupu o La-
monae: Ua ou talitonu i nei mea
uma ua e fetalaia mai. Po ua
auina mai oe e le Atua?
34. Ua fai atu Amona ia te ia:
O a'u o le tagata. Sa faia le ta-
gata i le amataga e foliga i le
Atua. Ua valaauina foi a'u e lona
Agaga Paia e a'oa'o atu nei mea
i lenei nuu, ina ia aumaia i latou
i le malamalama o mea ua tonu
ma ua faamaoni.
35. Ua nofo foi se vaega o lea
Agaga i totonu ia te au, ma ua
aumaia ai ia te au le poto atoa
ma le mana, e tusa ma lo'u faa-
tuatua ma manao i la le Atua.
36. O lenei, ina ua fai atu e
Amona nei upu, ua ia amata mai
i le foafoaga o le lalolagi atoa
ma le faiga o Atamu, ma ua tala
atu ia te ia mea uma e uiga i le
paū o tagata; na ia faamatala
atu foi ma folafola atu i ona
luma tusi paia a le nuu na tau-
tala ai le au perofeta uma e oo
lava i le aso na te'a ai lo latou
tamā o Liae ma Ierusalema.
37. Na ia faamatala atu foi ia
te i latou, (auā o le tupu ma ana
auauna,) o malaga uma a o latou
tamā i le vao, atoa foi ma o latou
puapuaga uma, e i ai le fia 'ai, ma
le fia inu, ma o latou feoaiga, ma
nisi mea e tele.

38. Na ia faamatala atu ia te i latou fouvalega uma o Lamana ma Lemuelu atoa ma atalii o Isamaeli; ioe, na ia talatalaina atu ia te i latou o latou fouvalega uma. Ua ia faamatala atu foi ia te i latou tusi uma ma tusi paia, e amata atu i le aso na te'a ai Liae ma Ierusalema, a e oo mai lava i nei ona aso.

39. Ua le gata foi i lea, auā na ia faamatala atu ia te i latou le ala o le togiola na saunia talu le faavaeina o le lalolagi. Na ia faailoa atu foi ia te i latou le afio mai o Keriso, na ia faaali atu foi ia te i latou galuega uma a le Atua.

40. Ma ua oo ina ua fai atu nei mea uma, ma ua faamatalaina i le tupu, ua talitonu le tupu i ana upu uma.

41. Ua amata ona valaau atu o ia i le Atua, ua faapea atu: Le Atua e, ia e alofa mai; e tusa ma lou alofa tele na e alofa mai ai i le nuu o Nifae, ia faapea ona e alofa mai ai ia te au ma lo'u nuu.

42. O lenei foi, ina ua fai atu e ia nei upu, ua paū o ia i le eleele e peiseai ua oti.

43. Ma ua oo ina ave o ia e ana auauna ma ua sii atu o ia i luma o lana masiofo, ma ua faataatia o ia i luga o le moega. Ua taatia o ia i ao e lua ma po e lua e peiseai ua oti, ma ua faanoanoa lana avā, ma ona atalii, ma ona afafine i luga ia te ia, e tusa ma le tu a sa Lamanā, o loo taufaitagi lava ona o lona maliu.

MATAUPU 19.

O se liliuga ofoofogia—O Apiso, le fafine sa Lamanā—Ua talitonu le tupu ma le masiofo o sa Lamanā le ekalesia—Ua faatuina e Amona le ekalesia i Isamaeli.

1. Ua oo ina ua mavae ao e lua ma po e lua, sa faapea o le a latou ave lona tino ma tuu ai i le tuugamau na faia e i latou e tanu ai o latou tagata oti.

2. O lenei, ua faalogoina e le masiofo le ta'ua o Amona, o le mea lea na ia feau mai ai i le manao ia alu atu o ia ia te ia.

3. Ua oo foi ina faia e Amona e pei ona poloaiina ai o ia, ma ua alu atu o ia i le masiofo, ua fia iloa le mea na manao ai o ia na te faia.

4. Ua fai mai o ia ia te ia: Ua faailoaina mai ia te au e auauna a la'u tane, o oe o le perofeta a le Atua paia, ma ua ia te oe le pule e fai galuega mamana e tele i lona suafa.

5. O lenei, afai o le tonu lea, o lo'u manao ia e maliu atu ma silasila i la'u tane, auā ua faataatia o ia i luga o lona moega i ao e lua ma po e lua. Ua fai mai a nisi e lei oti o ia, a e fai mai a nisi ua oti o ia ma ua manogi, ma ua tatau ona tuuina o ia i le tuugamau. A o a'u nei, ua le manogi o ia ia te au.

6. O le mea lenei na manao i ai Amona, auā na ia iloa ua oo mai i le tupu o Lamonae le mana o le Atua; na ia iloa foi ua aveeseina le ufimata pouliuli o le le talitonu ai lona manatu, o le malamalama foi na faamalamalamaina ai lona manatu, o le malamalama lea o le mamalu o le Atua, o le malamalama ofoofogia lava o lona agalelei; ioe, ua faatupuina e lenei malamalama le fiafia tele i lona agaga ua matafieseina ai le ao o le pouliuli, ma ua faapupulaina atu le malamalama o le ola faavavau i lona agaga; ioe, ua iloa e ia ua vaivai lona tino i lenei mea, ma ua aveeseina o ia i le mana o le Atua.

7. O le manao lenei o le masiofo ia te ia, o lona manao foi lea. O le mea lea na alu atu ai o ia e vaai i le tupu, e tusa ma

le manao o le masiofo na ia fai mai ia te ia, ma ua vaai o ia i le tupu, ua iloa ai ua le oti o ia.

8. Ua fai atu foi o ia i le masiofo: E lei maliu o ia, a o le mana o le Atua ua moe ai o ia, o le aso a taeao e toe tulai ai o ia, o lea aua ne'i tanu ai o ia.

9. Ua fai atu foi Amona ia te ia: Po ua e talitonu ea i lenei mea? Ona fai mai ai lea o ia: Ua leai se molimau ia te au, ua na o lau fetalaiga ma le upu ā matou auauna; a e ui i lea, ua ou talitonu e faia e pei ona e fetalaia mai.

10. Ona fai atu lea o Amona ia te ia: Amuia lava oe ona o lou faatuatua tele. Ou te fai atu ia te oe, tamaitai e, e lei i ai se faatuatua e faapea one tele i le nuu uma o sa Nifaē.

11. Ma ua oo ina mataala o ia i le moega o lana tane, e amata mai i lea lava itula e oo i le itula i le aso a taeao na atofaina e Amona e toe tulai ai o ia.

12. Ma ua oo ina tulai o ia e tusa ma le upu a Amona. Ina ua tulai o ia, ua ia faaloaloa atu lona lima i le fafine, ma ua fai atu: Ia faamanuina le suafa o le Atua! Ua manuia lava oe!

13. Auā o ola oe, faauta, ua ou vaaia lo'u Togiola, e afio mai foi o ia, e fanau mai i se fafine. E togiolaina foi e ia tagata uma o ē faatuatua i lona suafa. O lenei, ina ua fai atu e ia nei upu, ua tumu lona loto i le olioli ma ua toe paū ai o ia. Ua paū foi le masiofo ona ua vaivai i le Agaga.

14. O lenei, ina ua iloa e Amona ua liligiina mai le Agaga o le Atua, e tusa ma ana tatalo, i luga o sa Lamanā ona uso, o e na ala mai ai le faanoanoa matua tele i sa Nifaē, atoa ma le nuu uma o le Atua ona o a latou amioletonu ma a latou uputuu, ua tootuli o ia ma ua amata ona momoli atu manao o lona agaga i le tatalo ma le faafetai i le Atua ona o mea ua faia e ia mo ona uso. Ua vaivai foi o ia ona o le olioli, ma ua faapea ona pāuu ai i latou uma e toatolu i le eleele.

15. O lenei, ina ua iloa e auauna a le tupu ua pāuu i latou, ua amata ona latou valaau atu foi i le Atua, auā ua oo ia te i latou le mata'u mai le Atua, auā o i latou ia na tutū i luma o le tupu ma molimau atu ia te ia e uiga i le mana tele o Amona.

16. Ua oo foi ina latou valaau atu i le suafa o le Atua ma lo latou malosi, ua iu ina pāuu i latou uma i le eleele, ua na o le tasi fafine sa Lamanā ua lē paū; o lona igoa o Apiso; na faatuatua o ia i le Atua i tausaga e tele ona o le faaliga ofoofogia i lona tamā.

17. E ui ina faapea ona faatuatua i le Atua, ua le faaalia ai lava i se tasi, o lea, ina ua iloa e ia ua pāuu i le eleele auauna uma a Lamonae, ma lona matai tamaitai, le masiofo, atoa ma le tupu ma Amona ua pāuu faō lava i le eleele, ua iloa ai e ia o le mana lava o le Atua; ua manatu foi ua taigalemu lenei mea, afai na te faailoa atu i le nuu le mea ua taunuu ia te i latou, e vaavaai i latou i lenei mea ma latou talitonu ai i le mana o le Atua. O le mea lea na momo'e atu ai o ia i lea fale ma lea fale, ma ua faailoa atu ai i le nuu.

18. Ua amata foi ona latou faapotopoto mai i le maota o le tupu. Ua o mai foi le motu o tagata, ua latou taufaiofo ina ua latou vaavaai i le tupu, ma le masiofo, ma a laua auauna ua pāuu faō lava i le eleele, ma ua taatitia i latou e peiseai ua oti.

Ua latou iloa atu foi ia Amona, faauta foi, o ia o le sa Nifaē.

19. O lenei foi, ua amata ona muimui nisi e toatele o le nuu. Ua fai ane nisi: Ua oo mai lenei mea leaga tele ia te i latou, o le tupu ma lona aiga, auā na ia tuu i lena tagata Nifae e nofo i le nuu.

20. A ua aoai nisi ia te i latou, ua faapea atu: Ua faapaū e le tupu lenei leaga i lona aiga, auā na ia fasiotia ana auauna ona ua faataapeapeina a latou lafu i le vai o Sevusa.

21. Ua aoaiina foi i latou e na tagata o e na tutū i le vai o Sevusa ma faataapeapeina lafu a le tupu, auā ua ita i latou ia Amona ona ō latou uso e toatele na ia fasiotia i le vai o Sevusa, ina o leoleo e ia lafu a le tupu.

22. O lenei, ua ita tele le tasi o i latou ia Amona, auā na fasiotia lona uso i le pelu a Amona, na ia sei lana pelu ma ua alu atu e ta ifo ai ia Amona, e fasioti ai o ia. Ina ua sii e ia lana pelu e ta ia te ia, faauta, ua paū o ia, ua lipiola.

23. O lenei, ua tatou iloa ua le mafai ona fasiotia Amona, auā na fetalai mai le Atua ia Mosaea, lona tamā: Ou te faasaoina o ia, e ia te ia foi e tusa ma lou faatuatua. O le mea lea na tuuina atu ai o ia i le Atua e Mosaea.

24. Ua oo ina ua iloa atu e le motu o tagata ua lipiola le tagata na sii lana pelu fasioti ia Amona, ua oo le mata'u ia te i latou uma, ma ua fefefe i latou ona aapa atu o latou lima e papa'i ia te ia, po o se tasi o i latou ua pāuu. Ua toe amata ona latou taufaiofo ma faapea ifo, po o le a le ala o lenei mana tele, po'o o le a foi le uiga o nei mea uma?

25. Ua oo foi ina faapea ane nisi e toatele o i latou, o Amona o le Agaga Sili, a ua faapea a nisi ua auina mai o ia e le Agaga Sili.

26. A ua aoai nisi ia te i latou uma, ua faapea atu: O ia o le faaiteite ua auina mai e sa Nifaē e faatiga ia te i tatou.

27. Ua i ai foi nisi ua fai ane, ua auina mai Amona e le Agaga Sili e faatauma'oi ia te i latou ona o a latou amioletonu. O loo ua faatasi pea foi le Agaga Sili ma sa Nifaē, o ia foi o Le na laveai soo ia te i latou ai o latou lima. Ua fai ane foi i latou, o lenei Agaga Sili na faaumatia o latou uso e faapea ona toatele o sa Lamanā.

28. Ua faapea ona amata ona tupu le finauga tele ia te i latou. Ina o faapea ona fefinauai i latou, ua foi mai le auauna fafine na faapotopotoina ai le motu o tagata. Ina ua iloa e ia le finauga ua tupu i le motu o tagata, ua matua faanoanoa lava o ia, ua iu ina maligi ona loimata.

29. Ma ua oo ina alu atu o ia ma tago i le lima o le masiofo, atonu ua mafai o ia ona faatulai ai o ia nai le eleele. Ua pa'i atu o ia i lona lima, ona tulai loa lea o ia, ma ua tu i luga i ona vae, ma ua alaga ma le leo tele, ua faapea atu: E! Iesu e, Le ua manuia, o Le ua faasaoina ai a'u nai le seoli mata'utia! E! le Atua manuia e! ia e alofa i lenei nuu.

30. Ina ua fai atu e ia nei upu, ua feopoai ona lima, auā ua tumu o ia i le olioli, ua tautala i upu e tele ua le malamalama. Ina ua uma ona ia faia lenei mea, ua tago o ia i le lima o le tupu o Lamonae, faauta foi, ua tulai o ia ma ua tu i luga i ona vae.

31. Ua iloa e ia le fefinauaiga i lona nuu, ona alu atu loa lea o ia ma ua amata ona aoai atu ia te i latou, ma a'oa'o atu ia te i

latou upu na faalogoina e ia mai le fofoga o Amona; ua talitonu foi i latou uma o e na faalogologo i ana upu, ma ua liliu mai i le Atua.

32. A ua i ai nisi e toatele o i latou ua le mafafai ona faalogologo i ana upu, o lea na latou o atu ai i o latou lava ala.

33. Ua oo foi ina ua tulai Amona, ua ia faamafanafana atu ia te i latou; ua faapea foi auauna uma a Lamonae, ma ua latou ta'utino atu le mea e tasi i le nuu, ua liua o latou loto, ma ua le toe ai se manao ia te i latou e fai mea leaga.

34. Faauta foi, ua ta'utino atu i le nuu e nisi e toatele, ua latou vaaia agelu, ma ua talatala ma i latou. Ua faapea foi ona latou faailoaina mai ia te i latou mea a le Atua, ma lana amiotonu.

35. Ua oo foi ina i ai nisi e toatele o e na talitonu i a latou upu. Ua papatisoina i latou uma o e na talitonu, ma ua avea i latou ma nuu amiotonu, ma ua latou faatuina le ekalesia ia te i latou.

36. Ua faapea ona amataina le galuega a le Atua i sa Lamanā. Ua faapea foi ona amata ona liligi mai e le Atua lona Agaga i luga ia te i latou. Ua tatou iloa foi, ua faaloaloaina mai lona aao i tagata uma lava o ē salamo ma faatuatua i lona suafa.

MATAUPU 20.

O le malaga a Amona ma le tupu, o Lamonae, i Mitonae—Ua latou fetaia'i ma le tamā o Lamonae, o le tupu i le nuu uma lava—Muamua, ua ia to'atama'i, ae ua ia gaua'i ma faia ni mea e tele n manana'o ai i lua.

1. Ma ua oo ina ua latou faatuina le ekalesia i lea nuu, ua manao le tupu o Lamonae ia Amona, la te o atu ma ia i le nuu o Nifae, ina ia faaali atu ai o ia i lona tamā.

2. A ua tŭlei mai le siufofoga o le Atua ia Amona, ua faapea mai: Aua e te alu ae i le nuu o Nifae, auā faauta, e saili lou ola e le tupu; a ia e alu atu i le nuu o Mitonae, auā faauta, o i le falepuipui lou uso o Arona, atoa ma Muloki ma Ama.

3. O lenei, ua oo ina ua faalogoina lenei mea e Amona, ua fai atu o ia ia Lamonae: Faauta, o i ai lo'u uso ma le au uso i le falepuipui i Mitonae, ou te alu i ai foi ina ia ou laveai ia te i latou.

4. Ona fai mai ai lea o Lamonae ia Amona: Ua ou iloa e te mafaia mea uma i le malosi mai le Atua. A e peitai, faauta, o a'u, ta te o ma oe i le nuu a Mitonae, auā o le tupu o le nuu o Mitonae, o lona igoa o Anetiomino, o ia o la'u uo. O le mea lea ou te alu atu ai i le nuu o Mitonae, ina ia ou faalupelupeina le tupu o le nuu, na te tatala mai ai foi ou uso ai le falepuipui. Ua fai mai Lamonae ia te ia: O ai ea na fai atu ia te oe o i ai ou uso i le falepuipui?

5. Ua fai atu Amona ia te ia: E lei ta'uina mai ia te au e se tasi, na o le Atua. Na ia fetalai mai ia te au: Ia e alu atu ma laveai ou uso, auā o i ai i latou i le falepuipui i le nuu o Mitonae.

6. O lenei, ina ua faalogo Lamonae i nei upu, ua poloai atu o ia i ana auauna, ia sauniuni ana solofanua ma ana kariota.

7. Ona fai mai lea o ia ia Amona: Maliu mai ia, ta o ifo ma a'u i le nuu o Mitonae, ona ou faulalo atu ai lea i le tupu, na te tatalaina mai ou uso ai le falepuipui.

8. Ua oo ina o malaga atu Amona ma Lamonae, ua latou

fetaiai ma le tamā o Lamonae, o ia foi o le tupu i le nuu uma.

9. Faauta foi, ua fai ane le tamā o Lamonae ia te ia: O le a ea le mea na e le sau ai i le ‘aiga i lena aso tele na ou fai ai le ‘aiga mo o‘u atalii uma atoa ma lo‘u nuu?

10. Ua fai ane foi o ia: Po o fea e te alu i ai ma lena tagata Nifae, o le fanau a le tagata pepelo?

11. Ma ua oo ina faamatala atu ia te ia e Lamonae le mea o loo alu atu i ai o ia, auā ua fefe o ia e faatiga lona loto.

12. Na ia faamatala atu foi ia te ia le ala o lona nofo i lona lava malo, na le alu atu ai o ia i lona tamā i le tausamiga na saunia e ia.

13. O lenei foi, ina ua faamatalaina atu ia te ia e Lamonae nei mea uma, faauta, ua maofa o ia, auā ua ita lona tamā ia te ia, ma ua fai mai: Lamonae e, o loo e alu atu e laveai i nei sa Nifaē, o atalii o le tagata pepelo. Faauta, na ia gaoia mea a o tatou tamā. O lenei foi, ua o mai ana fanau ia te i tatou ina ia latou olegia i tatou i lo latou atamai ma a latou pepelo, ina ia latou toe gaoia a tatou oloa.

14. O lenei, ua poloai mai le tamā o Lamonae ia te ia, na te fasioti ia Amona i le pelu. Ua ia poloai mai foi ia te ia, aua le alu atu o ia i le nuu o Mitonae a ia la foi atu ma ia i le nuu o Isamaeli.

15. A ua fai atu Lamonae ia te ia: Ou te le fasioti ia Amona, ou te le foi atu i le nuu o Isamaeli, a e peitai, ou te alu atu i le nuu o Mitonae, ina ia ou laveaiina uso o Amona, auā ou te iloa o tagata amiotonu i latou, o perofeta paia foi a le Atua moni.

16. O lenei, ina ua faalogo lona tamā i nei upu, ua ita o ia ia te ia, ua ia se‘i lana pelu ina ia taia o ia i le eleele.

17. A ua tu atu Amona ma ua fai atu ia te ia: Faauta, e te le fasioti lou atalii; a e ui i lea, e sili ona lelei afai e oti o ia a e le o oe, auā faauta, ua salamo o ia i ana agasala. A e afai e oti nei oe i lou ita, e le mafai ona faaolaina lou agaga;

18. Ma lea foi, e tatau ona e onosai; auā afai e te fasioti lou atalii, (o ia o le tagata ua mamā,) e tagi atu lona toto nai le eleele i le Alii lona Atua, ia oo mai ai le taui ma sui ia te oe, atonu foi e fano ia te oe lou agaga.

19. Ina ua fai atu e Amona nei upu ia te ia, ua tali mai o ia, ua faapea mai: Ou te iloa afai ou te fasioti lo‘u atalii, ou te faamaligiina le toto o lē le sala, auā o oe ua saili e faafanoina o ia.

20. Ua ia aapa mai lona lima e fasioti ia Amona, a ua teena ana ta e Amona, na ia taia foi lona lima ina ia le toe aoga ia te ia.

21. O lenei, ina ua iloa e le tupu ua mafai Amona ona fasioti ia te ia, ua amata ona tagi o ia ia Amona, ia faasaoina e ia lona ola.

22. A ua sii e Amona lana pelu, ma ua fai atu ia te ia: Faauta, ou te fasia oe pe afai e te le tuu mai ia te au ia tatalaina mai o‘u uso ai le falepuipui.

23. O lenei, ona ua fefe le tupu ne‘i aveeseina lona ola, ua fai mai: Afai e te faasaoina a‘u, ou te tuu atu ia te oe mea uma e te fai mai ai, e oo lava i le vaeluaga o le malo.

24. O lenei, ina ua iloa e Amona ua faia e ia i le tupu e tusa ma lona manao, ua fai atu o ia ia te ia: Afai e te tuu mai ia tālaina mai o‘u uso ai le falepuipui, ma tuu ia Lamonae e tao-

fi pea lona malo, ma ē le tiga ia te ia, a e tuu ia te ia e faia e tusa ma ona manao i mea uma e manatu ai o ia, ona ou faasaoina lea oe; a leai, ou te taia oe i le eleele.

25. O lenei, ina ua fai atu e Amona nei upu, ua amata ona olioli ai le tupu ona o lona ola.

26. Ina ua iloa foi e ia ua leai se manao ia Amona e fasioti ia te ia, ina ua iloa foi lona alofa tele i lona atalii o Lamonae, ua matua ofo lava o ia, ma ua fai mai: Ona ua gata mai mea ua e manao i ai i lenei, ia ou tatalaina mai ou uso ma tuu atu i lo'u atalii o Lamonae ia taofi e ia lona malo, faauta, ou te tuu atu ia te oe ia taofi e lo'u atalii lona malo, e amata mai nei a ia oo i le faavavau, ou te le toe pule foi ia te ia.

27. Ou te tuu atu foi ia te oe ia tālaina mai ou uso ai le falepuipui, ma ia outou o mai ma ou uso ia te au i lo'u malo; auā ua ou naunau i le fia feiloai ma outou. Auā ua ofo lava le tupu i upu na tautala atu ai o ia, atoa foi ma upu na tautala atu ai lona atalii o Lamonae. O le mea lea na ia manao ai ia a'oa'oina ai o ia.

28. Ua oo ina o atu Amona ma Lamonae i la laua malaga e aga'i atu i le nuu o Mitonae. Ua alofagia foi Lamonae i luma o le tupu o le nuu, o lea ua aumaia ai uso o Amona ai le falepuipui.

29. Ina ua latou feiloai ma Amona, ua matua faanoanoa lava o ia, auā faauta, ua le lavalavā i latou ma ua muluia tele o latou pa'u, auā na saisaitia i latou i maea malolosi. Sa tigaina i latou i le fia 'ai, ma le fia inu, ma puapuaga uiga eseese; a e ui i lea, na latou onosai i o latou puapuaga uma.

30. Auā na o atu i latou i le nuu ua sili ona maaa o latou loto ma ua sili ona mălolo o latou ūa; o le mea lea na le mafafai ai i latou ona faalogologo i a latou upu; na latou tulieseina foi i latou ma taia i latou; na fetuliaiina foi i latou i lea fale ma lea fale, i lea mea foi ma lea mea, ina seia oo ina taunuu i latou i le nuu o Mitonae; o le nuu lea na pueina ai i latou ma lafoina i le falepuipui. Na saisaitia foi i latou i maea malolosi, ma ua taofia i latou i le falepuipui i aso e tele, a ua laveaiina e Lamonae ma Amona.

O le tala i le talaiga a Arona ma Muloki ma o laua uso i sa Lamana.

(E aofia ai mataupu 21 oo i le 26)

MATAUPU 21.

Ua te'ena e sa Amalekī Arona ma Muloki, ua la o atu i Mitonae —Ua tu'uina ai i laua i le falepuipui—O le tatalaina o i laua ma le galuega fa'afaife'au—O le manuia tele o galuega a Amona —Ua fausia sunako.

1. O lenei, ina ua taapeape Amona ma ona uso i tuaoi o le laueleele o sa Lamanā, faauta, ua alu Arona i lana malaga e aga'i atu i le nuu ua ta'ua e sa Lamanā o Ierusalema, ua faaigoaina ai i le igoa o le nuu moni ō latou tamā, ua mamao atu foi e tuaoi ma Mamona.

2. O lenei, ua faia e sa Lamanā ma sa Amalekī ma le nuu o Amulona le aai tele ua faaigoaina ia Ierusalema.

3. Ua lava le faamaaaina o sa Lamanā, a ua sili ona maa sa Amalekī ma sa Amulonā. O le mea lea na latou faaosoina ai sa Lamanā ia faamaaa o latou loto, ina ia malolosi i latou i le amioleaga ma a latou mea inosia.

4. Ua oo ina taunuu atu Arona i le aai o Ierusalema, ma ua amata muamua ona tala'i atu i sa Amalekī. Ua amata foi ona tala'i atu o ia ia te i latou i o latou sunako, auā ua latou faia sunako e tusa ma le tu a sa Ne'oā, auā ua toatele sa Amalekī ma sa Amulonā ua taofi e pei o sa Ne'oā.

5. O le mea lea, ina ua alu atu Arona i le tasi ō latou sunako e tala'i atu i le nuu, ina o lauga atu foi o ia ia te i latou, faauta, ua tulai le tasi sa Amalekī, ma ua amata ona finau ma ia, ua faapea mai: O le a ea lenei mea ua e molimau mai ai? Ua e vaaia ea se agelu? O le a ea le mea ua le faailoa mai ai agelu ia te i matou? Faauta, e le tusa ea le lelei o lenei nuu ma lou nuu?

6. Ua e fai mai foi e fano i matou, pe afai matou te le salamo. E te iloa faapefea manatu ma fafaufauga ō matou loto? Po ua e iloa ea ua i ai se mea ia te i matou e salamo ai? Pe faapefea ona e iloa e le se nuu amiotonu i matou? Faauta, ua matou faia malumalu, ma ua matou potopoto e tapuai atu ai i le Atua. Matou te faatuatua e faaolaina e le Atua tagata uma.

7. Ona fai atu lea o Arona ia te ia: Ua e talitonu ea e afio mai le Alo o le Atua e togiola tagata ai a latou agasala?

8. Ma ua fai mai le tagata ia te ia: Matou te le talitonu ua e iloa se mea faapea. Ua matou le talitonu i nei uputuu faavalea. Matou te le talitonu e te iloa mea e oo mai, ua matou le talitonu foi na iloa e o outou tamā, po o matou tamā mea na latou fai mai i mea e oo mai.

9. Ona amata lea ona folafola atu e Arona tusi paia i le afio mai o Keriso, atoa ma le toe tu mai o e ua oti, ma ua le mafai ona i ai se tasi togiola, ua na o le maliu ma tiga o Keriso ma le togiola o lona toto.

10. Ma ua oo ina ua amata ona faamatala atu e ia nei mea ia te i latou, ua ita i latou ia te ia, ma ua amata ona tauemu ia te ia; ua le mafafai foi i latou ona faalogologo i upu na tautala atu ai o ia.

11. O lea, ina ua iloa e ia ua le mafafai i latou ona faalogologo i ana upu, ua ia tuua ai lo latou sunako, ma ua alu atu i le faoa aai ua igoa ia Ani-Aneti, i le mea lea na ia maua ai Muloki, o loo tala'i atu le upu ia te i latou; ua faapea foi ma Ama ma ona uso. Ma ua latou finau ma nisi e toatele i le upu.

12. Ua oo foi ina latou iloa e saga faamaaa e le nuu o latou loto, o le mea lea na latou o ese ai, ma ua o ane i le nuu o Mitonae. Ua latou tala'i atu le upu i nisi e toatele, a ua toaitiiti e na talitonu i upu na latou a'oa'o atu.

13. E ui i lea, ua pueina Arona ma nisi o ona uso ma ua lafoina i le falepuipui, a ua sosola atu e ua totoe o i latou ai le nuu o Mitonae i nuu e latalata mai.

14. Ua tigaina e ua lafoina i le falepuipui i mea e tele, a ua laveaiina i latou e Lamonae ma Amona, ma ua fafagaina ma faaofuina i latou.

15. Ua toe o atu foi i latou e tala'i atu le upu. Ua faapea foi ona muai laveaiina i latou ai le falepuipui; ua faapea foi ona puapuagatia i latou.

16. Ua latou o atu i mea uma ua ta'ita'iina ai i latou e le Agaga o le Atua, o loo tala'i atu le afioga a le Atua i Sunako uma o sa Amalekī, ma potopotoga uma o sa Lamanā ua mafai ona ulu atu i ai i latou.

17. Ua oo ina amata ona faamanuiaina i latou e le Atua, ua iu ina aumaia e i latou nisi e

toatele i le malamalama o le upu moni; ioe, na latou faamautinoa i nisi e toatele a latou agasala, ma uputuu le tonu a o latou tamā.

18. Ma ua oo ina foi atu Amona ma Lamonae ai le nuu o Mitonae i le nuu o Isamaeli, o le laueleele lea o lo laua tofi.

19. Ua le mafai le tupu o Lamonae ona tuu atu ia Amona e tautua ia te ia, pe fai mana auauna.

20. A ua faatuina e ia sunako i le nuu o Isamaeli; ua poloai atu foi o ia, ia potopoto faatasi lona nuu, o tagata ia ua pule i ai o ia.

21. Ua fiafia o ia ia te i latou, ma ua ia a'oa'o atu ia te i latou i mea e tele. Na ia tala'i atu foi ia te i latou, o le nuu i latou ua pule ai o ia, o i latou foi o le nuu ua saoloto; ua saoloto i latou ai le pule saua a le tupu, o lona tamā lea, auā ua tuuina mai ia te ia e lona tamā ia pule o ia i tagata o le nuu o Isamaeli ma le laueleele uma e latalata mai.

22. Na ia talai atu foi ia te i latou, ua saoloto i latou e tapuai atu i le Alii lo latou Atua e tusa ma o latou manao i mea uma ua i ai i latou, pe afai ua i ai i latou i le laueleele ua pule ai le tupu o Lamonae.

23. Ma ua tala'i atu Amona i le nuu o le tupu o Lamonae, ma ua oo ina a'oa'o atu o ia ia te i latou i mea uma e uiga i le amiotonu. Na ia apoapoai atu ia te i latou i aso fai soo ma le filigā uma, ma ua latou gauai i lana upu; ua maelega i latou i le tausiga o poloaiga a le Atua.

MATAUPU 22.

O Arona i le nuu o Nifae—Ua liua le tupu ma lona aiga atoa—Ua vaevaeina le atunu'u ia sa Nifaē ma sa Lamanā.

1. O lenei, ona ua faapea ona a'oa'o atu pea Amona i le nuu o Lamonae, tatou te toe foi i le tala ia Arona ma ona uso, auā ina ua tuua e ia le nuu o Mitonae, ua ta'ita'iina atu o ia e le Agaga i le nuu o Nifae, e oo lava i le maota o le tupu ua pule i le le nuu uma, ua na o le nuu o Isamaeli ua le pule ai; o ia foi o le tamā o Lamonae.

2. Ma ua oo ina latou o atu ma ona uso ia te ia i le maota o le tupu, ua ifo o ia i luma o le tupu, ma ua fai atu ia te ia: Faauta, le tupu e, o i matou o uso o Amona na e laveaiina ai le falepuipui.

3. O lenei foi, le tupu e, afai e te faasaoina o matou ola, e fai i matou mau auauna. Ua fai mai le tupu ia te i latou: Tutulai ia, auā ou te faasaoina ia te outou o outou ola, a e peitai, ou te le tuu atu ia avea outou ma'u auauna; a o lo'u manao, ia outou faamafanafana mai ia te au, auā sa ou atuatuvale teisi i lo'u manatu ona o le loto alofa ma le silisili o upu a lo outou uso o Amona. Ou te fia iloa foi le mea ua le sau ai o ia faatasi ma outou mai le nuu o Mitonae.

4. Ua fai atu e Arona i le tupu: Faauta, ua valaauina o ia e le Agaga o le Atua i le tasi ala. Ua alu atu o ia i le laueleele o Isamaeli e a'oa'o atu i le nuu o Lamonae.

5. Ona fai mai ai lea le tupu ia te i latou: O le a ea lenei mea ua outou fai mai ai e uiga i le Agaga o le Atua? Faauta, o le mea lea ua faaatuatuvaleina ai a'u.

6. Ma lea foi, po o le a lenei upu na fai mai ai Amona, Afai e te salamo, e faaolaina oe, a e afai e te le salamo, e vavaeeseina oe i le aso gataaga?

7. Ua tali atu Arona ma ua fai atu ia te ia: Po ua e talitonu ea

ua i ai se Atua? Ona fai mai ai lea o le tupu: Ua ou iloa ua fai mai a sa Amalekī ua i ai se Atua; ua ou tuuina atu foi ia te i latou ia latou faatuina fale paia, ina ia latou potopoto faatasi e tapuai atu ai ia te ia. Afai foi e te fai mai nei o loo i ai le Atua, faauta, ou te talitonu i ai.

8. O lenei foi, ina ua faalogo Arona i lenei upu, ua amata ona olioli lona loto, ma ua fai atu: Faauta, e moni, o soifua oe le tupu e, e i ai le Atua.

9. Ma ua fai mai le tupu: O le Atua ea le Agaga Sili lena na aumaia o tatou tamā ai le nuu o Ierusalema?

10. Ona fai atu lea o Arona ia te ia: Ioe, o ia o le Agaga Sili lena, na faia foi e ia mea uma i le lagi atoa ma le lalolagi. Po ua e talitonu ea i nei upu?

11. Ma ua fai mai o ia: Ioe, ua ua ou talitonu na faia mea uma e le Agaga Sili, o lo'u manao foi, ia e faamatala mai ia te au nei mea uma, ou te talitonu foi i au upu.

12. Ma ua oo ina ua iloa e Arona e talitonu le tupu i ana upu, ua ia amata i le faiga o Atamu ma ua faitau atu tusi paia i le tupu. Na faia tagata e le Atua i lona lava faatusa, na tuuina mai foi e le Atua poloaiga ia te ia, a e peitai, ona o le solitulafono ua paū ai le tagata.

13. Ma ua faamatala atu ia te ia e Arona tusi paia e amata i le faiga o Atamu. Ua faamatala atu ia te ia le paū o tagata, ma lo latou ola faalelalolagi, atoa ma le ala o le togiola na saunia ia Keriso talu le faavaeina o le lalolagi mo i latou uma o ē faatuatua i lona suafa.

14. Ona ua paū le tagata, ua le mafai ona tatau se mea ia te ia, a o puapuaga ma le maliu o Keriso ua faamagaloina ai a latou agasala talu le faatuatua ma le salamo ma mea faapea. Ua motusia foi e ia noanoaga o le oti ina ia leai se manumalo o le tuugamau, ina ia faaumatia foi le tui o le oti i le faamoemoe i le mamalu, Ua faamatala atu foi e Arona nei mea uma i le tupu.

15. Ua oo ina ua faamatalaina atu nei mea ia te ia e Arona, ua ai mai le tupu: Se a se mea ou te faia ia ou maua ai lenei ola faavavau ua e ta'uina mai? Ioe, se a ca se mea ou te faia ina ia fanauina a'u i la le Atua, ma ia aveeseina lenei agaga leaga ai lo'u fatafata, ia ou maua ai foi lona Agaga, ina ia faatumuina a'u i le olioli, ina ia le vavaeeseina a'u i le aso gataaga? Ua fai mai foi o ia: Faauta, ou te tuu ese mea uma ua ia te au, ioe, ou te tuua lava lo'u malo ina ia ou maua lena olioli tele.

16. A ua fai atu Arona ia te ia: Afai foi ua e manao i lenei mea, afai foi e te faasifo atu i luma o le Atua, ioe, afai e te salamo i au agasala, ma faasifo atu i luma o le Atua, ma valaau atu i lona suafa ma le faatuatua, o loo talitonu o le a e maua ai, ona e maua lea le mea ua e manao i ai.

17. Ua oo ina ua fai atu e Arona nei upu, ua ifo toele le tupu i ona tulivae i luma o le Atua, ioe, ua faafaō lava o ia i le eleele, ma ua valaau atu ma le faatauanau, ua faapea atu:

18. Le Atua e, ua fai mai Arona ia te au, e i ai se Atua; afai e i ai se Atua, afai foi o oe o le Atua, ia e faailoa mai lau afio ia te au. Ou te lafoaiina a'u agasala uma ina ia ou iloa ai lau afio, ina ia toe faatuina mai foi a'u nai e ua oti, ma ia faaolaina a'u i le aso gataaga. O lenei foi, ina ua fai atu e le tupu nei upu, ua taia o ia e peiseai ua oti.

19. Ma ua oo ina taufetuli atu ana auauna ma ta'u atu i le masiofo mea uma ua oo i le tupu. Ua alu atu foi o ia i le tupu. Ina ua vaai atu foi ia te ia o taatia mai e peiseai ua oti, o loo tutū foi Arona ma ona uso e peiseai o i latou na ala ai lona malaia, ua ita o ia ia te i latou, ma ua poloai atu i ana auauna, o auauna foi ia a le tupu, ia ave ese ma fasioti ia te i latou.

20. O lenei, ua vaaia e auauna le ala o le paū o le tupu, o le mea lea na fefefe ai i latou ona fetagofi atu o latou lima ia Arona ma ona uso; a ua latou tagi atu i le masiofo, ua faapea atu: O le a le mea ua e poloai mai ai ia te i matou ia fasioti nei tagata, manū ua sili se toatasi o i latou ia i matou uma? O le mea lea e fasia ai i matou e i latou.

21. O lenei, ina ua iloa e le masiofo le mata'u o auauna, ua amata ona matua mata'u foi o ia ne'i oo mai se mala i ona luga. Ua poloai atu foi o ia i ana auauna, ia latou o atu ma valaau i le nuu, ina ia latou fasioti ia Arona ma ona uso.

22. O lenei, ina ua iloa e Arona le loto malosi o le masiofo, ina ua iloa foi e ia le maaa o loto o le nuu, ua fefe o ia ne'i faapotopotoina se motu o tagata, ne'i tupu ai foi se finauga tele ma se misa ia te i latou; o le mea lea na ia faaloaloa atu ai lona lima, ma ua faatuina mai le tupu nai le eleele, ma ua fai atu ia te ia: Tulai ia; ma ua tu i luga o ia ona vae, ua toe maua lona malosi.

23. Ua faia lenei mea i luma o le masiofo ma nisi o le au auauna. Ina ua latou vāai i ai, ua maofa tele i latou, ma ua amata ona matatau. A ua tu atu le tupu, ma ua amata ona faamafanafana atu ia te i latou, ua iu ina faaliliuina mai lona aiga uma i le Atua.

24. O lenei, ua faapotopotoina le motu o tagata ona o le poloaiga a le masiofo, ma ua amata ona i ai muimuiga tetele ia te i latou ona o Arona ma ona uso.

25. A ua tulai atu le tupu ia te i latou, ma ua faamafanafana atu ia te i latou. Ua loto malie ai foi i latou ia Arona ma e na faatasi ma ia.

26. Ua oo ina ua iloa e le tupu ua loto malie le nuu, ua pule o ia ia tutū atu Arona ma ona uso i totonu o le motu o tagata, ina ia latou tala'i atu le upu ia te i latou.

27. Ua oo foi ina faia e le tupu le talaiga i le nuu uma, i ona tagata uma ua i ai i lona laueleele uma, ua i nuu uma e latalata mai, ua tuaoi lava i le sami i le itu i sasae atoa ma le itu i sisifo, ma ua vavaeeseina ai le nuu o Sara'emila i le vaivao itiiti, ua alu ane e amata atu i le sami i sasae e oo i le sami i sisifo ma ona tuaoi i le matafaga, ma tuaoi o le vao i le itu i matu, i tafatafa o le laueleele o Sara'emila, i tuaoi o Maneti, i le puna o le vaitafe o Saitonu, o loo tafe mai sasae e aga'i atu i sisifo. Ua faapea ona nonofo eseese sa Lamanā ma sa Nifaē.

28. O lenei, ua nonofo i le vao i latou o e ua sili ona paiē o sa Lamanā, ma ua mau i fale ie. Ua nonofo solo i latou i latou i le vao i sisifo i le laueleele o Nifae, ioe, atoa foi ma le itu i sisifo o le nuu o Sara'emila, i ona tuaoi e latalata atu i le matafaga, ma le itu i sisifo o le nuu o Nifae, i le mea na fai ma tofi muamua ō latou tamā, ma ua tuaoi i le sami.

29. Ua toatele sa Lamanā i le itu i sasae e latalata atu i le sami, na tulia i ai i latou e sa Nifaē. Ma ua faapea ona tali vagavagaia

sa Nifaē e sa Lamanā; e ui i lea, ua ave e sa Nifaē le laueleele uma i le itu i matu, o loo tuaoi i le vao, i le puna o le vaitafe o Saitonu, e amata i sasae a e oo sisifo, i le itu i le vao i le itu i matu, ua oo atu i latou i le laueleele ua ta'ua e i latou o Nuumau.
30. Ma ua tuaoi ai ma le nuu ua faaigoaina e i latou o Tuufua, ua faapea le mamao i le itu i matu, ua oo atu i le nuu sa aigā, a ua faaumatia, e o latou ivi foi na matou fai atu na maua e le nuu o Sara'emila; o le mea foi lea na muai tuta ai o latou vaa.
31. Ua latou o ae ai lea mea i le vao i le itu i saute. O le mea lea ua ta'ua ai le nuu i le itu i matu o Tuufua, a o le nuu i le itu i saute ua ta'ua o Nuumau. O le vao lena ua tumu i manu feai eseese; ua o mai nisi ai le nuu i le itu i matu e saili ai mea e 'ai.
32. O lenei foi, ua na o le malaga i le aso e tasi ma le vaeluaga o se tasi aso i se tagata Nifae i le tuaoi o le nuu o Nuumau ma le nuu o Tuufua, e amata i le sami i sasae e oo atu i le sami i sisifo, ma ua faapea ona toetoe ina siosiomia le laueleele o Sara'emila ma le laueleele o Nifae i le sami; ua i ai le auiti o le laueleele e faasosoo ai le laueleele i le itu i matu ma le laueleele i le itu i saute.
33. Ua oo ina aigā e sa Nifaē le laueleele o Nuumau, e amata i le sami sasae, a e oo atu i le sami i sisifo; o lea, ona o lo latou fai poto ma o latou leoleo, ma a latou au, ua punitia ai e sa Nifaē o sa Lamanā i le itu i saute, ina ia latou le toe mau i le itu i matu, ina ia latou le faalilofia le laueleele i le itu i matu.
34. O le mea lea ua le mafai ai ona i ai i sa Lamanā nisi laueleele, a e na o le nuu o Nifae ma le vao e latalata ane i ai. O lenei, o le fai poto lenei o sa Nifaē, auā ua ita sa Lamanā ia te i latou, ua le mafafai i latou ona onosai i puapuaga i itu uma, ma lea foi, ina ia i ai ia te i latou se nuu e mafai ona latou sosola i ai, e tusa ma lo latou manao.
35. O lenei foi, ina ua uma ona ou fai atu lenei mea, ou te toe foi i le tala ia Amona, ma Arona, ma Ominea, ma Himinae, ma o latou uso.

MATAUPU 23.

Ua fa'atuina le sa'olotoga e tapua'i ai i le Atua—Ua liliu sa Lamana e to'atele i le Ekalesia—O sa Amalekī ma sa Amulona, ua latou teena le upu moni—O Aneti-Nifae-Liae.

1. Faauta, ua oo ina faia e le tupu o sa Lamanā le talaiga i lona nuu uma, aua latou te fetagofi atu o latou lima ia Amona, po o Arona, po o Ominea, po o Himinae, po o se tasi ō latou uso, o ē o atu e tala'i atu le afioga a le Atua i nuu uma ua i ai i latou, i itu uma o lo latou nuu.
2. Ioe, na ia avatu le poloaiga ia te i latou, aua latou te fetagofi atu o latou lima e saisai ia te i latou, pe lafo i latou i le falepuipui, aua foi le taufeanu ia te i latou, pe fasi i latou, pe tuli ese i latou ai o latou sunako, pe sasa ia te i latou; aua foi ne'i latou fetogia i latou i maa, a ia tuu saoloto i latou i o latou fale, ma o latou malumalu, ma o latou falesa.
3. O le mea lea ua mafai ai i latou ona o atu ma tala'i atu le upu e tusa ma o latou manao, auā ua faaliliuina mai le tupu i le Atua, ua faapea foi ma lona aiga uma; o le mea lea na ia fai ai le talaiga i ona tagata uma i

le nuu, ia leai se faalavelave i le afioga a le Atua, a ia mafai ona oo atu ai i le nuu uma, ina ia mautinoa ai lona nuu e uiga i uputuu leaga a o latou tamā, ma ia mautinoa foi ia te i latou, o uso i latou uma, ma ua le tatau ona latou fasioti tagata, pe vete, pe gaoi, pe mulilua, pe fai se tasi amioleaga.
4. O lenei foi, ua oo ina ua faia
e le tupu lenei talaiga, ua o atu Arona ma ona uso i lea aai ma lea aai, mai le tasi falesa i le tasi, o loo faatuina ai ekalesia, ma ua faauuina faitaulaga ma a'oa'o i le nuu uma o sa Lamanā, e tala'i atu ma a'oa'o atu le afioga a le Atua ia te i latou; ma ua faapea ona amata ona i ai le manuia tele ia te i latou.
5. Ua aumaia foi afe o tagata
i le malamalama o le Atua; ioe, ua aumaia afe o tagata e talitonu i uputuu a sa Nifaē, ma ua a'oa-'oina i latou i tusi ma perofetaga sa tuufaasoloina mai e oo lava i nei ona aso.
6. E moni, o soifua le Atua,
e moni, o i latou uma na talitonu, o i latou uma foi na aumaia i le malamalama o le upu moni i le talaiga a Amona ma ona uso, e tusa ma le agaga o le faaaliga ma le perofetaga, ma le mana o le Atua ua faia ai vavega ia te i latou; ioe, ou te fai atu ia te outou, o soifua le Atua, o sa Lamanā uma o e na talitonu i la latou talaiga, ma ua faaliliuina i le Atua, ua le toe liliu ese lava.
7. Auā ua avea i latou ma nuu
amiotonu; ua latou lafoai la latou auupega o lo latou fouvale, ua le toe tau ai ma le Atua, po o se tasi ō latou uso.
8. O i latou nei na faaliliuina
mai i le Atua:
9. O tagata o sa Lamanā i le
laueleele o Isamaeli,
10. Atoa ma tagata o sa La-
manā i le laueleele o Mitonae,
11. Ma tagata foi o sa Lamanā
i le aai o Nifae,
12. Atoa foi ma tagata o sa
Lamanā i le laueleele o Seloma, ma e ua i ai i le laueleele o Semilona, atoa ma le aai o Lemuelu, atoa foi ma le aai o Seminelona.
13. O igoa foi nei o aai sa faa-
liliuina mai i le Atua; o i latou nei foi na lafoai la latou auupega o lo latou fouvale, ioe, o la latou auupega uma o le taua; o lo sa Lamanā i latou uma.
14. Ua le faaliliuina mai sa
Amalekī, ua na o le toatasi na faaliliuina mai, po o se tasi o sa Amulonā; a ua latou faamaaa o latou loto, atoa ma loto o sa Lamanā i itu uma o le laueleele ua mau ai i latou, ioe, ma o latou faoa aai atoa ma o latou aai uma.
15. O le mea lea ua matou ta-
'uina atu ai igoa o aai uma o sa Lamanā na latou salamo ma o mai i le malamalama o le upu moni ma ua faaliliuina.
16. O lenei foi, ua oo ina ma-
nao e le tupu ma i latou ua faaliliuina mai, ia latou maua se igoa, ia faailogaina ai i latou ai o latou uso; o lea na filifili ai le tupu ma Arona ma ni o latou faitaulaga e toatele, e uiga i se igoa latou te ave i o latou luga, ia faailogaina ai i latou.
17. Ma ua oo ina latou ta'ua
lo latou igoa o Aneti-Nifae-Liae; ma ua igoa i latou i lenei igoa, a ua le toe igoa ia sa Lamanā.
18. Ua amata ona fai i latou
ma nuu matua maelega; ioe, ma ua fealofani i latou ma sa Nifaē; o le mea lea na amata ai ona latou feaveai tusi ma i latou. Ua le toe mulimuli atu foi le fetuu a le Atua ia te i latou.

MATAUPU 24.

Ua o mai o sa Lamanā e tau i tagata o le Atua—Ua le mafai e sa Lamanā, o ē ua liliu mai, ona faaaoga a latou ʻauupega o le taua—Ua liliu tele mai.

1. Ua oo ina le taʻua sa Amalekī, ma sa Amulonā, atoa ma sa Lamanā i le laueleele o Amulona, ma le laueleele o Helama, atoa ma e ua i le laueleele o Ierusalema, ioe, ma le laueleele uma e latalata ane i ai, o i latou o e ua le faaliliuina, ua le taʻua i latou i le igoa o Aneti-Nifae-Liae, ua faaosoina i latou e sa Amalekī ma sa Amulonā i le ita i o latou uso.

2. Ma ua tupu matua tele lo latou ita ia te i latou, ua iu ina amata ona latou fouvale i lo latou tupu, ua le mafafai ai i latou ona fai o ia mo latou tupu; o le mea lea na latou tagofia ai le auupega e sii taua i le nuu o Aneti-Nifae-Liae.

3. O lenei, ua tuu atu le malo e le tupu i lona atalii, ma ua taʻua e ia lona igoa o Aneti-Nifae-Liae.

4. Ua maliu foi le tupu i lea lava tausaga na amata ai ona sauniuni sa Lamanā e sii taua mai i le nuu o le Atua.

5. O lenei, ina ua iloa e Amona ma ona uso atoa ma i latou uma na o mai faatasi ma i latou o sauniga o sa Lamanā e faaumatia o latou uso, ua o mai i latou i le nuu o Mitiana; o le mea lea foi na fetaiai ai Amona ma ona uso uma, ua latou o mai ai i le nuu o Isamaeli, ina ia latou faia se fono faatasi ma Lamonae, atoa ma lona uso o Aneti-Nifae-Liae, i se mea latou te faia e faamamaluina ai i latou ai sa Lamanā.

6. O lenei, ua leai se tagata e toatasi i le nuu uma ua faaliliuina i le Atua e tago i le auupega e tau ai ma o latou uso; e leai lava, ua le mafafai foi ona latou sauni i le taua; ioe, ua poloaiina foi i latou e lo latou tupu, aua latou te faia.

7. O lenei, o upu nei na ia fai atu i le nuu e uiga i lenei mea: Ou te faafetai atu i loʻu Atua, loʻu nuu pele e, ua auina mai ia te i tatou e lo tatou Atua silisili, i lona agalelei, o tatou uso nei o lo sa Nifaē, e talaʻi mai ia te i tatou ma faamautinoa ia te i tatou le sese o uputuu a o tatou tamā amioleaga.

8. Faauta foi, ou te faafetai atu i loʻu Atua silisili, ona ua aumaia ia te i tatou se vaega o lona Agaga, e faamalulu aʻi o tatou loto, ua amata ai ona tatou feʻoeʻoeai ma nei uso o lo sa Nifaē.

9. Faauta foi, ou te faafetai atu foi i loʻu Atua, o le amataga o lenei feʻoeʻoeai ua tatou iloa tino ai a tatou agasala, ma fasioti tagata e tele sa tatou faia.

10. Ou te faafetai atu foi i loʻu Atua, ioe, o loʻu Atua silisili, ua ia tuuina mai ia te i tatou ia tatou salamo i nei mea, ma lea foi, ua ia faamagaloina ia te i tatou a tatou agasala ma fasioti tagata e tele na tatou faia, ma ua aveeseina le manatu agasala ai o tatou loto i le alofa o lona Alo.

11. O lenei foi, faauta, oʻu uso e, ona ua gata mai mea ua mafaia e i tatou (auā o i tatou sa sili ona malaia i tagata uma,) i le salamo i a tatou agasala ma fasioti tagata e tele sa tatou faia, ma ia aveeseina ai e le Atua ai o tatou loto, auā ua gata mai mea ua mafaia e i tatou i le salamo e tatau ai i luma o le Atua, ina ia aveeseina e ia lo tatou leaga.

12. O lenei, oʻu uso ua sili ona alofagia, ona ua aveeseina e le Atua lo tatou leaga, ma ua pupula a tatou pelu, aua tatou te

toe faaeleelea a tatou pelu i le toto ō tatou uso.

13. Faauta, ou te fai atu ia te outou, ioe, sei tatou taofi a tatou pelu, ina ia le faaeleelea ai i le toto ō tatou uso, auā e le iloga, pe afai tatou te toe faaeleelea a tatou pelu, e le toe mafai ona faapupulaina i le toto o le Alo o lo tatou Atua silisili e faamaligiina e togisala a'i a tatou agasala.

14. Ua alofa foi le Atua silisili ia te i tatou, ma ua faailoa mai nei mea ia te i tatou ina ia le fano i tatou, ioe, ma ua ia muai faailoa mai nei mea ia te i tatou, auā ua alofa o ia i o tatou agaga, e pei ona alofa o ia i a tatou fanau, o le mea lea ua asiasi mai ai o ia ma ana agelu ia te i tatou i lona alofa, ina ia faailoaina mai le ala o le olataga ia te i tatou, e pei lava o tupulaga amulī.

15. Ioe, ua alofa matua tele lo tatou Atua! O lenei foi, faauta, ona ua gata mai mea ua mafaia e i tatou, ia aveeseina lo tatou leaga ia te i tatou, ma ia faapupulaina a tatou pelu, sei tatou teuina ina ia tumau lo latou pupula, e fai ma molimau i lo tatou Atua i le aso gataaga, o le aso lea e aumaia ai i tatou i ona luma ina ia faamasinoina, ua tatou le faaeleelea a tatou pelu i le toto ō tatou uso talu ina tuuina mai e ia ana afioga ia te i tatou ma faamamāina i tatou.

16. O lenei foi, o'u uso e, afai e saili o tatou uso e faaumatia i tatou, faauta, tatou te teuina a tatou pelu, ioe, tatou te tanu ai lava maulalō i le eleele, ina ia faatumauina lo latou pupula e fai ma folimau i le aso gataaga ua tatou le faaaogaina ai; afai foi e faaumatia i tatou e o tatou uso, faauta, tatou te o atu i lo tatou Atua ma ola ai.

17. O lenei foi, ua oo ina ua faaiu e le tupu nei upu, ma ua faapotopotoina faatasi le nuu uma, ua latou ave a latou pelu, ma la latou auupega uma ua aoga i le faamaligiina o le toto o tagata, ma ua latou tanumia ai maulalō i le eleele.

18. Ua latou faia lenei mea, auā o lo latou taofi o le molimau lea i le Atua, atoa ma tagata, latou te le toe faaaogaina le auupega i le faamaligiina o le toto o tagata, ma ua latou faia lenei mea, ma ua tauto ma fai le feagaiga ma le Atua, e sili ia te i latou ona avatu o latou lava ola ai le faamaligiina o le toto ō latou uso, ma ua sili ia te i latou ona foai atu i se uso, ai le ave ese ia te ia; ma ua sili ia te i latou ona galulue tele ma o latou lima, ai le maumau ō latou aso i le paiē.

19. Ma ua faapea ona tatou iloa ai, ina ua aumaia nei sa Lamanā e talitonu ma iloa le upu moni, ua mausali i latou ma ua sili ia te i latou le onosai e oo i le oti ai le fai agasala. Ma ua faapea ona tatou iloa na tanumia e i latou la latou auupega o le filemu, po o lea, na latou tanumia la latou auupega o le taua ina ia maua ai le filemu.

20. Ua oo ina sauniuni o latou uso o sa Lamanā i le taua, ma ua o mai i le nuu o Nifae e fasioti ai le tupu, ma faanofo sona sui, ma lea foi, e faaumatia tagata o Aneti-Nifae-Liae ai le nuu.

21. O lenei, ina ua iloa e le nuu ua latou sii mai le taua ia te i latou, ua latou o atu e faafetaiai i latou, ma ua latou faapaū faō i le eleele i o latou luma, ma ua amata ona valaau atu i le suafa o le Atua, ua faapea foi i latou ina ua amata ona osofai mai sa Lamanā i o latou luga, ma ua

amata ona fafasi ia te i latou i le pelu.

22. Ua faapea foi ona le teena i latou, a ua latou fasia le toaafe ma le toalima o i latou, ma ua tatou iloa ua manuia i latou, auā ua latou o atu e mau faatasi ma lo latou Atua.

23. O lenei, ina ua iloa e sa Lamanā e le sosola ese o latou uso ai le pelu, pe liliu i le itu taumatau po o le itu tauagavale, a ua latou taooto ma fano, ma ua vivii atu i le Atua, manū o faafanoia i latou i le pelu;

24. O lenei, ina ua iloa lenei mea e sa Lamanā, ua tuu lo latou fasi o i latou, a ua toatele o i latou ua momomo o latou loto ona ō latou uso o e ua fasia i le pelu, auā ua latou salamo i le mea na latou faia.

25. Ma ua oo ina latou lafo i lalo la latou auupega o le taua, ma ua le mafafai i latou ona toe fetagofi i ai, auā ua tuia o latou loto ona o le fasioti tagata ua latou faia, ma ua latou faapāuu e pei lava ō latou uso, o loo faamoemoe i le alofa o i latou o e ua sii o latou lima e fafasi ia te i latou.

26. Ua oo ina sili ona toatele e na faatasia ma le nuu o le Atua i lena aso ai le aofai o e na fasia; o tagata amiotonu i latou uma na fasia, o le mea lea e le taumate ai ona faaolaina i latou.

27. A ua leai se tagata amioleaga na fasia faatasi ma i latou, a ua itiiti le toaafe i e na aumaia i le malamalama o le upu moni, ma ua faapea ona tatou iloa ua galue le Atua i ala e tele i le faaolaina o lona nuu.

28. O lenei, o le toatele o sa Lamanā, o e na fasia o latou uso e faapea ona toatele, o lo sa Amalekī ma sa Amulonā i latou. O le toatele foi o i latou ua i le faatuatuaga o sa Ne'oā.

29. O lenei, ua leai ni sa Amalekī, po o ni sa Amulonā, po o nisi o lo le faatuatuaga o Ne'oa i e na faatasia ma le nuu o le Atua, a o le gafa moni o Lamana ma Lemuelu i latou.

30. Ma ua faapea ona tatou iloa tino, pe a uma ona faamalamalamagia se nuu e le Agaga o le Atua, ma ua maua le poto tele i mea e uiga i le amiotonu, ona latou pāuu ai lea i le agasala ma le solitulafono, ua avea ai i latou ma tagata ua sili ona faamaaaina, ma ua faapea ona avea ai ma e ua sili ona leaga, a e ana latou le iloa nei mea, po ua lelei.

MATAUPU 25.

Ua faatuputupuleaga sa Lamanā—Ua taui ma sui sa Amulonā—Ua fasiotia tagata amiotonu—O le faataunu'uga atili o le valoaga a Apinati.

1. Faauta, ua ita atili sa Lamanā ona ua latou fasia o latou uso, o le mea lea na latou tauto ai, latou te taui ma sui i sa Nifaē. Ua latou le toe taumafai ona fasia le nuu o Aneti-Nifae-Liae i na ona aso,

2. A ua latou ave a latou au ma o atu i tuaoi o le laueleele o Sara'emila, ma ua faaifo atu i le nuu sa i le laueleele o Amonaea, ma faaumatia i latou.

3. Mulimuli ane foi i lea mea, ua tele taua o i latou ma sa Nifaē, a ua tulia i latou ma fasia.

4. Ua toetoe ina fasia le fanauga uma a Amulona ma ona uso, o faitaulaga ia a le tupu o Noa, faatasi ma e ua fasia o sa Lamanā, na fasia foi i latou i lima o sa Nifaē.

5. Ua sosola e na totoe i le vao i sasae, ua fao foi le pule ma tofiga a sa Lamanā, ua faafanoina foi i le afi nisi e toatele o

sa Lamanā ona o lo latou faatuatua.

6. Auā ua toatele o i latou, ina ua uma ona tigaina i mea e tele ma puapuaga tetele, ua amata ona faaosoina i latou i le faamanatua o upu na talaiina atu ia te i latou e Arona ma ona uso i lo latou lava nuu, o le mea lea na amata ai ona latou le talitonu i uputuu a o latou tamā, a ua faatuatua i le Atua, ma lea, ua tuuina mai i sa Nifaē le pule e tele, ma ua faapea ona faaliliuina mai nisi e toatele o i latou a o i le vao.

7. Ua oo foi ina fasia i latou e toe tagata o le fanauga a Amulona o e ua fai ma faipule, ioe, o i latou uma o e ua talitonu i nei mea.

8. O lenei fasioti o molimau na faaosoina ai o latou uso e toatele i le ita, ma ua amata ona tupu le finauga i le vao, ua amata foi ona sue e sa Lamanā le fanauga a Amulona ma ona uso, ma ua amata ona fafasi ia te i latou, a ua latou sosola i le vao i sasae.

9. Faauta foi, ua sailia i latou e sa Lamanā e oo mai lava i lenei aso; ma ua faapea ona faataunuuina upu a Apinati na ia fai mai e uiga i le fanauga a faitaulaga, o e na faatigaina o ia e oo i le oti i le afi.

10. Auā na ia fai atu ia te i latou: O le mea tou te faia ia te au, o le faatusa lea o mea e oo mai.

11. O lenei foi, o Apinati o lē muamua lea na tigaina i le oti i le afi ona o lona faatuatua i le Atua. O le uiga lenei o lana upu, e tigaina nisi e toatele i le oti i le afi, e pei ona tigaina ai o ia.

12. Na fai atu foi o ia i faitaulaga a Noa, e fasia e a latou fanau nisi e toatele, e pei ona fasiotia o ia; e faasalalausoloina foi ma fasia, e pei lava ona tulia ma faafanoia i manu feai o mamoe ua leai se leoleo mamoe. O lenei foi, faauta, ua faataunuuina nei upu, auā ua tulia i latou e sa Lamanā, ma ua sailia i latou, ma ua taia.

13. Ua oo ina ua iloa e sa Lamanā ua le mafai ona latou faatoilaloina sa Nifaē, ua toe foi atu i latou i lo latou lava nuu, ma ua o mai nisi e toatele o i latou e mau i le nuu o Isamaeli ma le nuu o Nifae, ma ua latou faatasia i latou lava ma le nuu o le Atua, o le nuu lea o Aneti-Nifae-Liae.

14. Ua latou tanumia foi la latou auupega o le taua, e pei ona faia e o latou uso, ma ua amata ona fai i latou ma nuu amiotonu, ua latou savavali foi i ala o le Atua, ma ua tausi i ana poloaiga ma tulafono.

15. Ioe, ua latou tausia le tulafono a Mose; auā aua ao ina latou tausi i le tulafono a Mose i nei ona aso, auā e lei faataunuuina uma. A e ui i le tulafono a Mose, ua latou faamoemoe i le afio mai o Keriso, o loo taofi, o le tulafono a Mose, o le faatusa lea lea o lona afio mai, ma ua taofi ua tatau ona latou tausi i ana sauniga e vaaia seia oo i le aso e faailoa mai ai o ia ia te i latou.

16. O lenei, ua latou le taofi o le tulafono a Mose e oo mai ai le olataga; a ua aoga le tulafono e faamalosi a'i lo latou faatuatua ia Keriso; ma ua faapea ona latou taofi ai le faamoemoe, ona o lo latou faatuatua i le olataga faavavau, ua faalagolago foi i le agaga o le perofetaga ua fetalai mai ai nei mea e oo mai.

17. O lenei foi, faauta, ua olioli tele Amona, ma Arona, ma Ominea, ma Himinae, ma o latou uso ona o le manuia na latou maua i sa Lamanā, auā ua tuuina mai ia te i latou e le Atua e tusa ma a

latou tatalo, na ia faamaonia foi lana afioga ia te i latou i pito uma.

MATAUPU 26.

Ua vivi'i Amona i le Alii—Ua mitamita i le amiotonu—Ua ia toe faamanatuina faamanuiaga ia te ia ma ona uso.

1. O lenei foi, o upu nei a Amona na ia fai atu i ona uso, ua faapea atu: O'u uso e, ma le au uso uma, faauta, ou te fai atu ia te outou, ua matua tele mea ua ia te i tatou e olioli ai, auā na mafai ea ona tatou masalo, ina ua amata ona tatou malaga mai ai le nuu o Sara'emila, e alofa le Atua ma tuuina mai ia te i tatou nei manuia tetele?

2. O lenei foi la'u fesili, ni a ea manuia tetele ua foaiina mai e ia ia te i tatou? E mafai ea ea ona outou ta'uina mai?

3. Faauta, ou te tālia mo outou, auā sa i ai o tatou uso o sa Lamanā i le pouliuli, ioe, o le vanu aupito pouliuli lava; a e peitai, faauta, ua toatele o i latou ua aumaia e iloa le malamalama ofoofogia o le Atua! O le manuia foi lenei ua foaiina mai ia te i tatou, auā ua faia i tatou ma tufugā'a'ao o le Atua e faataunuu a'i lenei galuega tele.

4. Faauta, o toaafe lava o i latou ua olioli, ma ua aumaia i le lafu mamoe a le Atua.

5. Faauta, sa afu le tosaito, ma ua manuia outou, auā na outou tuu atu le selesaito, ma ua selesele ma lo outou malosi, ioe, o le ao atoa na outou galulue ai; faauta foi, o a outou fusi saito e tele, e faaputuputuina ai foi i falesaito, ina ia le faamaumauina ai.

6. Ioe, e le lafoina i le afā i le aso gataaga, e le suatia foi i le asiosio, a e peitai, a sau le afā, e faapotopotoina i latou i le mea e teu ai, ina ia le ati atu le afā ia te i latou, ioe, e le lelea foi i latou i matagi tetele i le mea e loto ai lē ita mai ona ave i ai i latou.

7. A e peitai, faauta, e i ai i latou i aao o le Alii o le seleselegāsaito, e ona foi i latou; na te faatuina foi i latou i le aso gataaga.

8. Ia faamanuina le suafa o lo tatou Atua; ia tatou pepese i ona viiga, ioe, ia tatou taufaifaafetai i lona suafa paia, auā ua amiotonu o ia e faavavau.

9. Auā ana tatou le o mai ai le nuu o Sara'emila, po ua tigaina pea i le ita tele ia te i tatou o tatou nei uso pele, o e ua alofa tele ia te i tatou, ioe, po ua tagata ese pea i latou i le Atua.

10. Ma ua oo ina ua fai atu nei upu e Amona, ua aoai mai lona uso o Arona ia te ia, ua faapea mai: Amona e, ua ou fefe ne'i e mitamita ona o lou olioli.

11. A ua fai atu Amona ia te ia: Ou te le mitamita i lo'u lava malosi, po o lo'u lava poto; a e peitai, faauta, ua atoatoa lo'u olioli; e! ua tumu lo'u olioli, ou te olioli i lo'u Atua!

12. Ioe, ua tusa a'u nei ma le leai; o lo'u malosi foi ua ou vaivai ai, o le mea lea ou te le mitamita ai ia te au lava; a e peitai, ou te mitamita i lo'u Atua, auā o lona malosi ou te mafaia ai mea uma; ioe, faauta, ua tele vavega tetele ua tatou faia i lenei nuu, o le mea lea tatou te vivii atu ai e faavavau i lona suafa.

13. Faauta, o afe e tele ō tatou uso ua ia laveaiina ai puapuagā o seoli, ma ua aumaia i latou e vivii i le alofa togiola; o lenei foi, ona o le mana o lana afioga ua ia te i tatou. O lenei,

po ua le tele ea mea ua ia te i latou e olioli ai?

14. Ioe, ua ia te i tatou le mea e vivii atu ai ia te ia faavavau, auā o ia o le Atua silisiliese, ma ua ia tatalaina mai o tatou uso ai filifili o seoli.

15. Ioe, sa siosiomia i latou i le pouliuli faavavau ma le faafanoga; a e peitai, faauta, ua ia aumaia i latou i lona malamalama faavavau; ioe, i le olataga faavavau, ma ua siosiomia i latou i lona alofa tele e le mafaatusaina; ioe, o i tatou foi sa fai mona tufugā'a'ao e fai a'i lenei galuega tele ma le ofoofogia.

16. O le mea lea ia tatou mitamita ai, ioe, tatou te mitamita i le Atua, ioe, tatou te olioli, auā ua atoatoa lo tatou fiafia; ioe, tatou te vivii atu e faavavau i lo tatou Atua. Faauta, po o ai ea sē mafai ona mitamita anoanoai i le Atua? Ioe, po'o ai ea e mafai ona vivii anoanoai i lona mana tele ma lona alofa tele, ma lona faapalepale pea i le fanauga a tagata? Faauta, ou te fai atu ia te outou, ou te le mafai ona fai atu se vaega itiiti o le fiafia ua ia te au.

17. O ai ea sa mafai ona masalo e faapea ona alofa lo tatou Atua ia te i tatou, e se'i mai ai i tatou ai a tatou amioleaga matautia, ma a tatou agasala ma mea leaga?

18. Faauta, na tatou o atu i le ita, ma ua mapugatamai i upu faamata'u e tele e faaumatia ai lana ekalesia.

19. Ioe, o le a ea le mea na ia le tuu ai i tatou i le faafanoga mata'utia? Ioe, o le a ea o le mea na ia le tuu ai le pelu o lana faamasinoga e paū i luga o i tatou, ma tofia ai i tatou i le faanoanoa e faavavau?

20. Ioe, ua pei ua tali sola lo'u agaga i lea manatu. Faauta, na ia le faaoo mai lana faamasinoga ia te i tatou, a e peitai, o lona alofa tele na ia faasopo atu ai i tatou i lena vanu tumau o le oti ma le malaia, e oo lava i le faaolaina ō tatou agaga.

21. O lenei foi, faauta, o'u uso e, po o ai ea se tagata faalelalolagi ua iloa nei mea? Ou te fai atu ia te outou, ua leai se tasi ua iloa nei mea, ua na o ē loto salamo.

22. Ioe, o le ua salamo, ma faatuatua, ma ua fua mai i galuega lelei, ma ua tatalo pea e le aunoa, o i latou ia ua tuuina i ai e iloa mea lilo a le Atua; ioe, o i latou ia e tuuina i ai e faaali mea e lei faaalia lava; ioe, e tuuina atu foi i ē faapea e aumaia toaafe o agaga i le salamo ,e pei lava ona tuuina mai ia te i tatou e aumaia o tatou uso nei i le salamo.

23. O lenei, po ua outou manatua ea, o'u uso e, na tatou fai atu i o tatou uso i le nuu o Sara'emila, tatou o ae ia i le nuu o Nifae e tala'i atu i o tatou uso o sa Lamanā; a ua latou featani mai ia te i tatou ma le 'ino'ino.

24. Auā na latou fai mai ia te i tatou, Fa te outou ea tou te mafaia ona aumaia sa Lamanā i le malamalama o le upu moni? Fa te outou ea tou te mafaia ona faamautinoa i sa Lamanā le le tonu o uputuu a o latou tamā, o i latou o le nuu ūa mălolo tele; ua fiafia o latou loto i le faamaligiina o le toto, ua maumau o latou aso i le amioleaga aupito leaga lava, ō latou ala foi, o ala o le solitulafono talu le amataga? O lenei, o'u uso e, ua outou manatua, o a latou upu ia.

25. Ma lea foi, na latou fai mai: Sei tatou sii atu le taua ia te i latou, ina ia tatou faaumatia i latou ma la latou amioletonu ai

le laueleele, ne'i latou solia mai i tatou ma faaumatia i tatou.

26. A e peitai, faauta, o'u uso pele e, tatou te lei o mai i le vao ma le manatu e faaumatia o tatou uso, a o le manatu atonu ua mafaia ona tatou faaolaina agaga o nisi e toatele o i latou.

27. O lenei, ina o mafatia o tatou loto, ma ua faapea, o le a tatou toe foi atu, faauta, na faamafanafana mai le Atua ia te i tatou, ma ua fetalai mai: Ina o atu ia i o outou uso o sa Lamanā, ma ia faatoatoa i le onosai i o outou puapuaga, ona ou foai atu lea le manuia ia te outou.

28. O lenei foi, faauta, ua tatou o mai, ma ua uma ona o atu faatasi ma i latou, ma ua tatou onosai i o tatou puapuaga; na tigaina foi i tatou i puapuaga uma, ioe, na tatou malaga solo i lea fale ma lea fale, o loo faalagolago i le alofa o le lalolagi; e le na o le alofa o le lalolagi, a o le alofa foi o le Atua.

29. Ua tatou ulu atu foi i o latou fale ma a'oa'o atu ia te i latou, na tatou a'oa'o atu foi ia te i latou i o latou auala, ioe, na tatou a'oa'o atu ia te i latou i luga ō latou mauga, na tatou ulu atu i o latou malumalu ma o latou sunako ma a'oa'o atu ai ia te i latou. Sa tulieseina foi i tatou, ma tauemuina, ma anusia, ma tu'ia i o tatou alafau, na fetogia foi i tatou i maa; ma ua pueina, ma saisaitia i maea malolosi, ma lafoina i falepuipui; o le mana foi ma le poto o le Atua ua toe laveaiina ai i tatou.

30. Na tigaina foi i tatou i puapuaga uiga eseese uma; o nei mea uma foi, auā atonu ua mafai ona avea ai i tatou ma ala e faaolaina ai se agaga. Sa faapea foi a i tatou, e atoatoa lo tatou olioli pe afai ua mafai ona avea i tatou ma ala e faaolaina ai nisi.

31. O lenei, faauta, ua mafai ona tatou vaavaai atu ma iloa le fua o a tatou galuega. Po ua itiiti ea? Ou te fai atu ia te outou, e leai, a ua toatele i latou; ioe, ma ua mafai ona tatou molimau atu i lo latou faamaoni, ona o lo latou alofa i o latou uso atoa ma i tatou nei.

32. Auā faauta, ua sili ia te i latou ona foai fua o latou ola ai le aveeseina o le ola o sē ita ia te i latou; ma ua latou tanumia maulalo i le eleele la latou auupega o le taua, ona o lo latou alofa i o latou uso.

33. O lenei foi, faauta, ou te fai atu ia te outou, po ua i ai le alofa e faapea ona tele i le nuu uma? Faauta, ou te fai atu ia te outou, e leai, e lei i ai lava i sa Nifaē.

34. Auā faauta, e fetagofi i latou i le auupega e tau a'i ma o latou uso; latou te le tuuina atu i latou lava ia fasiotia. A e peitai, faauta, pe toafia o i latou nei ua tuuina atu o latou ola, ma ua tatou iloa ua latou o atu i lo latou Atua, ona o lo latou alofa, ona o lo latou 'ino'ino foi i le agasala.

35. O lenei, e le tatau ea ona tatou olioli? Ioe, ou te fai atu ia te outou, e lei ola mai tagata talu le amataga o le lalolagi ua i ai mea e olioli ai e pei o i tatou nei; ioe, o lo'u olioli foi ua ou mitamita ai i lo'u Atua, auā ua ia te ia le mana uma, ma le poto uma, atoa ma le malamalama uma. Ua silafia foi e ia mea uma; o ia foi o Lē finagalo alofa e oo lava i le olataga ia te i latou uma o ē salamo ma faatuatua i lona suafa.

36. O lenei, afai o le mitamita lea, e faapea lava ona ou mitamita; auā o lo'u ola lenei, ma lo'u malamalama, o lo'u olioli, ma lo'u olataga, ma lo'u togiola mai le

malaia faavavau. Ioe, ia faama-
nuina le suafa o lo'u Atua, o le
na tausia lenei nuu, o le lālā o
le laau o Isaraelu, ma ua le
iloaina i le ogālaau i le nuu ese;
ioe, ou te fai atu, ia faamanuina
le suafa o lo'u Atua, o Le na
manatua i tatou, o tagata taasē
i le nuu ese.
37. O lenei, o'u uso e, ua tatou
iloa ua manatua e le Atua nuu
uma i atunuu uma latou te i ai;
ioe, ua faitauina e ia lona nuu,
ma ua liuliualo alofa mai i le
lalolagi uma. O lenei, o lo'u olioli
lenei, ma la'u faafetai tele; ioe,
ou te faamanu e faavavau i lo'u
Atua. Amene.

MATAUPU 27.

O tagata o Aneti-Nifae-Liae, ua sa'ili lo latou puipuiga i le aai o Sara'emila—Ua ta'ua i latou o tagata o Amona—Ua tuuina atu le laueleele o Seasona ia te i latou.

1. O lenei, ua oo ina ua iloa
e na sa Lamanā, o e na o atu
e sii taua i sa Nifaē, ina ua
mavae taua e tele e faauma ai
i latou, ua le aoga ona latou
taumafai ona faaumatia i latou,
ua toe foi atu i le laueleele o
Nifae.
2. Ua oo foi ina ita tele sa
Amalekī ona o lo latou fasi. Ina
ua latou iloa foi ua le mafai ona
latou taui ma sui i sa Nifaē, ua
amata ona latou faatupuina le
ita o le nuu i o latou uso, o le
nuu lea o Aneti-Nifae-Liae. O le
mea lea na latou toe amata ai
ona fafasi ia te i latou.
3. O lenei, ua toe musu lenei
nuu ona fetagofi i a latou auu-
pega, ma ua latou tuuina atu i
latou lava ia fasia, e tusa ma
manao o ē ita ia te i latou.
4. O lenei, ina ua iloa e Amona
ma ona uso lenei galuega o le
faafanoga i e ua alofagia tele ia
te i latou, o e na alofa tele ia te
i latou, auā ua faaaloina i latou
e peiseai o i latou o agelu ua
aauina mai e le Atua e faaolaina
i latou ai le faafanoga faavavau.
O lenei, ina ua iloa e Amona ma
ona uso lenei galuega tele o le
faafanoga, ua tupu lo latou alofa
mutimutivale, ma ua latou fai atu
i le tupu:
5. Sei tatou faapotopoto faatasi
lenei nuu o le Atua, ma tatou
o ifo i le nuu o Sara'emila, i o
tatou uso o sa Nifaē, ma sosola
ese ai lima o ē ita ia te i tatou,
ina ia le faaumatia i tatou.
6. A ua fai mai le tupu ia te
ia: Faauta, e faaumatia i matou
e sa Nifaē, ona o fasioti tagata
ma agasala e tele ua matou faia
ia te i latou.
7. Ona fai atu lea o Amona:
Ou te alu atu ma fesili i le Atua,
afai foi e fetalai mai o ia ia te
i tatou, O ifo ia i o outou uso,
pe tou te o ea?
8. Ma ua fai mai le tupu te ia:
Ioe, afai e fetalai mai le Atua ia
o atu, tatou te o ifo i o tatou uso,
e fai foi i matou ma latou pologa,
seia matou faalelei ma i latou ona
o fasioti tagata ma agasala e
tele ua matou faia ia te i latou.
9. A ua fai atu Amona ia te
ia: Ua sa i le tulafono a o tatou
uso, na faia e lo'u tamā, ona ia i
ai ni pologa ia te i latou, o lea
sei tatou o ifo ai, ma faalagolago
i le loto alofa ō tatou uso.
10. A ua fai mai le tupu ia te
ia: Fesili atu ia le Atua, afai
foi e fetalai mai o ia ia te i
tatou, ia o atu, ona tatou o ai
lea; a leai, e fano i matou i le
nuu nei.
11. Ua oo ina alu atu Amona,
ma ua fesili i le Atua, ma ua
fetalai mai le Atua ia te ia:
12. Ina ave ese ia lenei nuu ai

lenei laueleele, ina ia le fano i latou; auā ua malosi tele le pule a Satani i loto o sa Amalekī, o ē faaosoina sa Lamanā i le ita i o latou uso e fafasi ai i latou. O lea ina o ese ia ai lenei laueleele; e faamanuiaina foi lenei nuu i lenei tupulaga, auā ou te faasaoina i latou.

13. O lenei foi, ua oo ina alu atu Amona, ma ua tala atu i le tupu upu uma na fetalai mai ai le Atua ia te ia.

14. Ma ua latou faapotopoto faatasi o latou tagata uma; ioe, o le nuu uma o le Atua, ma ua faapotopoto faatasi a latou lafu ma fagaga uma, ma ua tete'a ese ai le nuu, ma o mai i le vao ua va a'i le laueleele o Nifae ma le laueleele o Sara'emila, ua o mai e latalata i tuaoi o le nuu.

15. Ma ua oo ina fai atu Amona ia te i latou: Faauta, matou te o atu ma o'u uso i le nuu o Sara'emila, tou te faatali foi iinei seia matou foi mai; matou te tofotofo foi i loto ō matou uso, pe latou te loto ina ia outou o atu i lo latou nuu.

16. Ma ua oo ina ua o atu Amona ma ona uso i le nuu, ua latou fetaiai ma Alema i le mea na ta'uina atu. Faauta foi, o le feiloaiga fiafia lava lea.

17. O lenei, ua matua tele le olioli o Amona, ma ua tumu ai lona loto, ioe, ua faaumatia lona malosi i le olioli i lona Atua, ma ua toe pau ai o ia i le eleele.

18. E le o le olioli tele ea lenei? Faauta, e le maua e se tasi lenei olioli, sei iloga o le ua saili le fiafia ma le salamo faamaoni, atoa ma le faamaulalo.

19. O lenei, ua matua tele le olioli o Alema i le feiloaiga ma ona uso, ua faapea foi le olioli o Arona, ma Ominea, ma Himinae, a e peitai, faauta, ua le sili lo latou olioli i lo latou malosi.

20. O lenei foi, ua oo ina ta'ita'iina e Alema o ona uso i le nuu o Sara'emila, e oo i lona lava fale. Ua latou o atu ma faamatala atu i le faamasino sili mea uma na oo ia te i latou i le nuu o Nifae, faatasi ma o latou uso o sa Lamanā.

21. Ua oo ina faia e le faamasino sili le talaiga i le nuu uma, ua fia maua ai le filifiliga a le nuu, pe talia e i latou o latou uso, o le nuu lea o Aneti-Nifae-Liae.

22. Ua oo ina maua mai le filifiliga a le nuu, ua faapea mai: Faauta, tatou te tuuina atu le nuu o Seasona, e i sasae e tuaoi ma le sami, e tuaoi foi ma le laueleele o Nuumau, e i le itu i saute foi o le laueleele o Nuumau; o lenei nuu o Seasona, o le laueleele lea tatou te tuuina atu i o tatou uso e fai mo latou tofi.

23. Faauta foi, tatou te tuu a tatou au i le va o le nuu o Seasona ma le nuu o Nifae, ina ia tatou faamamaluina o tatou uso i le nuu o Seasona. Tatou te faia foi lenei mea mō tatou uso, ona o lo latou mata'u e fetagofi i le auupega e tau ai ma o latou uso, ne'i latou agasala ai. Na oo mai foi lo latou nei mata'u tele ona o lo latou salamo lotulotu na ia te i latou, ona o a latou fasioti tagata e tele, ma la latou amioleaga matautia.

24. O lenei foi, faauta, tatou te faia lenei mea mō tatou uso, ina ia fai mo latou tofi le laueleele o Seasona. Tatou te leoleoina foi i latou i a tatou au ai ē ita ia te i latou, pe afai latou te aumai ia te i tatou se vaega o lo latou oa, e fesoasoani mai ai ia te i tatou, ina ia tatou tausia a tatou au.

25. O lenei, ua oo ina ua faalogo Amona i nei upu, ua foi atu o ia i le nuu o Aneti-Nifae-Liae;

ua la o atu foi ma Alema i le vao na latou faatuina ai o latou fale ie, ma ua faaalia nei mea uma ia te i latou, ma ua faamatala atu ia te i latou e Alema le ala o lona faaliliuina mai faatasi ma Amona, ma Arona, ma ona uso.

26. Ma ua oo ina olioli tele ai i latou. Ua latou o ifo i le laueleele o Seasona, ma ua ave mo latou le laueleele o Seasona; ua ta'ua foi i latou e sa Nifaē, o le nuu o Amona; o le mea lea ua faailogaina ai i latou i lea igoa talu ai.

27. Ua faatasia i latou ma le nuu o Nifae, ua faitauina foi faatasi ma le nuu ua i le ekalesia a le Atua. Ua faailogaina foi i latou ona o lo latou maelega i la le Atua atoa ma la tagata. Auā ua faamaoni lava ma amiotonu i mea uma, ma ua tumau i latou i le faatuatua ia Keriso e oo lava i le iuga.

28. Ua latou manatunatu i le faamasaaina o le toto ō latou uso ma le 'ino'ino tele. Ua le mafai lava ona pulea i latou ia fetagofi i le auupega e tau ai ma o latou uso. Ua leai lava se fefe ia te i latou i le oti, ona o lo latou faamoemoe ma taofi ia Keriso ma le toe tu mai; o lea ua faaumatia ai le oti ia te i latou i le manumalo o Keriso.

29. O le mea lea na latou onosai ai i le oti aupito leaga ma le tiga lava ua mafai ona faaoo ia te i latou e o latou uso, a e le fetagofi i latou i le pelu po o le simetea e fasi a'i i latou.

30. Ua faapea ona avea i latou ma nuu maelega ma le alofagia, o le nuu foi ua sili ona faamanuiaina e le Atua.

MATAUPU 28.

Ua si'i taua sa Lamanā i sa Nifaē—O le taua tele—Ua toilalo sa Lamanā—O le faanoanoaga tele.

1. O lenei foi, ua oo ina ua mau le nuu o Amona i le laueleele o Seasona, ma ua faatuina foi le ekalesia i le nuu o Seasona, ma ua tofia au a sa Nifaē e siosiomia le laueleele o Seasona, ioe, i tuaoi uma o le nuu o Sara'emila, faauta, ua tuliloa mai i le vao au a sa Lamanā i o latou uso.

2. Ma ua faapea ona faia le taua tele lava, ioe, e lei iloaina se taua faapea i le nuu uma talu aso na te'a ai Liae ma Ierusalema; ua fasia foi sa Lamanā e manomanō, ma ua faasalalausoloina i latou.

3. Ioe, ua i ai foi lē fasi tele i le nuu o Nifae; e ui i lea, ua tulia sa Lamanā ma faasalalauina; ma ua toe foi mai le nuu o Nifae i lo latau lava laueleele.

4. O aso ia na faalogoina ai le tagi ma le auega tele i le nuu uma o Nifae.

5. Ioe, o le tagi o fafine ua faanoanoa i a latou tane ua oti, o tamā foi ua faanoanoa ona ō latou atalii, o le teine foi ona o lona tuagane, ioe, o le tama foi ona o lona tamā; ma ua faapea ona faalogoina le tagi o le faanoanoa ia te i latou uma, ua faanoanoa ona ō latou aiga ua fasia.

6. O lenei foi, e moni lava, o aso nei o le faanoanoa, ioe, o aso foi o le faamatalaloto, ma aso o le anapogi tele ma le tatalo.

7. Ua faapea foi ona iu lona sefulu ma le lima o tausaga o le nofoaiga a faamasino i le nuu o Nifae.

8. O le tala foi lenei ia Amona ma ona uso; o a latou malaga i le nuu o Nifae, ō latou tiga foi i le nuu, ma o latou faanoanoaga, ma o latou puapuaga; o lo latou

olioli e le mafuatia, ma le talia ma le faamamaluina ō latou uso i le nuu o Seasona. O lenei foi, ia alofa le Alii, le Togiola o tagata uma, ma faamanuiaina e faavavau o latou agaga.

9. O le tala foi lenei i taua ma finauga o sa Nifaē, atoa ma taua o sa Nifaē ma sa Lamanā. Ua iu foi lona sefulu ma le lima o tausaga o le nofoaiga a faamasino.

10. E amata mai i le tausaga muamua e oo i lona sefulu ma le lima, ua oo mai ai le faafanoga o afe o tagata e toatele, ioe, ua oo mai ai le vaaiga matautia o le faamasaaina o le toto.

11. Ua tanumia foi maulalo i le eleele afe e tele o tino o tagata, a o nisi afe e tele o loo liu eleele i faupuega i luga o le fogaeleele; ioe, e tele foi afe o loo faanoanoa i o latou aiga ua leai, auā ua ia te i latou le mea e mata'u ai, e tusa ma le folafolaga a le Atua, ua tuuina atu i latou i le puapuaga e le iu.

12. A o nisi afe e tele, e moni, o loo fanoanoa ona ua leai o latou aiga, a e ui i lea, ua latou fiafia ma olioli i le faamoemoe, ma ua iloa, e tusa ma folafolaga a le Atua, ua toe tutū mai i latou e nonofo i le itu taumatau o le Atua i le fiafia e le uma.

13. Ma ua faapea ona tatou iloa ua tele le le tutusa o tagata talu le agasala, ma le solitulafono, atoa ma le mana o le tiapolo, ua oo mai i togafiti popoto ua saunia e ia e taumaileia ai loto o tagata.

14. Ua faapea ona tatou iloa le valaau tele i le filigā i tagata e galulue i tovine o le Atua; ma ua faapea ona tatou iloa le ala i le faanoanoa tele atoa foi ma le olioli; o le faanoanoa ona o le oti ma le faafanoga i tagata, ma le olioli ona o le malamalama o Keriso e oo mai ai le ola.

MATAUPU 29.

O le naunauta'i o le loto o Alema ia ta'u atu le salamo i tagata uma—E tuuina mai le afioga a le Atua e faatatau i le poto—O le olioli o Alema ona o le manuia o ona uso.

1. E! ana o a'u o se agelu, ma ua mafai ona maua le manao o lo'u loto, ina ia ou alu atu ma tautala atu ma le pu a le Atua, ma le leo e luluina ai le laueleele, ma tala'i atu le salamo i nuu uma;

2. Ioe, po ua ou tala'i atu i tagata, uma ma le leo e pei o le faitititili, le salamo ma le ala o le togiola, ina ia latou salamo ma o mai i lo latou Atua, ina ia le toe ai se faanoanoa i luga o le fogaeleele uma.

3. A e peitai, faauta, o a'u o le tagata, ma ua agasala i lo'u manao; auā e tatau ia te au ona ia toafilemu lo'u loto i mea ua tuuina mai ia au e le Atua.

4. E le tatau ona ou faaatuatuvaleina lo'u loto i le tulafono mausali a le Atua amiotonu, auā ua ou iloa ua tuuina mai e ia i tagata e tusa ma lo latou manao, pe oo i le oti, pe oo i le ola; ioe, ua ou iloa ua tufatufaina e ia i tagata e tusa ma o latou loto, o le faaolatagaa, po o le malaia.

5. Ioe, ua ou iloa foi ua oo mai i luma o tagata uma le lelei ma le leaga; a le o lea, ua le pona ai le ua le iloa le lelei ai le leaga, a o le na te iloa le lelei ma le leaga, ua tuuina ia te ia e tusa ma ona manao, pe manao o ia i le lelei, po o le leaga, o le ola, po o le oti; o le olioli, po o le tiga o le loto fuatiaifo.

6. O lenei, ina ua ou iloa nei

mea, ou te manao i se a i se tasi mea, tau lava ina ia ou faia le galuega ua valaauina ai a'u?

7. Ou te manao i se a ia avea a'u ma agelu, ina ia mafai ona ou tautala atu e oo i tuluiga uma o le lalolagi?

8. Auā faauta, ua tuuina atu e le Atua i atunuu uma nisi i lo latou lava atunuu ma la latou gagana e a'oa'o atu ai lana afioga, ioe, i le poto i mea uma ua silafia e ia ua tatau ia te i latou; o le mea lea tatou te iloa ai e faatonu mai e le Atua ma le poto, e tusa ma le amiotonu ma le faamaoni.

9. Ua ou iloa mea ua poloaiina ai a'u e le Atua, ma ua ou mitamita ai; ou te le mitamita ona o a'u, a e peitai, ou te mitamita i mea ua poloaiina ai a'u e le Atua. Ioe, o lo'u mitamita lenei, atonu e avea a'u ma tufugā'a'ao o le Atua i le ta'ita'iina mai o se agaga i le salamo; o lo'u olioli foi lenei.

10. Faauta foi, pe a ou iloa o'u uso e toatele ua salamo faamaoni, ma ua o mai i le Alii lo latou Atua, ona tumu ai lea lo'u agaga i le olioli, ona ou manatua ai lea mea ua faia e le Atua mo a'u; ioe, ua ia faafofogaina la'u tatalo; ioe, ona ou manatua ai lea lona aao alofa na ia faaloaloa mai ia te au.

11. Ioe, ou te manatua foi le faapologaina o o'u tamā, auā, e moni, ua ou iloa na laveaiina i latou e le Atua ai le nofopologa, o le mea lea na faatuina ai lana ekalesia. Ioe, na laveaiina i latou ai le nofopologa e le Alii le Atua, o le Atua o Aperaamo, o le Atua o Isaako, o le Atua foi o Iakopo.

12. Ioe, ua ou manatua pea le faapologaina o o'u tamā, o le Atua foi lea na laveaiina i latou ai lima o tagata Aikupito, na laveaiina i latou ai le nofopologa.

13. Ioe, o le Atua foi lea na faatuina lana ekalesia ia te i latou; ioe, o le Atua foi lea na valaauina a'u i le faiva paia e tala'i atu le upu i lenei nuu, ma ua foaiina mai ia te au le manuia tele, ua atoatoa ai lo'u olioli.

14. A e peitai, e le na o lo'u lava manuia ua ou olioli ai, a ua atili ona atoatoa lo'u olioli ona o le manuia o o'u uso, o e na o ae i le nuu o Nifae.

15. Faauta, na matua galulue lava i latou, ma ua fua mai ni fua e tele, e matua tele lo latou taui.

16. O lenei, pe a ou manatu i le manuia o o'u uso nei, e peiseai ua segia lo'u agaga e oo i le tete'a ese ma le tino, ona o le tele o lo'u olioli.

17. O lenei foi, ia alofa le Atua i o'u uso nei, ina ia latou nonofo i le malo o le Atua; ioe, ia faapea foi ma i latou uma o le fua o a latou galuega, ina ia le toe ulufafo ai i latou, a ia latou vivii atu ia te ia e faavavau; ma ia alofa le Atua, ia faataunuuina e tusa ma a'u upu, e pei ona ou fai atu ai. Amene.

MATAUPU 30.

O Kori'ao le Aneti-Keriso—Ua tulia o ia mai Seasona, ma ua pu'eina i Kiteona—Ua faamasisoina i Sara'emila—Ua ia mana'omia se faailoga ma ua taia o ia ua gugu—O lona oti puapuagatia.

1. Faauta, o lenei, ua oo ina ua uma ona mautu le nuu o Amona i le laueleele o Seasona, ioe, ina ua uma foi ona tulieseina sa Lamanā ai le laueleele, ua tanumia o latou tagata oti e tagata o le nuu.

2. O lenei, ua le faitauina o la-

tou tagata oti ona o le toatele, ua le faitauina foi tagata oti o sa Nifaē. A e peitai, ua oo ina ua uma ona tanumia o latou tagata oti, ma ua mavae atu foi aso o le anapogi, ma le faanoanoa, ma le tatalo, (o lona sefulu ma le ono lea o tausaga o le nofoaiga a faamasino i le nuu o Nifae,) ua amata ona i ai le filemu e le aunoa i le nuu uma lava.

3. Ioe, ua tausia e le nuu poloaiga a le Atua, ua latou matua filigā i le faiga o sauniga a le Atua, e tusa ma le tulafono a Mose, auā sa a'oa'oina i latou e tausi i le tulafono a Mose seia faataunuuina.

4. Ua faapea ona leai se faalavelave i le nuu i lona sefulu ma le ono o tausaga atoa o le nofoaiga a faamasino i le nuu o Nifae.

5. Ua oo i lona sefulu ma le fitu o tausaga o le nofoaiga a faamasino ina tumau pea le filemu.

6. A e peitai, ua oo i le taufaaiuga o lona sefulu ma le fitu o tausaga, ona sau ai lea le tasi tagata i le nuu o Sara'emila, o ia foi o le aneti-Keriso, auā ua ia amata le talaeseina i le nuu o perofetaga ua fetalaia mai e le au perofeta e uiga i le afio mai o Keriso.

7. O lenei, sa le faatulafonoina le faatuatua o se tagata, auā ua matua le tusa ma poloaiga a le Atua ona ia i ai se tulafono ia le tutusa ai tagata uma.

8. Auā ua faapea mai le tusi paia: Ina filifili ia outou i le aso nei, po o ai tou te auauna i ai.

9. O lenei, afai ua loto se tagata ina auauna i le Atua, o lona saolotoga lea, po o lenei, afai ua faatuatua o ia i le Atua, o lona saolotoga e auauna atu ia te ia, a e afai ua le faatuatua o ia ia te ia, ua leai se tulafono e faasalaina ai o ia.

10. A e peitai, afai ua ia fasioti tagata, ua faasalaina o ia i le oti; afai foi ua ia fao mea, ua faasalaina ai o ia; afai foi ua ia gaoi, ua faasalaina ai o ia; afai foi ua ia mulilua, ua faasalaina ai o ia; ioe, ua faasalaina i latou ona o nei amioleaga uma;

11. Auā ua i ai le tulafono, ia faamasinoina tagata e tusa ma a latou agasala; a e ui i lea, ua leai se tulafono i le faatuatua o se tagata, o le mea lea ua na ona faasalaina ai le tagata ona o agasala na ia faia; o lea foi sa tutusa ai tagata.

12. O lenei aneti-Keriso, o lona igoa o Kori'oa, (ua le mafai foi ona faasalaina o ia le tulafono,) na amata ona tala'i atu i le nuu, e leai se Keriso. Sa faapenei ona tala'i atu o ia, ua faapea atu:

13. E! o outou ua noanoatia i le faamoemoe faavalea ma le le aoga, tou te amo outou i mea faavalea faapena i se a? Tou te faamoemoe i se a i le Keriso? Auā e le mafai se tagata ona iloa se mea e tasi e oo mai.

14. Faauta, o mea nei ua ta'ua e outou o perofetaga, ua faapea a outou ua tuufaasoloina mai e le au perofeta paia, faauta, o uputuu faavalea ia a o outou tamā.

15. Tou te iloa faapefea ua moni ia mea? Faauta, e le mafai ona outou iloa ia mea tou te le vaavaai i ai; o lea tou te le mafai ai ona iloa e i ai se Keriso.

16. Tou te faamoemoe ma fai mai, tou te iloa le faamagaloina o a outou agasala, a e faauta, o le fua lea o le mafaufau valea; ua oo mai foi lenei valea ō outou manatu ona o uputuu a o outou tamā, ua ta'ita'ieseina ai outou e talitonu i mea e le tonu.

17. E tele foi nisi mea faapenei na ia fai atu ia te i latou, ua faapea atu: E le mafai ona faia

se togiola mo agasala a tagata,
a ia taitasi le tagata i lenei olaga
e tusa ma le faatatau o tagata;
o lea e faamanuiaina ai tagata
taitoatasi e tusa ma lona atamai;
ma ua manumalo tagata taitoa-
tasi e tusa ma lona malosi; ma
lea foi, soo se mea ua faia e le
tagata, e le agasala ai o ia.
18. Sa faapea ona tala'i atu o
ia ia te i latou, ua ta'ita'ieseina
ai loto o nisi e toatele; ua faa-
maualuga i latou i la latou amio-
leaga; ioe, sa ta'ita'ieseina fafine
e toatele, atoa ma tane, ia fai-
taaga ai. Ua fai atu ia te i latou:
Pe a oti le tagata, o lona iuga
lea.
19. Na alu atu foi lenei tagata
i le laueleele o Seasona, e tala'i
atu ia mea i le nuu o Amona, o
e na muai fai ma nuu o sa La-
manā.
20. A e peitai, faauta, ua sili
ona popoto i latou i nisi e toa-
tele o sa Nifaē, auā ua latou pue
ia te ia, ma saisaitia o ia, ma ua
aveina atu i luma o Amona, o le
faitaulaga sili o ia i lea nuu.
21. Ua oo foi ina poloai atu o
ia, ia aveeseina o ia ai le nuu.
Ua sau o ia i Kiteona, ma ua
amata ona tala'i atu o ia ia te
i latou; a ua faalemanuia o ia i
lenei nuu, auā ua pueina o ia,
ma ua fusifusia ma aveina atu o
ia i luma o le faitaulaga sili ma
le faamasino sili o le nuu.
22. Ua oo ina faapea atu le
faitaulaga sili ia te ia: Se a ea
le mea ua e fealuai ai ma tau-
faapiopio ai ala o le Atua? Se a
ea le mea e te a'oa'o atu ai i lenei
nuu e leai se Keriso, e faalave-
lave ai lo latou olioli? E te tala-
eseina i se a valoaga uma a le au
perofeta paia?
23. O lenei, o le igoa o le fai-
taulaga sili, o Kitona. Ua faapea
atu foi Kori'oa ia te ia: Auā ou
te le a'oa'o atu upu tuu faavalea
a o outou tamā, auā foi ou te le
a'oa'o atu i lenei nuu ia latou
noanoatia i latou lava i sauniga
faavalea ma togafiti na tuuina
mai e faitaulaga anamua, e fao
ai le mamalu ma le pule ia te i
latou, e taofi pea ai i latou i le
pouliuli, ina ia le faaeaina e i
latou o latou ulu, a ia faatoila-
loina i latou e tusa ma au upu.
24. Ua e fai mai, o lenei nuu
o le nuu saoloto. Faauta, ou te
fai atu, o loo nofopologa i latou.
Ua e fai mai, ua moni ia valoaga
anamua. Faauta, ou te fai atu,
e te le iloa ua moni.
25. Ua e fai mai, ua agasala
lenei nuu, ma ua paū le nuu ona o
le solitulafono a le matua. Fa-
auta, ou te fai atu, e le nofosala
se tama ona o ona mātua.
26. Ua e fai mai foi, e afio mai
Keriso; a e peitai, faauta, ou te
fai atu, e te le iloa pe i ai se
Keriso. Ua e fai mai foi, o le a
fasiotia o ia mo agasala a le lalo-
lagi;
27. Ma ua faapea ona outou
ta'ita'ieseina lenei nuu i uputuu
faavalea a o outou tamā, e tusa
foi ma o outou lava manao; ma
ua outou faatoilaloina i latou, e
peiseai ua pologa lava, ina ia
taileleia outou i le galuega a o
latou lima, ia fefefe ai i latou e
tepa ae ma le lototele, ina ia
fefefe foi i latou ona olioli i la
latou pule ma o latou tofi.
28. Ioe, ua fefefe i latou e faa-
aoga a latou lava mea, ne'i latou
faatiga ai o latou faitaulaga, o
e ua noanoati ai i latou e tusa
ma o latou manao, ona o a latou
uputuu, ma a latou miti, ma lo
latou soona fai, ma a latou faa-
aliga, ma a latou faataga fai
mea lilo, ua ala ai ina latou taofi,
afai latou te le fai mea e tusa
ma a latou upu, latou te faatiga
ai se toatasi e le iloa, ua ta'ua
e i latou o le Atua; o se toatasi

e lei vaaia, pe iloaina e se tasi, e lei ola mai, e le ola mai foi e faavavau.

29. O lenei, ina ua iloa e le faitaulaga sili ma le faamasino sili le maaa o lona loto, ioe, ina ua iloa e i laua, ua upuleaga o ia i le Atua, ua le tali atu ai i laua i ana upu. A e peitai, ua la poloai atu, ia fusifusia o ia, ma ua la tuuina atu o ia i le au leoleo, ma ua momoli atu o ia i le nuu o Sara'emila, ina ia aveina atu o ia i luma o Alema ma le faamasino sili, o ia o le kovana i le nuu uma.

30. Ua oo foi ina ua aveina atu o ia i luma o Alema ma le faamasino sili, ua tautala o ia e pei ona faia e ia i le nuu o Kiteona; ioe, ua upuleaga pea o ia.

31. Na tulai o ia ma fai atu upu faafefete e tele i luma o Alema, ma ua faifai i faitaulaga ma a'oa'o, ua molia ai i latou i le ta'ita'ieseina o le nuu i uputuu faavalea a o latou tamā, ina ia taileleia i latou i galuega a le nuu.

32. O lenei, ua fai atu Alema ia te ia: Ua e iloa ua le taileleia i matou i galuega a lenei nuu, auā faauta, e ui lava i a'u malaga e tele i le nuu e tala'i atu le afioga a le Atua i lo'u nuu, ua ou galue i o'u lava lima i mea e tatau i lo'u tino, e afua i le amataga o le nofoaiga a faamasino e oo mai lava i le aso nei.

33. E ui lava i galuega e tele na a'u faia i le ekalesia, ua ou le maua lava se mea e tusa ma le senine e tasi i la'u galuega; ua faapea foi o'u uso uma, vagana ona ua nonofo i le nofoa faamasino, ona matou maua ai lea, a e na ona tusa ma le tulafono i o matou aso.

34. O lenei foi, afai ua matou le maua se mea i a matou galuega i le ekalesia, se a le aoga ia te i matou ona galulue i le ekalesia, afai e le o lenei, ina ia tala'i atu le upu moni, ina ia olioli i matou i le fiafia ō matou uso?

35. O lenei foi, se a ea le mea ua e fai mai ai, ua matou tala'i atu i lenei nuu i le fia fai oloa? A o oe, ua e iloa ua matou le maua ni oloa. O lenei foi, po ua e taofi ea ua matou faa'ole'ole i lenei nuu, ua ala ai le fiafia faapenei i o latou loto?

36. Ua tali mai Kori'oa ia te ia: Ioe.

37. Ona faapea atu ai lea o Alema ia te ia: Po ua e talitonu ea o soifua le Atua?

38. Ua tali mai foi o ia: E leai.

39. Ona fai atu ai lea o Alema ia te ia: Pe e te toe faafiti mai ea e leai se Atua, ma faafitia foi le Keriso? Auā faauta, ou te fai atu ia te oe, ua ou iloa e i ai le Atua, i le ma lenei foi, e afio mai le Keriso.

40. O lenei foi, o le a ea lau mau ua ia te oe e leai se Atua, e le afio mai foi Keriso? Ou te fai atu ia te oe, e leai sau mau, a e na o lau upu.

41. A e peitai, faauta, ua ia te au mea uma e fai ma molimau, ua moni ia mea; ma ua ia te oe mea uma e fai ma molimau ia te oe, ua moni ia mea. E te faatia ea? Po ua e talitonu ea ua moni ia mea?

42. Faauta, ou te iloa ua e talitonu, a e peitai, ua uluitinoina oe e le agaga pepelo, ma ua a teena le Agaga o le Atua, ina ia le maua e ia se mea nofo ai i totonu ia te oe, a ua pule le tiapolo ia te oe, ma ua feaveaina oe e ia o loo fai togafiti, ina ia faaumatia e ia le fanau a le Atua.

43. Ona fai mai ai lea o Kori'oa ia Alema: Afai e te faaali mai se faailoga ia te au, ina ia ou mautinoa ai e i ai se Atua; ioe, ia faaali mai ia te au ua ia te ia le

mana, ona ou iloa tino ai lea le
faamaoni o au upu.
44. A ua fai atu Alema ia te
ia: Ua lava faailoga ua e maua.
E te tofotofo ea i lou Atua? E te
faapea mai ea, ia faaali atu ia
te oe se faailoga, manū o loo ia
te oe mau a i latou uma nei ou
uso, a e maise foi le au perofeta
paia uma? Ua folafolaina tusi
paia i ou luma; ioe, ma ua faai-
loaina mai i mea uma e i ai le
Atua; ioe, o le lalolagi, ma mea
uma i luga o le fogaeleele, ioe,
ma lona faataamilomilo, atoa ma
fetu o loo taamilo i o latou ala,
ua molimau e i ai Lē silisiliese na
faia mea uma.
45. A e ui i lea, e te fealuai ea
e ta'ita'ieseina loto o lenei nuu,
ma molimau atu ia te i latou ua
leai se Atua? E ui i na mea, e te
faafitia ea nei molimau uma? Ona
faapea mai ai lea o ia: Ioe, ou te
faafitia lava, sei iloga e te faaali
mai ia te au se faailoga.
46. O lenei foi, ua oo ina
fai atu Alema ia te ia: Faauta,
ua tigaina a'u ona o le maaa o
lou loto; ioe, auā ua e tetee atu
pea i le agaga o le faamaoni, ina
ia faafanoina ai lou agaga.
47. A e peitai, faauta ua lelei
ona ia malaia lou agaga, a e
leaga ona avea oe ma ala e ta-
'ita'iina ai agaga e toatele i le
malaia, ona o lou pepelo ma au
upu faaviivii. O lenei, afai e te
toe faafiti mai, faauta, e taia oe
e le Atua, e gūgū ai oe, ina ia le
toe gagana oe, ina ia e le toe
faaseseina ai lenei nuu.
48. Ona fai mai ai lea o Kori'oa
ia te ia: Ou te le faafiti e i ai se
Atua, a ou te le talitonu e i ai
se Atua. Ua ou fai atu foi, e te
le iloa e i ai se Atua; sei iloga
foi e te faaali mai se faailoga, ou
te le talitonu.
49. Ona faapea atu ai lea o
Alema ia te ia: Ou te tuuina atu
lenei mea ia te oe e fai ma faai-
loga, e taia oe, ia gūgū e tusa ma
a'u upu. Ou te fai atu foi i le
suafa o le Atua, e taia oe ia gūgū,
e le toe gagana ai oe.
50. O lenei, ina ua fai atu e
Alema nei upu, ua taia Kori'oa,
ua gūgū, ua le gagana ai o ia e
tusa ma upu a Alema.
51. O lenei, ina ua iloa lenei
mea e le faamasino sili, ua ia tuu
atu lona lima, ma ua tusitusi atu
ia Kori'oa, ua faapea atu: Po ua
e mautinoa ea le mana o le Atua?
Po o ai sa e loto i ai ia faaalia
ai e Alema lana faailoga? O lou
manao ea ia faatiga e ia se tasi
e faaali atu ai se faailoga ia te
oe? Faauta, ua ia faaalia ia te
oe se faailoga; o lenei, e te toe
finau ea?
52. Ua tuu atu foi e Kori'oa
lona lima ma tusitusi, ua faapea
mai: Ou te iloa ua gūgū a'u, auā
ou te le mafai ona tautala. Ou
te iloa foi e leai se tasi mea, ua
na o le mana o le Atua, ua ma-
fai ona faaoo mai lenei mea ia
te au. Ioe, na a'u iloa foi e i ai
le Atua.
53. A e peitai, faauta, na faa-
seseina a'u e le tiapolo; auā na
faailoa mai o ia ia te au e peiseai
o se agelu, ma na fai mai ia te
au, Ina alu atu ia ma faafoi mai
lenei nuu, auā ua o ese i latou
uma i le Atua e le iloa. Ua fai
mai foi o ia ia te au: E leai se
Atua; ioe, na ia a'oa'o mai foi
ia te au mea ou te fai atu ai. Na
ou a'oa'o atu foi ana upu; sa ou
a'oa'o atu ai foi ona ua malie i
le manatu i la le tino; na ou
a'oa'o atu ai foi, ua oo lava ina
manuia tele ai a'u, ua iu ina ou
talitonu a'ia'i ua moni ia mea:
o lenei foi le mea na ou teena ai
le upu moni, ua oo lava ina ou
faaoo mai lenei fetuu tele ia te
au.

54. O lenei, ina ua ia fai atu lenei upu, ua ia aioi mai, ia tatalo Alema i le Atua, ina ia aveeseina le fetuu ia te ia.

55. A e peitai, ua fai atu Alema ia te ia: Afai e aveeseina lenei fetuu ia te oe, e te toe ta'ita'i ese loto o lenei nuu, o le mea lea e i ai ia te oe e tusa ma le finagalo o le Atua.

56. Ua oo foi ina le aveeseina le fetuu ia Kori'oa; a e peitai, ua tulia i fafo o ia, ma ua fealuai i lea fale ma lea fale, ua aiisi ana mea e 'ai.

57. O lenei, na talaiina atu loa i itu uma o le nuu le tala i le mea na oo ia Kori'oa. Ioe, na avatu e le faamasino sili le poloaiga i tagata uma o le nuu, ua ta'utino atu ai ia te i latou uma o e na talitonu i upu a Kori'oa, e tatau ona latou salamo loa, ne'i oo ia lava faamasinoga ia te i latou.

58. Ua oo foi ina mautinoa i latou uma le amioleaga a Kori'oa; o lea na toe faaliliuina mai ai i latou uma i le Atua; na faaiuina foi i lenei mea le amioletonu e uiga ia Kori'oa. A ua fealuai Kori'oa i lea fale ma lea fale, ua aiisi atu i ana mea e 'ai e tausi a'i lona tino.

59. Ua oo foi ina o alu ane o ia i le nuu, ioe, o le nuu ua vavaeeseina i latou ai le nuu o sa Nifaē, ma ua latou faaigoaina i latou o sa Soramā, auā ua ta'ita'iina i latou e le tagata ua igoa ia Sorama, ina o alu atu o ia ia te i latou, faauta, ua tuleia i lalo o ia, ma ua solia ina seia oti ai.

60. Ua faapea ona iloa e i tatou le iuga o le na taufaapiopio ala o le Atua, ua faapea foi ona tatou iloa e le fesoasoani le tiapolo i ana fanau i le aso gataaga, a e faavave ona toso ifo i latou i Kēna.

MATAUPU 31.

Ua ta'ita'i Alema i le malaga i sa Soramē o e ua liliuese, ina ia toe 'au maia i latou i le ekalesia—O le rameutoma po o le tulaga paia—O le auala e fai ai tapuaiga a sa Sorama.

1. O lenei, ua oo ina ua oti Kori'oa, ona maua ai lea e Alema le tala ua taufaapiopioina ala o le Atua e sa Soramā, ma Sorama foi lo latou ta'ita'i, ua ia ta'ita'ieseina loto o le nuu e ifo i tupua gugu, ona amata ai lea ona toe tigaina lona loto ona o le amioletonu a le nuu.

2. Auā o le ala o le faanoanoa tele ia Alema, e iloa le amioletonu i lona nuu. O le mea lea na matua faanoanoa ai lona loto, ona o le vavaeeseina o sa Soramā ai sa Nifaē.

3. O lenei, na faapotopotoina faatasi sa Soramā i le nuu na latou faaigoaina o Anetionuma, sa i le itu i sasae o le nuu o Sara'emila, ua latalata i le tua'oi i le matafaga i le itu i toga o le nuu o Seasona, ua tuaoi ma le vao i le itu i toga, ua nofo foi sa Lamanā i lenei vao.

4. O lenei, ua mata'u tele le nuu o sa Nifaē, ne'i feaveai upu e sa Soramā ma sa Lamanā, e ala mai ai le fasi tele i sa Nifaē.

5. O lenei foi, ona ua aoga tele le talaiga o le upu i le ta'ita'iina o le nuu e fai mea tonu; e moni, sa sili ona aoga ai i manatu o le nuu ai le pelu, po o se tasi mea ua oo atu ia te i latou; o le mea lea sa faapea ai Alema, e tatau ona latou tofotofoina, pe aoga i ai le afioga a le Atua.

6. O lea na ia ave ai Amona, ma Arona, ma Ominea, a ua tuu Himinae i le ekalesia i Sara'emila; a o i latou na e toatolu na ia ave ma ia, atoa ma Amoleka ma Seseroma, o e na i Mele-

ka; na ia ave foi ona atalii e toalua.

7. O lenei, na ia le ave ma ia le ulumatua o ona atalii, o lona igoa foi o Helamana; a o igoa o i laua na ia ave faatasi ma ia, o Sepulona ma Korianetona; o igoa ia o i latou o e na o atu ma ia i sa Soramā e tala‘i atu ai le upu ia te i latou.

8. O lenei, o sa Soramā, o tagata vavae i latou mai le nuu o sa Nifaē; o lea ua uma ona talaiina atu ai le afioga a le Atua ia te i latou.

9. A ua pāuu i latou, ma ua fai mea sese e tele, auā ua le mafafai i latou ona tausi i poloaiga a le Atua ma ana tulafono, e tusa ma le tulafono a Mose;

10. Pe mafafai i latou ona tausi i sauniga a le ekalesia e tumau ai i le tatalo ma le faatoga atu i le Atua i aso fai soo, ina ia le paū i latou i le tofotofoga.

11. Ioe, ma lea foi, ua atulasi ona latou taufaapiopio ala o le Atua; o lea, ona o lenei mea, na o atu ai Alema ma ona uso i le nuu e tala‘i ai le upu ia te i latou.

12. Ina ua taunuu i latou i le nuu, faauta, ua latou taufaiofo ina ua latou iloa ua faatuina sunako e sa Sorama, ma ua latou faapotopoto faatasi i le tasi aso o le vaiasosa, ua latou ta‘ua foi lea aso, a le aso o le Alii; ma ua uiga ese la latou tapuaiga i tapuaiga uma na vaaia e Alema ma ona uso.

13. Auā sa ia te i latou le mea ua faatuina i le totonugalemu o lo latou sunako, ua maulalo le tagata ai le mea e tu ai; ua na o le tagata e toatasi ua mafai ona tu i ona luga.

14. O lea, ai sē fia tapuai, e ao ina alu ae i ai ma tu i ona luga, ma sii i luga ona lima i le lagi, ma alaga atu ma le leo tele, ma faapea atu:

15. Le Atua paia, paia lava, matou te faatuatua o lau afio o le Atua, matou te faatuatua ua paia lau afio; sa faia lau afio ma agaga, o le agaga foi lau afio, a e fai pea lau afio ma agaga e faavavau.

16. Le Atua paia e, matou te faatuatua ua e vavaeeseina i matou ai o matou uso, ma ua matou le faatuatua i uputuu a o matou uso, na tuufaasoloina mai ia te i latou ona o le faatamaiti ō latou tamā; a ua matou faatuatua ua filifilia i matou e lau afio e fai mau fanau paia; ma lea foi, ua faailoaina mai ia te i matou e lau afio, e leai se Keriso;

17. A e le liu lava lau afio, o ananafi, ma le asō, e oo foi i le faavavau, ma ua filifilia i matou e lau afio ina ia faaolaina i matou; a o i latou i itu uma o i matou, ua filifilia ia lafoina i lou toasa i Kēna. Ona o lenei faapaiaina, le Atua e, matou te faafetai atu i lau afio; matou te faafetai atu foi i lau afio ona ua e filifilia i matou, ina ia le ta‘ita‘ita‘ieseina i uputuu faavalea a o matou uso, ua noanoatia ai i latou i le faatuatua ia Keriso, o le mea lea ua ta‘ita‘ieseina ai o latou loto ia feseseai e mamao ma oe, lo matou Atua.

18. I le ma lenei, matou te faafetai atu i lau afio, le Atua e, auā o le nuu filifilia ma le paia i matou. Amene.

19. O lenei, ua oo ina ua faalogo Alema ma ona uso ma ona atalii i nei tatalo, ua le mafuatia lo latou taufaiofo.

20. Auā faauta, sa taitasi ma alu ae tagata uma, ma ua faia ia lava talosaga.

21. O lenei, sa ta‘ua le mea e i latou, o le rameutoma, o lona

uiga pe a faamatalaina, o le tulaga paia.

22. O lenei, ua latou faia i lenei tulaga e tagata taitoatasi, le tatalo e tasi lava i le Atua, ua faafetai atu i lo latou Atua ona ua filifilia i latou e ia, a ua ia le ta'ita'ieseina i latou i uputuu a o latou uso, ma ua le ta'ita'ieseina o latou loto e talitonu i mea e oo mai, o mea ua latou le iloa ai se mea e tasi.

23. O lenei, ina ua uma ona avae e le nuu le faamanu faapenei, ua latou toe foi atu i o latou fale, ma ua le toe ta'uta'ua lo latou Atua, seia oo ina latou toe faapotopoto faatasi i le tulaga paia, e avae ai le faamanu e pei ona latou masani ai.

24. O lenei, ina ua iloa e Alema lenei mea, ua faanoanoa ai lona loto, auā na ia iloa o le nuu amioleaga ma le faapiopio i latou; na ia iloa ua manao o latou loto i le auro, ma le ario, ma oloa uiga eseese.

25. Ioe, ua iloa foi e ia ua faafefeteina o latou loto, e oo i le mitamita tele i lo latou faamaualuga.

26. Na leo tele atu o ia i le lagi, ma ua alaga, ua faapea atu: E! le Atua e, e te tuuina mai i au auauna e nonofo i la le tino i lalo nei, e vaavaai i lenei amioleaga tele i le fanauga a tagata seia afea?

27. Silasila, le Atua e, ua latou tagi atu ia te oe, e ui lava i lea, ua tofatumoanaina o latou loto i lo latou faamaualuga. Silasila mai, le Atua e, ua latou tagi atu ia te oe ma o latou gutu, a ua fefete pea i latou e oo i le fia sili i mea le aoga a le lalolagi.

28. Silasila, lo'u Atua e, i o latou ofu taugata, ma a latou mama, ma o latou taulima, ma a latou teugaauro, ma a latou mea tāua uma ua teuteua ai i latou. Silasila foi, ua manao i ai o latou loto, a e ui i lea, ua latou tagi atu ia te oe, ma faapea atu, Matou te faafetai atu ia te oe, le Atua e, auā o le nuu filifilia i matou ia te oe, a e fano nisi nuu.

29. Ioe, ua latou fai atu, ua e faailoaina ia te i latou e leai se Keriso.

30. Le Alii le Atua e, e te onosai seia afea i le amioleaga ma le amioletonu faapena i lenei nuu? Le Atua e, pe e te foai mai ia te au le malosi, ina ia mafaia a'u ona onosai i o'u vaivai? auā ua ou vaivai, ma ua tigaina lo'u agaga i lenei amioleaga i lenei nuu.

31. Le Atua e, ua tigaina tele lo'u loto. Pe e te faamafanafanaina ea lo'u agaga ia Keriso? Le Atua e, pe e te alofa mai ea ia te au, ia ou maua ai le malosi, ina ia ou onosai ma faatoatoa i nei puapuaga e oo mai ia te au ona o le amioletonu a lenei nuu.

32. Le Atua e, pe e te faamafanafana mai ea i lo'u agaga, ma foai mai le manuia ia te au, atoa foi ma o'u uso o auauna, o e ua matou faatasi; ioe, o Amona, ma Arona, ma Ominea, atoa ma Amoleka, ma Seseroma, atoa foi ma o'u atalii e toalua. Ioe, le Atua e, pe e te faamafanafanaina ea i latou uma nei? Ioe, pe e te faamafanafanaina ea o latou agaga ia Keriso.

33. Pe e te alofa atu ea ia te i latou ina ia ia te i latou le malosi, ina ia latou onosai i o latou puapuaga e oo mai ia te i latou, ona o le amioletonu a lenei nuu.

34. Le Atua e, pe e te alofa mai ea ia te i matou, ina ia manuia i matou e toe faafoisia mai i latou ia te oe, ia Keriso?

35. Silasila mai ia, le Atua e, ua tāua o latou agaga; ō matou uso nisi o i latou e toatele, o lea ia e foai mai ia te i matou, le

Atua e, le mana ma le poto, ina ia matou faafoisia mai ia te oe i latou nei, ō matou uso.

36. Ua oo ina ua uma ona fai atu e Alema ia upu, ua ia faaee atu ona lima ia te i latou uma o e na faatasi ma ia. Faauta foi, ina ua faaee atu e ia ona lima ia te i latou, ua faatumuina i latou i le Agaga Paia.

37. Ona latou tete'a ai lea o le tasi i le tasi. Na latou le popole ona o i latou, i mea latou te aai ai, ma mea latou te feinu ai, po o mea latou te oofu ai.

38. A ua tausia i latou e le Atua, ina ia latou le fia aai, pe fia inu i latou. Ioe, na ia foai mai le malosi ia te i latou, ina ia le tigaina i latou i se puapuaga e tasi, vagana ona ua faaumatia ai i le olioli ia Keriso. Ua tusa foi lea ma le tatalo a Alema, auā foi na tatalo o ia ma le faatuatua.

MATAUPU 32.

NUa faalogo ē matitiva i le sāvali o le faaolataga—O le fa'amālō atu a Alema ma lana lauga—E faatupuina le faatuatua pe a naunau ia talitonu.

1. Ua oo foi ina latou o atu, ma ua amata ona tala'i atu le afioga a le Atua i le nuu, ua o atu i o latou sunako, ma o latou fale; ioe, na latou tala'i atu le upu i o latou auala.

2. Ua oo foi ina ua uma galuega e tele ia te i latou, ua amata ona manuia i latou i e matitiva o le nuu; auā faauta, sa tulia i fafo i latou mai sunako, ona o le talatala ō latou ofu.

3. O le mea lea ua le tuuina atu ai ia te i latou e ulufale i o latou lava sunako e tapuai atu ai i le Atua, auā ua ta'ua o mea leaga. O lea ua matitiva ai i latou; ioe, ua manatu o latou uso, o le otaota i latou; o lea ua matitiva ai i latou i mea faalelalolagi, ma ua loto maulalo foi i latou.

4. O lenei, ina o a'oa'o atu ma tala'i atu Alema i le nuu i le mauga o Onaeta, ua o mai ia te ia le motu o tagata e toatele, o i latou o e ua tatou talatala ai, o e sa loto maulalo ona o lo latou mativa i mea a le lalolagi.

5. Ua latou o mai ia Alema, ma ua fai mai lē muamua o i latou ia te ia: Faauta, se a se mea e faia e o'u uso nei, auā ua inosia i latou e tagata uma, ona o lo latou mativa. Ioe, ua sili ona inosia e o matou faitaulaga, auā ua latou tulia i fafo i matou mai o matou sunako, na matou galulue tele ai i o matou lava lima e ati ae ai, a ua latou tulia i matou i fafo ona o lo matou mativa tele; ua le ia te i matou foi se fale e tapuai atu ai i lo matou Atua. Faauta foi, se a se mea matou te faia?

6. O lenei foi, ina ua faalogo Alema i nei upu, ua liliu o ia, ua faasaga atu loa ona mata ia te ia, ma ua vaai atu o ia ma le olioli tele, auā ua iloa e ia, ua faamaulaloina a'ia'i i latou i o latou puapuaga, ua saunia ai foi i latou e faalogologo i le upu.

7. O le mea lea sa le toe tautala atu ai o ia i le tasi motu o tagata, a e peitai, na ia faaloaloa atu lona lima, ma ua alaga atu i e na ia iloa ua salamo faamaoni lava, ua faapea atu ia te i latou:

8. Ua ou iloa ua loto maulalo outou. Afai e tonu lea, amuia outou.

9. Faauta, ua fai mai lo outou uso, se a se mea matou te faia? auā ua tulia i fafo i matou mai o matou sunako, ua le mafai ai i matou ona tapuai atu i lo matou Atua.

10. Faauta, ou te fai atu ia te outou, fa te outou ea tou te le mafai ona tapuai atu i le Atua, sei iloga ua faia i o outou sunako?

11. I le ma lenei, ou te fia fesili, fa te outou ea e tatau ona outou tapuai atu i le Atua, a e na o le atutasi i le vaiasosa?

12. Ou te fai atu ia te outou, ua lelei ina ua tulia i fafo outou mai o outou sunako, ina ia maulalo outou, ina ia a'oa'oina foi outou i le poto; auā e tatau ona a'oa'oina outou i le poto; auā ona ua tulia i fafo outou, ua inosia outou e o outou uso; ona o lo outou mativa tele, ua oo ia te outou, le loto maulalo, auā ua faamaulaloina toai outou.

13. O lenei, ona ua faamaulalo toai outou, amuia outou; auā o nisi aso, pe a faamaulaloina toai le tagata, e saili e ia le salamo; o lenei foi, e moni, ai sē salamo, e maua e ia le alofa, o le foi na te maua le alofa, ma tumau ai e oo i le iuga, e faaolaina lea.

14. O lenei, e pei ona ou fai atu ia te outou, ona ua faamaulalo toai outou, ua faamanuiaina outou. Pe tou te le manatu ea ua sili le manuia o e ua faamaulalo a'ia'i ia i latou lava ona o le upu?

15. Ioe, o le na te faamaulaloina faamaoni o ia lava, ma ua salamo i ana agasala, ma ua tumau e oo i le īuga, e fa'amanuiaina lea; e moni, e sili ona faamanuiaina o ia ai e ua faamaulalo toai, ona o lo latou mativa tele.

16. O lenei, amuia i latou o ē faamaulaloina i latou lava, a o lei faamaulaloina toai i latou; po o lenei, amuia lē talitonu i le afioga a le Atua, ma ua papatisoina ma le le finauvale o le loto, a o lei faailoa atu ia te i latou le upu, pe iloa toai lava, a o lei mafafai ona talitonu.

17. Ioe, o i ai nisi e toatele o ē fai mai: A ē faaali mai ia te i matou se faailoga mai le lagi ,ona matou iloa tino ai lea, ona matou talitonu ai lea.

18. O lenei, ou te fesili atu, po o le faatuatua ea lenei? Faauta, ou te fai atu ia te outou, e leai, auā afai ua iloa tino se mea e se tagata, e le toe ai se mea ia te ia e faatuatua ai, auā ua ia mautinoa.

19. O lenei foi, e le sili ona fetuuina ea le ua iloa le finagalo o le Atua a e le faia, ai le ua na ona talitonu, pe na ona maua le mea e talitonu ai a e paū i le solitulafono?

20. O lenei, e tatau ona outou faamasinoina lenei mea. Faauta, ou te fai atu ia te outou, e pei o le tasi itu, e faapea foi le isi itu; e i ai i tagata taitoatasi e tusa ma ana galuega.

21. O lenei foi, e pei ona ou fai atu e uiga i le faatuatua; o le faatuatua, e le o le mautinoa lea o mea; o lea, afai ua ia te outou le faatuatua, tou te faamoemoe i mea e le o vaaia, a ua moni ia.

22. O lenei foi, faauta, ou te fai atu ia te outou, o lo'u manao, ia outou manatua, e finagalo alofa le Atua ia te i latou uma o ē faatuatua i lona suafa. O le mea lava lea ua finagalo i ai o ia, o le mea muamua, ia outou faatuatua, ioe, i lana lava afioga.

23. O lenei foi, o agelu ua ia foai mai ai lana afioga i tagata; ioe, e le na o tane, a e atoa foi ma fafine; o lenei, e le gata foi i lea, a o nisi aso ua foaiina i tamaiti o upu e faafememeaiina ai o ē popoto ma e ua a'oa'oina.

24. O lenei foi, o'u uso pele e, ona ua outou fia iloa mai ia te au le mea tou te faia ona ua puapuagatia, ma ua faateaina outou, ou te le loto ina ia manatu outou ou te fia faamasino ia te outou,

sei iloga e tusa ma mea ua moni;

25. Auā ou te le faapea ua faamaulalo toai outou uma ia te outou, auā ou te manatu o i ai nisi ia te outou, soo se mea e i ai i latou, latou te faamaulaloina i latou lava.

26. O lenei, e pei ona ou fai atu e uiga i le faatuatua, e le o le mautinoa lea, e faapea foi ma a'u upu. Tou te le mafai ona iloa i le amataga le atoatoa o lo latou faamaoni, auā o le faatuatau, e le o le mautinoa lea.

27. A e peitai, faauta, afai tou te ala mai, ma fagua o outou mafaufau e oo i le tofotofo i a'u upu, ma faaaoga sina faatuatua itiiti lava; ioe, afai tou le mafaia se mea e sili i le manao i le fia faatuatua, ina tuu ia lenei manao e galue i totonu ia te outou, seia lava lo outou faatuatua e talia ai nisi o a'u upu.

28. O lenei, tatou te faatusaina le upu i le fatu. O lenei, afai tou te tuuina mai se mea e totōina ai se fatu i o outou loto, faauta, afai o le fatu moni ia, po o le fatu lelei, afai foi tou te le tiai ai ona o lo outou le talitonu, ina ia outou tetee atu i le Agaga o le Atua, faauta, e amata ona tupu ai i totonu ō outou fatafata. Pe a outou lagona foi le tupu o le fatu, ona amata ai le ona outou faapea ifo, E moni, o le fatu lelei lenei, po o le upu lelei, auā ua amata ona faateleina ai lo'u loto; ioe, ua amata ona faamalamalamaina ai lo'u mafaufau; ioe, ua amata ona suamalie ia te au.

29. O lenei, faauta, pe le faateleina ea lo outou faatuatua i lenei mea? Ou te fai atu ia te outou, ioe; e ui lava i lea, e lei tupu e oo i le mautinoa.

30. A e peitai, faauta, pe a fefete le fatu, ma ua totogo, ma ua amata ona tupu, ona tatau ai lea ona outou faapea ifo, O le fatu lelei ia, auā faauta, ua fefete, ma ua totogo, ma ua amata ona tupu.

31. O lenei foi, faauta, pe tou te iloa tino ea o le fatu lelei lenei? Ou te fai atu ia te outou, ioe, auā e fua mai fatu taitasi i lona lava fua.

32. O lea, afai e tupu le fatu, o le fatu lelei lea, a e afai e le tupu, faauta, e le lelei lea, o lea foi ua lafoaiina.

33. O lenei foi, faauta, ona ua outou tofotofoina, ma totōina le fatu, ma ua fefete, ua totogo foi, ma ua amata ona tupu, tou te iloa ai lava o le fatu lelei ia.

34. A o lenei, faauta foi, po ua outou mautinoa ea? Ioe, ua outou mautinoa lenā mea, a ua to'a lo outou faatuatua. O lenei foi, ona ua outou mautinoa, auā ua outou iloa ua faateleina o outou loto i le upu, ua outou iloa ua totogo ae ia, ua amata ona faamalamalamaina ai o outou mafaufau, ua amata foi ona faateleina i o outou manatu.

35. O lea, e le moni ea lenei? Ou te fai atu ia te outou, ioe, auā ua malamalama. O se mea foi ua malamalama, ua lelei, auā e iloagofie; o le mea lea tou te iloa ai ua lelei. O lenei foi, faauta, ina ua uma ona outou tofotofoina lenei malamalama, po ua ouotu mautinoa ea?

36. Faauta, ou te fai atu ia te outou, e leai. E le tatau foi ona outou tuu ese lo outou faatuatua, auā ua na ona faaaogaina e outou lo outou faatuatua e totōina le fatu, ina ia outou tautofotofo e iloa ai pe lelei le fatu.

37. Faauta foi, pe a amata ona tupu le laau, tou te faapea, sei tatou tausi ai ma le faaeteete tele, ina ia mau aa, ina ia tupu ae, ma fua mai ni fua mo i ta-

tou. O lenei foi, faauta, afai tou te tausi i ai ma le faaeteete tele, e mau aa, ma tupu ae foi, ma fua mai ni fua.

38. A e peitai, afai tou te tuu tiai le laau, a e le manatua foi e tausi i ai, faauta, e le mau aa, pe a oo mai foi le vevela o le la ma mu ai ona ua leai ni aa, ona magumagu ai lea, tou te liaiina foi ma tiai.

39. E le faapea ona ua le lelei le fatu, pe ona ua le manaomia ona fua; a e peitai, e faapea ona ua lafulafua lo outou laueleele, ua outou le tausia foi le laau, o le mea lea e le mafai ai ona outou maua ona fua.

40. E faapea foi, pe afai tou te tausia le upu, ma faatalitali ma le faatuatua i ona fua, tou te le mafaia e faavavau ona tau mai le fua o le laau o le ola.

41. A e peitai, afai tou te tausia le upu, ioe, tausi le laau pe a amata ona tupu, i lo outou faatuatua, ma le filigā tele, ma le onosai, ma le faatalitali i ona fua, e mau aa; faauta foi e avea ai ma laau e tupu ae i le ola faavavau.

42. Ona o lo outou filigā foi, ma lo outou faatuatua, ma lo outou onosai e tausi a'i le upu, ina ia mau aa i totonu ia te outou, faauta, e sau aso tou te tauina ai ona fua ua sili ona tāua, ua sili ona suamalie i mea uma ua suamalie, ua sili ona pa'epa'e i mea uma ua pa'epa'e; ioe, ua sili ona mamā i mea uma ua mamā. Tou te aai foi i lenei fua seia maoona lava outou, ina ia le fia aai outou, pe fia inu.

43. Ona outou selesele ai lea, o'u uso e, le taui o lo outou faatuatua, ma lo outou filifiligā, ma lo outou faatoatoa, ma lo outou onosai, ina o faatalitali seia fua mai le laau i ona fua mo outou.

MATAUPU 33.

Ua faaauau pea le lauga a Alema—O le tapuaiga moni e le faatapulaaina na'o fale sa—Ua toe ta'u mai perofeta o Senosa ma Senoka.

1. O lenei, ina ia ua uma ona fai atu e Alema nei upu, ua latou feau mai ia te ia i le fia iloa pe tatau ona latou talitonu i le Atua e toatasi, ina ia latou maua ai lenei fua na ia fai atu ai. Pe faapefea foi ona latou totō le fatu, po o le upu na ia fai atu ai, na ia fai atu e ao ina totōina i o latou loto? po o le a foi le ala e tatau ai ona latou amata ona faaaoga lo latou faatuatua?

2. Ona faapea atu ai lea o Alema ia te i latou: Faauta, ua outou fai mai, e le mafai ona outou tapuai atu i lo outou Atua, auā ua tulia i fafo outou mai o outou sunako. A e peitai, faauta, ou te fai atu ia te outou, afai tou te faapea, e le mafai ona outou tapuai atu i le Atua, ua sese lava outou; e tatau foi ia te outou ona sailiili i tusi paia, afai tou te faapea ua a'oa'o atu ai ia te outou i mea faapena, ua le malamalama ia te outou.

3. Pe tou te manatua ea upu a Senosa le perofeta anamua, na ia fai mai e uiga i le talosaga ma le tapuaiga?

4. Auā na fai mai o ia: Ua e finagalo alofa, le Atua e, auā sa e faafofogaina la'u tatalo ina o i le vao lava a'u; ioe, na e alofa mai ina ua ou tatalo ona o i latou o e na ita mai ia te au, na e faaliliuina mai foi i latou ia te au.

5. Ioe, le Atua e, na e alofa mai ia te au ina ua ou tagi atu ia te oe i lo'u fanua; ina ua ou tagi atu ia te oe i la'u tatalo, na e faafofoga mai ia te au.

6. I le ma le tasi, le Atua e,

ina ua ou foi mai i lo‘u fale, na e faafofoga mai ai ia te au i la‘u tatalo,

7. Ina ua ou alu foi i lo‘u afeafe, le Atua e, ma tatalo ia te oe, na e faafofoga mai ia te au.

8. Ioe, e moni, ua e alofa i lau fanau, pe a latou valaau atu ia te oe ina ia faafofogaina i latou e oe, a e le o tagata; e te faafofoga foi ia te i latou.

9. Ioe, le Atua e, na e alofa mai ia te au, ma faafofogaina la‘u valaau i totonu o ou potopotoga.

10. Ioe, na e faafofoga mai ia te au ina ua tuulafoaiina a‘u, ina ua inosia foi i e na ita mai; ioe, sa e faafofoga mai i la‘u valaau, sa e toasa foi i e na ita mai, na e asiasi foi ia te i latou i lou toasa i le malaia e vave mai lava.

11. Sa e faafofoga mai ia te au ona o o‘u puapuaga ma lo‘u faamaoni; sa faapea ona e alofa mai ai te au ona o lou Alo. O le mea lea ou te tagi atu ai ia te oe i o‘u puapuaga uma lava, auā ua ia te oe lo‘u olioli, auā na e faaliliueseina au faamasinoga ona o lou Alo.

12. O lenei foi, na fai atu Alema ia te i latou: Pe tou te talitonu ea i nei tusi paia sa tusia e i latou anamua?

13. Faauta, afai e faapea, e ao ina outou talitonu i upu a Senosa; auā faauta, ua fai mai o ia: Ua e faaliliueseina au faamasinoga ona o lou Alo.

14. Faauta foi, o‘u uso e, ou te fia fesili: Po ua outou faitauina ea tusi paia? Afai ua outou faia, e mafai faapefea ona outou le talitonu i le Alo o le Atua?

15. Auā ua le tusia na tautala toatasi Senosa i nei mea, a ua tautala foi Senoka i ia mea.

16. Auā faauta, na faapea atu o ia: Ua e toasa, le Atua e, i lenei nuu, auā e le malamalama ia te i latou au mea alofa na e foaiina mai ia te i latou ona o lou Alo.

17. O lenei, o‘u uso e, tou te iloa na i ai lona lua o perofeta anamua na molimau i le Alo o le Atua. Ona ua le malamalama foi ana upu i le nuu, na latou fetogia o ia i maa, ua oti ai.

18. A e peitai, faauta, e le gata i lea, e le na o i laua nei na tautala e uiga i le Alo o le Atua.

19. Faauta, na ta‘uina mai o ia e Mose. Ioe, faauta, na siitia i luga le faatusa i le vao, ina ia ola ai sē vaai i ai. Sa vaai foi nisi e toatele ma ola ai.

20. Ua na o le toaitiiti sa malamalama i ai le uiga o nei mea; ua faapea foi ona o le maaa ō latou loto. A e peitai, ua i ai nisi e toatele ua faapea ona faamaaaina, ua le mafai i latou ona vāai atu, o le mea lea na latou fano ai. O lenei, o le mea na latou le vāai ai, auā, na latou le talitonu e faaolaina ai i latou.

21. O‘u uso e, ana mafai ona faamaloloina outou ona o le fetepatepai ō outou mata ina ia faamaloloina outou, po ua le faavave ea ona outou vaavaai, pe sili ea ia te outou ona faamaaa o outou loto i le le talitonu ma le faapaiē, ina ia le fetepatepai o outou mata, ina ia fano outou?

22. Afai o lea, e oo mai le malaia ia te outou; a e peitai, afai e le o lea, ia fetepatepai o outou mata, ma ia amata ona talitonu i le Alo o le Atua, e afio mai o ia e togiola ona tagata; ma lea foi, e puapuagatia o ia ma maliu e togisala a‘i a latou agasala; e toe tu mai foi o ia nai e ua oti, ina ia faaoo mai le toe tu. E tutū mai tagata uma i ona luma, i le aso faamasino ma le gataaga, e faamasinoina ai e tusa ma a latou galuega.

23. O lenei foi, o‘u uso e, ou

te loto ina ia outou totō lenei upu i o outou loto; pe a amata foi ona tupu, ia tausi i ai ma lo outou faatuatua. Faauta foi, e avea ai ma laau e tupu a'e i totonu ia te outou e oo i le ola faavavau. Ia alofa le Atua, ina ia māmā a outou avega ona o le olioli mai lona Alo. Tou te mafaia nei mea uma pe afai tou te loto i ai. Amene.

MATAUPU 34.

O le molimau a Amoleka—O le taulaga mulimuli ma le sili—O le auala e faataunuuina ai e le alofa tunoa le faamasinoga tonu—E le tatau ona faatuai le salamo.

1. O lenei, ua oo ina ua uma ona fai atu e Alema ia upu ia te i latou, ua nofo i lalo o ia i le eleele. Ona tulai ai lea o Amoleka, ma ua amata ona a'oa'o atu ia te i latou, ua faapea atu:

2. O'u uso e, ua ou manatu e le mafai ona pouliuli ia te outou nei mea ua talaiina mai e uiga i le afio mai o Keriso, o Le ua a'oa'oina atu e i matou, o ia lava o le Alo o le Atua. Ioe, ua ou iloa ua atulasi ona a'oa'oina outou i nei mea, a o lei vavae ese outou ia te i matou.

3. Na manao e outou ia faailoa atu ia te outou e lo'u uso pele o mea tou te faia, ona ō outou puapuaga, ma ua tautala atu o ia i nisi mea e sauniuni ai o outou manatu, ioe, ma ua ia apoapoaiina outou i le faatuatua ma le onosai.

4. Ioe, ina ia lava lo outou faatuatua e totō ai le upu i o outou loto, ina ia outou tautofotofo i lona lelei;

5. Ma ua matou iloa o le fesili lenei ua sili i o outou manatu, po ua i ai le upu i le Alo o le Atua, pe leai se Keriso.

6. Ua outou iloa foi ua faamaonia ia te outou e lo'u uso i mau e tele, e i ai le upu ia Keriso e oo i le olataga.

7. Ua siitia e lo'u uso upu a Senosa i le faataunuuina o le togiola mai le Alo o le Atua; ua siitia foi upu a Senoka, ma ua ia siitia foi upu a Mose, e faamaoni a'i ua moni nei mea.

8. O lenei foi, faauta, o a'u, ou te molimau atu ia te outou, ua moni ia mea: faauta, ou te fai atu ia te outou, ua ou mautinoa e afio mai Keriso i le fanauga a tagata, e ave i ona luga solitulafono a lona nuu; e togisala foi o ia mo agasala a le lalolagi, auā ua fetalai mai ai le Alii le Atua.

9. Auā e ao ina faia le togiola; auā e tusa ma le finagalo o le Atua faavavau, e ao ina faia le togiola, a leai, e fano tagata uma. Ioe, ua faamaaaina tagata uma; ioe, ua solitulafono ma ua sē tagata uma, e fano foi i latou, sei iloga e faia le togiola e pei ona tatau ai;

10. Auā e tatau ona i ai le taulaga sili ma le taulaga faaiu. Ioe, e le o se taulaga o se tagata, e le o se manu vaefa, po o se tasi ituaiga o manu felelei; auā e le se taulaga i la tagata, a e ao ina i ai le taulaga e le mafuatia ma le faavavau.

11. O lenei, e leai se tagata na te mafaia ona fai se taulaga i lona lava toto e togiola a'i agasala a le tasi. O lenei, afai e fasioti tagata se tasi, faauta, pe aveeseina e la tatou tulafono tonu le ola o lona uso? Ou te fai atu ia te outou, e leai.

12. A e peitai, e ave ese e le tulafono le ola o le na fasioti tagata; o lea e le lava ai se tasi mea, a e na o le togiola e le mafuatia e lava mo agasala a le lalolagi.

13. O lea e ao ai ina i ai le taulaga sili e faaiu a'i taulaga, ona tatau ai lea ona gata i lea mea le faamaligiina o le toto. Ona faataunuuina ai lea le tulafono a Mose. Ioe, e faataunuuina mea uma, o iota ma fasi mataitusi uma, e le mavae atu se mea e tasi.

14. Faauta foi, o le uiga atoatoa lenei o le tulafono, ua faasino atu mataitusi uma lava i lena taulaga sili e faaiu a'i taulaga; e fai foi le Alo o le Atua ma lena taulaga sili e faaiu a'i taulaga, ioe, e le mafuatia ma le faavavau.

15. E faapea foi ona faataunuuina e ia le faaolataga ia te i latou uma o ē faatuatua i lona suafa. O le uiga lea o lenei taulaga faaiu e faataunuu mai alo alofa, e manumalo i le faamasinoga, e faaoo mai ai i tagata le ala latou te faatuatua ai e oo i le salamo.

16. E faapea foi ona mafai le alofa ona faamalie iuga o le faamasinoga, ma siosiomia ai i lima o le mamalu. A o lē le faaaoga le faatuatua e oo i le salamo, e oo ia te ia le tulafono uma i iuga o le faamasinoga. O lenei, ua na o lē faatuatua e oo i le salamo e oo i ai le ala o le faaolataga sili ma le faavavau.

17. O lea ia alofa mai ai le Atua ia te outou, o'u uso e, ina ia amata ona outou faaoga lo outou faatuatua e oo i le salamo, ma ia amata ona outou valaau i lona suafa paia, ina ia alofa mai o ia ia te outou.

18. Ioe, ia tagi atu ia te ia ina ia alofa, auā ua malosi o ia i faaola.

19. Ioe, ia faamaulalo outou ma tumau i le tatalo ia te ia.

20. Ia tagi atu ia te ia pe a i ai outou i o outou fanua, ioe,

21. Ia tagi atu ia te ia i o ona o a outou lafu uma lava.
outou fale, ioe, ona ō outou aiga uma, i le taeao, ma le aoauli, atoa ma le afiafi;

22. Ioe, ia tagi atu ia te ia e teena le malosi o ē ita ia te outou;

23. Ioe, ia tagi atu ia te ia e tetee atu i le tiapolo, o lē ita i le amiotonu uma;

24. Ia tagi atu ia te ia ona o le fua ō outou fanua, ina ia manuia ai outou.

25. Ia tagi atu ia te ia ona o a outou lafu i o outou fanua, ina ia fanafanau i latou.

26. A e le gata i lea, a e ao ina outou faaali ae o outou loto uma i o outou afeafe, ma a outou mea lilo, ma o outou vao.

27. Ioe, pea a outou le tagi atu i le Atua, sei tumu o outou loto, ia faalatalata atu ia te ia i le tatalo e le aunoa, ina ia manuia outou, ina ia manuia foi i latou o ē faatasi ma outou.

28. O lenei foi, faauta, o'u uso pele e, ou te fai atu ia te outou, aua le faapea e gata i lea, auā pe a uma ona outou faia nei mea uma, afai tou te aauina fua atu o ē matitiva, ma ē le lavalavā, a e le asiasi atu i ē mama'i, ma ē puapuagatia, pe foai atu ni a outou mea i ē matitiva, afai ua ia te outou; ou te fai atu ia te outou, afai tou te le faia nei mea, faauta, e fai fua a outou tatalo, e le aoga ai ia te outou i se mea e tasi; e tusa foi outou ma tagata pepelo, o ē faafitia le faatuatua.

29. O lenei, afai tou te le manatua ona alofa atu, ona tusa ai lea outou ma le otaota ua lafoaiina i fafo i ē faamamā auro, (auā ua le aoga,) ma ua solia e tagata.

30. O lenei foi, o'u uso e, ona ua uma ona outou maua nei molimau e tele, ona ua molimau tusi paia i nei mea, ou te loto ina ia

o mai outou ma fua mai i fua e tatau ma le salamo.

31. Ioe, o lo'u manao, ia outou o mai, a e le toe faamaaa o outou loto, auā faauta, o ona po nei, ma le aso lenei o lo outou olataga; o le mea foi lea, afai tou te salamo, a e le faamaaa o outou loto, e faataunuuina loa ai ia te outou le ala sili o le togiola.

32. Auā faauta, e tatau i tagata ona sauniuni i lenei olaga e fetaiai ma le Atua. Ioe, faauta, o le aso o lenei olaga, o le aso lea e tatau ona fai ai e tagata a latou galuega.

33. O lenei foi, e pei ona ou muai fai atu ia te outou, ona ua ia te outou nei molimau e toatele, o le mea lea ou te aioi atu ai ia te outou, aua tou te faatuai le aso o lo outou salamo e oo i le iuga; auā pe a mavae atu le aso nei o le ola ua tuuina mai e sauniuni ai i le ola faavavau, faauta, afai tatou te le faaaoga o tatou aso manū o i lenei olaga, ona oo mai ai lea le po o le pogisa, e le mafai ona fai ai se galuega e tasi.

34. Pe a oo ia te outou lena iuga matautia, tou te le mafai ona faapea atu, Ou te salamo, ou te foi atu i lo'u Atua. E leai, tou te le mafai ona faapea, auā o lea lava agaga o i ai i o outou tino i le aso tou te tete'a ai ma lenei olaga, e i ai le pule i lea lava agaga e toe foi atu i o outou tino i lena olaga faavavau.

35. Auā faauta, afai ua uma ona outou faatuai le aso o lo outou salamo e oo lava i le oti, faauta, ua faatoilaloina outou e le agaga o le tiapolo; na te faamaufaailogaina outou mona; o le mea lea ua te'a ai le Agaga o le Atua ia te outou, ua le ia te ia se mea e mau ai i totonu ia te outou; a o le tiapolo ua i ai le pule uma ia te outou, o le iuga foi lenei o ē amioleaga.

36. Ou te iloa foi lenei mea, auā ua fetalai mai ai le Atua, e le afio o ia i malumalu e le paia, a e afio o ia i loto o ē amiotonu; ioe, ma ua fetalai mai foi o ia, e nonofo o ē amiotonu i lona malo, e le toe ulufafo ai, a e peitai, e faasinasinaina o latou ofu i le toto o le Tamai Mamoe.

37. O lenei, o'u uso pele e, o lo'u manao ia outou manatua nei mea, ma ia outou galulue ma le mata'u i luma o le Atua ina ia outou ola ai, aua foi le toe faafiti e outou le afio mai o Keriso.

38. Aua le toe finau atu outou i le Agaga Paia, a ia outou talia o ia, ma ia ave i luga ia te outou le suafa o Keriso, ina ia outou faamaulalo ia te outou e oo lava i le efuefu, ma tapuai atu i le Atua i le agaga ma le faamaoni i mea uma tou te i ai, ma ia outou nonofo ma le faafetai i aso fai soo, ona o le alofa ma manuia e tele ua foaiina mai e ia ia te outou.

39. Ioe, ou te apoapoai atu ia te outou, o'u uso e, ia outou mataala i le tatalo e le aunoa, ina ia le ta'ita'ieseina outou i tofotofoga a le tiapolo, ina ia le manumalo o ia ia te outou, ina ia le avea outou mona tagata i le aso gataaga, auā faauta, na te le tauia outou i se mea lelei e tasi.

40. O lenei foi, o'u uso pele e, ou te fia apoapoai atu ia te outou, ia onosai ina ia outou faatoatoa i puapuaga eseese uma lava, ina ia outou le agatele atu i e ua tutuli i fafo outou ona o lo outou mativa tele, ne'i avea outou ma tagata agasala e pei o i latou.

41. A ia outou onosai, ma ia faatoatoa i na puapuaga ma le faamoemoe mausali, e oo i le aso

e malolo ai outou ai o outou puapuaga uma lava.

MATAUPU 35.

Ua ō faifeau tala'i a sa Nifaē i le nuu o Seasona—O a latou tagata sa Soramā, o e na liliu mai, ua tulia ese mai lo latou lava laueleele, ma ua nonofo faatasi ma i latou—O sauniuniga mo le taua.

1. Ua oo ina ua uma ona faaiu e Amoleka nei upu, ua la tete'a ma le motu o tagata, ma ua o ane i le nuu Seasona.

2. Ioe, ina ua uma ona latou talaiina atu le upu i sa Soramā, ua o ane o e ua totoe o le au uso i le nuu o Seasona.

3. Ua oo foi ina ua uma ona taupulepule faatasi le vaega o alii sili o sa Soramā e uiga i le upu sa talaiina atu ia te i latou, ua ita i latou ona o le upu, auā ua faaumatia ai lo latou faiva; o le mea lea ua le mafai ai i latou ona faalogo i le upu.

4. Na latou aauina atu i itu uma o le nuu, ma ua faapotopoto faatasi tagata uma, ma ua filifili ma i latou e uiga i upu sa talaiina.

5. O lenei, na le tuu atu o latou faipule, ma o latou faitaulaga, ma o latou a'oa'o, ia iloa e le nuu o latou manao; o lea na latou maua ai faalilolilo manatu o le nuu uma.

6. Ua oo foi ina ua uma ona latou iloa manatu o tagata uma, ua tafi ese ai le nuu i latou o e na mananao i upu na talaiina atu e Alema ma ona uso, ua toatele foi i latou, ma ua latou o ane foi i le nuu o Seasona.

7. Ua oo foi ina faamafanafana atu Alema ma ona uso ia te i latou.

8. O lenei, ua ita sa Soramā i le nuu o Amona, o e ua i Seasona. Na feau mai foi i le nuu o Amona e le faipule sili o sa Soramā, auā ua amioleaga tele o ia, o lona manao ia tutuli ese ai lo latou nuu i latou uma o ē na o ane i lo latou nuu nai ia te i latou.

9. Ua mapugatama'i foi o ia i faamata'u e tele ia te i latou. A ua le mata'u le nuu o Amona i a latou upu, o lea na latou le tutuli ese ai i latou, a e peitai, ua talia e i latou tagata matitiva uma o sa Soramā o e na o ane ia te i latou. Na latou fafagaina foi i latou, ma faaofuina i latou, ma ua tuuina atu ia te i latou fanua e fai mo latou tofi. Ua latou auauna atu foi ia te i latou e tusa ma lo latou mativa.

10. Ua faaosoina sa Soramā i lenei mea i le ita i le nuu o Amona, ma ua amata ona latou feoai ma sa Lamanā, ma faaosoina i latou i le ita ia te i latou.

11. Ua faapea ona amata ona sauniuni sa Soramā ma sa Lamanā e sii taua i le nuu o Amona, atoa foi ma sa Nifaē.

12. Ua faapea foi ona iu lona sefulu ma le fitu o tausaga o le nofoaiga a faamasino i le nuu o Nifae.

13. Na o ese foi le nuu o Amona ai le nuu o Seasona, ma ua o ane i le nuu o Meleka, ma ua tuuina atu le nuu o Seasona i au a sa Nifaē, ina ia tau i latou ma au a sa Lamanā ma au a sa Soramā. Ua faapea ona amataina le taua i sa Lamanā ma sa Nifaē i lona sefulu ma le valu o tausaga o le nofoaiga a faamasino. E faia foi le tala i o latou taua i aso o lumanai.

14. Ina ua uma ona faia i latou ma tufugāaao o le Atua i le ta'ita'iina mai o sa Soramā e toatele i le salamo, ua toe foi mai Alema, ma Amona, ma o laua uso, atoa foi ma atalii e toalua o Alema i le nuu o Sara'emila. A

ua tafia ai o latou nuu i latou o e na ta'ita'iina mai i le salamo, a e peitai, ua ia te i latou fanua e fai mo latou tofi i le nuu o Seasona; ua latou fetagofi foi i le auupega e faasaoina ai i latou, ma a latou avā, ma a latou fanau, ma o latou fanua.

15. O lenei, ona ua tigaina Alema ona o le amioletonu a lona nuu, ioe, ona o taua, ma le faamaligiina o le toto, ma fefinauaiga ua ia te i latou; ina ua alu atu foi o ia e tala'i atu le upu, pe auina atu o ia e tala'i atu le upu i tagata uma i aai uma lava, ina ua ia iloa foi ua amata ona tauau ina maaa loto o le nuu, ma ua amata ona latou tausuai ona o le sa'o o le upu, ua matua faanoanoa lava lona loto.

16. O le mea lea na ia faapotopoto faatasi ai ona atalii, ina ia tuu atu lana poloaiga ia te i latou taitoatasi, e uiga i mea i la le amiotonu. Ua ia te i tatou foi le tala i ana poloaiga na ia avatu ia te i latou, e tusa ma lana lava tusi.

O poloaiga a Alema i lona atalii o Helamana.

(E aofia ai mataupu 36 ma le 37)

MATAUPU 36

NUa faamanatu e Alema ana agasala i aso ua mavae, o le vavega ofoofogia i lona liliu mai, ma lona ma'elegā mulimuli ane i le tala'iga.

1. Lo'u atalii e, uai mai ia ou taliga i a'u upu, auā ou te tauto atu ia te oe, afai e te tausia poloaiga a le Atua, e manuia oe i le nuu.

2. Ou te loto ina ia faia e oe e pei ona ou faia i le manatua o le tafeaga ō tatou tamā, auā sa nofopologa i latou, na le mafai se tasi ona laveai ia te i latou, a e na o le Atua o Aperaamo, ma le Atua o Isaako, ma le Atua o Iakopo. E moni lava, na ia laveai ia te i latou ai o latou puapuaga.

3. O lenei foi, lo'u atalii e, Helamana, faauta, ua taulealea oe, o lea foi ou te aioi atu ai ia te oe, ia e faalogologo i a'u upu, ma faaa'oa'o mai ia te a'u, auā ua ou mautinoa, o i latou uma o ē faalagolago i le Atua, e lagolagoina i latou i o latou tofotofoga, ma o latou tiga, ma o latou puapuaga, e faaeaina foi i latou i le aso gataaga.

4. Ou te le loto ina ia e manatu, ua ou iloa lava a'u; e le o le faaletino, a o le faaleagaga; e le o le manatu i la le tino, a o la le Atua.

5. O lenei, faauta, ou te fai atu ia te oe, ana le fanauina a'u i la le Atua, po ua ou le iloa nei mea; a o le Atua, na ia faailoa mai nei mea ia te au i fofoga o lana agelu paia, a e le ona o sa'u amiolelei.

6. Auā na matou feoai ma atalii o Mosaea, ma ua taumafai ona faaumatia le ekalesia a le Atua, a e faauta, na auina mai e le Atua lana agelu paia e taofi ia te i matou i le ala.

7. Faauta foi, na ia fetalai mai ia te i matou, e peiseai o le leo o le faititili, na gatete foi le laueleele i lalo ō matou vae, na pāuu ai foi i matou i le eleele, auā ua oo mai ia te i matou le mata'u i le Atua.

8. A e peitai, faauta, na fetalai mai le siufofoga ia te au: Ina tulai ia. Ona a'u tulai ai lea, ma ua tu i luga, ma vaai atu i le agelu.

9. Na ia fetalai mai foi ia te au: Afai e te loto ina ia fano oe ona o oe lava, aua e te toe saili e faaumatia le ekalesia a le Atua.

10. Ma ua oo ina ou paū i le eleele. Sa le mafai foi ona ou faamaga lo'u gutu i ao e tolu ma po e tolu, ua gase foi o'u lima ma o'u vae.

11. Ua i ai foi nisi mea na fetalai mai e le agelu ia te au, na faalogoina e o'u uso, a ua ou le lagona ai, auā ina ua ou faalogina nei upu, afai e te loto ina ia fano oe ona o oe lava, aua le toe saili e faaumatia le ekalesia a le Atua, ona taia lea a'u i le matautuia ma le ofo tele, ne'i malaia lava a'u, na ou paū foi i le eleele, ma ua ou le toe lagona se upu.

12. A e peitai, sa tigaina a'u i le puapuaga faavavau, auā sa matua sili ona tele le atuatuvale o lo'u agaga, ua tigaina foi a'u i a'u agasala uma lava.

13. Ioe, sa ou manatua a'u agasala uma, ma a'u amioletonu, e i ai ona tigaina a'u i puapuaga o seoli, ioe, sa ou iloa na ou fouvale i lo'u Atua, sa ou le tausia foi ana poloaiga paia.

14. Ioe, sa fasiotia e a'u ana fanau e toatele, po o lenei, sa ou ta'ita'ieseina i latou i le malaia. Ioe, sa faapea ona tele la'u amioletonu, o loo manatu o le a alu atu a'u i luma o lo'u Atua, ua tigaina ai lo'u agaga i le mata'u tele e le mafaamatalaina.

15. Sa ou faapea, Auē, ana mafai ona faaaunuua a'u, ia fano lo'u agaga atoa ma lo'u tino, ina ia le amia a'u e tu i luma o lo'u Atua ia faamasinoina ai i a'u galuega.

16. O lenei foi, e tolu ao ma po e tolu sa tigaina ai a'u i tiga o le agaga ua faasalaina.

17. Ua oo foi ina o faapea ona tigaina a'u i le puapuaga, ina o atuatuvale a'u i le manatu i a'u agasala e tele, faauta, sa ou manatua, na ou faalogo i lo'u tamā ua vavalo i le nuu e uiga i le afio mai o le toatasi, o Iesu Keriso, o le Alo o le Atua, e togiola agasala a le lalolagi.

18. Ina o taofi atu e lo'u loto i lenei manatu, sa ou tagi ifo i lo'u loto, Iesu e, le Alo o le Atua, ia e alofa mai ia te au, o loo i le au oona, ma ua noanoatia i filifili o le oti faavavau.

19. O lenei foi, faauta, ina o o'u manatu i lenei mea, ua le toe mafai ona ou manatua o'u tiga; ioe, ua ou le toe atuatuvale i le manatu i a'u agasala.

20. Ioe, ua ma'eu lava le olioli, ma le malamalama ofoofogia na a'u vaaia; ioe, sa faatumuina lo'u agaga i le olioli matua tele, e tusa ma le tele o lo'u tiga.

21. Ioe, ou te fai atu ia te oe, lo'u atalii e, sa le mafai se tasi mea ona silisili ma oona tusa ma o'u tiga. Ioe, ou te toe fai atu foi ia te oe, lo'u atalii e, o le tasi mea, e le mafai ona silisili ma malie se tasi mea e tusa ma lo'u olioli.

22. Ioe, sa ou manatu ua ou vaaia, e pei lava ona iloa e lo tatou tamā o Liae, ua afio mai le Atua i lona afioaga, ua siosiomia i 'au agelu e le masino, ua saga pepese ma vivii atu i lo latou Atua; ioe, ma ua tinoū lo'u agaga i le fia alu atu i ai.

23. A e faauta, sa toe maua e o'u lima ma o'u vae lo latou malosi, sa ou tu i luga foi i o'u vae, ma ua faailoa atu i tagata ua fanauina a'u i la le Atua.

24. Ioe, e afua i lea aso e oo mai i nei ona po, ua ou galue e le aunoa, ina ia ou ta'ita'i mai agaga i le salamo, ina ia ou ta'ita'iina mai foi i latou e tofotofo i le olioli silisili na ou tofotofoina; ina ia fanauina foi i latou i la le Atua, ma ia faatumuina i latou i le Agaga Paia.

25. Ioe, o lenei, faauta, lo'u atalii e, ua foaiina mai ia te au

e le Atua le olioli silisili lava i le fua o a'u galuega.

26. Auā foi, ona o le upu ua ia tuuina mai ia te au, faauta, ua fanauina ai nisi e toatele i la le Atua, ma ua tofotofoina e pei ona ou tofotofo ai, ma ua latou iloa e pei ona ou iloa ai; o le mea lea latou te iloa ai nei mea ua ou tautala atu ai, e pei ona ou iloa mea ua ou mautinoa, ua ou maua mai le Atua.

27. Ua lagolagoina a'u i tofotofoga, ma tiga eseese, ma puapuaga uma lava; ioe, ua laveaiina a'u e le Atua ai le falepuipui, ma noanoaga, ma le oti, ioe, ma ua ou faalagolago ia te ia; e laveai pea o ia ia te au.

28. Ma ua ou iloa na te faatuina mai a'u i le aso gataaga, ma te nonofo ma ia i le manuia. Ioe, ou te vivii atu foi ia te ia e faavavau, auā na ia avae o tatou tamā nai Aikupito, na ia faaumatia foi tagata Aikupito i le sami Ulaula; o lona mana foi na ia ta'ita'iina ai i latou i le nuu sa folafolaina. Ioe, na ia laveaiina soo i latou ai le nofopologa ma le tafeaga.

29. Ioe, na ia aumaia foi o tatou tamā ai le nuu o Ierusalema. O lona mana faavavau na ia laveaiina soo ai i latou ai le nofopologa ma le tafeaga, e oo mai lava i lenei aso. Ua ou manatua pea foi i lo'u loto la latou tafeaga; ioe, e tatau foi ia te oe ona e manatua pea i lou loto la latou tafeaga e pei ona ou manatulia.

30. A e peitai, faauta, lo'u atalii e, e le gata i lea, auā e tatau ona mautinoa, e pei ona ou mautinoa, afai e te tausia poloaiga a le Atua, e te manuia i le nuu, ma ua tatau foi ona e iloa, afai e te le tausia poloaiga a le Atua, e vavaeeseina oe ai ona luma. E tusa lenei mea ma lana afioga.

MATAUPU 37.

Ua tu'uina atu papatusi ma isi mea pa'ia ia Helamana—O Kaselema—O le laea'ona o se ituaiga o le afioga a Keriso.

1. O lenei foi, lo'u atalii e, Helamana, ou te poloai atu ia te oe, ia e ave tusi na tuuina mai ia te au.

2. Ou te poloai atu ia te oe, ia e faia le tusi i lenei nuu i papatusi a Nifae, e pei ona ou faia, ma ia tausi ina ia paia nei mea uma ua ou tausia, e pei lava ona ou tausia ai. Auā ua tusia nei mea ona o le faautautaga poto;

3. E faapea foi ma nei papatusi apamemea, e i ai nei togitogiga, e i ai tala i tusi paia, e i ai le gafa ō tatou tamā talu le amataga.

4. Faauta foi, na vavalo o tatou tamā, e tausia ai ma tuufaasoloina mai i lea tupulaga ma lea tupulaga, e tausia ai ma faasaoina e le aao o le Atua seia oo atu ai i atunuu uma, ma ituaiga, ma gagana eseese, ma nuu, ina ia latou iloa mea lilo o i ai.

5. O lenei foi, faauta, afai ua tausia nei mea, e ao ina tumau i ai lo latou pupula, ioe, e faapea foi ma papatusi uma e i ai tusi paia.

6. O lenei, ai ua e faapea ua ou valea i lenei mea, a e faauta, ou te fai atu ia te oe, o mea, faatauvaa ma mea faavalea ua faataunuuina ai mea tetele; e atulasi foi ona faafememeaiina o ē popoto i mea faatauvaa.

7. A ua galue le Alii le Atua i mea faatauvaa ina ia faataunuu ona faautautaga tetele ma le faavavau. Ua faamaina foi o ē popoto e le Atua i mea faatauvaa, ma ua faaolaina ai agaga e toatele.

8. O lenei foi, o aso ua mavae na faasaoina ai nei mea i le poto

o le Atua, auā faauta, ua faateleina ai manatu o lenei nuu e toatele, ioe, ua faailoatinoina atu ai le sese ō latou ala, ma ua ta'ita'iina mai ai latou i le malamalama o lo latou Atua, ua iu i le faaolaina ō latou agaga.

9. Ioe, ou te fai atu ia te oe, ana le se anoa nei mea e i ai i nei tusi ua tusia i nei papatusi, po ua le mafai Amona ma ona uso ona faailoa tino i afe e tele o sa Lamanā le sese o uputuu a o latou tamā. Ioe, o nei tusi ma upu o i ai, na ta'ita'iina ai i latou i le salamo, o lona uiga, na ta'ita'iina ai i latou i le malamalama o le Alii lo latou Atua, ina ia olioli foi ia Iesu Keriso, lo latou Faaola.

10. Po o ai ea ua iloa, pe le avea nei mea ma ala e ta'ita'iina ai afe e tele o i latou i le iloa lelei o lo latou Togiola? Ioe, atoa ma afe e tele ō tatou uso ūa mălolo o sa Nifaē, o e o loo faamaaa o latou loto i le agasala ma le amioleaga?

11. O lenei, e lei faailoaina mai ia te au le atoaatoa o nei mea lilo, o le mea lea ou te tuu ai.

12. Atonu ua lava pe afai ua na ona ou faapea atu, ua faasaoina nei mea ona o le faautautaga poto. Ua silafia e le Atua lea faautautaga, auā ua faatonu mai o ia ma le poto i ana galuega uma lava, ua sa'o lava ona ala, e le liu lava e faavavau.

13. Ioe, ia manatua, ia manatua lava, lo'u atalii e, Helamana, ua sa'o lava poloaiga a le Atua. Ua fetalai mai foi o ia: Afai tou te tausi i a'u poloaiga, e manuia outou i le nuu, a e afai tou te le tausia a'u poloaiga, e vavaeeseina outou ai o'u luma.

14. O lenei foi, lo'u atalii e, ia manatua ua tuuina mai nei mea ia te oe e le Atua, ma ua paia. Ua ia tausia ai foi ma faasaoina ona o le faautautaga poto ua ia te ia, ina ia faaali atu ai lona mana i tupulaga atali.

15. O lenei, faauta, ou te fai atu ia te oe i le agaga o le valoaga, afai e te solia poloaiga a le Atua, faauta, e aveeseina ia te oe i le mana o le Atua o nei mea ua paia, e tuuina atu foi oe ia Satani, ina ia luluina oe e ia, e pei o le aputi saito i le matagi.

16. A e peitai, afai e te tausia poloaiga a le Atua, ma faia foi i nei mea ua paia e pei ona poloai mai ai le Atua ia te oe, (auā e ao ina e faatoga atu i le Atua i mea uma e tatau ona e faia i ai,) faauta, e le i ai i le lalolagi, po o seoli, le mana e mafai ona aveese ai ia te oe, auā ua mamana le Atua i le faataunuuina o ana fetalaiga uma lava.

17. Auā na te faataunuuina ana folafolaga uma lava na te faia ia te oe, auā ua uma ona faataunuuina e ia ana folafolaga na ia faia i o tatou tamā.

18. Auā na ia fetalai mai ia te i latou, na te taofia nei mea ona o le faautautaga poto ia te ia, ina ia faaali atu ai e ia lona mana i tupulaga amuli.

19. O lenei foi, faauta, ua faataunuuina e ia le faautautaga e tasi, o le toe faatuina lea o afe tele o sa Lamanā i le malamalama o le upu moni, ua ia faaalia mai ai foi lona mana. Na te faaali atu pea lona mana i tupulaga amuli, o le mea lea e faasaoina ai nei mea.

20. O le mea lea ou te poloai atu ai ia te oe, lo'u atalii e, Helamana, ia e filifiligā i le faataunuuina o a'u upu uma, ma ia e filifiligā i le tausiga o poloaiga a le Atua e pei ona tusia.

21. O lenei foi, ou te tautala atu ia te oe e uiga i na papatusi e luasefulu ma le fa ina ia e tausi ai, ina ia faailoa atu ai i

lenei nuu o mea lilo, ma galuega o le pouliuli, ma a latou galuega lilo, po o galuega lilo a lena nuu o e ua faaumatia, ioe, ina ia faailoa atu i lenei nuu lo latou fasioti tagata uma, ma fao mea, ma a latou vetega na latou faia, ma a latou amioleaga uma, ma mea inosia, ioe, ma ia e faasaoina nei maa faasino.

22. Auā faauta, na silafia e le Atua ua amata ona galue lona nuu i le pouliuli, ioe, ua fai faalilo le fasioti tagata, ma mea inosia. O le mea lea na fetalai atu ai le Atua: Afai latou te le salamo, e faaumatia i latou ai le fogaeleele.

23. Na fetalai atu foi le Atua: Ou te saunia mo la'u auauna o Kaselema le maa, e pupula atu ai i le pouliuli ina ia malamalama ina ia ou faailoa atu i lou nuu, o ē auauna mai ia te au, ina ia ou faailoa atu ia te i latou galuega a o latou uso, ioe, o a latou galuega lilo ma a latou galuega o le pouliuli, ma a latou amioleaga ma mea inosia.

24. O lenei foi, lo'u atalii e, ua saunia nei maa faasino ina ia faataunuuina ai le afioga a le Atua na ia fetalai atu, ua faapea atu:

25. Ou te aumaia ai le pouliuli i le malamalama a latou galuega lilo uma lava, ma a latou mea inosia. A e afai latou te le salamo, ou te faaumatia i latou ai le fogaeleele; ou te aumaia foi i le malamalama a latou mea lilo ma mea inosia uma lava, ma faailoa atu ai i nuu uma lava e mau i le laueleele i aso o lumanai.

26. O lenei foi, lo'u atalii e, ua tatou iloa na latou le salamo, o le mea lea na faaumatia ai i latou; e oo mai i nei ona aso ua faataunuuina le afioga a le Atua, ua aumaia nai le pouliuli a latou mea inosia faalilo, ma ua faailoaina mai ia te tatou.

27. O lenei foi, lo'u atalii e, ou te poloai atu ia te oe, ia e taofia a latou tautoga, ma a latou feagaiga, ma a latou faiā i a latou mea inosia faalilo; ioe, ia e taofia o latou faailoga uma lava, ma a latou mea e ofo ai, ina ia latou le iloa ai, ne'i latou pāuu i le pouliuli ma fano ai.

28. Auā faauta, e i ai le fetuu i lenei laueleele uma, e tusa ma le mana o le Atua, ina ia oo le malaia ia te i latou uma o ē galulue i mea a le pouliuli, pe a atoatoa lo latou leaga. O le mea foi lea ou te loto ai ina ia le faaumatia lenei nuu.

29. O le mea lea ia e taofia ai nai lenei nuu nei togafiti lilo, ma a latou tautoga, ma a latou feagaiga; a ia e faailoa atu ia te i latou tau o a latou amioleaga, ma lo latou fasioti tagata, ma a latou mea inosia. Ia e a'oa'o atu foi ia te i latou ia 'ino'ino i le amioleaga faapena, ma mea inosia, ma le fasioti tagata. Ia e a'oa'o atu foi ia te i latou, sa faaumatia lena nuu ona o a latou amioleaga, ma mea inosia, ma lo latou fasioti tagata.

30. Auā faauta, na latou fasiotia perofeta uma a le Atua o e na o mai ia te i latou e tala'i atu ia te i latou e uiga i a latou amioletonu. Ua tagi atu foi i le Alii lo latou Atua le toto o e na fasiotia, ina ia taui ma sui e ia i e na fasioti ia te i latou. Sa faapea foi ona oo mai faamasinoga a le Atua ia te i latou o e na galulue i le pouliuli ma pulega faalilo.

31. Ioe, ia fetuuina e faavavau le laueleele i ē galulue i le pouliuli ma pulega faalilo, ia oo lava i le faafanoga, sei iloga latou te salamo a o lei atoaatoa lo latou leaga.

32. O lenei, lo'u atalii e, ia manatua upu ua ou fai atu ia te oe, aua e te tuu atu nei togafiti lilo i lenei nuu, a ia e a'oa'o atu ia te i latou ia 'ino'ino e faavavau i le agasala ma le amioletonu.

33. Ia e talai atu ia te i latou le salamo ma le faatuatua i le Alii o Iesu Keriso; ia e a'oa'o atu ia te i latou ia faamaulalo i latou, ma ia agamalu, ma ia loto maulalo. Ia a'oa'o atu ia te i latou ia faamaulalo i latou, ma ia agamalu, ma ia loto maulalo. Ia a'oa'o atu ia te i latou e tetee atu i tofotofoga uma a le tiapolo, i le faatuatua i le Alii o Iesu Keriso.

34. Ia e a'oa'o atu ia te i latou, aua le faapalapala i galuega lelei, a ia agamalu ma loto maulalo. Auā e maua e i latou o ē faapea le malologa mo latou agaga.

35. Ioe, ia manatua, lo'u atalii e, ma ia e a'oa'o i le poto ina o e taulealea, ioe, a o e taulealea, ia e a'oa'o e tausi i poloaiga a le Atua.

36. Ioe, ia e tagi atu foi i le Atua ina ia fesoasoani o ia ia te oe i mea uma, ioe, ia faia au mea uma ona o le Atua; o mea uma e te alu i ai, ia alu i ai ona o le Atua. Ioe, ia liliu atu ou manatu i le Atua, ioe, ia e tuuina e faavavau le alofa o lou loto i le Atua.

37. Ia oulua filifili ma le Atua i au mea uma e te faia, na te faatonu foi ia te oe i mea lelei. Ioe, pe a e taoto i le po, ia taoto ona o le Atua, ina ia leoleo o ia ia te oe i lou moe. Pe a e ala i le taeao, ia tumu lou loto i le faafetai i le Atua. Afai foi e te faia ia mea, e faaeaina oe i le aso gataaga.

38. O lenei foi, lo'u atalii e, ua ia te au ni nai upu e fai atu e uiga i le mea na ta'ua e o tatou tamā o le polo, po o le faasino ala, auā na ta'ua ai e o tatou tamā, o le laea'ona, o lona uiga pe a faamatalaina, o le tapasā. Na saunia e le Atua.

39. Faauta foi, e le mafai se tagata ona faia se mea e ese lona gaosiga faapea. Faauta foi, sa saunia e faaali atu ai i o tatou tamā le ala latou te malaga ai i le vao.

40. Na galue ai foi mo i latou e tusa ma lo latou faatuatua i le Atua. O lenei, afai na ia te i latou le faatuatua e talitonu ua mafaia le Atua ona faasaga ia vae i le itu e tatau ona latou o atu i ai, faauta, ua faia. O le mea lea na i ai ia te i latou lenei vavega, atoa foi ma nisi vavega e tele ua faia i le mana o le Atua i lea aso ma lea aso.

41. E ui lava i lea, ona ua faia nei vavega i mea faatauvaa, sa faaali ai ia te i latou galuega ofoofogia, sa paie i latou, ua galo ia te i latou e fa'aaogā lo latou faatuatua ma le filifiligā, ona iu ai lea o na galuega ofoofogia, na le alualu i luma foi i latou i la latou malaga.

42. O le mea lea na faatuai ai i latou i le vao, ma ua le malaga i le ala sa'o, ma ua puapuagatia i le fia 'ai ma le fia inu, ona o a latou solitulafono.

43. O lenei foi, lo'u atalii e, ou te loto ina ia malamalama ia te oe, e le aunoa nei mea ma le ata, auā e pei ona faapaiē o tatou tamā i le usiusitai i lenei tapasā, (o lenei, o la le tino nei mea,) sa le manuia ai i latou, e faapea lava i mea i la le agaga.

44. Auā faauta, e tusa le faigofie o le usiusitai i le afioga a Keriso e faasino ia te oe le ala sa'o i le olioli faavavau, ma le usiusitai ō tatou tamā i lenei tapasā, na faasino ia te i latou le ala sa'o i le nuu sa folafolaina.

45. O lenei foi, ou te fai atu,

e le o i ai ea le faatusa i lenei mea? Auā e pei ona faamaoni lenei faasino ala i le ta'ita'iina ō tatou tamā i le nuu sa folafolaina, ina ua latou savavali i lona ala, e faapea lava ona avea i tatou i le afioga a Keriso i tala atu o le vanu o le puapuaga, i le nuu e sili ona lelei ua folafolaina, pe a tatou savavali i lona ala.

46. Ioe, lo'u atalii e, aua ne'i tatou faapaiē ona o le faigofie o le ala, auā sa faapea o tatou tamā; auā sa faapea ona saunia ai mo i latou, pe afai ua vāai i latou, na mafai ona latou ola, e faapea foi ma i tatou. Ua saunia le ala, afai tatou te vaavaai, e mafai ona tatou ola ai e faavavau.

47. O lenei foi, lo'u talii e, ia e tausia nei mea paia, ia e vaai atu i le Atua ma ola ai. Ia e alu atu i lenei nuu ma ia tala'i atu le upu ma le faautauta. Lo'u atalii e, ia manuia.

MATAUPU 38.

O poloaiga a Alema i lona atalii o Sepulona.

NUa ta'uleleia ona o lona faatuatua, ma ua faatonuina ia ia te ia le 'agamalu atoa ma le puleafaiifo.

1. Lo'u atalii e, uai mai ia ou taliga i a'u upu, auā ou te fai atu ia te oe, e pei ona ou fai atu ia Helamana, afai e te tausia poloaiga a le Atua, e te manuia i le nuu. Afai foi e te le tausia poloaiga a le Atua, e lafoaiina oe ai ona luma.

2. O lenei foi, lo'u atalii e, ou te faamoemoe ou te maua le fiafia ia te oe, ona o lou agatonu ma lou faatuatua i le Atua; auā e pei ona e amataina i lou taulealea ona vaai atu i le Alii lou Atua, ou te faamoemoe, e faapea lava ona e tumau i le tausiga o ana poloaiga; auā amuia lē tumau seia oo i le iuga.

3. Ou te fai atu ia te oe, lo'u atalii e, ua uma ona ou maua le fiafia tele ia te oe ona o lou faatuatua, ma lou filifiligā, ma lou onosai, ma lou faatoatoa i le nuu o sa Soramā.

4. Auā ua ou iloa sa i ai oe i noanoaga, ioe, ua ou iloa foi na fetogia oe i maa ona o le upu; na e onosai foi i nei mea uma ma le faatoatoa, auā sa ia te oe le Atua, ma ua e iloa tino nei sa laveaiina oe e le Atua.

5. O lenei foi, lo'u atalii e, Sepulona, ou te loto ina ia e manatua, e pei ona e faalagolago i le Atua, e faapea lava ona laveaiina oe ai ou tofotofoga, ma ou tiga, ma ou puapuaga, e faaeaina foi oe i le aso gataaga.

6. O lenei, lo'u atalii e, ou te le loto ina ia e manatu ua ou iloa lenei mea ia te au lava, a o le Agaga o le Atua o loo ia te au ua faailoa mai ai nei mea ia te au; auā ana le fanauina a'u i la le Atua, po ua ou le iloa nei mea.

7. A e peitai, faauta, na auina mai e le Atua i lona alofa tele, o lana agelu e ta'utino mai ia te au, e ao ina ou tuua le galuega o le faaumatia o lona nuu. Ioe, ua ou vaaia le agelu, sa ma faafesagai lava; na ia fetalai mai foi ia te au, e pei o le faitititili foi lona siufofoga, na luluina ai foi le laueleele uma.

8. Ua oo foi ina i ai a'u i le tiga matua tele lava ma le puapuaga o le agaga i ao e tolu ma po e tolu. Na ou le maua foi le faamagaloina o a'u agasala, seia uma ona ou tagi atu i le Alii o Iesu Keriso i le alofa. A e peitai, faauta, na ou tagi atu ia te ia, ona ou maua ai lea le filemu i lo'u agaga.

9. O lenei foi, lo'u atalii e, ua ou tuuina atu lenei mea ia te oe ina ia e a'oa'o i le poto, ina ia ou a'oa'oina atu ia te oe e leai se tasi ala, po o se tasi mea e mafai ona faaolaina ai tagata, ua na o Keriso lava. Faauta, o ia o le ola ma le malamalama o le lalolagi. Faauta, o ia o le upu moni ma le amiotonu.

10. O lenei foi, ona ua uma ona e amata ona a'oa'o atu le upu, ou te loto ina ia faapea lava ona e a'oa'o atu pea, ou te loto foi ina ia e filifiligā ma le le gaoiā i mea uma.

11. Ia oe, ne'i faafefeteina oe e iu i le faamaualuga. Ioe, ia oe, ne'i e mitamita i lou lava poto, po o lou malosi tele.

12. Ia ta'utino atu, a e aua le faasaua; i le ma lea, ia e taofi ou tuinanau uma, ina ia faatumuina oe i le alofa. Ia mamao ia te oe le paie.

13. Aua le tatalo e pei o sa Soramā, auā ua e iloa ua tatalo i latou ina ia faalogoina e tagata, ina ia viia ona o lo latou poto.

14. Aua le faapea atu: Le Atua e, ou te faafetai atu ia te oe ona ua sili i matou nei i o matou uso. A e lelei ona faapea atu: Le Atua e, ia e faamagaloina lo'u le aogā, ma ia e manatua o'u uso ma le alofa. Ioe, ia e ta'uta'u atu lou le aogā i luma o le Atua i aso uma lava.

15. Ia faamanuiaina e le Atua lou agaga ma talia oe i le aso gataaga i lona malo e nofo ai ma le filemu. O lenei, alu ia, lo'u atalii e, ma ia a'oa'o atu le upu i lenei nuu; ia e faautauta. Lo'u atalii e, ia manuia.

O poloaiga a Alema i lona atalii o Korianetona.

(E aofia ai mataupu 39 e oo i le 42)

MATAUPU 39.

Ua a'oa'iina Korianetona ona o le alu i fafine talitane—O lana amioleaga ua liua ai le faatuatua o sa Soramā—O le togiola a Keriso e oo lona aoga i ē na ol o le'i fanau mai o ia.

1. O lenei, lo'u atalii e, ua ia te au upu e sili ona tele e fai atu ia te oe ai upu na ou fai atu i lou uso, auā faauta, po ua e le mātaulia ea le agatonu o lou uso, ma lona faamaoni, ma lona filifiligā i le tausiga o poloaiga a le Atua? Faauta, po ua le faia ea e ia le faa'oa'o lelei mo oe.

2. Auā na e le matua usiusitai mai i a'u upu e pei ona faia e lou uso i le nuu o sa Soramā. O le mea lenei ua leaga ai oe ia te au; na e mitamita i lou malosi ma lou poto.

3. A ua le gata i lea, lo'u atalii e, sa e faia le mea na tigaina ai a'u; auā na e tuua le galuega, a ua e alu atu i le nuu o Sairona, i tuaoi o sa Lamanā, i le fafine talitane o Isapela.

4. Ioe, na ia ta'ita'i ese loto o nisi e toatele, a e peitai, e le se mea lea e faamagaloina a'i oe, lo'u atalii e, sa tatau ia te oe ona tausi i le galuega na tuuina atu ia te oe.

5. E te le iloa ea, lo'u atalii e, ua inosia ia mea i le silafaga a le Atua, ioe, ua sili ona inosia i agasala uma, toe lava o le faamasaaina o le toto o le ua le sala, ma le faafiti i le Agaga Paia?

6. Auā faauta, afai e te faafitia le Agaga Paia, ina ua uma ona mautu ia te oe, ma ua e iloa ua e faafiti i ai faauta, o le agasala lea e le mafaamogaloina; ioe, ai se fasioti tagata i le malamalama ma le iloa lelei o le Atua, e le faigofie ona maua e ia le faamagaloina o lana agasala, ioe, ou te fai atu ia te oe, lo'u atalii e, e le

faigofie ona maua e ia le faamagaloina o lana agasala.

7. O lenei foi, lo'u atalii e, se anoa! ana e le faia lena agasala tele. Ana le aoga ia te oe, po ua ou le tautala i au agasala e faaatuatuvale ai lou loto.

8. A e faauta, e le mafai ona e natia au agasala ai le Atua. Sei iloga foi e te salamo, e avea ai ma mea e molia ai oe i le aso gataaga.

9. O lenei, lo'u atalii e, ou te loto ina ia e salamo ma lafoai au agasala. Aua ne'i toe usiusitai i tuinanau o ou mata, a ia e faafiti ia te oe i nei mea uma, auā sei iloga e te faia lenei mea, e le mafai lava ona e mautofi i le malo o le Atua Ioe, ia manatua, ma ia e mafaufau, ma ia e lafoai nei mea.

10. Ou te poloai atu ia te oe, ia e filifili ma ou uso matutua i au mea e fai, auā faauta, ua e taulealea, ma ua aoga ia te oe ona ia tausia e ou uso. Ia e usiusitai i a laua faatonuga.

11. Aua ne'i e tuuina atu oe ia ta'ita'ieseina i se mea le aoga ma le faavalea. Aua ne'i tuuina atu i le tiapolo e toe ta'ita'ieseina lou loto i na fafine talitane agasala. Faauta, lo'u atalii e, ua matua tele le amioletonu na e faaoo i sa Soramā, auā ina ua latou vaaia lau amio, ua le mafafai ai i latou ona talitonu i a'u upu.

12. O lenei foi, ua faapea mai le Agaga o le Atua ia te au: Ina polai atu ia i lau fanau ia amiolelei, ne'i latou ta'ita'i ese loto o tagata e toatele i le malaia, o le mea lea ou te poloai atu ai ia te oe, lo'u atalii e, ma le mata'u i le Atua, ia e aloalosa i au amioletonu.

13. Ia e liliu mai i le Atua ma lou manatu atoa, ma lou loto atoa, ma lou malosi atoa, ina ia e le toe ta'ita'ieseina loto o tagata ia amioleaga, a e sili ona e toe foi atu ia te i latou ma ta'uta'u atu ou sese, ma faaiu lena leaga ua e faia.

14. Aua le saili oloa, po o mea le aoga a lenei lalolagi, auā faauta, e le mafai ona e alu ma ia mea.

15. O lenei foi, lo'u atalii e, ou te fia fai atu ia te oe ni nai upu e uiga i le afio mai o Keriso. Faauta, ou te fai atu ia te oe, e moni, o ia lava e afio mai e ave ese agasala a le lalolagi; ioe, e afio mai o ia e tala'i atu le tala lelei o le olataga i lona nuu.

16. O lenei, lo'u atalii e, o le galuega lenei ua valaauina ai oe, e tala'i atu lenei tala lelei i lenei nuu, e sauniuni ai o latou manatu, po o lenei, ina ia maua e i latou le olataga, ina ia latou sauniuni ai loto o a latou fanau e faalogologo i le upu i le aso o lona afio mai.

17. O lenei, ou te faafifilemu lou manatu i lenei mataupu. Faauta, ua e ofo ona ua muai iloa nei mea, a o mamao lava le aso e taunuu ai. Faauta, ou te fai atu ia te oe, pe le tusa ea ona tāua i le Atua se agaga i ona po nei ai le tāua o se agaga i le aso o lona afio mai?

18. E le tusa ea ona aogā ona faailoa atu i lenei nuu le ala o le togiola, e tusa ma a latou fanau?

19. E le faigofie ea i le Atua i nei ona aso ona auina mai lana agelu e tala'i mai lenei tala lelei ia te i tatou, e pei lava o a tatou fanau, pe ina ua mavae lona afio mai?

MATAUPU 40.

Ua faia pea le tautalaga a Alema ia Korianetona—O le toe tutū mai o tagata uma—O nofoa-

ga esese o ē amiotonu ma ē agasala i le va o le oti ma le toe tutu—O le faafouina moni o le tino.

1. O lenei, lo'u atalii e, e i ai nisi mea ou te fia fai atu ia te oe, auā ua ou iloa ua ātu lou manatu e uiga i le toe tu mai o e ua oti.

2. Faauta, ou te fai atu ia te oe, e leai se toe tu mai, pe ou te faapea atu, e le ofu lenei tino e oti i le tino e le oti lava, e le ofu lenei tino iuvale i le tino ola pea, seia mavae le afio mai o Keriso.

3. Faauta, e faataunuuina e ia le toe tu mai o e ua oti. A e peitai, faauta, lo'u atalii e, e lei oo mai le toe tu. O lenei, ou te folafola atu ia te oe le mea lilo; a e ui i lea, e tele mea lilo ua taofia ina ia le iloa ai e se tasi, na o le Atua. A e peitai, ou te faailoa atu ia te oe le mea e tasi, na ou ole atu ai ma le filigā i le Atua, ina ia ou iloa ai, e uiga foi i le toe tu.

4. Faauta, ua tuupoina le aso e toe tutū mai ai tagata uma nai e ua oti. O lenei, ua le iloa e se tasi pe oo mai afea lenei aso, a ua silafia e le Atua le aso ua tuupoina.

5. O lenei, e le afaina pe i ai le muai toe tu, po o sona lua, po o sona tolu. E toe tutū mai tagata uma mai e ua oti, auā ua silafia e le Atua nei mea uma. Ua lava foi ia te au e iloa o le tonu lenei, e i ai le aso ua tuupoina e toe tutū mai ai tagata mai e ua oti.

6. O lenei, e ao ina i ai aso e va a'i ona po o le oti ma ona po o le toe tu.

7. O lenei foi, ou te fia fesili, po o fea le mea e nonofo ai agaga o tagata i le va o ona po o le oti ma ona po ua tuupoina ai le toe tu.

8. E le afaina pe i ai aso e tele ua tuupoina e toe tutū mai ai tagata, auā e lei oti faatasi tagata uma. E le afaina foi, e tusa le faavavau ma le aso e tasi i le Atua, a e na o tagata ua fuatia i ai aso.

9. O lea e i ai le aso ua tuupoina i tagata latou te tutū mai ai nai e ua oti, e i ai foi le va o ona po o le oti ma ona po o le toe tu. O lenei foi, pe faapefea lenei va o aso, po o ifea e o i ai agaga o tagata? O le mea lena na ou ole atu ai ma le filigā i le Atua i le fia iloa; o lenei foi le mea ua ou iloa tino lava:

10. Pe a oo foi i ona aso e toe tutū mai ai tagata uma, ona iloa ai lea e i latou ua silafia e le Atua aso uma ua tuupoina i tagata.

11. O lenei, o le mea e nofo ai le agaga i le va o le oti ma le toe tu mai, faauta, ua faailoa mai ia te au e le agelu, pe a tete'a agaga o tagata ma lenei tino e oti, ioe, o agaga o tagata uma, pe lelei i latou pe leaga, ua aveina atu i latou e nonofo i le maota o le Atua, o Le na foai mai le ola ia te i latou.

12. Ona oo lea ina nonofo agaga o ē amiotonu i le mea e fiafia ai, ua ta'ua o parataiso, o le mea lea e mapu ai, o le mea e filemu ai, latou te malolo ai i o latou tiga uma, ma le popole uma, ma le faanoanoa, ma mea faapena.

13. Ona oo lea ina tulia ese agaga o ē amioleaga, ioe, o ē ua leaga, auā faauta, e leai se vaega, po o se tofi o le Agaga o le Atua ia te i latou. Auā faauta, ua latou filifilia galueaga leaga, a e le o galuega lelei; o le mea lea na ulufia ai i latou e le agaga o le tiapolo, ma ua ave mona lo latou fale; o i latou ia foi e lafoina atu i le pouliuli i fafo, e i

ai le taufaitagi, ma le tagiauē, ma le lilivau o nifo; o lenei foi ona o la latou lava amioletonu, ona ua avea fa'atagataotaua i le loto o le tiapolo.

14. O le tofi foi lenei o agaga o ē amioleaga, ioe, i le pouliuli; o le tofi foi lea o le fefe ma le mata'u i le faatalitali i le toasa e mumū, o le toatamai o le Atua ia te i latou. E faapea ona nonofo i latou i lenei tofi; e faapea foi ma ē amiotonu i parataiso, seia oo i le aso o lo latou toe tu mai.

15. O lenei, o i ai nisi ua taofi, o lenei fiafia ma lenei faanoanoa o le agaga, o le uluai toe tu lea, a e lei oo lava i le toe tu. Ioe, e tonu, e mafai ona ta'ua ai o le toe tu mai, o le toe tu mai o le agaga ma lona tofia i le mea e fiafia ai po o le mea e faanoanoa ai, e tusa ma upu ua fetalaia mai.

16. Faauta foi, ua faapea mai, e i ai le uluai toe tu; o le toe tu mai o i latou uma o e na ola mai, ma e o loo ola mai nei, atoa ma ē ola mai atalī, e oo lava i le toe tu mai o Keriso mai e ua oti.

17. O lenei, tatou te le faapea, o lenei uluai toe tu ua faapea ona ta'uina mai, o le toe tu mai lea o agaga ma lo latou tofia i le fiafia po o le faanoanoa. E le mafai ona faapea o lona uiga lea.

18. Faauta, ou te fai atu ia te oe, e leai; a o lona uiga, o le toe faatasia lea o agaga ma tino o tagata, e afua i ona po o Atamu e oo i le toe tu o Keriso.

19. O lenei, ou te le fai atu e toe faatasia i le aso e tasi o agaga ma tino o i latou o e ua ta'uina atu, o ē amioleaga atoa ma ē amiotonu; a ia lava la'u e fai atu, e toe tutū mai i latou uma, po o lenei, e oo mai lo latou toe tu a e lei toe tutū mai o ē oti pe a mavae mai le toe tu mai o Keriso.

20. O lenei, lo'u atalii e, ou te le fai atu e oo mai lo latou toe tu mai i le toe tu mai o Keriso, a e faauta, o lo'u taofi lenei, e faatasia agaga ma tino o ē amiotonu i le toe tu mai o Keriso ma lona afio ae i le lagi.

21. A e peitai, ou te le fai atu pe taunuu ai i lona toe tu mai, pe mulimuli ane i ai; a o le mea lenei ou te fai atu, e i ai le va i le oti ma le toe tu mai o le tino, ma le tofia o agaga i le fiafia po o le faanoanoa, seia oo i le aso ua tuupoina e le Atua e toe tutū mai ai o e ua oti, ma ia faatasia le agaga ma le tino, ma ia aumaia e tutū i luma o le Atua ia faamasinoina e tusa ma a latou galuega.

22. Ioe, o le mea lenei e faataunuuina ai le toefuataiina o na mea ua fetalaia mai i fofoga o le au perofeta.

23. E toe tuuina atu le agaga i le tino, ma le tino i le agaga; ioe, e toe tuuina atu ivi ma gaugāivi uma, taitasi i lona lava tino; ioe, e leai lava se lauulu e tasi e le iloa, a e tuuina atu mea uma i lo latou tino e tatau ai ma le atoatoa.

24. O lenei foi, lo'u atalii e, o le toefuataiina lenei ua fetalaia mai i fofoga o le au perofeta.

25. Ona pupula ai lea o ē amiotonu i le malo o le Atua.

26. A e peitai, faauta, e oo mai le oti matautia i ē amioleaga, auā e oti i latou i mea i la le amiotonu, auā ua eleelea i latou, e le mafai foi se mea eleelea ona mautofi i le malo o le Atua, a e peitai, e lafoaiina i fafo i latou, e tofia foi e aai i fua o a latou galuega, ma a latou feau leaga; e feinu foi i latou i alu o le ipu oona.

MATAUPU 41.

Ua fa'aauau pea le tautalaga a Alema ia Korianetona—O le uiga o le toe fuata'iga—E faamasinoina tagata e tusa ma a latou galuega ma o latou mana'o—E faamasinoina le tagata e ia lava.

1. O lenei, lo'u atalii e, ua ia te au nisi upu e fai atu e uiga i le toefuataiina ua talatalaina mai, auā faauta, o i ai nisi ua faauigaese tusi paia, ma ua sese tele ona o lenei mea. Ua ou iloa ua ātu lou manatu i lenei mea. A e faauta, ou te faamatala atu ai ia te oe.

2. Ou te fai atu ia te oe, lo'u atalii e, e tatau i le amiotonu a le Atua le ala o le toefuataiina, auā e ao ina toe faatuina mea uma i o latou itu sa i ai. Faauta, e tatau ma ua tonu, e tusa ma le mana ma le toe tu mai o Keriso, ona ia toe tuuina atu le agaga o le tagata i lona tino, e toe tuuina atu foi itu tino taitasi i lona lava tino.

3. E tatau foi i le amiotonu a le Atua ona ia faamasinoina tagata e tusa ma a latou galuega, afai foi ua lelei a latou galuega i lenei olaga, ma ua lelei manao ō latou loto, e tatau ona toe tuuina atu i latou i le mea lelei i le aso gataaga.

4. A e afai ua leaga a latou galuega, e toe tuuina atu ai e fai ma leaga ia te i latou. O le mea lea e toe faatuina ai mea uma i o latou itu sa i ai, o mea uma taitasi i lona lava tino. O le tino e oti e faatuina o le tino e le oti lava; o le iuvale i le ola pea; e faatuina i le fiafia e le gata, ina ia mautofi i le malo o le Atua, po o le faanoanoa e le gata, ina ia mautofi i le malo o le tiapolo; o le tasi i le tasi itu, a o le isi i le isi itu.

5. O le tasi ua faatuina i le fiafia, e tusa ma ona manao i le fiafia, po o le lelei, e tusa ma ona manao i le lelei; a o le tasi i le leaga, e tusa ma ona manao i le leaga, auā e pei ona manao e ia e fai le leaga i le aso atoa, e faapea lava ona maua e ia lona taui o le leaga pe a oo mai le po.

6. Ua faapea foi i le tasi itu. Afai ua ia salamo i ana agasala, ma ua manao i le amiotonu e oo i le iuga o ona aso, e faapea lava ona tauia o ia i le amiotonu.

7. O i latou ia ua togiolaina e le Atua. Ioe, o i latou ia ua aveeseina ma ua laveaiina ai lea po e le gata o le pogisa, ma ua faapea ona tutū i luga pe pāuu i latou, auā faauta, ō latou lava faamasino i latou, pe fai le lelei pe fai le leaga.

8. O lenei, e le liua poloaiga a le Atua; o lea ua saunia ai le ala, ai sē loto i ai e mafaia ona savali i ai ma ola ia.

9. A o lenei, faauta, lo'u atalii e, aua lava ne'i e toe soona fai se agasala i lou Atua, e tusa ma na mataupu i le tulafono sa e soona fai i aso ua mavae e agasala ai.

10. Ona ua ta'uina mai le toe fuataiina, aua le faapea e toe faatuina oe ai le agasala i le fiafia. Faauta, ou te fai atu ia te oe, o le amioleaga e le o le fiafia lea.

11. O lenei foi, lo'u atalii e, ua faalelalolagi tagata uma, po o lenei, ua faaletino, o i le au oona i latou, o i noanoaga foi o le amioletonu, ua aunoa i latou ma le Atua i le lalolagi, ua o ese foi i latou ai mea a le Atua, o le mea lea ua i ai i latou i le tofi e le i ai se fiafia.

12. O lenei foi, faauta, po o le uiga lenei ea o le upu toefuataiina, ia ave le mea ua faalelalolagi ma tuu ai i le mea ua le faalelalolagi, pe tuu ane i le tofi ua le feagai lelei ma lona iuga?

13. E leai, lo'u atalii e, e le faapea; a o le uiga o le upu toefuataiina, o le toefaatuina mai lea o le leaga i le leaga, o le faaletino i le faaletino, o le faaletiapolo i le faaletiapolo, o le lelei i le mea ua lelei, o le amiotonu i le mea ua amiotonu, o le tonu i le mea ua tonu, o le alofa i le mea ua loto alofa.

14. O lea, lo'u atalii e, ia oe, ia e loto alofa i ou uso, ia e fai mea tonu, ia faamasino ma le tonu, ma ia faia mea lelei e le aunoa. Afai foi e te faia nei mea uma, ona e maua ai lea lou taui, ioe, e toe tuuina atu ia te oe le alofa, e toe tuuina atu ia te oe le amiotonu, e toe tuuina atu ia te oe le faamasinoga tonu, e toe tauia foi oe i le lelei.

15. Auā o le mea e te auina atu e toe foi mai lea ia te oe, ma toefuataiina. O lea ua faasalaina atili ai le tagata agasala i le upu toefutaiina, a e le ta'uamiotonuina ai o ia.

MATAUPU 42.

Ua faaauau pea le tautalaga a Alema ia Korianetona—Ua faamatalaina le faamasinoga tonu ma le alofa tunoa—O le la'au o le ola—O le olaga nei o le olaga faata'ita'i—O le oti i la le tino ma la le agagaO le Salamo, le togisala, le tulafono, le faasalaga, e ao ona i ai na mea uma.

1. O lenei foi, lo'u atalii e, ou te iloa o i ai nisi mea o loo faaātuātu ai lou manatu, ua le mafai ona malamalama ia te oe le amiotonu a le Atua i le faasalaina o tagata agasala, auā e te taumafai ona faapea, e le o le amiotonu lea e tuuina atu lē agasala i le faanoanoa.

2. O lenei, faauta, lo'u atalii e, ou te faamatala atu lenei mea ia te oe, auā faauta, ina ua uma ona tulia e le Alii le Atua o tatou muai mātua ai le faatoaga o Etena, ia galulue i le eleele na fai a'i i la'ua ioe, na ia tulia le tagata, ua ia tofia foi kerupi e nonofo i le itu i sasae o le faatoaga o Etena, ma le pelu afi mumū, o loo feliuliuai e leoleo ai le laau o le ola.

3. O lenei, ua tatou iloa na avea le tagata e pei o le Atua, ua iloa ai le lelei ma le leaga, ne'i aapa atu e ia lona lima ma tago atu i le laau o le ola, ma 'ai ai, ma ola ai e faavavau, na tofia le Alii le Atua kerupi ma le pelu afi mumū ina ia le 'ai o ia i le fua.

4. Ua faapea foi ona tatou iloa sa tuuina mai i tagata ona aso e salamo ai, ioe, o ona aso e faata'ita'i ai, o ona aso e salamo ma auauna atu ai i le Atua.

5. Auā faauta, ana aapa atu loa e Atamu lona lima ma 'ai i le laau o le ola, po ua ola e faavavau o ia, e tusa ma le fetalaiga a le Atua, ona ua leai se aso e salamo ai. Ioe, ma le tasi foi, po ua le aoga le afioga a le Atua, po ua faaleaogaina ai foi le ala sili o le faaolataga.

6. A e peitai, faauta, sa tofia i tagata ia oti, o lea ina ua vavaeeseina ai i laua ai le laau o le ola, ua tatau ona vavaeeseina i laua ai le fogaeleele, ma ua avea ma tagata ua malaia e faavavau; ioe, ua avea i laua ma tagata ua pāuu.

7. Tatou te iloa foi, ona o lenei mea sa vavaeeseina ai o tatou muai mātua ai luma o le Atua, i le faaletino ma le faaleagaga, ua faapea foi ona tatou iloa na avea i laua ma tagata e gauai i o laua lava loto.

8. O lenei, faauta, ua le tatau ona faasaoina le tagata ai lenei oti faaletino, ana faapea, po ua faaumtia ai le ala sili o le fiafia.

9. O lenei, ua le mafai ona oti

le agaga, ma ua oo i tagata uma le oti faaleagaga atoa ma le oti faaletino talu le paū; o lona uiga, ua vavaeeseina i latou ai luma o le Atua, o le mea lea ua tatau ai ona togiolaina tagata ai lenei oti faaleagaga.

10. O le mea lea, ona ua avea i latou ma ē faaletino, ma ē tuinanau, ma le faatiapolo i le fanau mai, ua avea ai ia aso o le faata'ita'i ma aso e sauniuni ai i latou, ua avea ai lava ma aso o le sauniuni.

11. O lenei foi, ia manatua, lo'u atalii e, ana le se anoa le ala o le togiola, (afai e aveeseina,) ina ua oti i latou, po ua faanoanoa loa o latou agaga, ona ua vavaeeseina i latou ai luma o le Atua.

12. O lenei foi, ua leai se ala e faasaoina ai tagata ai lenei paū na faaooina mai e le tagata ia te ia lava, ona o lona lava le usiusitai.

13. O lea, e tusa ma le faamasinoga tonu, ua le mafai ai ona faataunuuina le togiola, sei iloga e salamo tagata i nei aso o le faata'ita'i, ioe, o nei aso o le sauniuni; auā ana le se anoa ia mea, po ua le mafai ona aoga le alofa, sei iloga e faaumatia ai le galuega a le faamasinoga, a o lenei, ua le mafai ona faaumatia le galuega a le faamasinoga; ana mafai, po ua le toe fai ma Atua le Atua.

14. Ua faapenei foi ona tatou iloa ua pāuu tagata uma, ma ua taofia i latou e le faamasinoga, ioe, o le faamasinoga a le Atua, ua tofia ai i latou ia vavaeeseina e faavavau ai ona luma.

15. O lenei foi, ua le mafai ona faataunuuina le ala o le alofa, sei iloga ua faia le togiola, o le mea lea ua togiola ai e le Atua lava mo agasala a le lalolagi, ina ia faataunuuina le ala o le alofa, e faamalie ai iuga o le faamasinoga, ina ia sao ona lelei le Atua, o le Atua amiotonu, o le Atua foi ua finagalo alofa.

16. O lenei, ua le mafai ona oo mai le salamo i tagata, sei iloga ua i ai le sala faavavau, e tusa ma le ola o le agaga, e tu faafeagai ma le ala o le fiafia, faavavau foi lea, e tusa ma le ola o le agaga.

17. O lenei, e mafai faapefea ona salamo se tagata, pe afai ua le agasala o ia? E mafai faapefea ona agasala o ia pe afai ua leai se tulafono? Pe faapefea ona i ai se tulafono pe afai ua le i ai se sala?

18. O lenei, ua tuuina i ai le sala, ua faia foi le tulafono tonu, ua oo mai ai i tagata le tiga o le loto fuatiaifo.

19. O lenei, ana le faia le tulafono afai e fasioti tagata se tasi e oti o ia, pe fefe ea o ia i le oti, afai ua ia fasioti tagata?

20. I le ma lenei, ana le faatulafonoina le agasala, po ua le fefefe tagata i agasala.

21. Ana le tuuina mai le tulafono ina ua agasala tagata, o le a ea le mea e faia e le faamasinoga, po o le alofa, auā ua leai sa laua pule i le tagata?

22. A e peitai, ua tuuina mai le tulafono, ua tuuina mai foi le sala, ma ua foaiina mai le salamo, ua pule foi le alofa i le salamo, a leai, ua pule le faamasinoga i tagata, ma ua faaoo atu le tulafono, ua faaoo foi le sala e le tulafono. Ana le faapea, po ua faaumatia galuega a le faamasinoga, po ua le toe fai ma Atua le Atua.

23. A o le Atua, o le Atua faavavau o ia, ua pule foi le alofa i le salamo, e oo mai foi le alofa ona o le togisala, ma ua toe aumaia tagata i luma o le Atua talu le toe tu mai. Ua faapea foi ona toe faatuina i latou i ona luma, ina ia faamasinoina e tusa ma a

latou galuega, e tusa foi ma le tulafono ma le amiotonu.

24. Auā faauta, ua faaaogaina e le faamasinoga lana pule uma; ua pule foi le alofa i ana lava mea uma, o lea ua na o ē salamo faamaoni e faaolaina ai.

25. Oi! fa'i ea e mafai le alofa ona fao mea ai le faamasinoga? Ou te fai atu ia te oe, e leai, e leai sina mea itiiti. Ana mafai, po ua le toe fai ma Atua le Atua.

26. Ua faapea foi ona faataunuuina e le Atua ona faautautaga tonu silisili ma le faavavau, na saunia talu le faavaeina o le lalolagi. Ua faapea foi ona faataunuuina le faaolataga ma le togiolaina o tagata, atoa foi ma lo latou malaia, ma lo latou faanoanoa.

27. O lenei, lo'u atalii e, o sē fia sau, e mafai ona sau ma inu fua i le vai o le ola. A o sē le fia sau, e le faatauanauina o ia, pe a oo foi i le aso gataaga, e toe tuuina atu ia te ia e tusa ma ana galuega.

28. Afai ua ia fia fai le leaga, ma ua le salamo i ona aso, faauta, e faia mea leaga ia te ia, e tusa ma le toefuataiina mai le Atua.

29. O lenei foi, lo'u atalii e, ou te loto ina ia e le toe tuu atu i nei mea e faaatuatuvale ia te oe, a ia na o au agasala e te ātu ai i lena atuatuvale e mafai ona faamaulaloina ai oe e oo i le salamo.

30. Lo'u atalii e, ou te loto ina ia e le toe faafitia le amiotonu a le Atua. Aua e te taumafai ona ta'uamiotonuina oe i se mea aupito faatauvaa ona o au agasala, e faafiti ai le amiotonu a le Atua. A e peitai, ia e tuu atu i le amiotonu a le Atua ma lona alofa, ma lona faapalepale e pule aoao i lou loto, ia e tuu i ai foi e aveina ifo oe i le efuefu i le loto faamaulalo.

31. O lenei foi, lo'u atalii e, ua valaauina oe e le Atua e tala'i atu le upu i lenei nuu. O lenei foi, lo'u atalii e, alu ia oe, ia e tala'i atu le upu ma le faamaoni ma le faautauta, ina ia mafai ona e ta'ita'iina agaga i le salamo, ina ia pule ia te i latou le ala sili o le alofa Ia alofa le Atua ia te oe e tusa ma a'u upu. Amene.

MATAUPU 43.

O le tasi osofa'iga a sa Lamanā —O vaega 'au a Moronae ma Liae ua latou si'osi'omia ma faato'ilalo le fili.

1. Ua oo foi ina o atu atalii o Alema i le nuu, e tala'i atu ai le upu ia te i latou. Ua le mafai ona mapu Alema, a ua alu atu foi o ia.

2. O lenei, tatou te le toe tautala e uiga i la latou talaiga, na o lenei, na latou tala'i atu le upu ma le upu moni e tusa ma le agaga o le valoaga ma le faaaliga, na latou tala'i atu foi e tusa ma tofiga paia a le Atua sa valaauina ai i latou.

3. Ou te toe foi atu nei i le tala i taua o sa Nifaē ma sa Lamanā i lona sefulu ma le valu o tausaga o le nofoaiga a faamasino.

4. Auā faauta, ua oo ina avea sa Soramā ma lo sa Lamanā, o lea, o le amataga o le tausaga e sefulu ma le valu na iloa ai e le nuu o sa Nifae ua o mai sa Lamanā ia te i latou, o le mea lea na sauniuni ai i latou i le taua. Ioe, na latou faapotopoto faatasi a latou au i le nuu o Seasona.

5. Ua oo ina o mai sa Lamanā ma o latou toaafe, na latou o mai i le nuu o Anetionuma, o le nuu lea o sa Soramā. O lo latou ta'ita'i, o le tagata ua igoa ia Sera'emina.

6. O lenei foi, ona ua silimusa

sa Amalekī i le amioleaga ma le fasioti tagata ai lo sa Lamanā, pe a na o i latou lava, o lea na tofia ai e Sera'emina o ta'ita'i au e pule i sa Lamanā, o lo sa Amalekī ma sa Soramā i latou uma.

7. Na ia faia foi lenei mea ina ia faatumauina e ia lo latou ita i sa Nifaē, ina ia faatoilaloina i latou e ia i le faataunuuina o ona manatu.

8. Auā faauta, o ona manatu ia, ia faaoso i sa Lamanā i le ita i sa Nifaē. Na ia faia foi lenei mea ina ia faoa e ia le pule ia te i latou, a e maise foi ina ia maua e ia le pule i sa Nifaē, ina ia faapologaina i latou.

9. A o le manatu o sa Nifaē, ia faamamalu o latou fanua, ma o latou fale, ma a latou avā, ma a latou fanau, ina ia latou faasaoina i latou ai lima o ē ita ia te i latou; a e maise foi ina ia latou faasaoina ai la latou pule, ma o latou tofi, atoa foi ma la latou saolotoga, ina ia latou tapuai atu i le Atua e tusa ma o latou loto.

10. Auā na latou iloa, afai e pāuu i latou i lima o sa Lamanā, ai sē tapuai atu i le Atua i le agaga ma le faamaoni, o le Atua moni, o Lē soifua, e faaumatia o ia e sa Lamanā.

11. Ioe, na latou iloa le ita tele o sa Lamanā i o latou uso, o le nuu o Aneti-Nifae-Liae, o e ua ta'ua o le nuu o Amona, ma ua le mafafai i latou ona fetagofi i le auupega; ioe, ua osia e i latou le feagaiga, ma ua le mafafai i latou ona solia ai. O lea foi, afai e pāuu i latou i lima o sa Lamanā, e faaumatia ai i latou.

12. A ua le mafafai sa Nifaē ona tuu atu ia faaumatia i latou, o lea na latou foai atu ai fanua ia te i latou mo latou tofi.

13. A ua foai atu e le nuu o Amona i sa Nifaē le vaega tele o a latou mea, e fagaina a'i a latou au. O lenei, ua na o sa Nifaē e tetee atu i sa Lamanā, ua aofia ia te i latou o sa Lamanā, ma sa Lemuelū, ma atalii o Isamaeli, atoa foi ma e na fouvale i sa Nifaē, e i ai sa Amalekī, ma sa Soramā, ma le fanauga a faitaulaga o Noa.

14. O lenei, ua tāli tusa ona toatele na fanauga ma le toatele o sa Nifaē, o le mea lea sa ao ai ina tau sa Nifaē ma o latou uso e oo i le faamasaaina o le toto.

15. Ua oo foi ina o faapotopoto faatasi au a sa Lamanā i le nuu o Anetionuma, faauta, ua saunia au a sa Nifaē e faafetaiai ia te i latou i le nuu o Seasona.

16. O lenei, o le ta'ita'i o sa Nifaē, o le tagata lea ua tofia e fai ma ta'ita'i au sili i sa Nifaē. O lenei, o le ta'ita'i au sili ua pule i au uma a sa Nifaē, o lona igoa foi o Moronae.

17. Na ave foi e Moronae le pule uma, ma le faatonuina ō latou taua. Ua na o le luasefulu ma le lima o ona tausaga ina ua tofia o ia e fai ma ta'ita'i sili i au a sa Nifaē.

18. Ua oo ina latou fetaiai ma sa Lamanā i tuaoi o Seasona, ma ua fai auupega lona nuu i pelu, ma simetea, ma auupega uiga eseese uma o le taua.

19. Ua iloa foi e au a sa Lamanā ua saunia le nuu o sa Nifaē, ua saunia e Moronae o ufifatafata, ma ufilima mo lona nuu, ioe, atoa ma pulou tau, ma ua faaofuina i latou i ofu mafiafia.

20. O lenei, ua le saunia le itutaua a Sera'emina i se tasi o ia mea. Ua ia te i latou na o a latou pelu, ma a latou simetea, ma a latou aufana, ma a latou u, ma a latou maa, ma a latou maatā. Ua le lavalavā foi i latou, ua na o le pa'u manu ua sulu i o latou

sulugatiti; ioe, ua le lavalavā i latou, ua na o sa Soramā ma sa Amalekī ua fai ofu.

21. A e peitai, ua latou le fai ufifatafata, po o talita, o le mea lea, e ui ina sili ona toatele i latou ai sa Nifaē, ua matua fefefe lava i latou i au a sa Nifaē ona ō latou ofu tau.

22. O lenei, faauta, ua oo ina fefefe i latou e oso mai i au a sa Nifaē i tuaoi o Seasona, o le mea lea na latou o ese ai ai le nuu o Anetionuma i le vao, ma ua alu la latou malaga e faataamilo i le vao, e mamao atu i le mata o le vaitafe o Saitonu, ina ia latou o mai i le nuu o Maneti, ina ia ave mo latou le laueleele, auā na latou le manatu ua iloa e au a Moronae le mea ua latou o atu i ai.

23. A e peitai, ua oo ina ua o ese i latou i le vao, ua aauina atu loa e Moronae o tagata matavao e tilofia lo latou toagalauapi. Ona ua iloa foi e Moronae valoaga a Alema, na ia aauina atu ai nisi tagata o manao mai ia te ia, ia fesili atu o ia i le Atua, po o fea le mea e tatau ona o atu i ai au a sa Nifaē e faamamalu ia te i latou lava ai sa Lamanā.

24. Ua oo ina tūlei mai le afioga a le Atua ia Alema, ua faailoa atu foi e Alema i sāvali a Moronae, o loo malaga atu au a sa Lamanā e faataamilo i le vao, ina ia latou o atu i le nuu o Maneti, ina ia latou amata ona sii taua i le itu nuu aupito vaivai. Na o atu foi na sāvali ma ua ta'utino le faatonuga ia Moronae.

25. O lenei, ua tuua e Moronae le vaega o lana itutaua i le nuu o Seasona, ina ne'i o mai se vaega o sa Lamanā i le nuu ma ave mo latou le aai; ona ave ai lea le vaega ua toe o lana itutaua ma ua sāvali atu i le nuu o Maneti.

26. Na ia faapotopoto faatasi tagata uma o lena itu o le nuu e tau ai le taua ma sa Lamanā, e faamamalu ai o latou fanua, ma o latou nuu, ma la latou pule, ma la latou saolotoga. O lea na saunia ai i latou i le aso na o mai ai sa Lamanā.

27. Ua oo foi ina tanuau e Moronae i lana itutaua i le vanu ua latalata i le auvai o le vaitafe o Saitonu, i le vao i le itu i sisifo o le vaitafe o Saitonu.

28. Ma ua tofia solo e Moronae tagata matavao e tilofia, ina ia iloa e ia pe a sau le itutaua a sa Lamanā.

29. O lenei, ona ua iloa e Moronae manatu o sa Lamanā, o lo latou manatu foi e faaumatia o latou uso, pe faatoilaloina i latou, ma faapologaina i latou, ina ia latou faatuina mo i latou se malo i le nuu uma lava.

30. Ua ia iloa foi ua tasi le manao o sa Nifaē ia faasaoina o latou fanua, ma lo latou saolotoga, ma la latou ekalesia. O le mea lea sa faapea ai o ia, e le se agasala e faamamalu ai i togafiti, o lea foi na ia maua mai i ona tagata matavao le ala e o mai ai sa Lamanā.

31. O le mea lea na ia vaeluaina ai lana itu taua, ma ua ave le tasi vaega i le vanu, ma ua tanuau i le itu i sasae, i le itu i toga foi o le mauga o Ripela.

32. A ua ia tanuau i ē totoe i le itu i sisifo, i le itu i sisifo foi o le vaitafe o Saitonu, ua faapea foi e oo i tuaoi o le nuu o Maneti.

33. Ina ua faapea ona tofia lana itutaua e tusa ma lona loto, ua saunia o ia e fetaiai ma i latou.

34. Ua oo ina o mai sa Lamanā i le itu i matu o le mauga na tanuau ai le tasi vaega o le au a Moronae.

35. Ua ta'ita'iina le au na tanu i le itu i toga o le mauga e le

tagata ua igoa ia Liae, ina ua tuanai foi i sa Lamanā le mauga o Ripela, ma ua o mai i le vanu, ma ua amata ona sopoia le vaitafe o Saitonu, ua ia ta'ita'i atu lana au ma ua siosio atu i le muliau a sa Lamanā i le itu i sasae.

36. Ua oo foi ina ua iloa e sa Lamanā ua o mai sa Nifaē i tua o a latou au, ona liliu atu ai lea i latou, ma ua amata ona tau ma le au a Liae.

37. Ona amata lea le galuega o le oti i itutaua uma e lua, a ua sili ona faigata i sa Lamanā, auā ua le punitia lo latou le lavalava ai ta malosi a sa Nifaē i a latou pelu, ma a latou simetea, ua toe ina faaoo mai ai le oti i ta taitasi.

38. A o le itutaua a sa Nifaē na pāuu ai nisi e toaitiiti i pelu a sa Lamanā, a e maise foi ona ua masaa tele lo latou toto, auā ua punitia ta a sa Lamanā ai o latou itu tino o i ai le ola, o lona uiga, ua ufitia o latou itu tino o i ai le ola i o latou ufifatafata, ma o latou ufilima, ma o latou pulou tau; ma ua faapea ona faia e sa Nifaē le galuega o le oti i sa Lamanā.

39. Ua oo foi ina fefefe sa Lamanā ona o le tele o le fasi ia te i latou, ua iu ina amata ona latou sosola e aga'i atu i le vaitafe o Saitonu.

40. Ua tuliloaina foi i latou e Liae ma ona tagata, ua tulia foi i latou e Liae i le vaitafe o Saitonu, ona latou sopoia lea le vaitafe o Saitonu. Ua taofi e Liae ana au i le auvai o le vaitafe o Saitonu, ina ia latou le sopoia.

41. Ua oo foi ina fetaiai Moronae ma lana au ma sa Lamanā i le vanu i le isi itu o le vaitafe o Saitonu, ma ua amata ona feosofi atu ia te i latou ma fafasi ia te i latou.

42. Ona toe sosola atu ai lea sa Lamanā i o latou luma e aga'i atu i le nuu o Maneti, ma ua toe faafetaiaiina i latou e au a Moronae.

43. A o lenei taua na tau matua malosi ai sa Lamanā, e moni, ua fa'ato'a iloa se taua ua tau ai sa Lamanā ma le malosi ma le totoa e faapea ona matua tele.

44. Sa faaosoina foi i latou e sa Soramā ma sa Amalekī, o e na fai mo latou ta'ita'i sili ma ta'ita'i au, atoa ma Sera'emina, o lo latou ta'ita'i au silisili o ia ma lo latou alii sili ma pule i au; ioe, ua latou tau e pei o tarako, na fasia foi sa Nifaē e toatele i o latou lima, ioe, na latou taisi lua o latou pulou tau e tele, na latou tutu'i foi o latou ufifatafata e tele, na latou sala ese o latou lima e tele; ua faapea lava ona fafasi e sa Lamanā i lo latou ita tele.

45. A e ui i lea sa faaosoina sa Nifaē i le mea e sili ona lelei, auā na latou le tau i le fia fai tupu, po o le fiapule, a ua latou tau mō latou aiga, ma la latou saolotoga, ma a latou avā, ma a latou fanau, ma a latou mea uma, ioe, atoa ma latou sauniga i a latou tapuaiga, ma la latou ekalesia.

46. Na latou faapea ifo i o latou loto, ua faia e i latou le mea e tatau i lo latou Atua, auā ua fetalai mai le Atua ia te i latou ma o latou tamā: Afai ua outou le agasala i le mea muamua ma o latou tamā: Afai ua outou le agasala i le mea muamua e tausuai ai, po o lona lua, aua tou te tuuina atu outou ia fasia i lima o ē ita ia te outou.

47. I le ma lenei, ua fetalai mai le Atua: Ia outou faamamaluina o outou aiga e oo lava i le faamasaaina o le toto. O lea, ona o lenei mea ua finau atu ai sa Nifaē i sa Lamanā, ina ia faamamalu ia te i latou lava ma o latou aiga, ma o latou fanua, ma

lo latou nuu, ma la latou pule, ma
la latou ekalesia.
48. Ua oo foi ina ua iloa e tagata o Moronae le faavalemalosi ma le ita o sa Lamanā, sa fai a latou tuumuli ma sosola ese ia te i latou. A e peitai, ina ua iloa e Moronae lo latou manatu, ua ia auina atu ma faalototeleina i latou i nei manatuga, ioe, o manatu i o latou fanua ma la latou saolotoga, ioe, ma lo latou aunoa ma le nofopologa.
49. Ua oo foi ina liliu atu i latou i sa Lamanā, ua latou alalaga foi ma le leo e tasi i le Alii lo latou Atua ona o la latou saolotoga, ma lo latou aunoa ma le nofopologa.
50. Ona amata ai lea ona latou faasaga tau malosi i sa Lamanā. O lea lava itula na latou alalaga atu ai i le Atua ona o la latou saolotoga na amata ai ona sosola sa Lamanā i o latou luma. Na sosola foi i latou e oo lava i le vaitafe o Saitonu.
51. O lenei, ua sili ona toatele sa Lamanā, ioe, ua itiiti le taitoalua o sa Lamanā i sa Nifaē, e ui i lea, ua tulia i latou, ua iu ina faapotopotoina i latou i le potopotoga e tasi i le vanu, i le auvai o le vaitafe o Saitonu.
52. O le mea lea na vagavagai ai au a Moronae ia te i latou, ioe, i itu uma e lua o le vaitafe, auā faauta, ua i le itu i sasae tagata o Liae.
53. O lenei, ina ua iloa e Sera'emina tagata o Liae i le itu i sasae o le vaitafe o Saitonu, ma au a Moronae i le itu i sisifo o o le vaitafe o Saitonu, ma ua vagaia i latou e sa Nifaē, ua segia o latou mauli.
54. Ina ua iloa foi e Moronae lo latou mata'u, ua poloai atu o ia i ona tagata ia latou soia le faamasaaina o lo latou toto.

MATAUPU 44.

O le lotoalii o Moronae—Ua teena e Sera'emina lona filemu na tuuina atu, a e ui i lea ua faamalosia o ia e talia le feagaiga—Ua faia e sa Lamanē le feagaiga o le filemu—O le i'uga o le tala na tusia e Alema.

1. Ua oo foi ina latou soia, ma ua o ese teisi ia te i latou. Ona faapea atu ai lea o Moronae ia Sera'emina: Faauta, Sera'emina e, matou te le mananao ia avea i matou ma tagata faamasaa toto. O i ai outou i o matou lima, a e ui i lea, matou te le fia fasi ia te outou.
2. Faauta, ua matou le o mai e sii taua ia te outou ina ia matou faamasaa lo outou toto i le fiapule, pe manao i matou ona aumai se toatasi i le amo o le nofopologa. A e peitai, o le mea lava lenei ua outou o mai ai ia te i matou, ioe, ua ita foi outou ia te i matou ona o la matou ekalesia.
3. A o lenei, ua outou iloa ua ia te i matou le Atua, ua outou iloa foi ua ia tuuina mai outou i o matou lima. O lenei foi, o lo'u manao, ia malamalama ia te outou ua faia lenei mea ia te i matou ona o la matou ekalesia, ma lo matou faatuatua ia Keriso. O lenei, ua outou iloa foi, e le mafai ona outou faaumatia lo matou nei faatuatuaga.
4. O lenei foi, ua outou iloa, o le faatuatuaga moni lenei i le Atua, ioe, ua outou iloa e lagolagoina, ma tausia, ma faasaoina i matou e le Atua pe a matou faamaoni ia te ia, ma lo matou faatuatuaga, ma la matou ekalesia, e le tuu atu lava e le Atua ia faaumatia i matou, sei iloga e pāuu i matou i le solitulafono, ma faafitia lo matou faatuatuaga.
5. O lenei foi, Sera'emina e, ou

te poloai atu ia te oe, i le suafa o le Atua e ona le malosi uma lava, o le na faamalosia o matou lima, na mafai ai i matou ona maua le pule ia te outou talu lo matou faatuatuaga, ma la matou lotu, ma a matou sauniga i le tapuaiga, ma la matou ekalesia, ma le fesoasoani paia ua tatau ona matou fesoasoani atu ai i a matou avā, ma a matou fanau, ma lea saolotoga ua noatia ai i matou i o matou fanua, ma lo matou nuu, ioe, atoa foi ma le tausiga o le afioga paia a le Atua ua autu ai lo matou fiafia uma lava, i le ma mea uma ua sili ona tāua ia te i matou;

6. Ioe, a e le gata i lea, ou te poloai atu ia te oe i manao uma ua ia te oe i le ola, ia outou tuu mai la outou auupega o le taua ia te i matou, matou te le sailiili foi lo outou toto, a e matou te faasaoina o outou ola, pe afai tou te o ese a e le toe foi mai e sii taua ia te i matou.

7. O lenei foi, afai tou te le faia lenei mea, faauta, o i ai outou i o matou lima, ou te poloai atu foi i o'u tagata ia latou feosofi atu ia te outou, ma fafasi o outou tino i manu'a e oti ai, ina ia faaumatia outou, ona tatou iloa ai lea po o ai ua i ai le pule i lenei nuu; ioe, tatou te iloa foi po o ai e faapologaina.

8. O lenei foi, ua oo ina ua faalogoina nei upu e Sera'emina, ua sau o ia ma ua tuu mai lana pelu, ma lana simetea, ma lana aufana i lima o Moronae, ma ua faapea mai ia te ia: Faauta, ave ia la matou auupega o le taua, matou te tuuina atu ai ia te oe, a e le mafai e i matou le tautoga ia te outou, auā ua matou iloa e solia e i matou atoa ma a matou fanau, a e peitai, ina ave ia la matou auupega o le taua, ma ia tuu mai ia te i matou e o atu i le vao, a leai, matou te taofia a matou pelu, e fano foi i matou afai e le mafai ona manumalo.

9. Faauta, e le i ai i matou i lo outou faatuatuaga; ua matou le talitonu foi o le Atua ua tuuina atu ai i matou i o outou lima, a ua matou manatu, o lo outou lava atamai na faasaoina ai outou ai a matou pelu. Faauta, ō outou ufifatafata ma ō outou talita na faasaoina ai outou.

10. O lenei foi, ina ua uma ona fai mai e Sera'emina nei upu, ua toe avatu e Moronae ia Sera'emina le pelu ma le auupega o le taua na ia talia, ua faapea atu: Faauta, o le a tatou faaiu le taua.

11. O lenei, ou te le mafai ona taofia le upu ua uma ona ou fai atu, o lea, o loo soifua le Atua, tou te le o ese, sei iloga tou te o ma le tautoga e le toe foi mai outou e sii mai le taua ia te i matou. Ona ua i ai outou i o matou lima, matou te faamaligiina lo outou toto i le eleele, afai tou te le gauai mai i mea ua ou fai atu ai.

12. O lenei foi, ina ua fai atu e Moronae nei upu, ua tago Sera'emina i lana pelu, ua ita tele o ia ia Moronae, ma ua oso mai o ia e fasi ia Moronae. A e peitai, ina ua sii e ia lana pelu, faauta, ua taia i le eleele e le tasi o le au tau a Moronae, ua gau ai le au; na ia taia foi Sera'emina, ua tipiesea ai lona tumuai, ma ua paū ai i le eleele, ona alu ese ai lea Sera'emina i o latou luma i totonu o lana au.

13. Ua tu latalata mai le tagata tau, o le na tipi ese le tumuai o Sera'emina, ma ua oo ina tago o ia i le tumuai, ma ua sii i luga nai le eleele, ma ua tuu ai i le mata o lana pelu; na ia faaloaloa atu ai ia te i latou, ma ua faapea atu ia te i latou ma le leo tele:

14. E pei ona paū lenei tumuai
i le eleele, o le tumuai lenei o lo
outou ta'ita'i, e faapea lava ona
pāuu outou i le eleele, sei iloga
tou te tuu mai la outou auupega
o le taua, ma o atu ma le fea-
gaiga o le filemu.
15. O lenei, ua i ai nisi e toa-
tele o i latou, ina ua latou faalo-
goina nei upu, ma ua iloa le tu-
muai ua i le pelu, ua segia o latou
mauli, ma ua o mai nisi e toatele,
ma ua lafo i lalo la latou auupega
o le taua i vae o Moronae, ma ua
osia le feagaiga o le filemu. O i
latou uma foi o e na osia le fea-
gaiga, ua latou tuuina atu e o ese
i le vao.
16. O lenei foi, ua oo ina ita
matua tele Sera'emina, ma ua ia
faaosoina o e ua totoe o ona ta-
gata tau i le ita, ia atili ai ona
latou tau malosi ma sa Nifaē.
17. O lenei foi, ua ita Moronae
ona o le finauvale o sa Lamanā,
o le mea lea na ia poloai atu ai
i ona tagata, ia latou feosofi atu
ia te i latou ma fafasi ia te i la-
tou. Ua oo foi ina amata ona la-
tou fafasi ia te i latou; ioe, ma
ua tau sa Lamanā ma a latou
pelu ma lo latou malosi.
18. A e peitai, faauta, ua le
punitia o latou pa'u le lavalavā,
ma o latou ulu ua le faapulouina
ai pelu maamaai a sa Nifaē, ioe,
faauta, ua tutu'ia i latou ma
fasia, ioe, ma ua pāuu matua
vave i luma o pelu a sa Nifaē,
ma ua amata ona selea i lalo i
latou, e pei lava ona valoia e le
tagata tau o Moronae.
19. O lenei, ina ua iloa e Sera-
'emina o le a faaumatia i latou
uma, ua valaau mai o ia ma le leo
tele ia Moronae, ua fai mai na
te osia le feagaiga atoa ma lona
nuu ma i latou, pe afai latou te
faasaoina ola o ē totoe, latou te
le toe foi mai e sii taua mai ia
te i latou.
20. Ua oo foi ina poloai atu
Moronae ia toe tuu le galuega o
le oti i le nuu. Na ia ave foi le
auupega o le taua ai sa Lamanā;
ina ua uma foi ona latou osia ma
ia le feagaiga o le filemu, ua tu-
uina atu ia te i latou e o atu i le
vao.
21. O lenei, ua le faitauina le
aofai ō latou tagata oti, ona ua
toatele; ioe, ua matua toatele o
latou tagata oti, o sa Nifaē atoa
ma sa Lamanā.
22. Ua oo foi ina latou lafo o
latou tagata oti i le vaitafe o Sai-
tonu, ma ua tafea atu i latou, ma
ua tanumia i mea loloto i le sami.
23. Ua toe foi mai au a sa Ni-
faē, po o au a Moronae, ma ua o
atu i o latou aiga ma o latou
fanua.
24. Ma ua faapea ona iu lona
sefulu ma le valu o tausaga o le
nofoaiga a faamasino i le nuu o
Nifae. Ma ua faapea ona faaiu-
ina le tusi a Alema na tusia i pa-
patusi a Nifae.

O le tala i le nuu o sa Nifae, o latou taua ma fouvalega i ona po o Helamana, e tusa ma le tusi a Helamana na ia tusia i ona aso.

(E aofia ai mataupu 45 e oo i le 62)

MATAUPU 45.

Ua toe valoia mai le faaumatiaga o sa Nifaē—O le faamavaega ma Alema e faatusa i le faamavaega ma Mose—Maseiga i le ekalesia.

1. Faauta, o lenei, ua oo ina
matua tele le olioli o le nuu o Ni-
fae, auā ua toe laveaiina i latou
e le Atua ai lima o e na ita ia
te i latou. O le mea lea na latou
avae ai le faamanu i le Alii lo
latou Atua, ioe, ma ua latou ana-
pogi soo ma tatalo soo, ua latou

tapuai atu i le Atua ma le olioli matua tele.

2. Ua oo foi i lona sefulu ma le iva o tausaga o le nofoaiga a faamasino i le nuu o Nifae, ona sau ai lea o Alema i lona atalii o Helamana, ma ua faapea mai ia te ia: Po ua e talitonu ea i a'u upu na ou fai atu ia te oe e uiga i na tusi ua tusia?

3. Ma ua fai atu Helamana ia te ia: Ioe, ua ou talitonu.

4. Ona toe faapea mai ai lea o Alema: Po ua e faatuatua ea ia Iesu Keriso, o Lē afio mai?

5. Ma ua fai atu o ia: Ioe, ua ou talitonu i upu uma ua e fai mai na.

6. Ona toe fai mai ai lea o Alema ia te ia: E te tausia ea a'u poloaiga?

7. Ma ua fai atu o ia: Ioe, ou te tausia au poloaiga ma lo'u loto atoa.

8. Ona faapea mai ai lea o Alema ia te ia: Amuia oe, e faamanuiaina oe e le Atua i lenei nuu.

9. A e peitai, faauta, ua ia te au nai mea e vavalo atu ai ia te oe, a e peitai, aua e te faailoa atu mea ou te vavalo atu ia te oe, e le faailoaina atu foi mea ou te vavalo atu ai ia te oe, seia faataunuuina le valoaga; o le mea lea ia e tusia ai upu ou te fai atu ai.

10. O upu nei: Faauta, ou te iloa, ona o le agaga o le valoaga ua ia te au, pe a mavae mai tausaga e fa selau i ona tala atu o ona aso e faailoa mai ai e Iesu Keriso o ia lava ia te i latou, e iu ina le faatuatua lenei lava nuu o Nifae.

11. Ioe, ona latou iloa ai lea o taua, ma faama'i, ioe, ma oge, ma le faamasaaina o le toto, seia oo lava ina faaumatia le nuu o Nifae.

12. Ioe, e oo mai foi ia mea, auā latou te le faatuatua, e pāuu foi i galuega o le pouliuli, ma le matāaitu, ma amioletonu uiga eseese uma; ioe, ou te fai atu ia te oe, auā latou te agasala i le malamalama ma le iloa lelei o nei mea tetele; ioe, ou te fai atu ia te oe, e amata i lea aso, e le mavae atu lona fa o tupulaga seia oo mai lenei amioletonu tele.

13. Pe a oo foi i lena aso tele, faauta, e le pine ona le toe faitaulia i le nuu o Nifae i latou o e o i ai nei, po o le fanau a i latou o e ua i ai nei i le nuu o Nifae.

14. A e peitai, o sē toe ma ua le faaumatia i lena aso tele ma le matautia, e faitauina o ia i sa Lamanā, e avea foi o ia e pei o i latou, o i latou uma, tau lava o nisi e toaitiiti e ta'ua o le au soo o le Atua, e tuliloaina foi i latou e sa Lamanā, seia oo lava ina leai i latou. A o lenei, ona o le amioletonu e faataunuuina ai lenei valoaga.

15. O lenei foi, ua oo ina ua uma ona fai mai e Alema nei mea ia Helamana ua ia faamanuiaina o ia atoa ma ona atalii uma, ma ua ia faamanuiaina foi le laueleele ona o ē amiotonu.

16. Ua fai mai foi o ia: O loo faapea one fetalai mai le Alii le Atua, E fetuuina le laueleele, ioe, o lenei lava laueleele e oo i le malaia i malo ma nuu uma o ē fai amioleaga, pe a atoatoa lo latou leaga; e pei foi ona ou fai atu, e faapena lava, auā o le fetuuina ma le faamanuiaina lenei mai le Atua i le laueleele, auā e le mafai lava le Atua ona silasila i le agasala ma sina alofa itiiti.

17. O lenei foi, ina ua fai mai e Alema nei upu, ua ia faamanuiaina le ekalesia, ioe, ma i latou uma o ē tumau i le faatuatua e afua i lea aso.

18. Ina ua faia foi e Alema le-

nei mea, na ia alu ese ai le nuu o Sara'emila, e peiseai o le a alu atu o ia i le nuu o Meleka. Ua oo foi ina le toe faalogoina sina tala ia te ia. Ua tatou le iloa foi lona maliu, po o lona tanuga.

19. Faauta, o le mea lenei tatou te iloa, o le tagata amiotonu o ia; ua logo atu foi le tala i le ekalesia, ua aveina ae o ia e le Agaga, po ua tanumia e le aao o le Atua, e pei lava o Mose. A e peitai, faauta, ua fai mai tusi paia, na avea Mose e le Atua mona, ma ua matou taofi ua talia Alema e ia i le Agaga mona; o lea, ona o lenei mea, ua tatou le iloa ai se mea e tasi e uiga i lona maliu ma tanuga.

20. Ua oo foi i le amataga o lone sefulu ma le iva o tausaga o le nofoaiga a faamasino i le nuu o Nifae, ona alu atu ai lea o Helamana i le nuu e tala'i atu ai le upu ia te i latou.

21. Auā faauta, ona ō latou taua ma sa Lamanā, ma maseiga faatauvaa e tele, ma misa na tupu i le nuu, ua ao ina talaiina atu ai le afioga a le Atua ia te i latou; ioe, ma ua ao ina faatatauina le ekalesia uma.

22. O le mea lea na o atu ai Helamana ma ona uso e toe faatuina le ekalesia i le nuu uma, ioe, i aai uma i le laueleele uma lava ua mau ai le nuu o Nifae. Ua oo foi ina tofia e i latou faitaulaga ma a'oa'o i le nuu uma i ekalesia uma.

23. O lenei foi, ua oo ina ua uma ona tofia e Helamana ma ona uso o faitaulaga ma a'oa'o i ekalesia uma, ua tupu le maseiga ia te i latou, ma ua le mafafai i latou ona gauai i upu a Helamaua ma ona uso.

24. A e peitai, ua faamaualuluga i latou, auā ua fefete o latou loto ona o a latou oloa matua tele; o lea ua tamāoaiga ai i latou i la latou lava vaai, ma ua le mafafai ai ona gauai i a latou upu, e savavali ai ma le tonu i luma o le Atua.

MATAUPU 46.

Ua saili Amalekia i le fia tupu—O Moronae ma le Tagavai o le Sa'olotoga—Ua osia e tagata le feagaiga ia faatumauina le sa'olotoga—Ua sola Amalekia.

1. Ma ua oo ina potopoto faatasi i latou uma o e ua le mafafai ona faalogo i upu o Helamana ma ona uso, e tetee atu i o latou uso.

2. A o lenei, faauta, ua matua ita tele i latou, ua iu ina lotogatasi i latou e fafasi ia te i latou.

3. O lenei, o le ta'ita'i o e ua ita i o latou uso, o le tagata tino ese ma le malosi, o lona igoa foi o Amalekia.

4. O le manao foi o Amalekia ia fai o ia ma tupu. O le manao foi o ia tagata ua ita, ia fai o ia mo latou tupu, a o le toatele o i latou o faamasino iti i le nuu ma ua latou fiapule.

5. Ua ta'ita'iina foi i latou e tagata faaoleole o Amalekia, pe afai latou te fesoasoani ia te ia, ma faatuina o ia e fai mo latou tupu, ona tofia ai lea i latou e ia e fai ma pule i le nuu.

6. E ui lava i le talaiga a Helamana ma ona uso, ua faapea ona ta'ita'ieseina i latou i maseiga e Amalekia; ioe, e ui lava ina matua lelei ona latou tausia le ekalesia, auā o faitaulaga sili i latou i le ekalesia.

7. E ui lava i lo latou manumalo tele i sa Lamanā, ma lo latou fiafia na latou faia ona o lo latou laveaiina i aao o le Atua, ua i ai nisi e toatele o e ua i le ekalesia ua talitonu i upu faaoleole a Amalekia, o lea na latou

tetea ai ma le ekalesia, ma ua faapea ona matua faaletonu ma faigata tele le galuega i le nuu o Nifae.

8. Ua faapea ona tatou iloa ua matua vave ona galo i le fanauga a tagata le Alii lo latou Atua; ioe, ua vave ona fai le amioletonu, ma ta'ita'ieseina e le ua leaga.

9. Ioe, ua tatou iloa foi le amioleaga tele e mafaia ona faatupuina i le fanauga a tagata e le tagata amioleaga e toatasi.

10. Ioe, ua tatou iloa ona ua atamai Amalekia i togafiti, o le tagata foi ua mau upu faaoleole, ua ia ta'ita'ieseina loto o tagata e toatele e fai amioleaga, ioe, ma saili e faaumatia le ekalesia a le Atua, ma faaumatia le faavae o le saolotoga ua tuuina mai ia te i latou e le Atua, o le manuia lea na foaiina mai e le Atua i le laueleele ona o ē amiotonu.

11. O lenei foi, ua oo ina ua faalogoina le tala i nei maseiga e Moronae, o le ta'ita'i sili o ia i au a sa Nifaē, ua ita o ia ia Amalekia.

12. Ma ua oo ina saeia e ia lona ofu, ua ia ave foi le fasi ofu ma ua tusi i ai: O le mea lenei e faamanatuina ai lo tatou Atua, ma la tatou ekalesia ma saolotoga, ma lo tatou filemu, ma a tatou avā, ma a tatou fanau. Ua ia faamauina ai foi i le pito o le laau.

13. Na ofu foi o ia i lona pulou tau, ma lona ufifatafata, ma ona talita, ua ia fusia foi lona ofu tau i ona sulugatiti; ona tago ai lea o ia i le laau ua i ai i le tasi pito lona ofu masaesae, (ua ia ta'ua ai, O le Tagavai o le Saolotoga,) ma ua ifo toele o ia, ma ua tatalo faatauanau i le Atua, ina ia tumau i ona uso manuia o le saolotoga i aso uma e toe ai se au Kerisiano e mau i le nuu.

14. Auā ua faapea ona ta'ua i latou uma o e ua faatuatua faamaoni ia Keriso, ma ua lotu i le ekalesia a le Atua, e i latou o e ua le lotu i le ekalesia.

15. Ma ua faamaoni o e ua lotu i le ekalesia, ioe, o i latou uma o e ua faatuatua faamaoni ia Keriso, ua ave ma le fiafia i o latou luga le suafa o Keriso, po o Kerisiano, e pei ona ta'ua ai i latou ona o lo latou faatuatua ia Keriso, o Lē afio mai.

16. O le mea lea na tatalo ai Moronae i lea aso, ina ia faamanuiaina ai le galuega a le au Kerisiano, ma le saolotoga a le nuu.

17. Ma ua oo ina ua uma ona faaali ae e ia lona agaga i le Atua, ua ia tuuina atu le laueleele uma i le itu i toga o le nuu o Tuufua, ioe, o le laueleele uma i le itu i matu atoa ma le itu i toga, e fai ma laueleele filifilia, ma laueleele o le saolotoga.

18. Ua fai atu foi o ia: E moni, e le tuuina atu e le Atua i tatou o e ua inosia ona ua tatou ave i o tatou luga le suafa o Keriso, ia solia ma faaumatia, sei iloga ua tatou faaoo mai ai ia te i tatou i a tatou lava solitulafono.

19. Ina ua fai atu foi e Moronae nei upu, ua alu atu o ia i le nuu, ma ua luelue i luga le ieie o lona ofu, ina ia iloa e tagata uma le tusi ua ia tusia i le ieie, ma ua alaga atu ma le leo tele, ua faapea atu:

20. E! o i latou uma o ē fia faatumau lenei tagavai i le nuu, ia latou o mai i le malosi o le Atua, ma osi le feagaiga latou te taofi pea la latou pule, ma la latou ekalesia, ina ia faamanuiaina i latou e le Alii le Atua.

21. Ma ua oo ina ua uma ona talaiina atu nei upu e Moronae,

faauta, ua lolofi mai le nuu ma o latou ofu tau ua fusia i o latou sulugatiti, o loo saei o latou ofu e fai ma faailoga ma feagaiga e le tuua e i latou le Alii lo latou Atua; po o lenei, afai e solia e i latou poloaiga a le Atua, pe pāuu i le solitulafono, ma masiasi e ave i o latou luga le suafa o Keriso, ia saeia i latou e le Atua, e pei ona saei e i latou o latou ofu.

22. O le feagaiga lava lenei na latou osia: Ua latou lafo o latou ofu i vae o Moronae, ma ua faapea mai: Matou te osia le feagaiga ma lo atou Atua, ia faaumatia i matou e pei ona faaumatia o matou uso i le itu matu, pe afai e pāuu i matou i le solitulafono. Ioe, ia lafoina foi i matou e ia i vae o ē ita ia te i matou, e pei ona matou lafoina o matou ofu i ou vae, ia solia ai i matou, pe afai e pāuu i matou i le solitulafono.

23. Ua fai atu Moronae ia te i latou: Faauta, o toe tagata i tatou o le fanauga a Iakopo. Ioe, o toe tagata i tatou o le fanauga a Iosefa, o lē ona le ofu na fesaeaiina e ona uso. Ioe, o lenei, faauta, sei tatou manatua e tausi i poloaiga a le Atua, a leai, e saeia o tatou ofu e o tatou uso, e lafoina foi i tatou i falepuipui, pe faatauina, pe fasiotia.

24. Ioe, sei tatou faasaoina la tatou saolotoga, e pei ona tatau ai i ē totoe o Iosefa. Ioe, sei tatou manatua upu a Iakopo ina a maliu o ia; auā faauta, na ia iloa le fasi toe ie o le ofu o Iosefa ua faasaoina ma ua le pala. Ona faapea atu ai lea o ia: E pei ona faasaoina lenei toe ie o le ofu o lo‘u atalii, e faapea lava ona faasaoina e le aao o le Atua o ē totoe o le fanauga a lo‘u atalii, e avea mona, a o nisi o le fanauga a Iosefa, e fano lava i latou, e pei ona pala lona ofu.

25. O lenei, faauta, ua faanoanoa lo‘u agaga ona o lenei mea, e ui i lea, ua olioli lo‘u agaga i lo‘u atalii ona o le vaega o lana fanau e aveina ae i le Atua.

26. O lenei, faauta, o upu ia a Iakopo.

27. O lenei, ua iloa e ai pe le o i latou o e ua vavaeese ia te i tatou, o ē totoe o le fanauga a Iosefa o ē faaumatia e pei o lona ofu; ioe, po o i tatou lava, pe afai tatou te le tumau i le faatuatua ia Keriso?

28. O lenei foi, ua oo ina ua fai atu e Moronae nei upu, ua alu atu o ia ma aauina atu i itu uma o le nuu ua i ai maseiga, ma ua faapotopotoina faatasi tagata uma o e ua fia faatumau la latou saolotoga, e tetee atu ia Amalekia ma i latou o e ua fouvale, o e ua ta‘ua o sa Amalekiā.

29. Ua oo foi ina ua iloa e Amalekia ua sili ona toatele tagata o Moronae ai lo sa Amalekiā, ma ua iloa foi e ia ua masalosalo ona tagata pe tatau le latou finau ua latou amataina, o lea, ina ua fefe o ia ne‘i le taunuu lona faamoemoe, ua ia ave ai ona tagata o e ua loto i ai, ma ua o atu i le laueleele o Nifae.

30. O lenei, sa faapea a Moronae, ua le tatau ona ia maua atili e sa Lamanā le malosi, o le mea lea ua ia manatu ai e sisi‘o mai tagata o Amalekia, pe pue ola i latou, ma toe aumai i latou, ma fasioti ia Amalekia; ioe, auā na ia iloa na te faaosoina sa Lamanā i le ita ia te i latou, e iu ina o mai i latou e sii taua mai ia te i latou, na ia iloa foi, e faia lenei mea e Amalekia, ina ia faataunuu e ia ona manatu.

31. O le mea lea na manatu ai Moronae, e lelei ona ave ana au, o e ua faapotopotoina faatasi i

latou, ma fai auupega, ma ua osia le feagaiga e faatumau le filemu. Ua oo foi ina ave e ia lana itu taua, ma ua savali atu i le vao, ina ia sisi'o mai Amalekia i le vao.

32. Ma ua oo ina faia e ia e tusa ma ona manatu, ma ua savali atu i le vao ma sisi'o mai au a Amalekia.

33. Ma ua oo ina sosola Amalekia ma ni ona tagata e toaitiiti, a ua tuuina mai ia Moronae o ē totoe, ma ua toe aumaia i latou i le nuu o Sara'emila.

34. O lenei, o Moronae, o le tagata ia ua tofia e faamasino sili ma le filifiliga a le nuu, o le mea lea ua i ai ia te ia le pule i au a sa Nifaē, e faatuina ma pule ia te i latou e tusa ma lona lava loto.

35. O i latou uma foi o sa Amalekiā ua le loto ina osia le feagaiga e fesoasoani i le galuega o le saolotoga, ina ia latou faatumauina le malo saoloto, ua oo ina poloai atu ai o ia ia fasiotia, a ua na o le toaitiiti o e na faamelea le feagaiga o le saolotoga.

36. Ma ua oo ina poloai atu o ia, ia faatuina le tagāvai o le saolotoga i olo uma i nuu uma ua mau ai sa Nifaē. Ua faapea foi ona faatuina e Moronae le tagāvai o le saolotoga i sa Nifaē.

37. Ua toe amata ona latou maua le filemu i le nuu, ma ua faapea ona latou faatumuina le filemu i le nuu, e oo i le taufaaiuga o lona sefulu ma le iva o tausaga o le nofoaiga a faamasino.

38. Ua faatumau e Helamana ma faitaulaga sili le tonu i le ekalesia. Ioe, ua ia te i latou le filemu ma le olioli i le ekalesia i tausaga e fa.

39. Ua oo foi ina oti nisi e toatele, a ua mau lo latou faatuatua ua togiolaina o latou agaga e le Alii o Iesu Keriso. Ua faapea ona latou tete'a ma le lalolagi ma le olioli.

40. Ua oti nisi i ma'i vevela na pesi mai soo i le nuu i nisi itutausaga, a e le matua toatele na oti i ma'i vevela, ona o le aoga tele o lauvaovao ma aa e tele, ua saunia e le Atua e tineia ai le mafuaga o ma'i na tupu soo i tagata ona o le uiga o le savili o le nuu.

41. A ua toatele o e na oti ona ua tele o latou tausaga, a o e na oti i le faatuatua ia Keriso, na fiafia ia te ia e tusa ona tatau ai i lo tatou manatu.

MATAUPU 47.

O Amalekia, ona o se faiga saua, ua avea ai o ia ma tupu i sa Lamanā—O lana amioleaga.

1. O lenei, tatou te foi atu i la tatou tala ia Amalekia ma i latou o e na sosola faatasi ma ia i le vao, auā faauta, na aveina atu o e na o ma ia, ma ua alu ae i le nuu o Nifae i sa Lamanā, ma ua faaosoina sa Lamanā i le ita i le nuu o Nifae, ua iu ina avatu e le tupu o sa Lamanā le poloaiga i lona nuu uma, i ona tagata uma, ia latou potopoto faatasi e sii le taua i sa Nifaē.

2. Ma ua oo ina ua alu atu le poloaiga ia te i latou, ua matua fefefe i latou. Ioe, ua fefefe i latou ina faatiga le tupu, ua fefefe foi i latou ina o atu e tau ma sa Nifaē, ne'i latou maumau o latou ola. Ma ua oo ina le mafafai i latou, ioe, ua le mafafai le toatele o i latou ona gauai i le poloaiga a le tupu.

3. Ua oo foi ina ita le tupu ona o lo latou le usiuisitai, o lea na ia tuu atu ai ia Amalekia le pule i le vaega o lana itutaua faapea ona latou faatumauina le poloai atu foi ia te ia, na te alu

atu ma uuna'i atu ia te i latou e o atu i le taua.

4. O lenei, faauta, o le manao lenei o Amalekia, auā o ia o le tagata atamai i fai mea leaga, o le mea na ia mafaufau ai i lona loto i le togafiti e faapaū ai le tupu o sa Lamanā.

5. O lenei foi, ina ua ia maua le pule i na vaega o sa Lamanā, o e ua loto i le tupu ua saili foi o ia ina ia alofagia o ia e i latou o e ua le usiusitai, o le mea lea na ia alu atu ai i le mea ua ta'ua o Onaeta, auā ua sosola i ai sa Lamanā uma, auā ua latou iloa le au o loo sau, ma ua faapea ua o mai i latou e faaumatia i latou; o lea na latou sosola atu ai i Onaeta, i le mea ua i ai le auupega.

6. Ua tofia foi e i latou le tagata e fai ma tupu ma ta'ita'i ia te i latou, auā ua mau o latou manatu i le feagaiga mausali, e le mafafai ona ia faatoilaloina i latou e o atu e tau ai ma sa Nifaē.

7. Ma ua oo ina latou faapotopotoina faatasi i latou i le tumutumu o le mauga ua ta'ua o Anetipa, ua saunia i le taua.

8. O lenei, e le o le manatu o Amalekia e tau ma i latou e tusa ma le poloaiga a le tupu, a e peitai, faauta, o lona manatu lenei, ia maua le alofa o sa Lamanā, ina ia avea o ia mo latou ta'ita'i, ma faapaū le tupu, ma ia ave mona le malo.

9. Faauta foi, ua oo ina poloai atu o ia i lana itutaua, ia latou to o latou fale ie i le vanu ua latalata i le mauga o Anetipa.

10. Ma ua oo, ina ua po, ina aauina atu e ia le sāvali faalilo i le mauga o Anetipa, o manao mai i le ta'ita'i o e ua i le mauga, o lona igoa o Le'oneti, na te alu ifo i le laulata o le mauga, auā ua ia fia tautala ma ia.

11. Ua oo ina ua maua e Le'oneti le feau, ua fefe o ia i alu ifo i le latafa. Ma ua oo ina toe feau atu faalua e Amalekia, ua manao ia alu ifo o ia, a ua oo ina le mafai Le'oneti. Ona toe auina atu lea o ia faatolu.

12. Ua oo foi ina iloa e Amalekia ua le mafai Le'oneti ona alu ifo nai le mauga, ona alu ae ai lea o ia i le mauga e latalata atu i le toagalauapi o Le'oneti, ona toe feau atu ai lea o ia faa fa ia Le'oneti, o lona manao ia alu ifo o ia, ma ia aumai ona leoleo faatasi ma ia.

13. Ma ua oo ina ua o ifo Le'oneti ma ona leoleo ia Amalekia, ua manao Amalekia ia te ia, ia latou o ifo ma lana itutaua i le po, ma vagaia na tagata o e ua tuuina mai i lana pule e le tupu, i lo latou toagalauapi. E tuuina atu foi i latou i le pule a Le'oneti, pe afai na te tuu ia te ia (o Amalekia) le tofiga aupito ane i le ua ta'ita'i i le itutaua uma.

14. Ma ua oo ina o ifo Le'oneti ma ona tagata, ma vagavagaia tagata o Amalekia, a e lei ala mai i latou i le tafa o ata, ua siosiomia ai i latou e au a Le'oneti.

15. Ma ua oo ina ua latou iloa ua siosiomia i latou, ua latou aioi mai ia Amalekia ia tuuina atu ia te i latou e au faatasi ma o latou uso, ina ia le faaumatia latou. O le mea lava lenei na manao i ai Amalekia.

16. Ma ua oo ina tuuina atu e ia ona tagata, a ua le tusa lea ma poloaiga a le tupu. O le mea lenei na manao i ai Amalekia, ina ia faataunuuina e ia ona manatu i le faapaūina o le tupu.

17. O le tu lenei a sa Lamanā, afai e fasiotia lo latou ta'ita'i sili, e tofia lē aupito ane i ai e fai mo latou ta'ita'i sili.

18. Ua oo foi ina poloai atu Amalekia i le tasi o ana auauna, na te avatu lemu ia Le'oneti le mea oona, ua oti ai o ia.
19. O lenei, ina ua oti Le'oneti, ua tofia Amalekia e sa Lamanā e fai mo latou ta'ita'i ma latou alii sili.
20. Ma ua oo ina savavali atu Amalekia ma ana au ,(auā ua maua e ia ona manao,) i le laueleele o Nifae, i le aai o Nifae, o le laumua lea.
21. Ua sau le tupu ma ona leoleo e faafetaiai ia te ia, auā fa te ia ua faataunuuina e Amalekia ana poloaiga, ma ua faapotopotoina e Amalekia lenei itutaua tele e o atu e tau ma sa Nifaē.
22. A e peitai, faauta, ina o sau le tupu e faafetaiai o ia, ua aauina atu e Amalekia ana auauna e faafetaiai le tupu. Ona latou o atu ai lea, ma ua ifo i luma o le tupu, e peiseai ua faaalo ia te ia ona o lona mamalu.
23. Ma ua oo ina aapa atu e le tupu lona lima e faatulai ai i latou, e tusa ma le masani a sa Lamanā, e fai ma faailoga o le filemu. Na latou maua lenei tu mai sa Nifaē.
24. Ua oo foi ina ua ia faatuina lē muamua nai le eleele, faauta, ua ia tutu'i le tupu, ua tau i le fatu, ma ua paū ai o ia i le eleele.
25. O lenei, ua sosola auauna a le tupu, ona alalaga atu ai lea auauna a Amalekia, ua faapea tu:
26. Faauta, ua tutu'ia le tupu e ana auauna ua tau i le fatu, ua paū foi o ia, ma ua sosola atu i latou, faauta, o mai ia, ina vaai!
27. Ma ua oo ina poloai atu Amalekia i ana au, ia latou savavali atu, ina ia latou iloa le mea ua oo i le tupu. Ina ua latou oo atu i le tupu, o loo taatia i lona toto, ua faatagā ita Amalekia, ma ua fai atu: Ai se tasi ua alofa i le tupu, ina alu atu o ia ma tuliloaina ana auauna e fasia ai i latou.
28. Ua oo foi ina ua faalogoina nei upu e i latou uma o e ua alolofa i le tupu, ua latou o atu ma tuliloa i auauna a le tupu.
29. O lenei, ina ua iloa e auauna a le tupu ua tuliloa le itutaua ia te i latou, ua toe fefefe i latou, ma ua sosola atu i le vao, ma ua o mai i le nuu o Sara'emila, ua faatasia foi ma le nuu o Amona.
30. A ua toe foi atu le itutaua na tuliloa ia te i latou, ina ua tuliloa fua ia te i latou. Ua faapea ona faaliliuina mai e Amalekia loto o le nuu i lona pepelo.
31. Ua oo i le taeao ina o atu o ia ma ana au i le aai o Nifae, ma ua ave mona le aai.
32. Ua oo foi ina faalogo le masiofo ua fasiotia le tupu, auā na auina atu e Amalekia le sāvali i le masiofo, e fai atu ia te ia ua fasiotia le tupu e ana auauna, ma ua tuliloaina i latou e lana itutaua, a ua le aoga, auā ua sosola i latou.
33. O lea, ina ua maua e le masiofo lenei feau, ua ia feau mai ai ia Amalekia, o lona manao ia faasaoina e ia tagata o le aai. O lona manao foi na te alu atu ia te ia, ua ia manao foi na te aumai molimau faatasi ma ia, e molimau atu e uiga i le maliu o le tupu.
34. Ua oo foi ina avea e Amalekia lea lava auauna na fasioti le tupu, ma i latou uma o e na faatasi ma ia, ona latou o atu ai lea i le masiofo i le mea ua nofo ai o ia. Ua molimau atu foi i latou uma ia te ia, ua fasiotia le tupu e ana lava auauna, ma ua latou faapea atu: Na latou sosola; po ua le molia ea i latou i lena mea? Ua faapea ona latou

faafifilemu ai le masiofo e uiga i le maliu o le tupu.

35. Ua oo foi ina saili e Amalekia le alofa o le masiofo, ma ua fai o ia mana avā. Ua faapea ona maua e ia le malo i lona pepelo ma le fesoasoani o ana auauna atamamai. Ioe, ua ta'ua o ia o le tupu o le nuu uma, o nuu uma o sa Lamanā, ua aofia i ai o sa Lamanā, ma sa Lemuelū, ma sa Isamaelī, ma i latou uma na vavae ese ai sa Nifaē, e afua i le nofoaiga a Nifae e oo mai lava i ona po nei.

36. O lenei, o ia tagata vavae ua i ai foi lea lava a'oa'oina i lea lava poto o sa Nifaē; ioe, ua a'oa'oina i lea lava malamalama i la le Atua, a e ui i lea, o se mea e ofo ai, ina ua vavaeeseina i latou, ua le pine ona sili ona faamaaaina i latou ma le le salamo, ma ua sili ona faapaupau, ma amioleaga, ma feai ai lo sa Lamanā; ua faamasani ma uputuu a sa Lamanā, ua gauai i le faapaie, ma le matāaitu uiga eseese uma; ioe, ua faagalogalo le Alii lo latou Atua.

MATAUPU 48.

Ua faaoso e Amalekia sa Lamanā ia ita i sa Nifaē—Ua sauniuni Moronae mo le taua—O le toa faamaoni ma le tagata malosi o le Atua.

1. O lenei foi, ua oo ina ua maua e Amalekia le malo, ua ia amata loa ona faalototele sa Lamanā e tau ma le nuu o Nifae. Ioe, ua ia tofia nisi tagata e lauga atu i sa Lamanā i o latou olo, ma upu leaga i sa Nifaē.

2. Ua faapea ona faalototele i latou e ia e tau ma sa Nifaē, ua oo i le taufaaiuga o lona sefulu ma le iva o tausaga o le nofoaiga a faamasino, ua faataunuuina ai e ia ona manatu; ioe, ona ua faia ma tupu o sa Lamanā, ua ia saili foi e pule i le nuu uma, ioe, i tagata uma lava ua i ai i le nuu, o sa Nifaē atoa ma sa Lamanā.

3. O lea ua ia faataunuuina ai lona manatu, auā ua faamaaaina e ia loto o sa Lamanā, ma faatauasoina o latou manatu, ma faaosoina i latou i le ita, ua iu ina faapotopotoina e ia le vao tagata e toatele e o atu e sii taua i sa Nifaē.

4. Auā ua mafuli lona manatu ona o le toatele o lona nuu, e faatoilaloina sa Nifaē, ma faapologaina i latou.

5. O lenei foi, na ia tofia ta'ita'i au sili mai sa Soramā, auā ua sili ona masani i latou ma le malosi o sa Nifaē, ma o latou lafitaga, ma itu aupito vaivai ō latou aai; o lea na ia tofia ai i latou e fai ma ta'ita'i sili i ana au.

6. Ua oo foi ina latou ave lo latou toagalauapi, ma ua malaga atu i le vao, ua aga'i mai i le nuu o Sara'emila.

7. O lenei, ua oo ina o faapea ona maua e Amalekia le pule i le pepelo ma le faaoleole, ua sauniuni pea Moronae manatu o le nuu e faamaoni i le Alii lo latou Atua.

8. Ioe, ua faamalosia pea e ia au a sa Nifaē, ua ati ae foi olo iti, po o lafitaga, ma ua faafaulai faataamilomilo le eleele e siosio ai ana au. Ua ati ae foi pa maa e siosio ai i latou, e faataamilo i o latou aai, ma tuaoi ō latou laueleele, ioe, i itu uma o le laueleele.

9. Na ia tuuina atu foi tagata e toatele i o latou olo aupito vaivai, ma ua faapea ona ia fai olo ma faamalosia ai le laueleele ua mau ai sa Nifaē.

10. Ua faapea foi ona sauniuni o ia e faamamalu la latou saolotoga, ma o latou fanua, ma a latou avā, ma a latou fanau, ma lo la-

tou filemu, ina ia latou ola mo le
Alii lo latou Atua, ma ia latou
faatumauina le galuega ua ta'ua
i ē ita ia te i latou, o le galuega
a le au Kerisiano.
11. O Moronae foi, o le tagata
malosi ma le mamalu ia, o ia o le
tagata ua sa'o le faautauta, ioe,
o le tagata ua le fiafia i le faa-
masaaina o le toto; a o le tagata
ua olioli lona agaga i le tuusau-
noa ma le saolotoga o lona nuu
ma ona uso ai le tafeaga ma le
nofopologa.
12. Ioe, o le tagata ua tumu
lona loto i le faamanu atu i lona
Atua ona o tofi ma manuia e tele
ua ia foaiina mai i lona nuu; o
le tagata ua galue matua tele i le
manuia ma le saolotoga a lona
nuu;
13. Ioe, o ia o le tagata ua
mausali i le faatuatua ia Keriso;
ma ua tauto o ia ma le augani e
leoleo i ona tagata, ma lana pule,
ma lona nuu, ma lana ekalesia,
e oo lava i le faamaligiina o lona
toto.
14. O lenei, ua a'oa'oina sa Ni-
faē e leoleo ia te i latou lava i ē
ita ia te i latou e oo lava i le
faamasaaina o le toto, afai ua ta-
tau. Ioe, ua a'oa'oina foi i latou,
aua le fai se mea e tausuai ai,
ioe, aua foi ne'i sii le pelu, sei
iloga i sē ita mai, sei iloga ina ia
faasaoina o latou ola.
15. O lo latou faatuatua foi
lenei, afai e faapea ona latou
faia, e faamanuia le Atua ia te
i latou i le nuu; po o lenei, afai
e faamaoni i latou i le tausiga o
poloaiga a le Atua, na te faa-
manuia ia te i latou i le nuu, ioe,
e fetalai mai ia te i latou ia
sosola, pe sauniuni i le taua, e
tusa ma lo latou faigata.
16. I le ma le tasi, e faailoa
mai e le Atua ia te i latou le mea
latou te o atu i ai, ina ia leoleoina
i latou ai ē ita mai, afai e faapea
ona faia, e laveai le Atua ia te
i latou. O le faatuatua lena o
Moronae, ma ua mitamita i ai
lona loto, a e le o le faamasaaina
o le toto, a o le faiga o mea lelei
i le faasaoina o lona nuu, ioe, i le
tausiga o poloaiga a le Atua, ioe,
ma le teena o le amioletonu.
17. Ioe, e moni, e moni, ou te
fai atu ia te outou, ana tusa ma
Moronae tagata uma sa ola mai
ma e o ola mai nei, atoa ma ē
ola mai atali, faauta, po ua lu-
luina e faavavau le pule a seoli,
ioe, po ua leai lava se pule i le
tiapolo i loto o le fanauga a
tagata.
18. Faauta, o ia o le tagata e
tusa ma Amona le atalii o Mo-
saea, ioe, ma isi atalii o Mosaea,
ioe, atoa foi ma Alema ma ona
atalii, auā o tagata o le Atua i
latou uma.
19. O lenei, faauta, ua le itiiti
le aogā o Helamana ma ona uso
i le nuu i lo Moronae, auā ua la-
tou tala'i atu le afioga a le Atua.
Ua latou papatiso foi i le salamo
tagata uma o e ua usiusitai i a
latou upu.
20. Ua faapea foi ona latou o
atu, ona o a latou upu ua faa-
maulaloina e le nuu i latou lava,
ua iu ina faamanuiaina tele i la-
tou e le Atua; ua faapea ona au-
noa i latou ma taua ma fefinau-
aiga ia te i latou lava, ioe, ua
faapea i tausaga e fa.
21. A e peitai, e pei ona ou fai
atu, o le taufaaiuga o lona sefulu
ma le iva o tausaga, e ui lava i lo
latou filemu ia te i latou lava, ua
tau toai ai i latou ma o latou uso
o sa Lamanā.
22. Ioe, e moni, e ui lava ina
latou le loto i ai, ua le utuva o
latou taua ma sa Lamanā i tau-
saga e tele.
23. O lenei, ua tiga i latou e
fetagofi i le auupega e tau ai ma
sa Lamanā, auā ua le fiafia i la-

tou i le faamasaaina o le toto;
ioe, a ua le gata i lea, ua tiga i
latou ona ua avea i latou ma ala
e aauina atu ai o latou uso e toa-
tele ai lenei olaga i le olaga faa-
vavau, a e lei saunia i latou e fe-
taiai ma lo latou Atua.
24. E ui i lea, ua le mafafai
i latou ona tuuina atu o latou ola,
ina ia fasiotia a latou avā ma a
latou fanau i le sauā faigatā o
tagata, o e sa fai mo latou uso, a
ua vavaeese ai la latou ekalesia,
ma ua tete'a ma i latou, ma ua o
atu e au faatasi ma sa Lamanā,
ina ia faaumatia ai i latou.
25. Ioe, ua le mafafai i latou
ona tuuina atu ia fiafia o latou
uso i le toto o sa Nifaē, manū o
i ai nisi e tausi i poloaiga a le
Atua, auā ua faapea le folafolaga
a le Atua, afai latou te tausia ana
poloaiga, e manuia i latou i le
nuu.

MATAUPU 49.

Ua toe tuumuli le osofaiga a sa Lamanā—O le ita tele o Amalekia ona o lona toilalo—O le manuia o le ekalesia.

1. Ua oo foi i le masina e se-
fulu ma le tasi i le tausaga e
sefulu ma le iva, i le aso e sefulu
o le masina, ona iloa atu ai lea
o loo faalatalata mai au a sa
Lamanā i le nuu o Amonaea.
2. A e peitai, faauta, ua uma
ona toe atiina ae le aai, ma ua
tofia e Moronae le au e nofo i
tuaoi o le aai, ma ua latou faa-
faulaia faataamilomilo le eleele
e punitia ai i latou ai u fanafana
ma maa a sa Lamanā, auā fa-
auta, ua tau i latou ma maa ma
u fanafana.
3. Faauta, sa ou fai atu ua toe
atiina ae le aai o Amonaea. Ou
te fai atu ia te outou, e moni, ua
toe atiina ae i nisi itu. Ona ua
uma ona muai faaumatia ai e sa
Lamanā ona o le amioletonu a le
nuu, fa te i latou, e faigofie ona
toe vetea.
4. A e peitai, faauta, ua fai-
maoina i latou, auā faauta, ua
faafaulaia e sa Nifaē le olo ele-
ele e siomia ai i latou, ona ua
maualuga, ua le mafai ai sa La-
manā ona togi a latou maa, pe
fana atu a latou u ia te i latou
ia lavea ai i latou, pe mafai ona
latou feosofi mai ia te i latou, sei
iloga i lo latou faitotoa.
5. O lenei aso na matua tau-
faiofo ai ta'ita'i au sili o sa La-
manā, ona o le poto o sa Nifaē i
le sauniuni o a latou mea e malu
ai.
6. O lenei, na manatu ta'ita'i o
sa Lamanā, ona o lo latou toatele,
e moni, na latou manatu e tuuina
atu ia te i latou e o mai ia te i
latou e pei ona latou faia i aso
ua mavae. Ioe, ua latou saunia
foi i latou i talita, ma ufifatafata;
ma ua latou saunia i latou i ofu
pa'u, ioe, o ofu mafiafia lava e fa-
aofu a'i lo latau le lavalavā.
7. Ona ua faapea ona saunia,
ua manatu ai i latou e faigofie
ona latou faatoilaloina o latou
uso i le amo o le pologa, pe soona
fafasi ia te i latou e tusa ma o
latou loto.
8. A e peitai, faauta, ua matua
taufaiofo lava i latou, auā ua
nofo saunia i latou e tetee atu
ia te i latou i le sauniga ua fa-
atoa iloaina i le fanauga a Liae.
O lenei foi, ua saunia i latou e
tau ma sa Lamanā e tusa ma faa-
tonuga a Moronae.
9. Ua oo foi ina matua taufai-
ofo sa Lamanā, po o sa Amalekiā,
i lo latou nofo saunia i le taua.
10. O lenei, ana alu ifo Ama-
lekia le tupu ai le nuu o Nifae e
ta'ita'i i lana itutaua, atonu ua
poloai atu o ia i sa Lamanā ia
feosofi mai i sa Nifaē i le aai o

Amonaea, auā faauta, ua le faapelepeleina e ia le toto o lona nuu.

11. A e peitai, faauta, ua le alu ifo Amalekia i le taua. Faauta foi, sa fefefe ona ta'ita'i au sili ona feosofi mai i sa Nifaē i le aai o Amonaea, auā ua faaliliuina e Moronae le faiga o mea i sa Nifaē, ua iu ina faaseseina sa Lamanā i o latou lafitaga, ma ua le mafai ona latou o mai ia te i latou.

12. O le mea foi lea na latou tuumuli ai i le vao, ma ua ave lo latou toagalauapi ma ua savavali atu e aga'i atu i le nuu o Noa, fa te i latou o le mea aupito lelei lea ia i latou e o mai ai i sa Nifaē.

13. Auā na latou le iloa ua faia olo, po ua faatuina e Moronae olo e mamalu ai aai uma i le laueleele uma e latalata mai; o le mea lea na latou savavali atu ai i le nuu o Noa, ma ua mau o latou loto, ioe, na o mai o latou ta'ita'i au sili ma faia le tautoga, latou te faaumatia tagata o lea aai.

14. A e peitai, faauta, ua matua taufaiofo i latou, auā sa vaivai le aai o Noa i aso ua mavae, a ua avea nei ma aai malosi talu le galuega a Moronae, ioe, e sili i le malosi o le aai o Amonaea.

15. O lenei foi, o le poto lenei o Moronae, auā na ia manatu e matatau i latou i le aai o Amonaea, ona ua aupito vaivai le aai o Noa i itu uma, o le mea lea e savavali atu ai i latou e tau ai; ma ua faapea lava, e tusa ma ona manao.

16. Faauta foi, ua tofia Liae e Moronae e fai ma ta'ita'i au sili i tagata o lena aai, o ia foi o lea lava Liae na tau ma sa Lamanā i le vanu i le itu i sasae o le vaitafe o Saitonu.

17. O lenei foi, faauta, ua oo ina ua iloa e sa Lamanā ua pule Liae i le aai, ua toe faimaoina i latou, auā ua matua fefefe i latou ia Liae, a e ui i lea, ua uma ona tauto ma le augani o latou ta'ita'i au sili latou te feosofi mai i le aai, o lea na latou aumai ai a latou au.

18. O lenei, faauta, ua le mafai sa Lamanā ona ulu mai i o latou olo mau i se tasi ala, na o le faitotoa, ona o le maualuga o le aupa ua atiina ae, ma le loloto o le utu ua elia e faatamilo ai, sei iloga o le faitotoa.

19. Ua faapea ona saunia sa Nifaē e faaumatia, i le sasauina atu o maa ma u fanafana, i latou uma e taumafai ona ae i luga ō latou olo mau i se tasi ala.

20. Ua faapea ona saunia i latou, ioe, ua i ai le au ō latou tagata ua sili ona malolosi e fafasi i a latou pelu ma a latou maatā i latou uma o ē taumafai ona ulu mai i le faitotoa ō latou olo mau. Ua faapea ona saunia i latou e leoleo ia te i latou ai sa Lamanā.

21. Ua oo foi ina aumaia e ta'ita'i sili o sa Lamanā a latou au i luma o le faitotoa, ma ua amata ona tau ma sa Nifaē, ina ia oo mai i totonu o lo latou olo mau. A e peitai, faauta, ua atulasi ona tulia i latou, ua iu ina fasia i latou ma le fasi matua tele.

22. O lenei, ina ua latou iloa ua le mafai ona latou manumalo i sa Nifaē i le faitotoa, ua amata ona latou elia i lalo o latou aupa eleele, ina ia latou maua se ala i a latou au, ina ia tutusa i latou uma i le taua. A e peitai, faauta, ina ua latou taumafai ai, ua tafia i latou i maa ma u fanafana ua sasauina atu ia te i latou. Ua le faatumuina a latou utu i le eli i lalo o le aupa eleele, a ua tali faatumuina ai i o latou tagata oti ma tagata manunu'a.

23. Ua faapea ona i ai i sa Nifaē le manumalo atoa i ē ita ia te i latou; ua faapea foi ona taumafai e sa Lamanā ona faaumatia sa Nifaē ina seia fasia o latou ta'ita'i au sili uma; ioe, ua itiiti le toaafe i sa Lamanā ua fasia, a ua le fasia se tagata e toatasi o sa Nifaē.

24. Na i ai nisi, pe toalimasefulu o e ua manuunu'a, o e na alialia i u fanafana a sa Lamanā i le faitotoa, a e peitai, ua punitia i latou i o latou talita, ma o latou ufifatafata, ma o latou pulou tau, o le mea lea na i ai o latou manu'a i o latou vae, a o nisi e tele ua matua faigata.

25. Ua oo foi ina ua iloa e sa Lamanā ua fasia o latou ta'ita'i sili uma, ua latou sosola atu i le vao. Ua oo foi ina toe foi atu i latou i le laueleele o Nifae, e faamatala atu ai lo latou fasi tele i lo latou tupu o Amalekia, o le na tupu mai i sa Nifaē.

26. Ua oo foi ina matua ita o ia i lona nuu, auā ua ia le maua lona manao i sa Nifaē, ua le faatoilaloina i latou e ia i le amo o le pologa.

27. E moni, ua matua ita tele o ia, ma ua ia fetuuina le Atua, atoa ma Moronae, ua tauto foi o ia ma le augani e inu o ia i lona toto, o lenei foi ona ua tausia e Moronae poloaiga a le Atua i le sauniuni e faasaoina lona nuu.

28. Ua oo foi ina faafetai atu le nuu o Nifae i le Alii lo latou Atua, ona o lona mana e le mafaatusalia i le laveaiina o i latou ai lima o ē ita mai ia te i latou.

29. Ua faapea foi ona iu lona sefulu ma le iva o tausaga o le nofoaiga a faamasino i le nuu o Nifae.

30. Ioe, ua i ai ia te i latou le filemu e le aunoa, ma le manuia tele i le ekalesia, ona o lo latou usiusitai, ma filifiligā i le afioga a le Atua ua talaiina atu ia te i latou e Helamana, ma Sepulona, ma Korianetona, ma Amona ma ona uso, ioe, a e maise i latou uma o e ua tofia e le au tofia paia a le Atua, ua papatisoina i le salamo, ma aauina atu i le nuu.

MATAUPU 50.

Ua sauniuni Moronae mo le taua i le va o le nuu o Sara-'emila ma le nuu o Nifae—Ua fuafuaina e Morianetona e sosola atu i le laueleele i le itu i matu—Ua fasiotia o ia e Teanekuma—Ua sui tulaga Pa'orana ia Nifaea.

1. O lenei, ua oo ina le tuua e Moronae le sauniuni i le taua, po o le leoleoina o lona nuu ai sa Lamanā, auā na ia poloai atu i ana au ia latou amata i le amataga o lona luasefulu o tausaga o le nofoaiga a faamasino ona eli faafaulai le eleele e faataamilo i aai uma, i le laueleele uma ua mau ai sa Nifaē.

2. Na ia poloai atu foi ia faatuina laau tetele i luga o ia faulaigāeleele; ioe, ia atiina ae pa laau e tusa ma le maualuga o le tagata, e faataamilo i aai.

3. Ua poloai atu foi o ia, ia atiina ae i luga o na laau tetele le puipui o laau laiti, ua faatuina e faataamilo i ai, ma ua malolosi ma maualuluga.

4. Ua poloai atu foi o ia, ia faatuina olo maualuluga i ona luga ae o ia pa lāau laiti ua faatuina. Ma ua poloai atu o ia, ia faia mea e malu ai i luga o nei olo maualuluga, ina ia le lavea i latou i maa ma u a sa Lamanā.

5. Ma ua saunia i latou e lafo ifo maa ai le tumutumu, e tusa ma o latou loto ma lo latou malosi, ma fasi ai sē taumafai ona faalatalata ane i aupa o le aai.

6. Ua faapea ona sauniuni e

Moronae olo mau e siosio ai aai uma i le laueleele uma lava, a o lei o mai o ē ita mai ia te i latou.

7. Ua oo foi ina poloai atu Moronae i ana au, ia latou o atu i le vao i sasae, ioe, ua o atu foi i latou ma tuli ese sa Lamanā uma o e na i le vao i sasae, i lo latou lava laueleele i le itu i toga o le nuu o Sare"emila.

8. Ma ua alu sa'o tuaoi o le laueleele o Nifae, e amata mai i le sami i sasae e oo atu i le sami i sisifo.

9. Ua oo foi ina ua tulieseina e Moronae sa Lamanā uma ai le vao i sasae, ua i le itu i matu lea o le laueleele ua latou mau ai; ua ia poloai atu i tagata i le nuu o Sara'emila ma le laueleele latalata mai, ia o atu i le vao i sasae e oo lava i tuaoi e latalata atu i le matafaga, ma ia mau i le nuu.

10. Ua ia tofia foi au e nonofo i le itu i toga i tuaoi o lo latou laueleele; ua ia poloai atu foi ia te i latou, ia fai olo, ina ia latou faamamalu ai a latou au ma lo latou nuu ai lima o ē ita ia te i latou.

11. Ua faapea ona vavaeeseina e ia olo mau uma o sa Lamanā i le vao i sasae atoa foi ma sisifo, ua fai olo i le tuaoi i le va o sa Nifaē ma sa Lamanā, i le va o le laueleele o Sara'emila ma le laueleele o Nifae, e amata i le sami i sisifo ma ui ane i le mata o le vaitafe o Saitonu, ua mau ai sa Nifaē, e tusa ma o latou loto, i le lauelee uma lava i le itu i matu, ioe, o le laueleele uma i le itu i matu o le nuu o Nuumau.

12. Ua faapea ona taumafai e Moronae, i ana au ua tuputupu i aso fai soo, ona o le mautinoa o le faamamaluina ua ala mai ia te i latou i ana galuega; o lea na latou taumafai ai ona vavaeeseina le malosi ma le pule a sa Lamanā ai nuu ua latou mau ai, ina ia leai sa latou pule i nuu ua latou mau ai.

13. Ua oo ina amata e sa Nifaē le faavae o le aai, ma ua latou ta'ua le igoa o le aai o Moronae; ua tu matafaga i le sami i sasae, ua i le itu i toga foi e latalata i le tuaoi o le laueleele o sa Lamanā.

14. Ma ua latou amataina le faavae o le aai i le va o le aai o Moronae ma le aai o Arona, ua faasooina ai tuaoi o le aai o Arona ma le aai o Moronae. Ua latou ta'ua foi le igoa o le aai, po o le nuu, o Nifaea.

15. Ua amata foi i lea lava tausaga ona latou faatuina aai e tele i le itu i matu, o le tasi foi, ua ese lona uiga, na latou faaigoaina ia Liae, ua i le itu i matu, e tuaoi ma le matafaga.

16. Ua faapea ona iu lona luasefulu o tausaga.

17. Ua i ai nei manuia i le nuu o sa Nifaē i le amataga o lona luasefulu ma le tasi o tausaga o le nofoaiga a faamasino i le nuu o Nifae.

18. Ua matua manuia tele i latou, ua iu foi ina mauoa tele i latou; e moni, ua matua uluola i latou ma ua malosi i le nuu.

19. Ma ua faapea ona tatou iloa le alofa ma le amiotonu a le Atua i ana galuega uma, i le faataunuuina o ana fetalaiga uma i le fanauga a tagata. E moni, e mafai ona tatou iloa i lenei lava aso, ua faamaonia ana fetalaiga na ia fetalai mai ia Liae, ua faapea mai:

20. Amuia oe ma lau fanau! E faamanuiaina i latou; afai latou te tausia a'u poloaiga, e manuia i latou i le nuu. A e peitai, ia manatua, afai latou te le tausia a'u poloaiga, e vavaeeseina i latou ai luma o le Atua.

21. Ua tatou iloa foi ua faa-
maonia nei folafolaga i le nuu o
Nifae. Auā o a latou misa, ma a
latou fefinauaiga, ioe, ma lo latou
fasioti tagata, ma a latou vetega,
ma lo latou ifo i tupua, ma la
latou faitaaga, ma a latou mea
inosia sa ia te i latou, ua tutupu
mai ai ia te i latou o latou taua
ma o latou faafanoga.
22. A o i latou o e na faamaoni
i le tausiga o poloaiga a le Atua,
ua laveaiina i latou i aso uma, a
ua tuuina atu afe e tele ō latou
uso amioleaga i le nofopologa, po
ua fano i le pelu, po ua le faa-
tuatua ma ua faatasia ma sa
Lamanā.
23. A e peitai, faauta, talu ona
po o Nifae, ua leai lava se aso
ua sili ona fiafia ai le nuu o sa
Nifaē ai ona po o Moronae, ioe,
o ia ona aso lava i lona luase-
fulu ma le tasi o tausaga o le
nofoaiga a faamasino.
24. Ua oo foi ina iu i le filemu
lona luasefulu ma le lua o tau-
saga o le nofoaiga a faamasino;
ioe, atoa foi ma lona luasefulu
ma le tolu o tausaga.
25. Ua oo foi i le amataga o
lona luasefulu ma le fa o tausaga
o le nofoaiga a faamasino, ana
le se anoa le finauga na tupu ia
te i latou e uiga i le laueleele o
Liae ma le laueleele o Moriane-
tona, ua tuaoi ma le nuu o Liae,
ua tuaoi uma i le matafaga, po
ua i ai foi le filemu i le nuu o
Nifae.
26. Auā faauta, sa faapea a
tagata ua mau i le nuu o Mori-
anetona, e o latou se vaega o le
laueleele o Liae; o le mea lea na
tupu ai le fefinauaiga tele ia te i
latou, ua iu ina sii taua le nuu o
Morianetona i o latou uso, ma ua
mau o latou loto e fafasi ia te i
latou i le pelu.
27. A e peitai, faauta, ua so-
sola tagata ua mau i le nuu o
Liae i le toagalauapi o Moronae,
ma ua latou aioi mai ia te ia, ia
fesoasoani atu o ia, auā faauta,
ua le sese i latou.
28. Ua oo foi ina ua iloa e le
nuu o Morianetona, o lo latou ta-
'ita'i o le tagata ua igoa ia Mo-
rianetona, ua sosola le nuu o
Liae i le toagalauapi o Moronae,
ua matua matatau tele i latou,
ne'i alu atu le itutaua a Moronae
ia te i latou ma faaumatia i latou.
29. O le mea lea na tuu ai e
Morianetona i o latou loto ia la-
tou sosola atu i le laueleele ua i
le itu i matu, ua i ai vai tuloto,
ma ia ave mo latou le laueleele
i le itu i matu.
30. Faauta foi, ana le o le ta-
gata lotoa tele Morianetona, po
ua faataunuuina e i latou lenei
filifiliga, po ua avea ai foi ma
mea e faanoanoa ai. A e peitai,
sa ita o ia i le tasi o ana auauna
teine, na ia oso atu ai ia te ia
ma fasi tele ia te ia.
31. Ua oo foi ina sola o ia, ma
ua sau i le toagalauapi o Moro-
nae. Ona ta'u mai lea e ia ia
Moronae mea uma i lona sasaina,
atoa ma lo latou manatu e sosola
i le laueleele i le itu i matu.
32. O lenei, faauta, sa fefefe
tagata i le laueleele o Nuumau,
po o lenei, sa fefe Moronae, ne'i
latou usiusitai i upu a Moriane-
tona ma au faatasi ma ona ta-
gata, ma faapea ona ave mona
na itu o le laueleele, e fai ai ma
pogai o mea faigata i le nuu o
Nifae; ioe, e ala mai ai foi i
ia mea le faatoilaloina o la latou
saolotoga.
33. O le mea lea na auina atu
ai e Moronae le au, ma lo latou
toagalauapi, e sisi'o mai tagata
o Morianetona, e faafelavei lo
latou solaaga i le laueleele i le
itu i matu.
34. Ua oo foi ina latou le sisi'o
mai i latou seia oo atu i latou i

tuaoi o le laueleele o Tuufua, ona latou sisi'o mai ai lea i latou i le ala vaapiapi e ui atu latalata ane i le sami i le laueleele i le itu i matu; ioe, e latalata ane i le sami i sisifo ma sasae.

35. Ua oo foi ina fetaiai ma le nuu o Morianetona le au na auina atu e Moronae, ua ta'ita'iina e le tagata ua igoa ia Teanekuma; ma ua faapea le finauvale o le nuu o Morianetona, (auā ua faaosoina i lana amioleaga ma ana upu faaoleole,) ua amata ai le taua ia te i latou, na fasi e Teanekuma ia Morianetona, ma ua faiaina lana itutaua, ma ua avea faatagataotaua i latou, ma ua foi mai i le toagalauapi o Moronae. Ua faapea foi ona iu lona luasefulu ma le fa o tausaga o le nofoaiga a faamasino i le nuu o Nifae.

36. Sa faapea foi ona toe aumaia le nuu o Morianetona. Ina ua faia foi e i latou le feagaiga e nonofo filemu, ua toe tuuina atu ia te i latou e nonofo i le laueleele o Morianetona, ma ua faia le sootaga ma le nuu o Liae, ma ua toe tuuina atu foi i latou i lo latou laueleele.

37. Ma ua oo i lea lava tausaga na toe faatuina ai le filemu ina maliu ai Nifaea, lona lua o faamasino sili. Sa nofo o ia i le nofoa faamasino ma le amiotonu atoatoa i luma o le Atua.

38. E ui lava i lea, ua le mafai o ia ona talia mai ia Alema na papatusi ma na mea na taofi e Alema ma ona tamā ua sili ona paia, o le mea lea na tuu atu ai e Alema i lona atalii o Helamana.

39. Faauta, ua oo ina tofia le atalii o Nifaea e nofo i le nofoa faamasino, e sui i lona tamā; ioe, ua tofia o ia e fai ma faamasino sili ma kovana i le nuu, i le tautoga ma le sauniga paia, e faamasino ma le tonu, ma faatumau le filemu ma le saolotoga a le nuu, ma tuu atu ia te i latou o latou tofi paia e tapuai atu i le Alii lo latou Atua, ioe, ma tausi ma faatumau le galuega a le Atua i ona aso uma, ma faasalaina o ē amioleaga e tusa ma a latou agasala.

40. O lenei, fauta, o lona igoa o Pa'orana. Ua sui foi Pa'orana i le pule a lona tamā, ua amata foi lana nofoaiga i le nuu o Nifae i le taufaaiuga o lona luasefulu ma le fa o tausaga.

MATAUPU 51.

O tagata-tupu ma tagata-sa'oloto—O Pa'orana, le fa'amasino sili, ua talia e tagata-sa'oloto—Ua taofia tagata-tupu—O le osofa'iga ua ta'ita'ia e Amalekia, o lona to'ilalo, ma lona oti.

1. O lenei foi, ua oo i le amataga o lona luasefulu ma le lima o tausaga o le nofoaiga a faamasino i le nuu o Nifae, ina ua faafilemuina le nuu o Liae ma le nuu o Morianetona e uiga i lo latou fanua, ua amataina i le filemu lona luasefulu ma le lima o tausaga.

2. A e ui i lea, ua le leva ona faatumauina e i latou le filemu atoatoa i le nuu, auā ua amataina le finauga i le nuu e uiga i le faamasino sili o Pa'orana, auā faauta, ua i ai le vaega o le nuu ua fia faaliliuina nisi pito o le tulafono.

3. A e peitai, faauta, ua le mafai Pa'orana ona faaliliuina ai, pe tuuina atu le tulafono ia faaliliuina o lea ua le usiusitai ai o ia ia te i latou o e na momoli mai o latou manao i a latou tusi e uiga i le faaliliuina o le tulafono.

4. O le mea lea foi na ita ai ia te ia i latou o e na fia faaliliuina le tulafono, ma ua loto ina ia le toe fai o ia ma faamasino

sili i le nuu. O le mea lea na tupu
ai le finauga tele, a ua le oo i le
faamasaaina o le toto.
5. Ua oo ina ta'ua i latou ua
loto ina faapaū Pa'orana ai le nofoa
faamasino, o tagata tupu,
auā ua manao i latou ia faaliliuina
le tulafono, ina ia paū le
malo o le saolotoga, ina ia faatuina
se tupu i le nuu.
6. A o i latou o e na manao ina
ia fai pea Pa'orana ma faamasino
sili i le nuu, ua ave i o latou luga
le igoa o tagata saoloto; ma ua
faapea ona vaevaeina i latou, auā
ua tauto, po ua osia le feagaiga
e tagata saoloto, e faatumau la
latou pule ma tofi o la latou ekalesia
i le malo o le saolotoga.
7. Ua oo foi ina latou maua le
tonu i la latou finauga i le filifiliga
a le nuu. Ua oo foi ina
faapea le filifiliga a le nuu, ua
tonu a tagata saoloto, ua taofia
foi e Pa'orana le nofoa faamasino,
ma ua tupu tele ai le fiafia
i le au uso o Pa'orana, atoa ma
tagata e toatele o le saolotoga, na
latou faafilemu tagata tupu, ua
fefefe ai i latou ina toe finau
mai, a ua faatumau toai le galuega
o le saolotoga.
8. O lenei, o i latou o e na
mananao i tupu, o tamāalii i latou,
ua latou fia fai ma tupu; ua
fesoasoani ia te i latou i latou o e
ua fiamamalu ma fiapule i le nuu.
9. A e peitai, faauta, ua faigata
i na ona aso finauga faapena
i le nuu o Nifae, auā faauta, ua
toe faaosoina e Amalekia loto o
le nuu o sa Lamanā i le ita i le
nuu o sa Nifaē. Ua faapotopotoina
foi e ia tagata tau mai itu
uma o lona nuu, ua tuuina atu
foi le auupega ia te i latou, ua
sauniuni ma le filigā uma i le
taua, auā ua uma ona tauto o ia
e inu o ia i le toto o Moronae.
10. A e faauta, o le a tatou
iloa na faia lea folafolaga ma le
valea, e ui i lea, na ia sauniuni
o ia lava ma ana au e o mai e
sii le taua i sa Nifaē.
11. Ua le tusa ona toatele ana
au i aso nei ai aso ua mavae, ona
o afe e tele na fasia i lima o sa
Nifaē. A e peitai, e ui lava i o
latou fasi e tele, ua ese le toatele
o le itutaua na faapotopotoina e
Amalekia, ua iu ina le fefe ai o
ia ina alu ifo i le nuu o Sara-'emila.
12. Ioe, na alu ifo Amalekia
lava i luma o sa Lamanā. O lona
luasefulu ma le lima o tausaga o
le nofoaiga a faamasino, ua feagai
ma aso na latou amata ona
faalelei ai la latou finauga e uiga
i le faamasino sili o Pa'orana.
13. Ua oo foi ina ua faalogoina
e tagata ua ta'ua o tagata tupu
o loo o mai sa Lamanā e tau ma
i latou, ua fiafia i latou i o latou
loto, ma ua le mafafai i latou ona
fai auupega, auā ua faapea ona
ita i latou i le faamasino sili ma
tagata o le saolotoga, ua le mafafai
ai i latou ona fai auupega
e leoleo ai lo latou nuu.
14. Ua oo foi ina ua iloa lenei
mea e Moronae, ina ua iloa foi o
loo o mai sa Lamanā i tuaoi o le
nuu, ua matua ita tele o ia ona o
le finauvale o na tagata o e na
ia galue ai ma le filigā matua tele
ina ia faasaoina i latou. E moni,
ua matua ita tele o ia; ua tumu
lona loto i le ita ia te i latou.
15. Ua oo ina tusi atu e ia
lana tagi ma le filifiliga a le nuu
i le kovana o le nuu, o loo manao
na te faitau ai, ma tuu mai ia
te ia (o Moronae) le pule e uunai
atu i e ua fouvale, ia leoleo i lo
latou nuu, a leai, ia fasiotia i latou.
16. Auā o lona manatu muamua,
ia faaiuina nei finauga ma
fouvalega i le nuu; auā faauta,
sa fai lenei mea ma ala i lo latou
malaia uma i aso ua mavae. Ua

oo foi ina tuuina mai e tusa ma le filifiliga a le nuu.

17. Ua oo foi ina poloai atu Moronae, ia alu atu lana itutaua i na tagata tupu, ma faamaulaloina lo latou faamaualuga ma lo latou mamalu, ma ia faalaugatasi i latou ma le eleele, a le o lea, ia latou fai auupega ma fesoasoani i le galuega o le saolotoga.

18. Ua oo foi ina o atu au ia te i latou; ua faamaulalo ina foi e i latou lo latou faamaualuga ma lo latou mamalu, ua iu ina o latou sii la latou auupega e tau ma tagata o Moronae, ua selea i lalo i latou, ma ua faalaugatasia i latou ma le eleele.

19. Ua oo foi ina i ai le toafa afe o na tagata fouvale ua selea i lalo i le pelu. O latou ta'ita'i foi, o e ua le fasia i le taua, ua pueina ma lafoina i le falepuipui, auā ua leai se itula e fai ai a latou faamasinoga i ia ona aso.

20. A ua sili i e ua totoe o ia tagata fouvale ona gauai i le tagavai o le saolotoga, ai le taia i lalo i le eleele i le pelu. Ua latou sisi toai le tagavai o le saolotoga i luga ō latou olo, ma o latou aai, ma fai auupega i le leoleoina o lo latou nuu.

21. Ua faapea ona faaumatia e Moronae ia tagata tupu, ua iu ina le toe ta'ua se tasi i lena igoa, o le tagata tupu. Ua faapea foi ona tineia e ia le finauvale ma le faamaualuga o e na faapea o tamāalii i latou; a e peitai, ua faamaulaloina i latou, ia tusa ma o latou uso, e tau ma le malosi ina ia aunoa i latou ma le nofopologa.

22. Faauta, ua oo ina o faapea ona tineia e Moronae o taua ma fouvalega i lona lava nuu, ma faatoilaloina i latou i le filemu ma le malamalama, ina o fai faatonuga e sauniuni i le taua ma sa Lamanā, faauta, ua o mai sa Lamanā i le nuu o Moronae, ua tuaoi ai i le matafaga.

23. Ua oo ina le lava le malosi o sa Nifaē i le aai o Moronae, o le mea lea na tulia ai i latou e Amalekia, ua fasia ai nisi e toatele. Ua oo foi ina aea e Amalekia le aai; ioe, ua aea o latou olo uma lava.

24. Ua o atu foi i le aai o Nifaea i latou o e na sosola ai le aai o Moronae, ua faapea foi tagata o le aai o Liae, ua faapotopotoina faatasi i latou ma ua sauniuni, ma ua saunia foi e tetee atu i sa Lamanā i le taua.

25. A e peitai, ua oo ina le mafai Amalekia ona tuu atu i sa Lamanā e o atu i le nuu o Nifaea e tau ai le taua, a ua taofia i latou latalata i le matafaga, ua tuu tagata i aai taitasi, e taofi ma leoleo ai.

26. Ua faapea ona faia e ia, ua aea ai aai e tele; o le aai o Nifaea, ma le aai o Liae, ma le aai o Morianetona, ma le aai o Ominea, ma le aai o Kita, ma le aai o Moleka. Ua tuaoi uma i le matafaga i sasae.

27. Ua faapea foi ona maua e sa Lamanā, i le atamai o Amalekia ma a latou au e le masino, nei aai e tele, ua tofusia taitasi uma ma olo malolosi, e Moronae; ua avea uma ma olo mau o sa Lamanā.

28. Ua oo foi ina savavali atu i latou i tuaoi o le laueleele o Nuumau, o loo tuliloa sa Nifaē i o latou luma, ma ua fafasi nisi e toatele.

29. A e peitai, ua oo ina latou fetaiai ma Teanekuma, o le na fasioti ia Morianetona, na sisi'o mai foi lona nuu i lona sola'aga.

30. Ua oo foi ina sisi'o mai foi e ia ia Amalekia, ina o savali atu o ia ma lana itutaua matua tele,

ina ia maua e ia le laueleele o Nuumau, atoa ma le laueleele i le itu i matu.

31. A e peitai, faauta, ua le taunuu lona faamoemoe, auā ua tulia o ia e Teanekuma ma ona tagata, auā o toa lava i latou; ma ua sili tagata o Teanekuma taitoatasi ai tagata o sa Lamanā, i le malosi ma lo latou atamai i le taua, ua iu ina latou manumalo ai i sa Lamanā.

32. Ua oo ina latou feosofi atu soo ia te i latou, ua iu ina latou fasia i latou e oo lava i le po. Ua oo foi ina faatuina e Teanekuma ma ona tagata o latou fale ie i tuaoi o le laueleele o Nuumau, a ua faatuina e Amalekia ona fale ie i tuaoi i le matafaga e latalata ifo i le sami, auā ua faapea ona tulia i latou.

33. Ua oo ina ua sau le po, ona o lemu atu ai lea o Teanekuma ma lana auauna, ua o atu lava i le toagalauapi o Amalekia i le po. Faauta foi, ua manumalo le moe ia te i latou, ona o lo latou lailoa tele, ua ala mai i le galuega ma le vevela o le aso.

34. Ua oo ina alu faalilolilo Teanekuma i le fale ie o le tupu, ma ua tutu'i ia te ia i le tao, ua tau i le fatu, ua oti loa ai le tupu, ua ia le fafagu ai ana auauna.

35. Ona toe foi mai faalilolilo ai lea o ia i lona lava toagalauapi, faauta foi, ua momoe ona tagata, ona ia fagua ai lea i latou, ma ua ta'u atu ia te i latou mea uma na na faia.

36. Na ia poloai atu foi ia nofo saunia ana au, ne'i ala mai sa Lamanā ma o mai ia te i latou.

37. Ua faapea ona iu lona luasefulu ma le lima o tausaga o le nofoaiga a faamasino i le nuu o Nifae. Ua faapea foi ona iu aso o Amalekia.

MATAUPU 52.

Ua sui tulaga Amorona ia Amalekia—O Moronae, ma Teanekuma, ma Liae, ua latou toe maua le aai o Moleka, ma ua malo i le manumalo tele—O le oti o Iakopo le ta'ita'i 'au a sa Lamanā.

1. Ua oo foi i lona luasefulu ma le ono o tausaga o le nofoaiga a faamasino i le nuu o Nifae, faauta, ina ua ala mai sa Lamanā i le taeao muamua o le masina muamua, faauta, ua latou maua ai Amalekia, ua oti i lona lava fale ie, ma ua iloa atu ua saunia Teanekuma e tau ma i latou i lea lava aso.

2. O lenei, ina ua iloa lenei mea e sa Lamanā, ua matata'u ai i latou, ona tuua ai lea e i latou lo latou manatu i le savavali atu i le laueleele i le itu i matu, ma ua tuumuli ma la latou itutaua uma i le aai o Moleka, ina ia malutia i o latou olo.

3. Ua oo foi ina tofia le uso o Amalekia e fai ma tupu i le nuu, o lona igoa foi o Amorona. Ua faapea ona tofia le tupu Amorona, o le uso o Amalekia, e sui i lana nofoaiga.

4. Ua oo ina poloai atu o ia i ona tagata, ia taofia na aai ua uma ona latou maua i le faamasaaina o le toto; auā na latou le maua se aai e tasi, sei iloga ua tele lo latou toto ua faamaligiina.

5. O lenei, ua iloa e Teanekuma ua mau loto o sa Lamanā e taofi na aai ua latou aea, ma na itu o le laueleele ua latou mau ai; ma le tasi foi, ina ua iloa ua ese lo latou toatele, ua manatu Teanekuma ua le aoga ona ia taumafai ona feosofi atu ia te i latou i o latou olo.

6. A e peitai, na ia taofia latalata mai ona tagata, e peiseai o loo sauniuni i le taua; ioe, e moni, o loo sauniuni o ia e faamamalu

o ia ai i latou i le atiina ae solo o aupa, ma le sauniuni o lafitaga.

7. Ua oo ina faapea ona sauniuni pea o ia i le taua, seia auina mai e Moronae tagata e toatele e faamalosi a'i lana au.

8. Ua avatu e Moronae le poloaiga ia te ia, na te taofia tagata o taua ua maua e ia, auā ua maua e sa Lamanā tagata o taua e toatele; ia taofi e ia tagata o taua uma o lo sa Lamanā, e fai ma togiola i e ua maua e sa Lamanā.

9. Na ia avatu foi le poloaiga ia te ia na te fai olo i le laueleele o Nuumau, ma punitia ai le ala vaapiapi e tau atu i le laueleele i le itu i matu, ne'i maua ai e sa Lamanā, ne'i maua le ala e feosofi mai ai ia te i latou i itu uma.

10. Na poloai atu foi Moronae ia faamaoni o ia e taofi lena itu o le laueleele, ma ia lamalama o ia i mea taigalemu uma e faatiga ai sa Lamanā i lena itu e tusa ma lona malosi, atonu e mafai ona toe maua mai e ia i se togafiti, po o se tasi ala, na aai ua aveeseina ai i latou; na te faia foi olo ma faamalosi aai e latalata mai ua le maua e sa Lamanā.

11. Na ia fai atu foi ia te ia: Ua ou fia alu atu ia te outou, a e faauta, ua oo mai sa Lamanā ia te i matou, i tuaoi o le laueleele latalata i le sami i sisifo. Faauta foi, ou te alu atu ia te i latou, o le mea lea ou te le mafai ai ona alu atu ia te oe.

12. O lenei, ua alu ese le tupu (o Amorona) ai le nuu o Sara'emila, ma ua faailoa atu i le tupu fafine le oti o lona uso, ma ua faapotopotoina tagata e toatele, ma ua savavali atu i sa Nifaē, i tuaoi e latalata ifo i le sami i sisifo.

13. Ua faapea ona taumafai o ia ona feosofi mai soo i sa Nifaē, ina ia ta'ita'i ese se vaega o a latou au i lena itu o le nuu; a ua ia poloai atu i e na ia tuua e taofia aai na ia maua, ia latou feosofi atu soo i sa Nifaē i tuaoi e latalata ane i le sami i sasae, ma ia maua o latou nuu e tusa ma lo latou malosi, e tusa foi ma le malosi o a latou au.

14. Ua faapea ona i ai sa Nifaē i le taufaaiuga o lona luasefulu ma le ono o tausaga o le nofoaiga a faamasino i le nuu o Nifae.

15. A e peitai, faauta, ua oo i lona luasefulu ma le fitu o tausaga o le nofoaiga a faamasino, ina ua uma ona faatuina au e leoleo ai tuaoi o le nuu i le itu i toga, ma le itu i sisifo, ua amata e Moronae (ona o le poloaiga a Teanekuma) lana malaga i le nuu o Nuumau, ina ia fesoasoani o ia ia Teanekuma ma ona tagata e toe maua mai aai ua faatoilaloina.

16. Ua oo ina maua e Teanekuma le poloaiga na te oso atu i le aai o Moleka, ma toe aea ai pe afai ua mafaia.

17. Ma ua oo ina sauni Teanekuma e oso atu i le aai o Moleka, ma savali atu ma lana au i sa Lamanā; a e peitai, na ia iloa ua le mafai ona manumalo o ia ia te i latou manū o i ai i latou i o latou olo; o le mea lea na ia tuu ai lona manatu, ma ua toe foi mai i le aai o Nuumau, e faatalitali ai i le alu atu o Moronae, ina ia malosi ai lana au.

18. Ma ua oo ina taunuu mai Moronae ma lana au i le nuu o Nuumau i le taufaaiuga o lona luasefulu ma le fitu o tausaga o le nofoaiga a faamasino i le nuu o Nifae.

19. O le amataga foi o lona luasefulu ma le valu o tausaga na faia ai e Moronae ma Teanekuma ma o latou ta'ita'i au sili

e toatele le fono e uiga i se mea latou te faia, ina ia o mai sa Lamanā ia te i latou i le taua; po o se togáfiti e mafai ai i latou ona faaoleole ia te i latou, ia tete'a ai ma o latou olo mau, ina ia latou maua se mea e manumalo ai ia te i latou, ma toe maua mai le aai o Moleka.

20. Ua oo ina aauina atu e i latou sāvali i le itutaua a sa Lamanā ua leoleoina ai le aai o Moleka, i lo latou ta'ita'i, ua igoa ia Iakopo, o loo manao mai ia te ia, na te sau ma ana au e faafetaiai i latou i le laueleele laugatasi i le va o ia aai e lua. A e peita, faauta, o Iakopo o le sa Soramā, ua le mafai ona sau o ia ma lana au e faafetaiai i latou i le laueleele laugatasi.

21. Ua oo foi ina le toe ai ia Moronae sa faamoemoe e fetaiai ma i latou i se tafā lelei, o lea na mafuli ai lona loto i se togafiti e ta'ita'i ese ai sa Lamanā ai o latou olo mau.

22. O le mea lea na ia poloai atu ai ia Teanekuma, ia ave e ia ni tagata e toaitiiti, ma savavali ifo ai latalata i le matafaga; a o Moronae ma lana au, na latou savavali po i le vao i le itu i sisifo le aai o Moleka. O lea, ina ua iloa atu i le taeao o le au leoleo o sa Lamanā ia Teanekuma, ua latou femoei atu ai ma ta'u atu ai ia Iakopo, lo latou ta'ita'i.

23. Ua oo ina savavali atu au a sa Lamanā ia Teanekuma, o loo manatu e manumalo ia Teanekuma ona o lo latou toatele, ona o le toaitiiti o lana au. Ina ua iloa e Teanekuma o loo o mai ia te ia au a sa Lamanā, ua a amata ona tuumuli atu i le matafaga i le itu i matu.

24. Ua oo ina ua iloa e sa Lamanā ua amata ona sola o ia, ua latou loto tele ai ma ua tuliloa ia te i latou ma le malosi. Ina o ta'ita'ieseina e Teanekuma sa Lamanā o e ua tuliloa fua ia te i latou, faauta, ua poloai atu Moronae, ia savali atu le tasi vaega o lana au ua ia te ia i le aai, ma aea ai.

25. Ua faapea ona latou faia, ma ua fafasi ia te i latou uma o e ua tuua e leoleo i le aai, ioe, o i latou uma o e na le mafafai ona tuu mai la latou auupega o le taua.

26. Ua faapea foi ona maua e Moronae le aai o Moleka i le vaega o lana au, a o savali atu o ia ma ē totoe e faafetaiai sa Lamanā pe a foi mai i latou ai le tuliloaina o Teanekuma.

27. Ua oo foi ina tuliloa sa Lamanā ia Teanekuma, ua tali oo atu i le aai o Nuumau, ona latou fetaiai ai lea ma Liae ma le au e toaitiiti sa tuua i le aai o Nuumau e leoleo ai.

28. O lenei, faauta, ina ua iloa e ta'ita'i au sili o sa Lamanā o loo o mai Liae ma lana au ia te i latou, ua latou sosola ma le fememeai tele, ne'i le oo atu i latou i le aai o Moleka, a e maua atu Liae ia te i latou, auā ua lailoa i latou ona o la latou malaga, a ua malolosi tagata o Liae.

29. O lenei, na le iloa e sa Lamanā ua i ai Moronae ma lana au i o latou tua, a e na o Liae ma ona tagata ua latou fefefe ai.

30. O lenei, ua le manao Liae ona maua atu ia te i latou seia fetaiai i latou ma Moronae ma lana au.

31. A o lei tuumuli mamao atu sa Lamanā, ua oo ina siosiomia i latou e sa Nifaē; o tagata o Moronae i le tasi itu, a o tagata o Liae i le isi itu; ua fia tau ma ua malolosi i latou uma, a ua lailoa sa Lamanā ona o la latou malaga umi.

32. Ua poloai atu Moronae i

ona tagata, ia latou feosofi atu ia te i latou, seia tuuina mai e i latou la latou auupega o le taua.

33. A o Iakopo, o lo latou ta'ita'i lea, o ia o le sa Soramā, ua ia te ia le agaga e le mafaatoilaloina, ua oo foi ina ta'ita'i atu e ia sa Lamanā ma le faavalemalosi i le taua ma Moronae.

34. Ona ua i ai Moronae i lo latou ala, ua mau ai le loto o Iakopo e fasi ia te i latou, ma sofai atu e oo i le aai o Moleka. Ae peitai, faauta, ua sili ona malolosi Moronae ma ona tagata, o le mea lea na latou le tuumuli ai i luma o sa Lamanā.

35. Ua oo foi ina tau ma le faavalemalosi i itu uma e lua; ua tele foi le fasi i itu uma e lua; ioe, ua manu'a Moronae, ma ua fasia Iakopo.

36. Ona ua feosofi atu Liae ma ona tagata malolosi ma faavalemalosi i o latou tua, ua tuuina mai e sa Lamanā i le muliau o le taua la latou auupega o le taua; a o e ua totoe, ona ua famemeai tele i latou, ua faaletonu i latou pe sosola, pe tau.

37. O lenei, ina ua iloa e Moronae lo latou fememeai, ua fai atu o ia ia te i latou: Afai tou te aumaia la outou auupega o le taua, ma tuu mai ai ia te i matou, faauta, matou te tuua le faamasaaina o lo outou toto.

38. Ua oo foi ina ua faalogoina ia upu e sa Lamanā, ua o mai o latou ta'ita'i au sili, o i latou uma o e ua le fasia, ma ua lafo i lalo la latou auupega o le taua i vae o Moronae; ma ua poloai atu foi i o latou tagata, ia faapea lava ona faia e i latou.

39. A e peitai, faauta, ua i ai nisi e toatele ua le mafafai ai. Ua pueolaina i latou o e ua le mafafai ona tuu mai a latou pelu, ma ua saisaitia; ua faoeseina foi ia te i latou la latou auupega o le taua, ma ua savavali toai i latou faatasi ma o latou uso i le nuu o Nuumau.

40. O lenei, ua sili ono toatele i latou o e ua avea faatagataotaua ai le aofai o e ua fasia, ioe, ua sili i e ua fasia i itu taua uma e lua.

MATAUPU 53.

Ua saunia le nuu o Nuumau i le taua—O maseiga i sa Nifaē ua mauala ai le Fili—O Helamana ma ona tagata tau e lua afe o taulelea.

1. Ua oo foi ina latou tofia leoleo i sa Lamanā ua faatagataotauaina, ma ua pule ia te i latou ia o atu ma tanu toai o latou tagata oti, ioe, atoa foi ma tagata oti o sa Nifaē, o e ua fasia. Ua tofia foi e Moronae tagata e leoleo ia te i latou ina o faia e i latou a latou galuega.

2. Na alu atu foi Moronae i le aai o Moleka faatasi ma Liae, ma ua ave le pule i le aai ma tuu atu ai ia Liae. O lenei, faauta, o lenei Liae o le tagata sa faatasi ma Moronae i le tele o ona taua uma; o ia foi o le tagata ua tusa ma Moronae, ma ua la faatau olioli i lo laua saogalemu; ioe, ua la fealofani, ma ua alofagia i laua e le nuu uma o Nifae.

3. Ua oo ina ua tanumia e sa Lamanā o latou tagata oti, atoa ma tagata oti o sa Nifaē, ma ua toe savavali toai atu i le nuu o Nuumau, ua faatonu atu foi e Teanekuma, ona o le poloaiga a Moronae, ia latou amata ona galulue i le eliga o le utu e faataamilo i le nuu, o le aai lea o Nuumau.

4. Na ia poloai atu foi ia latou ati ae le olo o laau tetele i le itu utu i totonu, ona latou faafaulai ai lea le eleele ai le utu

i tua o le olo o laau tetele; ua faapea ona latou pule ia galulue sa Lamanā seia latou siosiomia le aai o Nuumau i le aupa malosi o laau tetele ma le eleele, ma ua matua maualuga.

5. Ua avea foi lenei aai ma olo malosi e afua i lea lava aso. Na latou leoleo foi sa Lamanā ua faatagataotauaina i lenei aai, ioe, i totonu o le aupa na latou pule ia latou atiina ae i o latou lava lima. O lenei, ua oo ina tatau ia Moronae ona poloai atu ia galulue sa Lamanā, auā ua faigofie ona leoleo ia te i latou ina o fai la latou galuega; ma ua manao o ia i ana au uma pe a oso atu o ia i sa Lamanā.

6. Ua oo ina faapea ona manumalo Moronae i le tasi au sili a sa Lamanā, ma ua maua le aai o Moleka, o le tasi lea olo sili o sa Lamanā i le laueleele o sa Nifaē; ua faapea foi ona ati ae e ia le olo malosi e taofi ai ana tagata o taua.

7. Ua oo foi ina le toe taumafai e ia se taua ma sa Lamanā i lena tausaga; a e peitai, na ia faaaoga ona tagata i le sauniuni i le taua, ioe, ma le faiga o olo e tetee atu ai i sa Lamanā, ioe, atoa ma le faasaoina ō latou fafine, ma o latou tamaiti ai le oge ma le puapuaga, ma le sailiga o mea e ʻai mo a latou au.

8. O lenei foi, ua oo ina ua le i ai Moronae, ona tupu ai lea o fouvalega ia te i latou ona o taupulepulega a sa Nifaē, ona manumalo ai lea au a sa Lamanā i sa Nifaē i le sami i sisifo, i le itu foi i toga, ioe, ua oo ina maua e latou o latou aai e tele i lena itu o le laueleele.

9. Ona o le amioletonu ia te i latou, ioe, ona o le fouvale ma taupulepulega ia te i latou, ua faapea ona tuuina atu i latou i le faigata matua tele.

10. O lenei foi, faauta, ua ia te au ni nai upu e fai atu e uiga i le nuu o Amona, o e na muai fai ma lo sa Lamanā, a e peitai, ona o Amona ma ona uso, po o lenei, ona o le mana ma le afioga a le Atua, na faaliliuina mai ai i latou i le Atua, ma ua aumaia i latou i le nuu o Sara-ʻemila, talu ai foi ua leoleoina e sa Nifaē.

11. Ona o la latou tautoga foi na latou le fai ai auupega e tau ai ma o latou uso; auā na latou faia le tautoga latou te le toe faamasaa le toto. Ana le se anoa foi le alofa mutimutivale ma le alofa matua tele o Amona ma ona uso ia te i latou, po ua fano i latou e tusa ma la latou tautoga; ioe, po ua latou tuuina atu i latou lava e oti i lima ō latou uso.

12. Ona o lenei mea foi ua aumaia i latou i le nuu o Sara-ʻemila, ma ua leoleoina pea i latou e sa Nifaē.

13. A e peitai, ua oo ina ua latou iloa le faigata, ma puapuaga, ma tiga e tele ua onosai ai sa Nifaē ona o i latou, ua mutimutivale lo latou alofa, ma ua latou fia fai auupega i le leoleoina o lo latou nuu.

14. A e peitai, faauta, ina a fetagofi i la latou auupega o le taua, ua faaliliuina lo latou manatu ona o apoapoaiga a Helamana ma ona uso, auā sa fai a latou solia le tautoga na latou faia.

15. Ua fefe Helamana neʻi latou maumau o latou agaga pe a faapea ona fai; o lea foi, o i latou uma o e na osia lena feagaiga, na latou iloa toai le onosai ō latou uso i o latou puapuaga i ia ona po o lo latou faigata.

16. A e peitai, faauta, ua oo ina ia te i latou atalii e toatele o e na le osia le feagaiga e

le fetagofi i latou i la latou auupega o le taua e leoleo ia te i latou ai ē ita mai ia te i latou. O le mea lea na latou faapotopoto faatasi ai i ia ona aso, o i latou uma lava o e ua lavā fai auupega, ma ua latou ta'ua i latou o sa Nifaē.

17. Ua latou osia foi le feagaiga e tau ina ia saoloto sa Nifaē; ioe, e leoleoina le nuu e oo lava i le tuuina atu o latou ola. Ioe, na latou osia le feagaiga, latou te le tuua lava la latou saolotoga, a e tau i mea uma e faasao ai sa Nifaē ma i latou lava ai le nofopologa.

18. O lenei, faauta, ua i ai le toalua afe o na taulelea o e na osia lena feagaiga, ma ua fetagofi i la latou auupega o le taua e leoleo ai lo latou nuu.

19. O lenei foi, faauta, ona ua le faalavelaveina sa Nifaē e i latou i aso ua mavae atu, ua avea nei i latou ma fesoasoani tele i ia ona po, auā ua latou fetagofi i la latou auupega o le taua, ma ua latou fia fai Helamana mo latou ta'ita'i.

20. O taulelea foi i latou uma, ma ua matua totoa foi i le loto tele ma le malosi atoa ma le atamai. A e peitai, faauta, ua le gata i lea, o tagata faamaoni i latou i aso uma, i mea uma ua tuuina atu ia te i latou.

21. Ioe, o tagata faamaoni ma le faautauta i latou, auā ua a'oa'oina i latou e tausi i poloaiga a le Atua, ma savavali ma le amio sao i ona luma.

22. O lenei, ua oo ina savali atu Helamana i luma o ona tagata tau e lua afe o taulelea, e fesoasoani i le nuu i tuaoi o le laueleele i le itu i toga, latalata i le sami i sisifo.

23. Ma ua faapea ona iu lona luasefulu ma le valu o tausaga o le nofoaiga a faamasino i le nuu o Nifae.

MATAUPU 54.

Ua mana'o mai Amorona e faafesuia'i tagata pagota o le taua—O le mana'o o Moronae e uiga i lena fesuia'iga—O le tali le malie a le tupu o sa Lamanā.

1. O lenei foi, ua oo i lona luasefulu ma le iva o tausaga o faamasino, ona feau mai ai lea o Amorona ia Moronae, o loo manao mai ia te ia la te fesuiai tagata o taua.

2. Ua oo foi ina olioli tele Moronae ona o lenei manao, auā ua manao o ia i mea e 'ai ua tuuina atu e fafaga a'i sa Lamanā ua faatagataotauaina, e fafagaina a'i lona lava nuu; na ia manao foi i ona lava tagata e faamalosi a'i lana itutaua.

3. O lenei, ua avea e sa Lamanā fafiine ma tamaiti e toatele, a ua leai se fafine po o se tamaitiiti i tagata o taua uma a Moronae, po o tagata ua pueina e Moronae; o le mea lea sa mau ai le loto o Moronae i se togafiti e maua mai ai mai sa Lamanā tagata uma o sa Nifaē ua mafaia.

4. O le mea foi lea na ia tusi atu ai le tusi, ma ua avatu ai i le auauna a Amorona, o le na aumai le tusi ia Moronae. O lenei, o upu nei na ia tusi atu ia Amorona, ua faapea atu:

5. Faauta, Amorona e, ua ou tusia ni nai upu ia te oe e uiga i lenei taua ua e siitia mai i lo'u nuu, po o lenei, o le taua na siitia mai ia te latou e lou uso, ma ua mau ai lou loto e fai pea ina ua oti o ia.

6. Faauta, ou te fai atu ia te oe nai upu e uiga i le amiotonu a le Atua, ma le pelu a lona toasa silisiliese o loo tautau ifo i ou

luga, sei iloga e te salamo ma ave ese lau itutaua i ou lava nuu, o le laueleele ua e mau ai, o le laueleele lea o Nifae.

7. Ioe, ana mafai ona e usiusitai i ai, po ua ou ta'u atu nei mea ia te oe, ioe, po ua ou tautala atu ia te oe, e uiga i lena seoli matautia o loo ua faatalitali e talia tagata fasioti tagata e pei o oe ma lou uso, sei iloga e te salamo ma tuu ou manatu fasioti tagata, ma toe foi atu ma lau itutaua i ou lava nuu.

8. A e peitai, ona ua e teena nei mea, ma ua e tau ma le nuu o le Atua, e faapea ona ou manatu e te toe faia.

9. O lenei foi, faauta, ua saunia i matou e tetee atu ia te outou; ioe, sei iloga foi e te tuua ou manatu, e te faatotō ifo i ou luga le toasa o le Atua ua e teena, e iu i lou faafanoga atoatoa.

10. A e peitai, o loo soifua le Atua, afai e te le tuumuli, o le a o atu a matou au ia te outou, ona le pine ai lea seia asiasia outou e le oti, auā matou te taofia o matou aai ma o matou fanua; ioe, matou te faatumau foi la matou ekalesia ma le galuega a lo matou Atua.

11. A e peitai, faauta, o lo'u taofi, e le aoga ona ou tautala atu ia te oe e uiga i nei mea; o lo'u taofi foi, o oe o le atalii o seoli, o le mea lea ou te faaiu ai la'u tusi i le upu nei: Ta te le fesuiai tagata o taua, sei iloga e te tuuina mai se tane, ma lana avā, ma lana fanau, e taui a'i le tagata o taua e toatasi; afai foi ete talia lenei tonu, ta te fesuiai tagata.

12. Faauta foi, afai e te le faia lenei mea, ou te alu atu ma la'u itutaua ia te oe; ioe, ou te tuuina atu le auupega i o'u fafine ma o'u tamaiti, ou te alu atu foi ia te oe, ou te tuliloa ia te oe e oo lava i lou lava laueleele, o le laueleele foi lea o lo matou tofi muamua; ioe, e sui le toto i le toto, o le ola i le ola; ioe, ou te tau le taua ma oe ina seia faaumatia outou ai le fogaeleele.

13. Faauta, ua ou ita, ua faapea foi lo'u nuu. Na e saili e fasioti ia te i matou, a o i matou, ua na ona matou taumafai ona leoleoina i matou lava. A e peitai, faauta, afai e te saili pea e faaumatia i matou, ona matou taumafai ai lea ona faaumatia outou; ioe, matou te sailiili lo matou laueleele o lo matou tofi muamua.

14. O lenei, ou te faaiu la'u tusi. O a'u o Moronae, o a'u o le ta'ita'i o le nuu o sa Nifaē.

15. O lenei, ua oo ina ua maua e Amorona lenei tusi, ua ita o ia ma ua tusia e ia le tasi tusi ia Moronae. O upu foi ia na ia tusia, ua faapea mai:

16. O a'u o Amorona, o le tupu o sa Lamanā. O a'u o le uso o Amalekia, o le na e fasiotia. Faauta, ou te taui ma sui lona toto i ou luga; ioe, ou te alu atu ma la'u itutaua ia te oe, auā ou te le fefe i au upu faamata'u.

17. Auā faauta, sa agaleaga o outou tamā i o latou uso, ua iu ina latou fao la latou pule i le malo, a ua tatau ai ia te i latou.

18. O lenei foi, faauta, afai tou te teu la outou auupega, ma tuuina mai foi outou, ina ia pule ia te outou i latou ua tatau i ai le malo, ona ou poloai atu ai lea i lo'u nuu, ia latou teuina la latou auupega, a e le toe tau.

19. Faauta, ua e mapugatama'i i faamata'u e tele ia te au ma lo'u nuu; a e peitai, faauta, matou te le fefefe i au upu faamata'u.

20. E ui i lea, ou te fiafia ina fesuiai tagata o taua, e tusa ma

lou manao, ina ia ou faasaoina a'u mea e 'ai mo o'u tagata tau; ona matou sii atu lea le taua e faavavau, e faatoilaloina ai sa Nifaē i la matou pule, a le o lea, e faaumatia ai i latou e faavavau.

21. A o lena Atua ua e fai mai ua teena e i matou, faauta, matou te le iloa se tasi ua faapea, tou te le iloa ai foi, a e peitai, afai e i ai se tasi faapea, matou te le iloa po ua na le faia i matou atoa ma outou.

22. Afai foi ua tonu ua i ai se tiapolo ma seoli, faauta, na te le auina atu ai ea oe e nofo faatasi ma lo'u uso, o le ua e fasiotia, o le ua e faaalia mai ua alu o ia i se mea faapena? A e faauta, e le afaina nei mea.

23. O a'u o Amorona, ua aiga foi ma Sorama, o le na uunaia e o outou tamā ma ua aumaia mai Ierusalema.

24. O lenei foi, faauta, o a'u o le sa Lamanā loto tele. Faauta, ua siitia atu lenei tauâ e taui ma sui ai mea na faaleagaina ai i latou, e taofi foi ma toe maua mai o latou tofi i le malo. Ou te faaiu la'u tusi ia Moronae.

MATAUPU 55.

Ua ita Moronae i ta'utinoga pepelo a Amorona, ma ua musu e fesuia'i tagata pagota o le taua —O le togafiti ua tatalaina ai tagata pagota osa Nifaē—Ua latou maua le aai o Kita e aunoa ma le famas'aina o le toto.

1. O lenei, ua oo ina ua maua e Moronae lenei tusi, ua ita atili ai o ia, auā na ia iloa ua mautinoa e Amorona lona pepelo, ioe, na ia iloa ua iloa e Amorona e le o se mea tonu na ala ai ina sii mai e ia le taua i le nuu o Nifae.

2. Ua fai atu foi o ia: Faauta, ma te le fesuiai tagata o taua ma Amorona, sei iloga e tuua e ia lona manatu e pei ona ou fai atu ai i la'u tusi; auā e le mafai ona a'u tuuina atu ia te ia ia maua e ia le malosi e sili i lea ua ia te ia.

3. Faauta, ua ou iloa le mea ua leoleoina ai e sa 'Lamanā o'u tagata, o e ua latou avea faatagatoataua; ona ua le mafai foi Amorona ona tuuina mai ia te au le manao o la'u tusi, faauta, ou te faia ia te ia e tusa ma a'u upu, ioe, ou te saili e faaoo atu le oti ia te i latou, seia latou tagi mai, ia ola le taua.

4. O lenei foi, ua oo ina ua fai atu e Moronae nei upu, ua poloai atu o ia ia faia le suega i ona tagata, pe maua e ia se tagata ia te i latou ua gafa ma Lamana.

5. Ua oo foi ina latou maua le tasi ua igoa ia Lamana, o ia foi o le tasi auauna a le tupu na fasiotia e Amalekia.

6. O lenei, ua poloai atu Moronae ia Lamana, latou te o atu ma nisi e toaitiiti o ona tagata i le au leoleo ua leoleo i sa Nifaē.

7. O lenei, ua leoleoina sa Nifaē i le aai o Kita, o lea ua tofia ai Lamana e Moronae, ma ua ia poloai atu ia o atu ni tagata e toaitiiti faatasi ma ia.

8. Ua afiafi ona alu atu ai lea Lamana i le au leoleo o e ua leoleo i sa Nifaē; faauta, ua latou iloa o loo sau o ia, ona latou valaau mai ai lea ia te ia, a ua fai atu o ia ia te i latou: Aua le fefe, faauta, o a'u o le sa Lamanā. ua sosola i matou ai sa Nifaē, ua momoe foi i latou; faauta foi, ua matou ave ni a latou uaina, ma ua aumaia faatasi ma i matou.

9. O lenei, ina ua faalogoina e sa Lamanā nei upu, ua latou talia o ia ma le olioli, ua latou fai mai foi ia te ia: Aumai ia sina au uaina ia te i matou, sei matou inu ai; ua fiafia i matou ina

ua faapea ona outou aumaia le uaina ma outou, auā ua lailoa i matou.

10. A e peitai, ua faapea atu Lamana ia te i latou: Sei tatou tausi la tatou uaina seia tatou o atu i le taua ma sa Nifaē. A e peitai, o nei upu ua na ona faatupu atili ai lo latou fia inu le uaina.

11. Auā ua latou fai mai: Ua lailoa i matou, o lea sei tatou inu ai le uaina, toe itiiti ane, ona tatou maua ai lea sina uaina faatasi ma a tatou mea e ‘ai, e faamalosi a‘i i tatou e o atu i sa Nifaē.

12. Ona fai atu ai lea o Lamana ia te i latou: Faia ia o outou manao.

13. Ua oo ina inu tele i latou i le uaina, ma ua malosi, auā ua saunia ina ia malosi, ma ua suamalie ia te i latou, o lea na latou inu atili ai.

14. Ua oo foi ina latou feinu ma ua fiafia ai. Toe itiiti ane, ona onanā ai lea i latou uma.

15. O lenei foi, ina ua iloa e Lamana ma ona tagata ua onanā i latou uma, ma ua momoe gase, ua latou toe foi mai ia Moronae, ma ua ta‘u mai ia te ia mea uma ua faia.

16. Ua tusa lenei mea ma le manatu o Moronae. Ma ua saunia e Moronae ona tagata i le auupega o le taua; ina o momoe gase foi ma onanā sa Lamanā, ua ia auina atu i le aai o Kita, ma ua lafo i ai le auupega o le taua i tagata o taua, ua iu ina tofusia i latou uma ma le auupega.

17. Ioe, ua tuu atu e Moronae le auupega i na tagata o taua uma, i o latou fafine ma a latou fanau uma o e ua lavā fai auupega. Ua faia foi nei mea uma ma le le gagana lava.

18. A e peitai, ana latou fagua sa Lamanā, faauta, ua onanā i latou, ma ua mafaia sa Nifaē ona fafasi ia te i latou.

19. A e peitai, faauta, e le o le manatu lea o Moronae. Ua le fiafia o ia i le fasioti tagata, po o le faamasaaina o le toto, a e peitai, ua fiafia o ia i le faasaoina o lona nuu ai le malaia, ona o lenei mea foi ina ia le faaoo mai ai i ona luga le amioletonu, ua le mafai ai o ia ona oso atu i sa Lamanā ma faaumatia i latou ina o onanā i latou.

20. A e peitai, ua ia maua ona manao; auā ua tuu atu e ia le auupega i na tagata o taua o lo sa Nifaē, o e ua i totonu o aupa o le aai, ma ua avatua le malosi ia te i latou e maua ai na itu ua i ai i ona lotopa.

21. Ona poloai atu ai lea o ia i e ua faatasi ma ia, ia tuumuli teisi ia te i latou, ma vagaia au a sa Lamanā.

22. Faauta, ua faia lenei mea i le po, o le mea lea, ina ua ala mai sa Lamanā i le taeao, ua latou iloa ai ua siosiomia i latou e sa Nifaē i tua, ma ua fai auupega a latou tagata o taua ua i totonu.

23. Ua faapea foi ona latou iloa ua i sa Nifaē le pule ia te i latou, ona o nei mea foi ua latou iloa ai ua le aoga ona latou tau ma sa Nifaē, o le mea lea na poloai atu ai o latou ta‘ita‘i sili, ia aumaia la latou auupega o le taua. Ma ua latou aumai ai ma lafo ifo ai i vae o sa Nifaē, o loo tagi mai, ia alolofa.

24. O lenei, faauta, o le manao lava lea o Moronae. Na ia ave faatagataotaua i latou. Ua maua foi le pule i le aai, ma ua tuusaoloto tagata o taua uma o sa Nifaē. Ua faatasia i latou ma le itutaua a Moronae, ma ua faamalosia tele ai lana itutaua.

25. Ua oo foi ina poloai atu o ia i sa Lamanā, o e na ia avea faatagataotaua, ia latou amata

le galuega e faamalosi a'i olo ua siomia ai le aai o Kita.

26. Ua oo foi ina ua faia e ia olo i le aai o Kita e tusa ma ona manao, ua ia poloai atu, ia molia atu ona tagata o taua i le aai o Nuumau, ma ua leoleoina foi e ia lena aai i le au matuā toatele.

27. E ui i taupulepulega uma a sa Lamanā, ua oo ina tausia ma leoleoina e i latou tagata o taua uma na latou avea, ma ua taofia foi le laueleele uma ma le manumalo ua toe maua e i latou.

28. Ua oo foi ina toe amata ona manumalo sa Nifaē, ma toe maua mai la latou pule ma o latou tofi.

29. Ua atulasi ona taumafai sa Lamanā ona vagavagai ia te i latou i le po, a e peitai, ina o latou taumafai ai, ua toatele o i latou ua avea faatagataotaua.

30. Ua atulasi foi ona latou taumafai ona faainu sa Nifaē i la latou uaina, ina ia latou faaumatia i latou i mea oona, po o le onā.

31. A e peitai, faauta, ua le faatamala sa Nifaē e manatua le Alii lo latou Atua i lenei aso o lo latou puapuaga. Ua le mafai ona maileia i latou i a latou mailei; ioe, ua le mafafai i latou ona inu la latou uaina, sei iloga ua muamua ona avatu ai i nisi o sa Lamanā ua faatagataotauaina.

32. Ua faapea ona faaeteete i latou, ne'i faainumia ia te i latou se mea oona; auā afai e onā se sa Lamanā i la latou uaina, e onā ai foi se sa Nifaē. Ua faapea ona latou tofotofo i la latou uaina uma.

33. O lenei foi, ua oo ina tatau ia Moronae ona sauniuni e oso atu i le aai o Morianetona; auā faauta, ua faia olo e sa Lamanā i a latou galuega i le aai o Morianetona, ua avea ai ma olo mau matua malosi.

34. Ua latou aumai pea foi i lena aai o au fou, atoa ma mea e 'ai.

35. Ma ua faapea ona iu lona luasefulu ma le iva o tausaga o le nofoaiga a faamasino i le nuu o Nifae.

MATAUPU 56.

O le tusi a Helamana ia Moronae—O le faatuatua ofoofogia ma le loto tetele o le 'au talavou o sa Amonā—O le tasi taua tele —Ua manumalo sa Nifaē.

1. O lenei foi, ua oo i le amataga o lona tolusefulu o tausaga o le nofoaiga a faamasino, i le aso lua o le masina muamua, ua maua ai e Moronae le tusi mai ia Helamana, ua faamatalaina mai ai mea ua faia e le nuu i lena itu o le laueleele.

2. O upu nei na ia tusia, ua faapea mai: Moronae e, lo'u uso pele i la le Atua, o lo'u uso foi i puapuaga o lo tatou nei taua; faauta, lo'u uso pele e, ua ia te au ni nai upu e fai atu ia te oe e uiga i lo tatou taua i lenei itu o le nuu.

3. Faauta, e lua afe o atalii o na tagata o e na aumaia e Amona ai le laueleele o Nifae. O lenei, ua e iloa o lo le gafa o Lamana i latou nei, o ia foi o le atalii ulumatua o lo tatou tamā o Liae.

4. O lenei, e le aoga ona ou toe faamatala atu ia te oe a latou uputuu, po o lo latou le faatuatua, auā ua e iloa nei mea uma.

5. O lea ua lava ai ia te au la'u fai atu ia te oe, ua fetagofi le toalua afe o nei taulelea i la latou auupega o le taua, ma ua loto ina fai a'u mo latou ta'ita'i. Ma ua matou o atu e leoleo i lo tatou nuu.

6. O lenei foi, ua e iloa le feagaiga na osia e o latou tamā, ua le mafai ai i latou ona tagofia la

latou auupega o le taua e tau ai ma o latou uso, e faamasaa ai le toto.

7. A e peitai, o lona luasefulu ma le ono o tausaga, ina ua latou iloa o tatou puapuaga ma o tatou tiga ona o i latou, sa fai a latou solia le feagaiga na latou osia, ma fetagofi i la latou auupega o le taua e tau ai mo i tatou.

8. A e peitai, ua le mafai ona ou tuu atu ia te i latou ia latou solia lena feagaiga na latou osia, o loo manatu e faamalosia i tatou e le Atua, ina ia le tigaina atili ai i tatou ona o le faataunuuina o le tautoga na latou faia.

9. A e peitai, faauta, o lenei le tasi mea e mafai ona olioli tele ai i tatou. Auā faauta, o lona luasefulu ma le ono o tausaga na savali atu ai a'u, o Helamana, i luma o nei taulelea e toalua afe i le aai o Iutaia, e fesoasoani atu ai i Anetipa, o le na e tofia e fai ma ta'ita'i i tagata i lena itu o le nuu.

10. Sa ou faaopoopo atu o'u atalii e toalua afe, (auā e tatau ia te i latou ona ia ta'ua o atalii,) i le au a Anetipa. Ua olioli tele Anetipa ona o lea malosi, auā faauta, ua faatoaitiitia lana au e sa Lamanā, auā ua fasia o tatou tagata e toatele e a latou au, o le mea lea tatou te faanoanoa ai.

11. E ui i lea, e faamafanafanaina i tatou i le mea nei, ua oti i latou i le galuega a lo latou nuu, ma lo latou Atua, ioe, ma ua fiafia i latou.

12. Ua taofia foi e sa Lamanā tagata o taua e toatele, o ta'ita'i au sili foi i latou uma, auā na latou le faaolaina se isi. Ua matou manatu o loo i ai nei i latou i le laueleele o Nifae. Ua tonu lea pe afai ua le fasia i latou.

13. O lenei foi, o aai nei ua maua e sa Lamanā i le faamasaaina o le toto ō tatou tagata totoa e toatele:

14. O le nuu o Maneti, po o le aai o Maneti, ma le aai o Seseroma, ma le aai o Kumenae, ma le aai o Anetipara.

15. O aai ia ua mau ai i latou ina ua ou taunuu atu i le aai o Iutaia. Na ou maua foi Anetipa ma ona tagata o galulue ma lo latou malosi e fai olo i le aai.

16. Ioe, ua vaivai o latou tino atoa ma o latou loto, auā ua latou tau ma le malosi i le ao, a e galulue i le po ina ia taofia ai o latou aai; ma ua faapea ona tigaina i latou i puapuaga tetele uiga eseese.

17. O lenei foi, ua mau o latou loto e manumalo, a leai, e oti i lenei mea. O le mea lea e te iloa ai ua tupu tele le faamoemoe ma le olioli tele ia te i latou i lenei au itiiti, ioe, i o'u atalii na ou aumaia faatasi ma a'u.

18. O lenei foi, ua oo ina ua iloa e sa Lamanā ua maua e Anetipa le malosi tele i lana au, ua taofia i latou i le poloaiga a Amorona, aua le o mai ia te i matou i le aai o Iutaia e tau ai le taua.

19. Ua faapea foi ona faamanuiania i matou e le Atua; auā atonu ana latou feosofi mai ia te i matou i lo matou vaivai, po ua faaumatia e i latou la matou au itiiti; a ua faapea ona faasaoina i matou.

20. Ua poloaiina i latou e Amorona, ia taofia na aai ua uma ona latou aea. Ma ua faapea ona iu lona luasefulu ma le ono o tausaga. O le amataga foi o lona luasefulu ma le fitu o tausaga, ua saunia ai e i matou lo matou aai ma i matou lava e tetee atu ia te i latou.

21. O lenei, o lo matou manao, ia o mai sa Lamanā ia te i matou, auā ua matou le loto ina feosofi

atu ia te i latou i o latou olo mau.

22. Ua oo foi ina tofia solo tagata matavao e vaavaai atu i mea ua faia e sa Lamanā, ina ia le ui ane i latou i tala atu o matou i le po, po o le ao, e feosofi atu ai i o tatou aai i le itu i matu.

23. Auā ua matou iloa ua le lava lo latou malosi i ia aai e tetee atu ai ia te i latou; o le mea lea na manatu ai i matou, afai latou te ui ane i tala atu o i matou, matou te feosofi atu ia te i latou i la latou muli'au; ia faapea ona tau ma i latou i le muliau manū o faafetaiaiina i latou i luma. Sa faapea a i matou, e mafaia i matou ona faatoilaloina i latou, a e faauta, ua le taunuu lenei mea na matou manatu ai.

24. Ua fefefe i latou ona ui ane i tala atu o i matou ma la latou au atoa, ua fefefe foi i latou ona ui ane ma se vaegāau, ne'i le lava lo latou malosi, ne'i malaia i latou.

25. Ma ua fefefe i latou ona savavali ifo i le aai o Sara'emila; ua fefefe foi i latou ona sosopo atu i le mata o le vaitafe o Saitonu i le aai o Nifaea.

26. Ma ua faapea ona mau o latou loto e taofi i a latou au na aai ua uma ona latou aea.

27. O lenei foi, ua oo i lona lua o masina o lenei tausaga, ua aumaia ai mea e 'ai e tele ia te i matou mai tamā o o'u atalii e toalua afe.

28. Ma ua aauina mai foi ia te i matou tagata e toalua afe mai le nuu o Sare'emila. Ma ua faapea ona saunia i matou i tagata e toasefulu afe, ma mea e 'ai mo i latou, atoa ma a latou avā ma a latou fanau.

29. Ina ua iloa e sa Lamanā ua faatoateleina a matou au i aso fai soo, ma ua taunuu mai mea e 'ai e tausi a'i i matou, ua amata ona matata'u i latou, ma ua amata ona tauoso mai, pe mafai ona latou faaiu le oo mai o mea e 'ai ma le malosi ia te i matou.

30. O lenei, ina ua matou iloa ua amata ona faapea ona popole sa Lamanā, ua matou fia fai se togafiti ia te i latou; o lea na poloai mai ai Anetipa, matou te savavali atu ma o'u atalii iti i le aai ua matou tuaoi ai, e peiseai ua matou tau ave ni mea e 'ai i le aai ua matou tuaoi ai.

31. Sa faapea, matou te savavali latalata ane i le aai o Anetipara, e peiseai o le a matou malaga atu i le aai i ona tala atu, i tuaoi latalata i le matafaga.

32. Ua oo foi ina savavail atu i matou, e peiseai ua ia te i matou ni mea e 'ai, e o atu i lena aai.

33. Ua oo ina savali atu Anetipa ma le vaega o lana au, ua tuua o ē totoe e taofi le aai. A ua le savali atu o ia seia uma ona ou alu atu ma la'u au itiiti, ma ua latalata ane i le aai o Anetipara.

34. O lenei foi, ua nofo i le aai o Anetipara le au ua sili ona malosi a sa Lamanā, ioe, ua sili foi ona toatele.

35. Ma ua oo ina ua faailoaina atu ia te i latou e o latou tagata matavao, ua latou o mai ma a latou au, ma ua savavali mai ia te i matou.

36. Ma ua oo ina sosola i matou i o latou luma i le itu i matu. Ma ua faapea ona matou ta'ita'ieseina le au ua sili ona malosi a sa Lamanā.

37. Ioe, ua oo lava i le mea mamao, ua iu ina ua latou iloa le au a Anetipa, o tuliloa ma lo latou malosi ia te i latou, ua le liliu i latou i le itu taumatau, po o le itu tauagavale, a ua alualu lo latou savaliga i le ala sa'o e mulimuli mai ia te i matou; ua faapea foi a i matou, o lo latou

manatu e fasia i matou a o lei maua mai Anetipa ia te i latou, o lenei foi ina ia le siosiomia i latou e o matou tagata.

38. O lenei foi, na ua iloa e Anetipa lo matou faigata, ua faateletele'a'i mai lana au. A e peitai, faauta, ua po, o le mea lea na latou le maua mai ai i matou, ma ua le maua mai i latou e Anetipa. O le mea lea na matou to-lauapi ai i le po.

39. Ua oo foi, a o lei tafa mai ata i le taeao, faauta, ua tuliloa mai sa Lamanā ia te i matou. O lenei, ua le lava lo matou malosi e tau ma i latou, ioe, ua ou le mafai ona tuuina atu o'u atalii iti ia malaia i o latou lima; o le mea lea na matou tausavali ai pea, ma ua faasaga atu lo matou savaliga i le vao.

40. O lenei, ua fefefe i latou e liliu i le itu taumatau, po o le itu tauagavale, ne'i vagaia i latou. O a'u foi, ua le mafai ona liliu i le itu taumatau, po o le itu tauagavale, ne'i latou oo mai ia te au, ua le mafai foi ona matou tutū atu i o latou luma, auā e fasia i matou, e sosola foi i latou. Ma ua faapea ona matou sosola i le vao i lena aso atoa e oo lava i le pouliuli.

41. Ma ua oo ina ua toe malama ae le taeao, ua matou iloa ua tauoo mai sa Lamanā ia te i matou, ona matou sosola ai lea i o latou luma.

42. A ua oo ina le tuliloa mamao mai i latou ia te i matou, ona latou tuua ai lea. O le taeao lea o le aso e tolu o lona fitu o masina.

43. O lenei, na matou le iloa po ua maua mai Anetipa ia te i latou, pe leai; a ua ou fai atu i o'u tagata: Faauta, ua tatou le iloa po ua na ona tutū i latou ina ia tatou o atu ia te i latou, ina ia latou maua i tatou i la latou mailei, pe leai.

44. O lenei, pe ni a fa outou, o'u atalii e, pe tatou te o atu ia te i latou e tau ai le taua?

45. O lenei foi, ou te fai atu ia te oe, lo'u uso pele e, Moronae, ou te lei iloa i sa Nifaē uma le lototele e faapena ona tele.

46. Auā e pei ona ou ta'ua pea i latou o o'u atalii, (auā o taulelea i latou uma,) ua faapea lava ona latou fai mai ia te au: Lo matou tamā e, faauta, ua ia te i tatou lo tatou Atua, na te le tuu mai ia fano i tatou, o lea sei tatou o atu ai. Ana latou tuu pea i tatou, po ua tatou le fafasi o tatou uso; o le mea lea, sei tatou o atu ai, ne'i manumalo i latou i le au a Anetipa.

47. O lenei, e lei tau se taua e i latou, a e ui i lea, ua latou le matata'u i le oti; ma ua sili i o latou manatu le saolotoga a o latou tamā ai o latou lava ola; ioe, ua a'oa'oina i latou e o latou tinā, pe afai latou te le masalosalo, e laveaiina i latou e le Atua.

48. Ma ua latou tala mai ia te au upu a o latou tinā, ua faapea mai: Matou te le masalosalo lava na iloa e o matou tinā.

49. Ua oo foi ina ou toe foi atu ma lo'u toalua afe i sa Lamanā, o e na tuliloa ia te i matou. O lenei foi, faauta, ua maua mai ia te i latou au a Anetipa, ma ua amataina le taua faigata tele.

50. Se manu foi a malaia le au a Anetipa i lima o sa Lamanā, auā ua lailoa ona o lo latou malaga umi i nai aso e faapea ona itiiti. Ana ou le toe foi atu ma lo'u toalua afe, po ua maua e i latou lo latou manatu.

51. Auā ua fasia Anetipa i le pelu, ua faapea foi ma ona ta'ita'i au e toatele, auā ua vaivai i latou ona o le taalise mai o la latou malaga. O le mea lea na amata ona

tuumuli ai tagata o Anetipa i luma o sa Lamanā, auā ua fememeai ona o le maliu o lo latou ta'ita'i.

52. Ua oo foi ina faatoateleina sa Lamanā, ma ua amata ona tuliloa ia te i latou; ma ua faapea ona tuliloa sa Lamanā ia te i latou ma le faamalosi tele ina ua oso atu Helamana ma lona toalua afe i la latou muli'au, ma ua amata ona fafasi ia te i latou, ua iu ina tutū le au a sa Lamanā, ma ua liliu mai ia Helamana.

53. O lenei, ina ua iloa e tagata o Anetipa ua liliu atu sa Lamanā, ua latou faapotopoto faatasi o latou tagata, ma ua toe feosofi mai i le muliau a sa Lamanā.

54. O lenei foi, ua oo ina matou vagaia sa Lamanā, o le nuu o Nifae, ma le nuu o Anetipa, atoa ma a'u ma lo'u toalua afe, ma ua fafasi ia te i latou, ioe, ua iu ina latou tuu mai toai la latou auupega o le taua, atoa ma i latou ia avea faatagataotaua.

55. O lenei foi, ua oo ina ua ifo i latou ia te i matou, faauta, ua ou faitauina na taulelea o e na tau faatasi ma a'u, sa ou fefe, ne'i faapea ua toatele o i latou ua fasia.

56. A e peitai, faauta, ua ou olioli tele, auā ua leai se toatasi o i latou uma ua paū i le eleele; ioe, na latou tau e peiseai i le malosi o le Atua; ioe, e lei iloaina ni tagata ua tau ma le malosi mamana faapea, ma ua faapea ona matua tele le malosi na latou oso atu ai i sa Lamanā, ua latou faamata'u ai ia te i latou; o le mea lea na tuuina mai ai e sa Lamanā i latou lava ia faatagatataotauaina.

57. Ua leai foi se mea ia te i matou mo a matou tagata o taua, ina ia matou leoleo ia te i latou e taofi i latou ai au a sa Lamanā, o le mea lea na matou momoli atu ai i latou i le nuu o Sara'emila, ma ua o faatasi ma i latou se vaega o na tagata o Anetipa o e ua le fasia; a o ē totoe na ou ave ma faaopoopoina i o'u taulelea o sa Amonā, ma ua matou toe savavali atu i le aai o Iutaia.

MATAUPU 57.

O isi upu a le tusi a Helamana —Ua toe maua mai le aai o Anetipara—Ua tuu atu le aai o Kumenae—Ua tulia sa Lamanā i Maneti—Ua malutia i se uiga ofoofogia—Ua sosola pagota sa Lamanā.

1. O lenei foi, ua oo ina ou maua le tusi mai ia Amorona le tupu, ua faapea mai: Afai ou te tuu atu ia tagata o taua na matou maua, na te tuuina mai le aai o Anetipara ia te i matou.

2. A ua ou avatu le tusi i le tupu, ua faapea atu: Ua matou iloa ua lava a matou au e maua mai le aai o Anetipara i lo matou malosi; ua matou manatu foi, e faalemafaufau i matou pe afai matou te tuuina atu tagata o taua ina ia maua mai ai lena aai, a e na o le fesuiai matou te tuuina atu ai a matou tagata o taua.

3. Ua le talia foi e Amorona la'u tusi, auā ua le mafai o ia ona fesuiai tagata o taua; o le mea lea na matou amata ai ona sauniuni e o atu i le aai o Anetipara.

4. A e peitai, ua tuua le aai e tagata o Anetipara, ma ua sosola i nisi ō latou aai na mau ai i latou, ina ia fai olo ai, ma ua faapea ona matou maua le aai o Anetipara.

5. Ua faapea foi ona iu lona luasefulu ma le valu o tausaga o le nofoaiga a faamasino.

6. O le amataga foi o lona luasefulu ma le iva o tausaga ua oo ina matou maua ai ni mea e 'ai atoa ma ni tagata mai le

nuu o Sara'emila ma le laueleele e latalata ane i ai, e toaono afe le aofai, atoa ma atalii o sa Amonā e toaonosefulu, o e na o mai e faatasi ma o latou uso, o la'u au e toalua afe, e faatoateleina ai la matou au. O lenei foi, faauta, ua malosi i matou, ioe, ma ua lava mea e 'ai ua aumaia ia te i matou.

7. Ma ua oo ina matou fia tau le taua ma le au na tuua e leoleo le aai o Kumenae.

8. O lenei foi, faauta, ou te faailoa atu ia te oe ua le pine ona matou faataunuuina lo matou manao, ioe, ina a maua e i latou ni mea e 'ai, ua matou vagaia le au a Kumenae i le po ma la matou au malosi, po o le vaega o la matou au malosi.

9. Ua oo foi ina matou tolauapi faataamilo i le aai i po e tele; a e peitai, na matou momoe ma a matou pelu, ma ua fai leoleo ina ia le mafai sa Lamanā ona faaifo mai se taupo ma fafasi ia te i matou; ua atulasi ona latou taumafai ai, a e peitai, o po uma na latou taumafai ai, ua faamasaaina lo latou toto.

10. Mulimuli ane ua taunuu mai a latou mea e 'ai, o le a latou o atu i le aai i le po. A o i matou, e le ni sa Lamanā, a o sa Nifaē, o le mea lea na matou pue ola ai i latou, ma ua ave a latou mea e 'ai.

11. E ui lava ina faapea ona vavaeeseina sa Lamanā ai a latou mea e ola ai, ua mau pea o latou loto e taofi le aai; o le mea lea sa ao ai ina matou ave ia mea e 'ai ma aveina atu ai i Iutaia, ma momoli atu a matou tagata o taua i Sara'emila.

12. Ua oo foi ina le mavae atu aso e tele, a ua amata ona tuua e sa Lamanā faamoemoe uma i le fesoasoani mai o a latou au, o le mea lea na latou tuu mai ai le aai ia te i matou, ma ua faapea ona matou faataunuuina o matou manatu e maua mai le aai o Kumenae.

13. A e peitai, ua oo ina faapea ona toatele a matou tagata o taua, e ui lava ina toatele i matou, ua ao ina faaaoga la matou au atoa e leoleo ia te i latou, pe fafasi i latou.

14. Auā faauta, ua latou saga fouvale i au tetele, ma ua tau i maa ma laau ma mea uma ua mafai ona latou fetagofi i ai o latou lima, ua iu ina matou fasia le toalua afe ma ona tupu o i latou ina ua uma ona latou ifo mai faatagataotaua.

15. O le mea lea sa ao ai ia te i matou ona matou faaiu o latou ola, ma momoli atu i latou, o leoleoina i le pelu, e oo lava i le nuu o Sara'emila. Ma le tasi foi, e ui lava i ia mea na matou ave ese ai sa Lamanā, ua le tele anoanoai a matou mea e 'ai mō matou lava tagata.

16. O lenei foi, ona o na mea faigata, ua faigata lava ona fai se tonu i ia tagata o taua. E ui i lea, na matou fai le tonu e momoli atu i latou i le nuu o Sara'emila; o lea na matou filifilia ai se vaega ō matou tagata, ma ua tuu atu ia te i latou le pule i a matou tagata o taua, e o ifo ai i le aai o Sara'emila.

17. A e peitai, ua oo i le taeao ina foi mai i latou. O lenei foi, na matou le fesili atu ia te i latou e uiga i tagata o taua, auā faauta, ua oo mai sa Lamanā ia te i matou, ma ua taigalemu mai i latou e faasaoina i matou ai o latou lima. Auā faauta, ua au mai e Amorona ni mea e 'ai e tausi a'i i latou, atoa ma le au o tagata e matua toatele.

18. Ua oo foi ina taigalemu mai na tagata o e na matou aauina atu ma tagata o taua, e tetee

atu ia te i latou ina a latou manumalo mai ia te i matou.

19. A e peitai, faauta, na tau matua malosi lava la'u au itiiti, o le toalua afe ma le onosefulu, e moni, na latou tutū mausali i luma o sa Lamanā, ma ua faaoo atu le oti ia te i latou uma o e na finau mai ia te i latou.

20. Ina a tuumuli foi la matou itutaua i luma o sa Lamanā, faauta, ua mausali ma ua le matata'u i latou e toalua afe ma le onosefulu.

21. Ioe, ua latou usiusitai, ma ua anaana ma le sa'o i poloaiga uma; ioe, ma ua faia ia te i latou e tusa ma lo latou faatuatua. Na ou manatua foi upu na latou fai mai ia te au ua a'oa'oina i latou e o latou tinā.

22. O lenei foi, faauta, o i latou na, o o'u atalii ma i latou na filifilia e momoli atu ai tagata o taua, o i latou ia na ala mai ai lenei manumalo tele; auā o i latou na fafasi sa Lamanā, o lea ua tulia ai i latou i le aai o Maneti.

23. Ma ua matou taofia lo tatou aai o Kumenae, ma ua le faaumatia i matou uma i le pelu, e ui lava i lea, ua tele lo matou fasi.

24. Ua oo ina ua sosola sa Lamanā, ua ou poloai atu loa ia aveeseina o'u tagata ua manunu'a ai e ua oti, ma ia fufusi o latou manu'a.

25. Ua i ai le toalua selau o lo'u lua afe ma le onosefulu na matapogia ona o le masaa o le toto, e ui i lea, e tusa ma le agalelei o le Atua, ua le oti se toatasi o i latou. Ua taufaiofo ai i matou, atoa ma ē ita i la matou au atoa, ioe, ua leai se tasi o i latou na le maua manu'a e tele.

26. O lenei foi, ua taufaiofo a matou au uma i lo latou faasaoina, ioe, auā ua faasaoina i latou, a ua fasia le toaafe ō matou uso. Matou te tuuina atu ai e pei ona tatau i le mana ofoofogia o le Atua, auā latou te faatuatua tele i le mea ua a'oa'oina ai i latou, e talitonu e i ai le Atua amiotonu, a e faasaoina i lona mana ofoofogia i latou o ē le masalosalo.

27. O lenei, o le faatuatua lava lea o i latou nei ua ou tautala atu ai; o tama muli i latou, ma ua mau o latou manatu, ma ua latou faalagolago e le aunoa i le Atua.

28. Ua oo ina ua uma ona matou tausia faapea o matou tagata manunu'a, ma ua tanumia o matou tagata oti, atoa ma tagata oti o sa Lamanā, ua toatele foi o i latou, faauta, ona matou fesili atu ai lea ia Kita i tagata o taua na latou amata ona momoli ifo i le nuu o Sare'emila.

29. O lenei, o Kita, o le ta'ita'i sili o ia i le au na tofia e leoleo ia te i latou e oo i le nuu.

30. O lenei foi, o upu ia na fai mai ai Kita ia te au: Faauta, na matou amata ona o ifo i le nuu o Sara'emila ma a tatou tagata o taua; ua oo foi ina matou fetaiai ma tagata matavao o la tatou itutaua, o e na aauina atu e vaavaai i le toagalauapi o sa Lamanā.

31. Ona latou alalaga mai ai lea ia te i matou, ua faapea mai: Faauta, o loo savavali atu au a sa Lamanā i le aai o Kumenae, faauta foi, latou te feosofi atu ia te i latou, ioe, latou te faaumatia foi lo tatou nuu.

32. Ma ua oo ina ua faalogo a tatou tagata o taua i a latou alaga, ua latou loto tele ai, ma ua latou fouvale mai ai ia te i matou.

33. Ua oo ina matou faaoo atu a matou pelu ia te i latou ona o lo latou fouvale. Ua oo foi ina latou femo'ei mai faatasi i a ma-

tou pelu, ua fasia ai le toatele o i latou; a o ē totoe, na latou sofai ia te i matou, ma ua sosola ese ia te i matou.

34. Faauta, foi, ina ua sosola i latou, ma ua le mafai ona matou maua atu ia te i latou, ua matou savavali faavave mai i le aai o Kumenae, faauta foi, ua taigalemu mai i matou ina ia matou fesoasoani atu i o matou uso i le faasaoina o le aai.

35. Faauta foi, ua toe laveaiina i tatou ai lima o ē ita mai. Ia faamanuina le suafa o lo tatou Atua, auā faauta, o ia na laveaiina ai i tatou; ioe, o ia lava na faia lenei mea tele mo i tatou.

36. O lenei, o a'u o Helamana, ua oo ina ua ou faalogoina nei upu a Kita, ua faatumuina ai a'u i le olioli matua tele ona o le agalelei o le Atua i le faasaoina o i matou, ina ia le fano i matou uma; ioe, ma ua ou faamoemoe ua ulu atu i le malologa o lo latou Atua agaga o i latou o e ua fasia.

MATAUPU 58.

Ua faai'uina le tusi a Helamana—O faiga a sa Nifaē i luma o Maneti—O le fetaomi mai o sa Lamanā—Ua maua e Kita ma Teominea le aai—Ua tuumuli le fili.

1. O lenei foi, faauta, ua oo nei ina faapea lo matou manao, ia maua le aai o Maneti. A e peitai, faauta, ua leai se ala e mafai ai i matou ona ta'ita'i ese i latou ai le aai i a matou au faatauvaa; auā faauta ua latou manatua mea na matou faia i aso ua mavae; o lea foi na le mafai ai i matou ona ta'ita'i ese i latou ai o latou olo mau.

2. Ma ua faapea ona sili ona toatele i latou ai la matou au, ua fefefe ai i matou ona o atu ma feosofi atu ia te i latou i o latou olo mau.

3. Ioe, ua ao ina matou faaaogā o matou tagata e taofi na itu o le laueleele ua taofia e i matou; o le mea lea sa ao ai ina matou faatalitali ina ia matou maua atili le malosi atoa ma mea e 'ai mai le nuu o Sara'emila.

4. O lea ua oo ina ou aauina atu ai sāvali i le kovana o lo tatou nuu, e faailoa atu ia te ia le uiga o mea a lo tatou nuu. Ona oo ai lea ina matou faatali e maua mai mea e 'ai ma tagata mai le nuu o Sara'emila.

5. A e peitai, faauta, ua faaleaogā lenei mea ia te i matou, auā ua maua e sa Lamanā tagata e toatele, atoa ma mea e 'ai e tele i lea aso ma lea aso. Ma ua faapea ona i ai i matou i ia ona po.

6. Ua tauoso mai foi sa Lamanā ia te i matou i lea aso ma lea aso, ua mau o latou loto e faaumatia i matou i se togafiti. E ui i lea, ua le mafai i matou ona o atu i le taua ma i latou ona ō latou lafitaga, ma o latou olo mau.

7. Ma ua oo ina matou faatalitali i ia mea faigata i masina e tele, seia oo ina a oti i matou i le fia 'ai.

8. Ua oo foi ina matou maua ni mea e 'ai, ua molia mai ia te i matou e tagata e toalua afe, e fesoasoani mai ia te i matou. Ona pau lea foi o le fesoasoani ua matou maua e leoleo ai i matou ma lo matou nuu ina ia le malaia i lima o ē ita mai; ioe, e tau ai le taua ma le itutaua e le masino.

9. O lenei foi, ua matou le iloa le ala ō matou nei puapuaga, po o le mea ua latou le aauina mai ai nisi tagata ia te i matou. O le mea lea ua faanoanoa ai i matou, ma ua faatumuina ai i matou i le fefe, ina ne'i oo mai faamasinoga a le Atua i lo tatou

nuu, e iu i lo tatou faatoilaloina ma faafanoga atoatoa.

10. O le mea lea na faaali ae ai e i matou o matou agaga i le Atua i le tatalo, ina ia faamalosia i matou e ia ma laveai ia te i matou ai lima o ē ita ia te i tatou, ioe, ina ia foai mai ia te i matou le malosi ina ia matou taofia o matou aai, ma o matou fanua, ma a matou mea uma i le tausiga o lo tatou nuu.

11. Ioe, ua oo ina asiasi mai le Alii lo tatou Atua ia te i matou, ua mautinoa ai i matou na te laveaiina i matou. Ioe, ua iu ina fetalai mai, ua filemu ai o matou agaga, ma ua foai mai le faatuatua tele ia te i matou, ua matou faamoemoe ai e laveaiina i matou e ia.

12. Ua matou lototetele i le au itiiti na matou maua, ma ua mau o matou loto e manumalo i ē ita mai, ma taofi o matou fanua, ma a matou mea uma, ma a matou avā, ma a matou fanau, ma le galuega a la tatou saolotoga.

13. Ua faapea lava ona matou o atu ma lo matou malosi atoa i sa Lamanā o e na i le aai o Maneti; ma ua matou faatuina o matou fale ie i tafatafa o le vao, e latalata ane i le aai.

14. Ua oo i le taeao, ina ua iloa e sa Lamanā ua i ai i matou i tuaoi e latalata i le vao ua latalata ane i le aai, ua latou aauina mai o latou tagata matavao e fataamilo ia te i matou, ina ia latou iloa le aofai ma le malosi o la matou au.

15. Ma ua oo ina latou iloa ua lē malosi i matou i lo matou faitau aofai, ona ua matata'u foi ne'i matou vavaeseina i latou ai a latou mea e ola ai, pe afai latou te le o mai e tau ma i matou, ma fafasi i matou; ma le tasi foi, ona ua manatu ua faigofie ona latou faaumatia i matou i a latou au tetele, o le mea lea na amata ai ona latou sauniuni e o mai i le taua ma i matou.

16. Ina ua matou iloa ua sauniuni i latou e o mai ia te i matou i le taua, faauta, ua ou poloai atu ia Kita ia latou lalafi i le vao ma ni tagata e toaitiiti, ia lalafi foi i le vao Teominea ma ni tagata e toaitiiti.

17. O lenei foi, sa i ai Kita ma ona tagata i le itu taumatau, a ua i ai le isi au i le itu tauagavale. Ina ua faapea foi ona latou lalafi, faauta, ua ou nofo ma ē totoe o la'u au i lea lava mea na matou muai faatuina ai o matou fale ie e faatalitali ai seia o mai sa Lamanā i le taua.

18. Ua oo foi ina o mai sa Lamanā ma la latou au matuā tele ia te i matou. Ina ua latou o mai, ina a feosofi mai foi ia te i matou ma le pelu, ua ou poloai atu i o'u tagata o e ua faatasi ma a'u, ia tuumuli atu i le vao.

19. Ua oo foi ina tuliloa sa Lamanā ia te i matou ma le faataalise lava, auā ua latou fia maua mai ia te i matou, ina ia latou fafasi i matou. O le mea lea na latou tuliloa ai i matou i le vao. Na matou ui ane foi i le va o Kita ma Teominea, ua iu ina le iloa i latou e sa Lamanā.

20. Ua oo foi ina ua te'a atu sa Lamanā, ina ua te'a atu le au, ua tutulai loa Kita ma Teominea ai o laua lafitaga, ma ua vavae ese tagata matavao o sa Lamanā, ina ia latou le foi atu i le aai.

21. Ua oo foi ina ua latou vavaeeseina i latou, ua latou taufetuli atu i le aai, ma ua feosofi atu i leoleo na tuua e leoleo i le aai, ua iu ina fasia ai i latou ma ua maua le aai.

22. O lenei, ua faia lenei mea ona ua tuuina atu e sa Lamanā ia ta'ita'ieseina la latou au atoa

i le vao, a ua na o nai leoleo e toaitiiti ua faamuli.

23. Ua oo foi ina maua o latou olo mau e Kita ma Teominea i lenei togafiti. Ua oo foi ina ua matou savavali mamao atu i le vao, ua alu la matou malaga, ua agai atu i le nuu o Sara'emila.

24. Ina ua iloa foi e sā Lamanā ua matou agai atu i le nuu o Sara'emila ua matata'u ai i latou, ne'i ai se mailei ua faia e ta'ita'i atu ai i latou i le malaia, o le mea lea na amata ai ona latou toe tuumuli i le vao, ioe, ua foi atu i lea lava ala na latou o mai ai.

25. Faauta foi, ua po, ona latou faatuina ai lea o latou fale ie, auā ua manatu ta'ita'i au sili o sa Lamanā ua lailoa sa Nifaē ona o la latou malaga, ma ua manatu ua latou tuliloaina la latou itutaua atoa, o le mea lea na le popole ai latou ona o le aai o Maneti.

26. O lenei, ua oo ina ua po, ona ou poloai atu ai lea i o'u tagata, aua le momoe i latou, a ia latou savavail atu i le tasi ala e aga'i atu i le nuu o Maneti.

27. Ona o la matou malaga lenei i le pō, faauta, o le taeao ua i ai i matou i ona tala atu o Sā Lamanā, ua iu ina muamua atu i matou i le aai o Maneti.

28. Ua faapea ona oo ina matou maua le aai o Maneti i lenei togafiti, ua aunoa ma le faamasaaina o le toto.

29. Ma ua oo ina ua taunuu mai au a sa Lamanā latalata i le aai, ma ua vāai mai ua saunia i matou e tetee atu ia te i latou, ua matua taufaiofo i latou, ma ua taia i latou i le mata'u tele, ua iu ina latou sosola i le vao.

30. Ioe, ua oo foi ina sosola ese au a sa Lamanā ai lenei itu uma o le laueleele. A e peitai, faauta, ua latou aveeseina ma i latou fafine ma tamaiti e toatele ai le nuu.

31. O nei ona po foi, ua toe mau ai i matou i na aai uma na a'ea e sa Lamanā; o loo toe foi mai o matou tamā, ma o matou fafine, ma o matou tamaiti i o latou fale, o i latou uma, a e toe na o i latou o e ua avea faatagataotaua ma ua aveeseina e sa Lamanā.

32. A e peitai, faauta, ua ausage a matou au e taofi ai aai e tele, ma nei mea e tele.

33. A e faauta foi, matou te faalagolago i lo tatou Atua, o Le na foai mai ia te i matou le manumalo i na nuu, ua iu ina matou maua ai na aai ma na nuu, ō matou lava nuu.

34. O lenei, matou te le iloa le mea ua le tuuina mai ai e le malo nisi tagata ia te i matou, ua le iloa foi e na tagata o e na o mai ia te i matou le mea ua matou le maua ai nisi tagata.

35. Faauta, ua matou le iloa po ua le manuia outou, ma ua e aveina atu au i lena itu o le nuu; afai o lea, matou te le fia muimui.

36. A e peitai, afai ua le faapea, matou te masalo o i ai le fou i le malo, ua auina mai ai nisi tagata e fesoasoani mai ia te i matou, auā ua matou iloa ua sili ona toatele i latou ai e ua latou aauina mai.

37. A e peitai, faauta, e le afaina, e ui lava i le vaivai o a matou au, matou te faalagolago i le Atua e laveai ia te i matou, ioe, e laveai i matou ai lima o e ita ia te i tatou.

38. Faauta, o le taufaaiuga lenei o lona luasefulu ma le iva o tausaga, o loo mau foi i matou i o matou nuu, ma ua sosola atu sa Lamanā i le laueleele o Nifae.

39. A o na atalii o le nuu o Amona o e ua ou viia tele, ua

matou faatasi ma a'u i le aai o Maneti, ma ua fesoasoani le Atua ia te i latou, ioe, ma ua tausia ina ia le oti i le pelu, ua iu ina leai se toatasi ua fasia.

40. A e peitai, faauta, ua maua e i latou manu'a e tele, e ui lava i lea, ua tu mausali i latou i lena saolotoga ua tuusaunoa ai i latou e le Atua, ma ua filifiligā i latou e manatua le Alii lo latou Atua i lea aso ma lea aso, e moni, ua latou tausisi i le tausiga e le aunoa o ana tulafono, ma ana faamasinoga, ma ana poloaiga, ma ua malosi lo latou faatuatua i valoaga e uiga i mea e oo mai.

41. O lenei foi, lo'u uso pele e, Moronae, ia alofa le Alii lo tatou Atua, o Le na togiolaina i tatou ma ua tuusaunoa i tatou, ma tausi pea ia te oe i ona luma, ioe, ma ia faamanuiaina e ia lenei nuu, ina ia e manuia e toe maua mai mea uma ua aveeseina e sa Lamanā ia te i tatou, o mea e tausi a'i o tatou ola. O lenei foi, faauta, ou te faaiu la'u tusi. O a'u o Helamana, o le atalii o Alema.

MATAUPU 59.

Ua tusi atu Moronae ia Paorana, ua fesili atu mo se fesoasoani ia Helamana—Ua maua e sa Lamanā le aai o Nifaea—O le ita o Moronae ona ua le fesoasoani mai le Malo.

1. O lenei, ua oo i lona tolusefulu o tausaga o le nofoaiga a faamasino i le nuu o Nifae, ina ua maua ma faitauina e Moronae le tusi a Helamana, ua matua olioli lava o ia ona o le manuia, ioe, o le manuia tele o Helamana, ua ia maua mai ai na nuu sa faatoilaloina.

2. Ioe, ua ia faailoa atu ai i lona nuu i le laueleele uma o lena itu sa i ai o ia, ina ia olioli ai foi i latou.

3. Ma ua oo ina avatu loa e ia le tusi ia Pa'orana, o loo manao ia faapotopotoina e ia tagata e fesoasoani atu ia Helamana, po o au a Helamana, ina ia faigofie ia te ia ona taofia lena itu o le nuu sa manuia ai o ia i na mea mamana ina o leoleo ai.

4. Ua oo foi ina ua avatua e Moronae lenei tusi i le nuu o Sara'emila, ua ia te toe amata ona sauniuni se togafiti ina ia maua ai e ia na nuu ma aai ua totoe na aveeseina ia te i latou e sa Lamanā.

5. Ua oo foi ina o faapea ona sauniuni Moronae e alu atu i sa Lamanā i le taua, faauta, ua feosofi mai sa Lamanā i le nuu o Nifaea, i e na potopotoina mai mai le aai o Moronae, ma le aai o Liae, ma le aai o Morianetona.

6. Ioe, o i latou o e na sosola ai le nuu o Maneti, ma le laueleele uma i lena itu, ua o mai ma ua faatasi ma sa Lamanā i lena itu o le nuu.

7. Ona ua faapea ona matua toatele, o loo maua le malosi i lea aso ma lea aso, ona o le poloaiga a Amorona na latou o mai ai i le nuu o Nifaea, ma ua amata ona latou fafasi ia te i latou ma le fasi matua tele.

8. Ma ua faapea ona tetele a latou au, ua ao ai ina sosola i o latou luma o e ua totoe o le nuu o Nifaea, ma ua latou o mai ma ua faatasia ma le au a Moronae.

9. O lenei foi, sa faapea a Moronae ua aauina atu tagata i le aai o Nifaea e fesoasoani i le nuu e taofi lena aai, ma ua iloa ua faigofie ona tausi le aai ina ia le maua ai e sa Lamanā, a e faigata ona toe maua mai ai mai i latou, fa te ia e faigofie ona latou taofi pea lena aai.

10. O lea na ia taofi ai ana au

uma e tausi a'i ia mea ua toe maua mai e ia.

11. O lenei foi, ina ua iloa e Moronae ua a'ea le aai o Nifaea, ua matuā faanoanoa o ia, ma ua amata ona masalosalo pe le malaia i latou i lima ō latou uso, ona o le amioleaga a le nuu.

12. O lenei, ua faapea foi ma ana ta'ita'i sili uma lava. Ua masalosalo i latou ma ua taufaiofo ona o le amioleaga a le nuu, o lenei foi ona o le manumalo o sa Lamanā ia te i latou.

13. Ua oo foi ina ita Moronae ona o lo latou faatalale i le saolotoga o lo latou nuu.

MATAUPU 60.

O le tusi e lua a Moronae ia Pa'orana—Ua faatu'iese ona o le faatamala—Ua popoloa'i atu ia fesoasoani mai loa, a leai, e taui atu.

1. Ua oo foi ina toe tusi atu o ia i le kovana o le nuu, o Pa'orana lea. O upu foi nei na ia tusia, ua faapea atu: Faauta, ou te tusi atu la'u tusi ia Pa'orana, i le aai o Sara'emila, o ia foi o le faamasino sili ma le kovana i le nuu, a e maise foi ia te i latou uma o e ua filifilia e lenei nuu e pule ma faatatau mea a lenei taua.

2. Auā faauta, ua ia te au ni nai upu e fai atu ia te i latou e fai ma aoaiga; auā faauta, ua outou iloa lava sa tofia outou e faapotopoto faatasi tagata, ma tuu atu ia te i latou pelu, ma simetea, ma auupega uiga eseese o gaosiga eseese o le taua, ma aauina atu i latou e tau ma sa Lamanā i itu uma latou te o mai ai i lo tatou nuu.

3. O lenei foi, faauta, ou te fai atu ia te outou, ua tigaina a'u ma o'u tagata, atoa ma Helamana ma ona tagata i tiga matua tele; ioe, o le fia 'ai, ma le fia inu, ma le lailoa, ma puapuaga uiga eseese.

4. A e peitai, faauta, ana gata mai ai mea ua tigaina ai i matou, po ua le munamuna pe muimui i matou.

5. A e peitai, faauta, ua tele le fasi o lo tatou nuu; e moni, o afe e tele ua fasia i le pelu. A o lenei, ana outou tuuina mai i a matou au le malosi, ma le fesoasoani ia lava ia te i latou, po ua le faapea. E moni, ua tele lo outou faatamala ia te i matou.

6. O lenei foi, faauta, matou te fia iloa le mea na ala ai lenei faatamala tele; ioe, matou te fia iloa le ala o lo outou le mafaufau.

7. Pe tou te manatu ea tou te mafai ona nonofo i o outou nofoaālii ma le tautulemoe o le mafaufau, manu o loo faasalalau solo le galuega o le oti e i latou o ē ita ia te outou, a o fafasi e i latou afe e tele ō outou uso?

8. Ioe, o i latou o e na faalagolago ia te outou ina ia leoleoina; ioe, o i latou o e na faaeaina outou i le tofiga ua mafai ai outou ona tausia i latou, ioe, ua mafai ai outou ona aauina mai au ia te i latou, e faamalosi a'i i latou, ma faasaoina afe e tele o i latou ai le oti i le pelu.

9. A e peitai, faauta, e le gata i lea, a ua outou taofia a outou mea e 'ai mai ia te i latou, ua iu ina tau ai nisi e toatele, ma ua maligi o latou ola ona ō latou manao tele i le manuia o lenei nuu; ioe, ua latou faia lenei mea ina a fano i latou i le fia 'ai, ona o lo outou faatamala tele ia te i latou.

10. O lenei foi, o'u uso pele e, (auā e tatau ona alofagia outou,) ioe, sa tatau ona outou faamalosi atili ai ia te outou i le filiga i le manuia ma le saolotoga o lenei

nuu. A e peitai, faauta, ua outou tuulafoaiina i latou. E iu ina tauia le toto o afe e tele i o outou ulu, auā ua silafia e le Atua a latou tagi uma ma o latou tiga uma.

11. Faauta, fa te outou ea tou te mafaia ona nonofo i o outou nofoaāli'i, ona o le agalelei tele o le Atua, tou te le faia se mea e tasi, a e laveai o ia ia te outou? Faauta, afai ua faapea a outou, ua outou faapeafua.

12. Pe tou te manatu ea, ona ua fasia o outou uso nei e toatele, ua ala ai i latou amioleaga? Ou te fai atu ia te outou, afai ua faapea a outou, ua outou faapea fua lava. Auā ou te fai atu ia te outou, ua toatele e ua oti i le pelu, a e faauta, ua ta'usalaina ai outou.

13. Auā ua tuuina atu e le Atua ia fasia ē amiotonu, ina ia oo lana faamasinoga tonu i ē amioleaga; o le mea lea e le aoga ai ona outou manatu ua malaia o ē amiotonu ona ua fasia i latou. A e faauta, ua latou ulu atu i le malologa o le Alii lo latou Atua.

14. O lenei foi, faauta, ou te fai atu ia te outou, ou te fefe, ne'i oo mai faamasinoga a le Atua i lenei nuu, ona o lo latou paie tele, ioe, ona o le paie o lo tatou malo, ma lo latou tuulafoai ō latou uso, ioe, o i latou o e ua fasia.

15. Auā ana le se anoa le amioleaga na amata muamua lava i o tatou ta'ita'i, po ua mafaia ona tatou teena o ē ita ia te i tatou, ina ia le mafai ona latou maua sina pule itiiti lava ia te i tatou.

16. E moni, ana le se anoa le taua na tupu ia te i tatou, e moni, ana le se anoa ia tagata tupu, o e na ala ai le faamasaateleina o le toto ia te i tatou, ioe, i ona po ia na tatou fefinauai ai, o i tatou lava; ana tatou faamapoopo lo tatou malosi, e pei ona tatou faia i aso ua mavae, ioe, ana le se anoa le manao o na tagata tupu i le fiamamalu ma le fiapule ia te i tatou; ana faamaoni i latou i le galuega o le saolotoga, ma au faatasi ma i tatou, ma o atu e tau ma ē ita ia te i tatou, a e le fetagofi i a latou pelu e tau ai ma i tatou, na ala ai le faamaligiteleina o le toto ia te i tatou, e moni, ana tatou o atu ia te i latou i le malosi mai le Atua, po ua tatou faataapeapeina solo ē ita mai ia te i tatou; auā, po ua faia e tusa ma le faataunuuina o lana afioga.

17. A e peitai, faauta, o loo o mai nei sa Lamanā ia te i tatou, ua latou fafasi foi lo tatou nuu i le pelu, ioe, ō tatou fafine ma o tatou tamaiti, ma ua ave i latou faatagataotaua. Ua faatiga ia te i latou i puapuaga uiga eseese. Ua ave foi mo latou lo tatou nuu. Ua oo mai foi nei mea uma ona o le amioleaga o i latou o e ua fiamamalu ma e ua fiapule, ioe, o na tagata tupu ia.

18. A e peitai, e le aoga ona ou faateleina upu i lenei mea, auā matou te le iloa po ua le fiapule foi outou. Matou te le iloa pe le ni tagata faalata outou i lo tatou nuu.

19. Po o le mea lenei ea ua outou tuulafoaiina ai i matou, ona ua i ai outou i le ogātotonu o lo tatou nuu, ma ua siosiomia outou i le mamalu, ua outou le aumai ai ni mea e 'ai ia te i matou, po o tagata e faamalosi a'i a matou au?

20. Po ua galo ea ia te outou poloaiga a le Alii lo outou Atua? Ioe, po ua galo ea ia te outou le faapologaina ō tatou tamā? Po ua galo ea ia te outou atulasi

ona laveaiina i tatou ai lima o ē
ita mai ia te i tatou?
21. Po o lenei, pe tou te mana-
tu e laveaiina pea i tatou e le
Atua, a o nonofo i tatou i o tatou
nofoaālii, a e le faaaoga le ma-
losi ua foaiina mai ia te i tatou
e le Atua?
22. Pe tou te nonofo ma le
paie, a e vagavagaia outou i afe
e tele ma mano o i latou o e ua
nonofo foi ma le paie, a o loo
fasia solo i le pelu afe e tele o
tagata i tuaoi o le nuu, ioe, ua
manunu'a ma ua tafe lo latou
toto?
23. Pe tou te manatu e mamā
outou i le silafiga a le Atua, a e
nonofo filemu outou ma vaavaai
atu i nei mea? Faauta, ou te fai
atu ia te outou, e leai. O lenei,
ou te loto ina ia manatua e ou-
tou, ua fetalai mai le Atua: Ia
muai faamamā le totonu o le ipu,
ona mamā ai lea atoa ma le tua.
24. O lenei, afai tou te le sala-
mo i na mea ua outou faia, ma
tutulai ma faamalolosi, ma tuui-
na mai mea e 'ai atoa ma tagata
ia te i matou atoa ma Helamana,
ina ia tausi ai e ia na itu o lo
tatou nuu ua taofia e ia, ina ia
tatou toe maua mai foi a tatou
mea ua toe i lenei itu, faauta,
e ao ina matou le toe tau ma sa
Lamanā, seia muamua ona matou
faamamāina le totonu o lo tatou
ipu, ioe, o le autu lea o lo tatou
malo.
25. Afai foi tou te le talia la'u
tusi, ma o mai ma faaali mai ia
te au le loto faamaoni i le saolo-
toga, ma taumafai ona faama-
losi ma faalototele a tatou au,
ma tuu mai mea e 'ai ia te i la-
tou e tausi a'i o latou ola, faauta,
ou te tuua le tasi vaega o o'u
tagata saoloto e toafi lenei itu o
lo tatou nuu, ou te tuuina atu
foi ia te i latou le malosi ma le
manuia mai le Atua, ina ia le
mafai se tasi malo ona finau mai
ia te i latou.
26. O lenei foi ona o lo latou
faatuatua matua tele, ma lo la-
tou onosai i o latou puapuaga.
27. Ou te alu atu foi ia te ou-
tou, afai foi ua ia te outou nisi
ua loto pea i le saolotoga, ioe,
afai ua toe se aloiafi o le saolo-
toga, faauta, ou te faatupuina
fouvalega ia te outou, seia faau-
matia i latou uma o ē fiamamalu
ma ē fiapule.
28. Ioe, faauta, ou te le poipoi
i lo outou mamalu, po o la outou
pule. A o lo'u Atua ua ou mata'u
ai, e tusa foi ma ana poloaiga ua
ou tago ai i la'u pelu e faasaoina
ai lo'u nuu. Ona o la outou amio-
letonu foi ua tigaina ai i matou
i nei malaia tetele.
29. Faauta, ua oo mai le aso,
e moni, ua oo mai nei lava, afai
tou te le faamalolosi ina ia faa-
saoina lo outou nuu ma o outou
tamaiti, ua tautau ifo le pelu a
le faamasinoga i o outou luga;
ioe, e paū ifo ai foi ia te outou,
ma faaoo atu ia te outou le faa-
fanoga atoatoa.
30. Faauta, ua ou faatalitali
nei i le fesoasoani mai ia te
outou, sei iloga tou te tausia mai
ina ia laveaiina i matou, faauta,
ou te alu atu ia te outou, e oo lava
i le nuu o Sara'emila. Ou te fa-
sia foi outou i le pelu, seia le toe
ai le malosi ia te outou e faa-
lavelaveina le alualu i luma o le-
nei nuu i le galuega o le saolo-
toga.
31. Auā faauta, e le tuu atu e
le Atua, ia ola ma manuia outou
i la outou amioletonu e faauma-
tia ai ona tagata amiotonu.
32. Faauta, pe mafaia ea outou
ona manatu e faaolaina outou e
le Atua, a e afio atu o ia i le
faamasinoga i sa Lamanā, manū
ua ala mai lo latou ita i uputuu
a o latou tamā, ioe, ma ua faa-

teleina e i latou o e ua vavaeeseina ia te i tatou; a o la outou amioletonu ua ala mai i lo outou manao i le viiga ma mea le aogā a le lalolagi?

33. Tou te iloa ua outou solia tulafono a le Atua, tou te iloa foi, ua outou soli ai i lalo ō outou vae. Faauta, ua fetalai mai le Atua ia te au: Afai e le salamo i a latou agasala ma a latou amioletonu i latou o e ua outou tofia e fai mo outou kovana, tou te o atu e tau ma i latou.

34. O lenei foi, faauta, o a'u o Moronae, ua pulunaunauina, e tusa ma le feagaiga ua ou osia e tausi i poloaiga a lo'u Atua, o le mea lea ou te loto ai ina ia piimau outou i le afioga a le Atua, ma ia vave ona aumai ia te au, atoa ma Helamana, ni a outou mea e 'ai atoa ma o outou tagata.

35. Faauta foi, afai tou te le faia lenei mea, ou te vave atu ia te outou, auā faauta, e le tuu mai e le Atua ia fano i matou i le fia 'ai; o le mea lea na te foai mai ai ni a outou mea e 'ai ia te i matou, pe afai lava e ao ina faia i le pelu. O lenei, ia outou faataunuuina le afioga a le Atua.

36. Faauta, o a'u o Moronae, o lo outou ta'ita'i sili. Ou te le saili le mamalu, a e peitai, ia soloia i lalo. Ou te le saili le viiga a le lalolagi, a o viiga o lo'u Atua, ma le saolotoga ma le manuia o lo'u nuu. E faapea ona ou faaiu la'u tusi.

MATAUPU 61.

O le tali fa'atoa mai a Pa'orana—Ua ta'utino mai e ia lona le sala atoa ma le le sala o tagata—sa'oloto—Ua faaletonu le tulaga o le malo sa Nifaē—O le faatagi a le Kovana mo se 'au tau ia fesoasoani e fafasi i ē fouvale.

1. O lenei, faauta, ua oo ina ua avatu e Moronae lana tusi i le kovana sili, ua le pine ona maua e ia le tusi mai ia Pa'orana, le kovana sili. O upu nei na ia maua:

2. O a'u o Pa'orana, o le kovana sili o lenei nuu. Ou te avatu nei upu ia Moronae, o le ta'ita'i sili o le itutaua. Faauta, ou te fai atu ia te oe, Moronae e, ua ou le fiafia i o outou pupuaga tetele, e moni, ua faanoanoa ai lo'u agaga.

3. A e peitai, faauta, o i ai nisi ua latou olioli i o outou puapuaga, ioe, ua iu ina latou fouvale mai ia te au, atoa ma tagata saoloto o lo'u nuu, ioe, ma ua matua toatele i latou o e ua fouvale.

4. O i latou na ua taumafai ona fao le nofoa faamasino nai ia te au, ua ala mai ai lenei amioletonu tele; auā ua latou fai upu faaviivii e tele, ma ua ta'ita'iseina e i latou loto o tagata e toatele, e tupu mai ai le puapuaga faigata ia te i tatou. Ua taofia e i latou a matou mea e 'ai, ma ua faamata'uina o matou tagata saoloto, ua latou le o atu ai ia te outou.

5. Faauta, ua latou tulia a'u i o latou luma, ma ua ou sola i le nuu o Kiteona faatasi ma tagata uma ua mafai ona ou maua.

6. Faauta, ua ou faia le talaiga i lenei itu uma o le nuu; faauta foi, o loo lolofi mai i latou ia te i matou i aso fai soo ma la latou auupega, ina ia faasaoina lo latou nuu ma la latou saolotoga, ina ia taui atu i mea ua faaleagaina ai i tatou.

7. Ua latou o mai foi ia te i matou, ua iu ina lu'ia ai i latou o e ua fouvale ia te i matou, ioe,

ua iu ina matata'u i latou ia te i matou, ma ua fefefe e o mai i le taua ia te i matou.

8. Ua mau i latou i le nuu, o le aai lava o Sara'emila; ua latou tofia le tupu ia te i latou, ma ua tusi atu o ia i le tupu o sa Lamanā, ua la fai ai le sootaga ma ia. Ua fai atu foi o ia i lena sootaga, na te taofia le aai o Sara'emila. Ona o lea taofiga ua manatu ai o ia e mafai ona manumalo sa Lamanā i le nuu ua totoe, ona tofia ai lea o ia e fai ma tupu i lenei nuu, pe a uma ona faatoilaloina i latou e sa Lamanā.

9. O lenei foi, ua e aoai mai ia te au i lau tusi. A e peitai, e le afaina, ua ou le ita ai, a ua ou fiafia i lou lototele. O a'u o Pa'orana, ua ou le saili le mamalu, tau ina ou taofia lo'u nofoa faamasino, ina ia ou faasaoina ai le pule ma le saolotoga o lo'u nuu. Ua tumausali lo'u agaga i lena saolotoga ua tuusaunoa ai i tatou e le Atua.

10. O lenei foi, faauta, tatou te tetee atu i le amioleaga e oo i le faamasaaina o le toto. Ana nonofo pea sa Lamanā i lo latou lava nuu, po ua tatou le faamasaaina lo latou toto.

11. Ana latou le fouvale ma sii le pelu ia te i tatou, po ua tatou le faamasaaina le toto ō tatou uso.

12. Ana tatau i le amiotonu a le Atua, po ua tatou tuuina atu i tatou i le amo o le pologa, ana poloai mai ai foi o ia ia te i tatou.

13. A e peitai, faauta, e lei poloai mai o ia ia te i tatou ia tatou tuuina atu i tatou i ē ita mai ia te i tatou, a ia tatou faalagolago ia te ia, ona laveaiina ai lea i tatou e ia.

14. O lenei, lo'u uso pele e, Moronae, sei tatou tetee atu i le leaga. O mea leaga uma e le mafai ona tatou teena i a tatou upu, e pei o fouvalega ma fevaevaeaiga, sei tatou tetee atu ai i a tatou pelu, ina ia tatou taofia pea la tatou saolotoga, ina ia tatou olioli i le saolotoga tele a la tatou ekalesia, ma le galuega a lo tatou Togiola ma lo tatou Atua.

15. O le mea lea ia e faavave mai ai ia te au ma ni ou tagata e toaitiiti, a e tuu atu oē totoe ia Liae ma Teanekuma. Ia e tuuina atu ia te i laua le pule e tau ai le taua i lena itu o le nuu, e tusa ma le Agaga o le Atua, o le agaga foi lea o le saolotoga o loo i totonu o i laua.

16. Faauta, ua ou aveina atu ia te i latou nai mea e 'ai, ina ia le fano i latou seia mafai ona e maliu mai ia te au.

17. Ia faapotopotoina tagata uma e te mafaia i lau malaga mai iinei, ona tatou faavave atu ai lea i le malosi mai lo tatou Atua, e tusa ma le faatuatua ua ia te i tatou, e tau ai ma ia tagata vavaeese.

18. Tatou te maua le aai o Sara'emila, ina ia tatou maua ai mea e 'ai e avatu ia Liae ma Teanekuma. Ioe, tatou te o atu ia te i latou i le malosi mai le Atua, tatou te faaiuina lenei amioletonu tele.

19. O lenei foi, Moronae e, ua ou fiafia ina ua ou maua lau tusi, auā sa ou atuatuvale i mea e tatau ona tatou faia, pe tatau ona tatou o atu e tau ma o tatou uso.

20. A e peitai, ua e fai mai ua fetalai mai le Atua ia te oe, sei iloga latou te salamo, e te alu atu ia te i latou.

21. Ia e faamalosia lava Liae ma Teanekuma i la le Atua. Fai atu ia te i laua, aua le fefefe, auā e laveai le Atua ia te i laua, ioe, atoa ma i latou uma o ē tutumau i lena saolotoga ua tuusau-

noa ai i latou e le Atua. Ou te faaiuina la'u tusi i lo'u uso pele o Moronae.

MATAUPU 62.

O le savaliga a Moronae e fesoasoani ia Pa'orana — Ua toe maua mai le aai o Sara'emila mai ē fouvale—Ua 'a'auina atu le fesoasoani ia Helamana ma Liae atoa ma Teanekuma—Ua matuā faamalosia sa Lamanā i le nuu o Moronae—Ua fasiotia e Teanekuma Amoroma, ae ua aveesea lona lava ola—Ua tulia sa Lamanā ai le nuu.

1. O lenei, ua oo ina ua maua lenei tusi e Moronae, ua ia lototele ai, ma ua faatumuina lona loto i le olioli, matua tele ona o le faamaoni o Pa'orana, auā ua le se tagata faalata o ia i le saolotoga o lona nuu.

2. A e peitai, ua faanoanoa tele o ia ona o le amioletonu a i latou o e na tulieseina Pa'orana ai le nofoa faamasino, ioe, ma ua faapea ona o i latou o e ua fouvale i lo latou nuu atoa ma lo latou Atua.

3. Ua oo foi ina ave e Moronae nisi tagata e toaitiiti, e tusa ma le manao o Pa'orana, ma ua tuu atu ia Liae ma Teanekuma le pule i ē totoe o lana au, ma ua alu lana malaga e aga'i atu i le nuu o Kiteona.

4. Na ia sisi foi le tagavai o le saolotoga i nuu uma na ia ui ane i ai, ma ua maua tagata uma ua mafaia i lana malaga atoa e aga'i atu i le nuu o Kiteona.

5. Ua oo foi ina lolofi taitoaafe mai tagata i lana tagavai, ma ua fetagofi i a latou pelu e leoleo ai lo latou saolotoga, ina ia le faapologaina i latou.

6. Ma ua faapea, ina ua faapotopotoina e Moronae tagata uma ua mafaia i lana malaga uma, ua taunuu mai o ia i le nuu o Kiteona, ma ua tuu faatasi ana au ma au a Pa'orana, ona matua malosi ai lea i latou, ua sili ona toatele ai lo tagata o Pakusa, o le ua fai ma tupu i na tagata vavae, o e na tulieseina tagata saoloto ai le nuu o Sara'emila, ma ua ave mo latou le nuu.

7. Ua oo foi ina o ifo Moronae ma Pa'orana ma a laua au i le nuu o Sara'emila, ma ua o atu i le aai ma faafetaiai tagata o Pakusa, ma ua iu ina latou tau le taua.

8. Faauta foi, ua fasia Pakusa, ma ua avea ona tagata faatagataotaua. Ua toe faatuina foi Pa'orana i lona nofoa faamasino.

9. Ua faamasinoina foi tagata o Pakusa e tusa ma le tulafono; ua faapea foi ma na tagata tupu, o e na pueina ma lafoina i le falepuipui, ma ua fasiotia i latou e tusa ma le tulafono. Ioe, ua fasiotia na tagata o Pakusa ma tagata tupu, o e ua le mafafai ona fai auupega i le leoleoina o lo latou nuu, a ua fia tau i ai.

10. Ma ua faapea ona ao ai ina matua faaaoga lena tulafono, ina ia saogalemu ai lo latou nuu, ioe, ai se tasi ua maua o loo faafitia lo latou saolotoga, ua fasiotia o ia, ua vave lava, e tusa ma le tulafono.

11. Ua faapea foi ona iu lona tolusefulu o tausaga o le nofoaiga a faamasino i le nuu o Nifae; ua toe faatuina e Moronae ma Pa'orana le filemu i le nuu o Saraemila, i lo latou lava nuu, ma ua fasia i latou uma o e na le faamaoni i le galuega o lo latou saolotoga.

12. Ua oo foi i le amataga o lona tolusefulu ma le tasi o tausaga o le nofoaiga a faamasino i

le nuu o Nifae ina tuu atu loa e Moronae o mea e ‘ai, atoa ma le au o tagata e toaono afe ia Helamana, e fesoasoani ia te ia i le faasaoina o lena itu o le nuu.

13. Na ia auina atu le au o tagata e toaono afe atoa ma mea e ‘ai e tusa ai i au a Liae ma Teanekuma. Ua oo foi ina faia lenei mea e faamalosi a‘i le nuu e tetee atu i sa Lamanā.

14. Ua oo foi ina tuua e Moronae ma Pa‘orana le tasi au tele i le nuu o Sara‘emila, ona alu ai lea la latou malaga ma le au e toatele e aga‘i atu i le nuu o Nifaea, ua mau foi o latou loto e manumalo i sa Lamanā i lena aai.

15. Ua oo foi ina o latou savavali atu i le nuu, ua latou pueolaina le ‘au tele e sa Lamanā, ma ua fasia nisi e toatele o i latou, ma ua avea a latou mea e ‘ai ma a latou auupega o le taua.

16. Ua oo foi ina ua latou pueina i latou, ua tuuina atu ia latou osia le feagaiga, e le toe fai a latou auupega o le taua e tau ma sa Nifaē.

17. Ina ua latou osia lenei feagaiga, ua aauina atu i latou e nonofo faatasi ma le nuu o Amona. O lo latou faitau aofai, pe toafa afe o e ua le fasia.

18. Ua oo ina ua latou aauina atu i latou, ua latou o atu i la latou malaga e aga‘i atu i le nuu o Nifaea. Ua oo foi ina ua latou taunuu atu i le aai o Nifaea, ua latou faatuina o latou fale ie i le laueleele laugatasi o Nifaea, e latalata atu i le aai o Nifaea.

19. O lenei, o le manao o Moronae, ia o mai sa Lamanā i le laueleele laugatasi e tau ai le taua ma i latou. A e peitai, ua iloa e sa Lamanā lo latou lototele, ua iloa foi le toatele o lo latou faitau aofai, o le mea lea ua fefefe ai i latou e o mai ia te i latou. O le mea lea ua le fai ai se taua i lena aso.

20. Ua oo i le po, ona alu atu ai lea o Moronae i le pogisa o le po, ma ua alu ae i luga o le aupa e tilotilofai, po o le fea itu o le aai ua to lauapi ai sa Lamanā ma la latou au.

21. Ua oo foi ina i ai i latou i le itu i sasae, e latalata ane i le faitotoa, ma ua momoe i latou uma. O lenei, ua foi mai Moronae i lana au, ma ua poloai atu ia te i latou, ia vave ona sauniuni ni maea malolosi ma apefai, e tautau ifo ai i le tumutumu o le aupa, i le itu i totonu o le aupa.

22. Ua oo foi ina poloai atu Moronae i ona tagata, ia savavali atu ma ae i luga o le aupa, ma ia latou tuutuu ifo i latou i lena itu o le aai, ioe, i le itu i sisifo i le mea ua le to lauapi ai sa Lamanā ma a latou au.

23. Ua oo ina tuutuuina ifo i latou uma i a latou maea malolosi ma a latou apefai i totonu o le aai i le po. Ua faapea ina ua malama ae le taeao, ua i ai i latou uma i totonu o aupa o le aai.

24. O lenei foi, ina ua ala mai sa Lamanā, ina ua iloa foi ua i ai au a Moronae i totonu o le aai, ua matua matata‘u ai lava i latou, ua iu ina latou sosola atu i le faitotoa.

25. O lenei foi, ina ua iloa e Moronae o loo sosola i latou i ona luma, ua ia poloai atu i ona tagata, ia savavali atu ia te i latou; ma ua fasia nisi e toatele. Ua siosiomia foi nisi e toatele, ma ua avea i latou faatagataotaua; a ua sosola o e ua totoe i le nuu o Moronae, ua tuaoi i le sami.

26. Ua faapea ona maua e Moronae ma Pa‘orana le aai o Nifaea, a ua le fasiotia se tagata

e toatasi, a ua toatele sa Lamanā
ua fasia.
27. O lenei, ua oo ina mananao
e tagata o taua e toatele o sa
Lamanā ona faatasi ma le nuu o
Amona, ma ia fai ma tagata
saoloto.
28. Ua oo foi ina tuuina atu ia
te i latou uma na mananao i ai
e tusa ma o latou manao.
29. O le mea lea na faatasia
ai tagata o taua uma o sa La-
manā ma le nuu o Amona. Ua
amata foi ona latou toaga i galu-
ega. Ua galulue i le fanua ma
ua totō saito uiga esese, ma ua
fai lafu ma fagaga o manu
eseese. Ma ua faapea ona avee-
seina ai sa Nifaē le avega matua
tele, ioe, ua iu ina le toe ai ia
te i latou ni tagata o taua o sa
Lamanā.
30. O lenei, ua oo ina ua aea
e Moronae le aai o Nifaea, ma
ua pueina faatagataotaua nisi e
toatele, ua matua faatoaitiitia ai
au a sa Lamanā, ma ua toe maua
mai sa Nifaē e toatele, o e na
avea faatagatoataua, ma ua ma-
tua faamalosia ai au a Moronae, o
le mea lea na alu atu ai Moronae
ai le nuu o Nifaea i le nuu o
Liae.
31. Ua oo foi ina ua iloa e sa
Lamanā o loo alu atu Moronae ia
te i latou, ua toe matata'u i la-
tou, ma ua sosola i luma o le
au a Moronae.
32. Ua oo foi ina tuliloa Moro-
nae ma lana au ia te i latou ai
lea aai i lea aai, ua iu ina faafe-
taiaiina i latou e Liae ma Teane-
kuma, ma ua sosola sa Lamanā
ai Liae ma Teanekuma, e oo i le
itunuu latalata i le matafaga, ina
seia oo atu i latou i le nuu o
Moronae.
33. Ua faapotopotoina faatasi
au uma a sa Lamanā, ua iu ina
avea ma au e tasi le nuu o Moro-
nae. O lenei, ua faatasi ma i la-
tou Amorona, le tupu o sa La-
manā.
34. Ua oo foi ina to lauapi
faataamilo Moronae, ma Liae, ma
Teanekuma ma a latou au i tuaoi
o le nuu o Moronae, ua iu ina
siosiomia sa Lamanā i tuaoi e
latalata i le vao i le itu i toga,
ma tuaoi e latalata i le vao i le
itu i sasae.
35. Ua faapea ona latou to
lauapi i le po, auā faauta, ua
lailoa sa Nifaē atoa ma sa La-
manā ona o le mamao o le saveli-
ga. O le mea lea na latou le
manatu ai i se togafiti i lea po, a
e na o Teanekuma, auā ua ita
tele o ia ia Amorona; auā ua
manatu o ia, o Amorona ma lona
uso, o Amalekia, na ala ai lenei
taua tele ma le umi ia te i latou
ma sa Lamanā, ua ala mai ai taua
e tele ma le faamasaaina o le
toto, ioe, atoa ma oge e tele.
36. Ua iu ina alu atu Teane-
kuma i lona ita i le toagalauapi
o sa Lamanā, ma ua tuutuu ifo
o ia e ia i le aupa o le aai. Ua
alu atu foi o ia ma le maea i lea
mea ma lea mea, ua iu ina maua
e ia le tupu. Ona velo atu ai lea
le tao ia te ia, ua tutu'ia ai o ia
latalata i le fatu. A e peitai, faa-
uta, a o lei oti o ia, na ia fagua
lana auauna, ua iu ina latou
tuliloa ia Teanekuma ma fasia o
ia.
37. O lenei, ua oo ina ua iloa
e Liae ma Moronae ua oti Teane-
kuma, ua matua faanoanoa lava i
laua, auā fauta, o ia o le tagata
na tau malosi mo lona nuu, ioe,
o le uō faamaoni o le saolotoga;
na onosai foi o ia i puapuaga
faigata matua tele. A e peitai,
faauta, ua oti o ia, ma alu i le
ala o le lalolagi uma.
38. O lenei, ua oo i le taeao, ona
alu atu ai lea o Moronae, ma ua
oso atu i sa Lamanā, ua iu ina
latou fasia i latou ma le fasi tele.

Ua latou tulieseina i latou ai le nuu. Ma ua latou sosola, ua le toe foi mai lava e tau ma sa Nifaē i na ona aso.
39. Ua faapea foi ona iu lona tolusefulu ma le tasi o tausaga o le nofoaiga a faamasino i le nuu o Nifae. Ua faapea ona ia te i latou taua, ma le faamasaaina o le toto, ma oge, ma puapuaga i tausaga e tele.
40. Sa i ai foi le fasioti tagata, ma fefinauaiga, ma fevaevaeaiga, ma le amioletonu uiga eseese i le nuu o Nifae. A ui i lea, ona o ē amiotonu, e moni, ona o talosaga a ē amiotonu na faasaoina ai i latou.
41. A e peitai, faauta, ona o le taua o sa Nifaē ma sa Lamanā, ua faamaaaina nisi e toatele ona o le taua ina matua umi, ma ua faamaluluina nisi e toatele ona ō latou puapuaga, ua iu ina latou faamaulaloina i latou i luma o le Atua, ua iu ina matua faamulalo lava.
42. Ua oo ina ua faia olo e Moronae i lena itu o le nuu ua tupito latalata atu i sa Lamanā ina seia lava lo latou malosi, ua toe foi mai o ia i le aai o Sara'emila. Ma ua toe foi atu Helamana i lona tofi, ma ua toe faatuina le filemu i le nu uo Nifae.
43. Ua tuu atu e Moronae le pule i ana au i lona atalii ua igoa ia Moronaea, ua nofo foi o ia i lona lava aiga, ina ia mavae atu i le filemu ona aso ua totoe.
44. Ma ua toe foi atu Pa'orana i lona nofoa faamasino. A o Helamana, ua toe ave i ona luga e tala'i atu le afioga a le Atua i le nuu; auā ona o nei taua ma fefinauaiga e tele, ua ao ai ina toe faatonuina le ekalesia.
45. O le mea lea na o atu ai Helamana ma ona uso, ma ua tala'i atu le afioga a le Atua ma le malosi tele, ua faamautinoa atu i tagata e toatele la latou amioleaga, ua ala ai ina latou salamo i a latou agasala, ma ua papatisoina mo le Alii lo latou Atua.
46. Ua oo foi ina toe faatuina e i latou le ekalesia a le Atua i le nuu uma lava.
47. Ioe, ma ua faia faatonuga i le tulafono. Ma ua filifilia o latou faamasino ma o latou faamasino sili.
48. Ua amata foi ona toe faamanuiaina le nuu o sa Nifaē i le laueleele, ma ua amata ona uluola ma toe tupu malosi tele i le nuu. Ua amata foi ona matua mauoa tele i latou.
49. A e peitai, e ui lava i lo latou oa, ma lo latou malosi, ma lo latou manuia, ua le faafefeteina ai i latou i le faamaualuga i la latou lava vaai pe faagesegese i latou e manatua le Alii lo latou Atua; a ua latou matua faamaulaloina i latou lava i ona luma.
50. Ioe, ua latou manatua mea tetele na faia e le Atua mo i latou, na ia laveaiina i latou ai le oti ma noanoaga, ma le falepuipuifi ma puapuaga uiga eseese. Na ia laveaiina i latou ai lima o ē ita ia te i latou.
51. Ua latou tatalo e le aunoa i le Alii lo latou Atua, ua iu ina faamanuiaina i latou e le Atua, e tusa ma lana fetalaiga. Ua faapea ona tupu malosi i latou, ma ua manuia i le laueleele.
52. Ua oo foi ina faia nei mea uma—na maliu foi Helamana i lona tolusefulu ma le lima o tausaga o le nofoaiga a faamasino i le nuu o Nifae.

MATAUPU 63.

Ua sui tulaga Sepulona ia Helamana—O le maliu o Moronae —O Hakota, o le tagata fau vaa —O folauga a sa Nifae i le lau'ele'ele i le itu i matu—Ua tausia papatusi e Helamana, le atalii o Helamana—Ua faato'ilalo e Moronaea sa Lamanā—O le faai'uga o le tala a Alema.

1. Ua oo foi i le amataga o lona tolusefulu ma le ono o tausaga o le nofoaiga a faamasino i le nuu o Nifae, ona ave ai lea e Sepulona na mea paia na tuuina mai ia Helamana e Alema.

2. O ia foi o le tagata amiotonu, na ia savali ma le amio sao i luma o le Atua, ma ua agalelei e le aunoa, ma ua tausi i poloaiga a le Alii lona Atua, ma ua faapea foi lona uso.

3. Ua oo foi ina maliu Moronae. Ua faapea foi ona iu lona tolusefulu ma le ono o tausaga o le nofoaiga a faamasino.

4. Ua oo foi i lona tolusefulu ma le fitu o tausaga o le nofoaiga faamasino, ona o ese ai lea ai le nuu o Sara'emila i le laueleele i le itu i matu, le motu o tagata e toatele, ua atoa ai le toalima afe ma le faselau le aofai, faatasi ma a latou avā ma a latou fanau.

5. Ua oo foi ina alu atu Hakota, auā o ia o le tagata uiga ese, o le mea lea na ia fau ai mo ia se folau matua tele i tuaoi o le nuu o Nuumau, e latalata i le nuu o Tuufua, ma ua toso ifo ai i le sami i sisifo, e latalata ane i le laueleele lauitiiti e tau atu i le laueleele i le itu i matu.

6. Faauta foi, ua toatele o sa Nifaē na o ae i ai, ma ua folau atu ma mea e 'ai e tele, atoa foi ma fafine ma tamaiti e toatele. Ua latou faasaga atu lo latou alāvaa i le itu i matu. Ma ua faapea ona iu lona tolusefulu ma le fitu o tausaga.

7. O lona tolusefulu ma le valu o tausaga na fau ai e lenei tagata nisi folau. Ua toe foi mai le vaa muamua, ma ua o ae i ai tagata e toatele. Ua latou ave foi mea e 'ai e tele, ma ua toe tuuvaa e aga'i atu i l nuu i le itu i matu.

8. Ma ua oo ina le toe logo mai se tala ia te i latou. Ua matou manatu foi ua malelemo i latou i mea loloto i le moana. Ma ua oo ina folau atu le tasi vaa, a e matou te le iloa le mea na alu i ai.

9. Ua oo foi ina o atu tagata e toatele i lenei tausaga i le nuu i le itu i matu. Ua faapea foi ona iu lona tolusefulu ma le valu o tausaga.

10. Ma ua oo i lona tolusefulu ma le iva o tausaga o le nofoaiga a faamasino ina maliu Sepulona, ma ua alu atu Korianetona i le vaa i le laueleele i le itu i matu, e momoli atu ai mea e 'ai i tagata ua o atu i lena nuu.

11. O lea, a o lei oo i lona maliu, sa ao ai ina tuuina atu e Sepulona o na mea paia i le atalii o Helamana, o le ua igoa ia Helamana, ua faaigoaina i le igoa o lona tamā.

12. O lenei, faauta, na tausia ia togitogiga uma sa ia Helamana, ma ua faasalalauina ai i le fanauga a tagata i le nuu uma lava, sei iloga o na vaega na poloai mai ai Alema, ia aua le faasalalauina.

13. A e ui i lea, e ao ina tausia ia mea ina ia paia, ma tuufaasoloina i lea tupulaga ma lea tupulaga; o le mea lea ua tuuina mai ai ia mea ia Helamana a o lei maliu Sepulona.

14. Ua oo ina i ai i lenei tausaga nisi tagata na vavaeese ua o atu i sa Lamanā, ma ua toe faaosoina i latou i le ita i sa Nifaē.

15. O lenei lava tausaga foi na latou o ifo ai ma le au tele e tau ma le nuu o Moronaea, po o

le itutaua a Moronaea, a ua faatoilaloina i latou, ma ua tulia atu i latou i o latou lava nuu ma le fasi tele.

16. Ua faapea ona iu lona tolusefulu ma le iva o tausaga o le nofoaiga a faamasino i le nuu o Nifae.

17. Ua faapea foi ona iu le tusi a Alema ma Helamana, lona atalii, atoa ma Sepulona, o ia foi o lona atalii.

O LE TUSI A HELAMANA.

O le tala i sa Nifae, o latou taua ma fefinauaiga, ma a latou vaevaeaiga. O vloaga foi a perofeta paia e toatele, a o lei afio mai Keriso, e tusa ma tusi a Helamana, le atalii o Helamana, e tusa foi ma tusi a ona atalii, e oo lav i le fio mai o Keriso. Ua faaliliuina mai sa Lamana e toatele. O le tala i lo latou lotu mai. O le tala i le amiotonu a sa Lamana ma le amioleaga ma mea inosia a sa Nifae, e tusa ma le tusi a Helamana ma ona atalii, oo lava i le afio mai o Keriso, ua ta'ua, o le tusi a Helamana.

MATAUPU 1.

Ua fefinaua'i atalii o Pa'orona i le nofoa faamasino. Ua fasiotia e Kisakumena Pa'orana lona lua —O Korianetuma, le tagata vavae mai sa Nifaē—O le faato'ilaloina o le aai o Sara'emila ma le toe maua.

1. O lenei, faauta, ua oo i le amataga o lona fasefulu o tausaga o le nofoaiga a faamasino i le nuu, ua amata ona i ai le mea faigata tele i le nuu o sa Nifaē.

2. Auā faauta, ua maliu Pa'orana, ma ua alu i le ala o le lalolagi uma; o le mea lea na amata ai ona i ai le finauga faigata i le au uso, o atalii o Pa'orana, e uiga i lē a nofo i le nofoa faamasino.

3. O igoa nei o i latou o e na fefinauai i le nofoa faamasino, o e na ala ai le fefinauai o le nuu: o Pa'orana, ma Paanati, ma Pakumenae.

4. O lenei, e le o atalii umā nei o Pa'orana, (auā e toatele ona atalii,) a o i latou nei na fefinauai i le nofoa faamasino, o lea na latou faatupuina ai vaega e tolu i le nuu.

5. E ui i lea, ua oo ina tofia Pa'orana i le filifiliga a le nuu e fai ma faamasino sili ma kovana i le nuu o Nifae.

6. Ma ua oo ina ua iloa e Pakumenae ua le mafai o ia ona maua le nofoa faamasino, ona au faatasi ai lea o ia ma le filifiliga a le nuu.

7. A e peitai, faauta, ua ita tele Paanati ma lena vaega o le nuu ua loto ina fai o ia mo latou kovana, o le mea lea sa fai a ta'ita'ieseina ai ia tagata e ia e fouvale i o latou uso.

8. Ua oo foi ina a faia e ia lenei mea, faauta, ua pueina o ia ma ua faamasinoina e tusa ma le filifiliga a le nuu, ma ua faasalaina o ia i le oti, auā ua fouvale o ia, ma ua taumafai ona faaumatia le saolotoga o le nuu.

9. O lenei, ua iloa e ia tagata, o e na loto ina fai o ia mo latou kovana, ua faasalaina o ia i le

oti, ona ita ai lea i latou. Faauta foi, ua latou auina atu le tasi, o Kisakumena, i le nofoa faamasino o Pa‘orana, ma ua fasiotia o ia ina o nofo o ia le nofoa faamasino.

10. Ua tuliloaina foi o ia e auauna a Pa‘orana, a e peitai, faauta, ua faapea ona saosaoa le solaaga a Kisakumena, ua le mafai ai se tasi ona maua atu ia te ia.

11. Ua alu atu foi o ia i e na auina atu o ia, ona osia ai lea e i latou uma le feagaiga, ioe, ua tauto i Lē faavavau na faia i latou, latou te le ta‘u atu i se tasi na fasiotia Pa‘orana e Kisakumena.

12. O le mea lea na le iloaina ai Kisakumena i le nuu o Nifae, auā sa ofu faasese o ia i le aso na ia fasioti ai Pa‘orana. O Kisakumena foi ma lana au, o ē na osia le feagaiga ma ia, ua faapea ona latou feoai i le nuu, ua le mafai ai ona maua i latou uma, a o i latou uma ua pueina, ua faasalaina ia oti.

13. O lenei foi, faauta, ua tofia Pakumenae, e tusa ma le filifiliga a le nuu, e fai ma faamasino sili ma kovana, e sui i le pule a lona uso o Pa‘orana, ma ua tatau ai ia te ia. Ua faia nei mea uma i lona fasefulu o tausaga o le nofoaiga a faamasino, ona iu ai lea.

14. O lona fasefulu ma le tasi o tausaga o le nofoaiga a faamasino, ua oo ina faapotopotoina faatasi ai sa Lamanā le au tagata e le mafaitaulia, ma ua tuuina atu ia te i latou pelu, ma simetea, ma aufana, ma u fanafana, ma pulou tau, ma ufifatafata, atoa ma talita uiga eseese

15. Ua latou toe o mai foi ina ia latou sii mai le taua i sa Nifaē. Ma ua ta‘ita‘iina i latou e le tagata ua igoa ia Korianetuma; ua aiga o ia ma Sara‘emila, o ia foi o le tagata vavae mai sa Nifaē. O le tagata tinoese o ia ma le malosi.

16. O le mea lea na manatu ai le tupu o sa Lamanā, o lona igoa o Tupalota, o le atalii o ia o Amorona, na te maua le pule i sa Nifaē i le auina atu o Korianetuma, auā o ia o le tagata malosi, ua mafai ona tetee atu i sa Nifaē i lona malosi atoa ma lona poto tele.

17. O le mea lea na ia faaosoina ai i latou i le ita. Ua ia faapotopoto faatasi ana au, ma ua ia tofia Korianetuma e fai mo latou ta‘ita‘i. Ua poloai atu foi o ia ia te i latou, ia savavali ifo i le nuu o Sara‘emila e tau ma sa Nifaē.

18. Ona o finauga ma mea faigata tele i le malo, ua oo ai ina le lava le au leoleo na tofia e i latou i le nuu o Sara‘emila; auā fa te i latou, e fefefe sa Lamanā ina o mai i le ogātotonu o lo latou nuu e sii mai le taua i lena aai tele o Sara‘emila.

19. A e peitai, ua oo ina savali mai Korianetuma i luma o lana au matuā tele, ma ua feosofi mai i tagata ua mau i le aai. Ua faapea le televave o lo latou savali, ua leai se itula e faapotopoto ai e sa Nifaē a latou au.

20. O le mea lea na fasia ai e Korianetuma le au leoleo i le faitotoa o le aai, ma ua savavali mai faatasi ma lana itutaua atoa i totonu o le aai, ma ua latou fasia tagata uma o e na tetee atu ia te i latou, ua iu ina latou ave mo latou le aai uma.

21. Ua oo ina sola Pakumenae, le faamasino sili, i luma o Korianetuma e oo i aupa o le aai. Ua oo foi ina fasia o ia e Korianetuma i le aupa, ua iu ina oti ai o ia. Ua faapea ona iu aso o Pakumenae.

22. O lenei foi, ina ua iloa e Korianetuma ua ia te ia le aai o Sara'emila, ina ua iloa foi ua sosola na Nifaē i o latou luma, ma ua fasia, ma pueina ma lafoina i latou i le falepuipui, ma ua maua e ia le olo e sili ona malosi i le nuu uma, ua lototele ai o ia, ua iu ina faapea o le a alu atu e tau ma le nuu uma.

23. O lenei foi, ua le nofo o ia i le nuu o Sara'emila, a e peitai, ua savali atu loa ma le itutaua tele e aga'i atu i le aai o Nuumau, auā ua mau lona loto e alu atu ma sofai atu i le pelu, ina ia maua e ia le laueleele i le itu i matu.

24. Ua manatu ua aupito malosi i latou i le ogātotonu o le nuu, o le mea lea na ia savali atu ai, ua le tuu atu ia te i latou se aso e faapotopoto faatasi ai i latou, sei iloga o au faatauvaa. Ma ua faapea ona latou feosofi atu ia te i latou, ma taia i latou i le eleele.

25. A e peitai, faauta, e ui lava i le toatele o sa Nifaē ua fasia, ua aogā tele ia Moronaea lenei malaga a Korianetuma i le ogātotonu o le nuu.

26. Auā faauta, ua manatu Moronaea ua fefe sa Lamanā ina o mai i le ogātotonu o le nuu, a e feosofi mai i latou i aai i lea mea ma lea mea i tuaoi o le nuu e, pei ona latou faia i aso ua mavae; o lea na taofia ai e Moronaea a latou au malolosi e leoleo itunuu e latalata atu i tuaoi.

27. A e peitai, faauta, ua le matata'u ai sa Lamanā e tusa ma lona manatu, a ua o mai i latou i totonu o le nuu, ma ua aea le laumua, o le aai lea o Sara'emila, ma ua savaali atu i itu sili o le laueleele, ua fafasi le nuu i le fasi tele, o tane atoa foi ma fafine ma tamaiti; ua aea aai e tele ma olo mau e tele.

28. A e peitai, ina ua iloa e Moronaea lenei mea, ua ia auina atu loa Liae ma le au e alu faataamilo e sisi'o mai i latou, a o lei oo atu i latou i le nuu o Nuumau.

29. Ma ua faapea ona faia e ia. Na ia sisi'o mai i latou a e lei oo atu i latou i le nuu o Nuumau, ma ua tau ma i latou, ua iu ina amata ona latou tuumuli, ua aga'i atu i le nuu o Sara'emila.

30. Ma ua oo ina sisi'o Moronaea ia te i latou i la latou tuumuli, ma ua tau ma i latou, ua iu ina avea ma taua ua faamasaateleina ai le toto; ioe, ua tele le fasi. Ua maua foi Korianetuma faatasi ma e ua fasia.

31. O lenei, faauta, ua le mafai ona tuumuli sa Lamanā i se itu e tasi—o le itu i matu po o le itu i toga, o le itu i sasae po o le itu i sisifo, auā ua vagavagaia i latou e sa Nifaē i itu uma.

32. Ua faapea ona lafoina e Korianetuma o sa Lamanā i totonu o sa Nifaē, ua iu ina i ai i latou i le pule a sa Nifaē, ma ua fasia o ia, ua tuuina atu sa Lamanā e i latou i le pule a sa Nifaē.

33. Ma ua oo ina toe maua mai e Moronaea le aai o Sara'emila, ma ua tuuina atu e ia i sa Lamanā, o e ua faatagataotauaina, e o ese ai le nuu ma le filemu.

34. Ua faapea foi ona iu lona fasefulu ma le tasi o tausaga o le nofoaiga a faamasino.

MATAUPU 2.

Ua tofia Helamana le atalii o Helamana e avea ma faamasino sili—Ua fasiotia Kisakumena—O pulega faalilo—O le 'au fao mea a Katianetona.

1. Ua oo i lona fasefulu ma le

lua o tausaga o le nofoaiga a faamasino, ina ua toe faatuina e Moronaea le filemu i sa Nifaē ma sa Lamanā, faauta, ua leai se tasi e nofo i le nofoa faamasino, o lea ua toe amata ona i ai le finauga i le nuu i lē a nofo i le nofoa faamasino.

2. Ua oo foi ina tofia Helamana, o le atalii o Helamana, i le filifiliga a le nuu, e nofo i le nofoa faamasino.

3. A e peitai, faauta, o Kisakumena, o le na fasioti ia Pa'orana, ua lamalama foi o ia e fasioti ia Helamana. Ua fesoasoani ia te ia lana au, o e na osia le feagaiga e le faailoa atu i se tasi lana amioleaga.

4. Auā ua i ai le tasi, o Katianetona, ua matua atamai i upu e tele, atoa ma lona faiva e fai pea, o le galuega lilo o le fasioti tagata ma le fao mea. O lea ua avea ai o ia ma ta'ita'i i le au a Kisakumena.

5. O le mea lea na ia faaoleole ai ia te i latou atoa ma Kisakumena, afai latou te faanofoina o ia i le nofoa faamasino, na te tuuina atu i lana au ia tofia i latou ma le mamalu ma le pule i le nuu. O le mea lea na taumafai ai Kisakumena ona fasioti ia Helamana.

6. Ua oo foi ina o alu atu o ia i le nofoa faamasino e fasioti ia Helamana, faauta, ua i ai le tasi auauna a Helamana sa fealuai i le po, ona ua ofu faasese, ua ia iloa ai le togafiti ua saunia e lenei au e fasioti ia Helamana.

7. Ma ua oo ina fetaiai i laua ma Kisakumena, ua ia faaali atu foi ia te ia se faailoga, o le mea lea na faailoa mai ai e Kisakumena ia te ia le mea ua manao ai o ia. O lona manao na te ta'ita'iina atu o ia i le nofoa faamasino, ina ia fasioti o ia ia Helamana.

8. Ina ua iloa e le auauna a Helamana le loto atoa o Kisakumena, ina ua iloa foi o lona manao e fasioti tagata, i le ma lea, o le manao o i latou uma i lana au, o le fasioti tagata lea ma le fao mea, ma le fiapule, (o la latou togafiti lilo lenei ma la latou pulega,) ua faapea atu le auauna a Helamana ia Kisakumena: Sei ta o atu i le nofoa faamasino.

9. O lenei, ua fiafia tele Kisakumena i lenei mea, auā fa te ia na te faataunuuina lona manao. A e peitai, faauta, ina o la o atu i le nofoa faamasino, ua tutu'i le auauna a Helamana ia Kisakumena, ua tau i le fatu, ona paū ai lea o ia, ua oti, ua le oi lava. Ua momo'e mai o ia, ma ua ta'u mai ia Helamana mea uma na na vaaia ma faalogoina ma faia.

10. Ua oo foi ina poloai atu Helamana, ia pueina lenei au fao mea ma tagata fasioti faalilo i tagata, ina ia fasiotia i latou e tusa ma le tulafono.

11. A e peitai, faauta, ina ua iloa e Katianetona ua le foi atu Kisakumena, ua fefe o ia ne'i fasiotia o ia, o le mea lea na ia poloai atu ai i lana au, ia mulimuli atu ia te ia. Ona latou sosola ese ai lea i le ala lilo i le vao. Ma ua faapea ina ua aauina atu e Helamana e pue ia te latou, ua le mafai ona maua i latou.

12. E talaina atu nisi upu e uiga i lenei Katianetona i aso o lumanai. Ua faapea foi ona iu lona fasefulu ma le lua o tausaga o le nofoaiga a faamasino i le nuu o Nifae.

13. Faauta foi, o le iuga o lenei tusi e iloa ai e outou, ua pogai mai i lenei tagata (o Katianetona) le faatoilaloina o lenei nuu, e moni, ua tali atoa ai le faafanoga o le nuu o Nifae.

14. Faauta, ou te le faapea, o

le iuga o le tusi a Helamana, a ua ou faapea o le iuga o le tusi a Nifae, ua ou sii mai ai le tala uma ua ou tusia.

MATAUPU 3.

O malaga e tele i le itu i matu —O le laueleele o vai e tele—O fale e fausia i simā—E tele tusi ua tusia. Ua sui tulaga Nifae ia Helamana lona tama.

1. O lenei, ua oo i lona fasefulu ma le tolu o tausaga o le nofoaiga a faamasino ina leai se finauga i le nuu o Nifae, ua na o sina faamaualuga i le ekalesia, ua ala mai ai nai maseiga faatauvaa i le nuu, a ua faaleleia nei mea i le faaiuga o lona fasefulu ma le tolu o tausaga.

2. Ua leai foi se finauga i le nuu i lona fasefulu ma le fa o tausaga; ua le tele foi finauga i lona fasefulu ma le lima o tausaga.

3. Ua oo foi i lona fasefulu ma le ono o tausaga ina i ai finauga e tele ma maseiga e tele. Ioe, ua o ese nisi e toatele ai le nuu o Sara'emila, ma ua o atu e fai mo latou tofi le laueleele i le itu i matu.

4. Ma ua latou malaga matua mamao lava, ua oo atu i latou i vai tuloto tetele ma vaitafe e tele.

5. Ioe, ua faasalalau atu i latou i itu uma o le laueleele, i itu uma ua le faatafunaina, ma ua leai se vao, ona o le toatele o i latou o e na muai fai mo latou tofi le nuu.

6. O lenei, ua leai se itu o le fanua ua lafulafua, na ona leai se vao matua. A ua ta'ufaatafunaina le nuu, ona o le tele o le malaia o i latou o e na muai nonofo ai.

7. Ona ua faatauvaa foi le vao matua i le fogaeleele, ua avea ai tagata, o e na o atu i ai ma tufuga fai vali, o lea na latou ati ae ai fale vali, ma ua latou mau ai.

8. Ma ua oo ina uluola i latou, ma ua salalau solo, ua o atu nai le laueleele i le itu i toga i le laueleele i le itu i matu, ua salalau ai i latou, ua amata ona ufitia ai le fogaeleele uma, e pau mai i le sami i le itu i toga, e oo atu i le sami i le itu i matu, e pau mai i le sami sisifo e oo atu i le sami i sasae.

9. A o le nuu o e ua i le laueleele i le itu i matu, ua nonofo i fale ie ma fale vali, a ua latou tuu laau uma ua totogo mai i le fogaeleele, ina ia tupu pea, ina ia latou maua ai i se aso o laau tetele e ati ae ai o latou fale, ioe, ma o latou aai, ma o latou malumalu, ma o latou sunako, ma o latou falesa, ma o latou fale uiga eseese.

10. Ua oo foi, ona ua matua itiiti laau tetele i le nuu i le itu i matu, ua latou la'u atu ai laau e tele i vaa.

11. Ma ua faapea ona latou fesoasoani i tagata i le itu i matu, ina ia latou ati ae ai aai e tele i laau atoa ma le vali.

12. Ua oo foi ina o atu i lenei nuu tagata e toatele o le nuu o Amona, o e na tupu mai i sa Lamanā.

13. O lenei foi, e i ai tusi e tele i mea na faia e lenei nuu ua tausia e nisi e toatele. O lenei, ua tetele ma ua talatalatasi ai ia te i latou.

14. A e peitai, e le ofi i lenei tusi le vaeselau o mea na faia e lenei nuu, ioe, o le tala i sa Lamanā ma sa Nifaē, i o latou taua, ma finauga, ma maseiga; o a latou talaiga, ma a latou valoaga, ma o latou folauga, ma o latou faugāvaa, ma o latou atiina ae o malumalu ma sunako, ma o latou

fale sa; ma la latou amiotonu, ma la latou amioleaga, ma lo latou fasioti tagata, ma fao mea, ma la latou vete, ma mea inosia uiga eseese, ma faitaaga.

15. A e peitai, faauta, e i ai tusi e tele, ma talaaga e tele uiga eseese, ma ua tausia le tele o nei tusi e sa Nifaē.

16. Ma ua tuufaasoloina mai ai e sa Nifaē i lea tupulaga ma lea tupulaga e oo i aso ua pāuu ai i latou i solitulafono, ma ua fasiotia, ma vetea, ma ua tulia, ma tafia, ma ua fasiotia ma faataapeapeina i luga o le fogaeleele, ma ua felotoiai ma sa Lamanā, ua iu ina le toe ta'ua i latou o sa Nifaē; ua amioleaga, ma faalevao, ma feai, ioe, ua avea ma lo sa Lamanā.

17. Ou te toe foi nei i la'u tala, o lea ua tuanai atu mea na ou fai atu ai, ina ua mavae ona i ai finauga tetele, ma misa, ma taua, ma maseiga i le nuu o Nifae.

18. Ua iu lona fasefulu ma le ono tausaga o le nofoaiga a faamasino.

19. Ua oo foi ina i ai pea finauga tetele i le nuu, ioe, i lona fasefulu ma le fitu o tausaga, atoa ma lona fasefulu ma le valu o tausaga.

20. E ui lava i lea, ua nofo Helamana i le nofoa faamasino ma le amiotonu ma le faamasinoga tonu; ioe, ua ia tausia tulafono ma faamasinoga ma poloaiga a le Atua, ua ia faia foi mea e tatau ai e le aunoa i luma o le Atua; na ia savali foi i ala o lona tamā, ua iu ina manuia ai o ia i le nuu.

21. Ua oo foi ina i ai ia te ia atalii e toalua. Na ia faaigoaina le ulumatua ia Nifae, ma le uii i le igoa o Liac. Ma ua tuputupu i laua i la le Atua.

22. Ma ua oo ina amata ona tauau ina leai ni taua ma finauga i le nuu o Nifae i le taufaaiuga o lona fasefulu ma le valu o tausaga o le nofoaiga a faamasino i le nuu o Nifae.

23. Ma ua oo i lona fasefulu ma le iva o tausaga o le nofoaiga a faamasino ina faatumauina le filemu e le aunoa i le nuu, i itu uma, a e na o pulega faalilo na faatuina e Katianetona, le fao mea, i itu ua aigā e le toatele ua le iloaina i na ona po e i latou o e na ta'ita'i i le malo, o le mea lea ua le faaumatia ai i latou ai le nuu.

24. Ma ua oo i lenei lava tausaga ina i ai le manuia matuā tele i le ekalesia, ua iu ina lotu mai i le ekalesia afe e tele o tagata, ma ua papatisoina i le salamo.

25. Ua faapea ona tele le manuia i le ekalesia, ma ua faapea ona tele le manuia ua sasaaina atu i le nuu, ua iu ina taufaiofo ai faitaulaga sili ma a'oa'o.

26. Ma ua oo ina manuia le galuega a le Atua i le papatisoina ma le faatasia i le ekalesia a le Atua o tagata e toatele, ioe, o mano e tele.

27. Ua faapea ona tatou iloa ua finagalo alofa le Atua ia te i latou uma o ē valaau atu i lona suafa paia ma le faamaoni ō latou loto.

28. Ioe, ua faapea ona tatou iloa ua avanoa le faitotoa o le lagi ia te i latou uma o ē faatuatua i le suafa o Iesu Keriso, o le Alo o le Atua lea.

29. Ioe, ua tatou iloa ai, ai sē tago i le afioga a le Atua, ua telelise ai ma ua mamana e vavaeeseina le atamai uma ma mailei ma togafiti uma a le tiapolo, a e ta'ita'i atu le tagata o Keriso i le ala sa'o ma le vaapiapi, i tala atu o le vanu faavavau o le puapuaga ua saunia e tofatumoanaina ai ē amioleaga.

30. E faataunuuina atu ai o latou agaga, ioe, ō latou agaga e le oti, i le itu taumatau o le Atua i le malo o le lagi, e nonofo faatasi ma Aperaamo, ma Isaako, ma Iakopo, atoa ma o tatou tamā paia uma, e le toe ulufafo ai.

31. Ua i ai le fiafia e le aunoa i lena tausaga i le nuu o Sara'emila, ma itunuu uma, e oo lava i nuu uma ua mau ai sa Nifaē.

32. Ma ua oo ina tumau pea le filemu ma le fiafia matua tele i aso uma na totoe o lona fasefulu ma le iva o tausaga, ioe, ua i ai le filemu e le aunoa ma le fiafia i lona limasefulu o tausaga o le nofoaiga a faamasino.

33. O lona limasefulu ma le tasi o tausaga o le nofoaiga a faamasino, ua i ai foi le filemu, a e na o le faamaualuga ua amata ona tupu i le ekalesia; e le o le ekalesia a le Atua, a o loto o tagata o e ua faapea ua lotu i le ekalesia a le Atua.

34. Ua faafefeteina i latou i le faamaualuga, e oo lava i le faasuā atu i nisi e toatele ō latou uso. O lenei, o le mea leaga tele lea na ala ai ona tigaina i latou o e ua sili ona loto maulalo o le nuu i sauaga faigata, ma ua savavali i puapuaga e tele.

35. E ui lava i lea, ua latou anapogi ma tatalo soo, ma ua tauau ina faamaulalo atili ai i latou, ma ua tauau ina mausali atili i le faatuatua ia Keriso, e oo i le faatumuina ō latou loto i le olioli, ma ua faamafanafanaina, ioe, e oo i le faamamāina ma le faapaiaina ō latou loto; ua oo mai lea faapaiaina ona ua latou tuuina atu o latou loto i le Atua.

36. Ua oo foi ina iu le filemu lona limasefulu ma le lua o tausaga, a e na o le faamaualuga tele ua tupu i loto o le nuu, ma ua ala ai i o latou oa matua tele, ma la latou manuia tele i le nuu, na tupu ia te i latou i lea aso ma lea aso.

37. Ua oo foi i lona limasefulu ma le tolu o tausaga o le nofoaiga a faamasino ina maliu ai Helamana, ma ua amata lona ulumatua o Nifae ona sui i lana pule. Ua oo foi ina nofo o ia i le nofoa faamasino ma le amiotonu ma le faamasinoga tonu; ioe, ua tausi o ia i poloaiga a le Atua, ma ua savali i ala o lona tamā.

MATAUPU 4.

Ua toe osofa'ia e sa Lamanā le nuu o Sara'emila—Ua faato'ilaloina le aai—Ua tulia tagata o sa Nifaē i le laueleele o Nuumau—Ua famalosia e Moronaea le ala—Ua vaivai sa Nifaē ona o le amioletonu ma ua ala ai ona le manumalo le nuu.

1. Ua oo i lona limasefulu ma le fa o tausaga ina i ai maseiga e tele i le ekalesia; ua i ai foi le finauga i le nuu, ua iu ina faamasaateleina ai le toto.

2. A ua fasia ma tulieseina le vaega fouvale ai le nuu, ma ua latou o atu i le tupu o sa Lamanā.

3. Ua oo foi ina latou taumafai ona faaosoina sa Lamanā e sii mai le taua i sa Nifaē, a e peitai, faauta, ua matua fefefe sa Lamanā, ua iu ina le mafafai ona latou usiusitai i upu a na tagata vavae.

4. A ua oo i lona limasefulu ma le ono o tausaga o le nofoaiga a faamasino, ona i ai lea nisi tagata vavae o e na o ae ai sa Nifaē i sa Lamanā, ma ua latou manumalo faatasi ma e na muamua i le faaosoina o i latou i le ita i sa Nifaē, ma ua tausauniuni i le taua i lena tausaga atoa.

5. O lona limasefulu ma le fitu o tausaga na latou o ifo ai i le taua ma sa Nifaē, ma ua latou amata le galuega o le oti, ioe, ua

iu i lona limasefulu ma le valu o
tausaga o le nofoaiga a faamasino
ina latou manumalo ai i le nuu o
Sara'emila, ioe, atoa ma nuu uma
e oo lava i le laueleele e latalata
mai i le nuu o Nuumau.
6. Ua tulia sa Nifaē ma au a
Moronaea e oo i le laueleele o
Nuumau.
7. Ma ua latou fai olo e tetee
atu ai i sa Lamanā, e pau mai i
le sami i sisifo e oo atu i le sami
i sasae, ua tusa ai ma le savaliga
o se tagata Nifae i le aso atoa i
le mea na latou fai olo ai, ma ua
tuu ai a latou au e leoleo ai lo latou
laueleele i le itu i matu.
8. Ua faapea ona maua e natagata
vavae ai sa Nifaē, i le
fesoasoani o le au tele a sa Lamanā,
o mea uma a sa Nifaē i le
laueleele i le itu i toga. Ua faia
foi nei mea uma i lona limasefulu
ma le iva o tausaga o le nofoaiga
a faamasino.
9. Ua oo foi i lona onosefulu o
tausaga o le nofoaiga a faamasino
ina toe maua mai e Moronaea
ma ana au o itu e tele o le
laueleele, ioe, ua latou taofia aai
e tele na maua e sa Lamanā.
10. Ma ua oo i lona onosefulu
ma le tasi o tausaga o le nofoaiga
a faamasino ina latou maua ai le
vaeluaga ō latou nuu uma.
11. O lenei, ana le se anoa la
latou amioleaga ma a latou mea
inosia sa ia te i latou, ua i ai
foi i e ua faapea ua lotu i le
ekalesia a le Atua, po ua le oo
mai lena malaia tele i sa Nifaē,
ma lena fasiga tele ia te i latou.
12. Ua ala ai i le faamaualuga
ō latou loto, ona ō latou oa matua
tele, ioe, ua ala ai i lo latou faasaua
i ē matitiva, ua taofia ai a
latou mea e 'ai nai ē fia aai, ua
taofi o latou ofu nai ē le lavalavā,
ua fepo i alafau ō latou uso faamaulalo,
ua fai ma tauemuga mea
paia, ua faafiti le agaga o le valoaga
ma faaaliga, ua fasioti tagata,
ma vete, ma pepelo, ma
gaoi, ma mulilua, ua fouvale i
vaega tetele, ua sosola atu i le
laueleele o Nifae i sa Lamanā.
13. Ona o la latou amioleaga
tele lenei, ma lo latou mitamita i
lo latou lava malosi, ua tuulafoaiina
ai i latou i lo latou lava
malosi, o le mea lea ua le manuia
ai i latou, a ua puapuagatia ma
taia, ma ua tulia i luma o sa
Lamanā, ua toetoe ina aveeseina
o latou nuu uma.
14. A e peitai, faauta, ua tala'i
atu e Moronaea o mea e tele i
le nuu ona o la latou amioletonu,
ua faapea foi ma Nifae ma Liae,
o atalii ia o Helamana, ua tala'i
atu mea e tele i le nuu, ioe, ma
ua vavalo mea e tele ia te i latou
e uiga i la latou amioletonu, ma
mea e oo mai ia te i latou, sei
iloga latou te salamo i a latou
agasala.
15. Ma ua oo ina latou salamo.
Ua amata ona manuia i latou e
tusa ma lo latou salamo.
16. Auā ina ua iloa e Moronaea
ua latou salamo, ua lototele ai o
ia e ta'ita'i atu i latou i mea uma
ma aai uma, seia uma ona toe
maua mai le vaeluaga ō latou oa,
ma le vaeluaga ō latou nuu uma.
17. Ma ua faapea ona iu lona
onosefulu ma le tasi o tausaga o
le nofoaiga a faamasino.
18. Ua oo foi i lona onosefulu
ma le lua o tausaga o le nofoaiga
a faamasino ina le mafai Moronaea
ona maua nisi nuu mai sa
Lamanā.
19. O le mea lea na tuua ai e
i latou lo latou manatu e maua o
latou nuu ua totoe, auā ua faapea
ona toatele sa Lamanā ua le
mafai ai sa Nifaē ona maua atili
ai le pule ia te i latou; o le mea
lea na faaaoga ai e Moronaea ana
au uma i le leoleoina o na itu ua
maua e ia.

20. Ua oo foi ina matata'u tele sa Nifaē ona o le toatele o sa Lamanā, ne'i faatoilaloina i latou ma solia, ma fasia, ma faaumatia.

21. Ioe, ua amata ona latou manatua valoaga a Alema, atoa ma upu a Mosaea, ona latou iloa ai lea ua avea i latou ma nuu ūa maaa, ma ua latou faleaogaina poloaiga a le Atua;

22. Ma ua latou liliu ma solia i lalo ō latou vae o tulafono a Mosaea, na poloaiina ai o ia e le Atua e avatu i le nuu; ma ua faapea ina ua iloa ua faaleagaina la latou tulafono ma ua avea i latou ma nuu amioleaga, ua iu ina amioleaga i latou e pei o sa Lamanā.

23. Ona o la latou amioletonu, ua amata ai ona tauau ina toaitiiti le ekalesia, ma ua amata ona latou le talitonu i le agaga o valoaga ma le agaga o faaliga, ma ua faafesagai faamsinoga a le agaga o faaaliga, ma ua faafesagai faamasinoga a le Atua ma i latou.

24. Ua latou iloa foi ua vaivai i latou e pei ō latou uso o sa Lamanā, ma ua le toe faasaoina i latou e le Agaga o le Atua; ioe, ua alo ese o ia ia te i latou, auā e le afio le Agaga o le Atua i malumalu e le paia.

25. O le mea lea na tuua ai e le Atua le faasaoina o i latou i lona mana ofoofogia ma le le mafaatusalia, auā ua pāuu i latou i le le faatuatua, ma ua amioleaga matua tele; ua latou iloa foi ua matua sili ona toatele sa Lamanā ai lo latou, sei iloga foi latou te piimau i le Alii lo latolu Atua, e malaia i latou, e le ma'alofia lava.

26. Auā faauta, ua latou iloa ua tusa le malosi o sa Lamanā ma lo latou malosi i tagata taitoatasi. Ua faapea foi ona pāuu i latou i lenei solitulafono tele; ioe, ua faapea foi ona vaivai ai i latou ona o la latou solitulafono, ua le tele ai tausaga.

MATAUPU 5.

Ua tuu e Nifae le nofoa faamasino mo Sesoroma—Ua tuuina atu ona aso uma e faatasi ma lona uso o Liae i le tala'iga o le Tala Lelei—O vavega ofoofogia —Ua toe maua mai aai o sa Nifaē mai tagata sa Lamanā o e ua faaliliuina i le tala'iga.

1. Ua oo foi i lenei lava tausaga, faauta, ua tuuina atu e Nifae le nofoa faamasino i le tagata ua igoa ia Sesorama.

2. Auā ua faatuina a latou tulafono i le filifiliga a le nuu, ma ua sili ona toatele i latou o e ua mananao i le leaga ai e ua mananao i le lelei, o lea ua tauau ina saunia ai i latou i le malaia, auā ua faaleagaina tulafono.

3. Ioe, a e le gata i lea, o le nuu ūa mălolo i latou, ua iu ina le mataupulea i latou i le tulafono, po o le faamasinoga, sei iloga o lo latou faafanoga.

4. Ua oo ina fiu Nifae ona o la latou amioletonu, ona tuua ai lea e ia le nofoa faamasino, ma ua ave i ona luga e tala'i atu le afioga a le Atua i ona aso uma ua totoe, ua faapea foi lona uso o Liae i ona aso uma ua totoe.

5. Auā na la manatua upu na fai mai ai lo la tamā ia te i laua. O upu nei na ia fai mai:

6. Faauta, o'u atalii e, o lo'u manao, ia manatua e oulua e tausi i poloaiga a le Atua; o lo'u manao foi, ia oulua tala'i atu nei upu i le nuu. Faauta, ua ou faaigoaina oulua i igoa ō tatou mātua muamua, o e na o mai ai le nuu o Ierusalema; ua ou faia foi lenei mea, auā pe a manatua e oulua ō oulua igoa, lua te manatua i laua; pe a oulua manatua

foi i laua, ona manatua ai lea e oulua a laua galuega; pe a manatua foi e oulua a laua galuega, ona oulua iloa ai lea ua ta'ua mai ma ua tusia na lelei lava i laua.

7. O lea, o'u atalii e, ou te manao ai ia amiolelei oulua, ina ia ta'uta'ua ma tusia ia te oulua e pei ona ta'ua ma tusia ia te i laua.

8. O lenei foi, o'u atalii e, faauta, e i ai nai mea ou te manao i ai ia te oulua; o le manao lenei: Lua te le faia nei mea ina ia mitamita ai oulua, a ia faia nei mea e oulua ina ia teu ai mo oulua le mea tāua i le lagi, ioe, e faavavau lava lea, e le mamae. Ioe, ina ia maua e oulua lena mea alofa tāua, o le ola faavavau lea ua tatou taofi ua foaiina mai i o tatou tamā.

9. Ioe, ia manatua, ia manatua lava, o'u atalii e, o upu na fai mai ai le tupu o Peniamina i lona nuu; ioe, ia manatua e leai se isi ala po o se tasi mea e mafai ona faaolaina ai tagata, a e na o le toto togisala o Iesu Keriso, o Lē afio mai. Ioe, ia oulua manatua e afio mai o ia e togiola le lalolagi.

10. Ia manatua foi upu na fai atu e Amoleka ia Seseroma i le aai o Amonaea; auā na ia fai atu ia te ia: E moni, e afio mai le Alii e togiola lona nuu; a e le afio mai o ia e faaola i latou i a latou agasala, a e peitai, e faaolaina i latou ai a latou agasala.

11. Ma ua foaiina mai ia te ia le pule mai le Tamā e togiola a'i i latou ai a latou agasala, ona o le salamo; o le mea lea ua aauina mai ai e ia ana agelu e tala'i mai le tala i le salamo ua ala mai i le mana o le Togiola, e iu i le faaolaina ō latou agaga.

12. O lenei, o'u atalii e, ia manatua, ia manatua lava, e ao ina oulua atiina ae lo oulua faavae i luga o le papa o lo tatou Togiola, o le Keriso lea, o le Alo o le Atua. Pe a faaoo mai e le tiapolo ana matagi tetele, ioe, o ana u fanafana i le asiosio, ioe, pe a pesi mai ia te oulua lana ūatoa uma lava ma ana afā, e le malo ai ia te oulua, e toso ifo ai oulua i le vanu o le puapuaga ma le auega e le gata, ona o le Papa ua atiina ae ai oulua, o le Faavae mau lea, o le Faavae foi lea, afai e ati ae tagata i ona luga, e le mafai lava ona pāuu i latou.

13. Ua oo foi ina a'oa'o atu Helamana i ona atalii nei upu, ioe, na ia a'oa'o atu foi ia te i laua mea e tele ua le tusia, atoa ma mea e tele ua tusia.

14. Ma ua manatua e i laua ana upu, o le mea lea na la o atu ai, o loo tausi i poloaiga a le Atua, e a'oa'o atu le afioga a le Atua i le nuu uma o Nifae, e amata i le aai o Nuumau.

15. E amata mai ai foi i le aai o Kita, mai le aai o Kita i le aai o Moleka.

16. Mai le tasi aai i le tasi aai, seia oo i laua i le nuu uma o Nifae, o e ua i le laueleele i le itu i toga, e amata mai foi i le nuu o Sara'emila i sa Lamanā.

17. Ua oo foi ina tala'i atu e i laua ma le mana tele, ua iu ina la faamāina nisi e toatele o na tagata vavae, o e na te'a ma sa Nifaē, ua iu ina latou o mai ma faaali mai ai a latou agasala, ma ua papatisoina i le salamo, ma ua toe foi atu loa i sa Nifaē, e taumafai ona faalelei ia te i latou o mea leaga na latou faia.

18. Ma ua oo ina tala'i atu e Nifae ma Liae i sa Lamanā ma le mana tele ma le pule, auā ua tuuina mai le mana ma le pule ia te i laua ina ia la tautala atu;

ma ua foaiina mai ia te i laua upu la te fi atu ai.

19. O le mea lea na la tautala atu ai, ua iu ina taufaiofo ai sa Lamanā, ma ua mautinoa ai i latou, ua iu ina papatisoina i le salamo sa Lamanā e toavalu afe o e na i le nuu o Sara'emila ma ona tuaoi, ma ua mautinoa ai e i latou le leaga o uputuu a o latou tamā.

20. Ua oo foi ina o ese Nifae ma Liae ai lea mea e o atu i le laueleele o Nifae.

21. A ua oo ina pueina i laua e le au a sa Lamanā ma ua lafoina i le falepuipui, ioe, o lea lava falepuipui sa lafoina ai Amona ma ona uso e auauna a Limae.

22. Ina ua i ai i laua i le falepuipui i aso e tele, a e lei maua se mea e 'ai, faauta, ua latou o mai i le falepuipui e aveese i laua, ina ia latou fasioti ia te i laua.

23. Ua oo ina siosiomia Nifae ma Liae e peiseai i le afi, ua iu ina fefefe ai i latou ona fetagofi mai o latou lima ia te i laua, auā ua fefefe ne'i mu i latou. E ui lava i lea, ua le mu Nifae ma Liae, a ua peiseai ua tutū foi i laua i totonu o le afi, a ua le mu ai.

24. Ina ua iloa foi e i laua ua siosiomia i laua i le afi faaniutu, ma ua le mu ai i laua, ona lototele ai lea i laua.

25. Auā ua iloa e i laua ua fefefe sa Lamanā ina fetagofi mai o latou lima ia te i laua, ua fefefe foi ina faalatalata atu ia te i laua, a ua tutū atu, e peiseai ua taia gūgū i le ofo.

26. Ua oo foi ina tutū atu Nifae ma Liae, ma ua amata ona tautala atu ia te i latou, ua faapea atu: Aua le fefe, auā faauta, o le Atua ua faaalia mai ai lenei mea ofoofogia ia te outou; ua faaalia ai ia te outou, tou te le mafai ona fetagofi mai o outou lima ia te i maua e fasioti ai i maua.

27. Faauta foi, ina ua uma ona la fai atu ia upu, ua matuā luluina le laueleele, ma ua lulu foi pa o le falepuipui, e peiseai o le a solo i le eleele, a e peitai, faauta, ua le pāuu. Faauta foi, o i latou o e ua i le falepuipui, o sa Lamanā ma sa Nifaē o e ua tuumāvaega.

28. Ua oo foi ina faamalumaluina i latou i le ao o le pogisa, ma ua oo ia te i latou le matautuia tele.

29. Ua oo foi ina tūlei mai le siufofoga, e peiseai mai i luga o le ao o le pogisa, ua faapea mai: Ia outou salamo, ina salamo ia outou, aua ne'i toe taumafai ona faaumatia a'u auauna, o e ua ou aauina atu e tala'i atu le tala lelei ia te outou.

30. Ua oo foi ina latou faalogoina lenei leo, ma ua iloa e le o le leo o le faititili, po o le leo o le pisapisao tele, a e faauta, o le leo itiiti ma le malie lava ia, e peiseai o le musumusuga, a ua atia ai le agaga.

31. E ui foi i le malie o le leo, faauta, ua matua luluina ai le laueleele, ma ua toe luluina pa o le falepuipui, e peiseai o le a solo i le eleele. Faauta foi, ua le matafi le ao o le pogisa ua faamalumalu ifo ia te i latou.

32. Faauta foi, ua toe tūlei mai le siufofoga, ua faapea mai: Ia outou salamo, ina salamo ia outou, auā ua latalata mai le malo o le lagi; aua ne'i toe taumafai ona faaumatia a'u auauna. Ua oo foi ina toe luluina le laueleele, ma ua luluina pa o le falepuipui.

33. Ua toe tūlei mai foi faatolu le siufofoga, ma ua fetalaia mai ia te i latou o upu ofoofogia e le mata'uta'ua e tagata. Ona toe lu-

luina ai lea pa, ma ua luluina le laueleele e peiseai o le a vaevaeina.
34. Ua oo ina le mafai ona sosola ese sa Lamanā, ona o le ao o le pogisa ua faamalumalu ifo ia te i latou, ioe, ua le mafaagaeetia i latou ona o le mata'u ua oo mai ia te i latou.
35. O lenei, ua i ai le tasi ia te i latou na tupu mai i sa Nifaē, na ia lotu muamua i le ekalesia a le Atua, a ua vavae ese ia te i latou.
36. Ua oo foi ina fāliu o ia, faauta foi, ua ia iloa i le ao o le pogisa mata o Nifae ma Liae, faauta foi, ua pupula mai i laua e pei lava o fofoga o agelu. Ua iloa foi e ia ua le tetepa ae i le lagi, ma ua faasaga atu i laua e peiseai ua la tautala, po ua alalaga atu i se tasi ua la vāai i ai.
37. Ua oo foi ina alaga atu lenei tagata i le motu o tagata, ina ia latou liliu atu ma vaavaai ai. Faauta foi, ua foaiina mai le malosi i te i latou, ona latou liliu lea ma ua vāai atu, ma ua latou iloa mata o Nifae ma Liae.
38. Ona latou fai mai ai lea i le tagata: Faauta, se a le uiga o nei mea uma? Po o ai ua tautala ma nei tagata?
39. O lenei, o le igoa o le tagata o Aminatapa. Ua fai atu Aminatapa ia te i latou: O loo latou tautala ma agelu a le Atua.
40. Ua oo ina fai mai sa Lamanā ia te ia: Se a se mea matou te faia ina ia aveeseina lenei ao o le pogisa ai le faamalumaluina o i matou?
41. Ona fai atu ai lea o Aminatapa ia te i latou: E ao ina outou salamo, ma faatoga atu i le siufofoga seia outou maua le faatuatua ia Keriso, o Le sa a'oa'oina atu ia te outou e Alema, ma Amoleka, ma Seseroma, ona aveeseina ai lea ai le faamalumaluina o outou.
42. Ua oo foi ina amata ona faatoga atu i latou uma i le siufofoga, o Le na luluina le laueleele, ioe, ua latou faatoga atu ina seia matafi ese le ao o le pogisa.
43. Ua oo ina latou vaavaai solo, ma ua iloa ua matafi ese le ao o le pogisa ai le faamalumaluina o i latou, faauta foi, ua latou iloa ua siomia i latou taitoatasi ile afi faaniutu.
44. Sa i ai foi Nifae ma Liae i totonu ia te i latou; ioe, ua siosiomia i laua, ioe, e peiseai ua i ai i laua i totonu o le afi mumū, e ui i lea, ua le afaina i laua, ua le mu foi pa o le falepuipui, a ua faatumuina i laua i lena olioli e le mata'uta'ua, ma ua tumu i le mamalu.
45. Faauta foi, ua afio ifo le Agaga Paia o le Atua mai le lagi, ma ua ulu atu i o latou loto, ona faatumuina ai lea i latou e peiseai i le afi, ua mafaia foi ona latou tautala i upu ofoofogia.
46. Ua oo foi ina tŭlei mai le siufofoga ia te i latou, ioe, o le leo malie, e peiseai o le musumusuga, ua faapea mai:
47. Ia manuia, ia manuia outou ona o lo outou faatuatua i la'u Pele, o Le sa i ai talu le faavaeina o le lalolagi.
48. O lenei foi, ina ua latou faalogoina lenei mea, ua tetepa ae i latou, e peiseai o le a vaavaai atu i le mea ua tŭlei mai ai le siufofoga. Faauta foi, ua latou iloa atu le lagi ua avanoa, ma ua afio ifo agelu mai le lagi ma ua auauna mai ia te i latou.
49. Ua i ai foi pe toatolu selau tagata, o e na vāaia ma faalogoina nei mea. Ua poloaiina i latou e o atu, a e aua le ofo pe masalosalo i latou.
50. Ua oo foi ina latou o atu

ma ua auauna atu i le nuu, ua tala'i atu i itu uma e latalata mai o mea uma na latou faalogoina ma vāaia, ua iu ina mautinoa ai le toatele o sa Lamanā ona o le silisili o mau na latou maua.

51. O i latou uma foi o e ua mautinoa, ua latou lafoaiina la latou auupega o le taua, atoa ma lo latou ita, ma uputuu a o latou tamā.

52. Ua oo foi ina latou toe tuuina atu i sa Nifaē nuu o lo latou tofi.

MATAUPU 6.

Ua auina atu e sa Lamana faifeau tala'i i sa Nifaē—Ua i ai le filemu ma le sa'olotoga i le nuu—O le laueleele o Liae ma le laueleele o Moleka—Ua fasiotia Sesorama ma lona atalii—Ua maua e le au fao mea a Katianetona le mālō.

1. Ua oo foi ina ua iu lona onosefulu ma le lua o tausaga o le nofoaiga a faamasino ina taunuu nei mea uma, ma ua avea le toatele o sa Lamanā ma nuu amiotonu, ua iu ina sili la latou amiotonu i la sa Nifaē, ona o lo latou mausali ma lo latou le mafaagaeetia i le faatuatua.

2. Auā faauta, ua i ai nisi e toatele o sa Nifaē ua faamaaaina, ma ua le salamo, ma ua amioleaga tele, ua iu ina latou teena le afioga a le Atua, ma talaiga uma ma perofetaga na oo mai ia te i latou.

3. E ui i lea, ua i ai le olioli tele i tagata o le ekalesia ona o le lotu mai o sa Lamanā, ioe, ona o le ekalesia a le Atua ua faatuina ia te i latou. Ua mafuta foi i latou o le tasi ma le tasi, ma ua olioli o le tasi i le tasi, ma ua maua le fiafia tele.

4. Ua oo foi ina o ifo sa Lamanā e toatele i le nuu o Sara'emila, ma ua tala'i atu i sa Nifaē le uiga o lo latou lotu mai, ma ua apoapoai atu ia te i latou, ia faatuatua ma salamo.

5. Ioe, ua tala'i atu nisi e toatele i le mana ma le pule tele, ua iu ina faamaulaloina ai nisi e toatele o i latou, ua matua faamaulalo lava, e fai ma soo faamaulalo o le Atua ma le Tama'i Mamoe.

6. Ua oo foi ina o atu nisi e toatele o sa Lamanā i le laueleele i le itu i matu, ma ua o atu foi Nifae ma Liae i le laueleele i le itu i matu, e tala'i atu i le nuu. Ua faapea foi ona iu lona onosefulu ma le tolu o tausaga.

7. Faauta foi, ua i ai le filemu i le nuu uma lava, ua iu ina feoai sa Nifaē i itu uma o le laueleele na latou loto i ai, i sa Nifaē ma sa Lamanā.

8. Ua oo foi ina feoai sa Lamanā i itu uma na latou loto i ai, i sa Lamanā ma sa Nifaē, ma ua faapea ona latou feaveai mea o le tasi i le tasi, e faatau atu ma faatau mai, ma saili oloa e tusa ma o latou manao.

9. Ua oo ina mauoa tele i latou, o sa Lamanā atoa ma sa Nifaē, ua ia te i latou le auro, ma le ario, ma uamea tāua uiga eseese, ua tele naua i le laueleele i le itu i toga atoa ma le laueleele i le itu i matu.

10. O lenei, ua faaigoaina le laueleele i le itu i toga ia Liae, a ua faaigoaina le laueleele i le itu i matu ia Moleka, i le igoa o le atalii o Setekaia, auā sa ta'ita'iina mai Moleka e le Atua i le laueleele i le itu i matu, a ua ta'ita'iina mai Liae i le laueleele i le itu i toga.

11. Faauta foi, ua i ai le auro uiga eseese i nei nuu uma e lua, ma le ario, ma uamea tāua o ituaiga uma. Ua i ai foi tagata atamamai, o ē galulue i maa o itu-

aiga eseese ma faamamā ai, ma ua faapea ona tamāoaiga i latou.

12. Ua latou totō le saito e tele, i le itu i matu atoa ma le itu i toga; ma ua matua tupuolaola i latou i le itu i matu atoa ma le itu i toga; ma ua fanafanau i latou, ma ua tauau ina matua malosi i le nuu; ua latou fai lafu ma fagaga e tele, ioe, o manu pepeti e tele.

13. Faauta, ua galulue ma milo o latou fafine, ma ua fai ie uiga eseese, o le lino miloa lelei, atoa ma ie o ituaiga uma e faaofu a'i lo latou le lavalavā. Ua faapea foi ona mavae atu i le filemu lona onosefulu ma le fa o tausaga.

14. O lona onosefulu ma le lima o tausaga ua i ai le fiafia tele ma le filemu ia te i latou, ioe, o tala'iga e tele ma valoaga e tele i mea e oo mai. Ua faapea foi ona mavae atu lona onosefulu ma le lima o tausaga.

15. Ua oo foi i lona onosefulu ma le ono o tausaga o le nofoaiga a faamasino, faauta, ua fasiotia Sesorama i le lima ua le iloaina, ina o nofo o ia i le nofoa faamasino, ma ua oo foi i lea lava tausaga ina fasiotia foi lona atalii, o le sa tofia e le nuu e sui i lana pule. Ua faapea foi ona iu lona onosefulu ma le ono o tausaga.

16. O le amataga foi o lona onosefulu ma le fitu o tausaga ua toe amata ai ona matua amioleaga le nuu.

17. Auā faauta, ua faapea ona leva ona faamanuiaina i latou e le Atua i oloa o le lalolagi, ua le faaosoina ai i latou i le ita, po o taua, po o le faamasaaina o le toto, o le mea lea na amata ai ona mafuli o latou loto i o latou oloa, ioe, ma ua amata ona latou saili oloa, ina ia faasili latou o le tasi i le tasi. O le mea foi lea na amata ai ona latou fasioti falilo i tagata, ma fao mea, ma vete, ina ia latou mauoloa ai.

18. O lenei foi, faauta, o na tagata fasioti tagata ma tagata fao mea, o le au lea o e na faapotopotoina e Kisakumena ma Katianetona, a o lenei ua oo ina matua toatele i sa Nifaē le au a Katianetona; a e peitai, faauta, ua sili ona toatele i latou i le vaega aupito amioleaga o sa Lamanā. Ua ta'ua i latou, o le au fao mea ma tagata fasioti tagata o Katianetona.

19. O i latou na na fasioti le faamasino, o Sesorama, ma lona atalii, ina o nofo i le nofoa faamasino, faauta foi, ua le maua i latou.

20. O lenei foi, ua oo ina iloa e sa Lamanā ua ia te i latou tagata fao mea, ona matua faanoanoa ai lea i latou, ma ua latou taumafai i mea uma, e tusa ma lo latou malosi, ona faaumatia i latou ai le fogaeleele.

21. A e peitai, faauta, ua faaosoina e Satani loto o le toatele o sa Nifaē, ua iu ina faatasia i latou ma na au fao mea, ma ua osia a latou feagaiga, ma a latou tautoga, latou te faamamaluina ma faasaoina le tasi e le tasi i mea faigata uma e tuuina atu i ai i latou, ina ia le tigaina i latou ona o lo latou fasioti tagata, ma lo latou vete, ma lo latou gaoi.

22. Ua oo foi ina latou faia o latou faailoga, ioe, ō latou faailoga lilo ,ma a latou upu faalilo, ma ua faia nei mea ina ia latou iloa ai se uso ua osia le feagaiga, ina ia le faatigaina e ia lona uso ona o sana amioleaga, po o i latou o e ua i lana au, o e ua osia lenei feagaiga.

23. Ma ua faapea ona mafai i latou ona fasioti tagata, ma vete, ma gaoi, ma faitaaga, ma fai amioleaga eseese ua le tusa ma

tulafono a lo latou nuu, atoa ma tulafono a lo latou Atua.

24. Ai se tasi foi o la latou au ua faaali atu i le lalolagi la latou amioleaga ma a latou mea inosia, e faamasinoina e tusa ma tulafono a la latou amioleaga na faia e Katianetona ma Kisakumena, a e le tusa ma tulafono a lo latou nuu.

25. O lenei, faauta, o tautoga ma feagaiga faalilo nei na poloai atu ai Alema i lona atalii, aua ne'i faasalalauina i le lalolagi, ne'i fai ma mea e malaia ai le nuu.

26. O lenei, faauta, ua le oo atu ia tautoga ma feagaiga faalilo ia Katianetona mai tusi na tuuina mai ia Helamana. A e peitai, faauta, ua tuuina i le loto o Katianetona e le na olegia o tatou mātua muamua e aai le fua na faasaina.

27. Ioe, o le na taupulepule ma Kaino, afai na te fasiotia lona uso o Apelu e le iloa e le lalolagi. Na ia taupulepule ma Kaino ma e na mulimuli ia te ia e afua i lea lava aso.

28. O ia foi lena na tuu ai i loto o le nuu e ati ae le olo, ia lava lona maualuga ina ia oo atu i le lagi; o ia foi lena na faaosoina le nuu na o mai mai lena olo i lenei nuu; o le na faasalalauina galuega o le pouliuli ma mea inosia i le fogaeleele uma lava, ina seia tosoina atu e ia le nuu i le malaia atoa, ma le seoli faavavau.

29. Ioe, o ia lava lena na tuu ai i le loto o Katianetona e fai pea le galuega o le pouliuli ma fasioti faalilo i tagata; o ia lava ua faatupuina nei mea talu le amataga o tagata e oo lava i nei ona po.

30. Faauta foi, o ia lava o le pogai o agasala uma; faauta foi, ua ia faia ana galuega o le pouliuli ma fasioti faalilo i tagata, ma ua tuufaasoloina mai a latou pulega ma a latou tautoga, ma a latou feagaiga, atoa ma a latou togafiti a le amioleaga matua tele i lea tupulaga ma lea tupulaga, e pei ona mafai ai o ia ona maua le pule i loto o le fanauga a tagata.

31. O lenei foi, faauta, na ia maua le pule tele i loto o sa Nifaē, ioe, ua iu ina matua amioleaga i latou; ioe, ua alo ese le toatele o i latou ai le ala o le amiotonu, ma ua soli i o latou vae poloaiga a le Atua, ma ua liliu atu i o latou lava ala, ma ua faia mo i latou tupua i la latou auro ma la latou ario.

32. Ua oo mai ia te i latou nei amioletonu uma lava, ua le tele ai tausaga, ua iu ina oo mai ia te i latou le tele o ia mea i lona onosefulu ma le fitu o tausaga o le nofoaiga a faamasino i le nuu o Nifae.

33. Ua tauau ina amioletonu tele i latou i lona onosefulu ma le valu o tausaga, ua ala mai ai le faanoanoa ma le auega tele i ē amiotonu.

34. Ma ua faapea ona tatou iloa ua amata ona tauau ina le faatuatua sa Nifaē, ma ua tupu i le amioleaga ma mea inosia; a o sa Lamanā, ua amata ona tupu i latou i le malamalama ma poloaiga a lo latou Atua, e moni, ua amata ona latou tausi i ana tulafono ma poloaiga, ma ua savavali i le upu moni ma le amio sao i ona luma.

35. Ma ua faapea ona tatou iloa ua amata ona te'a le Agaga o le Atua ma sa Nifaē, ona o le amioleaga ma le maaa ō latou loto.

36. Ma ua faapea ona tatou iloa ua amata ona liligi ifo e le Atua lona Agaga i sa Lamanā,

ona o lo latou filemu ma lo latou fia talitonu i ana fetalaiga.

37. Ua oo foi ina saili e sa Lamanā le au fao mea a Katianetona, ma ua latou tala'i atu le afioga a le Atua i ē aupito amioleaga ia te i latou, ua iu ina matua faaumatia lenei au fao mea ai sa Lamanā.

38. A ua oo foi i le tasi itu ina atiina ae i latou e sa Nifaē, ma ua fesoasoani ia te i latou e amata i e amioleaga o i latou, ina seia salalau i latou i le nuu uma o sa Nifaē, ma ua faaseseina le toatele o ē amiotonu, ua iu ina latou talitonu i a latou galuega, ma ua fetagofi i a latou vete, ma ua au faatasi ma i latou i o latou fasiiti tagata ma pulega faalilo.

39. Ua faapea ona latou maua le pule aoao i le malo, ua iu ina latou solia i lalo ō latou vae, ma ua fasi, ma saēi, ma liliu atu o latou tua i ē matitiva, ma ē agamalu, ma soo faamaulalo o le Atua.

40. Ma ua faapea ona tatou iloa ua i ai i latou i le faigata tele, ma ua tauau ina saunia i le malaia faavavau.

41. Ua oo foi ina faapea ona iu lona onosefulu ma le valu o tausaga o le nofoaiga a faamasino i le nuu o Nifae.

O le valoaga a Nifae, le atalii o Helamana. Ua faamata'uina le nuu o Nifae e le Atua, e asiasia i latou i lona toasa e oo i lo latou malaia atoatoa, pe afai latou te le salamo i a latou amioleaga. Ua taia le nuu o Nifae e le Atua i le famaa'i; ua latou salamo ma liliu mai ia te ia. Ua perofeta ane Samuelu, le sa Lamana, i sa Nifae.

(E aofia ai mataupu 7 e oo i le 16)

MATAUPU 7.

Ua teena Nifae e tagata i le tu i matu, ma ua toe foi atu o ia i le aai o Sara'emila—Ua ia tatalo atu i le Atua i luga o le olo i lana faatoago ma ua lug atu le motu o tagata.

1. Faauta, ua oo i lona onosefulu ma le iva o tausaga o le nofoaiga a faamasino i le nuu o Nifae ina foi mai Nifae, le atalii o Helamana, i le nuu o Sara'emila mai le laueleele i le itu i matu.

2. Auā na alu atu o ia i tagata i le nuu i le itu i matu, ma na tala'i atu le afioga a le Atua ia te i latou, ma na perofeta ane i mea e tele ia te i latou.

3. A ua latou teena ana upu uma, ua iu ina le mafai o ia ona nofo faatasi ma i latou, a ua toe foi mai o ia i le nuu na fanauina ai o ia.

4. Ma ua iloa ua i ai i le nuu lenei amioleaga faigata, ua nonofo le au fao mea a Katianetona i nofoa faamasino, ua fao le mamalu ma le pule i le nuu; ua tuueseina poloaiga a le Atua, ma ua le tusa i se mea e tasi i ona luma, ua le faia se mea tonu i le fanauga a tagata.

5. Ua ta'usalaina o ē amiotonu ona o la latou amiotonu, ua tuu o ē agasala ma ē amioleaga e o ma le le faasalaina, ona o la latou tupe; i le ma le tasi, ua tumau i o latou tofiga e autu ai le malo, e pule ma fai mea e tusa ma o latou loto, ina ia latou maua le oloa ma le viiga a le lalolagi, i le ma lea, ina ia sili ona faigofie ia te i latou ona mulilua, ma gaoi, ma fasioti tagata, ma fai mea e tusa ma o latou lava loto.

6. O lenei, ua oo mai lenei amioletonu tele i sa Nifae i nai tausaga e le tele; ina ua iloa e Nifae, ua tumu lona loto i le faa-

noanoa, ma ua alaga atu o ia i
le tiga o lona agaga.
7. Se anoa! ana ola mai a'u i
aso na faatoa sau ai lo'u tamā o
Nifae nai le nuu o Ierusalema, ina
ia ma fiafia faatasi ma ia i le nuu
na folafolaina mai; o aso ia sa
faalogogofie ai lona nuu, ma ua
mausali i le tausiga o poloaiga
a le Atua, ma ua telegese ona
ta'ita'iina i le amioletonu, a ua
latou taalise e usiusitai i feta-
laiga a le Atua.
8. E! ana ola mai a'u i na ona
po, po ua olioli ai lo'u agaga i le
amiotonu a o'u uso.
9. A e peitai, faauta, ua tofia
a'u e fai mo'u nei aso, ia faatu-
muina ai lo'u agaga i le faanoa-
noa ona o le amioleaga nei a o'u
uso.
10. Faauta, ua i ai le olo i le
faatoaga o Nifae, ua latalata foi
i le ala tele e tau atu i le malae
sili i le aai o Sara"emila; o le
mea lea na punou ifo ai Nifae i
luga o le olo i lona faatoaga, ua
latalata foi le olo i le faitotoa o
le faatoaga na tau atu i le ala
tele.
11. Ua oo foi ina ui ane nisi
tagata, ma ua latou iloa atu ia
Nifae, ina o faaali ae e ia lona
agaga i le Atua i luga o le olo,
ona latou femoei atu ai lea ma
ua ta'u atu i le nuu le mea ua
latou vaaia. Ona faapotopoto ai
lea le nuu, ua lolofi mai motu o
tagata, ina ia latou iloa le mea
na ala ai lenei faanoanoa tele ona
o le amioleaga a le nuu.
12. O lenei foi, ua tulai Nifae,
ona iloa lea e ia le motu o tagata
ua faapotopotoina faatasi.
13. Ua oo foi ina fai atu o ia
ia te i latou, ua faapea atu: Fa-
auta, po o le a le mea ua faapoto-
potoina faatasi ai outou? Ina ia
ou ta'u atu ea ia te outou a outou
amioletonu?
14. Ioe, ona ua ou alu ae ea i
lo'u olo, ina ia ou momoli ae lo'u
agaga i lo'u Atua, ona o le faa-
noanoa tele o lo'u loto ona o la
outou amioletonu?
15. Ona o lo'u faanoanoa ma
auega ua faapotopotoina ai outou
ma ua taufaiofo ai outou. E moni,
e tatau ona outou taufaiofo; ioe,
e tatau ona taufaiofo outou ona
ua tuulafoaiina outou, ua maua
ai e le tiapolo lenei pule tele i o
outou loto.
16. Ioe, e mafai faapefea ona
outou gauai atu i tofotofoga a le
o loo saili e lafo o outou agaga i
le puapuaga faavavau ma le aue-
ga e le gata?
17. Ina salamo ia outou, ina
salamo, po o le a ea le mea tou
te fia oti ai? Liliu mai ia outou,
ina outou liliu mai i le Alii lo
outou Atua. Po o le a ea le mea
ua tuulafoaiina atu ai outou e ia?
18. Auā ua outou faamaaaina o
outou loto. Ioe, e le mafafai ou-
tou ona gauai i le leo o le Leoleo
Mamoe lelei, ioe, ua outou faa-
'ono'ono ia te ia e toatamai ai o
ia ia te outou.
19. Faauta foi, e le faapoto-
potoina outou, sei iloga tou te
salamo, faauta, na te faataapea-
peina outou a avea ai outou ma
mea e 'ai a ulī ma manu feai.
20. E! pe faapefea ona galo ia
te outou lo outou Atua i lea lava
aso na laveaiina ai outou e ia?
21. A e peitai, faauta, ua faa-
pea ina ia outou mauoa, ina ia
viia e tagata, ioe, ina ia outou
maua le auro ma le ario. Ma ua
outou tuuina atu o outou loto i le
oloa ma mea le aoga a lenei lalo-
lagi, ua outou fasioti ai tagata,
ma vete, ma gaoi, ma molimau
pepelo i le lua te tuaoi, ma ua fai
amioletonu uiga eseese.
22. Ona o nei mea foi e oo mai
le auega ia te outou, sei iloga
tou te salamo. Auā afai tou te
le salamo, faauta, e aveeseina ia

te outou lenei aai tele, atoa ma aai tetele uma ua i ona tuaoi, ua i ai i le laueleele ua tatou mau ai, ina ia le mau ai outou; auā faauta, e le foai mai ia te outou e le Atua le malosi e pei ona faia e ia i aso ua mavae, e tetee atu ai i ē ita mai ia te outou.

23. Auā faauta, o loo faapea ona fetalai mai le Atua: Ou te le faaali atu lo'u malosi i ē amioleaga ia sili i le tasi ai le tasi, sei iloga o i latou o ē salamo i a latou agasala ma usiusitai i a'u upu. O le mea lea, o'u uso e, ou te manao ai ina ia outou iloa, e sili ona lelei i sa Lamanā ai outou, pe afai tou te le salamo.

24. Auā faauta, ua sili ona amiotonu i latou ai outou, auā ua le agasala i le malamalama tele ua outou maua, o le mea lea foi e finagalo alofa ai le Atua ia te i latou; ioe, na te tulu'i atu o latou aso ma faatoateleina a latou fanau pe a uma ona faaumatia outou, pe afai tou te le salamo.

25. Ioe, oi talofa ia te outou ona o lena mea inosia tele ua oo mai ia te outou, ma ua outou faatasia i ai outou, ioe, o lena au faalilo na faatuina e Katianetona.

26. E oo mai le auega ona o lena faamaualuga ua outou tuuina atu e oo mai i o outou loto, ua faafefeteina ai outou e le tatau, ona ō outou oa matua tele.

27. Ioe, oi talofa ia te outou ona o la outou amioleaga ma mea inosia.

28. Sei iloga foi tou te salamo, e malaia outou, ioe, e aveeseina o outou fanua ia te outou, e faaumatia foi outou ai le fogaeleele.

29. O lenei, faauta, ou te le fai atu na o a'u e oo mai nei mea, auā e le ona o a'u ua ou iloa ai nei mea, a e peitai, faauta, ua ou iloa ua moni nei mea, auā ua faaalia mai ia te au e le Alii le Atua. O le mea lea ou te molimau atu ai ia te outou, e taunuu lava.

MATAUPU 8.

Ua faaauau pea le lauga a Nifae—Ua taumafa faamasino leag e faamalosi tagata na ia latou tetee atu a te ia—Ua a ta'u atu le maliu o le faamasino sili e tusa ma le musumusuga mai le agaga.

1. O lenei foi, ua oo ina ua fai atu e Nifae nei upu, faauta, ua i ai nisi tagata ua fai ma faamasino, ma ua au i latou i le au faallo a Katianetona ma ua ita i latou, ona latou molia ai lea o ia, ua faapea atu i le nuu: Se a ea le mea tou te le pue ai lenei tagata, ma aumai o ia ina ia faasalaina o ia e tusa ma le agasala ua faia e ia?

2. Se a foi le mea ua outou vāai atu ai i lenei tagata ma faalogologo ia te ia a o upu leaga o ia i lenei nuu ma la tatou tulafono?

3. Auā faauta, na tautala atu Nifae ia te i latou e uiga i le leaga o la latou tulafono; ioe, na tautala atu Nifae i mea e tele e le mafai ona tusia, a ua le fai atu e ia se mea e tasi ua le tusa ma poloaiga a le Atua.

4. Ua ita foi na faamasino ia te ia, auā na ia ta'utino atu ia te i latou a latou galuega faalilo o le pouliuli, e ui i lea, ua fefefe i latou ina fetagofi mai o latou lima ia te ia, auā ua matata'u i latou i le nuu, ne'i molia ai i latou.

5. O le mea lea na latou alalaga atu ai i le nuu, na faapea atu: Se a ea le mea tou te tuuina atu ai i lenei tagata e upuleaga mai ia te i tatou? Auā faauta, ua ta'usalaina e ia lenei nuu uma i le malaia, ioe, ma lea foi, e aveeseina o tatou nei aai tetele ai i tatou, ia le mau ai i tatou.

6. O lenei foi, ua tatou iloa e

le mafaia lenei mea, auā faauta, ua malolosi i tatou, ma ua tetele o tatou aai, o lea e le mafaia ai o ē ita mai ona maua le pule ia te i tatou.

7. Ua oo foi ina faapea ona latou faaosoina le nuu i le ita ia Nifae, ma ua faatupuina fefinauaiga ia te i latou, auā ua i ai nisi na alalaga atu, tuu pea ia lenei tagata, auā o le tagata amiolelei o ia, e moni, e taunuu mea ua ia fai mai na, sei iloga tatou te salamo.

8. Ioe, faauta, e oo mai ia te i tatou nei faamasinoga uma ua molimau mai ai o ia, auā ua tatou iloa ua moni lana molimau ia te i tatou e uiga i a tatou amioletonu. Faauta foi, ua tele, e pei foi ona iloa e ia a tatou amioletonu, e faapea ona iloa e ia mea uma e oo mai ia te i tatou.

9. Faauta foi, e moni, ana le o se perofeta o ia, po ua le mafai o ia ona molimau i nei mea.

10. Ua oo foi ina taofia na tagata o e na saili e faaumatia Nifae, ona o lo latou fefe, ua latou le fetagofi mai ai o latou lima ia te ia; o le mea lea na ia toe amata ai ona tautala atu ia te i latou, auā ua ia iloa ua alofaina o ia e nisi, ua iu ina matata‘u ai o ē totoe.

11. O le mea lea ua uunaia ai o ia e tautala atu atili ia te i latou, una faapea atu: Faauta, o‘u uso e, tou te lei faitau ea, sa foaiina mai e le Atua le mana i le tasi tagata, o Mose lea, e ta a‘i le suasami o le sami Ulaula, ona vaeluaina ai lea i lea itu ma lea itu, ua iu ina ui ane i ai Isaraelu, ō tatou tamā i latou, i le ilititai matutu, a ua foi le suasami i au a Aikupito, ma ua faaumatia ai i latou.

12. O lenei foi, faauta, afai na foaiina mai e le Atua lenei mana i lenei tagata, se a ea le mea tou te fefinauai ai ma fai mai, ua le foaiina mai e ia ia te au le mana ia ou iloa ai faamasinoga e oo mai ia te outou, sei iloga tou te salamo?

13. A e peitai, faauta, e le na ona outou faafitia a‘u upu, a e peitai, tou te faafitia foi upu uma na fai mai ai o tatou tamā, atoa ma upu na fai mai ai lenei tagata o Mose, o le na foaiina i ai lenei mana tele; ioe, ua outou faafitia upu na fai mai ai o ia e uiga i le afio mai o le Mesia.

14. Na ia le moliamu mai ea e afio mai le Alo o le Atua? E pei foi ona sii i luga e ia le gata apamemea i le vao, e faapea lava ona siita i luga Lē afio mai.

15. E pei foi ona ola i latou uma o e na tetepa ae i le gata, e faapea lava i latou uma o ē faamoemoe atu i le Alo o le Atua ma le faatuatua ma le agaga salamo, e ola ai i latou i lena ola e faavavau.

16. O lenei foi, faauta, e le na o Mose ua molimau i nei mea, a o le au perofeta paia uma, e amata i ia ona aso a e oo atu i ona po o Aperaamo.

17. Ioe, faauta foi, na iloa e Aperaamo lona afio mai, na tumu ai foi o ia i le fiafia ma le olioli.

18. Ioe, faauta foi, ou te fai atu ia te outou, e le na o Aperaamo, a e peitai, e toatele o i latou, a o lei oo i ona po o Aperaamo, na valaauina e le au tofia a le Atua, ioe, i le tofiga a lona Alo. Ua faapea foi ina ia faaalia mai i le nuu i afe e tele o tausaga a o lei oo i lona afio mai, e oo mai lava le Togiola ia te i latou.

19. O lenei foi, ou te manao ina ia outou iloa, sa i ai nisi perofeta e toatele talu aso o Aperaamo na molimau mai i nei mea; ioe, faauta, na molimau faamalosi le perofeta o Senosa, o lea na fasiotia ai o ia.

20. Faauta foi, o Senoka, ma Esaia, ma Isaia, ma Ieremia, (o Ieremia, o le perofeta lea na molimau mai e faaumatia Ierusalema.) O lenei foi, ua tatou iloa ua faaumatia Ierusalema e tusa ma upu a Ieremia, se a ea le mea e le afio mai ai le Alo o le Atua e tusa ma lana valoaga?

21. O lenei, pe tou te finau mai ea na le faaumatia Ierusalema? Pe tou te fai mai ea na le fasiotia atalii uma o Setekaia, a e toe na o Moleka? Ioe, po ua outou le iloa ea ua faatasi ma i tatou le fanauga a Setekaia, sa tulieseina foi i latou ai le nuu o Ierusalema? A e peitai, faauta, e le gata i nei mea.

22. Sa tulieseina lo tatou tamā o Liae ai Ierusalema, auā na ia molimau atu i nei mea. Na molimau foi Nifae i nei mea, ma ua molimau i ai le toatele ō tatou tamā, e oo mai lava i nei ona po, ioe, ua molimau mai i latou i le afio mai o Keriso, ma ua faatalitali ma le olioli i lona aso e oo mai.

23. Faauta foi, o ia o le Atua, ma ua faatasi o ia ma i latou, ma ua faailoa mai o ia lava ia te i latou, ua togiolaina i latou e ia, ma ua latou avatu le viiga ia te ia ona o le mea e oo mai.

24. O lenei foi, ina ua iloa e outou nei mea, ma ua le mafai ona faafitia, sei iloga tou te pepelo; o lea, o le mea lenei tou te agasala ai, auā e ui lava i nei mau e tele ua ia te outou, ua outou teena nei mea uma; ioe, ua ia te outou mea uma, o mea i le lagi atoa ma mea uma i le lalolagi e fai ma molimau ua moni nei mea.

25. A e peitai, faauta, ua teena e outou le upu moni, ma ua fouvale i lo outou Atua paia; o nei lava aso, o loo outou faafaulai ia te outou le toasa i le aso faamasino, a ua le tolo'a'i mo outou oa i le lagi, e le o i ai se mea e faaumatia ai, e le masao atu i ai se mea eleelea.

26. Ona o lo outou fasioti tagata, ma lo outou faitaaga, ma amioleaga, e moni, ua tauau nei lava ina saunia outou i le malaia faavavau. Ioe, sei iloga foi tou te salamo, e le pine ona oo mai ai ia te outou.

27. Ioe, faauta, o loo i ai nei lava i o outou faitotoa; ioe, ia outou o atu i le nofoa faamasino ma suesue ai, faauta, ua fasiotia lo outou faamasino, o loo taatia o ia i lona lava toto, ua fasiotia o ia e lona uso, ma ua fia nofo o ia i le nofoa faamasino.

28. Faauta foi, ua i ai i laua uma i la outou au faalilo, o lona autu o Katianetona ma loo leaga, o le ua saili e faaumatia agaga o tagata.

MATAUPU 9.

Ua faamaonia upu a Nifae—Ua maua le faamasino sili ua maliu i lona nofoalii—Ua ta!usalaina Nifae ma nisi e toalima—Ua faaalia lo latou le sala—Ua faaalia lē na fasioti tagata.

1. O lenei, faauta, ina ua fai atu e Nifae nei upu, ua taufetuli atu nisi tagata sa ia te i latou i le nofoa faamasino, ioe, e toalima i latou o e na o atu. Ina o latou o atu, ua latou fai ane o le tasi i le tasi:

2. Faauta, o le a tatou iloa tino po o se perofeta lenei tagata, ma ua poloaiina o ia e le Atua e valo mai nei mea ofoofogia ia te i tatou. Faauta, ua tatou le talitonu o ia o se perofeta, a e ui i lea, afai ua moni lenei mea ua fai mai ai o ia e uiga i le faamasino sili, ua oti o ia, ona tatou talitonu ai lea ua moni upu uma ua ia fai mai na.

3. Ua oo foi ina latou femoei ma lo latou malosi, ma ua oo atu i le nofoa faamasino, faauta, ua paū le faamasino i le eleele, ma ua ta'oto i lona toto.

4. O lenei foi, faauta, ua latou iloa lenei mea, ona matuā taufaiofo ai lea i latou, ua iu ina pāuu i latou i le eleele; auā na latou le talitonu i upu na fai atu e Nifae e uiga i le faamasino sili.

5. A o lenei, ina ua latou iloa, ua latou talitonu ai, ma ua oo mai ia te i latou le mata'u, ne'i oo mai i le nuu faamasinoga uma na fai atu ai Nifae; o le mea lea na gatete ai i latou ma ua pāuu i le eleele.

6. O lenei, ua fasiotia le faamasino, ua tutu'ia o ia e lona uso; ua ofu faasese o ia ma ua sola ese loa, a ua taufetuli atu auauna, ma ua ta'u atu ai i le nuu, ua alalaga atu ia te i latou: Ua fasiotia le tagata!

7. Faauta foi, ua faapotopoto mai le nuu i le mea ua i ai le nofoa faamasino, faauta foi, ua taufaiofo i latou ina ua latou iloa na tagata e toalima o e ua pāuu i le eleele.

8. O lenei foi, faauta, ua le iloa e le nuu se upu e tasi e uiga i le motu o tagata, o e na faapotopotoina i le faatoaga o Nifae, o le mea lea na latou fai ane ai o le tasi i le tasi: O tagata nei na fasioti le faamasino, ma ua taia i latou e le Atua, ina ia le mafai ona latou sosola ese ia te i tatou.

9. Ua oo ina latou pueina i latou ma saisaitia i latou, ma lafoina i latou i le falepuipui. Ua faasalalauina le tusi, ua fasiotia le faamasino, ma ua pueina tagata o e na fasiotia o ia, ma ua lafoina i latou i le falepuipui.

10. Ua oo foi i le taeao, ona faapotopoto faatasi ai lea le nuu e faanoanoa ma anapogi i le tanuga o le faamasino sili ua fasiotia.

11. Ma ua faapea ona faapotopotoina i le tanuga na faamasino o e na i le faatoaga o Nifae, na faalogo foi i ana upu.

12. Ua oo foi ina latou fesili atu i le nuu, ua faapea atu: Po o fea o i ai le toalima na aauina mai e fesili pe faapefea le faamasino sili, po ua oti o ia? Ona latou tali mai ai lea, ua faapea mai: Matou te le iloa le toalima ua outou fai mai na outou aauina mai, a e peitai, e i ai le toalima o e na fasiotia o ia ua matou lafoina i le falepuipui.

13. Ua oo foi ina mananao faamasino ia aumaia i latou, ona aumaia ai lea i latou. Faauta foi, o le toalima i latou o e na aauina mai. Faauta foi, ua fesili atu faamasino ia te i latou pe faapefea le feau, ona latou faamatala mai ai lea ia te i latou mea uma na latou faia, ua faapea mai:

14. Na matou taufetuli mai ma ua matou oo mai i le fale faamasino, ina ua matou iloa mea uma e pei ona molimau mai ai Nifae, ua taufaiofo ai i matou, ua iu ina matou pāuu i le eleele; ina ua mavae atu lo matou taufaiofo, faauta, ua latou lafoina i matou i le falepuipui.

15. A o le fasiotiga o lenei tagata, matou te le iloa po o ai na faia, ua na o le mea nei ua matou iloa, na matou taufetuli mai e tusa ma lo outou manao, faauta, ua oti o ia e tusa ma upu a Nifae.

16. O lenei foi, ua oo ina faamatala le mea e faamasino i le nuu, ma ua molia Nifae, ua faapea atu: Faauta, ua matou iloa na taupulepule lenei tagata ma le tasi e fasioti le faamasino, ona mafai ai lea o ia ona ta'u mai ai ia te i tatou ina ia faaliliu atu i tatou i lona faatuatuaga, ina ia faamaualugaina ai o ia e ia e fai

ma tagata mamalu ua filifilia e le Atua, e fai foi ma perofeta.

17. O lenei foi, faauta, tatou te maua lenei tagata, e faaali mai foi e ia lana agasala, ma faailoa mai ia te i tatou le tagata moni na fasioti lenei faamasino.

18. Ua oo foi ina tuu saoloto le toalima i le aso o le tanuga. E ui lava i lea, ua latou aoai atu i faamasino ona o upu na latou ta‘uleagaina ai Nifae, ma ua latou finau ma i latou taitoatasi, ua iu ina latou faamaina i latou.

19. A e ui i lea, ua latou poloai atu, ia pueina Nifae ma ia noanoatia o ia, ma ia aumaia o ia i luma o le motu o tagata, ma ua amata ona latou fesili mai ia te ia i ala eseese, ina ia latou taumaileia o ia, ina ia latou faasalaina o ia ia oti.

20. Ua faapea mai ia te ia: Ua oulua soo ma le tasi, po o ai ea lena fasioti tagata? O lenei, ta‘u mai ia ma faaali mai lau agasala. Ua faapea foi: Faauta, o loo iinei le tupe, i le ma lea, matou te faasaoina lou ola, pe afai e te ta‘u mai ai ia te i matou, ma faaali mai le feagaiga ua oulua osia ma ia.

21. A e peitai, ua fai atu Nifae ia te i latou: O outou tagata valelea e, o outou ua le peritomeina o outou loto, o outou tauaso, o outou tagata ūa mălolo, pe tou te iloa ea pe tuu atu e le Alii lo outou Atua ia alualu pea outou i lo outou ala o le agasala seia afea?

22. Ioe, e tatau ia te outou ona amata ona uio ma faavauvau, ona o le malaia tele o loo faatalitali nei ia te outou, sei iloga tou te salamo.

23. Faauta, ua outou fai mai, ua ma faia le feagaiga ma le tagata na te fasioti ia Sesorama, lo tatou faamasino sili. A e peitai, ou te fai atu ia te outou, ua faapea ona ua ou molimau atu ia te outou, ina ia outou iloa lenei mea, ioe, e fai ma molimau ia te outou, ua ou iloa le amioleaga ma mea inosia ua i ai ia te outou.

24. Ona ua ou faia lenei mea, ua outou fai mai ai ua ma faia le feagaiga ma le tagata na te faia lenei mea, e moni, ona ua ou faaali atu ia te outou lenei faailoga, ua outou ita mai ai ia te au, ma saili e faaumatia lo‘u ola.

25. O lenei, faauta, ou te faaali atu ia te outou le tasi faailoga, e iloa ai foi pe tou te taumafai ona faaumatia a‘u ona o lenei mea.

26. Faauta, ou te fai atu ia te outou, ina o atu ia i le fale o Seanetuma, o le uso lea o Sesorama, ma fai atu ia te ia:

27. Po ua oulua osia le feagaiga ma Nifae le perofeta pepelo, o le ua vavalo i mea leaga e tele i lenei nuu, ua oulua fasiotia ai Sesorama lou uso?

28. Faauta, e fai mai o ia ia te outou: E leai.

29. Tou te fai atu foi ia te ia: Po o oe ea na fasiotia lou uso?

30. E tu foi o ia ma le fefe ma le le iloa o se upu e fai mai. Faauta, e faafiti ai foi o ia ia te outou, e faataga ofo foi o ia; e ui lava i lea, na te ta‘utino mai ia te outou ua mamā o ia.

31. A e peitai, faauta, tou te iloilo ia te ia, tou te maua foi le toto i le tuupao o lona ofu.

32. Pe a uma ona outou iloa lenei mea, ia outou fai atu ia te ia: Pe mai fea lenei toto? Ua matou le iloa ea o le toto lenei o lou uso?

33. Ona gatete ai lea o ia, e sesega foi ona mata e peiseai ua oo ia te ia le oti.

34. Ona outou fai atu ai lea ia te ia: Ona o lenei fefe, ma lenei

sesega ua oo mai i ou mata, faauta, ua matou iloa ua e agasala.

35. Ona tupu atili ai lea le fefe ia te ia, ona ta'u mai ai lea e ia ia te outou, a e le toe faafiti, o ia lava na faia lenei fasioti tagata.

36. Ona faapea mai ai lea o ia ia te outou: O lena tagata o Nifae, na te le iloa se mea e tasi i lenei mea, vagana ona ua faaalia mai ai ia te ia i le mana o le Atua. Ona outou iloa ai lea o a'u nei o le tagata faamaoni, ma ua auina mai a'u ia te outou mai le Atua.

37. Ua oo foi ina latou o atu ma faia e pei lava ona fai atu ai Nifae ia te i latou. Faauta foi, ua moni lava ia upu na ia fai atu; auā e tusa ma ana upu, na faafiti o ia; e tusa foi ma ana upu, na ia faaali mai lana agasala.

38. Ua oo foi ina faaali tino mai e ia o ia lava o le fasioti tagata, ua iu ina tuusaoloto le toalima atoa ma Nifae.

39. Ua i ai foi nisi o sa Nifaē ua talitonu i upu a Nifae. Ua i ai foi nisi ua talitonu ona o le mau a le toalima, aua ua faaliliuina mai i latou i le falepuipui.

40. O lenei, ua i ai nisi o le nuu ua fai mai: O Nifae o le perofeta ia.

41. A ua fai mai nisi: Faauta, o ia o se atua, auā ana le se atua o ia, po ua le mafai o ia ona iloa mea uma. Auā faauta, na na faaali mai ia te i tatou o tatou loto, ma na ta'u mai mea eseese ia te i tatou, ma ua faailoa tonu mai e ia le tagata na fasioti lo tatou faamasino sili.

MATAUPU 10.

Sa faamafanafanaia e le Alii ia Nifae i le folafolaina ia te ia o le mana malosi tele—Ua ia tala'i atu i tagata amioleaga ma lapata'iina i latou i le faamasinoga e oo mai.

1. Ua oo foi ina tupu fevaevaeaiga i le nuu, ua iu ina taapeape i latou ma ua o atu i o latou ala. Ua tuua toatasi Nifae, a o tu o ia i totonu ia te i latou.

2. Ua oo foi ina alu Nifae i lona, ala e aga'i atu i lona lava fale, ma ua mafaufau o ia i mea na faaalia mai ia te ia e le Atua.

3. Ua oo foi ina o faapea ona mafaufau o ia, ua faanoanoa tele o ia ona o le amioleaga a le nuu o sa Nifaē, ma a latou galuega faalilolilo o le pouliuli, ma o latou fasioti tagata, ma la latou vete, ma amioletonu uiga eseese; ma ua oo ina o faapea ona mafaufau o ia i lona loto, faauta, ua oo mai le leo ia te ia, ua faapea mai:

4. Amuia oe, Nifae e, ona o na mea ua e faia, auā ua ou iloa ua e ta'utino atu i lenei nuu ma le le faavaivai le upu na ou tuuina atu ia te oe, ma ua e le mata'u ia te i latou, ma ua le saili e faasaoina lou lava ola, a ua e sailia lo'u loto, ina ia e tausia a'u poloaiga.

5. O lenei foi, ona ua e faia lenei mea ma le le faavaivai, faauta, ou te faamanuiaina oe e faavavau, ou te faamalosia oe i le upu ma le amio, i le faatuatua ma galuega, ioe, ina ia faia mea uma ia te oe e tusa ma lau upu, auā e te le ole mai i se mea e le tusa ma lo'u loto.

6. Faauta, o oe o Nifae, a o a'u o le Atua. Faauta, ou te ta'utino atu ia te oe i luma o a'u agelu, e ia te oe le pule i lenei nuu, e te taia foi le laueleele i le oge, ma le faama'i, ma le malaia e tusa ma le amioleaga a lenei nuu.

7. Faauta, ou te tuuina atu ia te oe le pule, o se mea e te faa-

maufaailogaina i le lalolagi, e faamaufaailogaina foi lea i le lagi, o se mea foi e te tatala i le lalolagi, e tālaina foi lea i le lagi. E faapea ona i ai ia te oe le pule i lenei nuu.

8. E faapea, afai e te fai atu i lenei malumalu, ia saeluaina, e faia lava.

9. Afai foi e te fai atu i lenei mauga, ia lafoina i lalo ma ia laugatasi, e faia lava.

10. Faauta foi, afai e te fai atu, ia taia lenei nuu e le Atua, e oo mai lava.

11. O lenei foi, faauta, ou te poloai atu ia te oe, ina alu atu ma fai atu i lenei nuu: O loo faapea ona fetalai mai le Alii le Atua, o Lē ona le mana uma lava se'i iloga tou te salamo, e taia ou tou ma le malaia.

12. O lenei foi, faauta, ua oo ina ua fetalai mai e le Atua ia upu ia Nifae, ua tu o ia ma ua le alu atu i lona fale, a ua toe foi atu i le motu o tagata ua taapeape solo i luga o le fogaeleele, ma ua amata e ia ona tala'i atu ia te i latou le afioga a le Atua na fetalaia mai ia te ia e uiga i lo latou malaia, sei iloga e salamo i latou.

13. O lenei, faauta, e ui lava i lea vavega tele na faia e Nifae ina ua na ta'uina atu ia te i latou le maliu o le faamasino sili, ua latou faamaaa o latou loto, ma ua le faalogo i fetalaiga a le Atua.

14. O le mea lea na fai atu ai e Nifae ia te i latou le afioga a le Atua, ua faapea atu: O loo faapea ona fetalai mai le Atua, sei iloga tou te salamo, e taia outou i le malaia.

15. Ua oo foi ina ua talai atu e Nifae le upu ia te i latou, faauta, ua latou faamaaa pea o latou loto, ma ua le mafafai ona faalogologo i ana upu, o le mea lea na latou upu leaga ai ia te ia, ma ua taufetagofi o latou lima ia te ia, ina ia latou lafo o ia i le falepuipui.

16. A e peitai, faauta, ua ia te ia le mana o le Atua, ma ua le mafai i latou ona pueina o ia e lafo o ia i le falepuipui, auā ua segia o ia e le Agaga, ma ua aveeseina o ia ai totonu ia te i latou.

17. Ua oo ina faapea ona alu atu o ia i le Agaga ai lea motu o tagata i lea motu o tagata, ua tala'i atu le afioga a le Atua, ina seia uma ona talaiina atu ai e ia ia te i latou uma, pe auina atu ai i le nuu uma lava.

18. Ua oo foi ina le mafafai i latou ona faalogologo i ana upu; ua amataina foi maseiga ia te i latou, ua iu ina fevaevaeaiina i latou, ma ua amata ona fasi le tasi i le tasi i le pelu.

19. Ua faapea foi ona iu lona fitusefulu ma le tasi o tausaga o le nofoaiga a faamasino i le nuu o Nifae.

MATAUPU 11.

O le oge tele—Ua toe liliu atu tagata i le Alii ma ua faasaoina ai—Ua toe tupu le faamaualuga ma finauga—Ua toe faamalosia le au fao mea a Katianetona.

1. O lenei foi, ua oo i lona fitusefulu ma le lua o tausaga o le nofoaiga a faamasino ina faateleina maseiga, ua iu ina i ai taua i le laueleele uma i le nuu uma o Nifae.

2. O lenei au faalilo o tagata fao mea, o i latou na faia pea lenei galuega o le malaia ma le amioleaga. Ua tumau foi lenei taua i lenei tausaga atoa. Ua tumau foi i lona fitusefulu ma le tolu o tausaga.

3. Ua oo foi i lenei tausaga ina

valaau atu Nifae i le Atua, ua faapea atu:

4. Le Atua e, aua e te tuuina atu i lenei nuu ia faaumatia i latou i le pelu; a e peitai, le Atua e, e sili ona ia tuuina atu le oge i le nuu e faamanatu ai ia te i latou le Alii lo latou Atua, atonu e salamo ai i latou ma liliu mai ia te oe.

5. Ma ua faapea ona faia e tusa ma upu a Nifae. Ua i ai foi le oge tele i le laueleele uma o le nuu uma o Nifae. Ua faapea foi i lona fitusefulu ma le fa o tausaga, ua tumau pea le oge, ma ua tuua le galuega o le malaia i le pelu, a ua faigata ona o le oge.

6. Ua tumau pea foi lenei galuega o le malaia i lona fitusefulu ma le lima o tausaga. Auā ua taia le laueleele, ua naumati ai; ua le fua mai foi le saito i le tau o le saito. Ua taia foi le nuu uma lava, i sa Lamanā atoa ma sa Nifaē, ua faapea ona taia i latou, ua fano ai afe e tele o i latou i itunuu ua sili ona amioleaga.

7. Ua oo foi ina iloa e le nuu o le a fano i latou i le oge, ona amata ai lea ona latou manatua le Alii lo latou Atua; ua amata foi ona latou manatua upu a Nifae.

8. Ua amata foi ona faatoga atu le nuu i o latou faamasino sili ma o latou ta'ita'i, ia latou faapea atu ia Nifae: Faauta, ua matou iloa o oe o le tagata o le Atua, o lea ia e valaau atu ai i le Alii lo tatou Atua, ina ia faaliliueseina e ia lenei oge ia te i tatou, ne'i faataunuuina upu uma ua e fai mai e uiga i lo matou malaia.

9. Ua oo foi ina fai mai faamasino ia Nifae e tusa ma upu ua loto i ai i latou. Ua oo foi ina iloa e Nifae ua salamo le nuu, ma ua faamaulalo i latou i le ie talatala, ona toe valaau atu ai lea o ia i le Atua, ua faapea atu:

10. Le Atua e, silasila mai, ua salamō lenei nu'u, ma ua tafiesea e i latou le au a Katianetona ia te i latou, ua iu ina faaumatia i latou, ma ua latou natia i le eleelee a latou togafiti lilo.

11. O lenei, le Atua e, ona o lenei lo latou faamaulalo, e te le liliu ese ea lou toasa, a ia lava i lou toasa le malaia o na tagata amioleaga ua uma ona e faaumatia?

12. Le Atua e, e te le liliueseina ea lou toasa, ioe, o lou toasa tele, ma faaiu lenei oge i lenei nuu?

13. Le Atua e, pe e te faafofoga mai ea ia te au, ma faia e tusa ma a'u upu ma faatotō ifo le ūa i le fogaeleele, ina ia fua mai ai o ia i ona lava fua, ma lona saito i le tau o le saito?

14. Le Atua e, na e faafofoga mai i a'u upu ina ua ou fai atu, ia i ai le oge, ina ia tuu le malaia i le pelu. Ua ou iloa foi e te faafofoga mai i a'u upu i lenei lava ituaso, auā ua e fetalai mai: Afai e salamo lenei nuu, ou te faasaoina i latou.

15. E moni, le Atua e, ua e silafia ua uma ona latou salamo ona o le oge ma le faama'i, ma le malaia ua oo mai ia te i latou.

16. O lenei, le Atua e, pe e te le liliu ese lou toasa, ma toe tofotofo pe latou te auauna atu ia te oe? Afai o lea, le Atua e, e te mafaia ona faamanuiaina i latou e tusa ma lau afioga ua e fetalaia mai.

17. Ua oo i lona fitusefulu ma le ono o tausaga, ona liliu ese ai lea e le Atua lona toasa i le nuu, ma ua faatotō ifo le ūa i le laueleele, ua iu ina fua mai ai o ia i ona lava fua i le tau o ona fua. Ua oo foi ina fua mai o ia lona saito i le tau o lona saito.

18. Faauta foi, ua olioli le nuu ma vivii atu i le Atua, ua tumu foi le nuu i le olioli. Ua latou le toe taumafai ona fasioti ia Nifae, a e peitai, ua latou āva ia te ia e pei o le perofeta sili, ma le tagata o le Atua, ua i ai le mana ma le pule ua foaiina mai ia te ia mai le Atua.
19. Faauta foi, ua le vaivai lona uso o Liae ia te ia i se mea e tasi tau le amiotonu.
20. Ua faapea ona oo ina amata ona toe manuia le nuu o Nifae i le laueleele, ma ua amata ona aigā ai a latou mea faatafunaina, ma ua amata ona faatoateleina i latou, ma ua salalau atu seia ufitia e i latou le fogaeleele uma, i le itu i matu atoa ma le itu i toga, e pau mai le sami i sisifo a e oo atu i le sami i sasae.
21. Ua oo foi ina iu i le filemu lona fitusefulu ma le ono o tausaga. Ua amataina foi lona fitusefulu ma le fitu o tausaga i le filemu, ua sosolo atu ai le ekalesia i le nuu uma. Ua lotu foi le toatele o sa Nifaē atoa ma sa Lamanā i le ekalesia. Ua ia te i latou le filemu tele i le nuu, ma ua faapea ona iu lona fitusefulu ma le fitu o tausaga.
22. Ma lea foi, ua ia te i latou le filemu i lona fitusefulu ma le valu o tausaga, a e na o nai finauga e uiga i upu sa folafolaina e le au perofeta.
23. O lona fitusefulu ma le iva o tausaga ua amata ona i ai le finauga tele. A e peitai, ua oo ina tala'i atu e Nifae ma Liae ma o laua uso e toatele o e na iloa le uiga moni o mataupu, auā ua maua faaaliga i aso fai soo, o le mea lea na latou tala'i atu ai i le nuu, na faaiuina ai lo latou finauga i lea lava tausaga.
24. Ua oo foi i lona valusefulu o tausaga o le nofoaiga a faamasino i le nuu o Nifae ina i ai nisi tagata vavae i le nuu o Nifae, o e na o atu i sa Lamanā i tausaga ua mavae, ua aveina foi i o latou luga le igoa o sa Lamanā, atoa foi ma nisi o le fanauga moni a sa Lamanā, auā na faaosoina i latou i le ita e tagata vavae, o le mea lea na latou amata ai le taua ma o latou uso.
25. Ma ua latou fasioti tagata ma vete, ona latou sosola atu ai lea i mauga, ma le vao, ma lafitaga faalilo, ua lalafi ai i latou, ina ia le iloaina i latou. Ua faatoateleina i latou i aso fai soo, ona ua i ai tagata vavae ua o atu ia te i latou.
26. Ma ua faapea i nai tausaga, ioe, ua le tele tausaga, ua avea ai i latou ma au fao mea matua toatele. Ua latou tausaili togafiti faalilo a Katianetona, ma ua faapea ona avea i latou ma au fao mea a Katinanetona.
27. O lenei, faauta, o nei tagata fao mea na faaoo mai le faafanoga tele, ioe, o le malaia tele i le nuu o Nifae, atoa ma le nuu o sa Lamanā.
28. Ua oo foi ina ao ina faaiu lenei galuega o le malaia, o le mea lea na aauina atu ai e i latou le au o tagata malolosi i le vao, ma i luga o mauga, e saili mai lena au fao mea e faaumatia i latou.
29. A e peitai, faauta, ua oo ina tulia mai i latou i o latou lava nuu. Ma ua faapea ona iu lona valusefulu o tausaga o le nofoaiga a faamasino i le nuu o Nifae.
30. Ua oo foi i le amataga o lona valusefulu ma le tasi o tausaga ina latou toe o atu e tau le taua ma lenei au fao mea, ma ua faaumatia ai nisi e toatele. Ua asiasia i latou ma le malaia tele..
31. Ua oo foi ina toe foi mai i latou ai le vao ma mauga i o latou lava nuu, ona ua toatele ia

tagata fao mea ua nonofo i mauga ma le vao.

32. Ua oo foi ina faapea ona iu lenei tausaga, a ua faatoateleina pea tagata fao mea, ma ua tauau ina malosi, ua iu ina latou luia au uma a sa Nifaē atoa ma sa Lamanā. Ua ala mai ia te i latou le mata'u tele i tagata i luga o le fogaeleele uma lava.

33. Ioe, auā ua latou faaifo mai i itu e tele o le laueleele, ma ua faatafunaina tele ai, ioe, ua latou fasioti nisi e toatele, ma ua avea nisi faatagataotaua i le vao, ioe, ua faasili i o latou fafine ma o latou tamaiti.

34. A o lenei leaga, na oo mai i le nuu ona o la latou amioletonu, ua toe faamanatu mai ai ia te i latou le Alii lo latou Atua.

35. Ma ua faapea ona iu lona valusefulu ma le tasi o tausaga o le nofoaiga a faamasino.

36. O lona valusefulu ma le lua o tausaga na toe amata ai ona galo ia te i latou le Alii lo latou Atua. O lona valusefulu ma le tolu o tausaga ua amata ai ona tauau ina malolosi i latou i le amioletonu. O lona valusefulu ma le fa o tausaga ua latou le faasa'osa'oina o latou ala.

37. Ma ua oo i lona valusefulu ma le lima o tausaga ina tauau ina malosi pea i latou i lo latou faamaualuga ma la latou amioleaga, ma ua faapea ona tauau ina toe saunia i latou i le malaia.

38. Ma ua faapea ona iu lona valusefulu ma le lima o tausaga.

MATAUPU 12.

O vaivaiga o tagata ma le agalelei ma le mana o le Atua—Amuia ē loto salamo—O le a faamasinoina tagata e tusa me latou galuega.

1. Ua faapea ona tatou iloa le pepelo ma le feliuliuai o loto o le faanauga a tagata; ioe, tatou te iloa ua faamanuiaina ma faauluolaina e le Atua, i lona agalelei tele e le mafuatia, o i latou uma o ē faalagolago ia te ia.

2. Ioe, e mafai ona tatou iloa o le aso ua faamanuiaina ai e ia lona nuu, ioe, i le fua tele mai ō latou fanua, ma a latou lafu, ma fagaga, i le auro foi ma le ario, ma mea tāua uiga eseese, ma gaosiga uiga eseese; ina o faasaoina o latou ola ma laveaiina i latou ai lima o ē ita mai ia te i latou, ina o faamăluluina loto o ē ita ia te i latou ina ia latou le sii mai le taua ia te i latou, ioe, o lenei foi, ina o faia mea uma ina ia manuia ma fiafia ai lona nuu, e moni, o le aso lava lea latou te faamaaa ai o latou loto, ma faagalogalo foi ia te i latou le Alii lo latou Atua, ma soli i lalo ō latou vae Lē paia, ioe, o lenei foi ona o lo latou filemu ma lo latou manuia matua tele.

3. Ma ua faapea ona tatou iloa, sei iloga ua sasaina e le Atua lona nuu i puapuaga e tele, ioe, sei iloga e asiasi o ia ia te i latou i le oti, ma le mata'u, ma le oge, ma faama'i uiga eseese, latou te le manatua o ia.

4. Ioe, ua valelea naua, ua faamaualuga, ua leaga, ua faaletiapolo, ua faavave naua ona fai amioleaga, a e telegese ona amiolelei le fanauga a tagata. E moni, ua faavave ona usiusitai i upu a le ua leaga, ma faamauina o latou loto i mea le aoga a le lalolagi.

5. Ioe, ua faataalise ona faafefeteina i le faamaualuga, ua faavave ona mitamita ma fai amioletonu uiga eseese, a ua telegese i latou e manatua le Alii lo latou Atua, ma uai atu o latou taliga i ana faatonuga, e moni, ua telegese lava ona savavali i ala o le poto.

6. Faauta, e ui lava i lona agalelei tele ma lona alofa ia te i

latou, latou te le mananao ia nofo tupu ma pule ia te i latou le Alii lo latou Atua, o Le na faia i latou; a e latou te ta'ufaatauvaaina ana faatonuga, latou te le mafafai ona fai o ia mo latou ta'ita'i.

7. Ioe, ua matua faatauvaa lava le fanauga a tagata, e moni, ua sili ona faatauvaa i latou i le efuefu o le eleele.

8. Auā faauta, e alu le efuefu o le eleele i lea mea ma lea mea, e oo ina faataapeapeina i le poloaiga a lo tatou Atua silisili ma le faavavau.

9. Ioe, faauta, o lona siufofoga e maluelue ai ma gatete mauga iti ma mauga tetele.

10. O le mana foi o lona siufofoga e nutilililiina ai i latou ma ua faalauleleia e pei lava o se vanu.

11. E moni, e maluelue le lalolagi uma i le mana o lona siufofoga.

12. Ioe, e luluina le maa faavae i le mana o lona siufofoga, e oo lava i le totonugalemu.

13. E moni, afai e fetalai atu o ia i le lalolagi, Alu ia, e alu lava ia.

14. Ioe, afai foi e fetalai atu o ia i le lalolagi, Ia e foi i tua, ina ia faalevalevaina ai le aso i itu aso e tele, e faia lava.

15. Ma ua faapea, e tusa ma lana fetalaiga, e foi i tua le lalolagi, ua peiseai i tagata ua tumau le la; ioe, faauta, ua faapea ona faia, auā e moni, ua taamilo le lalolagi, a e le o le la.

16. Faauta foi, afai e fetalai atu o ia i le suasami o le moana sausau, Ina paumatu ia, e faia lava.

17. Faauta, afai e fetalai atu o ia i lenei mauga. Ia siitia oe ma ia e alu atu ma faapaū ifo i luga o lena aai ina ia tanumia ai, faauta, e faia lava.

18. Faauta foi, afai e nana e se tagata le oa i le eleele, a e fetalai mai le Atua. Ia fetuuina ona o le amioletonu a le na natia ai, faauta, ona fetuuina ai lea.

19. Afai foi e fetalai atu le Atua, Ia fetuuina oe, ina ia le maua oe e se tasi e afua i le aso nei a e oo i le faavavau, faauta, e le maua ai e se tasi e afua i lea aso e oo atu lava i le faavavau.

20. Faauta foi, afai e fetalai mai le Atua i se tagata, Ona o au amioletonu e fetuuina ai oe e faavavau, e faia lava.

21. Afai foi e fetalai mai le Atua. Ona o au amioletonu e vavaeeseina oe ai o'u luma, e faataunuuina ai lava e ia.

22. Oi talofa i le ua ia fetalai i ai lea upu, auā e oo mai ai i lē fai le amioletonu, e le mafai ona faasaoina ai o ia; o lea o le mea lava lenei ua talaiina atu ai le salamo, ina ia faaolaina tagata.

23. O le mea lea, amuia ai i latou o ē salamo, ma usiusitai i le siufofoga o le Alii lo latou Atua, auā o i latou ia e faaolaina.

24. Ia finagalo le Atua, i lona faaatoatoaina o mea uma, ia oo le salamo ma galuega lelei i tagata, ina ia toe faatuina i latou i le alofa tunoa, ona o le alofa tunoa e tusa ma a latou galuega.

25. O lo'u manao foi ia ola tagata uma. A e peitai, ua tusia, Pe a oo i le aso tele ma le gataaga, e i ai nisi e tulia i fafo, ioe, e tulia i latou ai luma o le Atua.

26. Ioe, e tofia i latou i le puapuaga faavavau, ua faataunuuina ai le upu ua faapea, O i latou na amiolelei, e ia te i latou le ola faavavau; a o i latou o e na amioleaga, e ia te i latou le faasala faavavau. Ma ua faapea lava. Amene.

O le valoaga a Samuelu, le sa Lamana, i sa Nifae.

(E aofia ai mataupu 13 e oo i le 15)

MATAUPU 13.

Ua ta'u atu e Samuelu ana valoaga i luga o aupa o le aai—O le a pa'ū ifo le pelu o le faafanoga i luga o le tupulaga fa—Ua faasaoina le nuu o sa Nifaē ona o tagata amiotonu—O le a fetuuina le laueleele—O le a masceseo a latou oloa.

1. O lenei foi, ua oo i lona valusefulu ma le ono o tausaga ina tumau pea sa Nifaē i le amioleaga, ioe, o le amioleaga tele, a ua tausia lelei e sa Lamanā poloaiga a le Atua, e tusa ma le tulafono a Mose.

2. Ua oo foi i lenei lava tausaga ina i ai le tasi, o Samuelu, o le sa Lamanā, ua sau i le nuu o Sara'emila, ma ua amata ona tala'i atu i le nuu. Ua oo foi ina tala'i atu e ia le salamo i le nuu i aso e tele, a ua latou tulieseina o ia, sa faapea foi o le a foi atu o ia i lona lava nuu.

3. A e peitai, faauta, ua tŭlei mai ia te ia le siufofoga o le Atua, ia toe foi atu o ia, ma vavalo atu i le nuu i mea uma e oo mai i lona loto.

4. Ua oo foi ina le mafafai i latou ona tuu ia te ia e ulu atu i le aai, o lea na alu atu ai o ia ma ua ae i luga o le aupa o le aai, ma ua faaloaloa atu lona lima, ma ua alaga atu ma le leo tele, ma ua perofeta ane i le nuu i mea uma na tuuina mai i lona loto e le Atua.

5. Ua fai atu o ia ia te i latou: Faauta, o a'u o Samuelu, o le sa Lamanā. Ou te tautala atu i le afioga a le Atua ua ia tuuina mai i lo'u loto. Faauta foi, ua tuuina mai e ia i lo'u loto e fai atu i lenei nuu, O loo tautau ifo i luga o lenei nuu le pelu o le faamasinoga; e le mavae atu foi tausaga e fa selau seia paū le pelu o le faamasinoga i luga o lenei nuu.

6. Ioe, o loo faatali le malaia mamafa i lenei nuu, ioe, e oo mai ai i lenei nuu, e leai se mea e mafai ona faasaoina lenei nuu, na o le salamo ma le faatuatua i le Alii o Iesu Keriso, o Lē afio mai i le lalolagi ma onosai i mea e tele, e fasiotia foi mo lona nuu.

7. Faauta foi, ua fetalaia mai ia te au e le agelu a le Atua, na ia aumai foi le tala lelei i lo'u agaga. Faauta foi, ua auina mai a'u e tala'i atu ai ia te outou, ina ia ia te outou le tala lelei. A e peitai, faauta, ua le mafafai outou ona talia a'u.

8. O le mea lea o loo faapea ona fetalai mai ai le Atua: Ona o le loto maaa o le nuu o sa Nifaē, sei iloga latou te salamo, ou te aveeseina la'u upu ia te i latou; ou te toeseina foi lo'u agaga ia te i latou, ou te le toe onosai ia te i latou, a ou te faaliliu atu loto ō latou uso i le ita ia te i latou.

9. E le mavae atu foi tausaga e fa selau seia ou taia i latou; e moni, ou te asiasi atu ia te i latou ma le pelu, ma le oge, ma le faama'i.

10. E moni, ou te asiasi atu ia te i latou ma lo'u ita tele, e i ai foi nisi o lona fa o tupulaga o ē ita ia te outou e ola ma iloa lo outou malaia atoatoa, e moni, e oo mai lava lenei mea, sei iloga tou te salamo, o loo fetalai mai ai le Atua, e faaoo mai ia te outou le malaia o lona fa o tupulaga.

11. A e peitai, afai tou te salamo ma foi mai i le Alii lo outou Atua, ou te liliu ese lo'u ita, o loo fetalai mai ai le Atua. E moni, o loo faapea ona fetalai mai le Atua: Amuia i latou o ē salamo ma liliu mai ia te au; a e peitai, oi talofa i lē le salamo.

12. Oi talofa i lenei aai tele o Sara'emila; auā faauta, ua faasaoina ona o ē amiotonu. Oi talofa i lenei aai tele, o loo fetalai mai ai le Atua, auā ua ou iloa o i ai nisi e toatele, ioe, o le toatele o lenei lava aai tele e faamaaa o latou loto ia te au, o loo fetalai mai ai le Atua.

13. A e peitai, amuia i latou o ē salamo, auā o i latou na ou te faasaoina. A e peitai, faauta, ana le se anoa o ē amiotonu o i lenei aai tele, faauta, po ua ou faatotō ifo le afi mai le lagi ma faaumatia ai.

14. A e peitai, faauta, ona o ē amiotonu ua faasaoina ai, a e faauta, e oo mai le aso o loo fetalai mai ai le Atua, pe a outou tulieseina o ē amiotonu ia te outou, ona saunia lea outou i le malaia. Oi talofa i lenei aai tele ona o le amioleaga ma mea inosia ua i ai ia te ia.

15. Oi talofa i le aai o Kiteona, ona o le amioleaga ma mea inosia o i ai ia te ia.

16. Oi talofa i aai uma i le laueleele i ona tuaoi o loo mau ai sa Nifaē, ona o le amioleaga ma mea inosia o i ai ia te i latou.

17. Faauta foi, e oo mai le fetuu i le laueleele, o loo fetalai mai ai le Atua o au, ona o tagata o i ai i le nuu, ioe, ona o a latou amioleaga ma a latou mea inosia.

18. E oo mai foi, o loo fetalai mai ai le Atua o au, o lo tatou Atua silisili ma le faamaoni, ai sē nanā le oa i le eleele, e le toe maua ai e ia, ona o le fetuu tele i le laueleele, sei iloga o le tagata amiotonu o ia ma ua nanā ai mo le Atua.

19. O loo fetalai mai le Atua: Auā o lo'u manao ia latou nanā o latou oa mo a'u, a ia fetuuina i latou o ē le nanā o latou oa mo a'u, auā e le nanā e nisi o latou oa mo a'u, a e na o ē amiotonu. O lē le nanā foi lona oa mo a'u, e fetuuina o ia atoa foi ma le oa, e le toe togia ai foi e se tasi, ona o le fetuu i le laueleele.

20. E oo mai foi le aso e nanā ai e i latou o latou oa, auā e tuuina atu e i latou o latou loto i le oloa. Ona ua latou tuuina atu foi o latou loto i o latou oloa, ou te nanā ai o latou oa pe a latou sosola i luma o ē ita ia te i latou, auā latou te le nanā ai mo a'u. E fetuuina i latou atoa ma o latou oa; o lea lava aso foi, e taia i latou, o loo fetalai mai ai le Atua.

21. Faauta, outou tagata o lenei aai tele, ia faalogologo mai i a'u upu, ioe, ia faalogologo mai i upu o loo fetalai mai ai le Atua, auā faauta, o loo fetalai mai o ia ua fetuuina outou ona o outou oloa, ma lea foi, ua fetuuina o outou oloa ona ua outou tuuina atu i ai o outou loto, ma ua le faalogologo i upu a le na foaiina atu ai ia te outou.

22. Tou te le manatua le Alii lo outou Atua i mea ua ia faamanuiaina ai outou. A e peitai, ua outou manatua pea o outou oloa, a e le faafetai atu i le Alii lo outou Atua. E moni, ua le faalatalata atu o outou loto i le Atua, peitai ane, ua faafefeteina ai i le faamaualuga tele e oo i le mitamita ma le faafefete tele, o le mata'ua, ma finauga, ma le faalotoloto, ma faasauaga, ma le fasioti tagata, ma amioletonu uiga eseese.

23. Ona o lenei mea ua faaoo mai ai e le Atua le fetuu i le laueleele atoa ma o outou oloa. O lenei foi, ona o a outou amioletonu.

24. Oi talofa i lenei nuu, ona o aso nei ua oo mai, ua outou tulieseina ai perofeta, ma ua tauemu ia te i latou, ma fetogia i latou i maa, ma fasiotia i latou, ma fai amioletonu uiga eseese ia te i la-

tou, e pei lava ona faia e i latou anamua.

25. O lenei foi, pe a outou tautala, ua faapea outou: Ana ola i tatou i ona po ō tatou tamā anamua, po ua tatou le fasiotia le au perofeta, po ua tatou le fetogia i latou i maa, ma tulieseina i latou.

26. Faauta, ua sili ona leaga outou ai i latou, auā o loo soifua le Atua, afai e sau se perofeta ia te outou, ma tala'i atu ia te outou le afioga a le Atua, ma molimau atu i a outou agasala ma amioletonu, ona ita ai lea outou ia te ia, ma tulieseina o ia, ma saili foi i ala eseese e faaumatia o ia. E moni, tou te fai atu, o ia o le perofeta pepelo, o le tagata agasala foi o ia, ma ua mai le tiapolo ia, ona ua molimau atu o ia ua leaga a outou amio.

27. A e peitai, faauta, afai e sau se perofeta ia te outou ma fai atu, ia faia le mea nei, e leai e leai se amioletonu i ai; ia faia lena, e le tigaina ai outou; ioe, e faapea atu foi o ia, ia savavali ma le faamaualuga ō outou loto, ioe, ia savavali foi ma le faasiasia ō outou mata, ia faia foi mea uma ua manao i ai o outou loto—afai foi e sau se tagata ma faapea atu ia te outou, tou te talia o ia, ma fai atu, o le perofeta o ia.

28. E moni, e faaeaina o ia e outou, tou te foaiina atu ia te ia ni a outou mea, tou te foaiina atu ia te ia ni a outou auro ma a outou ario, tou te faaofuina foi o ia i ofu taugata. Ona ua tautala o ia ia te outou ma upu faaviivii, ona ua fai atu o ia ua lelei mea uma, tou te le muimui ia te ia.

29. E! outou tagata agasala e, o le tupulaga faapiopio e, o outou 'ua faamaaaina ma tagata ūa mălolo, tou te manatu e onosai le Atua ia te outou seia afea? Tou te tuuina atu outou ia ta'ita'iina e ta'ita'i faavalea ma le tauaso seia afea? Tou te filifili le pouliuli a e le o le malamalama seia afea?

30. Ioe, faauta, ua tupu nei le toasa o le Atua ia te outou. Faauta foi, ua fetuuina le laueleele ona o la outou amioletonu.

31. Faauta foi, e oo mai le aso na te fetuuina ai o outou oloa ina ia maseesee ai, ina ia le mafai outou ona taofi ai. O ona po foi o lo outou mativa, e le mafai ona outou taofi ai.

32. O ona po foi o lo outou mativa tou te tagi atu ai i le Atua, a e tagi fua outou, auā ua oo mai ia te outou lo outou faatafunaina, ma ua faamauina lo outou malaia; pe a oo foi i lea aso, ona fetagisi ma uio ai lea outou, o loo fetalai mai ai le Atua o au, ona outou tagiauē ai lea, ma faapea atu:

33. E! ana ou salamo, a e le fasia le au perofeta, ma fetogia i latou i maa, ma tulieseina i latou! E moni, tou te fai atu i lea aso, E! ana matou manatua le Alii lo matou Atua i le aso na ia foaiina mai ai o matou oloa ia te i matou, po ua le maseesee ai ina ia matou le iloa ai; auā faauta, ua alu ese lo matou oloa ia te i matou.

34. Faauta, matou te tuu iinei se mea e fai a'i galuega, a e a oo i le taeao, ua leai. Faauta foi, ua aveeseina a matou pelu ia te i matou i le aso na matou sailiili ai e tau a'i le taua.

35. Ioe, ua matou natia o matou oa, a ua mamulu ese ai ia te i matou, ona o le fetuu i le laueleele.

36. E! ana matou salamo i le aso na oo mai ai le afioga a le Atua ia te i matou! Auā faauta, ua fetuuina le laueleele, ma ua

maseesee mea uma, ma ua le mafai ona matou toafia.

37. Faauta, ua siosiomia i matou i temoni, ioe, ua vagavagaia i matou i agelu a le ua saili e faafanoina o matou agaga. Faauta, ua tele naua a matou amioletonu. Le Atua e, e te le mafai ea ona liliu ese lou toasa ia te i matou? E faapea lava a outou upu i na ona po.

38. A e peitai, faauta, ua mavae atu o outou aso o le faata'ita'i, na faatamala outou i le aso o lo outou faaolataga ina seia mavae atu e oo i le faavavau, ma ua faamauina lo outou malaia, ioe, auā ua outou sailia i aso uma ō outou olaga le mea ua le mafai ona outou maua, ua outou sailia foi le fiafia i le faiga o le amioletonu, o le mea foi lea ua le tusa ai ma le uiga o lena amiotonu e i ai i lo tatou Autu silisili ma le faavavau.

39. E! outou le nuu o le laueleele e, ana mafai outou ona faalogologo i a'u upu! Ou te tatalo foi ina ia faaliliueseina le toasa o le Atua ia te outou, ina ia outou salamo ma ia faaolaina outou.

MATAUPU 14.

Ua valoia e Samuelu le sa Lamanā le Keriso—O le a oo mai faailoga o le fanau mai o le Keriso i le toe lima o tausaga i lumana'i—Ua ia ta'u atu foi faailoga o lona maliu.

1. O lenei foi, ua oo ina vavalo Samuelu, le sa Lamanā, i nisi mea e tele e le mafai ona tusia.

2. Faauta foi, na ia fai atu ia te i latou: Faauta, ou te avatu le faailoga ia te outou, auā pe a mavae mai tausaga e lima, faauta foi, ona afio mai ai lea le Alo o le Atua, e togiola i latou uma o ē faatuatua i lona suafa.

3. Faauta, o le mea lenei ou te avatu ia te outou e fai ma faailoga i le aso o lona afio mai, auā faauta, e i ai i le lagi malamalama tetele, e iu ina leai se pogisa i le po a e lei oo i le ao e afio mai ai o ia, e iu ina i ai i tagata e peiseai o le ao.

4. O le mea lea e fai ai le ao e tasi ma le po e tasi ma le tasi ao a e leai se po. E fai foi lenei mea ma faailoga ia te outou, auā e iloa atu e outou le oso mai o le la ma lona goto, o le mea lea latou te iloa tino ai e i ai ao e lua ma le po; e ui lava i lea e le faapouliuligia le po, o le po foi lea a o lei fanau mai o ia.

5. Faauta, e oso mai le fetu fou, tou te lei vaaia se fetu faapea, e fai foi lenei mea ma faailoga ia te outou.

6. Faauta foi, e le gata i lea, e i ai faailoga e tele ma mea e ofo ai i le lagi.

7. E oo foi ina segia o outou mauli, e taufaiofo foi outou, e iu ina faapāuu outou i le eleele.

8. E oo foi, ai sē faatuatua i le Alo o le Atua, e ia te ia le ola faavavau.

9. Faauta foi, ua faapea ona poloaiina a'u e le Atua i lana agelu, ou te sau ma ta'u atu lenei mea ia te outou; e moni, ua ia poloaiina a'u, ia ou vavalo atu nei mea ia te outou, ioe, ua fetalai mai o ia ia te au: Ia e valaau atu i lenei nuu, ina salamo ia ma teuteu le ala o le Atua.

10. A o lenei, auā o a'u o le sa Lamanā, ma ua tautala atu ia te outou i upu na poloaiina ai a'u e le Atua, ona ua faigata foi ia upu ia te outou, ua ita mai ai outou ia te au, ma ua saili e faaumatia a'u, ma ua tulieseina a'u ia te outou.

11. E faalogo lava outou i a'u upu, auā o le mea lava lenei ua ou sau ai i luga o aupa o lenei

aai, ina ia outou lagona ma iloa faamasinoga a le Atua o loo faatalitali ia te outou, ona o a outou amioletonu, a e maise foi, ina ia outou iloa ala o le salamo.

12. Ma lenei foi, ina ia outou iloa le afio mai o Iesu Keriso, le Alo o le Atua, o le Tamā o le lagi ma le lalolagi, o Le na faia mea uma talu le amataga; ina ia outou iloa foi faailoga o lona afio mai, ina ia outou faatuatua i lona suafa.

13. Afai foi tou te faatuatua i lona suafa, tou te salamo i a outou agasala uma, ina ia faamagaloina ai ia te outou i lona agalelei.

14. Faauta foi, ou te avatu le tasi faailoga ia te outou, ioe, o le faailoga i lona maliu.

15. Auā faauta, e tatau ona maliu o ia, ina ia oo mai le olataga, ioe, e tatau ia te ia, e ao foi ina maliu o ia, ina ia faataunuuina le toe tu mai o e ua oti, ina ia aumaia tagata i luma o le Atua.

16. Ioe, faauta, o lenei maliu e faataunuuina ai le toe tu mai ma togiolaina o tagata uma lava ai le uluai oti—o le oti faaleagaga lea, auā ua pei ua oti tagata uma lava i mea faalelalolagi atoa ma mea faalelagi ona o le solitulafono a Atamu, auā ua vavaeeseina ai i latou ai luma o le Atua.

17. A e peitai, faauta, e togiolaina tagata uma i le toe tu mai o Keriso, ioe, o tagata uma lava, ma toe aumaia i latou i luma o le Atua.

18. E moni, e faataunuuina ai le ala o le salamo, ina ia le taia ma lafoina i le afi se ua salamo, a e peitai, ai sē le salamo, e taia lava ma lafoina i le afi, e toe oo foi ia te i latou le oti faaleagaga, ioe, o le oti faalua, auā e toe vavaeeseina i latou ai mea uma tau le amiotonu.

19. O le mea lea ia outou salamo ai, ina salamo ia outou, ne'i outou tuuina atu outou lava i le faasala, ma lafotuina outou i lenei oti faalua, ona ua outou iloa nei mea a e le faia.

20. A e peitai, faauta, e pei ona ou fai atu ia te outou e uiga i le tasi faailoga, o le faailoga i lona maliu, faauta, o le aso e tigaina ai o ia i le maliu e faapouliuligia ai le la, ina ia le pupula atu lona malamalama ia te outou, e faapea foi le masina ma fetu, e leai foi se malamalama i luga o lenei laueleele, i aso e tolu, e amata i le ituaso e tigaina ai o ia i le maliu e oo i le aso e toe tu mai ai o ia nai e ua oti.

21. E moni, o le itu aso e to ai lana mānava, e i ai le faititili ma le uila i ituaso e tele, e luluina ma tetemu le lalolagi; e nutia foi papa o i luga o lenei laueleele, ua i luga ma i lalo o le laueleele, ua outou iloa ua le ōō nei, o le tele foi o ia papa ua maopoopo faatasi.

22. E moni, e saeluaina i latou; e afua i lea aso a mavaevae ma vanuvanu i latou, e matofitofi foi i luga o le fogaeleele uma lava, ioe, i luga atoa ma lalo o le laueleele.

23. Faauta foi, e to mai afā tetele, e faalaugatasia foi mauga e tele e pei o se vanu; e i ai mea e tele, ua ta'ua nei o vanu, e avea ma mauga maualuga tele.

24. E faaumatia ala tanu e tele, e faatafunaina foi aai e tele.

25. E lagaina tuugamau e tele, ma avae o latou tagata oti e toatele, e faailoa mai foi le au paia e toatele i nisi e toatele.

26. Faauta foi, ua faapea ona fetalai mai le agelu ia te au, auā ua faapea mai o ia ia te au, e i

ai le faititili ma le uila i ituaso e tele.

27. Na ia fetalai mai foi ia te au: E i ai nei mea uma a o tumau le faititili ma le uila ma le afā, e ufitia foi le fogaeleele atoa i le pogisa i aso e tolu.

28. Ua faapea mai foi le agelu ia te au: E iloa e nisi e toatele mea e sili i nei mea, ina ia latou talitonu e taunuu nei faailoga ma ia mea e ofo ai i luga o lenei laueleele uma, ina ia le toe ai se ala e le talitonu ai le fanauga a tagata.

29. O lenei foi ina ia faaolaina i latou uma o ē faatuatua, ma ia oo mai le faamasinoga tonu ia te i latou uma o e le faatuatua, afai foi e ta'usalaina i latou, o i latou lava e faaoo mai ai la latou ta'usalaina ia te i latou.

30. O lenei foi, ia outou manatua, ia manatua lava, o'u uso e, ai sē fano, e fano ia te ia lava; ai sē fai le amioletonu, e fai ai ia te ia lava; auā faauta, ua saoloto outou, ua tuu faitalia outou; auā faauta foi, ua foaiina atu e le Atua le malamalama ia te outou, ma ua tuusaunoa outou e ia.

31. Ua tuuina atu e ia ia te outou, ia outou iloa le lelei ma le leaga; ua tuuina atu foi e ia ia te outou, ia outou filifili le ola po o le oti. E mafai foi outou ona amiolelei, ia toe fuataiina ai outou i le lelei, pe toe tuuina atu le lelei ia te outou. E mafaia foi outou ona amioleaga, ia toe tuuina atu ia te outou le leaga.

MATAUPU 15.

Ua fai atu pea e Samuelu le sa Lamanā ana upu lapata'i—O le a faasaoina nisi o le a tutupu mai lona nuu—O le a matuā faaumatia le aiga o sa Nifaē, vaganā latou te salamo.

1. O lenei foi, o'u uso pele e, faauta, ou te ta'utino atu ia te outou, sei iloga tou te salamo, e tuua o outou fale e faatafunaina.

2. E moni, sei iloga tou te salamo, e i ai le mea tele e faanoanoa ai o outou fafine i le aso e failele ai i latou, auā tou te taumafai ona sosola, a e leai se mea e lafi ai; ioe, oi talofa i ē totō, auā e mamafa i latou, e le mafai foi ona sosola, o lea e solia ai i lalo i latou, ma tuua ina ia fano.

3. Ioe, oi talofa i lenei nuu, o e ua ta'ua o le nuu o Nifae, sei iloga latou te salamo pe a latou iloa nei faailoga uma ma mea e ofo ai e faailoaina atu ia te i latou, auā faauta, sa fai i latou ma nuu filifilia o le Atua, e moni, na ia alofa i le nuu o Nifae, ma na aoaiina i latou, ioe, na ia aoaiina i latou i ona po o la latou amioletonu, auā ua alofa o ia ia te i latou.

4. A e faauta, o'u uso e, na 'ino'ino o ia i sa Lamanā, auā na leaga pea a latou amio; o lenei foi ona o le le tonu o uputuu a o latou tamā, a e peitai, faauta, ua oo mai le olataga ia te i latou talu le tala'iga a sa Nifaē, o le mea lea ua faafualoaina ai o latou aso e le Atua.

5. Ou te loto foi ina ia outou iloa, o loo i ai le toatele o i latou i le ala o mea e tatau ona latou faia, ua savavali foi i latou ma le faautauta i luma o le Atua, ma ua latou tausi i ana poloaiga, ma ana tulafono, ma ana faamasinoga, e tusa ma le tulafono a Mose.

6. E moni, ou te fai atu ia te outou, o loo faia e le toatele o i latou lenei lava mea, o loo finafinau foi i latou ma le filifiligā e le faavaivai, ina ia latou au mai o ē totoe ō latou uso i le malamalama o le upu moni; o le mea lea ua faatasia ai nisi e toatele ma i latou i aso fai soo.

7. Faauta foi, tou te iloa mo outou lava, auā ua outou vāai i ai, o i latou uma o e ua aumaia i le malamalama o le upu moni, ma ia iloa uputuu leaga ma le inosia a o latou tamā, ma ua ta'ita'iina e talitonu i tusi paia, ioe, ma valoaga a le au perofeta paia ua tusia, ua ta'ita'iina ai i latou i le faatuatua i le Atua, ma le salamo; o le faatuatua ma le salamo ua ala mai ai le liliu ō latou loto.

8. O lea, o i latou uma ua oo mai i ai, ua outou iloa mo outou lava, ua mausali i latou ma le le mafaagaeetia i le faatuatua, ma le mea ua tuusaoloto ai i latou.

9. Ua outou iloa foi ua uma ona latou tanumia la latou auupega o le taua, ma ua fefefe i latou ona toe fetagofi i ai, ne'i latou agasala; e mafaia outou ona iloa ua fefefe i latou i agasala; auā faauta, latou te tuuina atu i latou ia solia i lalo ma fasia e i latou ua ita ia te i latou, a e le sii a latou pelu ia te i latou, o lenei foi ona o lo latou faatuatua ia Keriso.

10. O lenei foi ona o lo latou le mafaagaeetia, ina ua uma ona latou talitonu i le mea latou te faatuatua i ai, ona o lo latou mausali, ina ua uma ona faamalamalamaina i latou, faauta, e ui lava i la latou amioletonu, e faamanuiaina i latou e le Atua ma tulu'i atu o latou aso.

11. E moni, afai e iu ina le faatuatua, e tulu'i e le Atua o latou aso seia oo mai le aso na talatalaina mai e o tatou tamā atoa ma le perofeta o Senosa, ma nisi perofeta e toatele, e uiga i le toefuataiina ō tatou uso o sa Lamanā i le malamalama o le upu moni.

12. E moni, ou te fai atu ia te outou, o aso e gata ai e oo atu ai folafolaga a le Atua i o tatou uso o sa Lamanā; e ui foi i puapuaga e tele e oo mai ia te i latou, e ui foi ina fetuliaiina i latou i luga o le fogaeleele, ma tulia, ma taia, ma faasalalausoloina, e leai foi se mea e lalafi ai, e finagalo alofa le Atua ia te i latou.

13. E tusa foi lenei mea ma le valoaga, e aumaia i latou i le malamalama moni, o le iloa lelei lea o lo latou Togiola, ma lo latou Leoleo Mamoe sili ma le faamaoni, ma ia faitauina faatasi ma ana mamoe.

14. O le mea lea ou te fai atu ai ia te outou, e feoloolo ia te i latou ai outou, pe afai tou te le salamo.

15. Auā faauta, ana faaalia ia te i latou galuega tetele na faaalia ia te outou, e moni, ana faaalia ia mea i e na le faatuatua ona o uputuu a o latou tamā, e mafai ona outou iloa, po ua le toe leaga i latou i le le faatuatua.

16. O le mea lea ua fetalai mai ai le Atua, ou te le matua faaumatia ai i latou, a e peitai, ou te faafoi mai i latou ia te au i le aso ou te loto i ai, o loo fetalai mai ai le Atua.

17. O lenei foi, faauta, o loo fetalai mai le Atua e uiga i le nuu o sa Nifaē, afai latou te le salamo ma fai lo'u loto, ou te matua faaumatia i latou, o loo fetalai mai ai le Atua, ona o lo latou le faatuatua, e ui lava i le tele o galuega tetele ua ou faia ia te i latou. E moni, o loo soifua le Atua, e taunuu lava nei mea, o loo fetalai mai ai le Atua.

MATAUPU 16.

Ua auai nisi o le aiga o sa Nifaē i le Ekalesia a Iesu Keriso—Ua le talia upu a Samuelu le sa Lamana e le toatele—Ua latou sa'ili e pu'e ma saisaitia o ia—

Ua ia sola ese ma toe foi atu i lona nuu—O isi tala'iga a Nifae —Ua tumau pea masalosaloga i tagata.

1. O lenei foi, ua oo ina toatele
i latou o e na faalogoina upu a
Samuelu, le sa Lamanā, na ia fai
atu i luga o aupa o le aai. O i
latou uma foi o e na talitonu i
lana upu, ua latou o atu ma saili
mai Nifae; ua maua o ia e i la-
tou, ona latou faaali atu ai lea
a latou agasala ia te ia, ua le faa-
fiti lava, o loo mananao foi ia
papatisoina i latou mo le Atua.
2. A o i latou uma o e ua le
talitonu i upu a Samuelu, ua ita
i latou ia te ia; ua latou tau-
fetogi maa ia te ia i luga o le
aupa, a o nisi e toatele ua fana-
fana u ia te ia, a o tu o ia i
luga o le aupa. A e peitai, ua
ia te ia le Agaga o le Atua, ua
iu ina le mafai ai ona lavea o
ia i a latou maa, po o a latou
u fanafana.
3. O lenei, ina ua latou iloa
lenei mea, e le mafai ona lavea
o ia e i latou, ua talitonu ai nisi
e toatele i ana upu, ua iu ina o
atu i latou ia Nifae ia papati-
soina ai.
4. Auā faauta, ua papatiso Ni-
fae, ma ua perofeta ane, ma tala'i
atu le salamo i le nuu; ua faaali
atu faailoga ma mea e ofo ai; ua
fai vavega i le nuu ina ia latou
iloa e vave afio mai Keriso.
5. Ua ta'u atu ia te i latou mea
e vave oo mai, ina ia latou iloa
ma manatua ai i le aso e taunuu
ai. Ua faaalia ia mea ia te i la-
tou a o lei oo ina latou talitonu;
o lea foi, o i latou uma o e na
talitonu i upu a Samuelu, ua o
atu ai ia te ia ia papatisoina ai,
auā ua latou o atu ma le salamo
ma faaali atu a latou agasala.
6. A e peitai, ua le talitonu le
toatele o i latou i upu a Samuelu,
o lea, ina ua latou iloa ua le ma-
fai ona lavea o ia i a latou maa
ma a latou u fanafana, na latou
valaau atu ai i o latou ta'ita'i au,
ua faapea atu: Pue ia lenei tagata
ma ia saisaitia o ia, auā faauta,
ua osofia o ia e le tiapolo. Ona o
le mana foi o le tiapolo o loo i
totonu ia te ia, e le mafai ai ona
lavea o ia i a matou maa ma a
matou u fanafana. O lenei, ia
outou pueina o ia ma ia saisaitia
ma aveeseina o ia.
7. A e peitai, ina ua latou o
atu e fetagofi o latou lima ia te
ia, faauta, ua oso ifo o ia nai le
aupa, ma ua sola ese ai o latou
nuu, ioe, ua alu atu i lona lava
nuu, ma ua amata ona tala'i atu
ma vavalo atu i lona lava nuu.
8. Faauta foi, ua le toe faalo-
goina o ia i sa Nifaē, ma ua faa-
pea lava mea a le nuu.
9. Ua faapea foi ona iu lona
valusefulu ma le ono o tausaga
o le nofoaiga a faamasino i le nuu
o Nifae.
10. Ua faapea ona iu lona va-
lusefulu ma le fitu o tausaga o
le nofoaiga a faamasino, ua tu-
mau ai le toatele o le nuu i lo
latou faamaualuga ma amioleaga,
a ua savavali le toaitiiti ma le
faautauta i luma o le Atua.
11. Ma ua faapea lava le nuu
i lona valusefulu ma le valu o
tausaga o le nofoaiga a faama-
sino.
12. Ua faaleliliu foi mea a le
nuu i lona valusefulu ma le iva
o tausaga o le nofoaiga a faama-
sino, na ona amata ona faamaa-
aina atili le nuu i le amioletonu,
ma ua faia atili foi mea e le tusa
ma poloaiga a le Atua.
13. A e peitai, ua oo i lona
ivasefulu o tausaga o le nofoaiga
a faamasino ina i ai faailoga te-
tele ma mea e ofo ai ua tuuina
mai i le nuu, ua amata foi ona

faataunuuina upu a le au perofeta.

14. Ua asiasi mai foi agelu i tagata, o tagata popoto, ma ua tala'i mai ia te i latou le tala lelei e olioli tele ai. Ma ua faapea ona amata ona faataunuuina tusi paia i lenei lava tausaga.

15. E ui lava i lea, ua amata ona faamaaa e le nuu o latou loto, o i latou uma, sei iloga o le vaega ua sili i le faatuatua, o sa Nifaē atoa ma sa Lamanā. Ua amata foi ona faalagolago i lo latou lava malosi, ma lo latou lava poto, ua faapea atu:

16. Ai o i ai nisi mea ua latou matea tonu i mea e tele faapenei; a e peitai, faauta, matou te iloa e le mafai lava ona taunuu nei galuega tetele ma le ofoofogia uma ua ta'uina mai.

17. Ua amata foi ona latou mafaufau ma fefinauai ia te i latou lava, ua faapea ane:

18. E le tusa lenei mea ma le mafaufau lelei, ia afio mai se tasi e pei o le Keriso. Afai foi o lea, afai o le Alo o le Atua o ia, o le Tamā o le lagi ma le lalolagi, e pei ona ta'uina mai, e le faaalia o ia e ia ia te i tatou i se a, atoa ma i latou o i ai i Ierusalema?

19. Se a foi le mea na te le faaali mai ai o ia i lenei nuu atoa foi ma le nuu o Ierusalema?

20. A e peitai, faauta, ua tatou iloa o le uputuu leaga lenei ua tuufaasoloina mai ia te i tatou e o tatou tamā, ina ia tatou faatuatua i le mea tele ma le ofoofogia e oo mai, a e le oo mai ia te i tatou, a e peitai, e oo mai i le tasi nuu matuā mamao; o le nuu ua tatou le iloa; o lea ua mafai ai i latou ona taofia i tatou i le pouliuli, auā e le mafai ona tatou vāai ma o tatou lava mata, pe moni.

21. E faia foi e i latou i le atamai ma togafiti faalilo a le tiapolo se vavega tele, e le mafai ona malamalama ai i tatou, ina ia taofia i tatou e fai ma auauna i a latou upu, ma auauna foi ia te i latou, auā tatou te faalagolago ia te i latou e a'oa'o mai le upu ia te i tatou; e faapea ona taofia i tatou i le pouliuli, pe afai tatou te gauai atu i tatou lava ia te i latou i aso uma ō tatou olaga.

22. Ua mafaufau ifo foi le nuu i o latou loto nisi mea faavalea ma le le aoga e tele, ua faaatuatuvaleina ai i latou, auā ua faaosoina i latou e Satani e fai le amioletonu e le aunoa; e moni, na ia fealuai ma faasalalauina tala ma finauga i le fogaeleele uma, ina ia faamaaa e ia loto o le nuu e tetee atu i le lelei ma mea e oo mai.

23. E ui lava i faailoga ma mea e ofo ai ua faia i le nuu o le Atua, ma vavega e tele na latou faia, ua maua e Satani le pule tele i loto o le nuu, i luga o le fogaeleele uma.

24. Ua faapea foi ona iu lona ivasefulu o tausaga o le nofoaiga a faamasino i le nuu o Nifae.

25. Ma ua faapea ona iu le tusi a Helamana, e tusa ma le tala a Helamana ma ona atalii.

NIFAE LONA TOLU

O LE TUSI A NIFAE,

LE ATALII O NIFAE, O IA O LE ATALII O HELAMANA

O Helamana foi o le atalii oHelamana, o le atalii ia o Alema, o le atalii ia o Alema, o lo leaiga o Nifae, o le atalii ia o Liae, o le na te'a ma Ierusalema i letausaga muamua o le nofoaiga a Setekaia, le tupu o Iuta.

MATAUPU 1.

Ua faamavae Nifae, le atalii o Helamana—Ua tuuina atu faailoga o le fanau mai o le Faaola—O isi mataupu ua faataunuuina—Ua toe i ai foi le au fao mea a Katianetona.

1. O lenei, ua oo ina mavae atu lona ivasefulu ma le tasi o tausaga, ma ua atoa ai le ono selau tausaga talu le aso na te'a ai Liae ma Ierusalema; o lena tausaga foi sa fai Lakoneu ma faamasino sili ma kovana i le nuu.

2. Ma ua tuua ai le nuu o Sara'emila e Nifae, le atalii o Helamana, ua poloai atu o ia i lona atalii o Nifae, o lana ulumatua lea, e uiga i papatusi apamemea, ma tusi uma na tausia atoa ma na mea uma sa tausia mamalu, talu ina te'a Liae ma Ierusalema.

3. Ona alu ese lea o ia ai le nuu, ua le iloa foi e se tagata le mea na ia alu i ai; ua fai foi lona atalii o Nifae mona sui i le tausiga o tusi, ioe, o le tusi o lenei nuu.

4. Faauta foi, ua oo i le amataga o lona ivasefulu ma le lua o tausaga ina amata ona faataunuuina atili valoaga a perofeta, auā ua amata ona faia faailoga sili ma vavega sili i le nuu.

5. A ua i ai nisi tagata ua amata ona faapea ane: Ua mavae le aso e faataunuuina ai upu sa folafolaina e Samuelu, le sa Lamanā.

6. Ma ua amata ona latou mitamita i o latou uso, ua faapea ane: Faauta, ua mavae le aso, ma ua le taunuu upu a Samuelu, o le mea lea e le aoga ai lo outou olioli ma lo outou faatuatua i lenei mea.

7. Ma ua oo ina latou faanunununu tele le nuu uma, ma ua amata ona matua faanoanoa e ua talitonu, ne'i le taunuu na mea sa folafolaina.

8. A e peitai, faauta, na latou faatalitali pea i lena ao ma lena po ma lena ao e pei o le ao e tasi, e peiseai ua leai se po, ina ia iloa ai e i latou ua le fai fua lo latou faatuatua.

9. O lenei, ua oo ina tuupoina le aso e i latou ua le talitonu e fasioti ai i latou uma o e ua talitonu i na uputuu, sei iloga e taunuu le faailoga sa folafolaina e Samuelu le perofeta.

10. O lenei, ua oo ina iloa e Nifae, le atalii o Nifae, lenei amioleaga a lona nuu, ona faanoanoa tele ai lea lona loto.

11. Ma ua oo ina alu o ia i fafo ma na ifo toele, ma ua matua alaga atu i lona Atua ona o lona nuu, ioe, o i latou se manū a faaumatia ona o lo latou faatuatua i le uputuu a o latou tamā.

12. Ua oo ina matua alaga atu o ia i le Atua i le aso atoa, fa-

auta foi, ua tūlei mai ia te ia le siufofoga o le Atua, ua faapea mai:

13. Ina faaea ia lou ulu, ma ia loto tele, auā faauta, ua lata mai le aso, o lenei po foi e tuuina atu ai le faailoga, a o taeao e alu atu ai a'u i le lalolagi, e faaali atu ai i le lalolagi ou te faataunuuina mea uma ua ou poloaiina ia folafolaina atu i fofoga o a'u perofeta paia.

14. Faauta, ou te alu atu i lo'u lava nuu, e faataunuu mea uma ua ou faailoaina atu i le fanauga a tagata talu le faavaeina o le lalolagi, ma fai le finagalo o le Tamā atoa ma le loto o le Atalii; o le finagalo o le Tamā ona o a'u, a o le loto o le Atalii ona o lo'u tino. Faauta foi, ua lata mai le aso, o lenei po foi e tuuina atu ai le faailoga.

15. Ua oo ina faataunuuina upu na oo mai ia Nifae e pei ona fetalaia mai, auā faauta, ua leai se pouliuli i le goto o le la, ma ua amata ona taufaiofo tagata, auā ua leai se pouliuli ina ua sau le po.

16. Ua i ai foi nisi e toatele o e na le talitonu i upu a perofeta, ua pāuu i latou i le eleele e peiseai ua oti, auā ua latou iloa ua faaleaogaina la latou togafiti tele e faaumatia ai o e ua talitonu i upu a perofeta, auā ua oo mai nei le faailoga sa folafolaina mai.

17. Ma ua amata ona latou iloa, e le pine ona afio mai le Alo o le Atua. Ioe, e moni, o tagata uma ua i luga o le fogaeleele atoa, e amata mai i sisifo e oo atu i sasae, o le laueleele i le itu i matu atoa ma le laueleele i le itu i saute, ua faapea ona taufaiofo tele, ua pāuu i latou i le eleele;

18. Auā na latou iloa ua tele tausaga na molimau atu ai perofeta i nei mea, o loo i ai foi nei le faailoga sa tuuina mai, ma ua amata ona matata'u i latou ona o la latou amioletonu ma lo latou le faatuatua.

19. Ua oo foi ina leai se pouliuli i lena po atoa, a ua malamalama e pei o le tutonu o le la Ua oo foi ina toe oso mai le la i le taeao, e tusa ma lana masani, ma ua latou iloa ai o le aso lena e fanau mai ai le Alii, ona o le faailoga sa tuuina mai.

20. Ma ua taunuu mea uma, o iota uma lava, e tusa ma upu a perofeta.

21. Ua oo foi ina pupula mai le fetu fou, e tusa ma le upu.

22. Ma ua oo ina afua i lea aso ona amata ona faasalalau e Satani o upu pepelo i le nuu e faamaaa ai o latou loto, ina ia latou le talitonu i na faailoga ma vavega na latou vaia. E ui lava i nei pepelo ma faa'ole'olega, ua talitonu le toatele o le nuu, ma ua faaliliuina mai i le Atua.

23. Ua oo foi ina alu atu Nifae atoa ma nisi e toatele i le nuu, ma ua papatiso i le salamo, ua faamagaloina ai agasala e tele. Ma ua faapea ona toe amata ona i ai le filemu i tagata i le nuu.

24. Ua leai foi se finauga, a e na o le toaitiiti ua amata ona tala'i atu, ma ua taumafai ona faamaoni i tusi paia, e le toe aoga ona tausia le tulafono a Mose. O lenei, ua sese i latou i lenei mea, auā ua le malamalama ia te i latou tusi paia.

25. A ua oo ina le pine ona faaliliuina mai i latou, ma ua mautinoa lo latou sese, auā ua faailoaina atu ia te i latou e lei faataunuuina le tulafono, a ua tatau ona faataunuuina mea uma; ioe, ua oo mai ia te i latou le upu e tatau ona faataunuuina ai; ioe, e le mavae atu se iota po o sina mataitusi seia faataunuuina mea uma; o lea, o lenei lava tausaga

ua faailoatinoina ai ia te i latou lo latou sese, ma ua latou faaali atu a latou agasala.

26. Ua faapea foi ona mavae atu lona ivasefulu ma le lua o tausaga, ua oo mai ai tala lelei i le nuu ona o faailoga ua oo mai e tusa ma upu o valoaga a perofeta paia uma.

27. Ma ua oo ina mavae atu foi i le filemu lona ivasefulu ma le tolu o tausaga, a e na o le au fao mea a Katianetona, o e na nonofo i mauga, ma ua faasaunoa i le nuu; auā ua faapea ona malolosi i o latou olo ma o latou lafitaga lilo, ua le mafai ai le nuu ona manumalo ia te i latou; o le mea lea na latou fafasi ai nisi e toatele, ma ua matua tele le fasi i le nuu.

28. Ma ua oo i lona ivasefulu ma le fa o tausaga ina amata ona matua faatoateleina i latou; auā ua i ai tagata vavae e toatele mai sa Nifaē, o e na sosola atu ia te i latou, ua ala ai le faanoanoa tele o sa Nifaē, o e ua nonofo i le nuu.

29. Ma ua i ai le mea ua faanoanoa tele ai sa Lamanā; auā faauta, ua ia te i latou le fanau e toatele, ua tutupu ma ua tauau ina loto malosi ina ua matutua, ma ua faia e i latou la latou lava pule, a ua ta'ita'ieseina i latou e nisi o sa Soramā i a latou pepelo ma a latou upu faaviivii e faatasi ma le au fao mea a Katianetona.

30. Ua faapea foi ona puapuagatia sa Lamanā, ua amata foi ona tauau ina vaivai lo latou faatuatua ma la latou amiotonu, ona o le amioleaga a le tupulaga.

MATAUPU 2.

O le solomuli o sa Nifaē—O sa Lamanā papa'e—Ua faatasia ituaiga e lua e tetee atu i le au fao mea a Katianetona ma tagata fasioti tagata.

1. Ua oo ina faapea ona mavae atu lona ivasefulu ma le lima o tausaga, ona amata ai lea ona galo i le nuu na faailoga ma vavega na latou faalogoina, ma ua amata ona le toe ofo i se faailoga po o se vavega mai le lagi, ua iu ina amata ona maaa i latou i o latou loto, ma tauaso i o latou manatu, ma ua amata ona le talitonu i mea uma na latou faalogoina ma vaaia.

2. Ua manatu i o latou loto o se mea pepelo, ua faia e tagata i le mana o le tiapolo e ta'ita'ieseina ai ma olegia loto o le nuu; ua faapea ona toe maua e Satani loto o le nuu, ua iu ina faatauasoina e ia o latou mata, ma ua ta'ita'ieseina i latou e talitonu, o le mataupu a Keriso, o le mea faavalea lea ma le pepelo.

3. Ua oo foi ina amata ona tauau ina malolosi le nuu i le amioleaga ma mea inosia, a ua latou le talitonu e toe tuuina mai nisi faailoga po o vavega; ua fealualuai Satani, ua ta'ita'i ese loto o le nuu, ua faaosooso ia te i latou, ia latou faia le amioleaga tele i le nuu.

4. Ua faapea ona mavae atu lona ivasefulu ma le ono o tausaga, ma lona ivasefulu ma le fitu o tausaga, ma lona ivasefulu ma le valu o tausaga, atoa foi ma lona ivasefulu ma le iva o tausaga.

5. Ua mavae atu foi lona selau o tausaga talu aso o Mosaea, o le sa fai ma tupu i le nuu o sa Nifaē.

6. Ma ua mavae atu le ono selau ma le iva tausaga talu ina tuua Ierusalema e Liae.

7. Ua tuanai atu foi tausaga e iva talu le aso na tuuina mai le

faailoga sa ta'uina mai e perofeta i le afio mai o Keriso i le lalolagi.

8. O lenei, ua faitau e sa Nifaē o latou tausaga e afua i lenei aso sa tuuina mai le faailoga, po o le afio mai o Keriso. O lea foi ua mavae atu ai tausaga e iva.

9. A ua le toe foi mai i le nuu o Sara'emila Nifae, o le tamā o Nifae, o le na i ai le tausiga o tusi, ma ua le iloa o ia i le nuu atoa.

10. E ui lava i le tele o folafolaga na faia ia te i latou, ua oo ina tumau le nuu i le amioleaga; ua faapea foi ona mavae atu lona sefulu o tausaga, 'atoa fo'i ma lona sefulu ma le tasi o tau saga i le amioletonu.

11. Ma ua oo i lona sefulu ma le tolu o tausaga ina amata ona i ai taua ma finauga i le nuu uma; auā ua faapea ona faatoateleina le au fao mea a Katianetona, ma ua faapea ona toatele le nuu ua fasia, ma ua faapea ona tele aai ua faatafunaina ma ua faaoo mai le oti ma le malaia e faapea ona tele i le nuu, ua ao ai ina fai auupega e le nuu uma, o sa Nifaē atoa ma sa Lamanā, e tau ai ma i latou.

12. O le mea lea na faatasi ai ma o latou uso, o sa Nifaē, sa Lamanā uma o e ua faaliliuina mai i le Atua, ma ua tatau, ina ia faasaoina o latou ola, ma o latou fafine, ma o latou tamaiti, ona fai auupega e tau ai ma na fao mea a Katianetona, ma le tasi foi, e faatumau ai o latou tofi, ma la latou faitalia i la latou ekalesia, ma a latou tapuaiga, ma lo latou tuusaunoa, ma lo latou saolotoga.

13. A o lei mavae atu foi lona sefulu ma le tolu o tausaga, ua oo ina tali faaumatia sa Nifaē, ona o lenei taua ua matua faigata.

14. Ma ua oo ina faatasia ma sa Nifaē o na sa Lamanā o e na au ma sa Nifaē;

15. Ma ua aveeseina la latou fetuu ia te i latou, ma ua liua o latou pa'u, ua papa'e e pei o sa Nifaē;

16. Ma ua matua lalelei o latou taulelea ma o latou afafine, ma ua faitaulia faatasi ma sa Nifaē, ma ua ta'ua o sa Nifaē. Ua faapea foi ona iu lona sefulu ma le tolu o tausaga.

17. Ua oo foi i le amataga o lona sefulu ma le fa o tausaga ina fai pea le taua o au fao mea ma le nuu o Nifae, ma ua matua faigata, e ui i lea, ua manumalo teisi le nuu o Nifae i le au fao mea, ua iu ina latou tulieseina i latou ai lo latou fanua i mauga ma o latou lafitaga lilo.

18. Ua faapea foi ona iu lona sefulu ma le fa o tausaga. A o lona sefulu ma le lima o tausaga ua o mai ai i latou e tau ma le nuu o Nifae; ona o le amioleaga foi o le nuu o Nifae, ma a latou finauga ma fevaevaeaiga e tele, ua manumalo ai le au fao mea a Katianetona ia te i latou i nisi mea e tele.

19. Ma ua faapea ona iu lona sefulu ma le lima o tausaga, ma ua i ai puapuaga e tele i le nuu; ua tautau ifo foi le pelu o le malaia ia te i latou, se manū a taia i lalo i latou, o lenei foi ona o la latou amioletonu.

MATAUPU 3.

Ua maua e Lakoneu le tusi mai ia Kitianae, o le ta'ita'i ia o le au fao mea—Ua poloa'i mai ina ia lato ufaamaulalo atu ia te ia —E le talia e Lakoneu le mana'o o Kitianae ma ua ia saunia loa mo le tetee atu o a latou au.

1. O lenei foi, ua oo i lona sefulu ma le ono o tausaga talu le afio mai o Keriso ina maua le

tusi e Lakoneu le kovana o le nuu mai le ta'ita'i ma le kovana o lenei au fao mea; o upu foi nei na tusia, ua faapea mai:

2. I lau afioga a le kovana sili o le nuu, Lakoneu e, silasila mai; ua ou tusi atu lenei tusi ia te oe ma ou vivii tele atu ia te oe ona o lou mausali, ma le mausali o lou nuu, i le faatumauina o mea ua outou manatu ō outou tofi ma saolotoga; ioe, ua mautu lelei outou, e peiseai ua lagolagoina e le aao o se atua i le leoleoina o lo outou saolotoga, ma la outou oloa, ma lo outou laueleele, po o mea ua faapea ona ta'ua e outou.

3. A o le mea ou te alofa ai, lau afioga a Lakoneu e, ona ua faapea ona e valea ma faamaualuga i le manatu e te mafaia ona teena nei tagata totoa e toatele, o ē usiusitai mai ia te au, o loo tutū nei ma la latou auupega, ma ua faatalitali ma le popole tele i le upu, Ina o ifo ia i sa Nifaē ma faaumatia i latou.

4. Ma ua ou iloa ō latou loto le mafaatoilaloina, auā ua ou tofotofoina i latou i le tafā o le taua, ma ua ou iloa lo latou ita faavavau ia te outou, ona o mea leaga e tele ua outou faia ia te latou, o lea, afai latou te o ifo ia te outou, latou te asiasi atu ai ia te outou ma le malaia atoatoa.

5. O le mea lea ua ou tusia ai lenei tusi, ua faamauina i lo'u lava lima, ma le alofa ia te outou, ona o lo outou mausali i le mea ua outou manatu ua tonu, ma lo outou loto malosi i le tafā o le taua.

6. O le mea lea ua ou tusi atu ai ia te oe, o manao ina ia outou tuuina mai i lo'u nuu nei a outou aai, ō outou fanua ma a outou mea, e sili lena ai le asiasi atu o i latou ia te outou i le pelu, ai le oo atu foi o le malaia ia te outou.

7. Po o lenei, ia outou gauai mai ia te i matou, ma ia faatasi ma i matou, ma ia faamasani ma a matou galuega lilo, ma fai mō matou uso, ina ia tutusa outou ma i matou, e le o a matou pologa, a ō matou uso, ma tatou faatasi i a tatou mea uma.

8. Silasila mai, ou te tauto atu ia te oe, afai tou te faia lenei mea ma le tautoga, e le faaumatia outou, a e afai tou te le faia lenei mea, ou te tauto ma le augani, o le masina a sau ou te poloai atu ai ia faaifo atu a'u au ia te outou, latou te le taofia foi o latou lima, e le faasao foi, a e fafasi ia te outou, ma faapaū le pelu ia te outou, ina seia faaumatia outou.

9. Silasila mai foi, o a'u o Kitianae, o a'u foi o le kovana o lenei faatasiga lilo a Katianetona; o lenei faatasiga foi ma ana galuega ua ou iloa ua lelei, ma ua mai anamua, ma ua tuufaasoloina mai ia te i matou.

10. Ua ou tusi atu lenei tusi ia te oe, Lakoneu e, ou te faamoemoe tou te tuuina mai o outou fanua ma a outou mea uma ma le le faamasaaina o le toto, ina ia toe maua e lo'u nuu lenei o latou tofi ma le malo, ua vavae mai i latou ia te outou ona o la outou amioleaga, ua outou taofia ai o latou tofi i le malo. Afai tou te le faia lenei mea, ou te taui ma sui lo latou agaleagaina. O a'u o Kitianae.

11. Ua oo ina maua e Lakoneu lenei tusi, ona matua ofo tele ai lea o ia ona o le mitamita vale o Kitianae ua ia poloai mai ai ia tuu atu le pule i le laueleele o sa Nifaē, ma le tasi foi, i le faamata'uina o le nuu ma le taui ma sui o le leaga o e ua le agaleagaina, a e na o i latou ua agaleagaina ai i latou lava ina ua vavae

atu e au faatasi ma na fao mea amioleaga ma le inosia.

12. O lenei, faauta, o lenei kovana, o Lakoneu, o le tagata amiotonu ia, ma ua le mafai ona faamata'uina i poloaiga ma upu faamata'u a le fao mea; o le mea lea ua le usiusitai ai o ia i le tusi a Kitianae, le kovana o le au fao mea, a ua poloai atu o ia i lona nuu, ia alalaga atu i le Atua, ina ia malolosi i latou i le aso e o ifo ai le au fao mea ia te i latou.

13. Ioe, na ia avatu le poloaiga i le nuu uma, ia latou faapotopoto faatasi i le mea e tasi o latou fafine, ma o latou tamaiti, ma a latou lafu, ma a latou fagaga, ma a latou mea uma, a e tuu na ō latou fanua.

14. Ua ia poloai atu foi, ia fai olo e siomia ai i latou, ma ia matua malosi lava. Ua poloai atu foi o ia ia fai au a sa Nifaē atoa ma sa Lamanā, o i latou uma o e ua faitaulia faatasi ma sa Nifaē, ia tuutuusoloina ai e fai ma leoleo e leoleo ia te i latou, ma faamamalu ia te i latou ai le au fao mea i le ao ma le po.

15. Ioe, na ia faapea atu ia te i latou: O loo soifua le Atua, afai tou te le salamo i a outou amioletonu uma, ma alalaga atu i le Atua, e le laveaiina lava outou ai lima o na fao mea a Katianetona.

16. Ma ua faapea ona tele ma le ofoofogia upu ma valoaga a Lakoneu, ua faamata'uina ai le nuu, ma ua latou taumafai ma lo latou malosi ona faia e tusa ma upu a Lakoneu.

17. Ua oo ina tofia e Lakoneu o ta'ita'i sili i au uma a sa Nifaē, e pule ia te i latou i le aso e o ifo ai le au fao mea ai le vao ia te i latou.

18. O lenei, ua tofia lē sili i ta'ita'i au uma ma pule sili i au uma a sa Nifaē, o lona igoa foi o Kitekitonae.

19. O lenei, o le tu a sa Nifaē uma e tofia e fai mo latou ta'ita'i sili i au o se ua i ai le agaga o faaaliga ma perofetaga, sei iloga o ona po o le amioleaga; o lea, o lenei Kitekitonae, o le perofeta sili ia te i latou, ma ua faapea foi le faamasino sili.

20. O lenei, ua faapea ane le nuu ia Kitekitonae: Ina tatalo ia i le Atua, ma ia tatou o ae i mauga ma le vao, ina ia tatou feosofi atu i le au fao mea ma faaumatia i latou i o latou lava nuu.

21. A ua faapea atu Kitekitonae ia te i latou: Aua ne'i faapea, auā afai tatou te o ae ia te i latou, e tuuina atu i tatou e le Atua i o latou lima; o le mea lea tatou te sauniuni ai i le ogātotonu o lo tatou nuu, tatou te faapotopoto faatasi a tatou au uma, tatou te le o ae ia te i latou, a e faatalitali i tatou seia o mai i latou ia te i tatou. O le mea lea, o loo soifua le Atua, afai tatou te faia lenei mea, na te tuuina mai ai i latou i o tatou lima.

22. Ma ua oo i lona sefulu ma le fitu o tausaga, i le taufaaiuga o le tausaga, ina oo atu le poloaiga a Lakoneu i le nuu uma, ma ua latou avea ai a latou solofanua, ma a latou kariota, ma a latou povi, ma a latou lafu, ma a latou fagaga, ma la latou saito, ma a latou mea uma, ma ua malaga mai taitoaafe, ma taitoasefulu afe, seia uma ona o mai i le mea ua faasinomia ia latou faapotopoto ai, e faamamalu ai i latou ai ē ita ia te i latou.

23. O le laueleele foi ua faasinomia, o le laueleele lea o Sara'emila ma le lauelee o Nuumau; ioe, e oo atu i le tuaoi i le va o le laueleele o Nuumau ma le laueleele o Tuufua.

24. Ma ua tele afe o tagata, o e ua ta'ua o sa Nifaē, ua faapotopotoina faatasi i latou i lenei nuu. O lenei foi, na poloai atu Lakoneu, ia latou potopoto faatasi i le laueleele i le itu i saute, ona o le fetuu tele ua i ai i le laueleele i le itu i matu.

25. Ma ua latou fai olo e tetee atu ai i ē ita ia te i latou, ua latou nofo foi i le nuu e tasi, i le mea e tasi, ma ua latou matata'u i upu na fai atu ai Lakoneu, ua iu ina latou salamo i a latou agasala uma, ma ua latou avae a latou tatalo i le Alii lo latou Atua, ina ia laveai o ia ia te i latou i le aso e o ifo ai i le taua o ē ita ia te i latou.

26. Ua matua faanoanoa i latou ona o ē ita ia te i latou. Ua poloai atu foi Kitekitonae, ia latou fai auupega uiga eseese o le taua, ma ia faamalosia i latou i ofutau, ma talita, ma fusi, e tusa ma ana faatonuga.

MATAUPU 4.

Ua to'ilalo le au fao mea ma ua fasiotia lo latou ta'ita'i—Ua sisi le ua sui ia te ia, o lona igoa o Seminaraea—O le loto toa o Kitekitonae i le taua.

1. Ua oo i le taufaaiuga o lona sefulu ma le valu o tausaga, ma ua uma ona saunia na au fao mea i le taua, ma ua amata ona faaifo ma feosofi mai nai mauga iti, ma mauga tetele, ma le vao, ma o latou olo, ma o latou lafitaga lilo, ma ua amata ona fai mo latou o nuu o le laueleele i le itu i saute, atoa ma le laueleele i le itu i matu, ma ua amata ona fai mo latou o nuu uma ua tuulafoaiina e sa Nifaē, ma aai ua tuufua.

2. A e peitai, faauta, ua leai se manu 'aivao, po o se manu 'aina i na nuu ua tuulafoaiina e sa Nifaē, ua leai lava se manu 'aina mo tagata fao mea, a e na o le ao ua i ai manu.

3. Ua le mafai ona ola le au fao mea, sei iloga ua o atu i le vao, auā ua leai se mea e 'ai, auā ua tuufua e sa Nifaē lo latou nuu, ma ua faapotopotoina a latou lafu. ma a latou fagaga, ma a latou mea uma, ma ua faatasi i latou i le mea e tasi.

4. O le mea lea ua leai ai se ala i le au fao mea e gaoi ma maua ai mea e 'ai, sei iloga e o ae e tau ma sa Nifaē; auā ua faatasi sa Nifaē i le mea e tasi, ma ua faapea ona toatele, ma ua teuina mo i latou mea e 'ai, ma a latou solofanua, ma povi, ma lafu uiga eseese, ina ia ola ai i latou e tusa ma tausaga e fitu, ua latou faamoemoe e faaumatia ai le au fao mea ai le fogaeleele. Ma ua faapea ona mavae atu lona sefulu ma le valu o tausaga.

5. Ma ua oo i lona sefulu ma le iva o tausaga, ona iloa ai lea e Kitianae e lelei ona alu ae o ia e tau ma sa Nifaē, auā ua leai se ala e ola ai i latou, sei iloga e vete, ma gaoi, ma fasioti tagata.

6. Ua fefefe i latou ona taapeape i latou i luga o le fogaeleele, ina ia latou faatupuina saito, ne'i o ane i ai sa Nifaē ma fasi ia te i latou, o le mea lea na avatu ai e Kitianae le poloaiga i ana au, latou te o ae i lenei tausaga e tau ai ma sa Nifaē.

7. Ua oo foi ina latou o ae i le taua i lona ono o masina; faauta foi, o le aso tele lena ma le matautia na latou o ae ai i le taua; ua fusia foi i latou e pei o fao mea, ma ua sulu i o latou sulugatiti pa'u o tamai mamoe ua fuia i le toto, ua selea foi o latou ulu ma ua faapulouina i latou i pulou tau; ua leaga ma ua matautia le tino mai o au a Kitia-

nae, ona ō latou ofu tau, auā ua
fuia i le toto.
8. Ua oo foi ina ua iloa e au
a sa Nifaē le tino mai o le itu-
taua a Kitianae, ua faapāuu i la-
tou uma i le eleele ma ua avae
la latou tagi i le Alii lo latou
Atua, ia faasaoina i latou e ia ma
ia laveaiina i latou ai lima o ē
ita ia te i latou.
9. Ma ua oo ina vaaia lenei
mea e au a Kitianae, ona amata
ai lea ona latou alalaga ma le
leo tele ona o lo latou olioli, auā
sa faapea a i latou ua faapāuu
sa Nifaē i le fefe, ona o le ma-
tautia o a latou au.
10. A ua sese i latou i lenei
mea, auā ua le fefefe sa Nifaē ia
te i latou, a ua latou matata'u i
lo latou Atua, ma ua faatoga atu
ia te ia ia faamamalu mai; o le
mea lea, ina ua vave ona oso mai
au a Kitianae ia te i latou, ua
saunia ai i latou e fetaiai ma i
latou, ioe, ua latou talia i latou
ma le malosi mai le Atua.
11. Ua amata foi le taua i lenei
masina, o lona ono lea; ua leaga
ma ua matautia le taua, e moni,
ua tele ma ua matautia le fasi,
ua faatoa iloa se fasi e faapea
ona tele i le nuu uma o Liae talu
aso na te'a ai o ia ma Ierusalema.
12. E ui lava i upu faamata'u
ma tautoga na faia e Kitianae,
faauta, ua manumalo sa Nifaē ia
te i latou, ua iu ina tuumuli i la-
tou i o latou luma.
13. Ma ua oo ina poloai atu
Kitekitonae i ana au, ia tuliloa
ia te i latou e oo i tuaoi o le vao,
aua le faasaoina se tasi o i latou
o ē pāuu i o latou lima i le ala.
Ua faapea foi ona latou tuliloa ia
te i latou, ma ua fafasi ia te i
latou, e oo atu i tuaoi o le vao,
ina seia uma ona faataunuuina e
i latou le poloaiga a Kitekitonae.
14. Ua tu Kitianae ma tau ma
le faamalosi, ua oo ina tuliloaina
o ia ina ua sola; ona ua vaivai
foi i lona tau malosi, ua maua o
ia ma ua fasiotia. Ma ua faapea
le iuga o Kitianae le fao mea.
15. Ma ua oo ina toe foi mai sa
Nifaē i lo latou nuu, ina ia ma-
lutia ai. Ua oo ina mavae atu
lenei tausaga, o lona sefulu ma
le iva, a ua le toe o mai le au fao
mea e tau le taua, pe toe o mai
foi i latou i lona luasefulu o tau-
saga.
16. O lona luasefulu ma le tasi
o tausaga ua latou le o ae ai e
tau le taua, a ua latou o ae i itu
uma e vagavagai le nuu o Nifae;
auā sa faapea a i latou, afai la-
tou te vavaeeseina le nuu o Nifae
ai o latou fanua, ma punitia i la-
tou i itu uma, afai foi latou te
vavaeeseina i latou ai o latou tofi
i tua, e mafai ai i latou ona pule
ia te i latou, ia latou gauai atu
e tusa ma o latou manao.
17. O lenei, ua latou tofia mo
i latou le tasi ta'ita'i, o lona igoa
o Seminaraea, o le mea lea, o
Seminaraea na ala ai ina faia le-
nei vagaia.
18. A e peitai, faauta, o le
mea lelei lena i sa Nifaē, auā ua
le mafai le au fao mea ona tu-
mau i le vagaia seia tigaina ai
sa Nifaē, ona o le tele o a latou
mea e 'ai úa latou teuina.
19. Ona ua itiiti mea e 'ai i le
au fao mea; auā faauta, ua leai
se mea e ola ai i latou, na o aano
o manu, o lea aano o manu foi
ua latou maua mai le vao.
20. Ua oo foi ina itiiti manu
'aina i le vao, ua toetoe ina fano
le au fao mea i le fia 'ai.
21. Ma ua feoai pea sa Nifaē
i le ao ma le po, ua feosofi atu i
a latou au ma vavaeeseina i latou
e taitoaafe ma taitoasefulu afe.
22. Ua faapea foi ona tupu le
manao o le nuu o Seminaraea e
tuumuli ai lo latou manatu, ona

o le malaia tele na oo ia te i latou i le po ma le ao.

23. Ua oo ina avatu e Seminaraea le poloaiga i le nuu, ia latou tuumuli nai le vagaia, ma o atu i le itu aupito mamao i le laueleele i le itu i matu.

24. O lenei foi, ina ua iloa e Kitekitonae lo latou manatu, ina ua iloa foi lo latou vaivai ona o le fia 'ai ma le fasi tele na oo ia te i latou, ua ia aauina atu ai ana au i le po, ma ua punitia le ala e sosola ai i latou, na ia faanofo foi ana au i le ala e tuumuli ai i latou.

25. Ua latou faia lenei mea i le po, ma ua latou muamua atu i luma o le au fao mea. Ina ua amata e le au fao mea la latou malaga i le taeao, ua faafetaiaiina i latou e au a sa Nifaē i la latou muaau ma la latou muliau.

26. Ua punitia foi le mea e sosola ai le au fao mea o e ua i le itu i saute. Ua faia ia mea uma i le pule a Kitekitonae.

27. Ua i ai afe e tele ua ifo mai faatagataotaua i sa Nifaē, a ua fasia o ē totoe o i latou.

28. Ua avea foi lo latou ta'ita'i, o Seminaraea, ma ua faatautauina o ia i le laau, ioe, i le tumutumu o le laau seia oti ai o ia. Ua latou faatautauina o ia seia oti o ia, ona latou faapaū lea le laau i le eleele, ma ua alalaga ma le leo tetele, ua faapea atu:

29. Ia faaolaina e le Atua lona nuu i le amiotonu ma le loto mamā, ina ia latou faapāuu i le eleele i latou uma o ē saili e fasioti ia te i latou ona o le pule ma taupulepulega lilo, e pei ona faapaūina lenei tagata i le eleele.

30. Ma ua fiafia i latou ma ua toe alalaga ma le leo faatasi, ua faapea atu: Ia leoleoina lenei nuu i le amiotonu e le Atua o Aperaamo, o le Atua foi o Isaako, o le Atua foi o Iakopo i aso uma latou te valaau atu ai i le suafa o lo latou Atua, ina ia malu ai.

31. Ua iu ina latou alalaga faatasi, ua pepese ma faaneenee atu i lo latou Atua, ona o le mea tele na ia faia mo i latou, ina ua faasaoina i latou, ua le malaia ai i lima o ē ita mai ia te i latou.

32. Ioe, ua latou alalaga: Osana i le Atua silisiliese; ma ua latou alalaga atu: Ia faamanuina le suafa o le Alii le Atua e ona le malosi uma, o le Atua silisiliese.

33. Ua faatumuina o latou loto i le olioli, ua iu ina maligi loimata e tele, ona o le agalelei tele o le Atua i le laveaiina o i latou ai lima o ē ita ia te i latou; ma ua iloa e i latou, ona o lo latou salamo ma lo latou loto maulalo ua laveaiina ai i latou ai le malaia faavavau.

MATAUPU 5.

Ua salamo sa Nifaē ma ua taumafai e faaiu galuega leaga—O le tala a Mamona ia te ia lava ma papatusi sa ia tausia—Ua toe ta'u le toe faapotopotoina o le aiga o Isaraelu.

1. O lenei foi, faauta, ua leai se tagata ola i le nuu uma o sa Nifaē ua masalosalo i se mea itiiti i upu a perofeta paia o e na tautala mai, auā na latou iloa e tatau ona faataunuuina ai.

2. Ma ua latou iloa ua tonu, ua uma ona afio mai Keriso ona o faailoga e tele ua tuuina mai e tusa ma upu a perofeta, ona o mea foi ua uma ona taunuu mai, ua latou iloa ai e tatau ona taunuu mea uma lava e pei ona ta'uina mai.

3. O le mea lea na latou tuu ai a latou agasala uma, ma a latou mea inosia, ma a latou faitaaga, a ua auauna atu i le Atua ma le filigā uma i le ao ma le po.

4. O lenei foi, ua oo ina avea

faatagataotaua le au fao mea uma lava, na iu ina le sao se tasi o i latou o e ua le fasia. Ua latou lafoina a latou tagata o taua i le falepuipui, ma ua folafola atu le afioga a le Atua ia te i latou, ma ua tuusaoloto i latou o e ua salamo i a latou agasala ma osia le feagaiga latou te le toe fasioti tagata.

5. A o i latou o e na le osia le feagaiga, a ua tutumau pea i o latou manao e fasioti faalilo i tagata, ioe, o i latou o e ua maua o mapugatamai i o latou uso, ua ta'usalaina i latou ma ua faasalaina e tusa ma le tulafono.

6. Ma ua faapea ona faaiuina na pulega leaga, ma le faalilo, ma le inosia na i ai le amioleaga tele ma fasioti tagata e toatele.

7. **Ma ua faapea ona** mavae atu lona luasefulu ma le lua o tausaga, o lona luasefulu ma le tolu foi, ma lona luasefulu ma le fa, atoa foi ma lona luasefulu ma le lima, ua faapea lava ona mavae atu tausaga e luasefulu ma le lima.

8. Ua i ai foi mea e tele na taunuu, e tetele ma le ofoofogia i le vaai a nisi; e ui i lea e le mafai ona tusia ai i lenei tusi; e moni, e le ofi i lenei tusi se tasi vaeselau o mea sa faia i le nuu e faapea ona toatele i tausaga e luasefulu ma le lima.

9. A e peitai, faauta, e i ai tusi ua i ai mea uma ua faia e lenei nuu, a ua faia e Nifae le tala ua sili ona puupuu ma ua faamaoni.

10. O le mea lea ua ou faia ai la'u tusi i ia mea e tusa ma le tusi a Nifae, ua tusia i papatusi ua ta'ua, o papatusi a Nifae.

11. Faauta foi, ou te faia lenei tusi i papatusi ua ou gaosia i o'u lava lima.

12. Faauta, ua igoa a'u ia Mamona, ua faaigoaina i le igoa o le laueleele o Mamona, o le laueleele foi lea sa faatuina ai e Alema le ekalesia i le nuu, e moni, o le ekalesia muamua lea sa faatuina ia te i latou talu la latou solitulafono.

13. Faauta, o a'u o le soo o Iesu Keriso le Alo o le Atua. Ua valaauina a'u e ia e tala'i atu lana afioga i lona nuu, ina ia maua e i latou le ola faavavau.

14. Ma ua oo ina tatau ia te au, e tusa ma le finagalo o le Atua, ona faia le tusi i nei mea ua mavae atu ,ina ia faataunuuina, e tusa ma lo latou faatuatua, o talotaloga a e ua maliliu, o e ua paia.

15. E moni, o se tusi laitiiti foi i mea ua taunuu talu le aso na te'a ai Liae ma Ierusalema, e oo mai lava i ona po nei.

16. O le mea lea ua ou tusia ai i la'u tusi o tala na tuuina mai e i latou o e na muamua ia te au, e oo lava i le amataga o o'u aso.

17. Ona ou faia lea le tusi i mea ua ou vaaia i o'u lava mata.

18. Ua ou iloa foi o le tusi ou te faia, o le tusi ua tonu ma ua faamaoni, e ui i lea, e tele mea e le mafai ona matou tusia ona o la matou gagana.

19. O lenei, ou te faaiu la'u tala ia te au, a e fai pea la'u tala i mea na muamua ia te au.

20. O a'u o Mamona, o lo le aiga moni o Liae. E tatau ona ou faamanū atu i lo'u Atua, ma lo'u Faaola, o Iesu Keriso, ina ua aumai e ia o matou tamā nai le nuu o Ierusalema, (ma ua le iloa ai e se tasi, na o ia ma i latou na ia aumaia mai lea nuu,) ma ua ia foaiina mai ia te au ma lo'u nuu le poto e faapea ona tele e oo i le faaolaina ō matou agaga.

21. E moni, ua ia faamanuiaina le aiga o Iakopo, ma ua finagalo alofa i le fanauga a Iosefa.

22. Ina o tausia foi e le fanauga a Liae ana poloaiga, ua ia faa-

manuiaina ma faauluolaina i latou e tusa ma lana afioga.

23. Ioe, e moni, na te toe aumaia o ē totoe o le fanauga a Iosefa i le malamalama o le Alii lo latou Atua.

24. E moni, o loo soifua le Atua, na te faapotopotoina mai itu e fa o le lalolagi i latou uma o ē totoe o le fanauga a Iakopo, o e ua faataapeapeina i luga o le fogaeleele uma.

25. E pei ona osia e ia le feagaiga ma le aiga uma o Iakopo, e faapena lava ona faataunuuina i lona lava tau le feagaiga na ia osia ma le aiga o Iakopo, e oo i le toefuataiina o le aiga o Iakopo i le iloa lelei o le feagaiga na ia osia ma i latou.

26. Ona latou iloa ai lea lo latou Togiola, o Iesu Keriso lea, o le Alo o le Atua, ona faapotopotoina ai lea i latou ai itu e fa o le lalolagi i o latou lava nuu sa faataapeapeina ai, ioe, o loo soifua le Atua, e faapea lava ona faia. Amene.

MATAUPU 6.

Ua faamanuiaina tagata — U mulimuli ai le faamaualuga, ma le fia sili, ma le fai oloa, ma le faa'ilogaina o tagata—Ua faaitiitia le Ekalesia ona o tagata ua liliu ese—O galuega o le pouliuli.

1. O lenei foi, ua oo ina toe foi atu le nuu o sa Nifaē i o latou lava laueleele i lona luasefulu ma le ono o tausaga, e taitasi le tagata ma lona aiga ma ana lafu, ma ana fagaga, ma ana solofanua, ma ana povi, ma mea uma lava ua ia te i latou.

2. Ua oo ina latou le aai a latou mea e 'ai uma, o le mea lea ua latou toe ave ai ma i latou mea ua latou le 'aina, o la latou saito uiga eseese, ma la latou auro, ma la latou ario, atoa foi ma a latou mea tāua uma, ma ua latou toe foi atu i o latou lava laueleele, ma o latou tofi i le itu i matu, atoa ma le itu i saute, o le laueleele i le itu i matu, atoa ma le laueleele i le itu i saute.

3. Ua latou tuuina atu foi fanua i na fao mea o e na osia le feagaiga e nonofo lelei, o le au o e na fia nonofo ma sa Lamanā, e tusa ma lo latou toatele, ina ia latou maua ai i a latou galuega o mea latou te ola ai, ma ua faapea ona latou faatupuina le filemu i le nuu atoa.

4. Ua toe amata ona manuia i latou ma ua tauau ina toatele, ua mavae atu lona luasefulu ma le ono ma le fitu o tausaga ma ua i ai le filemu tele i le nuu, ma ua latou faia a latou tulafono ma le tonu ma le sa'o.

5. O lenei foi, ua leai lava se mea i le nuu atoa e faalavelave ai tagata i le manuia pea, sei iloga ua pāuu i latou i le solitulafono.

6. O lenei foi, o Kitekitonae ma Lakoneu, le faamasino, atoa ma e ua tofia e fai ma ta'ita'i, o i latou na sa faatumauina lenei filemu tele i le nuu.

7. Ua oo foi ina atiina ae aai fou e tele, ma ua tele foi aai tuai ua toe faia.

8. Ua i ai foi ala tanu e tele ua faia, ma ua faia ala e tele e tau atu i lea aai ma lea aai, i lea nuu foi ma lea nuu, i lea mea foi ma lea mea.

9. Ua faapena lava ona mavae atu lona luasefulu ma le valu o tausaga, o tumau pea le filemu i le nuu.

10. Peitai ane, ua oo i lona luasefulu ma le iva o tausaga ina amata ona i ai feupuaiga i le nuu, ma ua faafefeteina nisi i le faamaualuga, ma ua mitamita ona o le tele ō latou oloa, e moni, ua iu i sauaga tetele.

11. Auā ua i ai tagata faau-

oloa e toatele, atoa ma loia e toatele, ma tagata tofia e toa tele i le nuu.

12. Ua amata foi ona faailogaina le nuu i vasega, e faatatau i o latou oa ma le a'oa'oina i le poto; e moni, ua valelea nisi ona o lo latou mativa, a o nisi ua maua le poto tele ona o lo latou oloa.

13. Ua faafefeteina nisi i le faamaualuga, a e matua loto maulalo nisi; ua fefaifaiai nisi, a e talia e nisi upu faifai ma sauaga ma puapuaga uiga eseese, a e le liliu ma toe agatele atu, a ua faamaulalo ma salamo i luma o le Atua.

14. Ua faapea ona faailogaina vasega i le nuu atoa, ona oo lea ina amata ona lepetia le ekalesia, ioe, ua iu ina malepe le ekalesia i le nuu uma i lona tolusefulu o tausaga, a e na o le toaitiiti o sa Lamanā, o e na faaliliuina mai i le faatuatua moni, ua le mafafai ona te'a ese ai, auā ua mausali i latou, ma ua mautu ma le le mafaagaeetia, ua loto ina tausi i poloaiga a le Atua ma le filigā uma.

15. O le mea lenei na ala ai lenei amioletonu i le nuu—ua i ai ia Satani le mana tele i le faaosoina o le nuu e fai le amioletonu uiga eseese, i le faafefeteina foi o i latou i le faamaualuga, ua faaoso ia te i latou e saili le mamalu, ma le pule, ma le oloa, ma mea le aoga a le lalolagi.

16. Ua faapea foi ona ta'ita'ieseina e Satani loto o le nuu e fai amioletonu uiga eseese, o le mea lea ua itiiti ai tausaga ua fifilemu ai i latou.

17. Ua faapea foi i le amataga o lona tolusefulu o tausaga, ina ua leva ona tuuina atu le nuu ia feaveaiina i tofotofoga a le tiapolo i mea na ia loto ina feaveai ai i latou, ma ia fai amioletonu ua manao o ia latou te faia; ua faapea lava i le amataga o lenei lona tolusefulu o tausaga ina i ai i latou i le amioleaga tele.

18. O lenei, ua le agasala i latou ma le le iloa, auā ua latou iloa le finagalo o le Atua ia te i latou, auā ua a'oa'oina ai ia te i latou, o le mea lea na latou fouvale ai ma le loto i ai i le Atua.

19. O lenei, o ona po foi ia o Lakoneu, le atalii o Lakoneu, auā ua sui Lakoneu i le pule a lona tamā, ma ua pule i le nuu i lea tausaga.

20. Ua amata ona faaosoina tagata mai le lagi, ma ua aauina atu i latou e tutulai i luma o tagata i le nuu uma, e talai ma molimau atu ma le faamalosi i agasala ma amioletonu a le nuu, ma ua latou molimau atu ia te i latou i le togiola e faia e le Atua mo lona nuu, po o lenei, o le toe tu mai o Keriso, ma ua latou molimau atu ma le faamalosi i lona maliu ma puapuaga.

21. O lenei, ua ita tele nisi e toatele o le nuu ona o e na molimau atu i ia mea. O i latou ia na ita, o faamasino sili ma i latou ua fai ma faitaulaga sili, ma loia, ioe, ua ita loia uma i e na molimau atu i ia mea.

22. O lenei, ua leai se loia, po o se faamasino, po o se faitaulaga sili ua mafai ona pule ia faasala se tasi ia oti, sei iloga ua faamaufaailogaina la latou sala e le kovana o le nuu.

23. O lenei, ua i ai nisi e toatele o e na molimau atu i mea tau Keriso, o e na molimau atu ma le faamalosi, a ua avea i latou ma ua fasiotia faalilo e faamasino, ina ia le logo atu lo latou oti i le kovana o le nuu seia mavae atu lo latou oti.

24. O lenei, faauta, ua le tusa lenei mea ma tulafono a le nuu e fasioti se tagata, sei iloga ua la-

tou maua le pule mai le kovana o le nuu.

25. O le mea lea na alu ae ai le tagi i le nuu o Sara'emila i le kovana o le nuu, ona o ia faamasino o e na faasalaina perofeta a le Atua i le oti, a e le tusa ma le tulafono.

26. Ua iu ina avea i latou i luma o le faamasino, ina ia faamasinoina ai i latou ona o le agasala na latou faia, e tusa ma le tulafono na faia e le nuu.

27. O lenei, ua oo ina i ai i na faamasino o uo ma aiga e tele, ma ua faapotopotoina faatasi o ē totoe, ioe, ua tali uma loia ma faitaulaga sili ua au faatasi ma aiga o na faamasino, o e a faamasinoina e tusa ma le tulafono.

28. Ua latou osia le feagaiga o le tasi ma le tasi, ioe, o lena feagaiga na tuuina mai e i latou anamua, o lea feagaiga foi ua tuuina mai ma ua pulea e le tiapolo, ina ia au faatasi e tetee atu i le amiotonu uma.

29. O le mea lea na latou au faatasi ai e tetee atu i le nuu o le Atua, ma ua osia le feagaiga e faaumatia i latou, a e laveai ia te i latou o e ua agasala i le fasioti tagata ai le faamasinoga tonu o le a faaootia e tusa ma le tulafono.

30. Ma ua latou fouvale i le tulafono ma le pule a lo latou nuu, ma ua latou osia le feagaiga o le tasi ma le tasi e fasiotia le kovana, ma faatuina se tupu i le nuu, ina ia le toe saoloto le nuu, a e usiusitai i tupu.

MATAUPU 7.

Ua fasiotia le faamasino sili, ma faoesea le malo—Ua vaevaeina tagata i vaega—O le tupu o Iakopo—O le tala'iga mamana a Nifae.

1. O lenei, faauta, ou te faaali atu ia te outou, ua latou le faatuina se tupu i le nuu, peitai ane, o lenei lava tausaga, ioe, o lona tolusefulu o tausaga na latou faaumatia ai i luga o le nofoa faamasino, ioe, ua latou fasiotia ai le faamasino sili o le nuu.

2. Ua fevaevaeaiina foi le nuu, ma ua latou vaevae ese o le tasi i le tasi i ituaiga; taitasi le tagata ma lona aiga, ma ona ituaiga, ma ana uo. Ma ua faapea ona latou faaumatia le malo o le nuu.

3. Ua taitasi le ituaiga ma tofia se alii po o se ta'ita'i ia ta'i o ituaiga.

4. O lenei, faauta, ua leai se tagata ia te i latou ua le ia te ia se aiga tele, ma ituaiga e tele, ma uo e toatele, o lea ua tupu toatele ai o latou ituaiga.

5. O lenei, ua faia ia mea uma, a e leai se taua ia te i latou; ua oo mai foi lenei amioletonu uma i le nuu, auā ua gauai i latou i le pule a Satani.

6. Ua faaumatia faatonuga a le malo, ona o le pulega faalilo a uo ma aiga o e na fasioti perofeta.

7. Ua latou faatupuina foi le finauga tele i le nuu, ua oo i e ua sili ona amiotonu i le nuu; e ui ina amioleaga le toatele o i latou, e moni, ua toaitiiti tagata amiotonu ia te i latou.

8. Ma ua faapea ona le mavae atu tausaga e ono, a ua liliuese le toatele o le nuu ai la latou amiotonu, e pei o le ulī ua toe liliu atu i lona puaiga, e pei foi o le puaa i lona taafili i le palapala.

9. O lenei, o le pulega faalilo lenei na faaoo mai lenei amioleaga tele i le nuu; ua faapotopotoina faatasi i latou, ma ua tofia le tagata e fai mo latou ta'ita'i, ua latou faaigoaina o ia ia Iakopo.

10. Ua latou ta'ua o ia o lo latou tupu, o le mea lea ua avea ai o ia ma tupu i lenei au amioleaga; o ia o le tasi o i latou o e ua sili na ta'uleagaina perofeta o e na molimau ia Iesu.

11. Ua oo foi ina le tusa ona toatele i latou ma ituaiga o le nuu, o e ua au faatasi, a ua faatuina e lo latou ta'ita'i a latou tulafono, e taitoatasi e tusa ma lona ituaiga, e ui i lea, o fili lava i latou. E ui ina le se nuu amiotonu i latou, ua lotogatasi i latou i le ita i e na osia le feagaiga e faaumatia le malo.

12. O lenei foi, ua iloa e Iakopo ua sili ona toatele o latou fili ia te i latou, o ia foi o le tupu o le au, o le mea lea na ia poloai atu ai i lona nuu, ia latou sosola atu i le laueleele aupito mamao i le itu i matu, ma ia latou faatuina ai le malo mo i latou, ma faatalitali seia o atu ia te i latou tagata vavae, (auā na ia fai atu ia te i latou, o le a i ai tagata vavae e toatele,) ina ia lava lo latou malosi e tau ma ituaiga o le nuu, ua faapea foi ona latou faia.

13. Ma ua faapea ona vave la latou malaga, ua le mafai ai ona faalavelaveina, a ua o mamao atu i latou ai le nuu. Ua faapea ona iu lona tolusefulu o tausaga; ua faapea foi le faiga o le nuu o Nifae.

14. Ua oo foi i lona tolusefulu ma le tasi o tausaga ina vaevaeina i latou i ituaiga, e taitasi le tagata ma lona aiga ma ituaiga, ma ana uo; e ui i lea ua latou osia le feagaiga latou te le sii le taua o le tasi i le tasi, a ua latou lotogatasi i a latou tulafono ma le uiga ō latou malo, auā ua faatuina ai e tusa ma manatu o i latou o e na fai mo latou alii ma o latou ta'ita'i. A e peitai, ua latou faatuina tulafono matua sa'o, aua le felaaiai ituaiga, ua iu ina maua e i latou le filemu itiiti i le nuu, e ui i lea, ua liliu ese o latou loto ai le Alii lo latou Atua, ma ua latou fetogia perofeta i maa, ma latou tulieseina i latou.

15. Ua oo foi ina asiasia Nifae e agelu ma le siufofoga o le Atua. O lenei, ua iloa agelu ma ua iloa tino, ma ua foaiina mai ia te ia le mana e iloa ai le galuega tau Keriso, ua iloa foi e ia i ona lava mata lo latou liliu vave atu ai le amiotonu i la latou amioleaga ma mea inosia.

16. O le mea lea, ona ua faanoanoa o ia ona o le maaa ō latou loto ma le tauaso ō latou manatu, ua alu atu ai o ia ia te i latou i lea lava tausaga, ma ua amata ona molimau atu ma le faamalosi i le salamo ma le faamagaloina o agasala i le faatuatua i le Alii o Iesu Keriso.

17. Ua ia auauna atu foi ia te i latou i mea e tele, e le mafai ona tusia ia mea uma, ua le lava ai foi i se vaega, o le mea lea ua le tusia ai i lenei tusi. Na auauna atu foi Nifae ma le mana ma le pule tele.

18. Ua oo foi ina ita i latou ia te ia, auā ua sili ona tele lona mana ai lo latou, a ua le mafai ona le talitonu i latou i ana upu, auā ua faapea ona tele lona faatuatua i le Alii o Iesu Keriso, ua auauna mai ai agelu ia te ia i aso fai soo.

19. Ua tulia foi e ia o temoni ma agaga leaga i le suafa o Iesu; ua ia faatuina foi lona uso nai e ua oti ina ua fetogia o ia i maa e le nuu ma ua oti ai.

20. Ua vaaia foi e le nuu ma ua molimau ai, ma ua ita ia te ia ona o lona mana. Na ia faia foi nisi vavega e tele i le suafa o Iesu i luma o le nuu.

21. Ua oo ina mavae atu lona tolusefulu ma le tasi o tausaga, a ua toaitiiti e ua fa'aliiliuina mai

i le Atua; a e peitai, o i latou uma o e ua faaliliuina mai ua matua faailoa atu i le nuu, ua asiasia i latou i le mana ma le Agaga o le Atua ua i ai ia Iesu Keriso, o Le na latou talitonu i ai.

22. O i latou uma foi na i ai temoni, ua tulieseina ai ia te i latou, ma ua faamaloloina i o latou ma'i, ma o latou vaivai, ua molimau a'ia'i i le nuu sa galueaiina i latou e le Agaga o le Atua, ma ua faamaulaloina i latou, ua latou faailoa atu foi faailoga, ma ua fai nisi vavega i le nuu.

23. Ua faapea foi ona mavae atu lona tolusefulu ma le lua o tausaga. Ua valaau atu foi Nifae i le nuu i le amataga o lona tolusefulu ma le tolu o tausaga, ma ua tala'i atu ia te i latou le salamo ma le faamagaloina o agasala.

24. O lenei, ou te loto ina ia outou manatua, ua leai se tasi o e na oo i ai le salamo e lei papatisoina i le vai.

25. O le mea lea sa tofia ai e Nifae o tagata i lenei galuega ina ia papatisoina i le vai i latou uma o ē o mai ia te i latou, e fai foi lenei mea ma molimau i luma o le Atua ma le nuu, ua latou salamo, ma ua maua le faamagaloina o a latou agasala.

26. Ma ua toatele ua papatisoina i le salamo i le amataga o le tausaga nei; ua faapea foi ona mavae atu le tele o le tausaga.

MATAUPU 8.

Ua faataunuuina faailoga o le faasatauroina o Keriso, o pei ona valoia muamua—Ua pesi mai matagi faigata, ma asioasio, ma mafui'e ma le afi—O le faafanoga sili ma le mata'utia—E tolu aso o pogisa.

1. O lenei foi, ua oo, e tusa ma la matou tusi, ma ua matou iloa ua tonu la matou tusi, auā faauta, na tausia le tusi e le tagata amiotonu, auā, e moni, na ia faia vavega e tele i le suafa o Iesu; ua leai se tasi tagata ua mafai ona faia se vavega i le suafa o Iesu, sei iloga ua faamamāina o ia i ana amioletonu uma lava .

2. O lenei, ua oo ina mavae atu lona tolusefulu ma le tolu o tausaga, pe afai ua leai se sese na faia e le tagata i le faitauina ō matou aso.

3. Ua amata foi ona faatalitali le nuu ma ua naunau tele i le faailoga sa tuuina mai e le perofeta o Samuelu, le sa Lamana, ioe, o aso e pogisa ai e tusa ma aso e tolu i luga o le fogaeleele.

4. E ui lava i nei faailoga e tele ua uma ona tuuina mai, ua amata ona i ai masalosaloga ma feupuaiga tetele i le nuu.

5. Ua oo foi i lona tolusefulu ma le fa o tausaga o le masina muamua, o le aso foi e fa, ona to mai ai lea le afā tele, ua faatoa iloa i le nuu uma se afā faapea.

6. Ua to mai foi le matagi tetele ma le matautia, ma le faititili foi ua matua matautia, ua iu ina luluina le lalolagi uma, e peiseai a vaeluaina.

7. Sa i ai foi le uila matua maamaai tele, ua faatoa iloa se mea faapea i le nuu uma.

8. Ua mu le aai o Sara'emila;

9. Ua goto i le moana loloto le aai o Moronae, ma ua malelemo e na i ai;

10. Ua aveina ae foi le eleele i luga o le aai o Moronaea, ma ua avea ma mauga tele le mea sa i ai le aai.

11. Ua oo mai foi le malaia matua tele i le laueleele i le itu i saute.

12. A e peitai, faauta, ua sili ona tele ma le matautia le malaia i le laueleele i le itu i matu, auā

faauta, ua liua le fogaeleele atoa ona o le matagi, ma asiosio, ma le faitititili, ma le uila, ma le lulu-ina matua tele o le lalolagi uma.

13. Ua faaumatia ala tanu, ma ua faaleagaina ala laulelei, ma ua faagaoāina mea laugatasi e tele.

14. E tele aai tetele ma le ta'ua ua magoto, e tele foi aai ua susu-nuina, e tele aai ua luluina, ua pāuu ai fale i le eleele, ma ua fasiotia ai e na mau ai, ma ua tuufaatafunaina nuu.

15. Ua totoe foi nisi aai, a ua matua faaleagaina lava, e toatele foi o e sa nonofo ai ua fasiotia;

16. Sa aveeseina foi nisi i le asiosio, e lei iloa foi e se tagata le mea ua latou o i ai, sei iloga ua iloa e i latou o e ua aveeseina;

17. Ua faapea ona liua le fo-gaeleele atoa ona o le matagi, ma le faitititili, ma le uila, ma le lu-luina o le lalolagi.

18. Faauta foi, ua mavaevae papa, ua nutia ai i luga o le foga-eleele uma, ua iu ina avea ai ma fasi maa, ua matofitofi ma mata-'eta'e i luga o le fogaeleele uma.

19. Ua oo foi ina ua uma le fai-titili, ma le uila, ma le afā, ma le matagi, ma le luluina o le lalo-lagi; auā faauta, na tumau ai e tusa ma ituaso pe tolu, a ua faa-pea a nisi ua itiiti lea, e ui i lea, ua faia ia mea tetele ma le ma-tautia i ituaso pe tusa ma le tolu; faauta foi, ona i ai lea le pou-liuli i luga o le fogaeleele uma.

20. Ua oo foi ina i ai le pogisa matua tele i luga o le fogaeleele uma, ua iu ina mafai ona tago-tago i le ausa o le pouliuli i latou o e ua le pāuu.

21. Ua le mafai ona i ai se malamalama ona o le pogisa, po o molī ga'o, po o sulu, ua le ma-fai foi ona tafu se afi i o latou fafie lilii ma le mago, ua faapea ona le mafai ona i ai se malama-lama;

22. Ma ua le iloaina sina ma-lamalama itiiti, po o se afi, po o sina pupula itiiti, po o le la, po o le masina, po o fetu, ona ua faapea ona tele le puao o le pogisa ua i ai i luga o le fogaeleele.

23. Ua oo foi ina tumau ai e tusa ma aso e tolu, ua le iloaina ai se malamalama, ua i ai pea le tagiauē tele, ma uiō ma le tagi-tu'i i le nuu uma. Ioe, ua matua tele le feōi o le nuu, ona o le pogisa ma le malaia tele na oo ia te i latou.

24. Ua lagona lo latou tagi i le tasi nuu, ua faapea ane: Auē! ana tatou salamo a o lei oo mai lenei aso tele ma le matautia, po ua faasaoina o tatou uso, po ua le susunuina foi i latou i lena aai tele o Sara'emila.

25. Ua faalogoina foi le tasi nuu ua latou uiō, ma tagiauē, ua faapea ane: Ana tatou salamo a o lei oo mai lenei aso tele ma le matautia, a e le fasiotia ma feto-gia i maa perofeta, pe tulieseina i latou, po ua faasaoina o tatou tinā, ma o tatou afafine lalelei, ma a tatou fanau; po ua faasao-ina i latou, a e le tanumia i lena aai tele o Moronaea. Ua faapea foi ona tele ma le matautia le uio o le nuu.

MATAUPU 9.

Ua ta'u mai i le fofoga o le Atua le aofa'iga o mea sa faalea-gaina, ma le fafua'aga—Ua faa-taunuuina le tulafono a Mose—O le taulaga e talia, o le loto momomo ma le agaga salamo.

1. Ua oo foi ina faalogoina le leo e tagata uma ua mau i le nuu i luga o lenei fogaeleele, ua faa-pea mai:

2. Oi talofa, talofa, talofa i lenei nuu, oi talofa i tagata uma

o i le lalolagi uma, sei iloga la-
tou te salamo; auā ua ataata le
tiapolo, ma ua olioli ana agelu
ona o le fasi o atalii ma afafine
lalelei o lo'u nuu; ua malaia i la-
tou ona o a latou amioletonu ma
mea inosia.
3. Faauta, o lenei aai tele o
Sara'emila ua ou susunuina i le
afi, atoa foi ma ona tagata.
4. Faauta foi, o lenei aai tele
o Moronae ua ou faagotoina i le
moana loloto, ma ua malelemo ona
tagata.
5. Faauta foi, o lena aai tele
o Moronaea ma ona tagata ua ou
ufiufitia i le eleele, e natia ai a
latou amioletonu ma a latou mea
inosia i o'u luma, ina ia le toe oo
mai ia te au le toto o le au pero-
feta ma le au paia e molia ai i
latou.
6. Faauta foi, o le aai o Kili-
kala, ua ou faagotoina, ua ou ta-
numia foi ona tagata i le eleele;
7. Ioe, o le aai o Onaea, ma
ona tagata; o le aai foi o Moku-
ma, ma ona tagata; ma le aai o
Ierusalema, atoa ma ona tagata,
ma ua ou faapuna ae le vai e sui
a'i, e natia ai a latou amioleaga
ma mea inosia i o'u luma, ina ia
le toe oo mai foi ia te au le toto
o le au perofeta ma le au paia e
fai ma mea e molia ai i latou.
8. Faauta foi, o le aai o Ka-
tianeti, ma le aai o Katiomina,
ma le aai o Iakopo, atoa foi ma
le aai o Kimikimino, o aai uma
ia ua ou faagotoina, ma ua suia i
mauga ma vanu, ma ua ou tanu-
mia o latou tagata i lalō i le ele-
ele, e natia ai a latou amioleaga
ma mea inosia i o'u luma, ina ia
le toe oo mai foi ia te au le toto
o le au perofeta ma le au paia
e fai ma mea e molia ai i latou.
9. Faauta foi, o lena aai tele o
Iakopukata, na mau ai le nuu o
le tupu o Iakopo, ua ou susunuina
i le afi, ona o a latou agasala, ma
a latou amioleaga, ua sili i le
amioleaga a le lalolagi uma, ona
o lo latou fasioti tagata, ma pu-
lega faalilo; auā o i latou na na
faaumatia le filemu o lo'u nuu,
atoa foi ma le malo o lo'u nuu;
o le mea lea na ou susunuina ai
i latou, e faaumatia i latou i o'u
luma, ina ia le toe oo mai ia te
au le toto o le au perofeta ma le
au paia e fai ma mea e molia ai
i latou.
10. Faauta foi, o le aai o La-
mana, ma le aai o Iosa, ma le aai
o Kato, ma le aai o Kisakumena,
ua ou susunuina ma o latou ta-
gata i le afi, ona o a latou amio-
leaga, na latou tutuli ese ai le
au perofeta, ma ua fetogia i maa
o ē na ou aauina atu e ta'utino
atu ia te i latou a latou amioleaga
ma a latou mea inosia.
11. Ona ua latou tulieseina foi
i latou uma, ina ia leai se tasi ia
te i latou ua amiotonu, ua ou
faatotō ifo ai le afi ma faaumatia
ai i latou, e natia ai i o'u luma
a latou amioleaga ma mea inosia,
ina ia le tagi mai ia te au, nai
le eleele, le toto o le au perofeta
ma le au paia na ou aauina atu
ia te i latou.
12. Ua tele foi mala ua ou fa-
aooina atu i lenei laueleele, ma
lenei nuu, ona o la latou amio-
leaga ma a latou mea inosia.
13. E! outou uma ua faasaoina
ona ua sili ona amiotonu outou
ia te i latou, pe tou te le foi mai
nei ea ia te au, ma salamo i a
outou agasala, ma ia faaliliuina,
ina ia ou faamaloloina outou?
14. Ioe, e moni, ou te fai atu
ia te outou, afai tou te o mai ia
te au, e maua e outou le ola faa-
vavau. Faauta, ua faaloaloa atu
lo'u lima alofa ia te outou, ai sē
sau, ou te talia o ia. Amuia i la-
tou o ē o mai ia te au.
15. Faauta, o a'u o Iesu Keriso,
o le Atalii o le Atua, na ou faia

le lagi, ma le lalolagi, ma mea uma o i ai. Sa ou faatasi ma le Tamā talu le amataga, o a'u o i totonu o le Tamā, o le Tamā foi o i totonu ia te au, o a'u foi ua faamamaluina ai e le Tamā lona suafa.

16. Na ou sau i o'u lava tagata, a ua le talia a'u e o'u lava tagata. Ua faataunuuina foi tusi paia e uiga i lo'u sau.

17. O i latou uma foi o e na talia a'u, ua ou tuuina atu ia te i latou e fai ma atalii o le Atua; ou te faapea foi ia te i latou uma o ē talitonu i lo'u igoa, auā faauta, ona o a'u e oo mai ai le togiola, ona o a'u foi ua faataunuuina ai le tulafono a Mose.

18. O a'u o le malamalama ma le ola o le lalolagi. O a'u o le Alefa ma le Omeka, o le amataga ma le gataaga.

19. Tou te le toe osia mai ia te au le taulaga o le faamaligiina o le toto, ioe, e mavae atu a outou taulaga, ma a outou taulaga mu, auā ou te le talia se tasi o a outou taulaga, po o a outou taulaga mu.

20. Ia outou fai ma taulaga ia te au le loto momomo ma le agaga salamo. Ai sē sau foi ia te au ma le loto momomo ma le agaga salamo, ou te papatisoina o ia i le afi ma le Agaga Paia, e pei o sa Lamanā, ona o lō latou faatuatua ia te au i le aso o lo latou liliu mai, sa papatisoina i latou i le afi ma le Agaga Paia, a ua latou le iloa ai.

21. Faauta, ua ou sau i le lalolagi e aumai le togiola i le lalolagi, e faaola a'i le lalolagi ai le agasala.

22. O lenei, ai sē salamo, ma sau ia te au, e pei o se tamaitiiti, ou te talia o ia, auā e faapei o i latou o e o i le malo o le Atua. Faauta, ona o i latou na ua ou tuu ai lo'u ola ma ua ou toe maua ai; o le mea lea ia outou salamo ai, ma ia o mai ia te au, o outou tuluiga o le lalolagi, ma ia ola ai.

MATAUPU 10.

Ua filemu mea uma i le laueleele uma—Ua toe lagona le si'ufofoga mai le lagi—Ua mavae le pouliuli—Ua faasaoina na'o ē ua sili ona amiotonu.

1. O lenei, faauta, ua oo ina lagona e tagata uma o le nuu nei fetalaiga, ma ua molimau i ai. Mulimuli ane foi i nei fetalaiga, ua lologo le nuu i ituaso e tele.

2. Auā ua faapea ona tele le taufaiofo o le nuu, ua latou tuua ai le auega ma le uio ona o le leai ō latou aiga o e ua fasiotia; o le mea lea na lologo ai le nuu uma i ituaso e tele.

3. Ua oo ina toe logo mai le leo i le nuu, ma ua lagona ai e le nuu uma, ma ua molimau ai, ua faapea mai:

4. E! outou tagata o nei aai tetele ua malaia, o fanau outou a Iakopo, o lo le aiga o Isaraelu outou; ua atu fia ona ou faapotopotoina outou, e pei o se moa ona ofaofatai i lana toloai i lalo o ona apaau, ma ou fafagaina outou.

5. Ma le tasi foi, ua atu fia ona ou manao ina faapotopotoina outou, e pei o se moa ona ofaofatai i lana toloai i lalo o ona apaau? E! outou tagata o le aiga o Isaraelu e, o e ua malaia, o outou tagata o le aiga o Isaraelu e, o outou o ē nonofo i Ierusalema, atoa ma outou ua malaia, ioe, ua atu fia ona ou manao ona faapotopotoina outou e pei o se moa ona ofaofatai i lana toloai, a e le mafafai outou?

6. E! outou le aiga o Isaraelu e, o e ua faasaoina, e atu fia ona ou faapotopoto ia te outou, e pei o se moa ona ofaofatai i lana toloai i lalo o ona apaau, pe afai

tou te salamo ma liliu mai ia te au ma le loto atoa?

7. A leai, o outou le aiga o Isaraelu e, e faatafunaina mea tou te nonofo ai, seia oo i le aso o le faataunuuina o le feagaiga ma o outou tamā.

8. O lenei, ua oo ina ua uma ona faalogo le nuu i nei upu, faauta, ua amata ona toe tagitui, ma uio i latou, ona ua oti o latou aiga ma a latou uo.

9. Ua oo foi ina faapea ona mavae atu aso e tolu. O le taeao foi ua te'a ese ai le pogisa i luga o le fogaeleele, ua le toe luluina le lalolagi, ua le toe vaea foi papa, ua le toe feoi ma le matautuia, ma ua mavae atu le gogolo tele.

10. Ma ua toe pipii faatasi le lalolagi, ma ua tu, ma ua iu le tagiaue, ma le tagitui, ma le auega o le nuu o e ua faasaoina ola; ma ua liua lo latou faanoanoa i le olioli, ma a latou auega i le viiga ma faaneeneetaga i le Alii o Iesu Keriso, lo latou Togiola.

11. Ua oo ina faataunuuina i na aso o tusi paia i ia mea sa ta'uina mai e perofeta.

12. Ua faasaoina o e ua sili ona amiotonu i le nuu; o i latou ia na talia perofeta, a e lei fetogia i latou maa; ua le faamaligiina foi e i latou le toto o le au paia, o i latou ia ua faasaoina.

13. Ua faasaoina i latou, a ua le faagotoina ma tanumia i le eleele, ua le malelemo foi i latou i le moana loloto, ua le susunuina i latou i le afi, pe toia i latou ma nutipalaina i le oti, ua le aveeseina i latou i le asiosio, pe faiaina i latou i le ausa o le asu ma le pogisa.

14. O lenei, ia malamalama i lē faitau, o le ua i ai tusi paia, ina saili i ai o ia, ia vaavaai ma iloa, o nei oti uma, ma malaia i le afi, ma le asu, ma matagi, ma asiosio, ma le faaavanoaina o le eleele e talia ai i latou, ma ia mea uma—pe le o le faataunuuina o valoaga a perofeta e toatele.

15. Faauta, ou te fai atu ia te outou, e moni, na molimau mai nisi e toatele i nei mea i le afio mai o Keriso, na fasiotia foi i latou auā na latou molimau atu i nei mea.

16. E moni, na molimau atu le perofeta o Senosa i nei mea, na tautala mai foi Senoka i nei mea, auā na molimau i laua ia te i matou lava, o ē totoe o a laua fanau.

17. Faauta, na molimau mai lo matou tamā o Iakopo i ē totoe o le fanauga a Iosefa. Faauta foi, pe le o toe tagata ea i matou o le fanauga a Iosefa? O nei mea foi ua molimau mai ia te i matou, po ua le tusia ea i papatusi apa memea na aumaia e lo matou tamā o Liae mai Ierusalema?

18. Ua oo foi i le taufaaiuga o lona tolusefulu ma le fa o tausaga, faauta, ou te fa'aali atu ia te outou na faaalia le alofa i e ua faasaoina o le nuu o Nifae, atoa ma e ua faasaoina o e ua ta'ua o sa Lamanā, ma ua sasaaina ifo manuia tetele i luga ō latou ulu. Mulimuli ane i le afio ae o Keriso i le lagi, ua faaali o ia e ia ia te i latou.

19. Ua faaali lona tino ia te i latou, ma ua auauna atu ia te i latou. E fai nei le tala i lana galuega, o le mea lea ou te faaiu ai nei a'u upu i lenei aso.

Ua fa'aāli e Iesu Keriso o ia lava i le nuu o Nifae, ina ua faapotopotoina faatasi le motu o tagata i le laueleele o Nuumau, ma ua auauna atu iā te i latou; ua faapenei ona faaali o ia e ia ia te i latou.

(E aofia ai mataupu 11 e oo i le 26)

MATAUPU 11.

Ua ta'u mai e le Tama Faavavau le Keriso—Ua faaali mai le Keriso toe tu—Ua faaavanoaina le motu o tagata e tagotago i ona manu'a — Ua faamalamalamaina le faiga o le papatisoga—Ua faasaina le fefinaua'i—O Keriso o le Papa.

1. O lenei foi, ua oo ina faapotopotoina faatasi le motu o tagata e toatele o le nuu o Nifae, e latalata ane i le malumalu i le nuu o Nuumau, ua matua taufaiofo faatasi i latou, ma ua fefaaaliai le liliu tele ma le ofoofogia ua oo mai.

2. Ua latou fetautalatalai ia Iesu Kersio, o Le na tuuina mai ai le faailoga i lona maliu.

3. Ua oo foi ina o latou fetautalatalai faapea, ua latou faalogo i le leo, e peiseai ua sau mai le lagi; ma ua latuo fevaavaaiai, auā ua le malamalama ia te i latou le leo na latou faalogoina; e le o se leo saua, e le o se leo tele. E ui lava ina itiiti le leo, ua ati ai i totonu o i latou o e na faalogo i ai, ua iu ina leai se itu ū latou tino ua le faagateteina, ioe, ua ati lava i o latou agaga, ma ua mu ai o latou loto.

4. Ua oo foi ina toe lagona e i latou le leo, a ua le malamalama ai ia te i latou.

5. Ua atu tolu foi ona latou lagona le leo, ma ua uai atu o latou taliga e faalogologo i ai, ma ua faasaga atu o latou mata i le mea na sau ai le leo; ma ua latou tulimata'i ae i le lagi, i le mea na sau ai le leo.

6. Faauta foi, o le atu tolu ua malamalama ai ia te i latou le leo na latou faalogoina, ma ua fetalai mai ia te i latou:

7. Faauta, o lo'u atalii pele, ou te fiafia ia te ia, ua ou faamaluina lo'u igoa ia te ia. Ia outou faalogologo ia te ia.

8. Ua oo ina ua malamalama ia te i latou, ua latou toe faasaga ae o latou mata i le lagi, faauta foi, ua latou iloa atu le tagata ua nafio ifo nai le lagi, ma ua ofu o ia i le ofu sinasina, ma ua afio ifo ma tu o ia i totonu ia te i latou, ua faasaga atu foi mata o le motu o tagata ia te ia, ma ua fefefe i latou ina fetautalatalai, ma ua le iloa lona uiga, auā ua faapea a i latou, o le agelu ua faaalia ia te i latou.

9. Ua oo foi ina faaloaloa atu e ia lona aao, ma ua fetalai atu i le nuu, ua faapea atu:

10. Faauta, o a'u o Iesu Keriso, o Le na molimau ai perofeta, e sau i le lalolagi.

11. Faauta, o a'u o le malamalama ma le ola o le lalolagi, ua ou inu foi i lena ipu oona na tuuina mai ia te au e le Tamā, ma ua ou faamamaluina le Tamā i le aveina i o'u luga o agasala a le lalolagi, ua tigaina a'u i le finagalo o le Tama i mea uma talu le amataga.

12. Ua oo foi ina fetalai atu e Iesu o nei upu, ona faapāuu ai lea le motu o tagata uma i le eleele, auā ua latou manatua, sa valoia ia te i latou, e faaali Keriso e ia lava ia te i latou, pe a mavae lona afio ae i le lagi.

13. Ua oo foi ina fetalai atu le Alii ia te i latou, ua faapea atu:

14. Ina tutulai ia ma o mai ia te au, ma ia tuu o outou lima i lo'u itu, ma ia outou tagotago i mea sa tutui ai fao i o'u lima ma o'u vae, ina ia outou iloa o a'u o le Atua o Isaraelu, o le Atua foi o le lalolagi uma, ma ua fasia a'u mo agasala a le lalolagi.

15. Ua oo ina o ane le motu o tagata, ma ua tuu o latou lima i lona itu, ma ua tagotago i mea

na tutui ai fao i ona lima ma ona vae, ma ua latou faia lenei mea, ua alu atu taitasi, ina seia o ane i latou uma, ma ua latou vaaia i o latou lava mata, ma ua tagotago i o latou lava lima, ma ua mautinoa lava, ma ua molimau, o ia lena sa tusia ai e perofeta e afio mai.

16. Ua uma ona latou o ane, ma vaavaai i ai mo i latou lava, ona latou alalaga faatasi ai lea, ua faapea atu:

17. Osana! Ia faananuina le suafa o le Atua silisiliese! Ona latou faapāuu ai lea i aao o Iesu, ma ua ifo te ia.

18. Ua oo ina fetalai atu o ia ia Nifae, (auā sa i ai Nifae i le motu o tagata,) ma ua ia poloai atu ia te ia, na te alu atu.

19. Ona tulai ai lea Nifae, ma ua alu atu, ma ua ifo o ia i luma o le Alii, ma ua sogi i ona vae.

20. Ua poloai atu foi le Alii ia te ia, na te tulai. Ma ua tulai o ia ma tu i ona luma.

21. Ma ua fetalai atu le Alii ia te ia: Ou te tuuina atu ia te oe le pule e te papatiso ai lenei nuu, pe a uma ona ou toe alu ae i le lagi.

22. Ua valaauina foi nisi e le Alii, ma ua faapea lava one fetalai ane o ia ia te i latou, ma ua ia tuuina atu ia te i latou le pule e papatiso. Ma ua fetalai atu o ia ia te i latou: E faapenei ona outou papatiso, ma ia leai se finauga.

23. Ioe, ou te fai atu ia te outou, o i latou uma o ē salamo i a latou agasala ona o a outou upu, ma manao ona ia papatisoina i lo'u igoa, e faapenei ona outou papatiso atu ia te i latou, faauta, tou te o ifo ma tutū i le vai, o lo'u igoa foi tou te papatisoina ai i latou.

24. O lenei foi, faauta, o upu nei tou te fai atu, ia valaau i o latou igoa ma faapea atu:

25. Ona ua tuuina mai ia te au le pule e Iesu Keriso, ou te papatiso ia te oe i le suafa o le Tamā ma le Atalii, ma le Agaga Paia. Amene.

26. Ona outou faatofu ai lea ia te i latou i le vai, ma toe o mai nai le vai.

27. Ia faapea ona outou papatiso i lo'u igoa, auā faauta, e moni, ou te fai atu ia te outou, ua tasi le Tamā, ma le Atalii, ma le Agaga Paia; o a'u foi o i totonu o le Tamā, o le Tamā foi o i totonu ia te au, ua tasi i maua ma le Tamā.

28. E pei ona ou poloai atu ia te outou, ia faapea lava ona outou papatiso. Aua foi ne'i i ai finauga ia te outou, e pei ona i ai i aso ua tuanai atu; pe i ai foi finauga ia te outou i le uiga o a'u mataupu, e pei ona i ai i aso ua mavae atu.

29. Auā, e moni, e moni, ou te fai atu ia te outou, o le ua i ai le agaga o le finauga, e le mai ia te au lea, a e mai le tiapolo, o le tamā lea o finauga, ua ia faaosoina foi loto o tagata e fefinauai ma le ita.

30. Faauta, e le o la'u mataupu lea, e faaosoina loto o tagata i le feitagai; a o la'u mataupu lenei, ia mavae atu lava mea faapea.

31. Faauta, e moni, e moni, ou te fai atu ia te outou, ou te ta'utino atu la'u mataupu ia te outou.

32. O la'u mataupu lenei, o le mataupu lea na tuuina mai ia te au e le Tamā, ou te molimau atu i le Tamā, o le Tamā foi e molimau mai ia te au, a o le Agaga Paia e molimau i le Tamā atoa ma a'u. Ou te molimau atu foi, o le Tamā o loo poloai atu i tagata uma, o i mea uma, ia latou salamo ma talitonu mai ia te au.

33. O i latou uma foi o ā talitonu mai ia te au, ma papatisoina, e faaolaina i latou; o i latou ia e fai mo latou tofi le malo o le Atua.

34. Ai sē le talitonu mai foi ia te au, ma le le papatisoina, e faasalaina ia.

35. E moni, e moni, ou te fai atu ia te outou, o la'u mataupu lea; o a'u foi, ou te molimau atu mai le Tamā, ai sē talitonu mai ia te au, e talitonu foi o ia i le Tamā, o ia lena e molimau i ai foi le Tamā ia te au, auā na te asiasi ia te ia ma le afi ma le Agaga Paia.

36. E faapea lava ona molimau atu le Tamā ia te au, a o le Agaga Paia, na te molimau atu ia te ia i le Tamā atoa ma a'u; auā ua tasi le Tamā, ma a'u, ma le Agaga Paia.

37. Ou te toe fai atu foi ia te outou, e ao ina outou salamo, ma ia liua ia pei o se tamaitiiti, ma ia papatisoina i lo'u igoa, a leai, tou te le mafai lava ona maua nei mea.

38. Ou te toe fai atu foi ia te outou, e tatau ona outou salamo, ma papatisoina i lo'u igoa, ma liua ia pei o se tamaitiiti, a leai, e le mafai lava ona fai mo outou tofi le malo o le Atua.

39. E moni, e moni, ou te fai atu ia te outou, o la'u mataupu lenei, o i latou uma foi o e ati ae i luga o lenei, e ati ae i latou i luga o la'u papa, e le manumalo foi faitotoa o seoli ia te i latou.

40. O i latou uma o ē tala'i atu mea e sili, po o mea e itiiti i lenei, ma faatuina ai faapea o la'u mataupu, e mai le leaga lava ia, ua le atiina ae foi i luga o la'u papa, a ua ati ae i luga o le faavae oneone, o loo avanoa pea foi faitotoa o seoli e talia o ē faapena pe a oo mai tafega ma pesi mai matagi ia te i latou.

41. O le mea lea ia outou o atu ai i lenei nuu, ma ia tala'i atu upu ua ou fai atu e oo i tuluiga o le lalolagi.

MATAUPU 12.

O a'oa'oga a le Faaola i sa Nifaē—Ua ia valaauina ma tofia ona soo e toatinogafulu ma le ma le toalua—O lana fetalaiga i le motu o tagata—Ua toe ta'u tau lana lauga sa fai muamua ia i luga o le mauga—Ia faatusatusa i le Mataio e 5.

1. Ua oo ina ua fetalai atu e Iesu nei upu ia Nifae, atoa ma e ua valaauina, (o lenei, o le toasefulu ma le toalua, o le faitau aofai lea o i latou o e ua valaauina ma ua maua le pule ma le tofiga e papatiso.) Faauta foi, ua ia faaloaloa atu lona aao i le motu o tagata, ma ua alaga atu ia te i latou, ua faapea atu: Amuia outou pe afai tou te tausi i upu a lenei toasefulu ma le toalua, o e ua ou filifilia mai ia te outou e auauna atu ia te outou, e fai foi ma outou auauna; ua ou tuuina atu foi ia te i latou le pule, ina ia latou papatiso ia te outou i le vai; a uma ona papatisoina outou i le vai, faauta, ou te papatiso atu ia te outou i le afi ma le Agaga Paia. O lenei, amuia outou pe afai tou te talitonu mai ia te au, ma papatisoina, ina ua uma ona outou vāai mai ia te au, ma ua iloa o loo ola a'u.

2. Ma le tasi foi, e sili ona manuia i latou o ē talitonu i a outou upu, auā tou te molimau atu ua outou vāai mai ia te au, ma ua outou iloa o loo ola a'u. Ioe, amuia i latou o ē talitonu i a outou upu, ma o ifo ma le faamaulalo tele ma papatisoina, auā e asiasia i latou ma le afi ma le Agaga Paia, e maua foi

le faamagaloina o a latou agasala.

3. Ioe, amuia ē loto maulalo o ē o mai ia te au, auā e o latou le malo o le lagi.

4. Ma le tasi foi, amuia i latou uma o ē faanoanoa, auā e faamafanafanaina i latou;

5. Amuia ē agamalu, auā e fai mo latou tofi le lalolagi.

6. Amuia i latou uma o ē fia aai ma fia inu i le amiotonu, auā e maoona i latou i le Agaga Paia.

7. Amuia ē alolofa atu, auā e alofaina mai i latou.

8. Amuia i latou uma o ē loto mamā, auā latou te iloa atu le Atua.

9. Amuia i latou uma o ē faatupuina le filemu, auā e ta'ua i latou o le fanau a le Atua.

10. Amuia i latou uma o ē sauāina ona o lo'u igoa auā e o latou le malo o le lagi.

11. Amuia outou pe a latou upuleaga ma faasaua mai ia te outou, ma latou tuuai pepelo outou i mea leaga uma ona o a'u.

12. Auā tou te maua le olioli tele ma fiafia lava, auā o i le lagi lo outou taui e tele; auā na faapea ona latou faasaua i perofeta, o e na muamua ia te outou.

13. E moni, e moni, ou te fai atu ia te outou, ou te tuuina atu ia te outou e fai ma masima o le lalolagi, a e afai e magalo le masima, pe se a se mea e faamāi a'i le lalolagi? E leai se mea e toe aoga ai le masima, na ona lafoaiina i fafo ma solia e tagata.

14. E moni, e moni, ou te fai atu ia te outou, ou te tuuina atu ia te outou e fai ma malamalama o lenei nuu. E le mafai ona lilo le aai ua tu i luga o le mauga.

15. Faauta, pe tŭtŭina le lamepa e tagata i le tuu ai i lalo o le mea e fua a'i saito? E leai, a e tuu i luga o le tuugālamepa ia pupula atu ai i e o i le fale uma.

16. O le mea lea ia faapea ona pupula atu ai lo outou malamalama i luma o lenei nuu, ina ia latou iloa a outou galuega lelei, ma vivii atu ai i lo outou Tamā o i le lagi.

17. Aua ne'i outou manatu ua ou sau e tatalaina le tulafono po o le au perofeta. Ou te lei sau e tatalaina, a ia faataunuuina;

18. Auā, e moni, ou te fai atu ia te outou, ua le mavae atu lava se iota po o sina fasi mataitusi nai le tulafono, a ua faataunuuina mea uma ia te au.

19. Faauta foi, ua ou tuuina atu ia te outou le tulafono ma poloaiga a lo'u Tamā, ina ia outou talitonu ia te au, ma ia outou salamo i a outou agasala, ma o mai ia te au ma le loto momomo ma le agaga salamo. Faauta, ua i o outou luma poloaiga, ma ua faataunuuina le tulafono.

20. O le mea lea ia outou o mai ai ia te au, ma ia faaolaina outou, auā, e moni, ou te fai atu ia te outou, afai tou te le tausia a'u poloaiga ua ou poloaiina ai outou i lenei aso, tou te le mafai lava ona sao atu i le malo o le lagi.

21. Ua outou faalogo na fai mai i e anamua, ma ua tusia i o outou luma, aua e te fasioti tagata, ai sē fasioti tagata, e nofo sala o ia i le faamasinoga a le Atua.

22. A o a'u, ou te fai atu ia te outou, ai sē ita i lona uso, e nofo sala o ia i lana faamasinoga; ai sē fai atu foi i lona uso, Raka, e nofo sala o ia i le fono; ai sē fai atu foi, Le vale e, e nofo sala o ia i le afi o Kēna.

23. O lenei, afai e te sau ia te au, pe manao ona sau ia te au, ona e manatua ai lea ua i lou uso se mea e tiga ai o ia ia te oe,

24. Ina alu ia oe i lou uso, ia muai faalelei ma lou uso, i le e sau ai ia te au ma lou loto atoa, ona ou talia ai lea oe.

25. Ia vave ona oulua lelei ma le ua tagi i ana mea ua ia te oe, manū o i le ala oulua ma ia, ina ne'i maua oe e ia, i le tuuina atu ai oe i le falepuipui.

26. E moni, e moni, ou te fai atu ia te oe, e te le toe ulufafo ai lava, seia e avatu senine uma lava. Manū o ē i le falepuipui, e te mafai ea ona avatu se senine e tasi? E moni, e moni, ou te fai atu ia te oe, e leai.

27. Faauta, ua tusia i e anamua, aua e te mulilua;

28. A o a'u, ou te fai atu a'u ia te outou, ai sē vaai atu i se fafine, ina ia manao i ai, ua uma ona mulilua o ia i lona loto.

29. Faauta, ou te tuuina atu ia te outou le poloaiga, aua ne'i tuu se tasi o nei mea e oo i lou loto.

30. Auā e sili ona outou faafiti ia te outou i nei mea, e ave ai e outou o outou satauro, ai le tuuina atu outou i seoli.

31. Ua tusia, ai sē faate'a i lana avā, ia avatu ia te ia se tusi alei.

32. E moni, e moni, ou te fai atu a'u ia te outou, ai sē faate'a lana avā a e lei mulilua ia, ua ia faamulilua ia te ia; ai sē fai mana avā le ua faate'aina, ua mulilua foi o ia.

33. Ua tusia foi, aua e te tauto pepelo, a ia avatu i le Atua le mea e te tauto ai.

34. E moni, e moni, ou te fai atu a'u ia te outou, aua lava ne'i tauto, aua le tauto i le lagi, auā o le afioaga lea o le Atua,

35. Po o le lalolagi, auā o le mea lea e tu ai ona aao,

36. Aua foi ne'i tauto i le ulu, auā e te le mafaia ona faauliuli pe faasinasina se lauulu e tasi;

37. A ia faapea la outou upu, Ioe, ioe; E leai, e leai; auā o le upu e sili i na upu, e mai le leaga lava ia.

38. Faauta, ua tusia foi, e suia le mata i le mata, e suia foi le nifo i le nifo.

39. A ou te fai atu a'u ia te outou, aua ne'i outou tetee atu i le leaga. Ai se na te po mai i lou alafau taumatau, ia liliu atu ia te ia le isi.

40. Afai e fia fai se faamasinoga ma oe se tagata, e ave lou ofutino, ia e tuu atu i ai foi ma lou ofu tele.

41. Ai se na te tauanau mai lua te o ma ia i le maila e tasi, ina o ia oulua ma ia i maila e lua.

42. Ia e avatu i le ua ole mai ia te oe, aua foi e te liliu ese i le ua fia nono mai ia te oe.

43. Faauta, ua tusia foi, ia e alofa atu i le lua te tuaoi, a ia 'ino'ino i le ua ita mai ia te oe;

44. A e peitai, faauta, ou te fai atu a'u ia te outou, ia outou alofa atu i ē ita mai ia te outou, ia outou faamanuia atu i ē fetuu mai ia te outou, ia outou agalelei atu i ē 'ino'ino mai ia te outou, ia outou tatalo foi mo ē tuuai fua mai ma faasaua mai i a te outou;

45. Ina ia faia outou ma fanau a lo outou Tamā o i le lagi; auā ua ia faaoso lona la i ē amioleaga atoa ma ē amiolelei.

46. O le mea lea ua faataunuuina ai ia te au o na mea na i ai anamua i le tulafono.

47. Ua mavae atu mea tuai, ma ua faafouina mea uma lava.

48. O lenei, ou te loto ina ia atoatoa ona lelei la outou amio, e pei o a'u ma lo outou Tamā o i le lagi, e atoatoa ona lelei.

MATAUPU 13.

Ua faaauau pea le lauga o le Faaola i le aiga o sa Nifaē—O ana poloa'a i lona au soo—Ia faatusatusa i le Mataio e 6.

1. E moni, e moni, ou te fai atu, ou te loto ina ia outou avatu mea alofa i ē matitiva, a ia outou, ne'i avatu a outou mea alofa i luma o tagata, ina ia iloa ai e i latou; a faapea, ona leai lea so outou taui mai lo outou Tamā o i le lagi.

2. O lea, a ē avatu mea alofa, aua ne'i e ilia le pu i ou luma, e pei ona faia e tagata pepelo i sunako, ma ala, ina ia viia i latou e tagata. E moni, ou te fai atu ia te outou, ua maua e i latou lo latou taui.

3. A ē avatu au mea alofa, aua ne'i iloa e lou lima tauagavale le mea ua faia e lou lima taumatau;

4. Ina ia lilo au mea alofa; o lou Tamā foi o Lē silafia i le mea lilo, o ia lava na te avatu faaaliali se taui ia te oe.

5. Pe a e tatalo, aua ne'i e pei o tagata pepelo, auā ua latou fia tutū ma tatalo i sunako, ma fetaulaigāala, ina ia iloa i latou e tagata. E moni, ou te fai atu ia te outou, ua maua e i latou lo latou taui.

6. A o oe, pe a e tatalo, ina ulu atu ia i lou afeafe, ma pupuni lona puipui, i le e tatalo ai i lou Tamā o i le mea lilo; o lou Tamā foi, o Lē silasila i le mea lilo, na te avatu faaaliali se taui ia te oe.

7. A outou tatalo, au ne'i tāutū i a outou upu e pei o nuu ese, auā fa te i latou, o le tele o a latou upu e talia ai i latou.

8. O lenei, aua ne'i outou faapei o i latou, auā ua silafia e lo outou Tamā mea ua outou matitiva ai, a o lei ole atu outou ia te ia.

9. O lenei, ia faapea ona outou tatalo: Lo matou Tamā e o i le lagi, ia paia lou suafa,

10. Ia faia lou finagalo i le lalolagi, e pei ona faia i le lagi.

11. Ia e faamagalo mai ia te i matou i a matou agasala, e pei o i matou foi ona matou faamagaloina atu i e ua agaleaga mai ia te i matou.

12. Aua foi e te ta'ita'iina i matou i le tofotofoga, a ia e laveai ia i matou ai le leaga.

13. Auā e ou le malo, ma le mana, atoa ma le viiga, e faavavau lava. Amene.

14. Auā afai tou te faamagaloina atu tagata i a latou agasala, e faamagaloina foi outou e lo outou Tamā o i le lagi.

15. A e afai tou te le faamagaloina atu tagata i a latou agasala, e le faamagaloina foi e lo outou Tamā a outou agasala.

16. Ma le tasi foi, pe a outou anapopogi, aua ne'i outou matafaanoanoa e pei o tagata pepelo, auā ua latou faalaleaga o latou mata, ina ia iloa e tagata ua latou anapopogi. E moni, ou te fai atu ia te outou, ua maua e i latou lo latou taui.

17. A o oe, pe a e anapogi, ia uu lou ulu, ma mulumulu ou mata,

18. Ina ia le iloa e tagata ua e anapogi, na o lou Tamā o i le mea lilo; o lou Tamā foi, o loo silasila i le mea lilo, na te avatu faaaliali se taui ia te oe.

19. Aua tou te tolo'a'i oa mo outou i le lalolagi, o ia le mogamoga ma le ele e faaumatia ai, o i ai foi tagata gaoi e eli atu ma gaoi ai.

20. A ia outou tolo'a'i oa mo outou i le lagi, e le o i ai se mogamoga po o se ele e faaumatia ai, e le i ai foi tagata gaoi e eli atu ma gaoi ai.

21. Auā o le mea ua i ai lo outou oa, e i ai atoa foi ma o outou loto.

22. O le malamalama o le tino o mata ia, afai ua lelei ou mata, e malamalama uma ai lou tino.

23. A e afai ua leaga ou mata,

e pouliuli uma ai lou tino. O lenei, afai e pouliuli le malamalama ua i totonu ia te oe, ona matua tele ai lea le pouliuli!

24. E leai sē na te mafaia ona auauna i alii e toalua, auā e ‘ino‘ino o ia i le tasi, a e alofa atu i le tasi; a le o lea, e faapipii atu o ia i le tasi, a e faaleaoga le tasi. Tou te le mafaia ona auauna i le Atua atoa ma mamone.

25. Ma ua oo ina fetalai atu Iesu i nei upu, ona silasila atu ai lea o ia i le toasefulu ma le toalua o e na ia filifilia, i le ua fetalai atu ai o ia ia te i latou: Ia outou manatua upu ua ou fai atu, auā faauta, o outou o e ua ou filifili e auauna atu i lenei nuu. O le mea lea ou te fai atu ai ia te outou, aua ne‘i outou popole i o outou ola, i mea tou te ‘a‘ai ai, ma mea tou te feinu ai; po o outou tino, i mea tou te oofu ai. E le sili ea le ola i mea e ‘ai? ma le tino i ofu?

26. Ia outou vaavaai atu i manu felelei, latou te le lulu saito, pe selesele, pe faaputu i fale saito, a e fagaina i latou e lo outou Tamā o i le lagi. E le sili ea lo outou lelei i lo latou?

27. O ai ea so outou na te mafaia i lona popole ona faaopoopo i lona tino i le kupita e tasi?

28. Se a foi le mea tou te popole ai i ofu? Ia outou mafaufau i lautalotalo o le vao, pe faapefea ona tupu; latou te le galulue, latou te le milo foi;

29. A ou te fai atu a‘u ia te outou, o Solomona ma lona matagofie uma, na le ofu o ia e pei o le tasi o na mea.

30. O lenei, afai e faapea ona faaofuina e le Atua le vao o le fanua, o ola mai i le asō, a e lafoina a taeao i le ogāumu, e faapea lava ona faaofuina outou e ia, pe afai tou te le faatuatua itiiti.

31. O lenei, aua ne‘i outou popole ma faapea ane, Ni a mea tatou te‘a‘ai ai? ni a foi mea tatou te feinu ai? ni a foi mea tatou te oofu ai?

32. Auā ua silafia e lo outou Tamā o i le lagi e aoga ia mea uma ia te outou.

33. A ia outou muai saili le malo o le Atua ma lana amiotonu, ona faaopoopoina atu lea ia mea uma ia te outou.

34. O lenei, aua tou te popole i le aso a taeao, auā e popole le aso a taeao i ana lava mea. E lava le aso i lona lava leaga.

MATAUPU 14.

Ua faaauau pea le lauga a le Faaola—O isi o ana a‘oa‘oga i le motu o tagata—Ia faatusatusa i le Mataio e 7.

1. O lenei foi, ua oo ina ua uma ona fetalai atu e Iesu nei upu, ua toe liliu atu o ia i le motu o tagata, ma ua toe fetalai atu o ia ia te i latou, ua faapea atu: E moni, e moni, ou te fai atu ia te outou, aua tou te faamasino atu, ina ne‘i faamasinoina outou.

2. Auā o le faamasinoga tou te faamasinoina atu ai, e faamasinoina ai outou; o le fua foi tou te fuaina atu ai, e toe fuaina mai ai ia te outou.

3. Se a le mea e te vaai atu ai i si fasi lā‘au i le mata o lou uso, a e le iloa e oe le utupoto i lou lava mata?

4. Pe faapefea foi ona e fai atu i lou uso, Tuu mai ia, so‘u eu ese le fasi laau i lou mata; faauta foi, o i lou lava mata le utupoto?

5. O oe na le pepelo, ia e muai tiai le utupoto i lou lava mata, ona e iloa lelei ai lea e eueseina atu le fasi laau i le mata o lou uso.

6. Aua tou te avatu le mea paia

i ulī, aua foi tou te lafo a outou penina i luma o puaa, ne'i latou soli ai i o latou vae ma liliu mai, i le saeia ai outou.

7. Ia outou ole atu, ona foaiina mai ai lea ia te outou; ia outou saili, ona outou maua ai lea; ia outou tu'itu'i atu, ona toina ai lea ia te outou.

8. Auā ai sē ole atu, e maua e ia; o lē saili foi, e iloa e ia; e toina foi i lē tu'itu'i atu.

9. O ai ea se tagata o outou, pe a ole mai lona atalii i se areto, na te avane ea ia te ia se maa?

10. A ole mai foi i se i'a, na te avane ea ia te ia se gata?

11. O lenei, o outou e leaga, afai ua iloa e outou ona avatu o mea lelei i a outou fanau, e le sili ea ona foaiina mai e lo outou Tamā o i le lagi o mea lelei i ē ole atu ai ia te ia?

12. O lenei, o mea uma foi tou te loto i ai ia faia e tagata ia te outou, ia faapea lava ona outou faia ia te i latou; auā o le tulafono lea ma le au perofeta.

13. Ia outou ulu atu i le faitotoa vaapiapi; auā e va tele le faitotoa, e lautele foi le ala e tau atu i le malaia, e toatele foi i latou o ē ui atu ai;

14. Auā e vaapiapi le faitotoa, e lauitiiti foi le ala e tau atu i le ola, e toaiiti foi i latou o ē maua.

15. Ia outou ma perofeta pepelo, o ē o mai ia te outou i ofu faamamoe, a o totonu o luko feai lava i latou.

16. Tou te iloa i latou i o latou fua. Pe tau mai ea e tagata se fuifui vine mai le laau tuitui, po o mati mai le laau talatala?

17. E faapea foi laau lelei, e taitasi ma fua mai i fua lelei; a o le laau leaga e fua mai i fua leaga.

18. E le mafai e le laau lelei ona fua mai i fua leaga, e le mafai foi i le laau leaga ona fua mai i fua lelei.

19. O laau uma e le fua mai i fua lelei, e taia ia ma lafoina i le afi.

20. O lea foi, tou te iloa ai i latou i o latou fua.

21. E le sao atu i le malo o le lagi i latou uma o ē fai mai iā te a'u, le ali'i e, le alii e, na'o lē na te faia le finagalo o lo'u Tamā o i le lagi.

22. E toatele latou te fai mai ia te au i lea aso, Le Alii e, le Alii e, matou te lei perofeta ane ea i lou igoa? o lou igoa foi na matou tulia ai temoni? o lou igoa foi na matou fai ai vavega e tele?

23. Ona ou ta'utino atu ai lea ia te i latou, Ou te lei iloa lava outou, ina o ese ia outou ia te au, o outou o ē fai amioleaga.

24. O lenei, ai sē faalogo i a'u upu nei ma faia e ia, ou te faatusaina o ia i le tagata poto, ua na faia lona fale i luga o le papa,

25. Ona to mai lea o uaga, ua oo mai foi tafega, ua agi mai foi o matagi, ua pesi mai i lea fale, a e lei paū lava ia, auā ua faavaeina i luga o le papa.

26. Ai sē faalogo foi i a'u upu nei, a e le faia, e fatusaina o ia i le tagata valea, ua na faia lona fale i luga o le oneone,

27. Ona to mai ai lea o uaga, ua oo mai foi tafega, ua agi mai foi o matagi, ua pesi mai i lea fale, ona paū ai lea, ua nutipalaina lava.

MATAUPU 15.

Sa muamua mai le tulafono a Mose—Ua faataunuuina e lē na tuuina mai le tulafono lana tulafono—O mamoe i le isi lotoa.

1. O lenei foi, ua oo ina ua faaiu e Iesu nei upu, ua silasila solo o ia i le motu o tagata, ma ua fetalai atu o ia ia te i latou:

Faauta, ua outou faalogo i upu
na ou aʻoaʻo atu a o lei alu ae aʻu
i loʻu Tamā; o lea, ai sē manatua
aʻu upu nei, ma faia e ia, ou te
faaeaina o ia i le aso gataaga.
2. Ma ua oo ina ua fetalai atu
Iesu i nei upu, ua silafia e ia ua
i ai nisi o i latou ua taufaiofo tele,
ma ua manatunatu, po o le a lona
finagalo i le tulafono a Mose; auā
ua le malamalama ia te i latou
lana fetalaiga, ua mavae atu mea
tuai, a ua faafouina mea uma
lava.
3. Ua fetalai atu foi o ia ia te
i latou: Aua tou te ofo ona ua ou
fai atu ia te outou, ua mavae atu
mea tuai, a ua faafouina mea uma
lava.
4. Faauta, ou te fai atu ia te
outou, ua faataunuuina le tula-
fono na tuuina mai ia Mose.
5. Faauta, o aʻu lava, na ou
tuuina mai le tulafono, o aʻu foi
o Le na osia le feagaiga ma loʻu
nuu o Isaraelu; o lea ua faatau-
nuuina ai le tulafono ia te au,
auā ua ou sau e faataunuuina le
tulafono; o lea ua iu ai.
6. Faauta, ou te lei faaleao-
gaina le au perofeta, auā o va-
loaga uma e lei faataunuuina ia
te au, e moni, ou te fai atu ia te
outou, e faataunuuina uma lava.
7. Ona ua ou fai atu foi ia te
outou, ua mavae atu mea tuai, ou
te le faaumatia ai mea ua folafo-
laina i mea e oo mai.
8. Auā faauta, e lei uma ona
faataunuuina le feagaiga na ou
faia ma loʻu nuu; a o le tulafono
na tuuina mai ia Mose, ua faai-
uina ia te au.
9. Faauta, o aʻu o le tulafono
ma le malamalama; ia outou vāai
mai ia te au, ma tumau seia oo
i le gataaga, ona outou ola ai lea;
auā o lē tumau seia oo i le gata-
aga, ou te avatu ia te ia le ola
faavavau.
10. Faauta, ua ou tuuina atu ia
te outou o poloaiga, o lea ia outou
tausi ai i aʻu poloaiga. O le tula-
fono ma le au perofeta lea, auā
na latou molimau faamaoni ia te
au.
11. O lenei foi, ua oo ina feta-
lai atu Iesu i nei upu, ona fetalai
atu ai lea o ia i le toʻatinogafulu
ma le toalua o e na ia filifilia.
12. O oʻu soo outou; o le mala-
malama outou i lenei nuu, o toe
tagata o le aiga o Iosefa.
13. Faauta, o le nuu lenei o lo
outou tofi, ma ua foaiina atu ia te
outou e le Tamā.
14. Ua le tuuina mai e le Tamā
se poloaiga ia te au ou te taʻu atu
lenei mea i o outou uso i Ieru-
salema;
15. Ua le tuuina mai foi e le
Tamā se poloaiga ia te au, ou te
faailoa atu ia te i latou isi ituaiga
o Isaraelu, o e na taʻitaʻieseina e
le Tamā ai le nuu.
16. O le mea lenei na poloai mai
ai le Tamā ia te au ou te fai atu
ia te i latou:
17. Ua ia te au foi isi mamoe, e
le o i lenei lotoā, e tatau ona ou
taʻitaʻiina mai i latou foi; e faalo-
go i latou i loʻu leo, ona tasi ai
ai lea o le lafu mamoe ma le
Leoleo Mamoe e toatasi.
18. O lenei, ona o le maaa ō
latou ua ma lo latou le talitonu
ua le malamalama ai ia te i latou
laʻu upu; o le mea lea foi na po-
loai mai ai le Tamā ia te aʻu, aua
le toe fai atu se isi upu i lenei
mea ia te i latou.
19. A e peitai, e moni, ou te
fai atu ia te outou, ua poloai mai
le Tamā ia te au, ou te taʻuina atu
ai foi ia te outou, o outou sa va-
vaeeseina ia te i latou ona o a la-
tou amioletonu; o le mea foi lea,
ona o a latou amioletonu, ua la-
tou le iloa ai outou.
20. E moni, ou te toe fai atu ia
te outou, o isi ituaiga foi, ua va-
vaeesina e le Tamā ia te i latou

ona o a latou amioletonu, ma ua latou le iloa i latou.

21. E moni, ou te fai atu ia te outou, o outou, o i latou ia na ou fai atu ai, ua ia te au foi isi mamoe, e le o i lenei lotoā; e tatau ona ou ta'ita'iina mai i latou foi, e faalogo i latou i lo'u leo, ona tasi ai lea o le lafu mamoe, ma le Leoleo Mamoe e toatasi.

22. A ua le malamalama ia te i latou la'u upu, auā fa te i latou, o nuu ese lea; auā ua le malamalama ia te i latou e faaliliuina mai nuu ese ona o la latou talaiga.

23. Ua le malamalama foi ia te i latou la'u upu na ou fai atu, e faalogo i latou i lo'u leo; ma ua le malamalama foi ia te i latou la'u upu, e le faalogo lava nuu ese i lo'u leo, e le faaali atu foi a'u ia te i latou, sei iloga lava o le Agaga Paia e faaali atu ai.

24. A e peitai, faauta, ua outou faalogo i lo'u leo, ma ua vāai mai ia te au; o a'u mamoe foi outou, ma ua faitaulia faatasi outou ma e ua foaiina mai ia te au e le Tamā.

MATAUPU 16.

E i ai isi mamoe e le'i faalogo i le Faaola—O faamanuiaga luga o ē o le a talitonu o nuu ese—O le tulaga o ē o le a tetee i le Tala Lelei—Ua sii upu a le perofeta o Isaia.

1. E moni, e moni, ou te fai atu ia te outou, ua ia te au foi isi mamoe, e le o i lenei nuu, po o le nuu foi o Ierusalema, po o isi nuu e latalata ane i nuu na ou auauna i ai.

2. Auā o i latou ua ou tautala atu ai, e lei faalogo foi i latou i lo'u leo, ou te lei faaali atu a'u ia te i latou.

3. A e peitai, ua ou maua le polaiga mai le Tamā, ou te alu atu ia te i latou, e faaalogo foi i latou i lo'u leo, e faitaulia foi i latou faatasi ma a'u mamoe, ona tasi ai lea o le lafu mamoe ma le Leoleo Mamoe e toatasi; o le mea lea ou te alu atu ai e faaali atu a'u ia te i latou.

4. Ou te poloai atu foi ia te outou, tou te tusia nei upu pe a mavae ona ou alu. Afai e le ole atu i le Tamā i lo'u igoa lo'u nuu o i Ierusalema, o e na vāai mai ia te au, na faatasi foi ma a'u i a'u galuega, ina ia maua e i latou le tonu ia te outou, i le Agaga Paia, ma le tonu i isi ituaiga latou te lei iloa, ia tausia nei upu tou te tusia, ma faaali atu ai i nuu ese, ina ia au maia, ona o le atoatoa o nuu ese, o ē totoe o a latou fanau, o e a faataapeapeina i luga o le fogaeleele ona o lo latou le talitonu, na ia aumaia i le malamalama, o a'u o lo latou Togiola.

5. Ona ou faapotopotoina ai lea i latou mai itu e fa o le lalolagi, ona ou faataunuuina ai lea foi le feagaiga na faia e le Tamā ma le nuu uma o le aiga o Isaraelu.

6. Amuia nuu ese ona o lo latou faatuatua ia te au, ona o le Agaga Paia, o le na te molimau atu ia te i latou, ona o a'u atoa ma le Tamā.

7. Faauta, ona o lo latou faatuatua mai ia te au, ua fetalai mai le Tamā: Ona o lo outou le faatuatua, le aiga o Isaraelu e, e oo mai le upu moni i aso e gata ai i nuu ese, ina ia faaali atu ia te i latou le atoatoa o nei mea.

8. A e peitai, o loo fetalai mai le Tamā: Oi talofa i ē le talitonu o nuu ese, auā, e ui lava ina latou o mai i luga o le fogaeleele o lenei nuu, ma faataapeapeina lo'u nuu o e o i le aiga o Isaraelu, ma tulieseina lo'u nuu o e o i le aiga o Isaraelu, ma ua solia e i latou.

9. Ona o le alofa o le Tamā i nuu ese, atoa foi ma faamasinoga

a le Tamā i lo'u nuu o e o i le
aiga o Isaraelu, e moni, e moni,
ou te fai atu ia te outou, pe a
uma mea nei, ma ua tuuina atu
lo'u nuu o e o i le aiga o Isaraelu
ia taia, ma puapuagatia, ma fasia,
ma tulieseina ia te i latou, ma ia
inosia e i latou, ma avea ma uisa
ma upu faatusa ia te i latou.
10. O loo faapea foi ona poloai
mai le Tamā ou te fai atu ia te
outou: O lena aso pe a agasala
nuu ese i la'u tala lelei, pe a faa-
fefeteina i latou i le faamaualuga
ō latou loto e sili i atunuu uma,
e sili foi i tagata uma i le lalo-
lagi atoa, pe a tumu foi i pepelo
uiga eseese, ma faa'ole'olega, ma
le ulavale, ma molimau pepelo
uma, ma fasioti tagata, ma fai-
taulaga pepelo, ma faitaaga, ma
mea faalilo e inosia—afai latou
te faia na mea uma, ma teena le
atoatoa o la'u tala lelei, faauta, o
loo fetalai mai ai le Tamā, ona
ou aveeseina ai lea le atoatoa o
la'u tala lelei ia te i latou.
11. Ona ou manatua ai lea la'u
feagaiga na ou faia ma lo'u nuu,
le aiga o Isaraelu e, ou te aumaia
ia te i latou la'u tala lelei.
12. Ou te faaali atu foi ia te
oe, le aiga o Isaraelu e, e le pule
nuu ese ia te oe, a ou te manatua
la'u feagaiga ma oe, le aiga o
Isaraelu e, e oo foi ia te oe le iloa
lelei o le atoatoa o la'u tala lelei.
13. A e peitai, afai e salamo
nuu ese ma liliu mai ia te au, o
loo fetalai mai ai le Tamā, faauta,
e faitaulia faatasi i latou ma lo'u
nuu, le aiga o Isaraelu.
14. Ou te le tuuina atu foi i
lo'u nuu, o lo le aiga o Isaraelu,
e o atu i totonu ia te i latou ma
soli i latou, o loo fetalai mai ai
le Tamā.
15. A e peitai, afai latou te le
liliu mai ia te au ma faalogo i
lo'u leo, ou te tuuina atu ia te i
latou, ioe, ou te tuuina atu i lo'u
nuu, le aiga o Isaraelu, latou te o
atu i totonu ia te i latou ma solia
i latou, ona avea ai lea i latou e
pei o le masima ua magalo, e leai
se mea e toe aoga ai, na ona la-
foaiina i fafo, ma solia e lo'u
nuu, le aiga o Isarelu.
16. E moni, e moni, ou te fai
atu ia te outou, ua faapea ona
poloaiina a'u e le Tamā, ia ou
tuuina atu i lenei nuu lenei lau-
eleele e fai mo latou tofi.
17. Ona faataunuuina ai lea le
upu a le perofeta o Isaia, o loo
faapea mai:
18. E alalaga le leo o au leoleo,
o le leo faatasi latou te taufaipe-
pese ai, auā e lotogatasi i latou
pe a toe aumaia Siona e le Atua.
19. Ina pa mai ia le alaga o le
fiafia, ia pepese faatasi outou, o
mea faatafunaina i Ierusalema,
auā ua faamafanafanaina e le
Atua lona nuu, ua ia togiolaina
Ierusalema.
20. Ua faaui e le Atua le ofu
ai lona aao paia i luma o nuu
uma, e iloa foi e tuluiga uma o
le lalolagi le olataga mai lo tatou
Atua.

MATAUPU 17.

Ua faaauau pea faatonuga a le Faaola—O ituaiga o loo le iloa—Ua faamālōlōina e le Faaola ō latou tagata mama'i, ma faamanuiaina o latou tamaiti—O se vaaiga lelei ma le malie.

1. Faauta, o lenei, ua oo ina
ua uma ona fetalai atu e Iesu nei
upu, ua toe silasila solo o ia i le
motu o tagata, ma ua fetalai atu
ia te i latou: Faauta, ua oo mai
lo'u ituaso.
2. Ua ou iloa atu ua vaivai ou-
tou, e le mafai ona malamalama
ia te outou a'u upu uma ua polo-
aiina ai a'u e le Tamā e fai atu
ia te outou i lenei aso;
3. O le mea lea ia outou o atu

ai i o outou aiga, ma mafaufau i mea ua uma ona ou fai atu, ia outou ole atu foi i le Tamā i lo'u igoa, ina ia malamalama ia te outou, ma ia outou sauniuni o outou manatu mo le aso a taeao, ou te toe sau foi ia te outou.

4. A o lenei, o le a ou alu atu i le Tamā, ou te faailoa atu foi a'u i ituaiga o Isaraelu ua le iloa, aua ua silafia i latou e le Tamā, auā ua silafia e ia le mea na ia ta'ita'iina ai i latou.

5. Ua oo foi ina ua uma ona fetalai atu e Iesu nei upu, ua toe silasila solo o ia i le motu o tagata, ua silafia foi ua maligi o latou loimata, ma ua latou pulatoa mai ia te ia, e peiseai ua latou ole mai ia te ia, latou te nonofo teisi ma i latou.

6. Ma ua fetalai atu o ia ia te i latou: Faauta, ua tumu lo'u loto i le alofa mutimutivale ia te outou;

7. Po ua ia te outou nisi ua mama'i? Au mai ia i latou iinei. Po ua ia te outou ea nisi ua pipili, pe tauaso, pe setu, pe manu'a, pe lepela, pe mamae, pe tutuli, pe puapuagatia i se tasi mea? Ina aumai ia i latou iinei, ou te faamaloloina i latou, auā ua mutimutivale lo'u alofa ia te outou; ua tumu lo'u loto i le alofa;

8. Auā ua ou iloa atu ua outou mananao ia ou faaali atu ia te outou le mea na ou faia i o outou uso i Ierusalema, auā ua ou iloa foi ua lava lo outou faatuatua ina ia ou faamaloloina outou.

9. Ua oo foi ina ua uma ona fetalai atu o ia i nei upu, ua o mai ma le lotogatasi le motu o tagata uma ma o latou tagata mama'i, ma o latou tagata ua puapuagatia, ma o latou pipili, ma o latou tauaso, ma o latou gūgū, atoa ma i latou uma ua tigaina i se tasi mea; na ia faamaloloina foi i latou, taitoatasi ina ua aumaia i latou ia te ia.

10. O i latou uma, o e ua faamaloloina atoa ma e ua malolo, ua latou punonou i ona vae ma ifo atu ia te ia; o i latou uma foi o e na mafai ona o mai mai le motu o tagata, ua latou feasogi i ona vae, ua iu ina mulumuluina ona aao i o latou loimata.

11. Ma ua oo foi ina poloai atu o ia, ia aumaia o latou tamaiti.

12. O le mea lea na latou aumai ai o latou tamaiti, ma ua faanonofo i latou i lalo i le eleele e latalata ane ia te ia, ona tu lea o Iesu i totonu; ma ua tuumuli atu le motu o tagata ina seia aumaia i latou uma ia te ia.

13. Ua oo foi ina ua uma ona aumaia i latou, ma ua tu Iesu i totonu, ua poloai atu o ia i le motu o tagata, ia latou tootuli i le eleele.

14. Ma ua oo ina ua latou tootuli i le eleele, ua ōi Iesu i lona finagalo, ua faapea atu: Le Tamā e, ua ou ātu ona o le amioleaga a le nuu o le aiga o Isaraelu.

15. Ua uma ona fetalai atu o ia i nei upu, ona tootuli ai lea o ia; faauta foi, ua tatalo o ia i le Tamā, a e le mafai ona tusia mea na ia tatalo ai, ua molimau atu ai le motu o tagata o e na faalogo ia te ia.

16. E faapenei ona latou molimau mai: E lei vaaia e mata, e lei faalogo foi taliga i aso ua mavae i mea e faapea ona tetele ma le ofoofogia, e pei ona matou vaaia ma faalogoina i le fetalaiga a Iesu i le Tamā.

17. E le mafai ona tautala atu le laulaufaiva, e le mafai foi ona tusia e tagata, e le mafai foi ona ofi i loto o tagata mea e faapea ona tetele ma le ofoofogia, e pei o mea na matou vaaia ma faalogoina i le fetalaiga a Iesu; e le mafai foi ona ofi i le manatu o

se tagata le olioli na tumu ai o matou loto i lena aso na matou faalogo ai i lana tatalo i le Tamā mo i matou.

18. Ua oo foi ina ua faaiu e Iesu lana tatalo i le Tamā, ua tulai o ia, a ua faapea ona tele le olioli o le motu o tagata, ua vaivai ai i latou.

19. Ma ua oo ina fetalai atu Iesu ia te i latou, ma ua poloai atu ia latou tutulai.

20. Ona latou tutulai ai lea nai le eleele, ma ua fetalai atu o ia ia te i latou: Amuia outou ona o lo outou faatuatua. O lenei, faauta, ua atoatoa lo'u olioli!

21. Ina ua uma ona fetalai atu o ia i nei upu, ua tagi o ia, ma ua molimau ai le motu o tagata, ua ave foi e ia o latou tamaiti taitoatasi ma faamanuia ia te i latou, ma ua tatalo i le Tamā mo i latou.

22. Ina ua uma ona faia e ia lenei mea, ua toe tagi o ia.

23. Na ia fetalai atu foi i le motu o tagata, ua faapea atu ia te i latou: Vāai ia i o outou tamaiti!

24. Ua latou vāai atu, ona tetepa ae ai lea o i latou i le lagi, ma ua latou iloa le lagi, ua avanoa, ua latou iloa foi agelu ua ifoifo mai le lagi, e peiseai ua i totonu o le afi. Ua latou o ifo ma ua si'osi'o i na tamaiti, ma ua siosiomia foi i latou i le afi, ma ua auauna atu agelu ia te i latou.

25. Ua vāai ma faalogo ma molimau ai le motu o tagata. Ua latou iloa ua tonu la latou mau, auā ua vaai ma faalogo i latou uma, taitoatasi le tagata mo ia lava. O le faitau aofai foi o i latou, pe toalua afe ma le toalima selau, o tane, ma fafine, ma tamaiti i latou.

MATAUPU 18.

O le a'oa'oina atu o le faiga o le faamanatuga i le areto ma le uaina—O le aogā ma le tatau o le tatalo, ua faamalosiina atu e le Faaola—Ua tuuina atu le pule e faaee atu lima ma foa'i atu ai le mea foai fua o le Agaga Paia.

1. Ua oo foi ina poloai atu Iesu i ona soo, ia latou aumaia ni areto ma sina uaina ia te ia.

2. Ina ua latou o atu i le areto ma le uaina, ua ia poloai atu i le motu o tagata ia latou nonofo i lalo i le eleele.

3. Ua o mai ona soo ma le areto ma le uaina, ona tago ai lea o ia i le areto, ma ua tofitofi ai ma faamanuiaina; na ia avatu foi i ona soo, ma ua poloai atu, latou te 'a'ai.

4. Ua latou 'a'ai, ma ua maoona, ona poloai atu ai lea o ia, ia latou avatu i le motu o tagata.

5. Ua aai foi le motu o tagata ma ua maoona, ona fetalai atu lea o ia i ona soo: Faauta, e tofia se tasi o outou, o ia foi ou te tuuina atu i ai le pule, na te tofitofi le areto, ma faamanuia ai, ma avatu i tagata o la'u ekalesia, o i latou uma o ē faatuatua ma papatisoina i lo'u igoa.

6. Ia outou tausia pea lenei mea, ma faia e pei ona ou faia, e pei ona ou tofitofi le areto, ma faamanuiaina ai, ma avatu ai ia te outou.

7. Ia outou faia lenei mea ma le faamanatua o lo'u tino ua ou faaalia atu ia te outou. E fai foi lenei mea ma mau i le Tamā ua outou manatua pea a'u. Afai tou te manatua pea a'u, tou te mafuta ma lo'u Agaga.

8. Ma ua oo ina fetalai atu o ia i nei upu, ona poloai atu ai lea o ia i ona soo, latou te ave le ipu ma feinu ai, ma ia latou avatu

foi i le motu o tagata, ina ia latou feinu ai.

9. Ma ua oo ina faapena ona latou faia, ma ua feinu ai ma ua malilie, ma ua latou avatu ai i le motu o tagata; ua latou feinu ai foi, ma ua malilie ai i latou.

10. Ua uma foi ona faia lea mea e ona soo, ona fetalai atu ai lea o Iesu ia te i latou: Amuia outou ona o lenei mea ua outou faia, auā o le faataunuuina lea o a'u poloaiga, e molimau atu lenei mea i le Tamā, tou te loto ina fai le mea ua ou poloaiina ai outou.

11. Tou te faia foi lenei mea i e ua salamo ma papatisoina i lo'u igoa; tou te faia foi ma le faamanatua o lo'u toto, ua ou faamaligiina mo outou, ina ia outou molimau atu i le Tamā ua outou manatua pea a'u. Afai foi tou te manatua pea a'u, tou te mafuta ma lo'u agaga.

12. Ou te tuuina atu ia te outou le poloaiga, tou te faia nei mea. Afai tou te faia pea nei mea, amuia outou, auā ua atiina ae outou i luga o la'u papa.

13. A e peitai, ai so outou e faia mea e sili pe itiiti i nei mea, ua le atiina ae o ia i luga o la'u papa, a ua atiina ae i luga o le faavae oneone; pe a to mai uaga ma oo mai foi tafega ma agi mai foi matagi, ma pesi mai ia te i latou, e pāuu i latou, o loo ua avanoa foi faitotoa o seoli e talia ai i latou.

14. O lenei, amuia outou pe a tausia e outou a'u poloaiga ua poloaiina ai a'u e le Tamā, ou te tuuina atu ia te outou.

15. E moni, e moni, ou te fai atu ia te outou, e ao ina outou mataala ma tatalo e le aunoa, ne'i tofotofoina outou e le tiapolo, ma ta'ita'ieseina outou faatagataotaua e ia.

16. E pei foi ona ou tatalo i o outou luma, ia faapea lava ona outou tatalo i la'u ekalesia, i lo'u nuu o e salamo ma papatisoina i lo'u igoa. Faauta, o a'u o le malamalama, ua ou fai ma faaa'oa'o ia te outou.

17. Ma ua oo ina ua uma ona fetalai atu Iesu i nei upu i ona soo, ua toe faasaga atu o ia i le motu o tagata, ma ua faapea atu ia te i latou.

18. Faauta, e moni, e moni, ou te fai atu ia te outou, e tatau ona outou mataala ma tatalo e le aunoa, ne'i oo mai le faaosoosoga ia te outou; auā e manao Satani ia te outou, ina ia lulu o ia ia te outou e pei o le saito.

19. O le mea lea e tatau ai ona outou tatalo e le aunoa i le Tamā i lo'u igoa.

20. O mea uma e tatau tou te ole atu ai i le Tamā i lo'u igoa ma le faatuatua tou te maua ai, faauta, e foaiina mai ai ia te outou.

21. Ia tatalo i o outou aiga i le Tamā i lo'u igoa, ina ia manuia a outou avā, ma la outou fanau.

22. Faauta foi, ia outou potopoto soo, aua foi tou te vavao i se tasi tagata e sau ia te outou pe a outou potopoto, a ia outou tuuina atu ia te i latou e o mai ia te outou, aua le vavao atu ia te i latou.

23. A e peitai, ia outou tatalo mo i latou, aua foi ne'i tulia i latou i fafo; afai foi ua latou o mai soo ia te outou, ia outou tatalo i le Tamā i lo'u igoa mo i latou.

24. O le mea lea ia outou sisii ai i luga lo outou malamalama, ina ia pupula atu ai i le lalolagi. Faauta, o a'u o le malamalama tou te sisii i luga—o mea ua ou fai ua outou vāai i ai. Faauta, ua outou vāai mai, ua ou tatalo i le Tamā, ma ua molimau ai outou uma.

25. Ma ua outou iloa ua ou le poloai atu e alu ese se tasi o outou, a ua ou poloai atu, ia outou o mai ia te au, ina ia tagotago ma vāai mai outou; ia faapea ona outou faia i le lalolagi. Ai se solia lenei poloaiga, e tuuina atu o ia e ia e ta'ita'iina i le faaosoosoga.

26. O lenei foi, ua oo ina ua uma ona fetalai atu Iesu i nei upu, ua ia toe faasaga atu ona fofoga i ona soo na ia filifilia, ma ua faapea atu ia te i latou:

27. Faauta, e moni, e moni, ou te fai atu ia te outou, ou te tuuina atu ia te outou le tasi poloaiga, i le e tatau ai ona ou alu atu i lo'u Tamā, ina ia ou faataunuuina isi poloaiga ua ia tuuina mai ia te au.

28. O lenei foi, faauta, o le poloaiga lenei ou te tuuina atu ia te outou: Aua tou te tuu atu ma le iloa i se tasi e tago ma le faaletatau i lo'u tino ma lo'u toto, pe a outou tufatufa ai.

29. Auā ai sē 'ai ma inu i lo'u tino ma lo'u toto ma le faaletatau, ua 'ai ma inu i le faasala i lona agaga; o lea foi, afai tou te iloa e le tatau i se tagata ona 'ai ma inu i lo'u tino ma lo'u toto, ia outou vavao atu ia te ia.

30. A e ui i lea, aua tou te tulieseina o ia ia te outou, a ia outou galulue ia te ia, ma tatalo mo ia i le Tamā i lo'u igoa, afai foi e salamo o ia ma papatisoina i lo'u igoa, ona outou talia lea o ia, ma tufatufa atu ia te ia lo'u tino ma lo'u toto.

31. A e afai na te le salamo, e le faitauina o ia faatasi ma lo'u nuu, ina ia le faaumatia e ia lo'u nuu, auā faauta, ua ou iloa a'u mamoe, ma ua faitaulia i latou.

32. E ui lava i lea, aua tou te tulia o ia i fafo ai o outou sunako, po o outou falesā, a ia outou galulue pea mo ē faapea; auā tou te le iloa, pe le liliu mai i latou ma salamo, ma o mai ia te au ma le loto atoa, ma ou faamaloloina i latou, e fai foi outou ma ala e aumai ai le olataga ia te i latou.

33. O le mea lea ia outou tausia ai nei upu ua ou poloaiina ai outou, ina ia le oo ia te outou le faasala, auā, oi talofa i lē faasalaina e le Tamā.

34. Ua ou tuuina atu foi ia te outou nei poloaiga ona o fefinauaiga sa i ai ia te outou. Amuia outou, pe a leai ni finauga ia te outou.

35. O lenei, o le a ou alu atu i le Tamā, auā e tatau ona ou alu atu i le Tamā ona o outou.

36. Ua oo foi ina ua faaiu e Iesu nei upu, ua ia totoo atu lona aao i ona soo taitoatasi na ia filifilia, ina seia pa'i ane ia te i latou uma, ma ua fetalai atu foi ia te i latou ina o pa'i atu o ia ia te i latou.

37. Ua le faalogo foi le motu o tagata i upu na ia fetalai atu, o le mea lea na latou le molimau ai; a e peitai, ua molimau le au soo, na ia tuuina mai ia te i latou le pule e foai atu ai le Agaga Paia. Ou te faaali atu foi ia te outou i se aso, ua tonu lenei mau.

38. Ma ua oo ina ua pa'i ane Iesu ia te i latou uma, ua sau le ao, ma ua faamalumalu ifo i le motu o tagata, ina ia latou le iloa atu ia Iesu.

39. Ina o faamalumaluina foi i latou, ua ia maliu ese ia te i latou, ma ua afio ae i le lagi. Ua vāai atu foi le au soo, ma ua molimau na toe afio ae o ia i le lagi.

MATAUPU 19.

O suafa o le toasefulu ma le toalua i le aiga o sa Nifaē—O lo latou papatisoina—O le tuuina atu o le Agaga Paia—O le asiasiga lona lua a le Faaola—O le tatalo manaia ma le ofoofogia, e le mafai ona tusia.

1. O lenei foi, ua oo ina ua uma ona afio ae Iesu i le lagi, ua taapeape le motu o tagata, ua taitasi le tagata ma ave lana avā ma lana fanau ma foi atu i lona lava fale.

2. Ua faasalalauina loa le tala i le nuu, a e lei po, ua vaaia Iesu e le motu o tagata, ma ua na auauna mai ia te i latou; o le aso a taeao foi e toe faaali mai ai o ia i le motu o tagata.

3. Ioe, ua faasalalauina le tala ia Iesu i le po atoa, ua iu ina latou feau atu i le nuu, ua i ai nisi e toatele, ioe, e toatele lava ua matua galulue i lena po atoa, ina ia i ai latou i le aso a taeao i le mea e faaali mai ai e Iesu o ia lava i le motu o tagata.

4. Ua oo foi i le aso a taeao, ina ua faapotopotoina faatasi le motu o tagata, faauta, ua i ai foi Nifae, ma lona uso na ia faatuina nai e ua oti, o Timoteo lona igoa, atoa ma lona atalii, o Iona lona igoa, ma Matonae, ma Matonaea lona uso, ma Kumeni, ma Kumenonae, ma Ieremia, ma Semoni, ma Iona, ma Setekaia, atoa ma Isaia; o igoa ia o le au soo na filifilia e Iesu. Ma ua oo ina latou o ane ma tutū i totonu o le motu o tagata.

5. Faauta foi, ua faapea ona tele le motu o tagata ua latou vaevaeina ai i latou i potopotoga e sefulu ma le lua.

6. Ua a'oa'o atu foi le toatinoagafulu ma le toalua i le motu o tagata; faauta foi, ua latou poloai atu foi i le motu o tagata, ia latou tootuli i le eleele, ma tatalo i le Tamā i le suafa o Iesu.

7. Ua tatalo foi le au soo i le Tamā i le suafa o Iesu. Ua oo foi ina latou tootuli ma auauna atu i le nuu.

8. Ma ua latou fai atu ia lava upu na fetalai mai ai Iesu—ua leai se mea ua ese i upu na fetalaia mai e Iesu. Faauta, ona latou toe tootuli ai lea ma tatalo i le Tamā i le suafa o Iesu.

9. Ma ua latou tatalo i mea sili ua latou mananao i ai, ua latou mananao foi ia foaiina mai ia te i latou le Agaga Paia.

10. Ua faapena ona latou tatalo, ona latou o ifo ai lea i le autafa o le vai, ma ua mulimuli atu ia te i latou le motu o tagata.

11. Ua oo foi ina alu ifo Nifae i le vai, ma ua papatisoina o ia.

12. Ona alu ae ai lea o ia nai le vai ma ua amata ona papatiso. Ua ia papatiso foi ia te i latou uma ua filifilia e Iesu.

13. Ua oo foi ina papatisoina i latou uma, ma ua o ae nai le vai, ona afio ifo ai lea le Agaga Paia ia te i latou, ma ua faatumuina i latou i le Agaga Paia ma le afi.

14. Faauta foi, ua siosiomia i latou e peiseai i le afi, ua sau mai le lagi; ua vāai i ai le motu o tagata, ma ua molimau ai. Ua afio ifo foi agelu mai le lagi, ma ua auauna mai ia te i latou.

15. Ua oo foi ina o auauna atu agelu i le au soo, faauta, ua afio mai Iesu ma tu i totonu, ma ua auauna atu ia te i latou.

16. Ua oo foi ina fetalai atu o ia i le motu o tagata, ma ua poloai atu ia te i latou ia latou tootuli i le eleele, ma ia tootuli foi ona soo i le eleele.

17. Ma ua oo ina ua tootuli i latou uma i le eleele, ua poloai atu o ia i ona soo, ia latou tatalo.

18. Faauta foi, ua amata ona latou tatalo, ma ua latou tatalo ia Iesu, ua valaau mai ia te ia, te ia, o lo latou Alii, ma lo latou Atua.

19. Ma ua oo ina maliu ese o

ia ia te i latou, ua faaitiiti atu ia te i latou ma ua punou ifo o ia i le eleele, ma ua faapea atu o ia:

20. Le Tamā e, ou te faafetai atu ia te oe, ona ua e foaiina mai le Agaga Paia ia te i latou nei ua ou filifilia. Ona o lo latou faatuatua mai ia te au ua ou filifilia ai i latou mai le lalolagi.

21. Le Tamā e, ou te tatalo atu ia te oe, ia e foaiina mai le Agaga Paia ia te i latou uma o ē faatuatua i a latou upu.

22. Le Tamā e, ua e foaiina mai ia te i latou le Agaga Paia, auā ua latou faatuatua mai ia te au, ma ua e silafia ua latou talitonu mai ia te au, auā ua e faafofoga ia te i latou, ma ua latou tatalo mai ia te au; ua latou tatalo mai ia te au, auā ua matou faatasi ma i latou.

23. O lenei foi, le Tamā e, ou te tatalo atu ia te oe mo i latou, atoa ma i latou uma o ē talitonu i a latou upu, ina ia latou faatuatua mai ia te au, ina ia i totonu ia te i latou o a'u nei, e pei o oe, le Tamā, ua i totonu ia te au, ina ia tasi i tatou uma.

24. Ua oo foi ina ua uma ona tatalo faapea Iesu i le Tamā, ua maliu mai o ia i ona soo, faauta foi, ua latou tatalo pea ia te ia, e lei tuua lava, ma ua latou le tāutū i upu e tele, auā ua foaiina mai ia te i latou o upu latou te tatalo ai, ma ua naunau i latou ia te ia.

25. Ua oo foi ina faamanuia atu Iesu ia te i latou ina o tatalo i latou ia te ia, ma ua u atu ona fofoga ia te i latou ma le fiafia, ma ua pupula atu le malamalama o ona fofoga ia te i latou, faauta foi, ua sisina i latou, e pei o fofoga ma ofu o Iesu, faauta, ua sili ona sisina i mea sinasina uma, ioe, e le mafai ona sinasina se mea e tasi i le lalolagi e tusa ma lo latou sinasina.

26. Ua fetalai atu Iesu ia te i latou: Ina tatalo pea ia, e ui lava ina latou le tuu le tatalo.

27. Ma ua toe liliu ese o ia ia te i latou, ma ua faaitiiti atu ma punou ifo o ia i le eleele; ua toe tatalo foi o ia i le Tamā, ua faapea atu:

28. Le Tamā e, ou te faafetai atu ia te oe ona ua e faamamāina i latou ua ou filifilia ona o lo latou faatuatua; ou te tatalo foi mo i latou, atoa ma i latou o ē talitonu i a latou upu, ina ia faamamamāina i latou ia te au ona o le faatuatua i a latou upu, e pei ona faamamāina i latou ia te au.

29. Le Tamā e, ou te le tatalo mo le lalolagi, a o i latou ua e foaiina mai ia te au nai le lalolagi, ona o lo latou faatuatua, ina ia faamamāina i latou ia te au, ina ia i ai a'u i totonu ia te i latou, e pei o oe, le Tamā, ua i totonu ia te au, ina ia tasi i tatou, ina ia faamamaluina a'u ia te i latou.

30. Ina ua uma ona fetalai atu foi Iesu i nei upu, ua toe maliu mai o ia i ona soo, faauta foi, ua tatalo faatauanau i latou ia te ia, ma le le faavaivai; ua toe u atu ona fofoga ia te i latou ma le fiafia. Faauta foi, ua sisina i latou e pei o Iesu.

31. Ua oo foi ina toe faaitiiti atu o ia ma tatalo i le Tamā.

32. E le mafai foi le laulauaiva ona tautala atu i upu na ia tatalo atu ai; e le mafai foi ona tusia e se tagata o upu na ia tatalo atu ai.

33. Ua faalogo i ai foi le motu o tagata ma ua molimau ai, ua matala o latou loto, ma ua malamalama i o latou loto o upu na ia tatalo atu ai.

34. E ui i lea, ua faapea ona tetele ma le ofoofogia upu na ia

tatalo atu ai, ua le mafai ona tusia, ua le mafai foi ona talatalaina e tagata.

35. Ua oo foi ina ua faaiu e Iesu le tatalo, ua toe maliu mai o ia i ona soo, ma ua faapea atu ia te i latou: Ou te lei iloa i tagata Iutaia uma se faatuatua e faapena ona tele, o le mea lava lea na ou le mafai ai ona faaali atu ia te i latou nei vavega tetele, ona o lo latou le faatuatua.

36. E moni, ou te fai atu ia te outou, e leai so latou ua vaaia mea e faapenei ona tetele, e pei o mea ua vaaia e outou; e lei faalogoina foi e i latou o mea e faapea ona tetele, e pei o mea ua outou faalogoina.

MATAUPU 20.

O le vavega i le areto ma le uaina, ma ua toe faamanuiaina ma tufaina—O tagata o le aiga o Iakopo—Ua ta'u atu e le Faaola, o ia lea o le perofeta sa valoia e tu mai e pei o Mose—E tele Perofeta ua latou tautalagia.

1. Ua oo foi ina poloai atu o ia i le motu o tagata, atoa ma ona soo, ia latou tuu le tatalo; a ua poloai atu o ia ia te i latou, aua latou te tuu le tatalo i o latou loto.

2. Na ia poloaiina foi i latou, ia latou tutulai, ma tutū i luga i o latou vae. Ona latou tutula'i ai lea, ma ua tutū i luga i o latou vae.

3. Ua oo foi ina toe tofitofi e ia le areto, ma faamanuia ai ma ua avatu i le au soo e aai ai.

4. Ua latou aai, ona ia poloaiina ai lea i latou, ia latou tofitofi le areto ma avatu ai i le motu o tagata.

5. Ua latou avatu i le motu o tagata, ona avatu foi lea e ia ia te i latou le uaina, e feinu ai, ma ua poloai atu o ia ia te i latou, ia latou avatu ai i le motu o tagata.

6. O lenei, ua leai ni areto, po o sina uaina, na aumaia e le au soo po o le motu o tagata;

7. A e peitai, e moni, na ia avatu ia te i latou le areto, ina ia aai, ma le uaina, ina ia feinu ai.

8. Na ia fetalai atu foi ia te i latou: O lē 'ai i lenei areto, ua 'ai o ia i lo'u tino mo lona agaga; o lē inu foi i lenei uaina, ua inu o ia i lo'u toto mo lona agaga, e le toe fia 'ai pe fia inu lona agaga, a e maona lava.

9. O lenei, ina ua aai ma feinu le motu o tagata uma, faauta, ona tutumu ai lea i latou i le Agaga, ma ua latou alalaga atu ma le leo faatasi, ma avatu le viiga ia Iesu, o Le na latou vaaia ma faalogoina.

10. Ma ua oo ina ua avatu le viiga e i latou uma ia Iesu, ua faapea atu o ia ia te i latou: Faauta, ou te faaiu nei le poloaiga na poloaiina ai a'u e le Tamā i lenei nuu, o le vaega o ē totoe o le aiga o Isaraelu.

11. Ua outou manatua na ou fai atu ia te outou, ua faapea atu: Pe a faataunuuina upu a Isaia, faauta, ua tusia, ua i ai i o outou luma, o lea ina saili ia i ai;

12. E moni, e moni, ou te fai atu ia te outou, pe a faataunuuina ia upu, ona faataunuuina ai lea le feagaiga na faia e le Tamā ma lona nuu, o le aiga o Isaraelu.

13. Ona faapotopotoina ai lea o ē totoe, o i latou ia foi e faasalalauina i luga o le laueleele, mai sasae ma sisifo, mai le itu i saute ma le itu i matu, a e aumaia i latou i le malamalama o le Alii lo latou Atua, o Le na togiolaina i latou.

14. Ma ua poloaiina a'u e le

Tamā, ou te tuuina atu ia te outou lenei nuu, e fai mo outou tofi.

15. Ou e fai atu ia te outou, afai e le salamo nuu ese ona o le manuia latou te maua, pe a uma ona faataapeapeina e i latou lo'u nuu,

16. Ona o atu ai lea outou, o e ua totoe o le aiga o Iakopo, ia te i latou, e i ai foi outou i totonu o i latou, e toatele foi i latou; e i ai outou ia te i latou e pei o se leona i manu o le vao, e pei foi o se leona taanoa i lafu mamoe, pe a ui ane o ia na te soli ma saei, e leai foi se na te laveai.

17. E taualuga lo'u lima i ē faasaua mai ia te oe, e faaumatia foi i latou uma o ē ita mai ia te oe.

18. Ou te faapotopotoina faatasi lo'u nuu, e pei ona faaputuputuina e le tagata o fusi saito i le mea e soli ai saito.

19. Auā ou te faia lo'u nuu ua osia ai le feagaiga e le Tamā, ioe, ou te faia lou nifo ma uamea, ou te faia foi ou atigivae ma apamemea. E te tuimomomoina foi nuu e tele, ou te faapaiaina foi mo le Atua a latou vete, atoa ma o latou oloa mo le Atua o le lalolagi uma. Faauta foi, o a'u o le na te faia.

20. O loo fetalai mai le Tamā: E oo ina faatautau le pelu o la'u faamasinoga tonu i luga ia te i latou i lena aso, a e afai latou te le salamo, e paū ai ia te i latou, o loo fetalai mai ai le Tamā, ioe, i atunuu uma o nuu ese.

21. E oo foi ina ou faatumauina lo'u nuu, le aiga o Isaraelu.

22. Faauta foi, ou te faatumauina lenei nuu i lenei laueleele, e oo i le faataunuuina o le feagaiga na ou faia ma lo outou tama o Iakopo, e fai ai foi ma Ierusalema Fou. E i ai foi i lenei nuu mea mamana mai le lagi, ioe, ou te i ai foi ia te outou.

23. Faauta, o a'u o Le na fai mai ai Mose, ua faapea mai: Ioe, e faatuina e le Alii, lo outou Atua, le perofeta mo outou o so outou uso, e pei o a'u nei; tou te faalogo ia te ia i mea uma lava na te fai mai ai ia te outou. E oo foi ina vavaeeseina nai le nuu tagata uma o ē le faalogo i lena perofeta.

24. E moni, ou te fai atu ia te outou, ioe; o perofeta uma foi o e na tautala mai, e afua ia Samuelu ma e na mulimuli mai, o i latou uma lava ua molimau mai ia te au.

25. Faauta foi, o fanau outou a le au perofeta; o lo le aiga o Isaraelu foi outou, o lo le feagaiga foi sa faia e le Tamā ma o outou tamā, ua faapea mai ia Aperaamo: O lau fanau e manuia ai aiga uma lava o le lalolagi.

26. Ua faatuina mai a'u e le Tamā e muamua ia te outou, ma ua auina mai a'u e faamanuia atu ia te outou, i le faaliliueseina o outou taitasi ai a outou amioleaga; o lenei foi auā o le fanau outou a le feagaiga.

27. Pe a uma ona faamanuiaina outou, ona faataunuuina ai lea e le Tamā le feagaiga na ia faia ma Aperaamo, ua faapea mai: O lau fanau e manuia ai aiga uma lava o le lalolagi, e oo ina liligi ifo le Agaga Paia ona o a'u i luga o nuu ese, o lena manuia i nuu ese e avea ai i latou ma nuu e sili ona malosi i nuu uma lava, e oo i le faataapeapeina o lo'u nuu, le aiga o Isaraelu.

28. E fai i latou ma sasa i tagata o lenei laueleele, e ui i lea, pe a uma ona latou maua le atoatoa o la'u tala lelei, afai latou te faamaaa o latou loto ia te au, ona ou faafoisia ai lea a latou amioletonu i luga ō latou lava ulu, o loo fetalai mai ai le Tamā.

29. Ou te manatua foi le feagaiga ua ou faia ma lo'u nuu. Ua ou osia foi le feagaiga ma i latou, ou te faapotopotoina faatasi i latou i le aso ua ou tofia; ou te toe foaiina atu ia te i latou le nuu ō latou tamā, e fai mo latou tofi, o le nuu o Ierusalema, o lea nuu foi sa folafolaina ia te i latou, e fai mo latou tofi e faavavau, o loo fetalai mai ai le Tamā.

30. E iu foi ina sau le aso e talaiina atu ai le atoatoa o la'u tala lelei ia te i latou.

31. E faatuatua mai foi i latou ia te au, o a'u o Iesu Keriso, o le Atalii o le Atua, latou te tatalo foi i le Tamā i lo'u igoa.

32. Ona alalaga ai lea le leo o au leoleo, o le leo faatasi latou te taufaipepese ai, auā e lotogatasi i latou.

33. Ona toe faapotopotoina ai lea i latou e le Tamā, ma tuuina atu ia te i latou Ierusalema e fai ma nuu o lo latou tofi.

34. Ona latou alalaga fiafia ai lea—ia pepese faatasi outou mea faatafunaina i Ierusalema; auā ua faamafanafanaina e le Tamā lona nuu, ua ia togiolaina Ierusalema.

35. Ua faaui e le Tamā le ofu ai lona aao paia i luma o nuu uma; e iloa foi e tuluiga uma o le lalolagi le olataga mai le Tama; e tasi le Tamā ma a'u.

36. Ona faataunuuina ai lea le mea ua tusia: Ala mai ia, ina toe ala mai; ia e ofu i lou malosi o oe, Siona e; ia e ofu i ou ofu matagofie, o oe Ierusalema e, le aai paia, auā e le toe alu atu ia te oe le ua le peritomeina, ma le ua leaga.

37. Ia e lulu oe ia te oe ai le efuefu; tulai ia, ina e tietie i lou nofoa, o oe Ierusalema e; ia e tatala mai noanoaga o lou ua, o oe na le tama fafine a Siona ua nofopologa.

38. Auā o loo faapea ona fetalai mai le Atua. Ua outou faatauina atu outou i le mea ua leai; e togiolaina foi outou, a e le avatu ai ni tupe.

39. E moni, e moni, ou te fai atu ia te outou, e iloa lo'u igoa e lo'u nuu; ioe, o lena aso e iloa ai e i latou, o a'u o Le o loo tautala atu.

40. Ona latou fai mai ai lea: E matua matagofie i luga o mauga o vae o lē au mai le tala lelei ia te i latou o ē tala'i mai le filemu, o lē aumai le tala lelei i mea lelei, o lē tala'i mai le olataga, ma ua fai mai i Siona, o loo pule lou Atua.

41. Ona alu atu ai lea le alaga: O ese ia, ina o ese ia outou, ia outou o ese nai lea mea, aua ne'i pa'i atu i se mea leaga; o atu ia outou nai totonu ia te ia; ia mamā outou o ē tauave ipu a le Atua.

42. Auā tou te le o atu ma le faataalise, pe o atu faasosola, auā e afio atu le Atua i o outou luma, e muli'au foi ia te outou le Atua o Isaraelu.

43. Faauta, e pule tonu la'u auauna, e faasilisiliina o ia, ma viia, ma matua faaeaina lava.

44. E pei ona ofo o tagata e toatele ia te oe, (ua faaleaga faapea ona fofoga, e sili i mata o tagata, ma lona tino e sili i tino o atalii o tagata,)

45. E faapea ona sausauina e ia o nuu e tele; ona o ia e punitia ai e tupu o latou fofoga, auā latou te vaaia le mea na le talatalaina atu ia te i latou, latou te mafaufau foi i le mea na latou le faalogo i ai.

46. E moni, e moni, ou te fai atu ia te outou, e matua taunuu ia mea uma, e pei lava ona poloai mai ai le Tamā ia te au. Ona

faataunuuina ai lea le feagaiga nei ua osia e le Tamā ma lona nuu; ona toe aigā ai lea o Ierusalema i lo'u nuu, e fai ai foi ma nuu o lo latou tofi.

MATAUPU 21.

O le faailoga o le galuega a le Tamā—O le a faaeaina ma le faamamaluina tagata o nuu ese pe afai latou te salamo—Ua valoia le fasfanoga o i latou, o ē le salamo—O Ierusalema Fou.

1. E moni, ou te fai atu ia te outou, ou te tuuina atu ia te outou le faailoga, ina ia iloa e outou le aso o le a taunuu ai nei mea, ou te faapotopotoina lo'u nuu, le aiga o Isaraelu, mai lo latou faataapeapeina loaloa, ou te toe faatuina Siona ia te i latou.

2. Faauta foi, o le mea lenei ou te tuuina atu ia te outou e fai ma faailoga, auā, e moni, ou te fai atu ia te outou, o nei mea ua ou talai atu ia te outou, ma mea ou te talai atu ia te outou i aso o i luma e a'u lava, ma le mana o le Agaga Paia e foaiina mai ia te outou e le Tamā, pe a faailoa mai ai i nuu ese, ina ia latou iloa lenei nuu o toe tagata o le aiga o Iakopo, atoa ma lo'u nuu nei e faataapeapeina e i latou.

3. E moni, e moni, ou te fai atu ia te outou, e faailoa atu nei mea ia te i latou e le Tamā, a e aumaia foi e le Tamā mai ia te i latou ia te outou.

4. Auā o le poto o le Tamā e faatuina ai i latou i lenei laueleele, e faatumauina i latou i le mana o le Tamā e fai ma nuu saoloto, ina ia latou aumai nei mea mai ia te i latou i e ua totoe o a outou fanau, ina ia faataunuuina le feagaiga a le Tamā na ia osia ma lona nuu, le aiga o Isaraelu.

5. O le mea lea e oo atu ai nei galuega, ma galuega e faia ia te outou i aso o lumanai, mai nuu ese i a outou fanau, o e ua le faatuatua ona o le amioletonu.

6. Auā e faapea ona tatau i le Tamā ona ia oo mai ai mai nuu ese, ina ia faaali atu lona mana i nuu ese, ona o lenei mea, ina ia salamo nuu ese, pe afai latou te le faamaaaa o latou loto, a e o mai ia te au ma papatisoina i lo'u igoa, ma iloa le uiga moni o la'u mataupu, ina ia toe faitaulia i latou faatasi ma lo'u nuu, le aiga o Isaraelu.

7. Pe a oo mai nei mea, ina ia amata ona iloa nei mea e a outou fanau, e fai ai ma faailoga ia te i latou, ina ia latou iloa ua uma ona amataina le galuega a le Tamā i le faataunuuina o le feagaiga na ia faia ma le nuu o le aiga o Isaraelu.

8. Pe a oo mai lena aso, e oo ina punitia e tupu o latou lava fofoga, auā latou te vaaia le mea na le talatalaina ia te i latou; latou te mafaufau foi i le mea na latou le faalogo i ai.

9. Auā o lena aso, ona o a'u lava, e faia e le Tamā le galuega ia te i latou, o le galuega tele ma le ofoofogia; e i ai foi ia te i latou nisi e le talitonu, e ui lava ina ta'utino atu ai ia te i latou e le tagata.

10. A e peitai, faauta, e i ai i lo'u nei lima le ola o la'u auauna, o lea foi, e ui ina faaleagaina o ia ona o i latou, latou te le faatigaina ai o ia. A ou te faamaloloina o ia, auā ou te faailoa atu ia te i latou, e sili lo'u poto ai le atamai o le tiapolo.

11. O lenei, e oo mai le aso, a sē le talitonu i a'u upu, o a'u o Iesu Keriso, o lē aumaia e ia ona o le Tamā i nuu ese, e foaiina mai foi ia te ia le pule e aumai ai a'u upu i nuu ese, (e faia e pei lava

ona fai mai ai Mose,) e vavaeeseina i latou ai lo'u nuu o le feagaiga.
12. O lo'u nuu foi, o e ua totoe o le aiga o Iakopo, e i ai i nuu ese, ioe, i totonu o i latou, e pei o se leona i manu o le vao, e pei foi o se leona taanoa i lafu mamoe, pe a ui ane o ia, na te soli ma saei, e leai foi se na te laveai.
13. E taualuga o latou lima i ē faasaua mai ia te i latou, e vavaeeseina foi o ē ita ia te i latou.
14. Ioe, oi talofa i nuu ese, pe afai latou te le salamo, auā o loo faapea ona fetalai mai le Tamā: O lea aso ou te faaumatia ai au solofanua o ia te oe, ou te faaumatia foi au kariota.
15. Ou te faaumatia foi aai o lo'u nuu, ou te matua soloia foi ou olo uma.
16. Ou te faaumatia togafiti faataulāitu ai lou lima, e le i ai foi ia te oe ni e iite i ao o le lagi.
17. Ou te faaumatia foi au tupua ua ta, atoa ma au tupua ua tutū, ona e le toe ifo ai lea i le galuega a ou lima.
18. Ou te liaiina foi ou togalaau i totonu ia te oe; e faapea ona ou faaumatia ou aai.
19. E oo foi ina mavae atu le pepelo, ma faa'ole'olega, ma le mataua, ma le finauvale, ma le faitaulaga pepelo, ma le faitaaga uma.
20. Auā, o loo fetalai mai le Tamā, e oo i lena aso, o i latou uma o ē le salamo ma o mai i lo'u Atalii pele, o i latou ia ou te vavaeeseina i lo'u nuu, le aiga o Isaraelu.
21. Ou te taui atu ma le ita matua tele ia te i latou, e pei lava o nuu faapaupau i mea ua latou le faalogoina.
22. A e afai latou te salamo ma faalogo mai i a'u upu, a e le faamaaa o latou loto, ou te faatumauina la'u ekalesia ia te i latou, e 'au foi i latou i le feagaiga, e faitaulia foi faatasi ma i latou nei o ē totoe o Iakopo, o i latou ua ou foaiina i ai lenei laueleele e fai mo latou tofi.
23. Latou te fesoasoani mai foi i lo'u nuu, o ē totoe o Iakopo, atoa ma i latou uma o i le aiga o Isaraelu, e o mai ina ia latou faia le aai e ta'ua o Ierusalema Fou.
24. Ona latou fesoasoani ai lea i lo'u nuu, ina ia faapotopotoina i Ierusalema Fou o e ua faataapeapeina i luga o le fogaeleele.
25. Ona alu ifo ai lea o le mana mai le lagi ia te i latou; ou te i ai foi i totonu.
26. Ona amataina ai lea le galuega a le Tamā i lena aso, e talaiina atu ai lenei tala lelei i ē totoe o lenei nuu. E moni, ou te fai atu ia te outou, o lena aso e amataina foi le galuega a le Tamā ia te i latou uma o e ua faataapeapeina o lo'u nuu; ioe, o ituaiga ua le iloa, o i latou foi na ta'ita'ieseina nai Ierusalema e le Tamā.
27. Ioe, e amataina le galuega e le Tamā ia te i latou uma o e ua faataapeapeina o lo'u nuu, e sauni ai le ala e o mai ai i latou i te au, ina ia valaau atu i latou i le Tamā i lo'u igoa.
28. Ioe, ona amata ai lea le galuega e le Tamā i atunuu uma i le teuteuina o le ala, ina ia faapotopotoina lona nuu i le laueleele o lo latou tofi.
29. Latou te o atu foi ai atunuu uma; latou te le o atu foi ma le faataalise, latou te le o atu foi faasosola, auā ou te alu atu i o latou luma, o loo fetalai mai ai le Tamā, o a'u foi e muli'au ia te i latou.

MATAUPU 22.

Ua toe ta'uina atu e le Faaola valoaga a Isaia—Ia faatusatusa i le Isaia e 54.

1. Ona taunuu ai lea le upu ua

tusia: Ia pese oe na le fafine pa sa le fanau; ina pese ia le pese ma ia alaga fiafia, o oe sa le faatiga; auā ua sili ona toatele le fanau a lē nofo fua i le fanau a lē nofo tane, ua fetalai mai ai le Atua.

2. Ia faalautele le mea e tu ai lou fale ie, ia latou fālōina ie puipui o mea e te nofo ai, aua e te faaitiitia; ia faaumiumiina au maea, ma ia malolosi au fao;

3. Auā e te osofia le tuapa i le itu taumatau ma le itu tauagavale, o lau fanau foi e fai mo latou tofi nuu ese, e aigā foi e i latou aai tuufua.

4. Aua e te fefe, auā e te le ma; aua foi e te masiasi, auā e le faamaina oe; auā e galo ia te oe lou ma ina o e teine muli, e te le toe manatua lava lou luma ina o ē teine muli, e te le toe manatua foi lou luma ina o oti lau tane.

5. Auā o Le na faia oe, o lau tane lea, o le Atua o 'au, o lona igoa lea; o lou Togiola, o Lē paia o Isaraelu lea, e ta'ua o ia o le Atua o le lalolagi uma.

6. Auā ua valaau le Atua ia te oe, e pei o le avā ua lafoaiina, ma ua faanoanoa lona loto, o le avā sa nofo a o teine muli ina ua lafoaiina oe, ua fetalai mai ai lou Atua.

7. Ua se emo lava o le mata ua ou lafoaiina ai oe, a o le alofa tele ou te faapotopotoina mai ai oe.

8. Ona o lo'u ita faatauvaa na alo ai o'u mata ia te oe, ua se emo o le mata; a o le alofa faavavau ou te alofa atu ai ia te oe, ua fetalai mai ai le Atua, lou Togiola.

9. Auā e pei o le lolo ia Noa lenei mea ia te au, auā e pei ona ou tauto a'u e le toe lofia le lalolagi i le lolo ia Noa, e faapea lava ona ou tauto, ou te le ita ia te oe.

10. Auā e mavae atu atu mauga, e aveeseina foi mauga iti, a e le mavae atu lo'u alofa ia te oe, pe aveeseina le feagaiga a lo'u nuu, o loo fetalai mai ai le Atua, o Lē alofa ia te oe.

11. E! o oe na le ua puapuagatia, ua afātia, a e le faamafanafanaina! Faauta, ou te atiina ae ou maa i vali matagofie, ma ou faavaeina oe i safaira.

12. Ou te faia ou faamalama i maa mūmū, ma ou faitotoa i maa tioata, ma ou tuaoi uma i maa matagofie.

13. E a'oa'oina lau fanau uma lava e le Atua, e tele foi le manuia o lau fanau.

14. E faatumauina oe i le amiotonu, e mamao ia te oe le sauaga, auā e te le fefe, e mamao foi ma le mata'u, auā e le faalatalata mai lea ia te oe.

15. Faauta, e moni, e faapotopoto i latou e tau ma oe, a e le ona o a'u; o i latou uma o ē faapotopoto e tau ma oe, e malaia i latou ona o oe.

16. Faauta, ua ou faia le tuifao o loo tapili i malala i le afi, ma ua gaosi mai le mea e fai a'i lana galuega; o a'u foi ua ou faia lē faatafunaina, na te faaumatia.

17. E leai se auupega ua faia e tau ma oe, e manuia; o laulaufaiva uma foi e finau atu ia te oe i le faamasinoga, e te faasalaina ia. O le tofi lena o auauna a le Atua, o la latou amiotonu foi e mai ia te au lea ua fetalai mai ai le Atua.

MATAUPU 23.

Ua poloa'i le Faaola ina ia tusia mea ua le tusia ma togitogia i papatusia a Nifae—Ua faaopoopoina i ai le valoaga a Samuelu le sa Lamanā.

1. O lenei, faauta, ou te fai atu ia te outou, e tatau ona outou

sailiili i nei mea. Ioe, ou te tuuina atu le poloaiga ia te outou, ia outou sailiili ma le filigā i nei mea, auā ua matua sili upu a Isaia.

2. Auā, e moni, na ia tautala mai e uiga i mea uma i lo'u nuu, o e o i le aiga o Isaraelu; o lea e ao ai ina tautala atu o ia i nuu ese.

3. Ua taunuu mea uma na ia fai mai ai, a leai, e taunuu lava e tusa ma upu na ia fai mai ai.

4. O le mea lea ia outou faalogo mai ai i a'u upu, ma ia tusia mea ua ou talatalaina atu ia te outou; e tusa foi ma le aso ma le finagalo o le Tamā, e o atu ai i nuu ese.

5. Ai sē faalogo foi i a'u upu, ma salamo ma papatisoina, e faaolaina lea. Ina saili ia i le au perofeta, auā e toatele o i latou na molimau mai i nei mea.

6. O lenei foi, ua oo ina ua uma ona fetalai atu Iesu i nei upu, ua toe fetalai atu o ia ia te i latou; ina ua uma ona faamatala atu ia te i latou o tusi paia uma ua latou maua, ua ia fetalai atu ia te i latou: Faauta, ou te loto ina outou tusia nisi upu paia, e lei maua e outou.

7. Ua oo foi ina fetalai atu o ia ia Nifae: Aumai ia le tusi ua e tausia.

8. Ua aumaia e Nifae le tusi, ma na tuu ai i ona luma, ona silasila i ai lea o ia, ma ua faapea atu:

9. E moni, ou te fai atu ia te outou, na ou poloai atu i la'u auauna o Samuelu, le sa Lamanā, na te molimau atu i lenei nuu, O le aso e faamamaluina e le Tamā lona suafa ia te au, e toe tutū mai ai nisi o le au paia e toatele nai e ua oti, e faaali foi i latou i tagata e toatele, ma auauna atu ai te i latou. Ua fetalai atu foi o ia ia te i latou: Po ua le faapea ea?

10. Ona tali mai ai lea o ona soo ia te ia, ua faapea mai: Ioe, le Alii e, na perofeta ane Samuelu e tusa ma lau fetalaiga, ma ua faataunuuina upu uma.

11. Ua fetalai atu Iesu ia te i latou: Se a le mea ua e le tusia ai lenei mea, na toe tutū mai nisi o le au paia e toatele, ma ua faaali mai i latou i tagata e toatele, ma ua auauna atu ia te i latou?

12. Ua oo foi ina manatua e Nifae e lei tusia lenei mea.

13. Ua oo foi ina poloai atu Iesu, ia tusia, o lea ua tusia ai e pei ona poloai mai ai o ia.

14. O lenei foi, ua oo ina faamatalaina fa'agatasi e Iesu o tusi paia uma na latou tusia, ona poloai atu ai lea o ia ia te i latou, ia latou a'oa'o atu i mea ua uma ona ia faamatalaina atu ia te i latou.

MATAUPU 24.

O le tuuina atu o upu a Malaki i le nuu o sa Nifaē—O le tulafono o le sefulua'i ma le taulaga—Ia faatusatusa i le Malaki e 3.

1. Ua oo ina poloai atu o ia ia te i latou, ia latou tusia upu na tuuina mai e le Tamā ia Malaki, na te ta'uina atu ai ia te i latou. Ua oo foi ina ua tusia, ua ia faamatalaina atu ai. O upu nei na ia fetalai atu ia te i latou, ua faapea atu: Sa faapea mai le Tamā ia Malaki: Faauta, ou te auina atu la'u sāvali, na te sauni le ala i o'u luma, e faafuasei foi ona afio mai i lona malumalu le Atua, o Le ua sailia e outou, o le Sāvali lava lea o le feagaiga, o Le ua outou fiafia i ai, faauta, e afio mai lava o ia, ua fetalai mai ai le Atua o au.

2. A o ai se na te lavā tali le aso o lona afio mai? o ai foi sē tu pe a faaalia mai o ia? Auā e

tusa o ia ma le afi a lē tunu auro, e tusa foi ma le moli a lē ta ofu.

3. E nofo o ia, e pei o lē tunu ma faamamā i le ario, na te faamamāina le fanauga a Levi, na te faate'a ese foi le eleele ia te i latou, e pei o le auro ma le ario, ina ia latou osia i le Atua le taulaga e fai i le amiotonu.

4. Ona mālie ai lea i le Atua o le taulaga a Iuta ma Ierusalema, e pei o aso o le vavau, e pei o tausaga anamua.

5. Ou te faalatalata atu foi ia te outou i le faamasinoga, e fai foi a'u ma molimau telelise i ē fai togafiti faataulāitu, ma ē mulilulua, ma ē tauto pepelo, ma ē faasaua atu i le taui o le auauna tauia, o le fafine ua oti lana tane, ma le ua mātuaoti, o ē faaliliueseina le tagata ese, a e le matata'u ia te au, o loo fetalai mai ai le Atua o au.

6. Auā o a'u o le Atua, ou te le liliu, o le mea lea ua le faaumatia ai outou atalii o Iakopo.

7. Talu mai aso ō outou tamā ua outou tete'a ese ai i a'u sauniga ma ua le tausia ai. Foi mai ia ia te au, ona ou foi atu lea ia te outou, o loo fetalai mai ai le Atua o au. A ua outou fai mai: Matou te foi atu ma ni a?

8. Pe faoa ea e le tagata mea a le Atua? A o outou, ua outou faoa a'u mea. A ua outou fai mai: Ni a ea au mea ua matou faoa? Ua outou faoa mea e sefulua'i a outou mea, atoa ma taulaga.

9. Ua matua fetuuina outou, o lenei nuu uma lava, auā ua outou faoa a'u mea.

10. Ina aumai ia mea e sefufua'i a outou mea uma lava i le fale e teu ai mea, ina ia i ai mea e 'ai i lo'u fale, ma ia outou tofotofo mai ai ia te au, ua fetalai mai ai le Atua o au, pe ou te le toina pupuni o le lagi mo outou, ma sasaa atu le manuia mo outou ina seia silisili ona tele.

11. Ou te aoai atu ona o outou i le na te 'aina mea, na te le faaumatia le fua o lo outou laueleele; e le malili foi le fua ō outou vine i le fanua, o loo fetalai mai ai le Atua o au.

12. E faaamuia foi ia te outou nuu uma lava, auā e fai outou ma nuu moomia, ua fetalai mai ai le Atua o au.

13. Ua mamafa a outou upu ia te au, ua fetalai mai ai le Atua. A ua outou fai mai: Se a sa matou upu ua fai atu ai ia te oe?

14. Ua outou fai ane: E le aoga ona auauna i le Atua; se a foi se mea ua maua ina ua tatou tausia ana sauniga, ma tatou savavali ma le faanoanoa i luma o le Atua o au.

15. O lenei foi, ua tatou faapea ua fiafia o ē faamaualuluga; ioe, ua faaeaina foi e ua fai amioleaga; ioe, ua laveaiina e ua tofotofo i le Atua.

16. Ona fetautalatalai soo ai lea e na matata'u i le Atua, ua liliu mai foi e le Atua ona fofoga, ma ua faafofoga mai, ma ua tusia le tusi e faamanatu i ona luma, mo e na matata'u i le Atua, o e na mafaufau foi i lona suafa.

17. E fai foi i latou ma'u, o loo fetalai mai ai le Atua o au, i le aso ou te sauni ai a'u mea tāua, ou te faasaoina foi i latou, e pei ona faasaoina e le tagata lona atalii ua auauna ia te ia.

18. Ona outou foi mai ai lea ma iloa, e eseese lē amiotonu ma lē amioleaga; e ese le ua auauna i le Atua ma le ua le auauna ia te ia.

MATAUPU 25.

O isi upu a Malaki. O Elia ma lana galuega faapitoa—O le aso o le Alii e sili ma le mata'utia—Ia faatusatusa i le Malaki e 4.

1. Auā faauta, e oo mai le aso e mu ai pei se umu; ona fai ai lea ma tagututugutu o saito i latou uma o ē faamaualuluga atoa ma ē fai amioleaga; e susunuina foi i latou i le aso e oo mai, o loo fetalai mai ai le Atua o au, e le faatoeina ai ia te i latou se aa, po o se la laau.

2. A o outou o ē matata'u i lo'u igoa, e tulai ia te outou le Atalii o le Amiotonu; e i ai foi le mea e malolo a'i i ona apaau; e o atu foi outou, e tuputupu foi e pei o tamai povi i le fale povi.

3. Tou te solia o ē amioleaga, auā e fai i latou ma lefulefu i lalo ō outou alofivae i le aso ou te fai ai nei mea, o loo fetalai mai ai le Atua o au.

4. Ia outou manatua le tulafono a Mose la'u auauna, na ou poloai atu ai ia te ia i Horepa ia Isaraelu uma, o tulafono ma faamasinoga.

5. Faauta, ou te auina atu ia te outou o Elia le perofeta, a e lei oo mai le aso o le Atua e sili ma le matautia;

6. Na te faaliliuina mai loto o mātua i fanau, ma loto o fanau i o latou mātua, ne'i ou alu atu ma ou taia le lalolagi ma le faafanoga.

MATAUPU 26.

Ua faamatalaina e le Faaola mea uma lava mai le amatag—U tautala mai o latou tamaiti i mea ofoofogia—O le galuega a le a usoo.

1. Ua oo foi ina ua uma ona fetalai atu Iesu i nei upu, ua ia faamatala atu ai i le motu o tagata; na ia faamatala atu foi mea uma ia te i latou, o mea sili ma mea itiiti.

2. Na ia fetalai atu foi: O nei upu paia na le i ai ia te outou, ua poloai mai le Tamā ou te tuuina atu ia te outou, auā o le poto lea ia te ia, e tuuina atu ai i tupulaga atalī.

3. Na ia faamatala atu foi mea uma, e afua i le amataga a e oo lava i le aso e afio mai ai o ia i lona mamalu; ioe, o mea uma lava e oo mai i le lalolagi, e oo lava ina liu suavai foi o mea na fai a'i ina ua mu, ma le taataaia o le lalolagi e pei o se tusi, ma le mavae atu foi o le lagi ma le lalolagi.

4. E oo foi i le aso tele ma le gataaga ina laulaututū ai nuu uma, ma ituaiga uma, ma atunuu uma, ma gagana eseese i luma o le Atua, ia faamasinoina ai i a latou galuega, pe lelei, pe leaga.

5. Afai e lelei, e toe tutū mai i le ola faavavau; a e afai ua leaga, e toe tutū mai i le faasala; ua ogatasi, o le tasi i le tasi itu, ma le isi i le isi itu, e tusa ma le alofa, ma le amiotonu, ma le paia ua ia Keriso, o Le sa i ai a o lei amataina le lalolagi.

6. O lenei foi, e le mafai ona tusia i lenei tusi le tasi vaeselau o mea na matuā a'oa'oina atu e Iesu i le nuu.

7. A e peitai, faauta, ua i ai i papatusi a Nifae le tele o mea na ia a'oa'o atu i le nuu.

8. A o nei mea ua ou tusia, o le vaega itiiti lea o mea na ia a'oa'o atu i le nuu; ua ou tusia ai ma le manatu e toe aumaia i lenei nuu mai nuu ese, e tusa ma upu na fetalai mai ai Iesu.

9. Pe a maua e i latou lenei mea, e ao foi ina muai maua ai e tofotofo ai lo latou faatuatua, afai foi e faapea ua latou talitonu i nei mea, ona faaalia ai lea ia te i latou mea ua sili.

10. Afai foi e faapea ua latou

le talitonu i nei mea, ona taofia lea mai ia te i latou o mea ua sili, e iu lava ina ta'usalaina ai i latou.
11. Faauta, sa fai a ou tusia mea uma ua togitogia i papatusi a Nifae, a ua vaosia e le Atua, ua faapea mai: Ou te tofotofoina le faatuatua o lo'u nuu.
12. O lenei, o a'u o Mamona, ou te tusia mea ua poloaiina ai a'u e le Atua. O lenei, o a'u o Mamona, ou te faaiu a'u upu, a e faasaga e tusi mea ua poloaiina ai a'u.
13. O lenei, ou te loto ina ia iloa e outou, na a'oa'o atu le Alii i le nuu i aso e tolu; mulimuli ane i ai na ia faaali atu soo o ia lava ia te i latou, ma na tofitofi soo le areto, ma faamanuia ma avatu ai ai te i latou.
14. Ua oo foi ina a'oa'o ma auauna atu o ia i tamaiti o le motu o tagata, o e ua talatalaina atu; na ia tatala o latou laulaufaiva, ma ua latou tautala atu i o latou tamā i mea tetele ma le ofoofogia, ioe, o mea e sili i mea na ia faaali atu i le nuu, ma ua tatalaina o latou laulaufaiva ina ia mafai ona tautala atu i latou.
15. Ua oo foi ina ua uma ona afio ae o ia i le lagi, ina ua uma ona faaali faalua o ia ia te i latou, ma ua uma ona afio ae o ia i le Tamā, ina ua faamaloloina o latou tagata mama'i uma, ma o latou pipili, ma faapupulaina mata ō latou tauaso, ma ua faafaalogoina taliga o ē tutuli, ma ua faamaloloina ma'i eseese ia te i latou, ma ua faatuina le tagata nai e ua oti, ma ua uma ona faaalia lona mana ia te i latou, ma ua uma ona afio ae i le Tamā,
16. Faauta, ua oo i le aso a taeao ina faapotopotoina faatasi le motu o tagata na latou vāai ma faalogo i nei tamaiti, ioe, o tama meamea lava ua tautala ma ua tautala atu i mea ofoofogia, ua vaosia foi mea na latou tautala atu ai, aua le tusia e se tagata.
17. Ua oo foi ina afua i lena aso ona papatiso ma a'oa'o atu le au soo na filifilia e Iesu ia te i latou uma o e na o mai ia te i latou. O i latou uma foi na papatisoina i le suafa o Iesu, ua faatutumuina i latou i le Agaga Paia.
18. E toatele o i latou na vaaia ma faalogoina mea e le mata'uta'ua, e le tatau foi ona tusia.
19. Ua latou a'oa'o atu ma auauna atu o le tasi i le tasi; ua tuu tele a latou mea uma, ma ua faamaoni tagata uma o le tasi i le tasi.
20. Ua oo foi ina latou faia mea uma e pei ona poloaiina ai i latou e Iesu.
21. Ua ta'ua i latou o e ua papatisoina i le suafa o Iesu, o le Ekalesia a Keriso.

MATAUPU 27.

Ua faaigoaina e Iesu Keriso lana ekalesia—Ua tusia mea uma lava e le Tamā—O le a faamasinoina tagata e tusa ma mea ua tusia i totonu o tusi.

1. Ua oo ina o malaga le au soo o Iesu, ma ua tala'i atu mea na latou faalogoina ma vaaia, ma ua papatiso atu i le suafa o Iesu, ua oo ina faapotopotoina le au soo, ma ua lotogatasi i le tatalo fa'atauanau ma le anapogi;
2. Ona toe faaali mai ai lea e Iesu o ia lava ia te i latou, auā ua latou tatalo i le Tamā i lona suafa, ma ua afio mai Iesu ma tu i totonu ia te i latou, ma ua faapea atu ia te i latou: Pe se a se mea tou te mananao i ai ou te tuuina atu ia te outou?
3. Ua latou fai mai ia te ia: Le Alii e, matou te mananao ina

ia ē fetalai mai ia te i matou le igoa matou te faaigoaina ai lenei ekalesia, auā ua tupu fefinauaiga i le nuu i la lenei mea.

4. Ona fetalai atu ai lea le Alii ia te i latou: E moni, e moni, ou te fai atu ia te outou, e muimui i se a le nuu ma fefinauai ona o lenei mea?

5. E lei faitaulia ea e i latou tusi paia, ua faapea mai: E ao ina ave i o outou luga le igoa o Keriso, o lo'u igoa lea? auā o le igoa lea e valaauina ai outou i le aso gataaga.

6. Ai sē ave i ona luga lo'u igoa, ma tumau seia oo i le gataaga, e faaolaina o ia i le aso gataaga.

7. O lenei, o mea uma tou te faia, ia outou faia i lo'u igoa; o le mea lea tou te faaigoaina ai le ekalesia i lo'u igoa; tou te valaau atu foi i le Tamā i lo'u igoa, ina ia faamanuia e ia le ekalesia ona o a'u.

8. Pe faapefea ona fai ma'u ekalesia, sei iloga ua faaigoaina i lo'u igoa? Auā afai e faaigoaina se ekalesia i le igoa o Mose, ona fai lea ma ekalesia a Mose; afai e faaigoaina ai i le igoa o se tagata, ona fai lea ma ekalesia a le tagata; a e afai e faaigoaina ai i lo'u igoa, ona fai lea ma'u ekalesia, pe afai ua atiina ae i latou i luga o la'u tala lelei.

9. E moni, ou te fai atu ia te outou, ua atiina ae outou i luga o la'u tala lelei, o lea tou te faaigoa ai i lo'u igoa o mea uma tou te faaigoaina. O lenei, afai tou te valaau atu i le Tamā mo le ekalesia, afai e faia i lo'u igoa, e faafofoga le Tamā ia te outou.

10. Afai foi ua atiina ae le ekalesia i luga o la'u tala lelei, ona faaali i ai lea e le Tamā o ana lava galuega.

11. A e afai ua le atiina ae ai i luga o la'u tala lelei, a e atiina ae i luga o galuega a tagata, po o galeaga a le tiapolo, e moni, ou te fai atu ia te outou, e fiafia i latou i a latou galuega i nai aso, mulimuli ane e oo mai le gataaga, ona taia lea i latou ma lafoina i le afi, e leai sē foi mai ai.

12. Auā e mulimuli atu a latou galuega ia te i latou, auā ona o a latou galuega ua taia i latou; o lea ia outou manatua ai mea ua ou fai atu ai.

13. Faauta, ua ou tuuina atu ia te outou la'u tala lelei; o le tala lelei lenei ua ou tuuina atu ia te outou—na ou sau i le lalolagi e fai le finagalo o lo'u Tamā, auā na auina mai a'u e le Tamā.

14. Na auina mai a'u e le Tamā, ina ia siitia a'u i luga o le satauro; ina ua uma ona siitia a'u i luga o le satauro, ia tosina mai tagata uma ia te au; e pei ona siitia a'u e tagata, e faapea ona siitia tagata e le Tamā, ina ia laulaututū i o'u luma, ia faamasinoina ai i a latou galuega, pe lelei, pe leaga.

15. Ona o lenei lava mea ua siitia ai a'u, o lea foi, e tusa ma le mana o le Tamā, ou te tosina mai ai tagata uma ia te au, ina ia faamasinoina i latou e tusa ma a latou lava galuega.

16. E oo foi ina faatumuina lē salamo ma papatisoina i lo'u igoa; afai foi e tumau o ia seia oo i le gataaga, faauta, ou te ta'uamiotonuina o ia i luma o lo'u Tamā, i le aso ou te tu ai e faamasino i le lalolagi.

17. A o lē le tumau seia oo i le gataaga, o ia lena e taia ma lafoina i le afi, e le mafai ona foi mai ai i latou, ona o le faamasinoga tonu a le Tamā.

18. O le upu lenei ua ia tuuina atu i le fanauga a tagata. Ona o lenei mea foi na te faataunuuina upu ua ia tuuina mai, ua le pepelo

lava ia, a e faataunuuina ana afioga uma lava.

19. E le sao atu i lona malo se mea ua le mamā; o le mea lea e le sao atu ai se tasi i lona malologa, na o i latou o e ua faamamāina o latou ofu i lo‘u toto, ona o lo latou faatuatua, ma le salamo i a latou agasala uma, ma lo latou faamaoni e oo i le gataaga.

20. O le poloaiga lenei, ina salamo ia outou tuluiga uma o le lalolagi ma o mai ia te au, ma ia papatisoina i lo‘u igoa, ina ia faapaiaina outou i le Agaga Paia tou te talia, ina ia outou tutū ma le le pona i o‘u luma i le aso gataaga.

21. E moni, e moni, ou te fai atu ia te outou, o la‘u tala lelei lenei; ua outou iloa foi mea e tatau ona outou faia i la‘u ekalesia; auā o galuega na outou vāai i ai ua ou faia, ia faia foi e outou; auā o mea ua outou vāai mai ua ou faia, o mea lava ia tou te faia.

22. O lenei, afai tou te faia nei mea, amuia outou, auā e faaeaina outou i le aso gataaga.

23. Ia tusia mea ua outou vaaia ma faalogoina, a o mea ua vaosia, aua le tusia.

24. Ia tusia foi galuega a lenei nuu, e pei ona tusia mea ua mavae atu.

25. Auā faauta, o tusi ua tusia, atoa ma tusi e tusia atalī e faamasinoina ai lenei nuu, auā e iloa ai e tagata a latou lava galuega.

26. Faauta foi, ua tusia mea uma e le Tamā; o lea o tusi e tusia e faamasinoina ai le lalolagi.

27. Ia iloa foi e outou, e fai outou ma faamasino i lenei nuu, e tusa ma le faamasinoga ou te tuuina atu ia te outou, e tonu foi lea; o lea foi, pe faapefea la outou amio e tatau ai? E moni, ou te fai atu ia te outou, e pei lava o a‘u nei.

28. O lenei foi, ou te alu atu i le Tamā. E moni, ou te fai atu foi ia te outou, o mea uma foi tou te ole atu ai i le Tamā i lo‘u igoa, e foaiina mai ai ia te outou.

29. O lenei, ia outou ole atu, ona outou maua ai lea; ia outou tu‘itu‘i atu ona toina ai lea ia te outou; auā o lē ole atu e maua e ia, e toina foi i lē tu‘itu‘i atu.

30. O lenei foi, faauta, o lo‘u olioli ua tele e oo lava i le atoatoa, ona o outou, atoa ma lenei tupulaga; ioe, e olioli lava le Tamā, atoa ma le au agelu paia, ona o outou ma lenei tupulaga, auā e leai so latou ua fano.

31. Faauta, o lo‘u manao, ia malamalama ia te outou, o i latou na ou fai atu ai, o lenei tupulaga o loo ola mai nei, e leai so latou ua fano, o i latou foi ia ua faaatoatoaina ai le fiafia ia te au.

32. A e peitai, faauta, ua ou faanoanoa ona o lona fa o tupulaga e afua i lenei, auā e ta‘ita‘ieseina i latou faatagataotaua, e pei o le tagata o le malaia, auā latou te faatauina a‘u i le ario, ma le auro, ma mea e faaumatia e mogamoga, e eli atu foi gaoi ma gaoi ai. O lea aso foi ou te asiasi atu ai ia te i latou, e oo i le taui atu o a latou galuega i luga ō latou lava ulu.

33. Ua oo foi ina ua faaiu e Iesu nei upu, ua fetalai atu o ia i ona soo: Ia outou ulu atu i le faitotoa vaapiapi; auā e vaapiapi le faitotoa, e lauitiiti foi le ala e tau atu i le ola, e toaitiiti foi i latou o ē maua, a e va tele le faitotoa, e lautele foi le ala e tau atu i le malaia, e toatele foi i latou o ē ui atu ai, seia oo mai le po, e le mafai ona galue ai se tagata.

MATAUPU 28.

Ua tuuina atu mea e manana‘o i ai soo e Toasefulu ma le Toalua taitoatasi—E toatolu ua mana-na'o e nonofo pea i le lalolagi seia oo i le aso e afio mai ai le Alii i lona mamalu—Ua faaalia mea ofoofogia i ia soo e toatolu—Ua faia i latou ina ia latou le tofotofo i le tiga po o le oti.

1. Ua oo foi ina ua uma ona fetalai mai Iesu i nei upu, ua fetalai mai o ia i ona soo taitoatasi, ua faapea mai ia te i latou: Se a se mea tou te mananao i ai iā te au, pe a mavae ona ou alu atu i le Tamā

2. Ua fai atu foi i latou uma, a e na o le toatolu ua le tautala atu: O lo matou manao, pe a uma ona matou ola e tusa ma tausaga o le tagata, ia iu la matou galuega na e valaauina ai i matou, ina ia vave atu i matou ia te oe i lou malo.

3. Ona fetalai mai ai lea o ia ia te i latou: Amuia outou, auā ua outou mananao mai lenei mea ia te au. O lenei, pe a atoa o outou tausaga e fitusefulu ma le lua, ona outou o atu ai lea ia te au i lo'u malo, tou te maua ai le mapusaga faatasi ma a'u.

4. Ua fetalai mai Iesu ia te i latou, ona liliu atu ai lea o ia i le toatolu, ma ua faapea atu ia te i latou: Po o le a le mea tou te loto i ai ou te faia mo outou pe a uma ona ou alu atu i le Tamā?

5. Ua faanoanoa i latou i o latou loto, auā ua fefefe i latou ina fai atu ia te ia le mea ua latou mananao i ai.

6. Ona fetalai mai lea o ia ia te i latou: Faauta, ua ou iloa o outou manatu, ma ua outou mananao le mea na manao mai ai ia te au Ioane, la'u pele, o le na ma faatasi i la'u galuega, a o lei siitia a'u e tagata Iutaia.

7. O lea ua sili ona manuia ai outou, auā e le oo le oti ia te outou, a e ola outou e vāai i galuega uma a le Tamā i le fanauga a tagata, seia faataunuuina mea uma, e tusa ma le finagalo o le Tamā, pe a ou sau i lo'u mamalu ma le mana mai le lagi;

8. E le oo foi ia te outou tiga o le oti, a e peitai, pe a ou sau i lo'u mamalu, ona liua lea o outou tino e oti ma tino e le oti lava, e pei o le emo o le mata; ona faamanuiaina ai lea outou i le malo o lo'u Tamā.

9. Ma le tasi foi, e le oo ia te outou le tiga, po o le faanoanoa, sei iloga ona o agasala a le lalolagi, a e nonofo outou i le tino. Ou te faia nei mea uma ona o le mea ua outou mananao i ai mai ia te au, auā o lo outou manao, tou te ta'ita'iina mai ia te au agaga o tagata, i aso uma e tumau ai le lalolagi.

10. Ona o lenei mea foi e atoatoa ai lo outou fiafia; e nonofo foi outou i le malo o lo'u Tamā, ioe, e atoatoa lava lo outou fiafia, e pei ona foaiina mai ia te au e le Tamā le atoatoa o le fiafia; e pei o a'u nei, e faapea lava outou, e pei o le Tamā a'u nei, e tasi lava i maua ma le Tamā.

11. E molimau mai foi le Agaga Paia i le Tamā ma a'u; e foaiina mai foi le Agaga Paia i le fanauga a tagata e le Tamā ona o a'u.

12. Ma ua oo ina ua uma ona fetalai atu Iesu i nei upu, ua totoo atu o ia ia te i latou uma ma lona tamatamai aao, a e na o le toatolu o ē nonofo ua le totoo ane i ai o ia, ona maliu ese ai lea o ia.

13. Faauta foi, ua faaavanoaina le lagi, ma ua segia i latou i le lagi, ma ua latou vaaia ma faalogoina mea e le mata'uta'ua.

14. Ua vaosia i latou, aua ne'i latou ta'u atu ai; ua le foaiina mai foi ia te i latou le mana e

tautala atu ai i mea na latou
vaaia ma faalogoina.
15. Ua le iloa e i latou, po ua
i le tino, pe lei i le tino; auā sa
faapea a i latou o le liliueseina o
i latou, ua liua ai i latou ai lenei
tino tagata i le tino e le oti, ina
ia mafai ona latou vaaia mea a
le Atua.
16. A e peitai, ua oo ina toe
auauna i latou i luga o le foga-
eleele, e ui i lea ua latou le au-
auna atu i mea na latou faalo-
goina ma vaaia, ona o le poloaiga
na tuuina mai ia te i latou i le
lagi.
17. O lenei foi, ou te le iloa po
ua i le tino e oti i latou, po o
tino e le oti, talu le aso na liua
ai i latou.
18. A ua ou iloa lenei mea, e
tusa ma le tusi na tuuina mai,
na latou o atu i luga o le foga-
eleele, ma ua auauna atu i le nuu
uma, ma faamauina i latou uma
i le ekalesia o e ua talitonu i la
latou talaiga, ma ua papatisoina
i latou. Ua maua le Agaga Paia
e i latou uma na papatisoina.
19. Sa lafoina i latou i le fale-
puipui e i latou ua le lotu i le
ekalesia, a ua le mafai ona taofia
i latou i le falepuipui, auā ua
saeluaina ai.
20. Ma ua tanumia i latou i
lalō i le eleele, a ua latou taia le
eleele ma le afioga a le Atua, ua
laveaiina ai i latou i lona mana
nai lalo o le eleele; o lea foi ua
le mafai ai ona latou eli to e tao-
fiina ai i latou.
21. Ua atu tolu ona lafoina i
latou i le ogāumu, a ua le afaina
ai lava.
22. Ua atu lua foi ona lafoina
i latou i le ana o manu feai; fa-
auta foi, ua latou taaalo ma
manu, e pei o se tamaitiiti ona
taalo ma le tamai mamoe e lei
te'a ma le susu, a ua le afaina ai
lava.
23. Ma ua oo ina faapea ona o
atu i latou i le nuu uma o Nifae,
ma talai atu le tala lelei a Keriso
i nuu uma lava i luga o le foga-
eleele, ma ua faaliliuina mai i la-
tou i le Atua, ma ua faatasi ma le
ekalesia a Keriso. Ua faapea ona
manuia lea tupulaga e tusa ma
le fetalaiga a Iesu.
24. O lenei, o a'u o Mamona, ou
te faaiu la'u tala i nei mea i aso
nei.
25. Faauta, sa fai a ou tusia
igoa o i latou e le oo i ai le oti,
a ua vaoia e le Atua, o le mea lea
ou te le tusia ai i latou, auā ua
natia i latou ai le lalolagi.
26. A e peitai, faauta, ua ou
vaaia i latou, ma ua latou auauna
mai ia te au.
27. Faauta foi, e i ai i latou i
nuu ese, a e le iloa i latou e nuu
ese.
28. E i ai foi i latou i tagata
Iutaia, a e le iloa i latou e tagata
Iutaia.
29. E oo foi, pe a silafia e le
Atua i lona poto e tatau ai, e
auauna atu i latou i ituaiga uma
o Isaraelu ua faataapeapeina, ma
atunuu uma, ma ituaiga, ma ga-
gana eseese, ma nuu, ma ta'ita-
'iina mai ia Iesu agaga e toatele,
ina ia faataunuuina lo latou ma-
nao, ona o le mana o le Atua ua
ia te i latou e faamautinoa ai.
30. Ua pei o agelu a le Atua i
latou; afai foi latou te tatalo i
le Tamā i le suafa o Iesu, e mafai
i latou ona faaali atu i latou i ta-
gata uma ua latou manatu e ta-
tau ai.
31. O lenei, e faia e i latou ga-
luega tetele ma le ofoofogia a e
lei oo mai le aso tele o loo sau,
pe a laulaututū tagata uma i luma
o le nofoa faamasino o Keriso.
32. Ioe, e faia e i latou galuega
tetele ma le ofoofogia i nuu ese
a e lei oo mai lena aso faamasino.
33. Ana i ai foi ia te outou

tusi paia uma ua i ai le tala i galuega ofoofogia uma a Keriso, po ua iloa e outou, e tusa ma fetalaiga a Keriso, e tatau ona oo mai nei mea.

34. Oi talofa i lē le faalogo i fetalaiga a Iesu atoa ma upu a i latou na ia filifilia ma aauina atu ia te i latou, auā ai sē le talia fetalaiga a Iesu ma upu a i latou ua ia aauina atu, ua le talia lava o ia, o le mea lea na te le talia ai i latou i le aso gataaga.

35. E lelei ia te i latou ana le fananau mai. Auā pe tou te manatu ea tou te mafaia ona ʻalo ai le faamasinoga tonu a le Atua ua toatamai, o Le ua solia e tagata ina ia oo mai ai le faaolataga?

36. O lenei foi, faauta, e pei ona ou fai atu e uiga ia te i latou o e na filifilia e le Alii, o le toatolu o e na segia i le lagi, na ou le iloa pe na faamamāina o latou tino iuvale e fai ma tino e le oti lava;

37. A e faauta, talu ina ou tusia na upu, ua ou fesili atu i le Atua, ma ua faaalia mai e ia te au, e ao ina liua o latou tino, a leai e tatau ona oo ia te i latou le oti.

38. O lenei foi, ina ia le oo le oti ia te i latou, na liua o latou tino, ina ia le oo le tiga ma le faanoanoa ia te i latou, sei iloga ona o agasala a le lalolagi.

39. O lenei, o le liliu lenei e le tusa ma lea e oo mai i le aso gataaga, a e peitai, ua liua i latou, ua iu ina le mafai Satani ona pule ia te i latou, ua le mafai ai o ia ona faaosoosoina i latou, ua faamamāina i latou i le tino, ua paia i latou, ma ua le mafai malo o le lalolagi ona taofi i latou.

40. E tumau lava i latou o faapea seia oo mai le aso faamasino o Keriso, o lena aso foi e oo ai ia te i latou le liliu sili, e talia foi i latou i le malo o le Tamā, e le toe ulufafo ai lava, a e mafuta e faavavau ma le Tamā i le lagi.

MATAUPU 29.

O le lapataiga a Mamona ia i latou o ē tetee i afioga ma galuega a le Alii.

1. O lenei foi, faauta, ou te fai atu ia te outou, pe a silafia e le Atua i lona poto, e tatau ona oo atu nei upu i nuu ese, e tusa ma lana afioga, ona iloa ai lea e outou ua uma ona amataina le faataunuuina o le feagaiga na faia e le Tamā ma le fanauga a Isaraelu e uiga i lo latou toe foi atu i nuu o lo latou tofi.

2. Ona outou iloa ai lea, e faataunuuina le afioga a le Atua na folafolaina e le au perofeta; e le aogā foi ona outou faapea ane, ua faatuai e le Atua lona afio mai i le fanauga a Israelu.

3. E le aogā foi ona outou manatu ifo i o outou loto, e iuvale upu ua folafolaina, auā faauta, e manatua e le Atua lana feagaiga na ia faia ma lona nuu o le aiga o Isaraelu.

4. Pe a outou iloa ua oo mai nei upu ia te outou, ona le aogā lea ona outou toe tetee atu i le galuega a le Atua, auā ua i lona aao taumatau le pelu o lana faamasinoga tonu, faauta foi, afai tou te teena lana galuega i lea aso, na te vave faaootia ai ia te outou.

5. Oi talofa i lē teena le galuega a le Atua; ioe, oi talofa i lē faafitia Keriso ma ana galuega;

6. Ioe, oi talofa i lē faafitia

faaaliga a le Atua, ma faapea ane, Ua le toe faia e le Atua lana galuega i faaaliga, ma valoaga, ma mea alofa, ma gagana eseese, ma le faamaloloina o ma'i, ma le mana o le Agaga Paia.

7. Ioe, oi talofa i lē fai ane i lea aso, ina ia mauoa: E le toe mafaia ona faia se vavega a Iesu Keriso; auā o lē na te faapea, e avea o ia faapei o le tagata o le malaia, e leai se alofa mo ia, e tusa ma le afioga a Keriso.

8. Ioe, e le aogā ona toe uisa, pe tetee atu, pe faianaga i tagata Iutaia, po o ē totoe o le aiga o Isaraelu, auā faauta, e manatua e le Atua lana feagaiga ma i latou, na te faia foi ia te i latou e tusa ma le mea na ia tauto ai.

9. O le mea lea e le aogā ona outou manatu tou te mafai ona faaliliu atu le aao taumatau o le Atua i le itu tauagavale, ina ia le faaoo atu le faamasinoga i le faataunuuina o le feagaiga na ia faia ma le aiga o Isaraelu.

MATAUPU 30.

Ua valaau atu Mamona i nuu ese ia latou salamo.

1. Faalogo mai ia, outou nuu ese e, ina faalogo ia i fetalaiga a Iesu Keriso, le Alo o le Atua soifua, na ia poloaiina ai a'u ou te fai atu ia te outou, auā faauta, ua poloai mai o ia ia te au ou te tusia, e faapea atu:

2. Liliu ese ia, outou nuu ese ai o outou ala leaga, ma ia outou salamo i a outou amioleaga, ma outou pepelo ma faa'ole'olega, ma a outou faitaaga, ma a outou pulega faalilo, ma lo outou ifo i tupua, ma lo outou fasioti tagata, ma lo outou faitaulaga pepelo, ma lo outou mataua, ma a outou finauga, ma a outou amioleaga ma mea inosia uma, ma ia outou o mai ia te au, ma ia papatisoina i lo'u igoa, ina ia maua e outou le faamagaloina o a outou agasala, ma ia faatutumuina outou i le Agaga Paia, ina ia faatasia outou ma lo'u nuu o e o i le aiga o Isaraelu.

IV. NIFAE

O LE TUSI A NIFAE,

LE ATALII O NIFAE, O LE TASI O LE AU SOO O IESU KERISO.

MATAUPU 1.

O le tala i le nuu o Nifae e tusa ma lana tusi.

Ua faatoateleina le Ekalesia a Iesu Keriso—Ua faaliliuina mai ia sa Nifaē ma sa Lamanā—Ua tutusa lava tagata uma—E lua selau tausaga o le amiotonu a e mulimuli i le vaevae ma le solomuli—Ua tuufaasolosolo ia Amosa ma Amorona le tausiga o papatusi.

1. Ua oo ina mavae atu lona tolusefulu ma le fa o tausaga, atoa ma lona tolusefulu ma le lima; faauta foi, ua faatuina e le au soo o Iesu le ekalesia a Keriso i nuu uma e latalata mai, ua papatisoina i le suafa o Iesu i latou uma o e na o mai ia te i latou ma salamo faamaoni i a

latou agasala, ua maua foi e i latou le Agaga Paia.

2. Ua oo foi i lona tolusefulu ma le ono o tausaga, ona faaliliuina mai ai lea i le Atua le nuu atoa i luga o le fogaeleele uma, o sa Nifaē atoa ma sa Lamanā; ua leai foi ni fefinauaiga po o feupuaiga ia te i latou, a ua faamaoni tagata uma o le tasi i le tasi.

3. Ua tuu tele foi a latou mea uma, o le mea lea ua le mau'oa ai i latou, pe matitiva; ua le pologa, pe saoloto, a ua tuufaasaoloto i latou uma, ma ua tofu ma le mea foaifuaina mai le lagi.

4. Ma ua oo ina mavae lona tolusefulu ma le fitu o tausaga, ma ua tumau pea le filemu i le nuu.

5. Sa i ai foi galuega tetele ma le ofoofogia na faia e le au soo o Iesu, ua faamaloloina ai ma'i, ma faatuina mai e ua oti, ma faasavali i e ua pipili, ma ua faapupula i e ua tauaso, ma faafaalogo o e ua tutuli, ma ua latou faia vavega uiga eseese i le fanauga a tagata. Ua le faia e i latou se vavega e tasi, vaganā ona ua faia i le suafa o Iesu.

6. Ma ua faapea ona mavae atu lona tolusefulu ma le valu o tausaga, ma lona tolusefulu ma le iva foi, ma lona fasefulu ma le tasi, ma lona fasefulu ma le lua, ioe, e oo lava ina mavae atu tausaga e fasefulu ma le iva, atoa ma lona limasefulu ma le tasi, ma lona limasefulu ma le lua; ioe, ua oo lava ina mavae atu tausaga e limasefulu ma le iva;

7. Ua matua faamanuiaina i latou i le nuu le Atua; ioe, ua iu ina toe aigā e i latou o aai i mea sa i ai aai na susunuina.

8. Ioe, na latou toe atiina ae lena aai tele o Sara'emila.

9. A ua i ai aai e tele na fa'agotoina, ma ua suia i vai na puna ae mai, o le mea lea na le mafai ai ona toe atiina ae ia aai.

10. O lenei foi, faauta, ua oo ina tauau ina malosi, ma ua faatoateleina matua vave le nuu o Nifae, ma ua avea ma nuu lalelei ma le moomia.

11. Ua latou fai avā, ma ua fa'aavaga, ma ua faamanuiaina i latou e tusa ma le vao folafolaga na faia e le Atua ia te i latou.

12. Ma ua latou le toe savavali e tusa ma faatonuga ma sauniga a le tulafono a Mose, a ua latou savavali e tusa ma poloaiga na latou maua mai lo latou Alii, ma lo latou Atua, ua tutumau i le anapogi ma le tatalo, ma ua faapotopoto soo e tatalo ma faalogologo i le afioga a le Atua.

13. Ua oo foi ina leai se finauga i le nuu uma, i le laueleele atoa, a ua faia e le au soo o Iesu vavega tetele.

14. Ua oo foi ina mavae atu lona fitusefulu ma le tasi o tausaga, atoa ma lona fitusefulu ma le lua, ioe, ua mavae atu lona fitusefulu ma le iva o tausaga; ioe, ua mavae atu tausaga e selau, a ua o atu i le parataiso o le Atua le au soo o Iesu na ia filifilia, ma ua tofia isi soo e fai mo latou sui, a ua le o atu le toatolu o ē nonofo; ma ua toatele o lena tupulaga ua maliliu.

15. Ua oo foi ina leai ni finauga i le nuu, ona o le alofa o le Atua ua mau i loto o le nuu.

16. Ua leai foi se mataua, po o se finauvale, po o faanunununu, po o faitaaga, po o pepelo, po o fasioti tagata, po o se mea faamatāitu e tasi; e moni lava, e le mafai ona sili i ai le fiafia o se tasi nuu o nuu uma lava ua faia e le aao o le Atua.

17. Ua leai foi ni tagata fao mea, po o ni tagata fasioti tagata; ua leai foi ni sa Lamanā,

po o se tasi ituaiga, a ua tasi
lava i latou, o fanau i latou a
Keriso, o suli foi o le malo o le
Atua.
18. Ua matua tele lo latou ma-
nuia, auā ua faamanuiaina i la-
tou e le Atua i mea uma na latou
faia, ioe, ua faamanuiaina ma
faauluolaina i latou, ua oo ina
mavae atu lona selau ma le se-
fulu o tausaga, ma ua mavae atu
le tupulaga muamua talu mai
Keriso, a ua leai se finauga i le
nuu atoa.
19. Ua oo foi ina maliu Nifae,
o le na tusia lenei tala mulimuli,
(na ia tusia i papatusi a Nifae,)
ona fai lea lona atalii o Amosa
mona sui; ua tusitusi foi o ia i
papatusi a Nifae.
20. Na ia tausia ai foi i tau-
saga e valusefulu ma le fa, ma
ua tumau pea le filemu i le nuu,
a e na o nisi e toaitiiti o le nuu
ua fouvale i le ekalesia, ma ua
ave i o latou luga le igoa o sa
Lamanā, o le mea lea na toe ama-
ta ai ona iai sa Lamanā i le nuu.
21. Ma ua oo ina maliu foi
Amosa, (ma ua atoa ai tausaga
e selau ivasefulu ma le fa o tau-
saga talu le afio mai o Keriso,)
ma ua fai lona atalii o Amosa
mona sui i le tausiga o tusi; na
tusitusi foi o ia i papatusi a Ni-
fae, ua tusia foi i le tusi a Ni-
fae, o lenei lava tusi lea.
22. Ua oo foi ina mavae atu
tausaga e lua selau, ma ua ma-
vae atu lona lua o tupulaga uma,
ua toe na o le toaitiiti.
23. O lenei foi, o a'u o Mamona,
ou te loto ina ia outou iloa ua
faatoateleina le nuu, ua iu ina
sosolo atu i latou i luga o le
fogaeleele atoa, ma ua matua
mau'oa i latou ona o lo latou ma-
nuia ia Keriso.
24. O lenei foi, ua amata i le-
nei lona lua selau ma le tasi o
tausaga ona i ai ia te i latou nisi
ua faafefeteina i le faamaualuga,
ua oofu i ofu taugata, ma penina
uiga eseese, ma mea matagofie a
le lalolagi.
25. Ma ua afua i lena aso ona
le toe tuutele a latou oloa ma a
latou mea.
26. Ma ua amata ona vaeva-
sega i latou, ua amata foi ona
latou faatuina lotu mo i latou,
ina ia mau'oa, ma ua amata ona
faafiti le ekalesia moni a Keriso.
27. Ma ua oo ina ua uma ona
mavae atu tausaga e lua selau
ma le sefulu, ua i ai lotu e tele
i le nuu; ioe, ua i ai lotu e tele
ua faatagā iloa le Keriso, a ua
lato ufaafitia le tele o lana tala
lelei, ua iu ina talia e i latou o
mea leaga uiga eseese, ma ua tuu
atu mea paia i le ua vaosia i ai,
auā ua faaletatau.
28. Ua matua faatoateleina foi
lenei lotu ona o le amioletonu,
ona o le mana o Satani, o le na
pule i o latou loto.
29. Ma le tasi foi, ua i ai le
tasi lotu na faafitia le Keriso, ma
ua latou faasaua i le ekalesia
moni a Keriso, ona o lo latou loto
maulalo ma lo latou faatuatua ia
Keriso; ma ua latou 'ino'ino ia
te i latou, ona ua tele vavega ua
faia ia te i latou;
30. O le mea lea na latou pule
malosi i le au soo o Iesu, o e na
nonofo ma i latou, ua latou la-
foina i latou i le falepuipui; a e
peitai, ona o le mana o le afioga
a le Atua sa ia i latou, ua sae-
luaina falepuipui, ma ua latou o
atu ma fai vavega tetele ia te i
latou.
31. E ui i ia vavega uma, ua
faamaaa e le nuu o latou loto,
ma ua sailiili e fasioti ia te i la-
tou, e pei ona saili e tagata Iu-
taia i Ierusalem e fasioti ia Iesu,
e tusa ma lana fetalaiga.
32. Ma ua latou lafoina i latou
i ogāumu o loo mu ai le afi, a ua

ulufafo ai i latou, ma ua le afaina ai lava.

33. Ua latou lafoina foi i latou i ana o manu feai, a ua latou taaalo ma manu feai, e pei o le tamaitiiti ona taalo ma le tamai mamoe; ua latou ulufafo ma ua le afaina ai lava.

34. E ui i lea, ua saga faamaaa e le nuu o latou loto, auā ua ta'ita'iina i latou e faitaulaga ma perofeta pepelo e toatele ia faatuina lotu e tele, ma faia amioletonu uiga eseese. Ua latou po mai i tagata o Iesu, a ua le toe po atu tagata o Iesu. Ua faapea ona tauau ina le talitonu ma amioleaga i latou i lea tausaga ma lea tausaga, ina seia mavae atu tausaga e lua selau ma le tolusefulu.

35. O lenei foi, ua oo i lenei tausaga ina i ai i le nuu le fevaevaeaiga tele, ioe, o lona lua selau tolusefulu ma le tasi o tausaga.

36. Ua oo foi i lenei tausaga ina i ai le nuu ua ta'ua o sa Nifaē, o tagata faatuatua faamaoni i latou ia Keriso; ua i ai foi ia te i latou nisi ua ta'ua o sa Lamanā o sa Iakopō, ma sa Iosefā, ma sa Soramā.

37. O lenei, o i latou ua faatuatua faamaoni ia Keriso, ma e ua tapuai ma le faamaoni ia Keriso, (ua faatasi ma i latou le toatolu o le au soo o Iesu o ē nonofo,) ua ta'ua i latou o sa Nifaē, ma sa Iakopō, ma sa Iosefā, atoa ma sa Soramā.

38. Ma ua oo ina ta'ua i latou o e na teena le tala lelei, o sa Lamanā, ma sa Lemuelū, ma sa Isamaelī; ua latou le tauau ina le faatuatua, e pei ona tauau ina le faatuatua o latou tamā talu le amataga, a ua latou fouvale ma le loto i ai i le tala lelei ia Keriso, ma ua latou a'oa'o atu foi i a latou fanau, aua latou te faatuatua.

39. Ua faapea lava ona o le amioleaga ma mea inosia a o latou tamā, pei lava ona i ai i le amataga. Ua a'oa'oina i latou ia latou 'ino'ino i le fanau a le Atua, e pei ona a'oa'oina sa Lamanā talu le amataga e 'ino'ino i le fanauga a Nifae.

40. Ma ua oo ina mavae atu lona lua selau fasefulu ma le fa o tausaga, a ua faapea lava le amio a le nuu; ma ua tauau ina malosi le vaega aupito amioleaga o le nuu, ma ua matua sili ona toatele ai tagata o le Atua.

41. Ua latou faia pea falesā mo i latou lava, ma ua latou teuteu ai i mea tāua uiga eseese. Ua faapea ona mavae atu tausaga e lua selau ma le limasefulu, atoa ma tausaga e lua selau ma le onosefulu.

42. Ua oo foi ina toe faia tautoga ma pulega faalilo a Katianetona e le vaega amioleaga o le nuu.

43. Ua faapea foi ma tagata ua ta'ua o le nuu o Nifae, ua amata ona faamaualuluga i o latou loto ona o lo latou oloa matua tele, ma ua loto fefete i latou e pei ō latou uso, o sa Lamanā.

44. E afua i lenei aso ua amata ona faanoanoa le au soo o Iesu ona o agasala a le lalolagi.

45. Ma ua oo ina ua uma ona mavae atu le tolu selau tausaga, ua matua amioleaga sa Nifaē atoa ma sa Lamanā, e pei o le tasi ua faapea lava le tasi.

46. Ua oo foi ina salalau le au fao mea a Katianetona i luga o le fogaeleele uma; ua leai foi se tasi ua amiotonu, na o le au soo o Iesu. Ua latou tolo'a'i le auro ma le ario matua tele, ma ua latou fefaatauai mea eseese.

47. Ma ua oo ina ua uma ona mavae atu le tolu selau ma le lima o tausaga, (ua tumau pea le nuu i le amioleaga,) ua maliu

Amosa, ma ua fai lona uso o Amarona mona sui i le tausiga o le tusi.

48. Ua oo foi ina ua uma ona mavae atu le tolu selau ma le luasefulu o tausaga, ua nanā e Amarona o tusi paia, auā ua uuna'ia ai o ia e le Agaga Paia, ioe, o tusi paia uma lava na tuufaasoloina mai i lea tupulaga ma lea tupulaga, ua faasaina, e oo lava i lona tolu selau ma le luasefulu o tausaga talu le afio mai o Keriso.

49. Ma ua nanā ai e ia mo le Atua, ina ia toe maua ai i ē totoe o le aiga o Iakopo, e tusa ma valoaga ma folafolaga a le Atua. Ma ua faapea le iuga o le tusi a Amarona.

O LE TUSI A MAMONA.

MATAUPU 1.

Ua poloa'i atu Amorona ia Mamona e uiga i papatusi ma togitogiga paia o loo i ai—O taua ma le amioleaga—Ua faamavae ia soo e toatolu—Ua taofia le tala'iga a Mamona—Ua faataunuuina valoaga a Apinati ma Samuelu le sa Lamanā.

1. O lenei foi, o a'u o Mamona, ou te faia le tusi i mea ua ou vaaia ma faalogoina, ou te ta'ua ai foi o le Tusi a Mamona.

2. O ona aso na nanā ai e Amarona o ia tusi mo le Atua, na sau ai o ia ia te au, (o a'u foi, pe tusa ma le sefulu o o'u tausaga, ma ua amata ona a'oa'oina a'u i nisi mea i le poto o lo'u nuu,) ua faapea mai foi Amarona ia te au: Ou te iloa o oe o le tama mafaufau ma le atamai;

3. O le mea lea ou te loto ai, pe a oo i ou tausaga pe luasefulu ma le fa, e te manatua mea uma ua e vaaia i la lenei nuu; pe a oo mai foi ia tausaga ia te oe, ia e alu atu i le nuu o Anetuma, i le mauga ua ta'ua o Semi, o le mea lena ua ou teuteuina ai mo le Atua tusi paia uma i la lenei nuu.

4. Faauta foi, e te ave papatusi a Nifae ia te oe, a o isi tusi, ia e tuu pea i le mea ua i ai nei; ia e togitogi foi i papatusi a Nifae o mea uma ua e vaaia i lenei nuu.

5. O a'u foi o Mamona, o lo le gafa o Nifae, (o le igoa foi o lo'u tamā o Mamona,) na ou manatua mea na poloaiina ai a'u e Amarona.

6. Ua oo foi ina sefulu ma le tasi o'u tausaga, ona aveina atu lea a'u e lo'u tamā i le laueleele i le itu i saute, e oo lava i le nuu o Sara'emila.

7. Ua ufitia le fogaeleele uma i fale, ua toatele tagata, e peiseai ua tutusa ma le oneone o le sami.

8. Ua oo foi i lenei tausaga ina amata ona i ai le taua i sa Nifaē, ua aofia i ai o sa Nifaē, ma sa Iakopō, ma sa Iosefā, ma sa Soramā; sa fai lenei taua e sa Nifaē ma sa Lamanā, ma sa Lemuelū, ma sa Isamaelī.

9. O lenei, o sa Lamanā, ma sa Lemuelū, ma sa Isamaelī, ua ta'ua i latou o sa Lamanā, e lua a'i foi o sa Nifaē ma sa Lamanā.

10. Ua oo foi ina latou amata le taua i le tuaoi o Sara'emila, e latalata ane i le vai o Saitonu.

11. Ma ua oo ina faapotopoto-

ina e sa Nifaē o tagata e toatele lava, ua itiiti le tolusefulu afe. Ua oo ina latou faia taua e tele i lenei lava tausaga, ua manumalo ai sa Nifaē i sa Lamanā, ma ua fafasi nisi e toatele o i latou.

12. Ua oo ina tuua e sa Lamanā lo latou manatu, ona i ai lea le filemu i le nuu, ma ua tumau le filemu e tusa ma tausaga e fa, ua le faamasaaina ai foi le toto.

13. A ua i ai le amioleaga i luga o le fogaeleele uma, ua iu ina aveeseina e le Atua ona soo pele, ma ua iu le faiga o vavega ma le faamaloloina o ē mama'i, ona o le amioletonu a le nuu.

14. Ua le toe i ai foi ni mea alofa mai le Atua, ua le afio ifo foi le Agaga Paia i se tasi, ona o la latou amioleaga ma le le faatuatua.

15. Ina ua sefulu ma le lima o'u tausaga, ua ou mafaufau lelei, o le mea lea na asiasi mai ai le Atua ia te au, na ou tofotofoina foi ma iloa le agalelei o Iesu.

16. Na ou taumafai ona tala'i atu i lenei nuu, a ua punitia lo'u gutu, ma ua vaoia a'u, aua le tala'i atu ia te i latou, auā faauta, ua latou fouvale ma le loto i ai i lo latou Atua, ma ua aveeseina le au soo pele ai le nuu, ona o la latou amioletonu.

17. A e peitai, ua ou nofo faatasi ma i latou, a ua vaoia a'u, aua le tala'i atu ia te i latou, ona o le maaa ō latou loto; ona o le maaa foi ō latou loto ua fetuuina ai le laueleele ia te i latou.

18. O lenei au fao mea a Katianetona, o e ua faatasi ma sa Lamanā, ua latou faasaunoa i le nuu, ua iu ina amata ona nanā e le nuu a latou mea tāua i le eleele a ua avea ma mea mase'ese'e auā ua fetuuina le laueleele e le Atua, ua le mafai ai ona uumau, pe toe taofi ai.

19. Ua oo foi ina i ai itega i ao, ma togafiti faataulāitu, ma vavega pepelo; ua faia foi le pule a lē agasala i luga o le fogaeleele atoa, e oo lava i le faataunuuina o upu uma a Apinati, atoa ma Samuelu le sa Lamanā.

MATAUPU 2.

Ua ta'ita'i Mamona i au a sa Nifaē—Ua faatoateleina le 'au fao mea a Katianetona—Ua osia le feagaiga o le laueleele i le itu i matu mo sa Nifae, a o le laueleele i le itu i saute mo sa Lamana.

1. Ua oo foi i lea lava tausaga ina amata ona i ai le taua i sa Nifaē ma sa Lamanā. E ui foi ina ou taulealea, ua ou tino ese, o lea na tofia ai a'u e le nuu o Nifae e fai mo latou ta'ita'i, po o le ta'ita'i o la latou au.

2. O lenei, ua oo ina sefulu ma le ono o'u tausaga, ona ou ta'ita'iina atu lea le au a sa Nifaē e tau ma sa Lamanā; o lea ua uma ona mavae atu ai tausaga e tolu selau luasefulu ma le ono.

3. Ua oo foi i lona tolu selau luasefulu ma le fitu o tausaga, ona o mai lea ia te i matou o sa Lamanā ma le malosi matua tele, ua i'u ina latou faamatauina a'u 'au; o le mea lea ua le mafafai ai i latou ona tau, a ua amata ona latou tuumuli atu i nuu i le itu i matu.

4. Ua oo foi ina matou taunuu mai i le aai o Anekala, ma ua matou pule i le aai, ma ua sauniuni mea e faamamalu ai i matou ai sa Lamanā. Ua oo ina matou fai olo i le aai ma lo matou malosi; a e peitai, e ui i o matou olo uma, ua o mai sa Lamanā ia te i matou, ma ua tulieseina i matou nai le aai.

5. Ua latou tulieseina foi i matou nai le nuu o Tavita.

6. Ma ua matou savavali atu ma oo atu i le nuu o Iosua, ua i le itunuu i sisifo, e latalata ane i le sami.

7. Ua oo foi ina matou faapotopotoina o matou tagata, ua faatopetope lava, ina ia matou faapotopotoina i latou i le mea e tasi.

8. A e peitai, faauta, ua tumu le nuu i tagata fao mea ma sa Lamanā. E ui lava i le malaia tele ua faatautau i luga o lo'u nuu, ua latou le salamo i a latou amioleaga; o le mea lea ua oo atu ai le faamasaaina o le toto ma le malaia i le nuu uma, o sa Nifaē atoa ma sa Lamanā, o le fouvale moni lena i le nuu atoa uma.

9. O lenei foi, ua i ai le tupu i sa Lamanā, o lona igoa o Arona; na ia sau ma le itutaua e fasefulu ma le fa afe e tau ma i matou. Faauta foi, na ou tetee atu ia te ia ma le au e fasefulu ma le lua afe. Ua iu ina ou manumalo ia te ia ma la'u itutaua, ua sola ai o ia i o'u luma. Faauta foi, ua faia nei mea uma, ma ua uma ona mavae atu tausaga e tolu selau ma le tolusefulu.

10. Ua oo foi ina amata ona salamo sa Nifaē i la latou amioletonu, ma ua amata ona fetagisi, e pei ona valoia e Samuelu le perofeta; auā faauta, ua le mafai se tasi ona tausia ana lava mea, ona o gaoi, ma fao mea, ma fasioti tagata, ma togafiti faalilo, ma taulāitu ua i le nuu.

11. Ua faapea ona amata ona i ai le faanoanoa ma le auega i le nuu uma ona o ia mea, a ua sili i le nuu o Nifae.

12. O a'u o Mamona, ua oo ina ua iloa lo latou auega ma lo latou fetagisi ma lo latou faanoanoa i luma o le Atua ua amata ona olioli ai lo'u loto i totonu ia te au, auā ua ou iloa le alofa ma le onosai o le Atua, o lea sa ou faapea ai na te alofa ia te i latou, ina ia toe avea i latou ma nuu amiotonu.

13. A e peitai, faauta, ua iuvale lo'u nei olioli, auā o lo latou faanoanoa ua le iu i le salamo ona o le agalelei o le Atua, a o le faanoanoa o ē faasalaina ona ua le mafai le Atua ona tuu pea ia te i latou e fiafia i le agasala.

14. Ua latou le o mai foi ia Iesu ma le loto momomo ma le agaga salamo, a ua latou faifai i le Atua, ma ua fia oti. E ui i lea, ua latou tau ma le pelu mo latou ola.

15. Ua oo foi ina toe foi mai ia te au lo'u faanoanoa, na ou iloa foi ua mavae le aso alofa ia te i latou, i la le tino atoa ma la le agaga; na ou iloa afe e tele o i latou ua taia ina ua fouvale i lo latou Atua, ma ua faafaulaia i latou e pei o le otaota i luga o le fogaeleele. Ua mavae atu foi tausaga e tolu selau fasefulu ma le fa.

16. Ua oo i lona tolu selau fasefulu ma le lima o tausaga, ona amata ai lea ona sosola sa Nifaē i luma o sa Lamanā, ma ua tuliloaina i latou e oo atu i le nuu o Iasona, ona faatoa mafai lea ona taofia i latou ai lo latou solaaga.

17. O lenei foi, ua latalata ane le aai o Iasona i le nuu sa teuteuina ai tusi mo le Atua e Amarona ina ia le faaumatia ai. Faauta foi, ua ou alu atu, e tusa ma le upu a Amarona, ma ua ou aveeseina papatusi a Nifae, ma faia le tusi, e tusa ma upu a Amarona.

18. Na ou tusia i papatusi a Nifae le tala atoatoa i le amioleaga ma mea inosia uma. A e peitai, o nei papatusi ua ou le tusia ai le atoatoa o le tala i a

latou amioleaga ma mea inosia, auā faauta, ua i ai pea i o'u luma le vaaiga a le amioleaga ma mea inosia talu ina faatoa mafai ona ou iloa ala o tagata.

19. Ua puapuagatia a'u ona o la latou amioleaga, auā ua tumu lo'u nei loto i le faanoanoa i o'u aso uma ona o la latou amioleaga. E ui i na mea, ua ou iloa e faaeaina a'u i le aso gataaga.

20. Ua oo foi i lenei tausaga ina toe sailia ma tulia le nuu o Nifae. Ma ua oo ina tulia i matou seia matou oo atu i le nuu i le itu i matu ua igoa ia Semi.

21. Ua iu foi ina matou fai olo i le aai o Semi, ma ua matou faapotopotoina lo matou nuu, o i latou uma ua mafaia, ma ua faamoemoe matou te faasaogalemuina ai i latou ai le faafanoga.

22. Ua oo foi i lona tolu selau fasefulu ma le ono o tausaga, ona amata lea ona toe o mai i latou ia te i matou.

23. Ua iu ina ou tautala atu i lo'u nuu, ma ou faaosoina i latou ma le malosi tele, ia latou tutū ma le faamalosi i luma o sa Lamanā, ma ia latou tau mo a latou avā, ma a latou fanau ma o latou fale, ma o latou aiga.

24. Ma ua faamalosia teisi i latou i a'u upu, ua iu ai ina latou le sosola i luma o sa Lamanā, a ua tutū ma le faamalosi e tau ma i latou.

25. Ua oo foi ina tau la matou itutaua e tolusefulu afe ma le itu taua e limasefulu afe. Ma ua oo ina matou tutū i luma o i latou ma le faamalosi, ua latou sosola ai i o matou luma.

26. Ma ua oo ina ua latou sosola, ua matou tuliloa ia te i latou ma a matou au, ma ua toe fetaui ma i latou, ma ua manumalo ia te i latou; e ui i lea ua le ia te i matou le malosi mai le Atua, ioe, ua tuulafoaiina i matou, ina ia le i ai ia te i matou le Agaga o le Atua; o lea foi ua oo ina vaivai ai i matou e pei ō matou uso.

27. Ua faanoanoa lo'u nei loto ona o lenei mala tele i lo'u nuu, ona o la latou amioleaga ma a latou mea inosia. A e peitai, faauta, ua matou o atu e tau ma sa Lamanā ma le au fao mea a Katianetona, ina seia uma ona matou toe maua fanua ō matou tofi.

28. Ma ua mavae atu lona tolu selau fasefulu ma le iva o tausaga. O lona tolu selau ma le limasefulu o tausaga foi na matou osia ai le feagaiga ma sa Lamanā, ma le au fao mea a Katianetona, na matou vaevaeina ai nuu ō matou tofi.

29. Ua tuu mai foi ia te i matou le laueleele i le itu i matu, ioe, e oo lava i le mea lauitiiti e tau atu i le laueleele i le itu i saute. Ma ua matou tuu atu i sa Lamanā le laueleele uma i le itu i saute.

MATAUPU 3.

Ua tumau pea le aiga o sa Nifae i le amioletonu—Ua tetee e Momaona le tofiga o le avea ma ta'ita'i i au a sa Nifaē—O ana upu i tupulaga i le lumana'i—O le toasefulu ma le toalua e faamasinoina le aiga o Isaraelu.

1. Ua oo foi ina le toe o mai sa Lamanā e tau le taua seia mavae atu tausaga e sefulu. Faauta foi, na ou faaaogāina lo'u nuu o sa Nifaē i le sauniuni ō latou fanua, ma la latou auupega i le aso o le taua.

2. Ma ua oo ina fetalai mai le Atua ia te au: Ia e alaga atu i lenei nuu, Ina salamo ia outou ma o mai ia te au, ma ia papatisoina outou, ma toe atiina ae

la'u ekalesia, ona faasaoina lea outou.

3. Ona ou alaga atu ai lea i lenei nuu, a ua fai fua lava. Ua latou le manatu o le Atua ua faasaoina ai i latou, ma ua tuuina mai ia te i latou le aso e salamo ai. A e faauta, ua latou faamaaa atu o latou loto i le Alii lo latou Atua.

4. Ua oo foi ina ua uma ona mavae atu nei tausaga e sefulu, o le faaatoatoaina lea o le tolu selau ma le onosefulu tausaga talu le afio mai o Keriso, ona aumai lea le tusi e le tupu o sa Lamanā ia te au, ua faailoa mai ai ia te au, o loo sauni i latou e sii mai le taua ia te i matou.

5. Ua oo foi ina ou poloai atu i lo'u nuu, ia latou potopoto faatasi i le nuu o Tuufua, i le aai i le itunuu e latalata ane i le mea lauitiiti e tau atu i le laueleele i le itu i saute.

6. Ua matou faanonofo ai a matou au, ina ia matou taofi atu ai le itutaua a sa Lamanā, ina ia latou le maua so matou fanua; o le mea lea na matou fai olo ai e tetee atu ia te i latou ma lo matou malosi uma.

7. Ma ua oo i lona tolu selau onosefulu ma le tasi o tausaga, ona o mai lea sa Lamanā i le aai o Tuufua e tau ai ma i matou; ua oo ina matou manumalo ia te i latou i lena tausaga, ua iu ina toe foi atu i latou i o latou lava nuu.

8. Ua toe o mai i latou i lona tolu selau onosefulu ma le lua o tausaga e tau le taua. Ma ua matou toe manumalo ia te i latou, ma ua fasia nisi e toatele o i latou, ma ua lafoina o latou tagata oti i le sami.

9. O lenei foi, ona o lenei mea tele na faia e lo'u nuu o sa Nifaē, ua amata ona latou mitamita i lo latou lava malosi, ma ua amata ona latou tauto i luma o le lagi, latou te taui atu ona o le toto ō latou uso o e na fasia e i latou o e ua ita ia te i latou.

10. Ma ua latou tauto i le lagi, ma le afioaga o le Atua, latou te o ae e sii atu le taua i ē ita ia te i latou, ma faaumatia i latou ai le fogaeleele.

11. O a'u o Mamona, ua oo ina afua i nei aso ona ou le mafai lava ona fai ma ta'ita'i 'au ma ta'ita'i o lenei nuu, ona o a latou amioleaga ma mea inosia.

12. Faauta, e ui lava i la latou amioleaga, na ou ta'ita'iina i latou; ua atulasi ona ou ta'ita'iina i latou i le taua, ma ua alofa atu ia te i latou e tusa ma le alofa o le Atua ia te au ma lo'u loto atoa, ma ua molia lo'u loto i le tatalo i le Atua i le aso atoa ona o i latou; e ui i lea, ua faia ma le le faatuatua, ona o le maaa ō latou loto.

13. Ma ua atu tolu ona ou laveaiina i latou ai lima o ē ita ia te i latou, a ua latou le salamo i a latou agasala.

14. Ina ua uma ona latou tauto ia te i latou i mea uma ua faasaina e lo tatou Alii ma Faaola, o Iesu Keriso, latou te toe o ae i ē ita ia te i latou, e tau ai le taua ma taui atu le toto ō latou uso, faauta, ua tūlei mai le siufofoga o le Atua ia te au, ua faapea mai:

15. E ia te au le taui ma sui, ou te taui atu. Ona ua le salamo lenei nuu ina ua ou laveaiina i latou, faauta, e faaumatia i latou ai le fogaeleele.

16. Ma ua oo ina ou le mafai lava ona alu ae i ē ita ia te au. Na ou faia e pei ona poloaiina a'u e le Atua; ua o'u tu, a ua le 'au i ai, e fai ma molimau e faaali atu i le lalolagi mea ua ou vaaia ma faalogoina, e tusa

ma faaaliga o le Agaga ua molimau mai i mea e oo mai.

17. O le mea lea ou te tusi ai ia te outou, nuu ese e, atoa ma outou le aiga o Isaraelu e, pe a amataina le galuega, ina a sauniuni outou e foi atu i le nuu o lo outou tofi;

18. Ioe, faauta, ou te tusi atu i tuluiga uma o le lalolagi, ioe, ia te outou ituaiga e sefulu ma le lua o Isaraelu, e faamasinoina outou e tusa ma a outou galuega e le toasefulu ma le toalua o e na filifilia e Iesu e fai mona soo i le nuu o Ierusalema.

19. Ou te tusi atu foi i ē totoe o lenei nuu; o ē faamasinoina e le toatinoagafulu ma le toalua na filifilia e Iesu i lenei nuu; e faamasinoina foi i latou e le toasefulu ma le toalua na filifilia e Iesu i le nuu o Ierusalema.

20. O nei mea foi na faaalia mai ia te au e le Agaga, o le mea lea ou te tusi atu ai ia te outou uma. O le mea lenei ou te tusi atu ai ia te outou, ina ia outou iloa e tutū outou i luma o le nofoa faamasino o Keriso e tatau ai; ioe, o tagata uma o e o i le aiga o Atamu i la le tino, e laulaututū outou e faamasinoina i a outou galuega e tatau ai, pe lelei, pe leaga.

21. Ma le tasi foi, ina ia outou talitonu i le tala lelei a Iesu Keriso e i ai ia te outou; ina ia i ai foi i tagata Iutaia, o le nuu o le feagaiga a le Atua, o nisi molimau atoa ma le na latou vaaia ma faalogoina, o Iesu le na latou fasiotia, o ia lava o le Keriso, o le Atua foi o ia.

22. O lo'u manao, ia mafai a'u ona faaoleole atu ia te outou uma, tuluiga o le lalolagi e, ia salamo ma sauni e laulaututū i luma o le nofoa faamasino o Keriso.

MATAUPU 4.

Ua sii atu e sa Nifaē le taua o le taui ma sui i le nuu o sa Lamanā—Ua le toe manumalo le aiga o sa Nifaē—Ua aveesea papatusi mai le mauga o Semi.

1. O lenei, ua oo i lona tolu selau onosefulu ma le tolu o tausaga, ona o ae ai lea sa Nifaē ma a latou au nai le nuu o Tuufua e tau ai le taua ma sa Lamanā.

2. Ma ua oo ina toe tulia mai au a sa Nifaē i le nuu o Tuufua. A o lailoa pea i latou, ua o mai ia te i latou le au fou a sa Lamanā; ua matua faigata lava le taua, ua iu ina maua e sa Lamanā le aai o Tuufua, ma ua fasia sa Nifaē e toatele, ma ua avea nisi e toatele faatagataotaua;

3. Ua sosola atu foi o ē totoe, ma ua au faatasi ma tagata o le aai o Teanekuma. O lenei, ua i ai le aai o Teanekuma i le itunuu i le matafaga, ua latalata ane foi i le aai o Tuufua.

4. Ua amata ona taia i latou ona o le o ae o au a sa Nifaē i sa Lamanā; auā ana le se anoa lena mea, po ua le mafai ona i ai i sa Lamanā le pule ia te i latou.

5. A e peitai, faauta, e oo atu faamasinoga a le Atua i ē amioleaga; e faasalaina ē amioleaga e i latou ua amioleaga; auā o i latou o ē amioleaga e faaosoina ai loto o le fanauga a tagata e faamasaaina le toto.

6. Ma ua oo ina sauni sa Lamanā e o mai e tau ma le aai o Teanekuma.

7. Ua oo foi i lona tolu selau onosefulu ma le fa o tausaga ina o mai sa Lamanā e tau ma le aai o Teanekuma, ina ia latou maua foi le aai o Teanekuma.

8. Ua oo foi ina teena i latou ma ua tulia e sa Nifaē. Ua vāai

atu foi sa Nifaē ua latou tulia sa Lamanā, ona latou toe mitamita ai lea i lo latou malosi; ma ua latou o atu ma lo latou lava malosi, ma ua toe maua le aai o Tuufua.

9. O lenei, ua faia nei mea uma ma ua fasia afe e tele i itu taua uma e lua, o sa Nifaē atoa ma sa Lamanā.

10. Ua oo foi ina mavae atu lona tolu selau onosefulu ma le ono o tausaga, ona toe sii mai ai lea le taua e sa Lamanā i sa Nifaē, a ua le salamo lava sa Nifaē i le leaga na latou faia, a ua tausisi pea i la latou amioleaga.

11. E le mafaamatalaina e le laulaufaiva, e le mafai foi ona tusia e se tagata le faamatalaga atoatoa o le vaaiga matautia o le toto ma le malaia ua i ai i le nuu o sa Nifaē atoa ma sa Lamanā; ua faamaaaina loto uma, ma ua fiafia i le faamasaaina o le toto e le aunoa.

12. E tusa ma le afioga a le Atua, e lei i ai i le fanauga uma a Liae, po o aiga uma o Isaraelu le amioleaga e faapena ona tele e pei ona i ai i lenei nuu.

13. Ua oo foi ina maua le aai o Tuufua e sa Lamanā, o lenei foi ona ua sili lo latou toatele i le toatele o sa Nifaē.

14. Ma ua latou savavali atu e tau ma le aai o Teanekuma, ma ua tulieseina tagata o le nuu, ma ua avea faatagataotaua fafine atoa ma tamaiti e toatele, ma ua fai i latou ma taulaga i o latou tupua.

15. Ma ua oo i lona tolu selau onosefulu ma le fitu o tausaga ina ita sa Nifaē auā ua fai ma taulaga o latou fafine ma o latou tamaiti e sa Lamanā, ona latou o atu ai lea e tau ma sa Lamanā ma le ita matua tele, ua iu ina latou toe manumalo i sa Lamanā, ma ua tulieseina i latou ai o latou nuu.

16. Ua le toe o mai sa Lamanā e tau ma sa Nifaē seia oo i lona tolu selau fitusefulu ma le lima o tausaga.

17. O lenei tausaga na latou o ifo ai e tau ma sa Nifaē ma a latou au uma lava; ua le faitaulia foi i latou ona o le toatele o lo latou faitau aofai.

18. E afua i lenei aso, ua le toe manumalo sa Nifaē i sa Lamanā, ma ua amata ona tafieseina i latou e pei lava o le sau i le la.

19. Ua oo foi ina o ifo sa Lamanā e tau ma le aai o Tuufua; ua matua faigata lava le taua sa fai i le nuu o Tuufua, ua manumalo ai i latou i sa Nifaē.

20. Ma ua toe sosola atu i latou i o latou luma, ma ua oo mai i latou i le aai o Poasa, ma ua latou tutū ai ma le malosi tele e tau ma sa Lamanā, ua iu ina le manumalo sa Lamanā ia te i latou seia latou foi mai faalua.

21. Ua latou o mai faalua, ona tulia lea sa Nifaē, ma ua fasia ma le fasi matua tele; ua toe fai ma taulaga i o latou tupua o latou fafine ma o latou tamaiti.

22. Ua oo foi ina toe sosola sa Nifaē i o latou luma, ua ave faatasi ma i latou tagata uma o aai atoa ma faoa aai.

23. O lenei foi, o a'u o Mamona, ua ou iloa o le a faatoilaloina le nuu e sa Lamanā, o le mea lea na ou alu atu ai i le mauga o Semi, ma ua ou avae tusi uma na natia mo le Atua e Amarona.

MATAUPU 5.

Ua toe ta'ita'iina e Mamona au a sa Nifaē—Ua toatele sa Lamanā i lo sa Nifaē—O agasala ma le malaia—Ua tusia e Mamona le faa'oto'otoga o le tala.

1. Ma ua oo ina ou alu atu i

sa Nifaē ma ua ou salamo i le tautoga na ou faia ou te le toe fesoasoani ia te i latou; ma ua latou toe tuuina mai ia te au le pule i a latou au, auā fa te i latou e mafaia a'u ona laveaiina i latou ai o latou puapuaga.

2. A e peitai, faauta, ua leai so'u faamoemoe, auā ua ou iloa faamasinoga a le Atua e oo mai ia te i latou, auā ua latou le salamo i a latou amioletonu, a ua latou tau mo latou ola, a e le valaau atu i Le na faia i latou.

3. Ua oo foi ina o mai sa Lamanā e tau ma i matou ina ua matou sosola atu i le aai o Ioritona; a e peitai, faauta, ua tulia i latou, ua latou le maua ai le aai i lena aso.

4. Ua oo foi ina latou toe o mai e tau ma i matou, a ua matou taofia le aai. Ua i ai foi nisi aai ua taofia e sa Nifaē, o ia olo mau ua punitia ai i latou, ua latou le maua atu ai i le nuu i o matou luma ma faaumatia tagata o lo matou nuu.

5. A ua oo ina faaumatia e sa Lamanā tagata i nuu uma ua tuanai atu ia te i matou, o e ua le faapotopotoina; ua susunuina i le afi o latou nuu ma faoa aai ma aai; ma ua faapea ona mavae atu lona tolu selau fitusefulu ma le iva o tausaga.

6. Ua oo foi i lona tolu selau ma le valusefulu o tausaga, ona toe o mai lea sa Lamanā e tau ma i matou, ma ua matou tetee atu ia te i latou ma le faamalosi, a ua le aoga, auā ua faapea ona toatele i latou, ua latou solia ai i o latou vae le nuu o sa Nifaē.

7. Ma ua oo ina toe sosola i matou, o e ua tele vavave i lo latou solaaga ai sa Lamanā, ua sao i latou; a o e ua telegese i lo latou solaaga nai sa Lamanā, ua tafia i latou ma faaumatia.

8. O lenei foi, faauta, o a'u o Mamona, ou te le fia faatigaina loto o tagata i le tu'uina atu i o latou luma le vaaiga matautia o le toto ma le malaia, e pei o lea ua taatia i o'u luma, a e peitai, ou te iloa e tatau ona faailoa atu nei mea, o mea uma foi ua natia, e faaalia i luga o fale.

9. Ma le tasi foi, e logo atu nei mea e oo atu i ē totoe o nei nuu atoa ma nuu ese, o e ua fetalai mai ai le Atua e faataapeape lenei nuu, e le taulia foi lenei nuu ia te i latou; o le mea lea ou te tusi atu ai le tala puupuu, auā ua ou fefe ina fai atu le tala atoatoa i mea ua ou vaaia, ona o le poloaiga ua ou maua, ma le tasi foi, ina ia le tele anoanoai lo outou faanoanoa ona o le amioleaga a lenei nuu.

10. O lenei foi, faauta, ou te fai atu lenei mea i a latou fanau, atoa ma nuu ese, o ē tausia le aiga o Isaraelu, ma ua mafaufau ma iloa le mea e ala mai ai lo latou manuia.

11. Auā ua ou iloa e faanoanoa i latou ona o le malaia o le aiga o Isaraelu, ioe, e faanoanoa i latou ona o le faafanoga o lenei nuu; e faanoanoa i latou auā ua le salamo lenei nuu ina ia fusifusia i aao o Iesu.

12. O lenei, ua tusia nei mea i ē totoe o le aiga o Iakopo. Ua faapea foi ona tusia, auā ua silafia e le Atua e le aumaia ia te i latou e le amioleaga. E natia ai foi mo le Atua, ina ia toe oo mai i le aso e finagalo ai o ia.

13. O le poloaiga lenei ua ou maua, faauta foi, e toe oo mai ai e tusa ma le poloaiga a le Atua, pe a silafia e ia i lona poto e tatau ai.

14. Faauta foi, e oo atu ai i ē le talitonu i tagata Iutaia; o le mea lenei e oo atu ai ina ia faaoleole ia te i latou, o Iesu o le Keriso ia, o le Alo o le Atua soi-

fua, ina ia faataunuuina e le Tamā, i lana pele sili, o lona finagalo sili ma le faavavau i le toe faatuina o tagata Iutaia atoa ma le aiga uma o Isaraelu i le nuu o lo latou tofi, ua foaiina mai ia te i latou e le Alii lo latou Atua, e oo i le faataunuuina o lana feagaiga.

15. Ma le tasi foi, ina ia talitonu atili ai le fanauga a lenei nuu i lana tala lelei e oo atu ia te i latou nai nuu ese; auā e faataapeapeina lenei nuu, e avea foi ma nuu faauliuli, ma le eleelea, ma le inosia, e leai se mea e mafai ona faatusaina ai i mea uma na i ai ia te i matou, po o mea na i ai i sa Lamanā; o lenei foi ona o lo latou le faatuatua ma ifo i tupua.

16. Auā faauta, ua le toe finau le Agaga o le Atua ma o latou tamā, ma ua aunoa i latou ma Keriso ma le Atua i le lalolagi, ma ua lelea i latou e pei o aputi saito i le matagi.

17. Sa fai i latou ma nuu moomia, sa fai foi Keriso mo latou Leoleo Mamoe; ioe, sa ta'ita'iina i latou e le Atua le Tamā.

18. A o lenei, faauta, o loo ta'ita'iina i latou e Satani, e pei o aputi saito ua lelea i le matagi, e pei foi o le vaa ua felafolafoaiina i peau, ua leai se la, po o se taula, po o se mea e uli a'i, e pei o ia e faapea lava i latou.

19. Faauta foi, ō latou manuia sa mafai i latou ona maua i le nuu, ua taofia i tua e le Atua mo nuu ese, o ē mau i le laueleele.

20. A e peitai faauta e oo ina tulia ma faataapeapeina i latou e nuu ese, pe a uma ona tulia ma faataapeapeina i latou e nuu ese, faauta ona manatua ai lea e le Atua lana feagaiga na ia faia ma Aperaamo, atoa ma le aiga uma o Isaraelu.

21. E manatua foi e le Atua talotaloga a ē amiotonu ua molia atu ia te ia mo i latou.

22. O outou nuu ese e, e mafai faapefea ona outou tutū i luma o le mana o le Atua, sei iloga tou te salamo ma liliu mai ai o outou ala leaga?

23. Tou te le iloa ea o loo i ai outou i aao o le Atua? Tou te le iloa ea o loo ia te ia le mana uma, o lana poloaiga sili foi e taataaia ai le lalolagi e pei o se tusi?

24. O le mea lea ia outou salamo ai, ma ia faamaulalo outou i ona luma, ne'i afio mai o ia i le faamasinoga tonu ia te outou, ne'i o atu ia te outou i latou o ē totoe o le fanauga a Iakopo e pei o se leona ma saeia outou, a e leai sē laveai.

MATAUPU 6.

O le mauga o Kumora ma ona papatusi—O le toe taua i le va o nuu ia e lua—Ua manumālō sa Lamanā—E lua sefulu ma le fa tagata sa Nifaē ua ola.

1. O lenei foi, ou te faaiu la'u tala i le faafanoga o lo'u nuu o sa Nifaē. Ua oo foi ina matou savavali atu i luma o sa Lamanā.

2. O a'u foi o Mamona, na ou tusia le tusi i le tupu o sa Lamanā, ua ou manao mai ia te ia na te tuu mai ia te i matou ia matou faapotopoto faatasi lo matou nuu i le nuu o Kumora, e latalata ane i le mauga ua igoa ia Kumora, ia matou tau ai ma i latou.

3. Ma ua oo ina tuu mai e le tupu o sa Lamanā le mea na ou manao i ai.

4. Ua oo foi ina matou savavali atu i le nuu o Kumora, ma ua matou faatuina o matou fale ie latalata i le mauga o Kumora; o le nuu foi ua i ai vai e tele, ma vaitafe, ma vaipuna, ua matou

faamoemoe e manumalo ai i sa Lamanā.

5. Ina ua uma ona mavae atu lona toluselau valusefulu ma le fa o tausaga, ua uma ona matou faapotopotoina i le nuu o Kumora i latou uma ua totoe o lo matou nuu.

6. Ua oo foi ina ua uma ona matou faapotopotoina lo matou nuu uma lava i le mea e tasi i le nuu o Kumora, faauta, o a'u o Mamona, ua amata ona ou toeaina, ona ua ou iloa foi o le toe taua lenei o lo'u nuu, ma ua poloaiina a'u e le Atua aua ou te tuu atu tusi paia sa tuufaasoloina mai e o matou tamā e pāuu i lima o sa Lamanā, (auā e faaumatia ai e sa Lamanā) o le mea lea na ou faia ai lenei tusi nai papatusi a Nifae, ma ua nanā ai i le mauga o Kumora o tusi uma sa tuuina mai e le aao o le Atua, a e na o nei papatusi itiiti ua ou tuuina atu i lo'u atalii o Moronae.

7. Ma ua oo ina iloa atu e lo'u nuu ma a latou avā ma a latou fanau o au a sa Lamanā o loo savavali mai ia te i latou, ona latou faatalitali lea e tetee atu ia te i latou ma lea mata'u tele i le oti e tumu ai loto o i latou uma o ē amioleaga.

8. Ua oo foi ina latou sii mai le taua ia te i matou, ma ua faatumuina loto uma i le matautuia ona ua matua toatele i latou.

9. Ua oo foi ina latou feosofi mai i lo'u nuu ma pelu, ma aufana, ma u fanafana, ma mătau, atoa ma auupega uiga eseese o le taua.

10. Ua oo foi ina taia o'u tagata, ioe, o la'u toasefulu afe sa matou faatasi ma a'u, na ou paū foi i totonu ona ua manu'a; a ua latou sosopo ane ia te au, ua latou le faaiu ai lo'u ola.

11. Ina ua uma ona latou o ane ma taia lo'u nuu uma lava, a e na o le toaluasefulu ma le toafa o i matou, (ua i ai lo'u atalii o Moronae,) ma ua totoe i matou ai lo matou nuu o e ua oti, ma ua uma ona foi atu sa Lamanā i o latou toagalauapi, ua matou vāai atu nai le tumutumu o le mauga o Kumora, ua fasia le toasefulu afe o lo'u nuu na matou mua'au ma a'u.

12. Ma ua matou iloa le toasefulu afe o lo'u nuu na ta'ita'iina e lo'u atalii o Moronae.

13. Faauta foi, ua malaia le toasefulu afe a Kitakitona, ua i ai foi o ia i totonu;

14. Ua malaia foi Lama ma lana toasefulu afe; ua malaia foi Kilikala ma lana toasefulu afe; ua malaia foi Lima ma lana toasefulu afe; ua malaia foi Ioneama ma lana toasefulu afe; ma Kamenaea, ma Moronaea, ma Anetionuma, ma Sepeloma, ma Semu, atoa ma Iosa, ua malaia taitasi ma lana taitoasefulu afe.

15. Ma ua oo ina i ai le isi toasefulu ua malaia i le pelu faatasi ma a latou taitoasefulu afe, ioe, o lo'u nuu uma lava, a e toe na o le toaluasefulu ma le toafa, o e ua matou faatasi ma a'u, atoa foi ma nisi e toaitiiti ua sosola atu i nuu i le itu i saute, ma nisi e toaitiiti na vavae atu i sa Lamanā; ua malaia i latou uma lava, ma ua taatitia i luga o le fogaeleele o latou tino ma ivi ma lo latou toto, auā ua tuulafoaiina i lima o e na fasia i latou, ina ia liu efuefu i luga o le laueleele, ma ia pala ma toe foi atu i lo latou tinā, o le eleele lea.

16. Ua saeia lo'u agaga i le puapuaga ona o e ua fasia o lo'u nuu, ona ou tagi ai lea,

17. E! outou tagata lalelei e, na mafai faapefea ona outou te'a ma ala o le Atua! E! outou ta-

gata lalelei e, na mafai faapefea ona outou teena Iesu, o Le na tu ma ona aao o faaloaloa mai e talia outou!

18. Faauta, ana outou le faia lenei mea, po ua le malaia outou. A e faauta, ua malaia outou ma ua ou faanoanoa ona o lo outou malaia.

19. E! outou atalii ma afafine lalelei e, o outou tamā ma tinā, o outou tane ma avā, o outou tagata lalelei, na mafai faapefea ona malaia outou!

20. A e faauta, ua mavae atu outou, e le mafai foi lo'u fanoanoa ona faafoisia mai outou.

21. E vave mai foi le aso e ofu ai o outou tino oti i tino e le oti, o nei tino foi o loo liu efuefu nei i le pala, e le pine ona liua e fai ma tino e le pala; ona outou tutū lea i luma o le nofoa faamasino o Keriso e tatau ai, e faamasinoina ai e tusa ma a outou galuega; afai e faapea ua amiotonu outou, ona faamanuiaina ai lea outou faatasi ma o outou tamā, o e na muamua atu ia te outou.

22. Se anoa! ana outou salamo a o lei oo mai lenei malaia tele ia te outou! A e faauta, ua mavae atu outou, ma ua silafia a outou amio e le Tamā, ioe, o le Tamā faavavau o le lagi; e faia foi e ia ia te outou e tusa ma lana faamasinoga tonu ma lona alofa.

MATAUPU 7.

Ua ta'utino atu e Mamona i sa Lamanā, o i latou o lo le aiga o Isaraelu—Ua ia lapata'iina i latou ne'i latou tetee i lo latou faaolataga.

1. O lenei foi, faauta, ou te fia fai atu nai upu i ē totoe o lenei nuu o e ua faasaoina, afai e faapea e tuuina atu a'u upu ia te i latou e le Atua, ina ia latou iloa mea a o latou tamā, ioe, ou te tautala atu ia te outou, toe tagata outou o le aiga o Isaraelu; o upu nei ou te fai atu ai:

2. Ia outou iloa o lo le aiga o Isaraelu outou.

3. Ia outou iloa foi e ao ina outou salamo, a leai, e le mafai ona faaolaina outou.

4. Ia outou iloa e ao ina outou lafoai la outou auupega o le taua, ma ia le toe fiafia i le faamasaaina o le toto, ma ia le toe tago i ai, sei iloga e poloai mai ai le Atua ia te outou.

5. Ia outou iloa e ao ina oo mai outou i le iloa lelei ō outou tamā, ma salamo i a outou agasala ma amioletonu uma, ma ia faatuatua ia Iesu Keriso, o ia o le Alo o le Atua, na fasiotia foi o ia e tagata Iutaia, ma ua toe tu mai o ia i le mana o le Tamā, o lea ua ia manumalo ai i le tuugamau, o ia foi ua faaumatia ai le tui o le oti.

6. Ma ua faataunuuina e ia le toe tu mai o e ua oti, ua ao ai ina faatuina tagata e tu i luma o lona nofoa faamasino.

7. Ua ia faataunuuina foi le togiolaina o le lalolagi, o lea, o le ua maua ua le agasala i ona luma i le aso faamasino, e tuuina atu ai ia te ia e nofo i luma o le Atua i lona malo ma le olioli e leai sona iuga, ma pese i viiga e le aunoa faatasi ma le au fai pese i lugā, i le Tamā, ma le Alo, ma le Agaga Paia, o le Atua e tasi lea.

8. O lenei, ina salamo ia ma ia papatisoina i le suafa o Iesu, ma taofi mau le tala lelei ia Keriso e folafolaina atu i o outou luma, e le na o lenei tusi, a o le tusi foi e oo atu i nuu ese nai tagata Iutaia, e oo mai foi lea tusi ia te outou nai nuu ese.

9. Auā faauta, ua tusia lenei tusi ina ia outou talitonu i lena; afai tou te talitonu i lena, tou te

talitonu foi i lenei; afai tou te talitonu i lenei, ona outou iloa ai lea o outou tamā, atoa ma galuega ofoofogia na faia ia te i latou i le mana o le Atua.

10. Ona outou iloa ai lea o toe tagata outou o le fanauga a Iakopo; o lea ua faitaulia ai outou ma le nuu o le feagaiga muamua; afai foi e faapea e talitonu outou ia Keriso, ma papatisoina, muamua i le vai, a e mulimuli i le afi ma le Agaga Paia, e tusa ma le faaa'oa'o o lo tatou Faaola, e tusa foi ma mea ua ia poloaiina ai i tatou, ona lelei lea ia te outou i le aso faamasino. Amene.

MATAUPU 8.

Ua faaumaina e Moronae papatusi a lona tama—Ua maae le taua tele i le mauga o Kumora—O Mamona o se tasi o ē ua fasiotia—Ua avea e sa Lamanā ma fao mea le nuu—E aumaia mai le eleele papatusi a Mamona—O uiga ma mala tetele o le a oo mai i aso e gata ai.

1. Faauta, o a'u o Moronae, ou te faaiu le tusi a lo'u tamā, o Mamona. Faauta, e itiiti mea ua ia te au e tusia, o mea ia foi ua poloaiina ai a'u e lo'u tamā.

2. O lenei foi, ua oo ina ua uma le taua tele ma le matautia i Kumora, faauta, ua tulia e sa Lamanā sa Nifaē o e na sosola atu i le nuu i le itu i saute seia uma ona faaumatia i latou uma.

3. Ua fasia foi lo'u tamā e i latou, a e toe na o a'u lava e tusi le tala faanoanoa i le faafanoga o lo'u nuu. A e faauta, ua mavae i latou, a ou te faataunuuina le poloaiga a lo'u tamā, ou te le iloa pe latou te fasioti ia te au, pe leai.

4. O lea ou te tusia ai le tusi, ma nanā ai i le eleele, ona le afaina lea le mea ou te alu i ai.

5. Faauta, ua faia lenei tusi e lo'u tamā, ma ua tusia lona aogā. Faauta foi, ana lava papatusi ua ia te au, po ua ou tusia ai foi, a ua le lava, e leai foi se maa auro ia te au, auā ua toatasi lava a'u; ua fasia lo'u tamā i le taua, ua faapea foi ma o'u aiga uma, e leai foi ni a'u uo, po o se mea ou te alu i ai; ou te le iloa foi le finagalo o le Atua pe iu afea lo'u olaga.

6. Faauta, ua mavae atu tausaga e fa selau talu le afio mai o lo tatou Alii ma Faaola.

7. Faauta foi, ua tuliloaina lo'u nuu, o sa Nifaē, e sa Lamanā i lea aai ma lea aai, i lea mea ma lea mea, ina seia leai i latou; ua matua tele lo latou malaia; ioe, ua tele ma le ofoofogia le faafanoga o lo'u nuu, o sa Nifaē.

8. Faauta foi, ua faia e le aao o le Atua. Faauta foi, ua tau sa Lamanā o le tasi ma le tasi. Ua i ai pea i le fogaeleele o lenei nuu le fasioti tagata ma le faamasaaina o le toto, e leai foi se na te iloa le iuga o le taua.

9. O lenei foi, faauta, ou te tuu nei le tala ia te i latou, auā e leai se tasi ua ola i luga o le fogaeleele, na o sa Lamanā ma le au fao mea.

10. E leai foi se ua iloa le Atua moni, na o soo o Iesu o e na nonofo i le nuu ina seia faapea ona tele le amioleaga a le nuu ua le mafai ai le Atua ona tuu ia te i latou e faatasi pea ma le nuu; ua le iloa foi e se tasi tagata po ua i ai i latou i luga o le fogaeleele, pe leai.

11. A e peitai, faauta, ua iloa i latou e i maua ma lo'u tamā, ma ua latou auauna mai ia te i maua.

12. Ai sē talia lenei tusi, a e le ta'uleagaina ai ona o pona ua i ai, e iloa e ia o mea e sili i nei mea. Faauta, o a'u o Moronae,

ana mafaia, po ua ou faailoa atu mea uma ia te outou.

13. Faauta, ou te faaiu la'u tala i lenei nuu. O a'u o le atalii o Mamona, o lo le gafa foi o Nifae lo'u tamā.

14. O a'u foi o lē nanā lenei tusi mo le Atua; ua leai se aogā o ona papatusi, ona o le poloaiga a le Atua; auā, e moni, o loo fetalai mai o ia: E leai se na te maua ina ia mau'oa ai; a e tāua tele le tala o loo i ai; e faamanuiaina e le Atua le na te aumai ai i le malamalama.

15. Auā e le mafai ona i ai le mana i se tasi e aumai ai i le malamalama, sei iloga e tuuina atu ai ia te ia e le Atua, auā o le finagalo o le Atua, ia faia ma le manatu atoatoa i lona mamalu ma le manuia o le nuu o le feagaiga a le Atua, o le nuu anamua, ua leva ona faataapeapeina.

16. Amuia le na te aumaia lenei mea i le malamalama, auā e aumaia nai le pouliuli i le malamalama, e tusa ma le afioga a le Atua; ioe, e aumaia nai le eleele, e pupula atu ai foi nai le pouliuli, e oo atu foi ina ia iloa ai e le nuu; e faia foi i le mana o le Atua.

17. Afai ua i ai pona, o pona ia ona o tagata. A e faauta, matou te le iloa se pona. E ui i lea, o loo silafia e le Atua mea uma; o lea, o le na te ta'uleagaina ai, ia faaeteete ia, ne'i nofo sala o ia i le afi o Kēna.

18. O le na te fai mai foi, Ia faaali mai ia te au, a leai e taia oe; ia faaeteete o ia, ne'i poloai o ia i le mea ua faasaina e le Atua.

19. Auā faauta, o le na te faamasino mai ma le saua, e toe faamasinoina atu o ia ma le saua, auā e tusa lona taui ma ana galuega, o lea o le na te ta mai, e toe taia o ia e le Atua.

20. Faauta ua fai mai tusi paia, aua ne'i ta atu se tasi, pe faamasino atu o ia; auā o ia te au le faamasinoga, o loo fetalai mai ai le Atua; o ia te au foi le taui ma sui, ou te taui atu.

21. O le na te mapugatamai foi ile ita ma finau i le galuega a le Atua, ma le nuu o le feagaiga a le Atua, o le aiga o Isaraelu lea, ma fai ane: Tatou te faaumatia le galuega a le Atua, e le toe manatua foi e le Atua lana feagaiga na ia osia ma le aiga o Isaraelu. E nofo sala o ia, e taia ma lafoina i le afi.

22. Auā e alualu pea le finagalo faavavau o le Atua, seia faataunuuina ana folafolaga uma lava.

23. Ina saili ia i valoaga a Isaia. Faauta, ou te le mafai ona tusia ai. Ioe, faauta, ou te fai atu ia te outou, e alalaga atu na tagata paia ua muamua atu ia te au, o e na mau i lenei nuu; ioe, latou te alalaga atu nai le efuefu i le Atua; o loo soifua le Atua, e manatua e ia te feagaiga ua ia osia ma i latou.

24. O loo silafia foi e ia a latou taotaloga ua faia mo latou uso; o loo silafia foi e ia lo latou faatuatua, auā o lona suafa na mafai ai i latou ona aveese mauga, o lona suafa foi na mafai ai i latou ona luluina le lalolagi; o le mana foi o lana afioga na latou faapāuu ai falepuipui i le eleele; ioe, ua le mafai ona faatigaina i latou i le ogāumu aasa, po o manu feai, po o gata uogo, ona o le mana o lana afioga.

25. Faauta foi, na fai foi a latou talotaloga mo lē tuuina atu i ai e le Atua e aumai nei mea.

26. E le aoga ona fai ane se tasi, E le oo mai, auā e oo mai lava, auā ua fetalai mai ai le Atua; auā e oo mai ai mai le eleele i le aao o le Atua, e leai

se na te taofia. E oo mai ai foi i le aso e faapea ane ai tagata, ua mavae vavega; e oo mai ai foi e peiseai ua tautala mai se tasi nai e ua oti.

27. E oo mai ai foi i le aso e alaga atu ai i le Atua le toto o le au paia, ona o pulega faalilo ma le galuega o le pouliuli.

28. Ioe, e oo mai ai i le aso e faafitia ai le mana o le Atua, e faaleagaina foi lotu, e faafefeteina foi i le faamaualuga ō latou loto; ioe, o le aso foi e faafefeteina ai loto o ta'ita'i o lotu ma a'oa'o, e oo lava ina mataua i e o ai i a latou lotu.

29. Ioe, e oo mai ai i le aso e faalogoina ai tala i afi, ma matagi tetele, ma puao o le asu i nuu mamao.

30. E faalogoina foi taua ma tala i taua, ma mafuie i lea mea ma lea mea.

31. Ioe, e oo mai ai i le aso e i ai mea leaga e tele i luga o le fogaeleele; e i ai foi le fasioti tagata, ma gaoi, ma pepelo, ma faa'ole'olega, ma faitaaga, ma mea inosia uma; e fai ane ai foi nisi e toatele, Ia faia lenei, Ia faia lena, e le afaina, auā e ta'uleleia e le Atua o ē faapea i le aso gataaga. A e peitai, oi talofa i ē faapea, auā o i ai i latou i le au oona ma noanoaga o le amioletonu.

32. Ioe, e oo mai ai i le aso e faatuina ai lotu o ē faapea ane: O mai ia ia te au, ona o a outou tupe foi, e faamagaloina a outou agasala.

33. E! outou le nuu amioleaga e, ma le faapiopio, ma le ua mălolo; ua outou faatuina i se a lotu mo outou lava e maua ai oloa? Ua outou faauigaeseina i i se a le afioga paia a le Atua ina ia outou faaoo mai le sala i o outou agaga? Faauta, ina vāai ia outou i faaaliga a le Atua. Auā faauta, e oo ina tatau i lena aso ona faataunuuina ia mea uma.

34. Faauta, ua faaalia mai ia te au e le Atua mea tetele ma le ofoofogia e uiga i mea e tatau ona vave oo mai i le aso e oo mai ai nei mea ia te outou.

35. Faauta, ou te tautala atu ia te outou e peiseai ua tatou faatasi, a e leai. Faauta foi, ua faaalia mai outou ia te au e Iesu Keriso, ou te iloa foi a outou amio.

36. Ua ou iloa foi ua outou savavali ma le faamaualuga ō outou loto; e leai foi se tasi, sei iloga o le toaitiiti lava, ua le faafefeteina i le faamaualuga ō latou loto, ua latou oofu ai i ofu manaia, e iu i le mataua, ma le finauvale, ma faalotoloto, ma sauaga, atoa ma amioletonu eseese; ō outou lotu foi, ioe, ua taitasi ma faaleagaina uma lava, ona o le faamaualugaina o outou loto.

37. Auā faauta, ua sili lo outou naunau i tupe, ma a outou mea uma, ma o outou ofu manaia, ma teuteuga ō outou falesā, ai lo outou alofa i ē matitiva, ma ē le tagolima, ma ē mama'i, ma ē puapuagatia.

38. O outou tagata amioleaga, o outou tagata pepelo, ma outou a'oa'o o ē faatauina atu outou lava i mea e pala' Ua outou faaleaga i se a le ekalesia paia a le Atua? Ua masiasi i se a outou e ave i o outou luga le suafa o Keriso? Tou te le manatu i se a e sili ona tāua le fiafia e le iu, ai lena puapuaga e le mate ona o le viiga o lenei lalolagi?

39. Tou te teuteuina i se a outou i mea e le i ai se ola, a e tuu o ē fia 'a'ai, ma ē matitiva, ma ē le lavalavā, ma ē mama'i ma puapuagatia e o ane, a e le vaai atu outou ia te i latou!

40. Ioe, tou te faatuina i se a

a outou pulega faalilo e maua ai oloa, ma faia mea e faanoanoa ai i luma o le Atua o fafine ua oti a latou tane, ma ia faanoanoa foi i luma o le Atua o e ua mātuaoti, ma ia alalaga atu i le Atua ai le eleele le toto ō latou tamā, ma a latou tane, ina ia tauia ma suia i luga ō outou ulu?

41. Faauta, o loo tautau ifo i ō outou luga le pelu o le taui ma sui; toe itiiti, ona oo mai lea le aso na te tauia ma suia le toto o le au paia i o outou luga, auā na te le toe onosai ona o a latou tagi.

MATAUPU 9.

O le lauga a Moronae i ē le talitonu—O lana molimau e uiga i le Keriso—E ta'ua le gagana a sa Nifaē o le gagana a Aikupito ua faafouina.

1. O lenei foi, ou te tautala atu i ē le talitonu ia Keriso.

2. Faauta, pe tou te talitonu ea i le aso o le asiasiga ia te outou? faauta, pe a afio mai le Atua; ioe, o le aso tele e taataaia ai le lalolagi e pei o se tusi, ma liu suavai foi mea ua fai a'i ina ua mu; ioe, o lena aso tele pe a aumaia outou e tutū i luma o le Tamai Mamoe a le Atua, ona outou fai ane ai lea ea e leai se Atua?

3. Ona outou toe faafiti ai lea ea ia Keriso? Tou te mafaia ea ona vāai atu i le Tamai Mamoe a le Atua! Pe tou te manatu ea tou te nonofo ma ia ma le iloa o a outou agasala? Pe tou te manatu ea e mafai outou ona fiafia e nonofo faatasi ma Lē paia, pe a puapuagaina o outou agaga i le iloa o le agasala ua outou faaleagaina ai ana tulafono i aso uma?

4. Faauta, ou te fai atu ia te outou, e sili ona puapuagaina outou afai e nonofo faatasi ma le Atua paia ua amiotonu ma le iloa o lo outou eleelea i ona luma, ai le puapuagaina o outou i le nonofo faatasi ma agaga ua faasalaina i seoli.

5. Auā faauta, pe a oo ia te outou le iloa o lo outou le lavalavā i luma o le Atua, ma le mamalu o le Atua, ma le paia o Iesu Keriso, e faamu ai i o outou luga le afi e le matineia.

6. O lenei, o outou o ē le faatuatua, ina liliu mai ia outou i le Atua, ia valaau atu ma le faatauanau i le Tamā i le suafa o Iesu, pe mafai ona maua outou i lena aso tele ma le gataaga ua le pona, ma ua mamā, ma lalelei, ma pa'epa'e, ina ua faamamāina i le toto o le Tamai Mamoe.

7. Ou te toe fai atu foi ia te outou o ē faafitia faaaliga a le Atua, ma faapea ane, Ua mavae, e leai ni faaaliga, ma valoaga, ma mea alofa, ma le faamaloloina o ma'i, ma le tautala i gagana eseese, ma le faamatalaga o gagana eseese.

8. Faauta ou te fai atu ia te outou, o lē faafitia nei mea, ua le iloa e ia le tala lelei ia Keriso, ioe, e lei faitauina e ia o tusi paia, afai na faitauina, ua le malamalama ia te ia.

9. Auā ua tatou le faitau ea le upu, e le liliu lava le Atua o ananafi, ma le asō, e oo foi i le faavavau; e le ia te ia se mea faaletumau, po o sina liliu ititi.

10. O lenei foi, afai ua outou manatu ifo mo outou e i ai se Atua faaletumau, ua ia te ia sina liliu itiiti, ua outou manatu ifo mo outou e i ai se Atua e le o le Atua o vavega.

11. A e faauta, ou te faaali atu ia te outou le Atua o vavega, o le Atua lava lea o Aperaamo, o le Atua foi o Isaako, o le Atua foi o Iakopo; o le Atua lava lea

na faia le lagi ma le lalolagi ma mea uma o i ai.

12. Faauta, na ia faia Atamu, o Atamu foi na paū ai tagata. Ona o le paū foi o tagata na afio mai ai Iesu Keriso, o le Tamā ma le Alo lava lea; ona o Iesu Keriso foi ua oo mai ai le togiolaina o tagata.

13. Ona o le togiola o tagata, na oo mai ona o Iesu Keriso, ua faafoisia ai i latou i luma o le Atua, ioe, o le ala lenei ua togiolaina ai tagata uma; auā o le maliu o Keriso ua oo mai ai le toe tu mai, o lea e oo mai ai le togiola ai le moe e le iu, e fagua ai tagata uma lava ai lea moe i le mana o le Atua, pe a ilia le pu, ona latou o mai ai lea, o tagatānuu atoa ma alii, e laulaututū uma i luma o lona nofoa faamasino, ina ua togiolaina ma tatalaina nai lenei noanoaga faavavau o le oti, o lea oti foi, o le oti faaletino.

14. Ona oo mai lea i o latou luga le faamasinoga a Lē paia, ona oo mai ai lea le aso, o le ua eleelea, e eleelea pea o ia; o le ua amiotonu, e amiotonu pea o ia; o le ua fiafia, e fiafia pea o ia; o le foi ua le fiafia, e le fiafia pea o ia.

15. O lenei foi, o outou uma lava o ē manatu ifo ma outou o i ai se Atua e le mafai ona fai vavega, ou te fia fesili atu ia te outou, po ua mavae ea nei mea uma ua ou talatalaina atu? Po ua oo mai ea le iuga? Faauta, ou te fai atu ia te outou, E leai, a ua fai pea le Atua ma Atua o vavega.

16. Faauta, po ua le ofoofogia ea i la tatou vaai o mea ua uma ona faia e le Atua? Ioe, po o ai ea se ua mafai ona iloa le atoaatoa o galuega ofoofogia a le Atua?

17. Po o ai se na te fai ane ua le se vavega, ina ua i ai le lagi ma le lalolagi ona o lana fetalaiga, ma ua faia tagata i le efuefu o le eleele i le mana o lana fetalaiga, ma ua faia vavega i le mana o lana fetalaiga?

18. O ai se na te faapea ane, ua le tele ni vavega tetele na faia e Iesu Keriso? Ua tele vavega foi na faia i lima o le au Aposetolo.

19. Pe afai ua i ai vavega na faia i aso na, e le tumau i se a le Atua e fai ma Atua o vavega, a e fai pea ia ma Lē le liliu? Faauta foi, ou te fai atu ia te outou, e le liliu o ia; afai e liliu, e le tumau o ia e fai ma Atua, a e peitai, e tumau pea o ia e fai ma Atua, o le Atua foi o vavega.

20. O le mea ua ia le fai pea ai vavega i le fanauga a tagata, auā ua latou le faatuatua, ma ua o ese ai le ala tonu, ma ua le iloa le Atua, o Lē tatau ona latou faalogologo i ai.

21. Faauta, ou te fai atu ia te outou, ai sē faatuatua ia Keriso ma le le masalosalo, o mea uma na te ole atu ai i le Tamā i le suafa o Keriso, e foaiina atu ai ia te ia; ua i tagata uma lenei mea ua folafolaina e oo lava i tuluiga o le lalolagi.

22. Auā faauta, o loo faapea ona fetalai mai Iesu Keriso, le Alo o le Atua, i ona soo o ē nonofo, ioe, atoa ma ona soo uma, na faalogo i ai foi le motu o tagata: O atu ia outou i le lalolagi, ina tala'i atu ai le tala lelei i tagata uma lava,

23. O lē faatuatua ma papatisoina, e faaolaina ia; a o lē le faatuatua, e faasalaina ia.

24. E mulimuli atu foi nei faailoga i ē faatuatua: o lo'u igoa latou te tulia ai temoni, e tautala i latou i gagana fou, e fetagofi i latou i gata, afai foi latou te inu se mea e oti ai, latou te le

afaina ai lava; e faaee atu foi o latou lima i luga o ē mama'i ma faamaloloina i latou.

25. Ai sē faatuatua i lo'u igoa ma le le masalosalo, ou te faamaonia a'u upu uma ia te ia, e oo lava i tuluiga o le lalolagi.

26. O lenei foi, faauta, o ai se ua mafai ona tetee atu i galuega a le Atua? O ai se na te mafai ona faafitia ana fetalaiga? O ai sē fouvale i le mana o le Atua e ona le malosi uma? O ai sē 'ino'ino i galuega a le Atua? O ai sē 'ino'ino i le fanau a Keriso? Faauta, o outou uma o ē 'ino'ino i galuega a le Atua, tou te taufaiofo ma fano.

27. O lea aua le 'ino'ino ai, aua foi le taufaiofo, a ia faalogo i le afioga a le Atua, ma ia ole atu i le Tamā i le suafa o Iesu i mea uma tou te matitiva ai; aua ne'i masalosalo, a ia faatuatua, ma ia amata e pei o anamua, ma ia o mai i le Atua ma o outou loto atoa, ma ia galulue ma le mata'u, ma le gatete i ona luma, ina ia outou ola ai.

28. Ia popoto outou i aso ō outou olaga, ia lafoaiina ia te outou mea eleelea uma; aua le ole atu i se mea ina ia outou faauma ai i o outou tuinanau, a ia ole atu ma le le mafaagaeetia, ina ia le gauai atu outou i le tofotofoga, a e auauna atu outou i le Atua moni, o Lē soifua.

29. Ia outou, ne'i papatisoina outou ma le faaletatau; ia outou, ne'i fetagofi outou i le faamanatuga o Keriso ma le faaletatau; a ia outou faia mea uma ma le tatau, ma ia faia foi i le suafa o Iesu Keriso, le Alo o le Atua soifua. Afai tou te faia lenei mea ma tumau e oo i le gataaga, e le tulia lava outou i fafo.

30. Faauta, ou te tautala atu ia te outou e peiseai ua ou tautala atu nai e ua oti, auā ou te iloa tou te faalogo i a'u upu.

31. Aua ne'i outou ta'uleagaina a'u ona o o'u sesē; po o lo'u tamā ona o sona sesē, po o i latou o e na tusitusi muamua ia te ia, a e sili ona ia avatu le faafetai i le Atua ina ua faaalia mai e ia ia te outou o matou sesē, ina ia a'oa'oina ai outou ia sili ona popoto ia i matou.

32. O lenei foi, faauta, ua matou tusia lenei tusi e tusa ma lo matou poto i mataitusi ua ta'ua e i matou o le gagana a Aikupito ua faafouina, ua tuufaasoloina mai ia te i matou, ma ua faaliliuina e i matou e faatatau i la matou gagana.

33. Ana lava le lautele o a matou papatusi, po ua matou tusia i le gagana a Eperu; a ua faaliliuina foi e i matou le gagana a Eperu. Ana mafai ona matou tusitusi i le gagana a Eperu, faauta, po ua le ponā ia te outou la matou tusi.

34. A e peitai, ua silafia e le Atua mea ua matou tusia, ma ua le iloa e se tasi nuu la matou gagana, o lea ua saunia ai e ia mea e faamatala a'i.

35. Ua tusia foi nei mea, ina ia matou faamamāina o matou ofu i le toto ō matou uso o e ua le faatuatua.

36. Faauta foi, o nei mea ua matou mananao mai i o matou uso, ioe, o le toefaatuina o i latou i le malamalama o Keriso, ua tusa ma talotaloga a le au paia uma o e na nonofo i le nuu.

37. Ia alofa le Alii o Iesu Keriso, ina ia talia a latou talotaloga e tusa ma lo latou faatuatua; ia manatua foi e le Atua, le Tamā, le feagaiga ua ia osia ma le aiga o Isaraelu; ia faamanuiaina foi i latou e ia e faavavau, ona o le faatuatua i le suafa o Iesu Keriso. Amene.

O LE TUSI A ETERU.

O le tala i le aiga o sa Iaretō na maua mai i papatusi e lua sefulu ma le fa sa maua e tagata o Limae i aso o le tupu o Mosaea.

MATAUPU 1.

O le gafa o le perofeta o Eteru —O le olo tele—O Iareto ma lona uso—E le'i faaeseeseina a laua agana—Ua saunia mo le malaga e pei ona faatonuina e le Alii.

1. O lenei foi, o a'u o Moronae,
ou te tusia nei le tala i na tagata
anamua, o e ua faaumatia i le
aao o le Atua i luga o le fogaeleele o lenei nuu i le itu i matu.
2. Ou te maua foi la'u tala i
papatusi e luasefulu ma le fa na
maua e le nuu o Limae, ua ta'ua,
O le Tusi a Eteru.
3. Ona ua ou manatu o i tagata Iutaia le vaega muamua o
lenei tusi, ua faamatalaina ai le
foafoaga o le lalolagi, atoa ma le
faiga o Atamu; e i ai foi le tala
e afua i na ona aso, a e oo i le
'olo tele, atoa ma mea uma lava
ua taunuu i le fanauga a tagata,
seia oo i lena aso;
4. O le mea lea ou te le tusia
ai na mea na taunuu, e afua i
ona po o Atamu e oo i lena aso;
a e peitai, e i ai i papatusi; e i
ai foi le mana i lē maua ai, na te
mafai ona maua ai le tala atoatoa.
5. A e faauta, ou te le tusia le
tala atoatoa, a ou te tusia le
vaega o le tala, e afua i le 'olo,
a e oo lava ina seia faaumatia i
latou.
6. E faapenei foi ona ou tusia
le tala: O le na tusia lenei tusi, o
Eteru lea, o lo le gafa o Korianetoa o ia.
7. O Korianetoa o le atalii o
Morona;
8. O Morona o le atalii o Etema;
9. O Etema foi o le atalii o
Asa;
10. O Asa foi o le atalii o Setu;
11. O Setu foi o le atalii o
Sepelona;
12. O Sepelona foi o le atalii
o Komi;
13. O Komi foi o le atalii o
Korianetumu;
14. O Korianetumu foi o le atalii o Aminikata;
15. O Aminikata foi o le atalii
o Arona;
16. O Arona foi o lo le gafa o
Hetu, o le atalii ia o Heatoma;
17. O Heatoma foi o le atalii o
Lipi;
18. O Lipi foi o le atalii o Kiso;
19. O Kiso foi o le atalii o
Koruma;
20. O Koruma foi o le atalii o
Levi;
21. O Levi foi o le atalii o
Kimo;
22. O Kimo foi o le atalii o
Morianetona;
23. O Morianetona foi o le gafa
o Ripelakiso;
24. O Ripelakiso foi o le atalii
o Sesa;
25. O Sesa foi o le atalii o
Hetu;
26. O Hetu foi o le atalii o
Komi;
27. O Komi foi o le atalii o
Korianetumu;
28. O Korianetumu foi o le atalii o Emera;
29. O Emera foi o le atalii o
Omera;

30. O Omera foi o le atalii o Sule;
31. O Sule foi o le atalii o Kipi;
32. O Kipi foi o le atalii o Oraea, o le atalii ia o Iareto;
33. O lea Iareto foi na latou o mai ma lona uso, ma o la aiga, ma nisi foi tagata ma o latou aiga nai le ʻolo tele i le aso na faaeseeseina ai le gagana a le nuu e le Atua, ma na tauto i lona toasa e faataapeapeina i latou i luga o le fogaeleele uma; e tusa foi ma le afioga a le Atua na faataapeapeina le nuu.
34. O le uso o Iareto, o le tagata tino ese ia ma le malosi; o le tagata foi ua alofagia tele e le Atua, auā na fai ane Iareto, lona uso, ia te ia: Valaau atu ia i le Atua, ina ia le faaleoeseeseina e ia i taua ia le lagona ai e le tasi le upu a le tasi.
35. Ua oo foi ina valaau atu le uso o Iareto i le Atua, ma ua mutimutivale le alofa o le Atua ia Iareto; o lea na na le faaeseeseina ai le gagana a Iareto, ma ua le faaleoeseeseina Iareto ma lona uso.
36. Ona fai ane ai lea o Iareto i lona uso: Ina toe valaau atu ia i le Atua, ai lava na te liliueseina lona toasa ia te i latou o e ua fai ma uo ia te i taua, ina ia le faaeseeseina la latou gagana.
37. Ua oo ina valaau atu le uso o Iareto i le Atua, ma ua mutimutivale le alofa o le Atua i a laua uo, ma o latou aiga foi, ma ua le faaleoeseeseina i latou.
38. Ua oo foi ina toe fai ane Iareto i lona uso, ua faapea atu: Ia e alu atu ma fesili i le Atua, pe na te tulieseina i tatou ai le nuu; afai na te tulieseina i tatou ai le nuu, ia fesili atu ia te ia, po o ifea le mea tatou te o i ai. O ai se na te iloa pe le taʻitaʻiina atu i tatou e le Atua i le nuu ua sili ona lelei i le lalolagi uma. Afai e faapea, sei tatou faamaoni i le Atua, ina ia tatou maua ai mo tatou tofi.
39. Ua oo foi ina valaau atu le uso o Iareto i le Atua e tusa ma upu na fai ane i le fofoga o Iareto.
40. Ua oo foi ina faafofoga le Atua i le uso o Iareto, ma ua mutimutivale lona alofa ia te ia, ma ua fetalai mai ai o ia ia te ia.
41. Ina alu atu ia ma faapotopoto faatasi au lafu eseese, o manu poa ma manu fafine; atoa ma fatu o ituaiga uma o le lalolagi; ma ou aiga; atoa foi ma Iareto, lou uso, ma lona aiga; atoa ma au uo ma o latou aiga; atoa foi ma uo a Iareto ma o latou aiga.
42. A uma ona e faia lenei mea, ia e taʻitaʻi ifo i latou i le vanu i le itu i matu. Ona ta fetaiai lea i lea mea, ou te muamua atu ia te oe i le nuu ua sili ona lelei i le laueleele uma o le lalolagi.
43. Ou te faamanuia ia te oe ma lau fanau i lea mea, ma faatupuina ia te au le nuu tele i lau fanau, ma le fanau a lou uso, atoa ma i latou tou te o faatasi ai. E leai se nuu i le lalolagi uma e sili i le nuu ou te faatupuina i lau fanau. E faapea ona ou faia ia te oe, auā ua leva ona e tagi mai ia te au.

MATAUPU 2.

I le vanu o Nimerota—O le tesereta po o le lago meli—Ua toe talatala le Alii ma le uso o Iareto—O le poloaʻiga a le Atua e uiga i le nuu folafolaina—O le nuu o Morianekumeri—Ua fausia vaa.

1. Ua oo foi ina latou o ifo, o Iareto ma lona uso, ma o laua aiga, atoa ma uo a Iareto ma lona uso, ma o latou aiga, faatasi ma a latou lafu na latou faapotopotoina, o manu poa ma manu fa-

fine o ituaiga uma, i le vanu i le itu i matu, (o le igoa o le vanu o Nimirota, ua faaigoaina i le igoa o le tagata na malosi i tuli manu.)

2. Na latou fai sele ma seu ai manu felelei, na latou saunia foi le vaa e ave ai ma i latou i'a o le vai.

3. Na latou ave foi ma i latou teseret, o lona uiga pe a faamatalaina, o le lago meli; o lea na latou ave ai ma i latou o pusa lagomeli, ma fatu o ituaiga uma o mea uma lava i luga o le fogaeleele.

4. Ma ua oo ina ua uma ona latou o ifo i le vanu o Nimirota, ua afio mai le Atua ma ua la fetautalatalai ma le uso o Iareto; sa i ai foi o ia i le ao, a ua le iloa o ia e le uso o Iareto.

5. Ua oo foi ina poloai mai le Atua ia te i latou, ia latou o atu i le vao, ioe, i le mea e lei iloa e tagata. Ma ua oo ina muamua atu le Atua i o latou luma, ma na tautala ma i latou, a o tu o ia i le ao, ma na faasino mai itu latou te malaga i ai.

6. Ua oo foi ina latou malaga atu i le vao ma ua faia vaa, na latou malaga ai i vai e tele, ua ta'ita'iina pea i latou e le aao o le Atua.

7. Ua le mafai foi le Atua ona tuu ia te i latou e nonofo i le vao i lena itu o le vasa, a o lona finagalo ia o mai i latou i le nuu ua folafolaina, ua sili ona lelei i nuu uma lava, ua faasaoina e le Alii, le Atua, mo le nuu amiotonu.

8. Na ia tauto foi i le uso o Iareto i lona toasa, o i latou uma o ē nonofo i lenei nuu, e afua i lena aso a e oo i le faavavau, e ao ina latou auauna atu ia te ia, o le Atua e toatasi ma le faamaoni ia; a leai, e tafiesea i latou pe a oo ia te i latou le atoatoa o lona toasa.

9. O lenei foi, tatou te iloa poloaiga a le Atua e uiga i lenei nuu, o le nuu ua folafolaina; e tatau ona auauna atu i le Atua o nuu uma o ē nonofo ai, a leai, e tafiesea i latou pe a oo ia te i latou le atoatoa o lona toasa. Pe a atoatoa la latou amioletonu, ona oo mai ai lea le atoatoa o lona toasa ia te i latou;

10. Auā faauta, ua sili ona lelei lenei nuu i nisi nuu uma lava, o lea e auauna atu ai i le Atua lē mau ai, a leai, e tafiesea o ia; auā o le poloaiga faavavau lena a le Atua. E le tafieseina i latou, seia oo mai i le fanauga a le nuu le atoatoa o le amioletonu.

11. E! outou nuu ese e, e oo atu ia e outou lenei mea, ina ia outou iloa poloaiga a le Atua, ina ia outou salamo, a e le tutumau i a outou amioletonu seia oo mai le atoatoa, ina ia outou le faatotō ifo le atoatoa o le toasa o le Atua i o outou luga, e pei ona faia e tagata o le nuu i aso ua mavae.

12. Faauta, ua sili ona lelei lenei laueleele; o nuu uma foi o ē nonofo ai, e saoloto i latou ai le nofopologa ma le tafeaga, e saoloto foi nai nisi nuu uma i lalo o le lagi, pe afai latou te auauna atu i le Atua o le nuu, o ia foi o Iesu Keriso, o Le ua faaalia mai i mea ua matou tusia.

13. O lenei foi, o le a alu atu la'u tala, auā faauta, ua oo ina aumaia e le Atua o Iareto ma ona uso i lena vasa tele o loo vaevae ai nuu. Ina ua oo atu i latou i le vasa, ua latou faatuina o latou fale ie; ua latou faaigoaina foi le nuu ia Morianekumeri. Ua latou nonofo i fale ie. Ua latou nonofo i fale ie i le matafaga i tausaga e fa.

14. Ua oo i le iuga o tausaga e fa, ona toe afio mai lea le Atua i le uso o Iareto, ma ua tu i le

ao, ma ua la tautala ma ia. Ua atoa ituaso e tolu na tautala ai le Atua ma le uso o Iareto, ma ua aoai mai ia te ia, auā ua le manatua e ia e valaau atu i le suafa o le Atua.

15. Ma ua salamo le uso o Iareto i le agasala na na faia, ma ua valaau atu foi i le suafa o le Atua ona o ona uso, o e ua faatasi ma ia. Ona fetalai mai lea le Atua ia te ia: Ou te faamagaloina atu ia te oe ma ou uso i a latou agasala; a e aua e te toe agasala, auā ia outou manatua, e le faavavau ona finau lo'u Agaga ma tagata; o lea afai tou te agasala seia atoatoa la outou agasala, e vavaeeseina outou i luma o le Atua. O o'u manatu ia i le nuu ou te tuuina atu ia te outou e fai mo outou tofi, auā e fai ma nuu e sili i nisi nuu uma.

16. Ona fetalai mai lea le Atua: Ina faasaga ia ma fau vaa e uiga faatasi ma vaa ua uma ona outou fausia. Ua oo foi ina faasaga atu le uso o Iareto ma ona uso, ma ua fau vaa e uiga faatasi ma vaa ua uma ona latou fausia, e tusa ma fatonuga a le Atua. Ua laiti, ma ua māmā i luga o le vai, e pei ona māmā se manu lele i luga o le vai.

17. Ua faapea ona fausia ai ua matua malu lava, e pei o se ipu e tuu ai vai: ua malu foi le liu, e pei o se ipu; o itu foi ua malu e pei o se ipu; o pito vaa foi ua faamaamaai; ua malu foi le fogavaa, e pei o se ipu; ua uumi e tusa ma le umi o se laau; ina ua pupuni foi le faitotoa, ua malu e pei o se ipu.

18. Ua oo foi ina valaau atu le uso o Iareto i le Atua, ua faapea atu: Le Atua e, ua ou faia le galuega na e poloaiina ai a'u, ua ou faia foi vaa e pei ona e fetalai mai ia te au.

19. Silasila mai, le Atua e, e le o i ai se malamalama, po o ifea le mea matou te uli ai? E fano i matou, auā e le mafai ona matou mānava, auā e le mafai ona sau i ai le savili, a e gata i le savili o i ai nei, o lea e fano ai i matou.

20. Ona fetalai mai lea le Atua i le uso o Iareto: Faauta, ia e faia le pu i le fogavaa atoa ma lona liu; pe a faigata ona mānava, ona e faaavanoa ai lea le faitotoa e maua ai le savili; afai e laai mai le suasami i o outou luga, faauta, ona e punitia ai lea le pu, ina ia le fano outou i le suasami.

21. Ua oo foi ina faapea ona faia e le uso o Iareto, e pei ona poloaiina o ia e le Atua.

22. Na ia toe valaau atu foi i le Atua, ua faapea atu: Le Atua e, ua e silafia ua uma ona ou faia e pei ona e poloaiina ai a'u, ma ua ou saunia ia vaa mo lo'u nuu, a ia e silasila mai, e leai se malamalama. Silasila mai, le Atua e, e te tuuina mai ea ia te i matou e o atu i le isi itu o lenei vasa tele i le pouliuli?

23. Ona fetalai mai ai lea le Atua i le uso o Iareto: Po o le a se mea tou te loto i ai ou te faia, ina ia ia te outou le malamalama i o outou vaa? Auā faauta, e le mafai ona outou faia faamalama, auā e nutililiia; tou te le ave foi se afi ma outou, auā tou te le o i le malamalama o le afi;

24. Auā faauta, e pei o se i'a manu outou i totonu o le moana; auā e fafati mai peau e pei o mauga i o outou luga. E ui i lea, ou te toe avae outou nai totonu o le moana; auā ua uma ona o atu matagi ai lo'u gutu, atoa ma uaga ma tafega ua ou aauina atu.

25. Faauta, ua ou saunia outou, ina ia le afaina ai lava outou i nei mea; auā tou te le ma-

fai ona o atu i le isi itu o lenei moana sausau, sei iloga ou te saunia outou ina ia le afaina lava outou i peau o le moana, ma matagi ua uma ona o atu, ma tafega e oo mai. O lenei, po o le a le mea tou te loto i ai ou te faia mo outou, ina ia ia te outou le malamalama pe a i ai outou i totonu o le moana?

MATAUPU 3.

O le tamatama'i aao o le Alii —Ua faaali mai e Iesu Keriso o ia lava i la le agaga i le uso o Iareto—O maa ua faapupulaina —O mea e faaliliu ai tusi—O le tala tusia ua faamaufaailogaina.

1. Ua oo foi ina alu atu le uso o Iareto, (o lenei, e valu vaa, o le faitau aofai lea o vaa na saunia,) i le mauga ua ta'ua e i latou o Selema, ona o lona maualuga tele, ma na gaosia mai le papa o maa laiti e sefulu ma le ono; ua papa'e ma ua manino e pei o le tioata manino; na ia ave ai foi i ona lima i le tumutumu o le mauga, ona toe valaau atu lea o ia i le Atua, ua faapea atu:

2. Le Atua e, na e fetalai mai e siosiomia i matou i tafega. O lenei, silasila mai, le Atua e, aua e te toatamai mai i lau auauna ona o lona vaivai i ou luma, auā ua matou iloa e paia lau afio, ma ua e afio i le lagi, ua faaletusa i matou i ou luma; ona o le paū, ua leaga pea i matou; e ui i lea, le Atua e, ua e tuuina mai ia te i matou le poloaiga, e tatau ona matou valaau atu ia te oe, ina ia maua e i matou mai ia te oe e tusa ma o matou manao.

3. Silasila mai ia, le Atua e, ua e taia i matou ona o la matou amioletonu, ma ua tulieseina i matou, o ia tausaga e tele foi ua i ai i matou i le vao; e ui i na mea, ua e finagalo alofa ia te i matou; le Atua e, ia e silasila mai ia te au ma lou alofa, ma ia liliu ese lou toasa i lou nuu nei, aua foi e te tuu mai ia te i latou e o atu i le isi itu o lenei moana tele i le pouliuli, a ia e silasila i nei mea ua ou gaosia mai i le papa.

4. Ua ou iloa, le Atua e, e ia te oe le mana uma, e te mafaia mea uma e te finagalo i ai ina ia manuia tagata; o lea ia e totoo ane ai i nei maa, le Atua e, ma lou tamatamai aao, ma ia saunia ina ia pupula atu i le pouliuli; ona pupula mai ai lea ia te i matou i vaa ua matou saunia, ina ia i ai ia te i matou le malamalama pe a matou malaga atu i lena itu o le moana.

5. Silasila mai, le Atua e, e te mafaia lenei mea. Ua matou iloa e te mafai ona faailoa mai le mana tele, a e faatauvaa i le manatu o tagata.

6. Ma ua oo ina ua uma ona fai atu e le uso o Iareto nei upu, faauta, ua faaloaloa mai e le Atua lona aao, ma ua totoo ane i maa taitasi ma lona tamatamai aao; ma ua aveeseina le ufimata i mata o le uso o Iareto, na ia iloa ai le tamatamai aao o le Atua, ma ua pei o le tamatamai lima o le tagata, e pei o le aano ma le toto; ona faapaū ai lea le uso o Iareto i luma o le Atua, auā ua taia o ia i le mata'u.

7. Ua silafia e le Atua ua faapaū i le eleele le uso o Iareto; ona fetalai mai lea le Atua ia te ia: Ina tulai ia, se a le mea ua e faapaū ai?

8. Ona faapea atu ai lea o ia i le Atua: Na ou iloa le tamatamai aao o le Atua, ona ou fefe ai lea, ne'i taia a'u e ia, auā na ou vaai atu ua i ai i le Atua le aano ma le toto.

9. Ona fetalai mai lea le Atua ia te ia: Ona o lou faatuatua, ua

e iloa ai e oo ina ofu a'u i le aano ma le toto; e lei sau ia te au se tasi tagata e pei ona e sau ai ma le faatuatua e faapena ona matua tele; auā ana le faapea, po ua le mafai ona e iloa lo'u tamatamai lima. Na e vaaia ea se tasi mea?

10. Ona tali atu ai lea o ia: E leai. Le Atua e, faaali mai ia lau afio ia te au.

11. Ona fetalai mai ai lea le Atua ia te ia: E te talitonu ea i upu ou te fai atu?

12. Ua tali atu o ia: Ioe, le Atua e, ou te iloa ua e fetalai mai le upu moni, auā o oe o le Atua o le faamaoni, ma ua le mafai ona pepelo.

13. Ua fai atu o ia nei upu, faauta, ona faailoa mai lea le Atua ia te ia, ma ua fetalai mai: Ona ua e iloa nei mea, ua togiolaina oe ai le paū, o le mea lea ua faafoisia mai ai oe i o'u luma, o lea foi ou te faaali atu ai a'u ia te oe.

14. Faauta, o a'u o le na saunia talu le faavaeina o le lalolagi e togiolaina lo'u nuu. Faauta, o a'u o Iesu Keriso. O a'u o le Tamā ma le Atalii. O a'u e maua ai e tagata uma le malamalama, e faavavau foi lea, o i latou lava o ē faatuatua i lo'u igoa, e avea foi i latou mo'u atalii ma o'u afafine.

15. Ou te lei faaali atu foi a'u i tagata ua ou faia, auā e lei faatuatua mai ia te au se tasi tagata e pei o oe. Ua e vaai mai ea ua faia oe e foliga ia te au? Ioe, na faia tagata uma i le amataga e foliga ia te au.

16. Faauta, o lenei tino ua e vaai i ai, o le tino lea o lo'u agaga. Ua ou faia foi tagata i le faatusa o le tino o lo'u agaga, e pei ona ou tino atu ia te oe i le agaga, e faapea lava ona ou tino atu i lo'u nuu i le tino.

17. O lenei foi, o a'u o Moronae, e pei ona ou fai atu, ou te le mafai ona faia le tala atoatoa i nei mea ua tusia, o lea ua lava ai ia te au ona ou fai atu, na faaalia mai e Iesu o ia lava i lenei tagata i le agaga, i le foliga ma le faatusa o le tino, e pei lava ona faaalia o ia i sa Nifaē.

18. Na ia auauna mai foi ia te ia, e pei ona auauna o ia i sa Nifaē; ua faia nei mea uma ina ia iloa e lenei tagata o ia o le Atua, ona o galuega tetele na faaalia mai e le Atua ia te ia.

19. Ona o le malamalama o lenei tagata, ua le mafai ona taofia mai o ia ina ia le vaai o ia i tua o le ufimata; na ia iloa foi le tamatamai aao o Iesu; ina ua ia iloa ai, ua faapaū o ia ma le fefe; auā na ia iloa o le tamatamai aao o le Atua, ua le toe ai ia te ia le faatuatua, auā ua mautinoa o ia, ua le masalosalo i se mea e tasi.

20. O lenei, ona ua ia te ia lenei malamalama atoatoa i la le Atua, ua le mafai ona taofia ai o ia ai tua o le ufimata, o lea na ia vaai atu ai ia Iesu, na auauna mai foi o ia ia te ia.

21. Ua oo foi ina fetalai mai le Atua i le uso o Iareto: Faauta, aua nei e tuuina atu i le lalolagi o nei mea ua e vaaia ma faalogoina, seia oo mai le aso ou te faamamaluina ai lo'u igoa i le tino; o lea ia e teuteu ai nei mea ua e vaaia ma faalogoina, aua foi le faaalia i se tasi tagata.

22. Faauta foi, pe a e sau ia te au, e te tusi ma faamaufaailogaina ai, ina ia le faamatalaina e se tasi; auā e te tusia i le gagana e le mafaitaulia.

23. Faauta foi, ou te tuuina atu nei maa e lua ia te oe, e te faamaufaailogaina ai foi faatasi ma mea e te tusia.

24. Auā faauta, ua ou faaeseeseina le gagana e te tusi ai. O

le aso foi ou te loto i ai, e faamalamalamaina ai i nei maa i le vaai a tagata o nei mea ua tusia.

25. Ina ua uma ona fetalai mai e le Atua nei upu, ua faaali e ia i le uso o Iareto o tagata uma lava o le lalolagi, o e na ola mai atoa ma i latou e ola mai atalī; ma ua le natia e ia i latou ai lana vaai e oo i le iuga o le lalolagi.

26. Auā na ia fetalai mai ia te ia i aso ua mavae: Afai e faatuatua o ia ia te ia, na te mafaia ona faaali ia te ia mea uma lava, ona faaali ai lea ia te ia; o lea na le mafai ai le Atua ona natia se mea e tasi ia te ia, auā ua iloa e ia e mafai le Atua ona faaali mea uma lava ia te ia.

27. Ma ua fetalai mai le Atua ia te ia: Ia e tusia nei mea ma faamaufaailogaina ai, ou te faaali ai foi i le fanauga a tagata i le aso ou te loto i ai.

28. Ua oo foi ina poloaiina o ia e le Atua, na te faamaufaailogaina maa e lua na ia maua, aua foi le faaalia, seia faaalia ai i le fanauga a tagata e le Atua.

MATAUPU 4.

Ua poloa'iina le uso o Iareto na te tusitusi—O le apoapoa'iga ma le loto momomo a Moronae—E fetuuina ē e finau e tetee atu i le afioga a le Alii—Soo se mea lava e tauanau tagata ia faia mea lelei, e mai le Atua lena mea.

1. Ua poloai mai le Atua i le uso o Iareto, ia alu ifo nai le mauga ai luma o le Atua, ma tusi mea na ia vaaia, ma ua faasaina ina ia le oo atu ai i le fanauga a tagata, seia uma ona siitia o ia i le satauro; auā o le mea lea na tausia ai e le tupu o Mosaea, ina ia le oo atu ai i le lalolagi, seia uma ona faaalia e Iesu o ia lava i lona nuu.

2. Ua uma ona faaalia e Iesu o ia i lona nuu, ona poloai mai lea o ia ia faaalia nei mea.

3. O lenei, ina ua oo ina le faatuatua i latou uma, ma ua leai se tasi, a e na o sa Lamanā, ma ua latou teena le tala lelei a Keriso, o lea na poloaiina ai a'u ou te toe natia ia mea i le eleele.

4. Faauta foi, ua ou tusia i nei papatusi mea na vaaia e le uso o Iareto; e lei faaalia mai foi mea e sili i mea na faaalia i le uso o Iareto.

5. O le mea lea na poloaiina ai a'u ou te tusi ai, ma ua ou tusia. Na ia poloaiina foi a'u ou te faamaufaailogaina ai, na na poloaiina foi a'u ou te faamaufaailogaina lona faamatalaga; o lea ua ou faamaufaailogaina ai mea e famatala a'i, e tusa ma le poloaiga a le Atua.

6. Auā na fetalai mai le Atua ia te au e le oo atu ai i nuu ese, seia oo i le aso latou te salamo ai i la latou amioletonu ma faamamāina i luma o le Atua.

7. O lea aso foi latou te faatuatua mai ai ia te au, o loo fetalai mai ai le Atua, e pei ona faia e le uso o Iareto, ina ia faapaiaina i latou ia te au, ona ou faaali atu ai lea ia te i latou o mea na vaaia e le uso o Iareto, e oo ina folafolaina atu ia te i latou o a'u faaaliga uma lava, o loo fetalai mai ai Iesu Keriso, le Alo o le Atua, o le Tamā o le lagi ma le lalolagi ma mea uma o i ai.

8. O le na te finauvale foi e tetee atu i le afioga a le Atua, ia anatema ia; o le na te faafitia nei mea, ia anatema ia; auā ou te le faaali atu ia te i latou o mea e sili, o loo fetalai mai ai Iesu Keriso, auā o a'u o Lē tautala atu.

9. O la'u poloaiga foi e faaavanoaina ma punitia ai le lagi; o la'u upu e luluina ai le lalolagi;

o la'u poloaiga foi e mavae atu ai ona tagata, e peiseai ua mavae atu i le afi.

10. O lē le talitonu i a'u upu, e le talitonu o ia i o'u soo; afai e faapea ou te le tautala atu, ina faamasino ia outou, auā e iloa e outou i le aso gataaga, o a'u o Lē tautala atu.

11. A e peitai, o lē talitonu i nei mea ua ou fai atu ai, ou te asiasi atu ia te ia i faaaliga o lo'u agaga, e iloa foi e ia ma molimau ai. Auā ona o lo'u agaga na te iloa ai ua moni nei mea; auā e faaoleole ai i tagata ia fai le amiolelei.

12. O mea uma foi e faaoleole i tagata e fai le amiolelei, mai ia te au lea; auā e le alu atu le lelei mai se tasi, na o a'u. O a'u nei foi o Lē ta'ita'iina tagata i le lelei uma lava; o lē le talitonu i a'u upu, e le talitonu o ia ia te au, o a'u o Lē ola; o lē le talitonu ia te au, e le talitonu foi o ia i le Tamā, Le na auina mai a'u. Auā faauta, o a'u nei o le Tamā, o a'u nei o le malamalama ma le ola ma le upu moni a le lalolagi.

13. O mai ia ia te au, outou nuu ese e, ou te faailoa atu foi ia te outou mea sili, o le malamalama lea ua natia ona o le le faatuatua.

14. O mai ia ia te au, outou le aiga o Isaraelu e, ona faailoaina ai lea ia te outou o mea e tele ua teuteuina e le Tamā mo outou talu le faavaeina o le lalolagi; ua le oo atu foi ia te outou ona o le le faatuatua.

15. Faauta, pe a saeluaina e outou lena ufimata o le le faatua tua ua faatumauina ai outou i la outou amioleaga tele, ma le maaa o le loto, ma le tauaso o le manatu, ona faailoaina ai lea ia te outou o mea tetele ma le ofoofogia sa natia ia te outou talu le faavaeina o le lalolagi; ioe, pe a outou valaau atu i le Tamā i lo'u igoa ma le loto momomo ma le agaga salamo, ona outou iloa ai lea ua manatua e le Tamā le feagaiga na na osia ma o outou tamā, le aiga o Isaraelu e.

16. Ona folafolaina atu ai lea i luma o tagata uma lava o a'u faaaliga na ou poloaiina ai la'u auauna o Ioane na te tusia. Ia outou manatua pe a outou vāai i nei mea, ona outou iloa ai lea ua latalata le aso e faailoaina atu ai ma le faamaoni.

17. O lea foi, pe a outou maua lenei tusi, tou te iloa ai ua amataina le galuega a le Tamā i le lalolagi uma.

18. O le mea lea ia salamo ai outou tuluiga uma o le lalolagi, ma o mai ia te au, ma faatuatua i la'u tala lelei, ma ia papatisoina i lo'u igoa, auā o lē faatuatua ma papatisoina, e faaolaina ia; a o lē le faatuatua, e faasalaina ia; e mulimuli atu foi faailoga i ē faatuatua i lo'u igoa.

19. Amuia foi le ua maua i le aso gataaga ua faamaoni i lo'u igoa, auā e faaeaina o ia e nofo i le malo ua saunia mo ia talu le faavaeina o le lalolagi. Faauta foi, o a'u o Le ua fai atu ai. Amene.

MATAUPU 5.

O upu a Moronae i lē o le a na faaliliuina ana tusitusiga i le lumana'i.

1. O lenei foi, o a'u o Moronae, ua ou tusia upu ua poloaiina ai a'u e pei ona ou manatua ai. Ua ou ta'uina atu ia te oe o mea ua ou faamaufaailogaina, o lea aua ne'i tago i ai ina ia e faamatalaina ai; auā ua faasaina lena mea ia te oe, sei iloga o se aso o i luma e tatau i le poto o le Atua.

2. Faauta foi, e tuuina atu ia

te oe e te faaali atu ai ia papatusi i ē fesoasoani e au mai lenei galuega.

3. E faaalia nei mea i tagata e toatolu i le mana o le Atua, o lea e mautinoa ai i latou ua moni nei mea.

4. E mautu nei mea i le mau a le toatolu; o le mau a le toatolu ma lenei tusi, e faailoa atu ai le mana o le Atua, atoa ma lana afioga, e molimau ai foi le Tamā, ma le Alo, ma le Agaga Paia; e tumau nei mea uma e fai ma molimau i le lalolagi i le aso gataaga.

5. A e afai e salamo i latou, ma o mai i le Tamā i le suafa o Iesu, e talia i latou i le malo o le Atua.

6. O lenei foi, afai e leai sa'u pule i nei mea, ina faamasino ia outou, auā tou te iloa e i ai sa'u pule, pe a outou vāai mai ia te au ma tatou laulaututū i luma o le Atua i le aso gataaga. Amene.

MATAUPU 6.

Ua faaauau pea le tala ia sa Iaretō—Ua faamalamalamaina o latou vaa i se vavega—O le ō atu i luga o le moana tele i le nuu folafolaina—Ua manaomia e le nuu se tupu—Ua iloa e o latou ta'ita'i mea leaga e oo mai ae ua faia le mana'o o le toatele—Ua maliliu Iareto ma lona uso.

1. O lenei foi, o a'u o Moronae, ou te fai pea la'u tala ia Iareto ma lona uso.

2. Auā ua oo ina ua uma ona saunia e le Atua o maa na aveina atu i le mauga e le uso o Iareto, mauga ma na tuuina atu maa i vaa ua saunia, e tasi i pito vaa taitasi; faauta foi, ua faamalamalamaina a'i vaa.

3. Ua faapea foi ona faapupulaina maa e le Atua i le pouliuli, ina ia pupula atu ai i tane ma fafine ma tamaiti, ina ia latou le o atu i le pouliuli i lena itu o le moana.

4. Ua oo foi ina ua uma ona latou saunia le oso o mea uma lava, ina ia ola ai i latou i le vasa, atoa ma mea e fafaga a'i a latou lafu, ma fagaga, ma manu vae fa, ma manu felelei uma na latou ave ma i latou. Ua oo foi ina ua uma ona latou faia nei mea uma, ua latou o atu i o latou vaa, ma ua tuuvaa atu i le moana, ma ua tuuina atu i latou i le Alii lo latou Atua.

5. Ma ua oo ina faaagi mai e le Alii le Atua le matagi matua malosi i luga o le fogatai, ua agi atu i le nuu ua folafolaina; ma ua faapea ona felafolafoaiina i latou i peau o le sami i le matagi.

6. Ua oo foi ina atulasi ona tanumia i latou i le moana loloto, ona o peau e pei o mauga ua fafati mai i o latou luga, atoa ma le sou tele ua faatupuina i le matagi, auā ua matua malosi.

7. Ua oo foi ina ua tanumia i latou i le sami, ua le afaina i latou i le suasami, auā ua malu o latou vaa e pei o se ipu, ua malu foi e pei o le vaa o Noa; o le mea lea na latou alalaga atu ai i le Atua ina o siosiomia i latou i le suasami tele, ona toe aveina ae ai lea i latou e ia i luga o le fogatai.

8. Ma ua oo ina agi e le aunoa le matagi e aga'i atu i le nuu ua folafolaina a o i le vasa i latou; ma ua faapea ona lelea atu i latou i le matagi.

9. Ua latou pepese foi i viiga i le Atua; ioe, ua pese le uso o Iareto i viiga i le Atua, ma ua faafetai ma vivii atu i le Atua i le aso atoa; ua le tuu foi e i latou le vivii atu i le Atua ina ua sau le po.

10. Ma ua faapea ona lelea

atu i latou; ua le mafai foi se
manu o le sami ona faamalepe ia
vaa, ua le mafai foi ona faa-
saunoa i ai se i'a manu; ma ua
ia te i latou le malamalama e
le aunoa i luga o le fogatai ma
i lalo o le suasami.
11. Ma ua faapea ona lelea atu
i latou i luga o le fogatai i aso
e tolu selau fasefulu ma le fa.
12. Ma ua latou tuta vaa i le
nuu na folafolaina. Ua tu o latou
vae i le matafaga o le nuu na
folafolaina, ona latou punonou ifo
ai lea i le eleele, ma ua faamau-
lalo i latou i luma o le Atua,
ma ua maligi o latou loimata i
luma o le Atua ona o le olioli,
ona o lona finagalo alofa tele ia
te i latou.
13. Ua oo foi ina latou o atu i
luga o le fogaeleele, ma ua amata
ona galulue i le fanua.
14. Na i ai foi ia Iareto o ata-
lii e toafa, ua igoa i latou ia
Iakoma, ma Kilikā, ma Mi'a, ma
Oraea.
15. Ua fanaua foi e le uso o
Iareto o atalii ma afafine.
16. O le faitau aofai foi o uo
a Iareto ma lona uso, pe tusa
ma le toaluasefulu ma le toalua;
ua latou fanaua foi o atalii ma
afafine a e lei oo mai i latou i
le nuu ua folafolaina; o lea ua
amata ona toatele ai i latou.
17. Ua a'oa'oina foi i latou e
savavali ma le faamaulalo i luma
o le Atua; ua a'oa'oina foi i la-
tou mai lugā.
18. Ua oo foi ina amata ona
salalau atu i latou i luga o le
fogaeleele, ma ua uluola, ma ua
galulue i le eleele, ma ua tauau
ina malosi i latou i le nuu.
19. Ua amata ona toeaina le
uso o Iareto, ma ua iloa e toeitiiti
ona alu ifo ai lea o ia i le tuuga-
mau; o lea na ia fai ane ai ia
Iareto: Sei ta faapotopotoina lo
taua nuu ina ia ta faitauina i
latou, ina ia ta iloa mai ia te i
latou le mea latou te mananao
mai ia te i taua nei, a e lei o
ifo i taua i o ta tuugamau.
20. Ua faapea ona faapoto-
potoina faatasi le nuu. O lenei,
o le faitau aofai o atalii ma afa-
fine o le uso o Iareto e toaluase-
fulu ma le toalua; a o le faitau
aofai o atalii ma afafine o Iareto
e toasefulu ma le toalua, e toafa
ona atalii.
21. Ua oo foi ina la faitauina
lo laua nuu; ina ua uma ona la
faitauina i latou, ona la mananao
mai ai lea ia te i latou, po o a
mea latou te loto i ai ia faia e i
laua a o le'i o ifo i laua i o laua
tuugamau.
22. Ma ua oo ina mananao le
nuu ia te i laua, la te faauu se
tasi ō laua atalii e fai ma tupu
ia te i latou.
23. O lenei foi, faauta, ua leaga
lenei mea ia te i laua. A e peitai,
ua fai atu le uso o Iareto ia te i
latou, e moni, e oo mai le tafeaga
ona o lenei mea.
24. A ua fai ane Iareto i lona
uso: Tuu atu ia ia te i latou e
fai se tupu. O le mea lea na ia
fai atu ai ia te i latou: Ina filifili
ia outou se tupu mai o maua ata-
lii, o sē ua outou loto i ai.
25. Ma ua oo ina latou filifilia
le ulumatua a le uso o Iareto, o
lona igoa o Pakaka. Ua oo foi
ina teena e ia, ma ua le mafai
ona fai mo latou tupu. O le ma-
nao o le nuu, ia faatauanau atu
lona tamā ia te ia; a ua le mafai
lona tamā; na ia poloaiina foi i
latou, aua ne'i latou faatauanau
i se tasi tagata e fai mo latou
tupu.
26. Ma ua oo ina latou filifilia
uso uma o Pakaka, a ua le mafa-
fai i latou.
27. Ua oo foi ina le mafafai
atalii o Iareto, o i latou uma, a
e na o le toatasi lava. Ua faa-

uuina foi Oraea e fai ma tupu i le nuu.

28. Ua amata foi ona nofo tupu o ia, ma ua amata ona manuia le nuu; ua matua mau'oa tele i latou.

29. Ma ua oo ina maliu Iareto ma lona uso.

30. Ua oo ina savali Oraea ma le faamaulalo i luma o le Atua, ma ua manatua mea tetele na faia e le Atua mo lona tamā, ma na a'oa'o atu i lona nuu o mea tetele na faia e le Atua mō latou tamā.

MATAUPU 7.

Ua pule ma le amiotonu Oraea, ae ua mulimuli ane ina i ai le fouvale, ma le fia pule, ma finauga—O le va o le malo o Sule ma le malo o Ko'oro—Ua o ane perofeta, ma ua salamo tagata.

1. Ua oo foi ina faia e Oraea le faamasinoga ma le amiotonu i le nuu i ona aso uma lava, ua tuutulu'i foi lona ola.

2. Na ia fanaua foi atalii ma afafine; ioe, na ia fanaua le toatolusefulu ma le toatasi, ua i ai atalii e toaluasefulu ma le toatolu.

3. Ua oo foi ina fanaua e ia o Kipi ina ua toeaina o ia. Ma ua nofo tupu Kipi e fai mona sui; na fanaua foi e Kipi o Kori'oa.

4. Ma ua oo ina tolusefulu ma le lua tausaga o Kori'oa, ona foua lea e ia lona tamā, ma ua alu atu ma nofo i le nuu o Ne'oa; na ia fanaua foi atalii ma afafine, ma ua tutupu matua lalelei i latou; o le mea lea na tosina atu ai e Kori'oa o tagata e toatele e mulimuli atu ia te ia.

5. Ina ua uma ona faapotopotoina e ia le itutaua, ua foi ae o ia i le nuu o Morona sa nofo ai le tupu, ma na ave o ia faatagataotaua, ona taunuu lea le upu a le uso o Iareto, ua oo mai ia te i latou le tafeaga.

6. O lenei, ua latalata le nuu o Morona, sa nofo ai le tupu, i le nuu ua ta'ua e sa Nifaē o Tuufua.

7. Ua oo foi ina nofo Kipi ma lona nuu i le tafeaga i le pule a Kori'oa, lona atalii, seia matua toeaina o ia; e ui i lea, na fanaua Sule e Kipi ina ua toeaina o ia, a o nofo pea i le tafeaga.

8. Ua oo foi ina ita tele Sule i lona uso, ma ua tauau ina malosi Sule, ma ua matua malosi lava, e tusa ma le malosi o le tagata matua; ma ua matua malosi i le faautauta.

9. O lea na ia alu atu ai i le mauga o Efaraima, ma na gaosi mai i le mauga le sila, na na fai a'i pelu mo e na ia tosina ese ma ia. Ina ua uma ona tuuina atu e ia o pelu ia te i latou, ua foi atu o ia i le aai o Ne'oa, ma ua sii atu le taua i lona uso o Kori'oa' o le mea lea na maua ai e ia le malo, ma ua toe tuuina atu ai i lona tamā o Kipi.

10. O lenei foi, ona o le mea na faia e Sule, ua tuuina mai ai le malo ia te ia e lona tamā; o lea na amata ai ona nofotupu o ia e fai ma sui o lona tamā.

11. Ua oo foi ina faia e ia le faamasinoga ma le amiotonu, ma ua faasosolo atu e ia lona malo i luga o le fogaeleele uma, auā ua matua toatele tagata.

12. Ua oo foi ina fanaua e Sule o atalii ma afafine e toatele.

13. Ua salamo foi Kori'oa i ana agasala na ia faia; ole mea foi lea na tuuina atu ai ia te ia e Sule o sina pule i lona malo.

14. Ua oo foi ina i ai ia Kori'oa o atalii ma afafine e toatele. Sa i ai foi i atalii o Kori'oa le tasi ua igoa ia Noa.

15. Ma ua oo ina fouvale Noa ia Sule le tupu, atoa ma lona tamā o Kori'oa, ma na tosina atu Ko'oro, lona uso, atoa ma ona uso uma lava, ma nisi e toatele o le nuu.

16. Ua sii mai foi e ia le taua ia Sule le tupu, na ia maua ai le nuu o lo latou tofi muamua, ma ua avea o ia ma tupu i lena itu o le nuu.

17. Ua oo foi ina toe tau i laua ma Sule le tupu; na ia pue ia Sule le tupu, ma ua ave o ia faatagataotaua i Morona.

18. Ua oo foi ina a fasioti e ia ia te ia, ona totolo atu ai lea atalii o Sule i le fale o Noa i le po, ma ua fasioti ia te ia, ma ua faamalepe le faitotoa o le falepuipui, i le ua aumai ai i fafo lo laua tamā, ma ua faatuina o ia i lona lava nofoālii i lona malo;

19. O lea na fai ai le atalii o Noa mona sui i le atiina ae o lona malo; e ui i lea, ua latou le toe maua le pule ia Sule le tupu, ma ua matua manuia le nuu na pule ai Sule le tupu, ma ua tauau ina malosi.

20. Ua vaeluaina le nuu, ua i ai foi malo e lua, o le malo o Sule, ma le malo o Ko'oro le atalii o Noa.

21. Na poloai atu foi Ko'oro, le atalii o Noa, i lona nuu, ia latou sii atu le taua ia Sule. O lea taua foi sa manumalo ai Sule ia te i latou, ma na fasia Ko'oro.

22. O lenei foi, sa i ai ia Ko'oro le atalii ua igoa ia Nimirota, ma ua tuuina mai e Nimirota le malo o Ko'oro ia Sule, ma ua faatupuina ai le alofa o Sule ia te ia; o lea na foai atu ai ia te ia e Sule o mea alofa e tele, ma ua faia e ia mea uma i le malo o Sule e tusa ma ona manao;

23. A o le nofoaiga a Sule na o mai ai perofeta i le nuu, na aauina mai i latou e le Atua, ua perofeta ane, ua faapea o le amioleaga ma le ifo i tupua o loo faaoo mai ai le fetuu i le nuu; e faaumatia foi i latou, pe afai latou te le salamo.

24. Ua oo foi ina upuleaga le nuu i perofeta, ma ua tauemu ia te i latou. Ma ua oo ina faia e le tupu o Sule le faamasinoga ia te i latou uma o e na upuleaga i perofeta.

25. Na ia faia foi le tulafono i le nuu uma, ua tuuina atu ai le saolotoga i perofeta, latou te feoai i mea uma latou te loto i ai; ona o lenei mea ua faatupuina ai le salamo i le nuu.

26. Ona ua salamo le nuu i a latou amioletonu ma le ifo i tupua, ua faasaoina ai i latou e le Atua, ma ua amata ona toe manuia i latou i le nuu. Ua oo foi ina fanaua e Sule o atalii ma afafine ina ua toeaina o ia.

27. Ua le toe tau se taua i ona po o Sule; na ia manatua foi o mea tetele na faia e le Atua mo ona tamā, ina ua aumaia i latou i le moana tele i le nuu na folafolaina; o lea na ia fai ai le faamasinoga ma le amiotonu i ona aso uma.

MATAUPU 8.

O le tupu lelei o Omera—Ua fouvale lona atalii o Iareto, ma Akiso, ina ia maua le malo—O finauga ma le faamaligiina o le toto—O pulega faalilo ma pulega fasioti tagata — Ua lapata'iina nuu ese o aso nei e uiga i ia mea.

1. Ua oo foi ina fanaua e ia o Omera, ua nofo tupu Omera e fai mona sui. Na fanaua foi e Omera o Iareto; ua fanaua foi e Iareto o atalii ma afafine.

2. Na fouvale Iareto i lona tamā, ma ua alu atu ma nofo i le nuu o Hetu. Ua oo foi ina viivii

atu o ia i tagata e toatele ona o ana upu popoto, ina seia maua e ia le vaeluaga o le malo.

3. Ina ua uma ona maua e ia le vaeluaga o le malo, ua ia sii mai le taua i lona tamā, ma ua ave lona tamā faatagataotaua, ma ua faapologaina o ia i le tafeaga.

4. O lenei foi, o aso o le nofoaiga a Omera, o le vaeluaga o ona aso sa nofo ai o ia i le tafeaga. Ua oo foi ina fanaua e ia o atalii ma afafine, ua i ai foi Esoroma ma Korianetuma.

5. Ua matua ita tele i laua ona o le amio a Iareto, lo laua uso, ua iu ina la faapotopotoina le itu taua, ma ua tau ma Iareto. Ma ua oo ina latou tau ma ia i le po.

6. Ua oo foi ina ua uma ona fasia le itutaua a Iareto, sa fai a latou fasioti ia te ia, a ua aioi mai ia te i latou aua latou te fasiotia o ia, a e foai atu e ia le malo i lona tamā. Ma ua oo ina latou tuuina atu ia te ia lona ola.

7. O lenei foi, ua matua faanoanoa tele Iareto ona o le aveeseina o le malo, auā ua mafuli lona loto i le malo, ma le viiga o le lalolagi.

8. O lenei, ua poto tele le afafine o Iareto, ina ua iloa e ia le faanoanoa tele o lona tamā, ua mafaufau o ia i se togafiti e faia e toe maua ai e ia le malo mo lona tamā.

9. O lenei, ua matua lalelei le afafine o Iareto. Ua oo foi ina la tautala ma lona tamā, ua faapea atu foi o ia ia te ia: Ua ala i se a le faanoanoa tele o lo'u tamā? Po ua le faitauina ea e ia le tusi na aumaia e o tatou tamā i le moana tele? Faauta, e le i ai ea le tala i e anamua, na latou maua malo ma le mamalu tele ona o a latou togafiti faalilo?

10. O lenei foi, sei aami atu e lo'u tamā o Akiso, le atalii o Kimino; faauta, ua lalelei a'u nei, ou te saasaa i ona luma, ou te faafiafia foi ia te ia ina ia fia faiavā o ia ia te au; o lenei, afai na te manao mai ia te oe e te tuuina atu a'u e fai mana avā, ona e fai ane ai lea: Ou te tuuina atu o ia pe afai e te aumaia ia te au le ulu o lo'u tamā le tupu.

11. O lenei foi, o Omera o le uo a Akiso, o lea foi ina ua uma ona amia Akiso e Iareto, ua saasaa le afafine o Iareto i ona luma, ma ua faafiafia o ia ia te ia, ua iu ina manao o ia ia te ia e fai mana avā. Ma ua oo ina fai ane o ia ia Iareto: Tuu mai ia o ia ia te au e fai ma'u avā.

12. Ona fai atu ai lea o Iareto ia te ia: Ou te tuuina atu o ia ia te oe, pe afai e te aumai ia te au le ulu o lo'u tamā le tupu.

13. Ua oo foi ina faapotopotoina faatasi e Akiso i le fale o Iareto o lona aiga uma, ona fai ane ai lea o ia ia te i latou: Pe tou te tauto mai ea ia te au tou te faamaoni mai ia te au i le mea ou te manao i ai ia te outou?

14. Ma ua oo ina tauto ia te ia i latou uma lava, i le Atua o le lagi, atoa ma le lagi ma le lalolagi, ma a latou lava ulu, o le na te liliu a e le fesoasoani i le mea e manao i ai Akiso, e vavaeeseina lona ulu; o le na te ta'u atu le mea e faailoa atu e Akiso ia te i latou, e aveeseina lona ola.

15. Ua oo foi ina faapea ona latou lotogatasi ma Akiso. Na faia foi e Akiso ia te i latou o tautoga na tuuina mai i e anamua o e na saili le pule, ma ua tuufaasoloina mai talu Kaino, o le fasioti tagata ia talu le amataga.

16. Na faatumauina i latou i le mana o le tiapolo e fai ia tautoga i tagata, ina ia taofia i latou i le pouliuli, ina ia fesoasoani

ai foi i ē fiapule e maua ai le pule, ma fasioti tagata, ma vete, ma pepelo, ma fai amioleaga esese, ma faitaaga.

17. Ua tuuina foi i lona loto e le afafine o Iareto ia saili nei mea mai le vavau, na tuuina foi e Iareto i le loto o Akiso; o le mea lea na fai ai e Akiso i lona aiga ma ana uo, ua ta'ita'ieseina i latou i folafolaga mālie, ia latou faia mea uma na te manao i ai.

18. Ua oo foi ina latou faia le pulega faalilo, e pei o ē anamua; o lea pulega foi ua sili ona inosia ma leaga ai mea uma lava i le silafaga a le Atua.

19. Auā e le galue le Atua i pulega faalilo, e le o lona finagalo foi ia faamasaaina le toto e tagata, a ua vaoia i mea uma lava talu le amataga o tagata.

20. O lenei foi, o a'u o Moronae, ou te le tusia le faamatalaga o a latou tautoga ma pulega, auā ua faailoaina mai ia te au ua i ai i nuu uma lava, ma ua i ai foi i sa Lamanā.

21. Ua ala mai ai foi le faafanoga o lenei nuu ua ou talatala ai nei, atoa foi ma le faafanoga o le nuu o Nifae.

22. O nuu uma foi o ē fesoasoani i pulega faalilo faapea seia salalauina i le nuu, ina ia maua ai le pule ma oloa, faauta, e faaumatia i latou, auā e le tuu atu e le Atua ia tagi pea mai ia te ia mai le eleele le toto o le au paia e faamaligiina e i latou, ina ia tauia ma suia i o latou luga, a e le tauia ma suia e ia ona o i latou.

23. O le mea lea, o outou nuu ese e, o le poto o le Atua e faailoaina atu ai nei mea ia te outou, ina ia outou salamo i a outou agasala, a e le tuuina atu ia manumalo ia te outou o nei pulega fasioti tagata, ua faatuina ina ia maua ai le pule ma oloa, e faaoo mai i o outou luga le galuega, ioe, o le galuega a le faafanoga, ioe, e paū i o outou luga le pule a le faamasinoga tonu a le Atua faavavau, e iu i lo outou faatoilaloina ma faafanoga, pe afai tou te tuuina atu ia tumau ia mea.

24. O le mea lea ua poloai mai ai le Atua ia te outou, pe a outou iloa ua oo mai nei mea ia te outou, tou te ala mai ma mafaufau i le mea faigata ua oo ia te outou, ona o lenei pulega faalilo e i ai ia te outou; a leai, oi talofa i ai ona o le toto o i latou ua fasiotia, auā ua tagi mai i latou mai le eleele ia tauia ma suia i ai, a e maise foi ma luga o i latou o ē ati ae ai.

25. Auā e oo mai le aso, ai sē ati ae ai, e saili o ia e faatoilaloina le saolotoga o nuu uma, ma atunuu, ma malo uma; e faaoo mai ai foi le faafanoga o nuu uma lava, auā ua faatuina e le tiapolo, o le tamā o ia o pepelo uma lava; o lea pepelo na olegia ai o tatou mātua muamua; ioe, o lea lava pepelo ua ala ai ina fasioti tagata e tagata talu le amataga; o ia foi ua faamaaaina loto o tagata ua latou fasiotia ai perofeta ma fetogia i latou i maa, ma tulieseina i latou talu le amataga.

26. O lenei, o a'u nei o Moronae, ua poloaiina a'u ou te tusia nei mea, ina ia mavae atu le agasala, ina ia oo mai foi le aso e le toe i ai ia Satani le pule i loto o le fanauga a tagata, a e peitai, ina ia faaoleole ai ia te i latou e fai pea le amiolelei, ina ia latou o mai i le puna o le amiotonu uma ma ola ai.

MATAUPU 9.

Ua avea ma toe maua mai e Omera lona nofoalii—O le nofoa'iga manuia a Emera—O Kure-

loma ma Kumoma, o mea ola ia sa i ai i lena vaitaimi—O le oge tele ma gata uogo.

1. O lenei foi, o a'u o Moronae, ou te fai pea la'u tusi, faauta, o le mea lea, ona o pulega faalilo a' Akiso ma ana uo, faauta, ua oo ai ina latou faatoilaloina le malo o Omera.

2. E ui i lea, ua finagalo alofa le Atua ia Omera, atoa ma ona atalii ma ona afafine, o e na le taumafai ona faaoo mai lona malaia.

3. Ua faaalia e le Atua ia Omera i le miti, ia sola ese o ia ai le nuu; o le mea lea ua sola ese ai Omera ai le nuu, faatasi ma lona aiga, ma ua malaga i aso e tele, ua o mai ma ui ane i le mauga o Semi, ma ua o mai i tafatafa o le mea na faaumatia ai sa Nifaē, ua latou o atu nai lea mea i sasa'e, ma ua o'o atu i le mea ua igoa ia Apeloma, ua lata ane i le matafaga, ma ua faatuina ai lona fale ie faatasi ma ona atalii ma ona afafine ma lona aiga uma, a e na o Iareto ma lona aiga ua le i ai.

4. Ua oo foi ina faauuina Iareto i le lima o le amioleaga e fai ma tupu i le nuu; na ia tuuina atu foi lona afafine ia Akiso e fai mana avā.

5. Ua oo foi ina sailia e Akiso le ola o le tamā o lana avā; na ia aioi atu i e na ia faatauto i le tautoga a ē anamua, ma ua latou maua le ulu o le tamā o lana avā ina o nofo o ia i lona nofoālii, o loo faalogologo i lona nuu.

6. Auā ua faapea ona tele le faasalalauina o lenei faatasiga leaga ma le faalilo, ua faaleagaina ai loto o tagata uma; o lea na fasiotia ai Iareto i lona nofoālii, ona nofo tupu ai lea Akiso e fai mona sui.

7. Ua oo foi ina amata ona mataua Akiso i lona atalii, o lea na ia lafoina ai o ia i le falepuipui, ma ua fagaina o ia i sina mea e 'ai faatauvaa lava seia oti ai o ia.

8. O lenei foi, ua ita i lona tamā le uso o le ua oti, (o lona igoa o Nimira,) ona o le mea na faia e lona tamā i lona uso.

9. Ma ua oo ina faapotopotoina e Nimira nisi tagata e toaitiiti, ma ua sosola ese i le nuu, ma ua o mai ma nonofo faaatasi ma Omera.

10. Ua oo foi ina fanaua e Akiso o isi atalii; e ui foi ina latou tauto ia te ia e fai amioletonu eseese e tusa ma lona loto, ua alofagia i latou e le nuu.

11. O lenei, ua fia mauoloa le nuu o Akiso, e pei foi ona fiapule Akiso; o lea na ofo atu ai atalii o Akiso ia te i latou i tupe, o le ala lea na latou tosina atu ai le toatele o le nuu e mulimuli atu ia te i latou.

12. Ma ua amata ona i ai le taua i atalii o Akiso ma Akiso, ma ua tumau ai i tausaga e tele; ioe, ua toetoe ina malaia tagata uma o le malo, ioe, o i latou uma lava, a e toe na o le toatolusefulu, atoa ma i latou o e na sosola atu ma le aiga o Omera.

13. O le mea foi lea ua toe faatuina ai Omera i le laueleele o lona tofi.

14. Ma ua oo ina amata ona toeaiina Omera, e ui i lea na fanaua e ia o Emera ina ua toeaina o ia; na ia faauuina foi Emera e fai ma tupu e sui i lana pule.

15. Ina ua uma ona faauuina e ia o Emera e fai ma tupu, na ia vaaia le filemu i le nuu e tusa ma tausaga e lua, ona oti lea o ia, na ia iloa foi aso e tele ua mavae atu ma le faanoanoa. Ua oo foi ina nofo tupu Emera e fai mona sui, ma ua savali i ala o lona tamā.

16. Ua amata ona toe aveeseina e le Atua le fetuu i le laueleele ma ua matua manuia le aiga o Emera i le nofoaiga a Emera. Ina ua mavae atu tausaga e onosefulu ma le lua, ua matua malosi i latou, ua iu ina mau'oa tele i latou.

17. Ua ia te i latou fua laau eseese, ma saito, ma silika, ma lino lelei, ma le auro, ma le ario, ma mea tāua,

18. Atoa foi ma povi o ituaiga eseese, o povi fai galuega, ma povi fafine, ma mamoe, ma puaa, ma 'oti, ma manu eseese e tele ua aoga e fai ma mea e 'ai a tagata.

19. Ua ia te i latou foi o solofanua, ma asini, ua i ai foi elefani, ma kureloma, atoa ma kumoma; ua aoga ia mea uma lava i tagata, a e sili ona aoga o elefani, ma kureloma, ma kumoma.

20. Ua faapea foi ona sasaa ifo e le Atua ona manuia i luga o lenei nuu, ua sili ona lelei i nisi nuu uma; na poloai mai foi o ia, ai sē nofo i le nuu, ia nofo ai o ia mo le Atua, a leai, e faaumatia i latou pe a atoatoa la latou amioletonu; auā ua faapea mai le Atua: Ou te sasaa atu le atoatoa o lo'u ita i luga o ē faapea.

21. Na faia foi e Emera le faamasinoga ma le amiotonu i ona aso uma; na fanaua foi e ia o atalii ma afafine e toatele; na fanaua foi e ia o Korianetumu, na ia faauuina foi Korianetumu e sui i lana pule.

22. Ina ua uma ona faauuina e ia o Korianetumu e sui i lana pule, ua ola o ia i tausaga e fa, na iloa foi e ia le filemu i le nuu; ioe, na ia iloa foi le Alo o le Amiotonu, ma ua fiafia ma vivii i ona aso; ua oti foi o ia ma le filemu.

23. Ua oo foi ina savali Korianetumu i ala o lona tamā, ma ua faia aai malolosi e tele, ma ua auauna atu i mea lelei i lona nuu i ona aso uma lava. Ma ua oo ina leai sana fanau seia matuā toeaina o ia.

24. Ua oo foi ina maliu lona masiofo ina ua selau ma le lua ona tausaga. Ma ua oo ina faiavā Korianetumu ina ua toeaina o ia i le teine muli, ma ua fanaua atalii ma afafine; o lenei foi, na ola o ia ina seia selau fasefulu ma le lua ona tausaga.

25. Ua oo foi ina fanaua e ia o Komi, ma ua nofo tupu foi Komi e fai mona sui. Ua nofo tupu o ia i tausaga e fasefulu ma le iva, ma ua fanaua e ia o Hetu; na ia fanaua foi nisi atalii ma afafine.

26. Ua toe sosolo atu le nuu i luga o le fogaeleele uma, ua toe amata foi ona i ai le amioleaga matua tele i luga o le fogaeleele; ua toe amata foi e Hetu ona faia togafiti faalilo a e anamua, ina ia faaumatia lona tamā.

27. Ua oo foi ina aveeseina e ia lona tamā ai le nofoālii auā na ia fasioti ia te ia ma lana lava pelu, ma ua nofo tupu o ia e fai mona sui.

28. Ua toe o mai perofeta i le nuu, ua alalaga atu ia salamo i latou; e tatau foi ona latou teuteuina le ala o le Atua, a leai, e oo mai le fetuu i le laueleele; ioe, e oo mai le oge tele, e faaumatia ai i latou, afai latou te le salamo.

29. A e peitai, ua le talitonu le nuu i upu a perofeta, a ua latou tulieseina i latou; ua latou lafoina nisi o i latou i to, ma ua tuua i latou e fano. Ua oo foi ina latou faia nei mea uma e tusa ma le poloaiga a le tupu o Hetu.

30. Ua oo foi ina amata ona i ai le oge tele i le laueleele, ma ua amata ona faaumatia tagata o le nuu, ua vave lava, ona o le oge, auā ua leai se timu i luga o le fogaeleele.

31. Ma ua o mai gata uogo i luga o le fogaeleele, ma ua onā ai tagata e toatele. Ua oo ina amata ona sosola atu a latou lafu i luma o gata uogo, ua aga'i atu i le laueleele i le itu i saute, ua ta'ua e sa Nifaē o Sara'emila.

32. Ua oo foi ina mate manu e tele i le ala; e ui i lea, ua i ai nisi ua sosola atu i le laueleele i le itu i saute.

33. Ua oo foi ina taofia mai gata e le Atua ina ia latou le toe tulia ai i latou; a ua latou punitia le ala ina ia le mafai le nuu ona o atu ai, a e malaia i gata uogo sē taumafai ona alu atu ai.

34. Ma ua oo ina mulimuli atu le nuu i le ala o manu, ma ua 'aina tino o manu ua mamate i le ala, ina seia latou 'aina i latou uma. O lenei, ua iloa e le nuu o le a fano i latou, ona amata ai lea ona latou salamo i a latou amioletonu, ma ua tagi atu i le Atua.

35. Ua oo foi ina uma ona latou faamaulaloina i latou e pei ona tatau ai i luma o le Atua, ona auina mai lea e ia le timu i le laueleele, ma ua toe ola le nuu, ua amata foi ona i ai fua laau i nuu i le itu i matu, ma nuu uma latalata mai. Ua faailoa atu foi e le Atua lona mana ia te i latou, ua faasaoina ai i latou ai le oge.

MATAUPU 10.

O Ripelakiso, o le tagata fai mea leaga—O Morianetona, sa na faafouina le malo; o isi tupu ma a latou taua—O le laueleele i le vao o le itu i Saute—Ua aigā le laueleele i le itu i matu.

1. Ua oo foi ina amata e Sesa, (o lo le gafa o Hetu o ia,) ona toe atiina ae le nuu ua faavaivaia, auā ua fano Hetu i le oge faatasi ma lona aiga uma, a e toe na o Sesa.

2. Ua oo ina manatua e Sesa le malaia o ona tamā, ma na faatuina le malo amiotonu; auā na ia manatua le mea sa faia e le Atua ina ua na aumaia Iareto ma lona uso i le moana tele, ma ua savali o ia i le ala o le Atua, ma na fanaua atalii ma afafine.

3. Ma ua foua o ia e lona atalii ulumatua, o lona igoa foi o Sesa, e ui i lea ua taia Sesa i le lima o le tagata fao mea, ona o lana oloa matua tele, ma ua toe oo mai ai le filemu i lona tamā.

4. Ua oo foi ina faia e lona tamā o aai e tele i luga o le fogaeleele, ma ua toe amata ona sosolo atu le nuu i luga o le fogaeleele uma lava. Ua tuutulu'i foi le ola o Sesa; na ia fanaua Ripelakiso, ona oti ai lea o ia. Ua nofo tupu foi Ripelakiso e fai mona sui.

5. Ua oo foi ina le faia e Ripelakiso le mea ua tonu i le silafaga a le Atua, auā ua toatele ana avā ma palake, ua ia faaee foi i tau'au o tagata avega ua faigata ona tauave; ioe, na ia togitūina i latou i lafoga mamafa, o le lafoga foi na ia fai a'i fale tetele e tele.

6. Na ia faia foi le nofoālii matua matagofie mo ia lava; e tele foi fale puipui na ia faia; ai sē le lafo tupe, e lafoina o ia i le fale puipui; o i latou uma ua le lava lafo tupe, ua ia lafoina i le fale puipui; na ia poloai atu foi ia latou galulue pea i mea e ola a'i i latou; ai sē le galue, ua ia fasiotia.

7. O lea na ia maua ai ana galuega matagofie uma; ioe, na ia poloai atu ia faate'aina lana auro lelei ai le eleele i le fale puipui, atoa ma galuega matagofie eseese, na ia poloai atu ia faia i le fale puipui. Ua oo foi ina faapuapua-

gatia le nuu e ia i ana faitaaga ma mea inosia.

8. Ina ua nofo tupu o ia i tausaga e fasefulu ma le lua, ua fouvale le nuu ia te ia, ma ua toe amata ona i ai le taua i le nuu, ua iu ina fasia Ripelakiso, ma ua tulieseina lana fanau ai le nuu.

9. Ma ua oo ina ua mavae atu tausaga e tele, ua faapotopotoina e Morianetona, (o lo le gafa o Ripelakiso o ia,) le au tau o tagata ua tulieseina, ma ua sii atu le taua i le nuu, na ia maua foi le pule i aai e tele; ua matua faigata le taua, ma ua tumau i tausaga e tele, ua maua ai e ia, le pule i le nuu uma, na ia faatuina foi o ia lava e fai ma tupu i le nuu uma.

10. Ina ua uma ona faatuina o ia e ia e fai ma tupu, ua ia faamāmā le avega a le nuu, na alofagia ai o ia e le nuu, ma ua latou faauuina o ia e fai mo latou tupu.

11. Na ia faia mea tonu mo le nuu, a e le tonu mo ia, ona o ana faitaaga e tele; o le mea lea na vavaeeseina ai o ia i luma o le Atua.

12. Ua oo foi ina faia e Morianetona o aai e tele, ma ua mau'oa tele le nuu i lana nofoaiga, i fale, ma le auro, ma le ario, ma le faatupuina o le saito, ma lafu, ma fagaga, ma mea faapena sa toe tuuina atu ia te i latou.

13. Ua tuutulu'i foi le ola o Morianetona, ona fanaua lea e ia o Kimo; ua nofo tupu foi Kimo e fai ma sui i lona tamā. Ua nofo tupu o ia i tausaga e valu, ona oti ai lea lona tamā. Ma ua oo ina le pule Kimo ma le amiotonu, o lea ua le alofagia ai o ia e le Atua.

14. Ua tulai foi lona uso ma foua o ia, ua avea ai o ia i le tafeaga, ma ua nofo o ia i le tafeaga i ona aso uma; na ia fanaua foi o atalii ma afafine i le tafeaga; na fanaua e ia o Levi ina ua toeaina o ia, ona oti ai lea.

15. Ua oo foi ina nofopologa Levi i le tafeaga ina ua oti lona tamā, e tusa ma tausaga e fasefulu ma le lua. Ua ia tau le taua ma le tupu o le nuu, na ia maua ai mona le malo.

16. Ina ua uma ona maua mona le malo, ua ia faia mea tonu i le silafaga a le Atua; ma ua manuia le nuu i le laueleele, ma ua tuutulu'i ona aso; na ia fanaua foi o atalii ma afafine, na fanaua foi e ia o Koruma, o le na ia faauuina e fai ma tupu e sui ia te ia.

17. Ma ua oo ina faia e Koruma o mea lelei i le silafaga a le Atua i ona aso uma; na ia fanaua foi o atalii ma afafine e toatele; ua tele aso na ola ai o ia, ona mavae atu ai lea o ia faapei o le lalolagi uma, ma ua nofo tupu Kiso e sui ia te ia.

18. Ua oo ina mavae atu foi Kiso, a ua nofo tupu Lipi e fai mona sui.

19. Ma ua oo ina faia e Lipi o mea lelei i le silafaga a le Atua. O ona po foi o Lipi na faaumatia ai gata uogo, o lea na latou o atu ai i le laueleele i le itu i saute, ina ia tuli manu mo tagata o le nuu, auā ua tataa solo manu 'ai vao i le nuu. O Lipi foi, o le tagata malosi ia i tuli manu.

20. Na latou faia le aai tele i le laueleele vaapiapi i le mea ua vaevaeina ai le laueleele i le sami.

21. Ua latou faasaina foi le laueleele i le itu i saute e fai ma vao e tuli ai manu. Ua aigā foi le fogaeleele uma o le nuu i le itu i matu.

22. Ua matuā filigā i latou, ma ua latou fefaatauai mea, ma feaveai mea ina ia latou tolo'a'i oa.

23. Ua latou galulue foi i maa

uamea uiga eseese, ma ua latou faia auro, ma ario, ma uamea, ma apamemea, ma apa uiga eseese, ua latou elia ai i le eleele; o lea foi na latou faafaulai ai le eleele ina ia maua ai maa auro, ma ario, ma uamea, ma apamemea. Ua latou galulue i galuega matagofie uiga eseese.

24. Ua ia te i latou le silika, ma le lino miloa lelei; na latou lalaga ie uiga eseese, ina ia faaofuina i latou ai lo latou le lavalavā.

25. Na latou gaosia foi mea eseese e fai a'i galuega, e galueaiina ai le eleele, e sua solo ma lūlū, e selesele ma eli, atoa ma mea e sasa a'i le saito.

26. Na latou gaosia foi mea e fai a'i galuega, na latou galulue ai ma a latou manu.

27. Na latou gaosia foi le auupega uiga eseese o le taua. Ma ua latou galulue foi i galuega eseese ma gaosiga matua uiga ese lava.

28. E le mafai ona faasili le manuia o se tasi nuu i lo latou manuia, pe faasili lo latou faaolaina i le aao o le Atua. Ua i ai foi i latou i le nuu ua sili ona lelei ai nisi nuu uma, auā ua fetalai mai ai le Atua.

29. Ua oo foi ina ola Lipi i tausaga e tele, ma ua fanaua atalii ma afafine; ua fanaua foi e ia o Heatoma.

30. Ua oo foi ina nofo tupu Heatoma e sui i lona tamā. Ina ua nofo tupu foi Heatoma i tausaga e luasefulu ma le fa faauta, ua aveeseina le malo ia te ia. Ua nofopologa foi o ia i le tafeaga i tausaga e tele, ioe, i ona aso uma lava ua totoe.

31. Na ia fanaua foi Hetu, ma ua nofo Hetu i le tafeaga i ona aso uma lava. Na fanaua e Hetu o Arona, ua nofo foi Arona i le tafeaga i ona aso uma; na ia fanaua foi Aminikata, ma ua nofo Aminikata i le tafeaga i ona aso uma; na ia fanaua foi Korianetumu, ua nofo foi Korianetumu i le tafeaga i ona aso uma; na ia fanaua foi Komi.

32. Ua oo foi ina tosina ese e Komi le vaeluaga o le malo. Na nofo tupu foi o ia i le vaeluaga o le malo i tausaga e fasefulu ma le lua, ona alu atu ai lea o ia e tau ma le tupu o Aminikata, ma na tau ai i tausaga e tele, na manumalo ai Komi ia Aminikata, ma ua maua le pule i le toe vaega o le malo.

33. O ona po foi o Komi na amata ona i ai fao mea i le nuu; ma ua latou fai mā latou o togafiti tuai, ma ua faia tautoga e tusa ma e anamua, ma ua sailiili e toe faaumatia le malo.

34. O lenei, na tau Komi ma i latou; e ui i lea ua le manumalo o ia ia te i latou.

MATAUPU 11.

Ua valoia e perofeta o sa Iaretō le faafanoga o lo latou nuu, vaganā latou te salamo—Ua le talia le lapata'iga.

1. Ua o mai foi i ona po o Komi o perofeta e toatele, ma ua latou valosia le faafanoga o lena nuu tele, sei iloga latou te salamo ma liliu mai i le Atua, ma tuu lo latou fasioti tagata ma amioleaga.

2. Ma ua oo ina teena perofeta e le nuu, ma ua sosola mai i latou ia Komi, ina ia faamamaluina i latou, auā ua saili le nuu e faaumatia i latou.

3. Ma ua latou perofeta ane ia Komi i mea e tele, ma ua manuia o ia i ona aso uma sa totoe.

4. Ua tuutulu'i foi lona ola, ma ua fanaua e ia o Sepeloma; ua nofo tupu foi Sepeloma e fai mona sui. Ma ua fouvale le uso

o Sepeloma ia te ia, ma ua amata ona i ai le taua matua tele i le nuu uma.

5. Ua oo foi ina poloai atu le uso o Sepeloma ia fasiotia perofeta uma o e na valosia le faafanoga o le nuu.

6. Sa i ai foi le malaia tele i le nuu uma, auā na molimau atu i latou e oo mai le fetuu tele i luga o le laueleele, atoa foi ma luga o le nuu, e i ai foi le faafanoga tele ia te i latou, e lei oo mai lava i luga o le fogaeleele se mea faapea; e avea o latou ivi e pei o faupuegāeleele i luga o le fogaeleele, sei iloga latou te salamo i a latou amioleaga.

7. Ua latou le faalogo foi i le siufofoga o le Atua, ona o a latou pulega leaga, o lea na amata ai ona i ai taua ma finauga i le nuu uma, ua i ai foi oge ma faama'i e tele; ua iu ina i ai le faafanoga tele, e lei iloaina foi se mea faapea i luga o le fogaeleele. Ua oo mai nei mea uma i ona po o Sepeloma.

8. A ua amata ona salamo le nuu i a latou amioletonu; e pei foi ona latou faia, ua faapea lava ona alofa le Atua ia te i latou.

9. Ua oo foi ina fasiotia Sepeloma, ma ua avea Setu i le tafeaga, ma ua nofo o ia i le tafeaga i ona aso uma.

10. Ua oo foi ina maua e Asa, lona atalii, le malo; ua nofo tupu foi o ia i le nuu i ona aso uma lava. Na ia faia foi amioletonu uiga eseese i ona aso, na ia faamasaateleina ai le toto; a ua itiiti ona aso.

11. Na maua le malo e Etema ona ua tupuaga mai ia Asa, na ia faia foi le amioleaga i ona aso.

12. Ma ua oo i ona po o Etema ina o mai perofeta e toatele, ma ua latou toe perofeta ane i le nuu; na latou vavalo atu e matuā faaumatia i latou uma lava ai le fogaeleele e le Atua, sei iloga latou te salamo i la latou amioletonu.

13. Ua oo foi ina faamaaaina e le nuu o latou loto, ma ua le faalogo i la latou upu. Ua faanoanoa perofeta, ma ua o ese i le nuu.

14. Ua oo foi ina faia e Etema le faamasinoga ma le amioleaga i ona aso uma. Na ia fanaua foi o Morona. Ua oo ina nofo tupu Morona e fai mona sui; ua faia foi e Morona le mea ua leaga i luma o le Atua.

15. Ma ua oo ina tupu le fouvale i le nuu, ona o lena pulega faalilo na atiina ae ina ia maua le pule ma le oloa. Ua tulai mai ia te i latou le tagata ua malosi i le amioletonu, ma na tau le taua ma Morona, na ia faatoilaloina ai le vaeluaga o le malo; na ia taofia le vaeluaga o le malo i tausaga e tele.

16. Ma ua oo ina faatoilaloina o ia e Morona, ma ua toe maua le malo.

17. Ua oo foi ina toe tulai le tasi tagata malosi, o ia foi o lo le gafa o le uso o Iareto.

18. Ma ua oo ina faatoilaloina Morona e ia, ma ua maua ai le malo; o lea na nofo ai Morona i le tafeaga i ona aso uma sa totoe; na ia fanaua foi o Korianetoa.

19. Ua oo foi ina nofo Korianetoa i le tafeaga i ona aso uma.

20. O ona po o Korianetoa na o mai ai perofeta e toatele, ma ua perofeta ane i mea tetele ma le ofoofogia, ma ua valaau atu i le nuu ia salamo, afai latou te le salamo, e faia e le Alii le Atua le faamasinoga ia te i latou, e iu i lo latou faafanoga atoatoa.

21. Ma le tasi foi, e auina mai, pe aumaia e le Atua i lona mana le tasi nuu e nofo mau i le laue

leele, e pei ona aumaia e ia o latou tamā.

22. Ma ua latou teena upu uma a perofeta, ona o la latou faatasiga faalilo, ma pulega, ma mea inosia leaga.

23. Ua oo foi ina fanaua Eteru e Korianetoa, ona oti ai lea o ia. Na nofo faatafea o ia i ona aso uma lava.

MATAUPU 12.

O le perofeta o Eteru ma le tupu o Korianetuma—O gagana a sa Iaretō ma sa Nifaē—Ua tuu mai e le Atua vaivaiga ina ia faamaulalo tagata—O upu faatofā a Moronae i nuu ese.

1. Ua oo foi ina tupulaga faatasi Eteru ma Korianetuma. O Korianetuma foi o le tupu o le nuu uma lava.

2. A o Eteru, o le perofeta ia a le Atua; o le mea lea na alu atu ai Eteru i ona po o Korianetuma, ma ua amata ona vavalo atu i le nuu, auā ua le mafai ona vaosia o ia, ona o le Agaga o le Atua sa ia te ia.

3. Auā na ia alaga atu e afua i le taeao e oo i le goto o le la; ua apoapoai atu i le nuu ia faatuatua i le Atua e oo i le salamo, ne'i faaumatia i latou; ua faapea atu ia te i latou: E faataunuuina mea uma lava i le faatuatua;

4. O lea, ai sē faatuatua i le Atua, e mafai o ia ona faamoemoe ma le faamaoni i se lalolagi e sili ona lelei, ioe, o se tofi i le itu taumatau o le Atua; e mai le faatuatua lea faamoemoe, e fai ai foi ma taula i agaga o tagata, e faamaoni ma faamausalī ai i latou e alualu i luma ma le le aunoa i galuega lelei, e ala mai ai foi le viiga i le Atua.

5. Ma ua oo ina perofeta ane Eteru i mea tetele ma le ofoofogia i le nuu, a ua latou le talitonu ai, auā ua latou le vaaia.

6. O lenei foi, o a'u o Moronae, ou te fia tautala atu teisi i nei mea; ou te fia faailoa atu i le lalolagi, o le faatuatua o le mea lea ua faamoemoe i ai, a e le o vaaia; o lea aua le fefinauai ai ona ua le vaaia e outou, auā e le maua e outou se mau, seia uma le tofotofoina o lo outou faatuatua.

7. Auā o le faatuatua na faaalia mai ai e Keriso o ia lava i o tatou tamā, ina ua uma ona toe tu mai o ia nai e ua oti; na na le faaalia o ia ia te i latou, ina seia muamua ona latou faatuatua ia te ia; o lea ua tonu na faatuatua nisi ia te ia, auā na le faaalia o ia i le lalolagi.

8. A e peitai, ona o le faatuatua o tagata na ia faaalia ai o ia i le lalolagi ma faamamaluina le suafa o le Tamā, ma ua saunia le ala e mafai ai nisi ona maua le mea foaifuaina mai le lagi, ina ia faamoemoe ai i latou i na mea ua latou le vāai i ai.

9. O lea foi e mafaia outou ona faamoemoe ma maua le mea foai fua, pe afai tou te faatuatua.

10. Faauta, o le faatuatua na valaauina ai i latou anamua, e tusa ma le tofiga paia mai le Atua.

11. O lea o le faatuatua sa tuuina mai ai le tulafono a Mose. A o le mea alofa o lona Alo lea, ua saunia ai e le Atua le ala e sili ona lelei; o le faatuatua foi ua faataunuuina ai;

12. Auā afai e leai se faatuatua i le fanauga a tagata, e le mafai le Atua ona faia se vavega ia te i latou; o lea na ia le faaalia ai o ia lava ia te i latou ina seia muamua ona latou faatuatua.

13. Faauta, o le faatuatua o Alema ma Amoleka na faapaū ai le fale puipui i le eleele.

14. Faauta, o le faatuatua o Nifae ma Liae na ala mai ai le liliu o sa Lamanā, ina ia papatisoina i latou i le afi ma le Agaga Paia.

15. Faauta, o le faatuatua o Amona ma ona uso na faia ai lena vavega tele i sa Lamanā.

16. Ioe, o i latou uma o e na fai vavega, na faia ma le faatuatua, o i latou foi o e na muamua ia Keriso, atoa ma i latou talu mai o ia.

17. O le faatuatua foi na maua ai e le toatolu o le au soo le folafolaga e le oo le oti ia te i latou; ua le maua foi e i latou le folafolaga ina seia muamua ona latou faatuatua.

18. Ua le faia vavega e se tasi i se aso, ina seia muamua ona latou faatuatua; o lea na muamua ona faatuatua i latou i le Alo o le Atua.

19. Sa i ai foi nisi e toatele ua faapea ona matua malosi lo latou faatuatua, a e lei afio mai Keriso, ua le mafai ona taofia i latou mai tua o le ufimata, a ua latou matuā vaaia ma o latou mata o mea na latou vaaia ma le mata o le faatuatua, ma ua latou fiafia ai.

20. Faauta foi, o lenei tusi ua tatou iloa ai o le tasi o i latou o le uso o Iareto, auā sa faapea ona tele lona faatuatua i le Atua, ina ua faaloaloa mai e le Atua lona tamatamai aao, ua le mafai ona natia ai i le vaai a le uso o Iareto, ona o lana fetalaiga na ia fetalai mai ai te ia, o lea fetalaiga na ia maua i le faatuatua.

21. Ina ua uma ona vaaia e le uso o Iareto le tamatamai aao o le Atua, ona o le folafolaga na maua e le uso o Iareto i le faatuatua, ua le mafai ai le Atua ona natia se mea e tasi i lana vaai. O lea na ia faailoa mai ai ia te ia o mea uma, auā ua le toe mafai ona taofia o ia ai tuāufimata.

22. O le faatuatua foi na maua ai e o'u tamā le folafolaga e oo atu nei mea i o latou uso talu nuu ese; o le mea lea ua poloaiina ai a'u e le Alii, ioe, o Iesu Keriso lava lea.

23. Na ou fai atu ia te ia: Le Alii e, e tauemu mai nuu ese i nei mea, ona o lo matou vaivai i tusitusi; auā, le Alii e, ua e faamalosia i matou i le upu ona o le faatuatua, a ua e le faamalosia i matou i le tusitusi; auā o lau pule na mafai ai lenei nuu uma lava ona tautala ma le malosi, ona o le Agaga Paia na foaiina mai ia te i latou.

24. Ua e faia foi i matou ia le mafai ona tusitusi, a e na o nai mea itiiti, ona o le valea ō matou lima. Silasila mai, ua e le faia i matou ina ia malosi i tusitusi e pei o le uso o Iareto, auā na e faia o ia ina ia matua malosi mea na ia tusia e pei o oe, e oo i le faavaivaiina o tagata pe a faitau ai.

25. Ua e faia foi a matou upu ina ia mamana ma malosi, o lea ua le mafai ai ona matou tusia; o lea, pe a matou tusitusi, matou te iloa lo matou vaivai, ma taupaū ona o le fesootaiga o a matou upu. Ou te fefe, ne'i tauemu mai nuu ese i a matou upu.

26. Ina ua uma ona ou fai atu nei upu, ua fetalai mai le Atua ia te au, ua faapea mai: E tauemu o ē valelea, a e peitai, e faanoanoa i latou; a ua lava lo'u alofa tunoa i ē agamalu, latou te le tauemu ai ona o lo outou vaivai.

27. Afai e o mai tagata ia te au, ou te faailoa atu ia te i latou lo latou vaivai. Ou te tuuina atu i tagata le vaivai, ina ia latou faamaulalo ai; ma ua lava lo'u alofa tunoa i tagata uma o ē

faamaulaloina i latou lava i o'u luma; auā afai latou te faamaulaloina i latou lava i o'u luma, ma faatuatua ia te au, ona ou faia lea o mea vaivai ma mea malolosi ia te i latou.

28. Faauta, ou te faailoa atu i nuu ese o latou vaivai, ou te faailoa atu foi ia te i latou o le faatuatua, ma le faamoemoe, ma le alofa e ta'ita'i mai ai tagata ia te au—o le puna o le amiotonu uma.

29. O a'u foi o Moronae, ina ua ou faalogo i nei upu, ua faamafanafanaina ai a'u ma ua ou faapea atu: Le Alii e, ia faia lou finagalo tonu, auā ua ou iloa ua e galue i le fanauga a tagata e tusa ma lo latou faatuatua.

30. Auā na fai atu le uso o Iareto i le mauga o Serima: Ina alu ese ia, ona alu ese ai lea. Ana le faatuatua o ia, po ua le alu ese ai; o le mea lea ua e galue ai pe a muamua ona faatuatua tagata.

31. Auā sa faapea lava ona e faailoa mai o oe lava i ou soo. Auā ua muamua ona latou faatuatua, ma ua tautala i lou suafa, ona e faailoa mai ai lea o oe lava ia te i latou ma le mana tele.

32. Ua ou manatua foi na e fetalai mai, ua e saunia se fale mo tagata; ioe, i maota o lou Tamā, e maua ai e tagata le faamoemoe silisili; o lea e tatau ai ona faamoemoe le tagata; a leai, e le mafai ona maua e ia se tofi i le mea ua e saunia.

33. Ma le tasi foi, ua ou manatua na e fetalai mai ua e alofa i le lalolagi ua oo lava ina e foaiina mai lou soifua mo le lalolagi, ina ia ē toe maua ai ina ia sauni le mea e nonofo ai le fanauga a tagata.

34. O lenei foi, ua ou iloa o lenei alofa ua ia te oe mo le fanauga a tagata, o le alofa moni lea; o lea, sei iloga ua i ai le alofa i tagata, e le mafai ai ona maua e i latou le mea ua e saunia i maota o lou Tamā.

35. O lea ua ou iloa ai lenei mea ua e fetalaia mai, afai e leai se alofa i nuu ese ona o lo matou vaivai, e te tofotofoina i latou ma aveeseina la latou taleni, ioe, o le mea ua uma ona latou maua, ona e avatu ai lea ia te i latou o e ua sili ona tele a latou mea.

36. Ua oo foi ina ou tatalo i le Atua na te foaiina mai i nuu ese le alofa tunoa, ina ia ia te i latou le alofa.

37. Ua oo foi ina fetalai mai le Atua ia te au: Afai e leai so latou alofa, e le afaina lea ia te oe; ua e faamaoni, o lea e faamamāina ai ou ofu. Ona ua e iloa lou vaivai, e faamalosia ai oe, e iu ai ina e nofo i le mea ua ou saunia i maota o lo'u Tamā.

38. O lenei foi, o a'u o Moronae, ou te faatofā atu i nuu ese, ioe, atoa ma o'u uso ua ou alofa i ai, seia oo ina tatou feiloai i luma o le nofoa faamasino o Keriso, e iloa e tagata uma ua le pisia o'u ofu i lo outou toto.

39. Ona outou iloa ai lea ua ou vaaia Iesu, ma ua fetalai mai o ia ia te au, ua ma faafesagai lava; na ia fetalai mai foi ia te au ma le faamaulalo i nei mea, e pei ona tautala se tagata ma se tasi i la'u lava gagana.

40. E itiiti foi mea ua ou tusia, ona o lo'u vaivai i tusitusi.

41. O lenei foi, ou te fia apoapoai atu ia te outou, Ia outou saili ia Iesu ua tusia e le au perofeta, ma le au aposetolo ina ia i ai ma nonofo tumau ia te outou e faavavau le alofa tunoa o le Atua le Tamā, atoa ma le Alii o Iesu Keriso, ma le Agaga Paia, o Lē molimau ia te i laua. Amene.

MATAUPU 13.

Ua faia pea e Moronae le tala faasolopito o le aiga o sa Iaretō —O Eteru ma ana valoaga—Ua lamatia lona ola—Ua ia nofo i le ana o le papa—Ua ia vaai i le pō o le faafanoga ua oo i luga o lona nuu.

1. O lenei foi, o a'u o Moronae, ou te taufaaiu la'u tusi i le faafanoga o le nuu ua ou tusi ai nei.

2. Auā faauta, na latou teena upu uma a Eteru, auā, e moni, na ia ta'u atu ia te i latou o mea uma talu le amataga o tagata; ina ua uma ona maui le vai ai lenei laueleele, ua avea ai ma nuu ua sili ona lelei i nisi nuu uma lava, o le nuu foi ua filifilia e le Atua; o lea foi ua finagalo ai le Atua ia auauna atu ia te ia tagata uma o ē nonofo i luga o le fogaeleele.

3. O le mea foi lea e i ai le Ierusalema Fou e alu ifo nai le lagi ma le afioaga paia o le Atua.

4. Faauta, na iloa e Eteru ona po o Keriso, na ia tautala atu foi e uiga i le Ierusalema Fou i lenei nuu.

5. Na ia tautala foi e uiga i le aiga o Isaraelu ma le Ierusalema e sau ai Liae; pe a uma ona faaumatia, e toe atiina e fai ma aai paia mo le Atua, o lea e le mafai ai ona fai ma Ierusalema Fou, auā sa i ai anamua; a e peitai, e toe atiina ae ai ia avea ma aai paia mo le Atua; e atiina ae ai foi mo le aiga o Isaraelu.

6. E atiina ae foi le Ierusalema Fou i lenei nuu, i ē totoe o le fanauga a Iosefa, sa i ai foi le faatusa o nei mea.

7. Auā e pei ona ave ifo e Iosefa lona tamā i le nuu o Aikupito, ua faapea lava ona oti ai o ia, o lea na aumai ai e le Atua o ē totoe o le fanauga a Iosefa nai le nuu o Ierusalema, ina ia alofa o ia i le fanauga a Iosefa, ina ia le fano i latou, e pei lava ona alofa o ia i le tamā o Iosefa ina ia le fano o ia.

8. O lea e faatuina ai i lenei nuu o ē totoe o le aiga o Iosefa, e fai foi mo latou tofi; latou te atiina ae le aai paia mo le Atua, e pei lava o le Ierusalema tuai; e le toe faamaina i latou, seia oo mai le gataaga e mavae atu ai le lalolagi.

9. Ona i ai lea le lagi fou ma le lalolagi fou, e tutusa lava ma mea tuai, a e na ona mavae atu mea tuai, ma faafouina mea uma lava.

10. Ona oo mai ai lea le Ierusalema Fou. Amuia i latou o ē nonofo ai, auā o i latou na ua faasinasinaina o latou ofu i le toto o le Tamai Mamoe; o i latou foi ia e faitaulia faatasi ma ē totoe o le fanauga a Iosefa, o lo le aiga o Isaraelu.

11. Ona oo mai ai lea le Ierusalema tuai; amuia i latou o ē nonofo ai, auā ua uma ona faamamāina i latou i le toto o le Tamai Mamoe; o i latou foi ia o e sa faataapeapeina ma ua faapotopotoina mai mai itu e fa o le lalolagi, mai nuu foi i le itu i matu, ma ua tofutofusia i le faataunuuina o le feagaiga na osia e le Atua ma lo latou tamā o Aperaamo.

12. Pe a oo mai nei mea, ona faataunuuina ai lea o tusi paia ua faapea mai: E i ai i latou na muamua e avea ma mulimuli, e i ai foi i latou na mulimuli e avea ma muamua.

13. Sa fai a a'u tusia nisi mea, a ua vaoia a'u; a e peitai, ua tetele ma le ofoofogia valoaga a Eteru, a ua latou manatu e tusa ma le leai o ia, ma ua tulieseina o ia, ma ua lafi o ia i le ana o le papa i le ao, a ua fealuai o ia i

le po e vaai atu i mea e oo mai i luga o le nuu.

14. Ina o nofo o ia i le ana o le papa, na ia faia le vaega ua totoe o lenei tusi, ua vaai atu i le po i le faafanoga na oo mai i le nuu.

15. Ua oo foi i lea lava tausaga na tulieseina ai o ia i le nuu ina amata ona i ai le taua tele i le nuu; auā sa i ai nisi e toatele, o tagata malolosi i latou, ua tutulai ma saili e faaumatia Korianetuma i a latou togafiti faalilo a le amioleaga ua uma ona talatalaina atu.

16. O lenei foi, ua a'oaoina Korianetuma i le faiga o taua uma ma le atamai uma o le lalolagi, o lea na ia tau ai le taua ma i latou o e na saili e fasioti ia te ia.

17. A e peitai, ua le salamo o ia, po o ona atalii aulelei, po o ona afafine; po o atalii ma afafine lalelei o Ko'oro; po o atalii ma afafine lalelei o Kori'oa; ua leai lava ni atalii ma afafine lalelei i luga o le fogaeleele atoa ua salamo i a latou agasala.

18. O lenei, ua oo i le tausaga muamua na nofo ai Eteru i le ana o le papa ina fasia tagata e toatele i le pelu a ia pulega faalilo i le taua ma Korianetuma, ina ia maua e i latou le malo.

19. Ma ua oo ina tau soo atalii o Korianetuma, ma ua maligi tele ai le toto.

20. O lona lua o tausaga na oo mai ai le afioga a le Atua ia Eteru, ia alu atu o ia ma vavalo atu ia Korianetuma, afai e salamo o ia faatasi ma lona aiga uma, e foaiina mai ia te ia e le Atua lona malo, ma faasaoina le nuu.

21. A leai, e faaumatia i latou ma lona aiga uma, a e faatoeina na o ia lava, na ona ola foi o ia ma vaaia le faataunuuina o valoaga na talatalaina mai e uiga i le tasi nuu e maua le laueleele e fai mo latou tofi; e tanumia foi Korianetuma e i latou; e faaumatia tagata uma, a e toe na o Korianetuma.

22. Ua oo foi ina le salamo Korianetuma, po o lona aiga, po o le nuu; ma ua le ola le taua; ua latou saili foi e fasioti ia Eteru, a ua sola o ia i o latou luma, ma ua toe lafi i le ana o le papa.

23. Ma ua oo ina tulai Sareto, na ia tau foi le taua ma Korianetuma, ma ua manumalo o ia ia te ia, ua iu ina ave o ia faatagatataotaua i lona tolu o tausaga.

24. Na manumalo atalii o Korianetuma ia Sareto i lona fa o tausaga, ma ua toe maua le malo mo lo latou tamā.

25. O lenei, ua amata ona i ai le taua i luga o le fogaeleele atoa, ua taitasi le tagata ma lana au, ua tau i le mea ua manao ai o ia.

26. Sa i ai foi fao mea; a e le gata i lea, a ua i ai amioleaga uiga eseese i luga o le fogaeleele atoa.

27. Ua oo ina ita matuā tele Korianetuma ia Sareto, ma ua latou o atu faatasi ma ana au e tau ma ia; ua fetaui i latou ma le feitagai tele, ma ua latou faafetaiai o ia i le vanu o Kilikala, ma ua matua faigata tele le taua.

28. Ma ua oo ina tau Sareto ma ia e tusa ma aso e tolu. A ua oo ina manumalo Korianetuma ia te ia, ma ua tuliloaina o ia e oo i le laueleele laugatasi o Eselona.

29. Ua oo foi ina toe tau Sareto ma ia i le laueleele laugatasi. Faauta foi, ua manumalo o ia ia Korianetuma, ma ua toe tulia mai o ia i le vanu o Kilikala.

30. Ma ua toe tau Korianetuma ma Sareto i le vanu o Kilikala, na manumalo ai o ia ia Sareto ma na fasia o ia.

31. Ua manu'a Korianetuma i

lona ogāvae e Sareto, ua le toe alu atu ai o ia i le taua e tusa ma tausaga e lua; o ia tausaga foi ua faamasaaina ai le toto e le nuu uma i luga o le fogaeleele atoa, ua leai foi se tasi e vavao atu ia te i latou.

MATAUPU 14.

Ua fetuuina le laueleele—Ua alu pea lava le fefinaua'i ma le faamasaaina o le toto—E le oti Karianetuma i le pelu.

1. O lenei foi, ua amata ona i ai le fetuu tele i le laueleele uma ona o le amioletonu a le nuu; ua faapea, afai e faaee e le tagata lana mea e fai a'i galuega, po o lana pelu i luga o lona fata, po o se tasi mea e loto i ai o ia e tausi ai, faauta foi, a oo i le taeao ua le maua ai e ia, ua faapea ona tele le fetuu i luga o le laueleele.

2. O le mea lea ua uumau ai tagata taitasi i lana lava mea i ona lima, ma ua le nonō atu, pe avatu e ia; ua taofi e tagata taitoatasi le au o lana pelu i lona lima taumatau, ina ia leoleo ai ana mea, ma lona lava ola, ma ola o ana avā ma fanau.

3. O lenei foi, ina ua mavae atu tausaga e lua talu le oti o Sareto, faauta, ua tulai le uso o Sareto, ma ua tau o ia ma Korianetuma, ua manumalo ai Korianetuma ia te ia, ma ua tuliloa ia te ia e oo atu i vao matua o Akiso.

4. Ua oo foi ina tau le uso o Sareto ma ia i le vao matua o Akiso; ma ua matua faigata tele lea taua, na fasia afe e toatele i le pelu.

5. Ua oo foi ina vagavagaia e Korianetuma le vao matua, a ua alu ese le uso o Sareto ai le vao matua i le po, ma na fasia se vaega o le au a Korianetuma ina o onanā i latou.

6. Ua oo atu o ia i le nuu o Morona, ma ua nofo o ia i le nofoālii o Korianetuma.

7. Ma ua oo ina nonofo Korianetuma ma lana au i le vao matua e tusa ma tausaga e lua, na maua ai e ia le malosi tele i lana itutaua.

8. O lenei, ua maua foi e le uso o Sareto, (o lona igoa o Kiliata,) le malosi tele i lana itutaua, ona o pulega faalilo.

9. Ua oo foi ina fasiotia o ia e lana faitaulaga sili, ina o ti'eti'e o ia i lona nofoālii.

10. Ma ua oo ina fasiotia o ia e le tasi ua i le pulega faalilo i le auala lilo, ma ua maua e ia le malo, o lona igoa foi o Lipi; ma ua matua tino ese Lipi, e sili i nisi tagata uma lava i le nuu.

11. Ua oo foi i le tausaga muamua o Lipi ina sau Korianetuma i le nuu o Morona ma ua tau le taua ma Lipi.

12. Ma ua oo ina tau o ia ma Lipi; na taia o ia i lona lima e Lipi, ua manu'a ai o ia; e ui i lea, ua matua fetaomi i luma le itutaua a Korianetuma ia Lipi, ua sola ai o ia i le itunuu e lata atu i le sami.

13. Ua oo ina tuliloaina o ia e Korianetuma ma ua tau i laua ma Lipi i le matafaga.

14. Ua oo foi ina fasia le au a Korianeuma e Lipi, ua latou toe sosola ai i le vao matua o Akiso.

15. Ma ua oo ina tuliloaina o ia e Lipi, ina seia oo atu o ia i le laueleele laugatasi o Akosa. Ua aveina atu e Korianetuma faatasi ma ia o tagata uma i lena itu o le nuu na ia sola i ai, ina o sola o ia i luma o Lipi.

16. Ina ua oo atu o ia i le laueleele laugatasi o Akosa, ua tau ai le taua e i laua ma Lipi, ma na taia o ia seia oti ai; e ui i lea, ua sau le uso o Lipi, ma ua

fai mona sui e tau ma Korianetuma, ma ua matua faigata tele le taua, ua toe sola ai Korianetuma i luma o le au a le uso o Lipi.

17. O lenei, o le igoa o le uso o Lipi ua ta'ua o Sesa. Ua oo foi ina tuliloaina Korianetuma e Sesa, ma ua faatoilaloina e ia o aai e tele, ma na fasia fafine atoa ma tamaiti, ma ua ia susunuina a latou aai.

18. Ma ua oo atu i le nuu atoa le mata'u ia Sesa; ioe, ua alu atu foi le alaga i le nuu: O ai sē lavā tu i luma o le au a Sesa? Faauta, e tafi e ia le laueleele i ona luma!

19. Ua oo foi ina amata ona lolofi mai le nuu i luga o le fogaeleele uma.

20. Ua vaevaeina foi i latou, ua sosola atu le tasi vaega o i latou i le itutaua a Sesa, a ua sosola le isi vaega o i latou i le itutaua a Korianetuma.

21. Ma ua faapea ona tele ma umi le taua, ma ua faapea ona tele aso o le faamasaaina o le toto ma le malaia, ua ufiufitia ai le fogaeleele uma i tino o e ua oti;

22. Ua faapea ona tele vave ma faataalise le taua, ua le toe ai se tasi e tanu tagata oti; a ua latou savavali atu nai le faamasaaina o le toto i le faamasaaina o le toto, ua tuu tino o tane ma fafine atoa ma tamaiti o faasalalauina i luga o le fogaeleele, e fai ma mea e 'ai i anufe o le tino.

23. Ua alu atu ai foi le manogi i luga o le fogaeleele, e oo lava i le fogaeleele atoa; o lea ua tigaina ai le nuu i le ao ma le po ona o le manogi.

24. E ui i lea, ua le tuu e Sesa le tuliloaina o Korianetuma, auā ua tauto o ia e taui ma sui i luga o Korianetuma le toto o lona uso ua fasiotia, ma le afioga a le Atua na oo mai ia Eteru, e le oti Korianetuma i le pelu.

25. Ma ua faapea ona tatou iloa ua asiasi mai le Atua ia te i latou ma le atoatoa o lona toasa; o la latou amioleaga foi ma mea inosia na saunia ai le ala o lo latou malaia faavavau.

26. Ua oo foi ina tuliloa Sesa ia Korianetuma i sasae, ua oo lava i le itunuu i le matafaga, ma ua tau o ia ma Sesa i aso e tolu.

27. Ma ua faapea ona matautia tele le malaia i au a Sesa, ua amata ona matata'u ai le nuu, ma ua amata ona sosola i luma o au a Korianetuma; ua latou sosola atu foi i le nuu o Kori'oa, ma ua tafieseina e i latou i o latou luma o tagata na nonofo ai, o i latou uma o e ua le au ma i latou.

28. Na latou faatuina o latou fale ie i le vanu o Kori'oa; ua faatuina foi e Korianetuma ona fale ie i le vanu o Suro. O lenei, ua latalata le vanu o Suro i le mauga o Kominoa; o lea na faapotopotoina faatasi ai e Korianetuma ana au i luga o le mauga o Kominoa, ma ua ili atu le pu i au a Sesa, e valaau atu ai ia te i latou e o mai e tau le taua.

29. Ua oo foi ina latou o mai, a ua toe tulia i latou; ua latou o mai faalua, ma ua tulia faalua. Ua oo foi ina latou o mai faatolu, ma ua matua faigata tele le taua.

30. Ma ua oo ina taia Korianetuma e Sesa, ua tele manu'a tetele na ia fasi ai o ia; ua matapogia foi Korianetuma, ona ua faamaligiina lona toto, ma ua aveeseina o ia e peiseai ua oti.

31. O lenei, ua faapea ona tele le fasi o tane, ma fafine, ma tamaiti i itutaua uma e lua, ua poloai atu ai Sesa i ana au, aua latou te tuliloaina au a Korianetuma, o lea na latou toe foi atu ai i lo latou toagalauapi.

MATAUPU 15.

O le mauga o Rama po o Kumora—O sauniuniga mo le taua tele—E tele miliona o ē ua paūū ma ua fasiotia—Ua fasiotia e Korianetuma ia Sesa—O upu faai'u a Eteru—O le faai'uga o le tala i le aiga o Iareto.

1. Ua oo foi ina ua uma ona malolo Korianetuma i ona manu'a, ua amata ona manatua e ia o upu na fai atu e Eteru ia te ia;

2. Na iloa e ia ua tali atoa le lua miliona o lona nuu ua fasia i le pelu, ona amata ai lea ona faanoanoa o ia i lona loto; ioe, ua fasia le lua miliona tagata malolosi, atoa ma a latou avā ma a latou fanau.

3. Ua amata ona salamo o ia i le leaga na ia faia; ua amata foi ona manatua e ia o upu uma na talatalaina mai i fofoga o perofeta uma, ma ua iloa ua matua faataunuuina e oo i na ona aso; ua faanoanoa foi lona agaga ua le mafaamafanafanain.

4. Ua oo foi ina tusia e ia o le tusi ia Sesa, ua manao mai ia te ia ia faasaoina le nuu, a e na te tuuina atu le malo, ona o ola o le nuu.

5. Ma ua oo ina ua maua e Sesa lana tusi, ua tusi mai e ia le tusi ia Korianetuma, afai na te ifo ia te ia, ina ia fasiotia o ia i lana lava pelu, ona faasaoina lea e ia o ola o le nuu.

6. Ua oo foi ina le salamo le nuu i la latou amioletonu; ua faaosoina le nuu o Korianetuma i le ita i le nuu o Sesa; ua faaosoina foi le nuu o Sesa i le ita i le nuu o Korianetuma; o le mea lea na tau ai le nuu o Sesa ma le nuu o Korianetuma.

7. Ua iloa foi e Korianetuma o le a malaia o ia, ona toe sola ai lea o ia i luma o le nuu o Sesa.

8. Ua oo foi ina taunuu atu o ia i le vai o Ripelianekuma, o lona uiga pe a faamatalaina, e tele, e silisili. O lenei, ua oo mai i latou i nei vai, ona latou faatuina lea o latou fale ie; ua faatuina e Sesa ona fale ie e latalata ane ia te i latou; o le mea lea na tau ai i latou ina ua malama ae le taeao.

9. Ua oo foi ina latou tau le taua matua faigata, ua toe manu'a ai Korianetuma, ua matapogia foi o ia ona o faamaligiina o le toto.

10. Ma ua oo ina fetaomi atu au a Korianetuma i au a Sesa, ua latou manumalo ai ia te i latou, ma faasosola i latou i o latou luma; ma ua sosola atu i latou i le itu i saute, ma ua faatuina o latou fale ie i le mea ua ta'ua o Okati.

11. Ua oo foi ina faatuina e au a Korianetuma o latou fale ie i le mauga o Rāma, o le mauga lea na natia ai mo le Atua e lo'u tamā o Mamona o tusi paia.

12. Ma ua oo ina latou faapotopotoina le nuu atoa i luga o le fogaeleele uma, o i latou uma o e ua le fasia, a e toe na o Eteru lava.

13. Ua oo foi ina vaaia e Eteru le faiga uma o le nuu; na ia iloa foi tagata o e na au faatasi ma Korianetuma, ua faapotopotoina faatasi i le itutaua a Korianetuma; a o tagata o e na au faatasi ma Sesa, ua faapotopotoina faatasi i latou i le itutaua a Sesa.

14. O lea sa i ai i latou e tusa ma tausaga e fa, ua taufaapotopotoina le nuu, ina ia maua e i latou o tagata uma lava ua i luga o le fogaeleele, ina ia latou maua le malosi uma lava ua mafaia.

15. Ua oo foi ina ua faapotopotoina i latou uma, taitoatasi i i le itutaua ua loto i ai o ia, faatasi ma a latou avā ma a latou fanau; ua fai auupega o le taua

o tane, ma fafine, ma tamaiti; ua i ai talita, ma ufifatafata, ma pulou tau; ua faaofuina foi e tusa ma le taua; ona latou savavali atu ai lea, e tau ai o le tasi ma le tasi. Ma ua latou tau i lena aso atoa, a ua le manumalo.

16. Ua oo foi ina ua po ina vaivai i latou, ma ua toe foi atu i latou i o latou toagalauapi; ina ua uma ona foi atu i o latou toagalauapi, ua amata e i latou le uio ma le auega ona o le fasi o lo latou nuu; ma ua faapea ona tele lo latou tagi, ma lo latou uio ma auega, ua matua oo ae ai i le vanimonimo.

17. Ma ua oo i le taeao ina latou toe o atu i le taua; o le aso tele ma le mata'utia lena aso; e ui i lea, ua le manumalo i latou. Ina ua toe oo mai le po, ua toe oo ae i le vanimonimo o latou tagi, ma o latou uiō, ma ō latou tagiauē ona o ē ua fasia o lo latou nu'u.

18. Ua oo foi ina toe tusia le tusi e Korianetuma ia Sesa, ua manao mai ia te ia na te le toe sau e tau le taua, a ia ave mona le malo, ma faasaoina olā o le nuu.

19. A e peitai, faauta, ua le toe finau le Agaga o le Atua ma i latou; a ua pule aoao Satani i loto o le nuu, auā ua tuuina atu i latou i le maaa ō latou loto, ma le tauaso ō latou manatu, ina ia faaumatia i latou; o le mea lea na latou toe o atu ai i le taua.

20. Ua oo foi ina latou tau i lena aso atoa, ina ua oo mai le po, ua latou momoe i luga o a latou pelu.

21. O le taeao foi na latou tau ai seia oo mai le po.

22. Ina ua oo mai le po, ua onanā i latou i le ita, e pei lava ona onā le tagata i le uaina, ma ua latou toe momoe i luga o a latou pelu.

23. A o le taeao foi na latou toe tau; a e peitai, ina ua oo mai le po, ua fasia i latou uma i le pelu, a e toe na o le toalimasefulu ma le toalua o le nuu o Korianetuma, ma le toaonosefulu ma le toaiva o le nuu o Sesa.

24. Ua oo ina latou momoe i luga o a latou pelu i lena po, o le taeao foi ua latou toe tau, ma ua latou tau ma lo latou malosi ma a latou pelu, ma o latou talita, i lena aso atoa.

25. Ina ua oo mai le po, ua toe le toatolusefulu ma le toalua o le nuu o Sesa, ma le toaluasefulu ma le toafitu o le nuu o Korianetuma.

26. Ua oo foi ina latou 'a'ai ma momoe, ma sauni e oti i le aso a taeao. O tagata tino ese ma le malolosi i latou, e tusa ma le malosi o tagata.

27. Ma ua oo ina latou tau e tusa ma ituaso e tolu, ma ua matapogia i latou ona o le toto ua faamaligiina.

28. Ua oo foi ina ua lava le malosi o tagata o Korianetuma ia mafai ona latou savavali, sa fai a latou sosola mo latou ola, a e peitai, faauta, ua tulai Sesa atoa ma ona tagata, ma ua tauto o ia i lona ita, na te fasia Korianetuma, a leai, e fano o ia i le pelu.

29. O lea na ia tuliloaina ai i latou, o le taeao foi na ia maua atu ai ia te i latou, ma ua latou toe tau ma le pelu. Ua oo foi ina ua fasia i latou uma i le pelu, a e toe na o Korianetuma ma Sesa, faauta, ua matapogia Sesa ona o lona toto ua masaa tele.

30. Ma ua oo ina ua uma ona faalagolago Korianetuma i lana pelu, na ia malolo ai teisi, ua ia vavaeeseina le ulu o Sesa.

31. Ua oo foi ina ua uma ona vavaeeseina e ia le ulu o Sesa, ua tulai Sesa i ona lima ma paū; ua tafiti o ia i le fia mānava, ona oti ai lea.

32. Ma ua oo ina paū Korianetuma i le eleele, e peiseai ua leai se ola ia te ia.

33. Ona fetalai mai lea le Atua ia Eteru, ua faapea mai ia te ia: Ina alu atu ia. Ona alu atu ai lea o ia, ma ua iloa ua faataunuuina fetalaiga uma a le Atua; ma ua faaiu e ia lana tusi, (ou te lẹi tusia le tasi vaeselau,) ma ua faapea ona natia e ia ua maua ai e le nuu o Limae.

34. O lenei, o upu taufaaiu nei na tusia e Eteru: E le afaina pe finagalo le Atua e liua a'u, pe oo le finagalo o le Atua ia te au i le tino, pe afai e faaolaina a'u i le malo o le Atua. Amene.

O LE TUSI A MORONAE.

MATAUPU 1.

O le tulaga faanoanoa o Moronae—Ua ia tusia sina tala ma le faamoemoe e aoga i sa Lamanā.

1. O lenei, o a'u o Moronae, ina ua uma ona ou faaiu le faa'ototoina o le tala i le nuu o Iareto, sa ou faapea ou te le toe tusia se mea, a e peitai, e lei fano a'u; ou te le faailoa atu a'u i sa Lamanā, ne'i latou fasiotia a'u.

2. Auā faauta, ua matua faigata o latou taua ia te i latou lava; ona o lo latou ita ua latou fafasi ai sa Nifaē uma o e ua le faafitia le Keriso.

3. O a'u foi o Moronae, ou te le faafitia le Keriso; o lea ou te fealuai solo ai i mea uma ou te mafai ai ina ia faasaoina lo'u lava ola.

4. O lea ou te tusia ai ni nai mea, a ua le pei ona ou manatu ai; auā sa ou faapea ou te le toe tusia se tasi mea, a e peitai, ou te tusi ni nai mea, ai lava e aoga ai i o'u uso o sa Lamanā i se aso o i luma, e tusa ma le finagalo o le Atua.

MATAUPU 2.

E uiga i le foa'iina atu o le Agaga Paia e le toasefulu ma le toalua o sa Nifaē.

1. O upu nei a Keriso na ia fetalai mai i ona soo, o le toatinoagafulu ma le toalua na ia filifilia, ina ua faaee ona aao i luga ia te i latou.

2. Ua ia ta'uta'u o latou igoa, ma faapea atu: Tou te valaau atu i le Tamā i lo'u igoa i le tatalo faatauanau; pe a uma ona outou faia lenei mea, e i ai ia te outou le pule tou te foai atu ai le Agaga Paia i le tou te faaee i ai o outou lima; tou te foaiina atu ai foi i lo'u igoa, auā ua faapea ona faia e o'u aposetolo.

3. O lenei, na fetalai mai e Iesu nei upu ia te i latou i lona muai faaali mai, a ua le lagona e le motu o tagata; a e peitai, ua faalogo i ai le au soo. Na afio ifo le Agaga Paia i luga o i latou

uma lava na latou faaee i ai o latou lima.

MATAUPU 3.

E uiga i le tofia o faitaulaga ma a'oa'o.

1. O le ala lenei na tofia ai faitaulaga ma a'oa'o e le au soo, o e ua ta'ua o toeaina o le ekalesia.
2. Ina ua uma ona latou tatalo i le Tamā i le suafa o Keriso, ua latou faaee atu o latou lima i luga o i latou, ma faapea atu:
3. O le suafa o Iesu Keriso ou te tofia ai oe e fai ma faitaulaga, (a e afai o se a'oa'o, ou te tofia oe e fai ma a'oa'o,) e talai atu le salamo ma le faamagaloina o agasala ona o Iesu Keriso, i le faatuatua tumau i lona suafa e oo i le gataaga. Amene.
4. O le ala lea na latou tofia ai faitaulaga ma a'oa'o, e tusa ma mea alofa ma tofiga mai le Atua i tagata; ma ua latou tofia i latou i le mana o le Agaga Paia sa ia ia te i latou.

MATAUPU 4.

O le ala e faamanuia ai le areto o le faamanatuga.

1. O le ala na fai ai e o latou toeaina ma faitaulaga le tino ma le toto o Keriso i le ekalesia. Ma ua latou faia foi e tusa ma poloaiga a Keriso, o lea ua tatou iloa ai ua tonu le ala, ma ua faia e le toeaina po o le faitaulaga.
2. Ua latou tootuli ma le ekalesia, ma tatalo i le Tamā i le suafa o Keriso, ua faapea atu:
3. Le Atua e, le Tamā Faavavau, matou te faatoga atu ia te oe i le suafa o lou Alo o Iesu Keriso, ia e faamanuiaina ma faapaiaina lenei areto i agaga o i latou uma o ē fetagofi i ai, ina ia latou taumamafa i le faamanatuina o le tino o lou Alo, ma molimau atu ia te oe, le Atua e, le Tamā Faavavau, latou te loto ina ave i o latou luga le suafa o lou Alo, ma manatua pea o ia, ma tausi i ana poloaiga ua ia tuuina mai ia te i latou, ina ia latou maua pea lona Agaga e faatasi ma i latou. Amene.

MATAUPU 5.

O le ala e faamanuia ai le uaina o le faamanatuga.

1. O le ala na fai ai le uaina. Faauta, ua latou tago i le ipu, i le ua faapea atu ai:
2. Le Atua e, le Tamā Faavavau, matou te faatoga atu ia te oe i le suafa o lou Alo o Iesu Keriso, ia e faamanuiaina ma faapaiaina lenei uaina i agaga o i latou uma o ē feinu ai, ina ia latou faia i le faamanatuina o le toto o lou Alo, sa faamaligiina mo i latou; ina ia latou molimau atu ia te oe, le Atua e, le Tamā Faavavau, latou te manatua pea o ia, ina ia latou maua lona Agaga e faatasi ma i latou. Amene.

MATAUPU 6.

O galuega e faia e tagata o le a papatisoina, ma le ala e fai ai le papatisoga—O amioga faale-Ekalesia.

1. O lenei foi, ou te tautala atu e uiga i le papatisoga. Faauta, ua papatisoina toeaina ma faitaulaga ma a'oa'o; a ua le papatisoina i latou, sei iloga ua latou fua mai i fua ua faasino ua tatau ai ia te i latou.
2. Ma ua latou le talia nisi i le papatisoga, sei iloga ua latou o mai ma le loto momomo ma le agaga salamo, ma ua molimau mai i le ekalesia ua latou salamo faamaoni i a latou agasala uma.
3. Ua le talia foi se tasi i le

papatisoga, sei iloga ua latou ave i o latou luga le suafa o Keriso, ma ua mafuli o latou manatu e auauna atu ia te ia e oo i le gataaga.

4. Ina ua uma ona talia i latou i le papatisoga, ma ua liiua ma faamamāina i le mana o le Agaga Paia, ua faitaulia i latou faatasi ma le ekalesia a Keriso, ma ua tusia o latou igoa, ina ia manatulia i latou ma tausia ma le afioga lelei a le Atua, ina ia faatumauina i latou i le ala tonu, ina ia tutumau i latou i le mataala pea ma le tatalo; ua na o le alofa o Keriso e faalagolago i ai, o ia o Le na faia ma Le na faaatoatoaina lo latou faatuatua.

5. Ma ua faapotopotoina soo le ekalesia e anapogi ma tatalo, ma fetautalatalai i le manuia ō latou agaga.

6. Ma ua latou potopoto soo e fetagofi i le areto ma le uaina e faamanatua le Alii o Iesu.

7. Ma ua latou lamalama ma le le faatamala ina ia leai se amioletonu ia te i latou; o i latou uma o e ua iloaina ua faia le amioletonu, ma ua ta!usalaina e molimau e toatolu o le ekalesia i luma o toeaina, afai ua latou le salamo ma ta'uta'u ai, ua tineia o latou igoa, ma ua le faitaulia i latou faatasi ma tagata o Keriso.

8. A e peitai, afai ua salamo i latou, ma saili le faamagaloina o agasala ma le loto i ai, ua faamagaloina i latou.

9. Ua faia foi a latou lotu e le ekalesia e tusa ma le galuega a le Agaga ma le mana o le Agaga Paia; auā e pei ona ta'ita'iina i latou i le mana o le Agaga Paia e lauga atu, pe apoapoai atu, pe tatalo, pe aioi atu, pe pese, ua faapea lava ona faia.

MATAUPU 7.

Ua ta'u atu e Moronae a'oa'oga a Mamona e uiga i le faatuatua, le faamoemoe, ma le alofa.

1. O lenei foi, o a'u o Moronae, ou te tusia nai upu a lo'u tamā, o Mamona, na ia fai atu e uiga i le faatuatua, ma le faamoemoe, ma le alofa; auā sa faapea ona tautala atu o ia i le nuu, ina o a'oa'o atu o ia ia te i latou i sunako na latou faia e tapuai ai:

2. O lenei foi, o a'u o Mamona, ou te tautala atu ia te outou, o'u uso pele e, o le alofa tunoa foi o le Atua, le Tamā, ma lo tatou Alii o Iesu Keriso, ma lona finagalo paia, ona o le mea foaifuaina o lana valaau ia te au, e mafai ai a'u ona tautala atu ia te outou i lenei aso.

3. O le mea lea ou te tautala atu ai ia te outou o e o i le ekalesia, o soo agamalu o Keriso, o e ua maua le faamoemoe ua lava tou te ulu atu ai i le malologa o le Atua, e afua i lenei aso a e oo i le aso tou te malolo ai faatasi ma ia i le lagi.

4. O lenei foi, o'u uso e, ua ou manatu ua i ai nei mea ia te outou ona o lo outou savavali filemu faatasi ma le fanauga a tagata.

5. Auā ua ou manatua le afioga a le Atua, ua faapea mai: Tou te iloa i latou i a latou galuega; auā afai ua lelei a latou galuega, ona lelei ai lea i latou.

6. Auā faauta, ua fetalai mai le Atua: E le mafai le tagata ua leaga ona fai mea lelei; auā afai na te ofo se mea alofa, pe tatalo i le Atua, sei iloga na te faia ma le loto i ai, e le aoga lava ia te ia.

7. Auā faauta, e le tauamiotonuina ai o ia.

8. Auā faauta, afai ua leaga le tagata, ma ua foai atu se mea

alofa, e faia e ia ma le muimui; o le mea lea e tauia ai ia te ia e peiseai ua taofia e ia le mea alofa, o lea e ta'uleagaina ai o ia i luma o le Atua.

9. Ua faapea lava ona ta'uleagaina le tagata, pe afai na te tatalo ma le le loto faamaoni i ai; ioe, e le aoga lava ia te ia; auā e le talia e le Atua se ua faapena.

10. O le mea lea e le mafai ai le tagata leaga ona fai le mea lelei, na te le foai atu foi se mea alofa lelei.

11. Auā faauta, e le mafai le puna oona ona puna mai le vai lelei, e le mafai foi le puna lelei ona puna mai le vai oona; o lea e le mafai ai le tagata ua fai ma auauna a le tiapolo ona mulimuli mai ia Keriso; afai foi na te mulimuli mai ia Keriso, e le mafai o ia ona fai ma auauna a le tiapolo.

12. O lenei, o mea uma ua lelei, e mai le Atua ia; a o mea ua leaga, e mai le tiapolo ia; auā o le tiapolo, o lē ita o ia i le Atua, ma ua tau pea lava ma ia, ma ua valaau ma faalatalata i tagata ia agasala ma fai pe mea leaga.

13. A e peitai, faauta, o le mea ua mai le Atua, e valaau atu ma taufaalata ia faia mea lelei. O lenei, o mea uma ua valaau atu ma taufaalata ia faia mea lelei, ma ia alofa atu i le Atua, ma ia auauna ia te ia, e mai le Atua ia.

14. O lenei, ia outou, o'u uso pele e, ina ne'i faapea outou, e mai le Atua le mea ua leaga, pe faapea, e mai le tiapolo le mea lelei mai le Atua.

15. Auā faauta, o'u uso e, ua tuuina atu ia te outou ia faamasino, ina ia iloa ai e outou le lelei ma le leaga; o le ala foi e faamasino ai, ua manino, e pei o le malamalama o le ao ai le pouliuli o le po, ina ia iloa ai e outou ma le malamalama atoatoa.

16. Auā faauta, ua foaiina mai le Agaga o Keriso i tagata uma lava, ina ia iloa ai e i latou le lelei ma le leaga; o lea ua ou faailoa atu ai ia te outou le ala e faamasino ai; auā o mea uma ua valaau atu ia faia le lelei, ma ua faaoleole atu ia faatuatua ia Keriso, ua aauina atu ai i le mana ma le mea foaifuaina mai a Keriso; o lea tou te iloa ai ma le malamalama atoatoa e mai le Atua ia.

17. A o mea uma e faaoleole i tagata ia faia le amioleaga, aua foi le faatuatua ia Keriso, a ia faafitia o ia, ma le le auauna i le Atua, ona iloa ai lea e outou ma le malamalama atoatoa e mai le tiapolo lava ia, auā o le ala lea e galue ai le tiapolo, auā na te le faaoleole i se tagata ia faia mea lelei, e leai lava; e le faia foi e ana agelu, pe faia e i latou o ē gauai atu ia te ia.

18. O lenei foi, o'u uso e, ona ua outou iloa le malamalama tou te faamasino atu ai, o lea malamalama foi o le malamalama o Keriso, ia outou, ne'i outou faamasino atu ma le sesē, auā o le faamasinoga tou te faamasino atu ai, e faamasinoina ai outou.

19. O le mea lea ou te aioi atu ai ia te outou, o'u uso e, ia outou sailiili ma le filigā i le malamalama o Keriso, ina ia outou iloa le lelei mai le leaga; afai tou te fetagofi atu i mea lelei uma lava, a e le ta'uleagaina ai, e moni, e fai outou ma fanau a Keriso.

20. O lenei foi, o'u uso e, e mafai faapefea ona outou fetagofi atu i mea lelei uma?

21. O lenei, ua oo nei a'u i lena faatuatua na ou fai atu ou te tautala atu ai; ou te ta'u atu foi ia te outou le ala e mafai ai ou-

tou ona fetagofi atu i mea lelei
uma.
22. Auā faauta, ona ua silafia
e le Atua o mea uma lava, ma ua
soifua mai le vavau e oo i le faa-
vavau, faauta, na ia aauina mai
ai agelu e auauna i le fanauga a
tagata, e faailoa mai le afio mai o
Keriso, ona o Keriso foi e oo mai
ai mea lelei uma lava.
23. Ma ua fetalai tino mai e le
Atua i perofeta ma lona lava fo-
foga, e afio mai Keriso.
24. Faauta foi, ua i ai ala e
tele na ia faailoa mai ai mea le-
lei i le fanauga a tagata; o mea
uma ua lelei, e mai ia Keriso ia;
a le o lea, ua pāuu tagata, ma ua
le mafai ona oo mai ia te i latou
se mea lelei e tasi.
25. O lenei, o asiasiga o agelu,
ma upu uma ua tulei mai i le
fofoga o le Atua, ua amata ai ona
faatuatua tagata ia Keriso; o lea
o le faatuatua ua latou fetagofi
atu ai i mea lelei uma; sa faa-
pea lava e oo i le afio mai o
Keriso.
26. Ina ua uma ona afio mai o
ia, ua faaolaina pea tagata i le
faatuatua i lona suafa; o le faa-
tuatua foi ua avea ai i latou ma
atalii o le Atua. E moni, o loo
soifua Keriso, na ia fetalai mai
nei upu i o tatou tamā, ua faapea
mai: O mea lelei uma tou te ole
atu ai i le Tamā i lo'u igoa, ma
le faatuatua tou te maua ai, fa-
auta, e faia ia te outou.
27. O lenei, o'u uso pele e, pe
le toe ai ea vavega, ona ua afio
ae Keriso i le lagi, ma ua tietie
i le itu taumatau o le Atua, e
maua ai mai le Tamā ona tofi i
lona alofa i le fanauga a tagata?
28. Auā na ia faataunuuina
pito uma o le tulafono, e fai mona
i latou uma o ē faatuatua ia te
ia; o i latou foi o ē faatuatua ia
te ia, e uumau i latou i mea lelei
uma; o lea ua fautua ai o ia mo
le fanauga a tagata; ma ua nofo
e faavavau o ia i le lagi.
29. Ona ua ia faia lenei mea,
o'u uso pele e, e le toe ai ea ni
vavega? Faauta, ou te fai atu ia
te outou, e leai; ua le tuu foi e
agelu le auauna mai i le fanauga
a tagata.
30. Auā faauta, ua pule o ia
ia te i latou, e auauna mai e tusa
ma le upu a lana poloaiga, ua
faaali mai i latou i ē faatuatua
malosi ma le tutumau ō latou ma-
faufau i le amioatua uma lava.
31. O le uiga lenei ō latou to-
figa, e valaau atu i tagata ia la-
tou salamo, ma faataunuuina ma
faia le galuega a feagaiga a le
Tamā na ia osia ma le fanauga a
tagata, e ta'utino atu le afioga a
Keriso i ipu filifilia a le Atua, ina
ia latou molimau atu ia te ia.
32. Ma ua faapea ona sauniuni
e le Alii le Atua le ala e faatua-
tua ai ia Keriso o tagata uma ua
totoe, ina ia maua e le Agaga
Paia le mea e nofo ai i o latou
loto, e tusa ma lona mana, e faa-
pea ona faataunuuina e le Tamā
o feagaiga na ia faia ma le fa-
nauga a tagata.
33. Ua fetalai mai Keriso:
Afai tou te faatuatua ia te au, e
ia te outou le mana e fai mea
uma e tatau ia te au.
34. Ua fetalai mai foi o ia:
Inā salamo ia, outou tuluiga uma
o le lalolagi e, ma o mai ia te
au, ma ia papatisoina i lo'u igoa,
ma ia faatuatua mai ia te au, ina
ia faaolaina outou.
35. O lenei foi, o'u uso pele e,
afai e faapea ua tonu nei mea ua
ou tautala atu ai ia te outou, e
faailoa mai foi e le Atua ia te
outou i le mana ma le mamalu
tele i le aso gataaga, ua tonu
lava ia mea; afai ua tonu lea, po
ua iu ea le aso o vavega?
36. Po ua le toe faaali ea agelu
i le fanauga a tagata? Po ua

taofia ea e ia le mana o le Agaga Paia mai ia te i latou? Pe faia ea e ia a o tumau tausaga, pe mautu le lalolagi, pe toe se tasi tagata i luga o le fogaeleele e faaolaina?

37. Faauta, ou te fai atu ia te outou, e leai, auā o le faatuatua e fai ai vavega; o le faatuatua foi ua faaali mai ai agelu ma auauna mai i tagata; o lenei, afai ua iu nei mea, oi talofa i le fanauga a tagata, auā ua faapea ona o lo latou le faatuatua, ma ua le aoga mea uma.

38. Auā e le mafai ona faaolaina se tagata, e tusa ma afioga a Keriso. sei iloga ua latou faatuatua i lona suafa; o lenei, afai ua iu nei mea, ua iu foi le faatuatua, ma ua matua malaia tagata, auā o loo i ai i latou e peiseai ua le faia se togiola.

39. A e peitai, faauta, o'u uso pele e, ua ou manatu ua sili outou i na mea, auā ou te manatu ua outou faatuatua ia Keriso, ona o lo outou faamaulalo; auā afai tou te le faatuatua ia te ia, ona le tatau lea ona faitaulia outou faatasi ma tagata o lana ekalesia.

40. I le ma lenei, o'u uso pele e, ou te tautala atu ia te outou e uiga i le faamoemoe. E mafai faapefea ona outou maua le faatuatua, sei iloga ua ia te outou le faamoemoe?

41. Po o le a le mea tou te faamoemoe i ai? Faauta, ou te fai atu ia te outou, e ia te outou le faamoemoe ona o le togisala o Keriso, ma le mana o lona toe tu mai, ina ia faatuina i le ola faavavau; o lenei foi ona o lo outou faatuatua ia te ia e tusa ma le mea ua folafolaina.

42. O lenei, afai ua i ai le faatuatua i se tagata, e tatau ona i ai ia te ia le faamoemoe, auā a leai se faatuatua, e le mafai ona i ai se faamoemoe.

43. I le ma lenei foi, faauta, ou te fai atu ia te outou, na te le mafai lava ona faatuatua ma faamoemoe, sei iloga e agamalu ma loto maulalo o ia.

44. Afai ua le faapea, e le aoga lona faatuatua ma faamoemoe, auā e le talia e le Atua se tasi, na o ē agamalu ma loto maulalo, afai foi e agamalu ma loto maulalo se tagata, ma ua ta'uta'u atu i le mana o le Agaga Paia, o Iesu o le Keriso ia, e ao ina i ai ia te ia le alofa; auā afai ua le ia te ia le alofa, e le aoga o ia; o lea e ao ai ina i ai ia te ia le alofa.

45. E onosai le alofa, e agamalu, e le losilosi, e le faafefeteina, e le saili e ia ana lava mea, e le faaitaitagofie, e le mafaufau i le leaga, e le fiafia i le amioleaga, a e fiafia i le faamaoni, e faatoatoa i mea uma, e talitonu i mea uma, e faamoemoe i mea uma, e onosai i mea uma.

46. O lenei, o'u uso pele e, afai e leai se alofa ia te outou, e le aoga lava outou, auā e le uma le alofa. O le mea lea ia outou uumau ai le alofa, ua silisili i mea uma, auā e faaleaogaina mea uma.

47. A o le alofa moni, o le alofa mamā lea o Keriso, e tumau ia e faavavau; o i latou uma foi ua maua ua i ai lea alofa i le aso gataaga, e lelei ia te i latou.

48. O le mea lea, o'u uso pele e, ia outou tatalo atu ai i le Tamā ma le malosi uma o le loto, ina ia faatumuina outou i lenei alofa ua foaiina mai ia te i latou uma o e ua fai ma soo faamaoni o lona Alo o Iesu Keriso, ina ia avea outou ma atalii o le Atua, ina ia foliga i tatou ia te ia pe a faaalia mai o ia, auā tatou te iloa atu ia te ia e pei lava ona i ai nei o ia, ina ia ia te i tatou lenei faamoemoe, ina ia faamamāina i

tatou, e pei ona mamā o ia.
Amene.

MATAUPU 8.

O le tusi a Mamona ia Moronae —Ua le tatau i tamaiti laiti le salamo po o le papatisoga.

1. O le tusi lenei a lo'u tamā
o Mamona, ua tusia ia te au, o
Moronae; na tusia ia te au ina
ua faatoa valaauina a'u i le ga-
luega. Sa faapea ona tusitusi
mai o ia ia te au, ua faapea mai:
2. Lo'u atalii pele e, Moronae,
ua ou matua fiafia tele ona ua
manatulia oe e lo'u Alii o Iesu
Keriso, ma ua valaauina oe i lona
faiva ma lana galuega paia.
3. Ua ou manatua pea oe i a'u
talotaloga, ua ou tatalo e le au-
noa i le Atua, le Tamā, i le suafa
o lona Alo o Iesu, ina ia tausia
oe e ia i le faatumauina o le faa-
tuatua i lona suafa e oo i le ga-
taaga, ona o lona agalelei ma
alofa tunoa e le iu.
4. O lenei foi, lo'u atalii e, ou
te tautala atu ia te oe i le mea
ua ou matua faanoanoa ai: auā
ua ou faanoanoa ona ua tupu fi-
nauga ia te outou.
5. Aua, afai ua ou maua le
tonu, sa i ai finauga ia te outou
i le papatisoina o tamaiti.
6. O lenei foi, lo'u atalii e, o
lo'u manao ia e galue ma le filigā,
ina ia aveeseina ia te outou lenei
mea ua matua sesē; auā o le mea
lena ua ou tusia ai lenei tusi.
7. Ina ua uma ona ou maua le
tala i nei mea mai ia te oe, ua
ou fesili loa i le Atua e uiga i lea
upu. Ma ua oo mai ia te au le
afioga a le Atua i le mana o le
Agaga Paia, ua faapea mai:
8. Faalogo mai ia i upu a Ke-
riso, lou Togiola, o lou Alii, ma
lou Atua. Faauta, ou te lei sau
i le lalolagi e valaau i ē amio-
tonu, a o e ua agasala ina ia
latou salamo; e le aogā le foma'i
i ē malolo, a e nao ē mama'i;
o lenei, ua malolo tamaiti, auā
ua le mafai ona latou faia aga-
sala; o lea o a'u ua aveeseina ai
le faasala a Atamu ia te i latou,
e le pule ai ia te i latou; o a'u
foi ua mavae atu ai le tulafono
o le faaperetomeina.
9. Ua faapea lava ona faaali
mai ia te au le afioga a le Atua
i le Agaga Paia; o lea, lo'u atalii
pele e, ua ou iloa ai ua fai mea
paia ma ulaga i luma o le Atua
lo outou papatisoina o tamaiti.
10. Faauta, ou te fai atu ia te
oe, ia e a'oa'o atu lenei mea, o le
salamo ma le papatisoga i e ua
malamalama ma ua mafai ona fai
agasala; ioe, ia e a'oa'o atu i
mātua e tatau ona latou salamo,
ma ia papatisoina ma faamaulalo
i latou lava, e pei ō latou tamaiti,
ona faaolaina lea i latou uma
faatasi ma o latou tamaiti.
11. E le aoga i o latou tamaiti
le salamo, po o le papatisoga.
Faauta, o le papatisoga ua i le
salamo e oo i le faataunuuina o
poloaiga i le faamagaloina o aga-
sala.
12. A e peitai, ua ola tamaiti
ia Keriso talu le faavaeina o le
lalolagi; a le o lea, o le Atua, o
le Atua alofa faapito ia, o le Atua
foi ua liliu ma faailogaina ta-
gata; auā ua matuā toatele ta-
maiti ua oti a e lei papatisoina.
13. O lenei, afai e le mafai ona
faaolaina tamaiti, sei iloga ua
papatisoina, ai lava ua o atu i la-
tou ia i le seoli e le gata.
14. Faauta, ou te fai atu ia te
oe, o lē faapea ua tatau ona papa-
tisoina tamaiti, o loo i ai o ia i le
au oona ma noanoaga o le amio-
letonu; auā ua le ia te ia le faa-
tuatua, po o le faamoemoe, po o
le alofa; o lea, afai e vavaeeseina
o ia manū o i ai lea manatu, e alu
ifo o ia i seoli.

15. Auā ua matua leaga le manatu faapea, e faaolaina e le Atua le tasi tamaitiiti ona ua papatisoina, a e fano le tasi ona ua le papatisoina.

16. Oi talofa i ē faapiopio faapea ala o le Atua, auā e fano i latou, sei iloga latou te salamo. Faauta, ou te tautala atu ma le malosi, auā ua tofia a'u e le Atua; auā ou te le fefe i se mea e mafaia e tagata, auā o le alofa atoatoa e faate'aeseina ai le fefe uma.

17. Ma ua tumu a'u i le alofa, o le alofa faavavau lena; o le mea lea ua tutusa ai tamaiti uma ia te au; o lea ou te alofa atu ai ma le alofa atoatoa i tamaiti, ua tutusa foi i latou uma, ma ua tofusia i le faaolataga.

18. Auā ua ou iloa o le Atua e le o se Atua alofa faapito, pe liliu, a ua le liliu o ia mai le vavau e oo i le faavavau.

19. E le mafai tamaiti ona salamo; o lenei, o se mea matua leaga lava e faafiti ia te i latou le alofa mamā o le Atua, auā ua ola i latou uma ia te ia ona o lona alofa.

20. O lē faapea e ao ina papatisoina tamaiti, ua faafitia e ia le alofa o Keriso, ma faaleaogaina le togisala mai ia te ia ma le mana o lona togiola.

21. Oi talofa i ē faapea, auā e nofo sala i latou i le oti, ma seoli, ma le puapuaga e le iu. Ou te tautala atu ma le malosi, auā ua poloaiina ai a'u e le Atua. Ia e faalogo i ai ma tausia. A leai, e molia ai oe i ia mea i luma o le nofoa faamasino o Keriso.

22. Auā faauta, ua ola tamaiti uma lava ia Keriso, ua faapea foi i latou o e ua aunoa ma le tulafono. Auā e oo mai le mana o le togiola ia te i latou uma o e ua aunoa ma le tulafono, o le mea lea ua le mafai ai ona salamo lē le ta'usalaina, po o lē le nofo sala, ma ua le aogā le papatisoga i ē faapea.

23. A e peitai, o le ulaga lea i luma o le Atua, o loo ua faafitia ai le alofa o Keriso atoa ma le mana o lona Agaga Paia, ma ua faalagolago i galuega e oti ai.

24. Faauta, lo'u atalii e, e le tatau lava lenei mea, auā e i ai le salamo ia te i latou o e ua ta'usalaina ma fetuuina i le tulafono ua solia.

25. O le faapolopolo foi o le salamo, o le papatisoga lea; o le faatuatua foi e oo mai ai le papatisoga e faataunuuina ai poloaiga; o le faataunuuina o poloaiga e oo mai ai le faamagaloina o agasala.

26. O le faamagaloina foi o agasala e oo mai ai le agamalu ma le loto maulalo; ona o le agamalu foi ma le loto maulalo e oo mai ai le asiasiga o le Agaga Paia; o lea Fesoasoani e oo mai ai le faamoemoe ma le alofa atoatoa; o lea alofa foi e tumau ona o le filigā i le tatalo seia oo mai le gataaga, e nonofo faatasi ai le au paia uma ma le Atua.

27. Faauta, lo'u atalii e, afai ou te le vave atu e tau ma sa Lamanā, ou te toe tusi atu ia te oe. Faauta, o le faamaualuga o lenei nuu, o le nuu lea o sa Nifaē, e faaoo mai ai lo latou malaia, sei iloga latou te salamo.

28. Ia e tatalo, lo'u atalii e, mo i latou, ina ia oo mai le salamo ia te i latou. A e peitai, faauta, ou te fefe ne'i le toe finau le Agaga ma i latou. Ua taumafai e lenei vaega o le nuu ona faaleaogaina le mana ma le pule uma mai le Atua, ma ua latou faafitia le Agaga Paia.

29. Ina ua uma ona teena lenei malamalama tele, lo'u atalii e ele pine ona fano i latou, ina ia faataunuuina ai valoaga na fai mai

ai perofeta, atoa ma fetalaiga a lo tatou Faaola.

30. Tofā, lo'u atalii e, seia ou toe tusi atu ia te oe, pe toe feiloai i taua. Amene.

MATAUPU 9.

O le tusi e lua a Mamona i lona atalii o Moronae.

Ua faia e sa Lamanā ma sa Nifaē amioga leaga ma sauaga—O le poapoa'iga mulimuli ma le alofa a le tamā o Moronae.

1. Lo'u atalii pele e, ou te toe tusi atu ia te oe, ina ia e iloa o loo ola pea a'u; a e peitai, ou te tusia nisi mea e tupu ai le faanoanoa.

2. Auā faauta, na ou tau le taua faigata ma sa Lamanā, a ua le manumalo ai i matou; ua fasia foi i le pelu Akeanetusi, atoa ma Lurama ma Emirona; ioe, ua malaia nisi e toatele ō tatou tagata ua sili ona lelei.

3. O lenei foi, faauta, lo'u atalii e, ou te fefe, ne'i faaumatia e sa Lamanā lenei nuu, auā ua le salamo i latou, ma ua faaosoina pea i latou e Satani i le feitagai.

4. Faauta, ua ou galue e le aunoa ia te i latou. Pe a ou tautala atu ia te i latou i le afioga a le Atua ma le malosi, e gatete i latou ma ita mai ia te au; a ou le tautala atu ma le malosi, latou te faamaaa ai o latou loto; o lea ou te fefe ai, ne'i le toe finau le Agaga o le Atua ma i latou.

5. Auā ua faapea ona tele lo latou ita, ou te manatu ai, e le fefefe i latou i le oti; ua mavae atu lo latou fealofani; a ua latou naunau pea i le toto ma le taui ma sui.

6. O lenei foi, lo'u atalii pele e, e ui i lo latou loto maaa, sei ta galulue ma le filigā, auā afai ta te tuu le galue, e ta'usalaina ai i taua; auā ua ia te i taua le galuega e faia a o i ai i taua i lenei faleapitaga omea, ina ia manumalo i lē ita i le amiotonu uma lava, ma faamalolo ai o taua agaga i le malo o le Atua.

7. O lenei foi, ou te tusia nai upu e uiga i puapuaga o lenei nuu; auā e tusa ma faamatalaga ua ou maua mai ia Amorona, faauta, e i ai i sa Lamanā tagata o taua e toatele ua latou pueina i le olo o Serisa; sa i ai foi tane, ma fafine, atoa ma tamaiti.

8. Ua latou fasiotia tane a na fafine, ma tamā o tamaiti, ma ua latou fafaga fafine i tino o a latou tane, ma tamaiti i tino ō latou tamā; ua latou le avane foi se vai ia te i latou, a e na o sina mea itiiti lava.

9. E ui i lenei mea inosia tele a sa Lamanā, e itiiti lea i le mea ua faia e lo tatou nu'u i Morianetuma. Auā faauta, e toatele afafine o sa Lamanā ua latou avea faatagataotaua. Ua uma ona latou aveese ia te i latou le mea ua sili ona pele ma tāua ai mea uma lava—o le legaviā lea ma le mamā;

10. Ua uma ona latou faia lenei mea, ona latou fasiotia lea i latou i le ala matua saua lava, ua faataugaina o latou tino seia oti ai; ina ua uma ona latou faia lenei mea, ua latou lotulotu 'ai o latou tino, e pei o manu feai, ona o le maaa ō latou loto; ma ua latou faia lenei mea e fai ma faailoga o le toa.

11. E! lo'u atalii pele e, pe faapefea le nuu e pei o lenei, ua aunoa ma le malamalama!

12. (Na o nai tausaga ititi ua mavae atu talu ina fai i latou ma nuu malamalama ma le moomia;)

13. A e peitai, lo'u atalii e, pe

faapefea le nuu e pei o lenei, o loo manao i nei mea inosia!

14. E mafai faapefea ona tatou faamoemoe e taofi e le Atua lona aao ai le faamasinoga ia te i tatou?

15. Faauta, ua tagi lo'u nei loto: Oi talofa i lenei nuu! Le Atua e, afio mai ia i le faamasinoga, ma ufiufitia a latou agasala, ma amioleaga, ma mea inosia i luma o ou fofoga.

16. Ma le tasi, lo'u atalii e, ua toatele fafine ua oti a latou tane ma a latou tama teine, o loo totoe i Serisa; a o mea e 'ai ua le avea e sa Lamanā, faauta, ua aveeseina e le au a Senifae, ma ua tuua i latou e feoai solo i mea e mafai ona latou maua ai mea e 'ai; e mole manava loomatutua e toatele i le ala ma oti ai.

17. Ma ua vaivai le au ua matou faatasi ma a'u; ua i ai au a sa Lamanā i le va o Serisa ma a'u nei, ma ua malaia i lo latou saua faamanu feai o i latou uma o e na sosola atu i le au a Arona.

18. E! le loto leaga o lo'u nuu! Ua aunoa i latou ma le le gaoiā ma le alofa. Faauta, ua na o le tagata a'u nei, ua na o le malosi o le tagata ua ia te au, ou te le toe mafai ona faataunuuina a'u poloaiga.

19. Ua iu·ina malolosi i latou i lo latou mimilo, ma ua faatau feai i latou, o i latou uma lava, o e matutua ma ē iti; ua fiafia i latou i mea uma lava, sei iloga o mea lelei; a ua silia mea uma lava i le puapuaga ō tatou fafine ma o tatou tamaiti i luga o lenei laueleele uma; ioe, e le mata'uta'ua i le laulaufaiva, e le mafai foi ona tusia.

20. O lenei foi, lo'u atalii e, ou te le faaumiumi la'u tala i lenei vaaiga mata'utia. Faauta, ua e iloa le amioleaga a lenei nuu; ua e iloa foi ua aunoa i latou ma le manatu lelei, ma ua le toe lagona i o latou loto fuatiaifo, ma ua sili la latou amioleaga i la sa Lamanā.

21. Faauta, lo'u atalii e, ou te le mafai ona ta'uleleia i latou i le Atua, ne'i taia a'u e ia.

22. A e peitai, faauta, lo'u atalii e, ou te ta'uleleia oe i le Atua, ou te faalagolago ia Keriso e faaolaina oe; ou te tatalo foi i le Atua, na te faasaoina lou ola e vaaia le toe foi mai o lona nuu ia te ia, po o lo latou faafanoga atoatoa; auā ua ou iloa e fano i latou, sei iloga latou te salamo ma foi mai ia te ia.

23. Afai foi e fano i latou, e pei o sa Iaretō, ona o le leaga ō latou loto, o loo saili le taui ma sui—

24. Afai e faapea e fano i latou, ua tatou iloa ua toatele o tatou uso ua faatasi atu ma sa Lamanā, ma le tasi foi, e i ai nisi e toatele e faatasia ma i latou; o lenei, afai e faasaoina oe, a e oti a'u a e le'i vaai atu ia te oe, ia e tusia ni nai mea. A e peitai, ou te faamoemoe ua lata ona ta feiloai, auā ua ia te au tusi paia ou te fia tuuina atu ia te oe.

25. Lo'u atalii e, ia e faamaoni ia Keriso, aua foi e te faanoanoa i nei mea ua ou tusia, e mafatia oe e oo i le oti, a ia faaeaina oe e Keriso, ma ia tumau e faavavau i lou loto o ona puapuaga, ma lona maliu, ma le faaalia o lona tino i o tatou tamā, ma lona alofa, ma onosai, ma le faamoemoe o lona mamalu, ma le ola faavavau.

26. Ia ia te oe ma mafuta ma oe e faavavau le alofa tunoa o le Atua le Tamā, o Le ua maualuga i le lagi lona afioaga, ma lo tatou Alii o Iesu Keriso, o loo tietie i le itu taumatau o lona mana, seia

toilalo mea uma lava ia te ia. Amene.

MATAUPU 10.

O upu faamavae o Moronae ia sa Lamanā—O mea e faia e tagata taitoatasi e maua ai le molimau i le moni o le Tusi Mamona Ua faai'uina e Moronae le tala i ona tagata.

1. O lenei foi, o a'u o Moronae, ou te tusia ni nai mea ua lelei ia te au; ou te tusi atu i o'u uso o sa Lamanā, o lo'u manao foi ia latou iloa ua mavae atu tausaga e fa selau ma le luasefulu ma ona tupu talu ina tuuina mai le faailoga o le afio mai o Keriso.

2. Ou te faamaufaailogaina foi nei tusi, pe a uma ona ou fai atu ni nai upu e fai ma apoapoaiga ia te outou.

3. Faauta, ou te apoapoai atu ia te outou, pe a outou faitau nei mea, afai e tusa ma le poto o le Atua tou te faitau ai, ia outou manatua le finagalo alofa o le Atua i le fanauga a tagata, e afua i le faiga o Atamu, a e oo lava i le aso tou te maua ai nei mea, ina ia mafaufau i ai i o outou loto.

4. Pe a maua e outou nei mea, ou te apoapoai atu ia te outou, ia outou ole atu i le Atua, le Tamā Faavavau, i le suafa o Iesu Keriso, pe le moni ea nei mea; afai tou te ole atu ai ma le loto faamaoni, ma le manatu tonu i ai, ma le faatuatua ia Keriso, na te faalia le tonu i ai ia te outou i le mana o le Agaga Paia.

5. O le mana foi o le Agaga Paia tou te iloa ai le tonu i mea uma lava.

6. O mea uma foi ua lelei, ua tonu ma ua faamaoni ia; o lea e leai ai se mea e lelei e faafiti ia Keriso, a e ta'uta'u atu ai o loo soifua o ia.

7. Tou te mafai ona iloa i le mana o le Agaga Paia o loo soifua o ia; o le mea lea ou te apoapoai atu ai ia te outou, aua tou te faafitia le mana o le Atua; auā o loo galue o ia ma le mana e tusa ma le faatuatua o le fanauga a tagata, e le liu lava ia o le asō, ma taeao, e oo foi i le faavavau.

8. Ma le tasi foi, ou te apoapoai atu ia te outou, o'u uso e, aua tou te faafitia mea alofa a le Atua, auā e matalasi ia; e oo mai foi mai le Atua e tasi. E matalasi foi ala e foaiina mai ai nei mea alofa, a e tasi lava le Atua, o Lē galue i mea uma i tagata uma; ma ua foaiina mai i tagata i faaaliga o le Agaga o le Atua, ina ia manuia ai i latou.

9. Auā faauta, ua tuuina mai i le tasi e le Agaga o le Atua ia a'oa'o atu le upu o le poto;

10. E i le tasi e a'oa'o atu le upu o le malamalama, mai le Agaga e tasi;

11. E i le tasi foi le faatuatua matua tele, e i le tasi foi mea alofa e faamalolo a'i ma'i, mai le Agaga e tasi.

12. O lenei, e i le tasi na te fai vavega;

13. O lenei foi, e i le tasi na te perofeta ane i mea uma;

14. Ma lenei, e i le tasi na te iloa agelu atoa ma agaga e auauna mai;

15. Ma lea, e i le tasi gagana eseese;

16. Ma lea foi, e i le tasi le faamatalaga o gagana atoa ma gagana eseese.

17. O nei mea alofa uma e oo mai mai le Agaga o Keriso; e oo mai ai i tagata. e taitasi ma lana mea e pei ona finagalo i ai o ia.

18. Ou te apoapoai atu ia te outou, o'u uso pele e, ia outou manatua o mea alofa lelei uma lava, e mai ia Keriso ia.

19. Ou te apoapoai atu ia te outou, o'u uso pele e, ia outou manatua e le liu lava ia o ananafi, ma le aso, e oo foi i le faavavau; e faaleagaga nei mea alofa uma ua ou tautala atu ai, e le mavae atu a o tumau le lalolagi, na ona faatatauina i le le faatuatua o le fanauga a tagata.

20. O le mea lea e tatau ai le faatuatua; afai e tatau ona i ai le faatuatua, e tatau foi ona i ai le faamoemoe; afai foi e tatau ona i ai le faamoemoe, e tatau ona i ai foi le alofa.

21. A e afai ua le ia te outou le alofa, e le mafai lava ona faaolaina outou i le malo o le Atua; e le mafai foi ona faaolaina outou i le malo o le Atua, pe afai e le ia te outou le faatuatua; e faapea foi pe afai e le ia te outou le faamoemoe.

22. Afai foi e le ia te outou le faamoemoe, ua faatoilaloina o outou manatu; e oo mai le faatoilaloina o le manatu ona o le amioletonu.

23. E moni, ua fetalai mai foi Keriso i o tatou tamā: Afai e ia te outou le faatuatua, tou te mafaia mea uma lava e tatau ia te au.

24. O lenei foi, ou te tautala atu i tuluiga uma o le lalolagi: Afai e oo mai le aso e mavae atu ai ia te outou le mana ma le mea alofa a le Atua, e faapea ona o le le faatuatua.

25. Oi talofa i le fanauga a tagata afai e faapea, auā e leai se tasi e ia te outou e fai mea lelei, e leai, e leai lava se toatasi. Auā afai e i ai se tasi ia te outou ua fai mea lelei, na te faia i le mana ma le mea alofa a le Atua.

26. Oi talofa i ē lafoai nei mea ma oti ai, auā e oti i latou i a latou agasala, e le mafai foi ona faaolaina i latou i le malo o le Atua; ou te tautala atu foi e tusa ma le afioga a Keriso, ou te le pepelo lava.

27. Ou te apoapoai atu foi ia te outou, ia manatua nei mea, auā e vave mai le aso tou te iloa ai, ou te le pepelo lava, auā tou te iloa a'u i le nofoa faamasino o le Atua; ona fetalai mai ai lea le Alii le Atua ia te outou: Na ou le ta'utino atu ea ia te outou a'u upu, sa tusia e lenei tagata, e pei o le ua valaau mai nai e ua oti? Ioe, e pei o se ua tautala mai mai le efuefu?

28. Ou te talai atu nei mea ina ia faataunuuina perofetaga. Faauta foi, e tūlei mai ai mai le fofoga o le Atua faavavau, e oo atu foi lana afioga ai lea tupulaga i lea tupalaga.

29. E faaali foi e le Atua ia te outou, ua tonu mea ua ou tusia.

30. Ma le tasi, ou te toe apoapoai atu ia te outou ia outou o mai ia Keriso, ma fetagofi atu i mea alofa lelei uma, a e aua le papa'i atu i le mea alofa leaga, po o le mea ua le mamā.

31. Ala mai ia, ina tulai nai le efuefu, o oe na Ierusalema e; ia e ofu i ou ofu matagofie, o oe na le tama fafine a Siona, ia malolosi au fao, ma ia faateleina ou tuaoi e faavavau, ina ia le toe masiasi oe, ina ia faataunuuina feagaiga a le Tamā Faavavau na ia osia ma oe, le aiga o Isaraelu e.

32. Ioe, o mai ia ia Keriso, ina ia faaatoatoaina outou e ia, ma ia teena e outou le amioletonu uma, ma alolofa atu i le Atua ma o outou loto atoa, ma o outou manatu, ma lo outou malosi uma, ona lava ai lea lona alofa tunoa mo outou, ina ia atoatoa ai outou ia Keriso i lona alofa tunoa; afai foi ua atoatoa outou ia Keriso i le alofa tunoa o le Atua, tou te le mafai lava ona faafitia le mana o le Atua.

33. Ma le tasi, afai ua atoatoa

outou ia Keriso i le alofa o le Atua, a e le faafitia lona mana, ona faapaiaina ai lea outou ia Keriso i le alofa tunoa o le Atua, ona o le faamaligiina o le toto o Keriso, o lo le feagaiga lea o le Tamā, e iu i le faamagaloina o a outou agasala, ina ia liua outou ina ia paia ma le le ponā.

34. O lenei foi, ou te fai atu ia te outou uma, tofā! Toe itiiti lava ona ou alu lea e malolo atu i le parataiso o le Atua, seia toe faatasia lo'u agaga ma lo'u tino, ia aumaia a'u ma le manumalo i le vanimonimo, e fetaiai ma outou i luma o le nofoa faamasino lelei o IEOVA, o Lē Silisiliese, o le Faamasino Faavavau ia o ē ola atoa ma e ua oti. Amene.

O LE FAASINO UPU.

A

E

I

O

U

N

P

S

T

V

H

K

R

O TUSI I LE TUSI A MAMONA

O ATA

1. *O le Ali'i o Iesu Keriso*
   Ata na tusia e Heinrich Hofmann

2. *O le Perofeta o Iosefa Samita*
   Ata na tusia e Alvin Gittins

3. *Ua maua e Liae le Liahona*
   Ata na tusia e Arnold Friberg
   Taga'i 1 Nifae 16, itulau 28-29

4. *Ua taunu'u Liae ma lona nu'u i le lau'ele'ele na folafolaina*
   Ata na tusia e Arnold Friberg
   Taga'i 1 Nifae 18, itulau 36

5. *Ua papatiso atu Alema i Vai o Mamona*
   Ata na tusia e Arnold Friberg
   Taga'i Mosaea 18, itulau 153-154

6. *Ua vavalo atu Samuelu le sa Lamanā*
   Ata na tusia e Arnold Friberg
   Taga'i Helamana 16, itulau 366

7. *Ua asiasi atu Iesu Keriso i Amerika*
   Ata na tusia e John Scott
   Taga'i 3 Nifae 11, itulau 337-338

8. *Ua tanumia e Moronae talafa'amaumau a sa Nifaē*
   Ata na tusia e Tom Lowell
   Taga'i Mamona 8, itulau 434-435

TOM LOVELL